CONGRESSUS GENERALIS
DE STATIBUS PERFECTIONIS

SACRA CONGREGATIO DE RELIGIOSIS

SERIES
« CONGRESSUS ET CURSUS SPECIALES »

ACTA ET DOCUMENTA

CONGRESSUS GENERALIS
DE STATIBUS PERFECTIONIS

ROMAE - 1950

Volumen II

LIBRERIA INTERNAZIONALE
PIA SOCIETA' SAN PAOLO
VIA BEATO PIO X
ROMA

Typis Piae Societatis S. Pauli
Via Grottaperfetta 58 - Romae
1 9 5 2

ACTA CONGRESSUS GENERALIS DE STATIBUS PERFECTIONIS

In hoc Actorum secundo volumine publici iuris fiunt Relationes, Communicationes, Argumenta, sive in Congressu ore prolata, sive scripto ad Congressus Directionem missa, circa themata quae diebus 29 et 30 novembris, necnon 1 decembris tractanda proposita sunt.

Relatio III: *Traditio et sensus renovationis relate ad elementa tam communia quam peculiaria statuum perfectionis.*

81   *Orator* - R. P. Agathangelus a Langasco, O. F. M. Cap.

I. — Ni fallor, ante omnia statuendae et proponendae sunt formulae (ut ita dicam) quaestionis seu thematis quod evolvendum mihi reservatum est.

Et quidem, tum relate ad thema generale aliaque themata particularia, praesertim huius primae sectionis; tum relate ad motiva et adiuncta quae occasionem et incitamentum praebuerunt congressui; tum relate ad textum ipsum thematis, prouti evolvendum expressum est.

Haud diffuse, sed omnino concise haec exponam, ne tempus praeteream quod aliis avare concedere saepius coactus sum, quotidianis in sessionibus.

1. Mentem tantisper convertite ad thema generale et ad alia themata relationum, praesertim huius primae sectionis.

Procul dubio illa « accommodata renovatio » quae in themate generali simpliciter enuntiatur et in relatione I ad elementa essentialia ac in relatione II ad elementa specifica applicatur, in hac relatione III perscrutanda est veluti in sua recondita significatione, ut tandem in relatione IV aliisque subsequentibus, sicut ceterum et in communicationibus, ad quaestiones magis concretas, ad singularia problemata, ad particularia adiuncta deduci tandem valeat.

Ex hoc ipso iam clare omnino patet hanc relationem « arcanum » quoddam aperire debere quaestionis fundamentalis totius congressus; illius scilicet quaestionis qua multi (ne dicam omnes) sibi proposuerunt, simul atque audiverunt Congressum celebratum iri pro « renovatione » vitae ac disciplinae religiosae necnon religiosorum educationis atque apostolatus.

« Arcanum » istud gradatim revelabitur ex continuo dicendis, ut tandem plene pateat et eniteat ex declarandis in secunda et in tertia parte relationis.

2. Huiusmodi quaestio fundamentalis a multis iam proposita fuerat. Nam sicut accidit in evolutionibus et revolutionibus historicis, quae nempe haud repentino ictu producuntur, sed sensim sine sensu per intima animorum studia ac per ideas tacite pervulgatas praeparantur, ita etiam alicuius renovatio-

nis vitae religiosae desiderium quasi per aerem nostrorum temporum vagans persentiebatur.

Id significant quaedam scripta passim edita (1), quae satis nota evaserunt eo quod in diario « L'Osservatore Romano » saepius eorum recensio facta est (2). Et quanquam non omnia quae in his scriptis asseruntur vel proponuntur, probanda sint atque laudanda, tamen indicium sunt reconditi illius desiderii, simulque materiam praebent pro dimetiendis ac statuendis terminis intra quos ipsum desiderium probari debet et laudari.

Huc accedunt plurima incepta ad idem desiderium explendum ordinata; quae tamen enumerare non est meum. Sufficit quaestiones de vita spirituali, de educatione religiosa, de apostolatu moderno quem dicunt, vel cursim et leviter aspicere, ut statim appareat ad quam immensam molem excreverit copia documentorum ad has res spectantium (3); ex quibus multa probanda sunt, alia forte reprobanda, quaedam autem discutienda.

Attamen prae omnibus aliis mentionem merentur haud pauca documenta ab ipsa Sancta Sede vel ab ipso Summo Pontifice his postremis temporibus data, ex quibus eruitur mens Sanctae Matris Ecclesiae circa optatam renovationem vitae religiosae et sacerdotalis. Sufficiat mentionem facere de documentis circa Instituta Saecularia (4), quibus haec nova forma vitae (vere quoad substantiam religiosae) apostolica sanctione muniebatur; de Epistulis et allocutionibus ad plures religiosas familias, in quibus Summus Pontifex cuiusque promerita laudabat et actualia officia indicabat (5); de recentissima Apostolica Exhortatione, qua idem Summus Pontifex sacerdotes omnes, religiosos quoque, paterne incitabat ad intimam et profundam cuiusque spiritualem renovationem, his quidem verbis: « Ut paterna haec adhortatio Nostra quod spectat feliciter assequatur, vos etiam atque etiam hisce verbis admonemus, quae hoc Sacro praesertim vertente Anno tam opportuna videntur: « Renovamini... spiritu mentis vestrae et induite novum hominem, qui secundum Deum creatus est in iustitia et sanctitate veritatis » (6).

Ceterum iam in Nuntio Radiophonico in Nativitate Domini dato anni praeteriti, ipse Summus Pontifex universalem quandam renovationem praesagierat, cum dixit: « Ci sembra, che l'Anno Santo 1950 abbia da essere determinante anzitutto per l'auspicata rinnovazione del mondo moderno... Determinante altresì per l'avvenire della Chiesa, all'interno impegnata nello sforzo di rendere più schietta e più diffusa tra i popoli la santità dei suoi membri...» (7).

Ex his iam satius intelligimus quaestionem de renovatione promovenda non esse novam nec omnino inexploratam.

3. Quibus praemissis, progrediamur iam ad quaestionem ipsam ponendam prouti exprimitur in textu praesentis relationis: « Traditio et sensus renovationis relate ad elementa tam communia quam peculiaria statuum perfectionis ».

Primo intuitu videretur argumentum nostrum iam in praecedentibus relationibus exhaustum vel saltem ex parte praeoccupatum fuisse. Sed, attentius consideranti patebit in nostro themate esse aliquid novum, id est quod enuntiatur per verbum « traditio », prouti videtur opponi ad renovationem ut supra auspi-

---

(1) Cfr. ex. gr. in *La vie spirituelle, Supplément*, Paris, in *Vita Cristiana*, Fiesole.

(2) Cfr. ex. gr. sub tit. *Congiunture d'oggi*, 13 Aprilis 1950; 14 Sept. 1950.

(3) Plura ex huiusmodi inceptis, aliquo modo, patebunt ex dicendis, ex. gr., in Argumento 1, diei 6 dec.

(4) Cfr. AAS., 1947, p. 114; 1948, pp. 283 et 293.

(5) Cfr. AAS., 1939-1950, passim; DR. 1939-1950.

(6) AAS., 1950, p. 700.

(7) AAS., 1950, p. 122.

catam, seu ad illud desiderium renovationis quod scatere perspeximus ex pluribus adiunctis aetatis nostrae.

Et quidem in hoc est nucleus magnae quaestionis enodandae, nempe — quanam ratione componi seu conciliari valeant duo termini, qui, si textum attendimus, videntur inter se pugnare: « traditio » nempe et « sensus renovationis ».

Quaestio forte difficilior est quam primo intuitu apparet. Consulto superius adnotavimus «arcanum» quoddam latere sub quaestionis terminis.

II. Igitur, terminos ipsos vel vocabula quaestionis per seriem subtiliorum distinctionum explicare debemus, omittentes tamen explicationes quae haud stricte requiruntur. Videamus ergo quid significet « traditio » — quid « sensus renovationis » — quae relatio intercedat inter utramque vocem seu potius inter res iisdem significatas.

1. « Traditio » per se nihil aliud est quam memoria seu recordatio eorum quae facta vel dicta sunt anteactis temporibus, prouti ab hominibus « tradi » (unde « traditio »...) solet de generatione in generationem.

In themate autem nostro vox « traditio » significationem profundiorem consequitur; est proinde, potius quam abstracta quaedam memoria seu recordatio, complexus morum seu ratio vivendi, prouti in religiosa qualibet familia tradita est, inde a fundatione.

Huic vero profundiori significationi aliquid respondet magis adhuc concretum: « traditio » est complexus principiorum et normarum quae in unaquaque religiosa familia pedetentim regulas, constitutiones, consuetudines etc. efformarunt, veluti patrimonium legislativum, notam propriam, rationem exsistendi cuiuslibet ex religiosis ipsis familiis.

Ut aequivocatio quaevis excludatur, adnotandum est per eiusmodi explicationem vocis « traditio » nihil minui nec augeri vim iuridicam intrinsecam vel extrinsecam singularum normarum seu legum. Nam verum manet quod, in enuntiato complexu principiorum et normarum, ea apte distinguenda sunt quae vim legis consequuntur ex sanctione legitimae auctoritatis, ab iis quae solummodo ex alio capite vigent, ut puta ex mera consuetudine non legali, ex norma mere disciplinari, ex principio mere ascetico etc.

Ex his patet quod, supposita etiam oppositione inter « traditionem » et « sensum renovationis », haec per duplicem viam explicari seu componi deberet: per viam nempe simplicis accomodationis sponte factae (si « sensus renovationis » opponitur « traditioni » non legali); per viam aptationis a competenti auctoritate sanciendae (si « sensus renovationis » opponitur « traditioni » legali).

Distinctio tamen, in casu, valorem non excedit enuntiationis mere theoricae. Nam quaevis « traditio religiosa » subest legitimae auctoritati Ecclesiae, sicut et quaevis eiusdem « renovatio ». Et hic profecto agimus de « accomodata renovatione » vitae, institutionis etc. religiosorum elaboranda, in congressu ab ipsa Suprema Auctoritate indicto, ac proinde sub eius ductu perficienda.

2. At urget explicatio de genuina acceptione « sensus renovationis ».

Ut patet, « sensus » ille vim sumere potest mere subiectivam. Et tunc responderet illi desiderio quod deprehendimus valde diffusum in hominibus ac etiam in religiosis huius aetatis. Sed haec acceptio minoris est momenti, quatenus non a-

9

gimus de « renovatione » quam iste vel ille, pro suo ingenio et arbitrio, auspicari potest.

Praestat ergo acceptio magis obiectiva. Agimus sane de « renovatione » quae revera inhaereat condicionibus vitae religiosae praesentibus in temporibus et adiunctis.

Distinctio satius intelligitur determinando id quod acceptio mere subiectiva ex se adducere valet in obiectivam, quae nostra magis interest, acceptionem.

Nemo tutius semitam nobis indicabit quam Summus Pontifex, sub cuius supremis auspiciis hic Congressus celebratur.

Ipsum audiamus de « novarum rerum studio », in iam citata Adhortatione Apostolica « Menti Nostrae », sapientissimas normas proferentem: « Exploratum certumque esse vobis arbitramur serpere latius et gravius in dies novarum rerum studium inter sacerdotes, ut plurimum sive eruditione atque doctrina sive vitae severitate minus quam ceteri praeditos. — Per se novitas neutiquam est veritatis indicium, atque una ea est condicione laudanda, ut simul *veritatem confirmet,* simul *probitati ac virtuti conducat.* — Hac, quae volvitur, aetate graviter quidem itinere deerratum est... Ex quo proclive consequitur sacerdotes nostris hisce diebus omnino non deesse, in quos eiusmodi contagio aliquo modo influat; qui non nunquam opiniones imbibant vitaeque genus, etiam in ipso vestis ornatu cultuque corporis, instituant, aeque a sua dignitate aeque a suis muneribus aliena; qui novitatis cupiditate ducantur, cum in concionibus ad christianum populum habendis, tum in adversariorum erroribus coarguendis; qui denique cum haec fecerint, non solum animi sui fidem infirment, sed, sua etiam attrita fama, efficacitatem sacri officii extenuent » (8). Ac paulo infra: « Haec sibi persuadeant omnes: Aeterni Numinis potius quam hominum voluntati esse obsequendum, atque apostolicam assiduitatem non pro suis cuiusque opinationibus, sed pro sacrae potestatis aut legibus aut normis esse praebendam. Spe enim usquequaque destituitur qui in opinione est posse se insolitis atque absurdis agendi rationibus et animi sui egestatem obtegere et Christi prolatando regno efficientem dare operam » (9).

Sensus ergo renovationis, de quo agimus, rationem quidem habet illius desiderii subiectivi, haud in se ipso reprobandi, quatenus, uti docet Summus Pontifex, « simul veritatem confirmet et simul probitati ac virtuti conducat »; sed ordinatur essentialiter ad renovationem obiectivam. Quonam modo, quanam ratione, quanam mensura superest dicendum, postquam ultimam ac profundiorem distinctionem proposuerimus.

3. Distinctio scatebit ex responsione ad quaestionis punctum saliens seu ad apicem ipsum quaestionis: Adestne revera oppositio inter « traditionem » et « sensum renovationis »?

Consulto hucusque locuti sumus hypothetice, quoties actum est de supposita oppositione.

Fatendum est oppositionem non adesse nisi mere apparentem ac per veram aequivocationem subintroductam.

Traditio sane quae genuina ac legitima sit (secus esset di-

(8) L. c. p. 694.
(9) L. c. p. 695.

cenda depravatio legis, degeneratio, abusus...) in suipsius sinu continet « germen renovationis ». At nemo, adaequate saltem, distinguitur per oppositionem a parte suipsius vitali.

Sententiam meam exponam per argumentum a Summa Auctoritate in Ecclesia desumptum, ne videar studiosus opinionem personalem et forte peregrinam proponendi.

Docuit Summus Pontifex Pius XII, cum alloqueretur sacerdotes et alumnos coram admissos ex Collegio Leoniano Anagnino, die 29 aprilis 1949: « Se è vero che sono in errore coloro che, mossi da una puerile e smoderata brama di novità, ledono con le loro dottrine, coi loro atti e con le loro agitazioni, la immutabilità della Chiesa, non è men certo che s'ingannerebbero anche quelli i quali cercassero, scientemente o no, d'irrigidirla in una sterile immobilità. La Chiesa, corpo mistico di Cristo, è, come gli uomini che la compongono, un organismo vivente, sostanzialmente sempre uguale a se stesso; e Pietro riconoscerebbe nella Chiesa cattolica romana del ventesimo secolo quella prima società di credenti che egli arringava il dì della Pentecoste. Ma il corpo vivo cresce, si sviluppa, tende alla maturità. Il corpo mistico di Cristo, come i membri fisici che lo costituiscono, non vive nè si muove nell'astratto, fuori delle condizioni incessantemente mutevoli di tempo e di luogo; non è nè può essere segregato dal mondo che lo circonda; è sempre del suo secolo, avanza con lui di giorno in giorno, di ora in ora, adattando continuamente le sue maniere e il suo portamento a quello della società in mezzo alla quale vive » (10).

Nonne id quod dicitur de corpore Ecclesiae dici etiam potest de singulis corporibus in ipsa propriam vitam agentibus? Una tamen condicione servata id dici potest: Quod nempe sint et ipsi corpora viventia; quod conservaverint vim propriae indesinentis renovationis; quod, vi quidem Spiritus Sancti, apta adhuc sint ad se in vitam Ecclesiae inserendum.

Undenam ergo adserta oppositio?

Fortasse aliis terminis eam exprimere oportebat.

Aliter enim res se habet si agatur de « littera » et « spiritu ».

Evidenter « littera » ad « spiritum » ordinatur, quatenus « littera » « spiritum » exprimit, defendit, conservat.

Hoc ipso demonstratur « spiritum » subsistere inter homines non valere nisi per « litteram » seu per quandam aptam formam.

Sed « spiritus » praebetur a Deo immutabili, forma autem seu « littera » ab adiunctis humanis quae indesinenter mutantur; haec nihilominus illi necessaria est; et quia senescit et deterior fit, indesinenter reficienda est seu aptanda; si non aptatur seu si non attemperetur mutabilibus adiunctis humanis, gradatim destruitur, et « spiritus » evanescit ob defectum materiae cui inhaereat.

Exinde iam splendescit solutio quaestionis nostrae et apertius patere incipit « arcanum » illud quod vidimus sub quaestione latere.

Oppositio non adest, uti iam diximus, nisi apparens, inter « traditionem » et « sensum renovationis », quia hic in illa, si « traditio » genuina est, continetur.

Sed neque inter « literam » et « spiritum » est oppositio inconciliabilis, quia illa ordinatur ad hunc exprimendum, conservandum et defendendum.

Oppositio autem adesse potest inter « spiritum », qui evanuerit, et « litteram », quae illum, ob defectum aptae et tem-

(10) « L'Osservatore Romano », 30 Aprile 1949.

pestivae et opportunae refectionis seu aptationis, haud conservare potuit.

Et tunc audiamus S. Paulum.

« Circumcisio cordis in spiritu, non littera; cuius laus non ex hominibus, sed ex Deo est » (Rom. 2, 29). Et iterum: « Serviamus in novitate spiritus, et non in vetustate litterae » (Rom. 7, 6). Et tertio: « Qui (Deus) et idoneos nos fecit ministros novi testamenti; non littera, sed Spiritu; littera enim occidit, Spiritus autem vivificat » (II Cor. 3, 6).

Sed oppositio haec nostra haud interest quia secus, uti iam in hac ipsa sede adnotatum est, S. Congregatio non ageret de « accomodata renovatione » sed simpliciter ageret de « reformatione » seu etiam de «suppressione» alicuius instituti religiosi.

Nostra potius interest praevenire ista lugenda consectaria, quae Summus Pontifex consulto commemorat et praecavenda monet. Ait enim in Epistula nuper E.mo Card. Praefecto directa: « Se suaque penitus reficere... est... omni opera eniti, ut sacri Instituti sui leges non acervus externarum aut inutilium regularum appareant, quarum littera, deficiente spiritu, occidit, sed totidem supremae virtutis instrumenta reapse sint...»

Quomodo? Qua ratione? Componendo harmonice « litteram » et « spiritum », ita ut harmonice vivere pergant, per perennitatem unius (spiritus) et per opportunam renovationem alterius (litterae).

Hic tamen locum habet applicatio unius ex supra recensitis distinctionibus, illius nempe per quam pervenimus ad duplicem viam accommodationis seu aptationis seu compositionis inter « traditionem » et « sensum renovationis ». Traditio sane viva (non iam mortua, quae litterae mortuae et necem afferenti aequivaleret) renovanda est sub moderatione et sanctione auctoritatis. Spiritus autem renovandus seu potius excitandus a somno est et alendus per uniuscuiusque, pro suo cuiusque munere, cordatam intelligentiam et sinceram cooperationem cum gratia Dei.

Unde duplex aequivocatio evitanda ab iis omnibus qui ad hunc Congressum accesserunt: — aequivocatio illorum qui accesserunt quadam cum trepidatione, veluti si pertimescenda esset destructio sanctarum et laudabilium traditionum cuiuslibet familiae religiosae; — aequivocatio illorum qui putaverunt ex congressu eversionem quamdam secuturam esse, quasi non ageretur ante omnia de innovando et expergefaciendo spiritu, qui sanctas et laudabiles traditiones confirmet per opportunam renovationem seu vivificationem.

Trepidantibus et pertimescentibus dicam: Nolite timere! Sancta Sedes, Summus Pontifex, Sacra Congregatio de Religiosis, sub cuius immediatis auspiciis Congressus celebratur, depositum indefectibile firmiter tenent veritatis et sanctitatis, ac proinde etiam nostrarum sanctarum traditionum. Nihil aliud volunt quam nobiscum communicare illam vivificantem Spiritus Sancti gratiam, per quam Ecclesia (secus ac omnia humana instituta, etiam sanctissima) nunquam senescit.

Ceteris dicam: Nolite frustrari vos ipsos falsa atque inani spe!

En conclusio ad quam pervenit sollertissimus quidam animarum Pastor, postquam suis sacerdotibus de argumento « modernitatis » verba fecerat: « Vi sarete accorti che adeguarci significa fare tante cose che prima non facevamo, prepararci a farne ulteriormente delle nuove, ridurre al minimo la nostra quiete, sollecitare l'ingegno per far fronte ai bisogni, rimetterci del nostro, pagare di tasca nostra, « gaudere cum gaudentibus, flere cum flentibus », passare accanto alle distrazioni del mondo e non sfruttarle, accompagnarlo e distinguerci accanitamente dal suo stile. Il tutto significa rinuncia, lavoro, umiltà, carità. Ecco la modernità... Una modernità concepita diversamente potrebbe equivalere al tradimento del carattere sacerdotale » (11).

Sed procedamus iam ad reliqua tractanda, quae ad plenam thematis evolutionem sunt necessaria.

III. Ego quidem, ut verum fatear, cum me ad hoc argumentum explicandum accingerem, comperi omnia fere quae ad arduum problema vitae sacerdotalis et religiosae apte renovandae pertinent, a S.mo Domino nostro Pio Papa XII aliquo saltem modo iam esse inculcata.

1. Eius autem de hac gravissima re doctrinam in haec capita colligere possumus (12):

a) In primis Pius XII omnes Religiosos hortatur, ut sanctos Fundatores prae oculis semper habeant admirandoque contemplentur tanquam homines a Dei providentia excitatos ad consulendum urgentibus Ecclesiae necessitatibus.

b) Fundatores sic a Deo inspirati quendam ut ita dicam thesaurum acceperunt in Ecclesiae utilitatem expendendum; huius autem thesauri heredes legitimi sunt religiosi, qui eum velut «sacrum patrimonium» pie custodire posterisque tradere debent.

c) Sed sanctus Pater non tantum est hortatus omnes religiosos in genere et communiter ut acceptum a Fundatoribus patrimonium fideliter conservarent... sed pluribus Institutis singulatim etiam et proprie peculiaria documenta dedit — definitas certasque normas laboris perficiendi indicavit — docuit quibusdam familiis religiosis, ex sua ipsarum vocatione, hoc aut illud ministerium magis convenire quam aliud. Quisque Fundator a Deo missus est ut certae necessitati Ecclesiae occurreret; hic est peculiaris thesaurus unicuique eorum concreditus et filiis transmissus. Ubicumque ergo similis necessitas exstiterit, ad filios illius Fundatoris pertinebit eidem providere.

d) Instituta religiosa sunt in primis schola perfectionis, palaestra vitae christianae, ubi homo ad sequenda Christi vestigia instruitur. Cum vero divini huius exemplaris virtutes innumerae sint et infinitae neque ab ullo homine perfecte referri queant, hinc factum est ut sancti Fundatores alii alias Christi virtutes sibi singulariter imitandas proposuerint, eas

(11) Ios. SIRI, Litt. Past. « La modernità », marzo 1950, p. 42.
(12) Cfr. P. LOMBARDI in: Civiltà Cattolica, 1949, vol. I, p. 615.

nempe eligendo quae opportunissimae videbantur ad munus sibi a Deo commissum aptius exsequendum seu ad melius consulendum praesenti Ecclesiae necessitati. Hinc oritur Institutorum varietas et peculiares notae; hinc ille qui spiritus Fundatoris et cuiusque Instituti dicitur; hinc religiosi obligatio sese huic spiritui conformandi et Christi Iesu imaginem in se ipso hoc potius modo referendi.

e) Attamen, ex hoc ipso quod «spiritus» conservandus sit, consequitur «formam», qua ipse exprimitur, immutabilem permanere non posse; sed religiosos se temporibus accommodare debere, secus enim littera spiritum occideret. Summa laus Fundatorum in hoc est, quod ipsi actuales ut dicitur fuerunt, homines scilicet a Deo opportune excitati, qui novis necessitatibus suo tempore exsistentibus efficaciter providerent novoque praesidio essent Ecclesiae. Oportet ergo ut eorum quoque filii, ad Patris exemplum, semper actuales sint neque certis formis, quae tempore Fundatoris opportune adhibitae fuerunt, ita tenaciter haereant ut ne minimam quidem mutationem admittant. — Sint corpus vivens, quod semper mutatur et tamen semper idem manet; quod, nisi mutetur, moritur, neque iam idem manet. — Considerent qua ratione munus Fundatori a Deo commissum et spiritus ab eo filiis hereditate transmissus novis temporibus applicari queat. Quod est praecipue Superiorum officium.

Hinc iterata sancti Patris monita: Nolite esse aquae stagnantes, estote potius amnis, qui a constanti perennique fonte aquas accipiens, ipse iugiter fluit et renovatur et mutatur.

f) Hinc exsurgit duplex Superiorum officium: nam et sibi subditos spiritu propriae vocationis instruere recteque imbuere debent atque ad peculiaria sui Instituti opera perficienda praeparare; et, pereuntis mundi clamoribus attente auscultatis, proprii Instituti munia atque opera novis semperque mutatis temporibus necessitatibusque quam accuratissime adaptare.

* * *

Haec est Summi Pontificis de religiosorum renovatione doctrina, ut ex multiplicibus eius documentis attento animo lectis colligitur.

Ex dictis iam pronum est iter ad applicationes, quibus doctrina exposita ulterius confirmetur seu potius intelligatur. Sed in primis, ex eadem doctrina, errores summarie saltem denuntiandi sunt.

2. Ad detegendos errores quos in promovenda auspicata renovatione vitare debemus, praeter ea quae iam praesertim in secunda huius relationis parte dicta sunt, alia plura adduci possent.

Sufficiat tamen ex dictis desumere ea quae logice consequuntur ex principiis ibidem adsertis.

Errores, in hac quoque materia, fieri possunt sive per defectum sive per excessum; et quidem relate ad utrumque caput nostrae quaestionis.

Defectus plerumque habetur in inadaequata comprehensione et aestimatione elementi vitalis quod inesse semper debet cuique traditioni genuinae, spiritu vivificatae et vivificandae; vel in inadaequata comprehensione et aestimatione elementi legitimantis quamlibet novitatem, quod nempe «simul veritatem confirmet, simul probitati ac virtuti conducat», iuxta iudicium auctoritatis competentis.

Excessus autem habetur plerumque in applicatione aut traditionis non vivae aut innovationis non legitimae.

Utrumque aspectum complectuntur duo insignia documenta Summi Pontificis ad Capuccinos Patres directa, qui mense Novembri 1948 Romam convenerant, ut de proprii instituti vita et actione tractarent: « Innovato, vel potius expergefacto spiritu et afflatu Instituti vestri, nova vultis moliri incepta, immutatis temporis adiunctis et necessitatibus congruentia. — Hoc enim religiosis viris summopere cordi esse debet, ut aevum, quo vivunt, evangelica imbuant sanitate et gratia, homines suae aetatis aptis rationibus et viis Christo lucrifaciant. Hisce consiliis quid optabilius? hisce operibus quid salutarius? Fieri non potest, quin huiusmodi placita rata habeamus. — Novarum et veterum rerum coniunctio ipsa lege vitae requiritur, ut vita semper sit eadem itidemque sit semper actuosa. Hac de causa integre et accurate servanda est ea religiosae vitae forma, quam ut colatis et asseratis in Ecclesia orti estis » (13).

« Franciscales Capulati id semper, inde ab originibus, peculiare sibi habuerunt propositum, ut in tenuioris populi bonum apostolatus caritatisque incepta susciperent. Cur igitur in praesens evangelicam huius generis operositatem studiosiore quadam alacritate non adaugeant, dum in immensum succrescunt necessitates? Id ut agant, haec nostra tempora efflagitant, non modo in templis — ad quae saepenumero qui maiore in necessitate versantur non accedunt — sed etiam, quotiescumque eis ut sacerdotibus facultas datur sacri explendi ministerii, in agris, in officinis, in fabricis, in valetudinariis, in carceribus, inque mediis opificum agminibus, fratres fratribus facti, ut omnes Christo lucrifaciant.

Verumtamen hoc vobis persuasum atque perspectum esto ob impensiora eiusmodi suscipienda apostolatus opera, quae a vobis etiam nova postulat aetas, neutiquam debilitandum esse, neque funditus immutandum religiosae vitae vestrae institutum; quod potius oportet ita evangelico imbuatur ac conformetur spiritu, ut consentanea omnes paupertate niteatis, suavi simplicitate humilitateque praestetis, utque potissimum austera ex translaticio more vestro contineamini disciplina, quae sacrum tamen non praepediat ministerium, sed expleti officii conscientia supernaque laetitia temperetur; itemque ut seraphica illa erga Deum, erga proximos ardeatis caritate, qua Patriarcha Assisinas per totius suae vitae cursum aestuavit. Hac solummodo servata ratione, et pietatis interiorisque vitae

---

(13) AAS., 1948, p. 551.

ardore cotidie magis adaucto, externa incepta vestra divinam illam poterunt vim haurire, quae terrenas omnes difficultates evincat ac feliciter exsuperet » (14).

3. Utiliter doctrina hucusque relata illustrari posset opportunis et multiplicibus applicationibus ad casus concretos et practicos.

Hoc tamen non est huius relationis proprium, quae principia tantum exponere debet, ne campum aliorum ingrediatur.

Applicationes sane iam factae sunt vel fient, uti innuimus in exordio ipso relationis, aliis in relationibus, communicationibus et argumentis.

Quaedam tamen omittere nolo, ad confirmationem seu potius ad illustrationem doctrinae hucusque traditae.

Ut factum est pro detegendis erroribus, desumendo scilicet ea quae logice consequebantur ex principiis antea adsertis, ita procedemus pro applicationibus proponendis.

Sit ante omnia enucleatio quaedam enuntiationis iam superius factae, maximi quidem et fundamentalis momenti: principium sane statuimus (n. II, 3) iuxta quod « traditio renovanda est sub moderatione et sanctione auctoritatis; spiritus autem renovandus, seu potius excitandus a somno est et alendus pro suo cuiusque munere, per uniuscuiusque cordatam intelligentiam et sinceram cooperationem cum gratia Dei ».

Exinde *applicatio practica*, indolis generalis:

S. Congregatio de Religiosis nos huc advocavit, hic congregavit, ut, per vivificantem Spiritus Sancti gratiam, semper in Ecclesia praesentem atque operantem, afflatus uniuscuiusque familiae religiosae excitaretur, ac ita sanctae cuiusque traditiones vivae et operantes sint, « praesentibus temporibus atque adiunctis », eodem modo eademque mensura qua vivae et operantes fuerunt temporibus anteactis, ac praesertim cum ex genuino suo fonte promanarunt atque defluxerunt per tempora et loca.

Ad medullam cordis uniuscuiusque nostri pertingat Summi Pontificis ad Capulatos Fratres monitum: « Novarum et veterum rerum coniunctio ipsa lege vitae requiritur, ut vita semper sit eadem itidemque sit semper actuosa. Hac de causa integre et accurate servanda est ea religiosae vitae forma, quam ut colatis et asseratis in Ecclesia orti estis » (15). Et viam percurrendam bene noscamus: « Innovato, vel potius expergefacto spiritu et afflatu Instituti vestri, nova vultis moliri incepta, immutatis temporis adiunctis et necessitatibus congruentia » (16).

Et hic est caput ac veluti « cardo » totius actionis ad promovendam « accomodatam renovationem », illius nempe actionis quae attinet, pro rata parte, sive ad Superiores sive ad subditos uniuscuiusque familiae religiosae, quae velit spiritum fundationis, ad quem colendum et asserendum in Ecclesia orta est, perpetuare, non obstantibus mutabilibus adiunctis humanis.

At si « spiritus afflatusque » uniuscuiusque familiae religiosae indesinenter vivens ac operans servetur, eo ipso « nova incepta » mutabilibus « adiunctis et necessitatibus congruentia », veluti ex intimis latebris prosilient.

Hoc autem est caput in quod subintrat «actio moderatrix» auctoritatis.

Haud sane intelligi potest, uti iam adnotavimus, innovatio in familiis religiosis quae ab auctoritate legitima non procedat vel saltem ab ea non approbetur.

(14) AAS., 1949, pp. 65-66.
(15) L. c.
(16) L. c.

Iuvat huiusmodi actionem in suo veluti cursu cognoscere.

Ante omnia hoc firmum est principium, quod ex iam citato fonte mutuamus: «La disciplina della Chiesa, scripsit eximius Archiepiscopus iam superius laudatus, ha una parte talmente inerente al dogma ed alla legge naturale e positiva divina, che non si può pensare che la Chiesa in questa induca mutazioni. Ha una parte secondaria che è in suo potere adattare alle esigenze dei tempi. Non è quindi da escludersi che talune disposizioni puramente disciplinari possano subire aggiornamenti... Ma qui l'importante a ricordare come avvengano nella Chiesa i ritocchi disciplinari. *Non si dimentichi mai che la Chiesa, per disposizione divina, non è una società democratica, sibbene è società gerarchica.* La legge viene dall'alto e mai dal basso » (17).

Considerate, Fratres mei, quid Ecclesia vel iusserit vel stimulando instillaverit, hoc ipso quod hunc congressum indixit, qui quidem meruit a Summo Pontifice haec verba: « Salutiferum eiusmodi coeptum flagranti Nostra commendatione et laude palam firmare percupimus, pro explorato habentes eos omnes, qui se Deo in catholica Ecclesia votis obligantur, mente animoque enixisque Domino adhibitis comprecationibus, proximos esse coetus prosequuturos, uti opimos exinde fructus sibimetipsis ac Sodaliciis suis percipere valeant » (18).

At praeter supremam adest quoque in unaquaque familia religiosa auctoritas immediata, quae, erga subditos, eadem gaudet hierarchica praerogativa; erga autem superiorem auctoritatem, eodem tenetur obsequendi officio. Cum suprema scilicet auctoritate debet depositum commissum custodire et servare, quod nihil aliud est nisi spiritus seu afflatus proprii instituti prouti exprimitur ope sanctarum traditionum. Cum subditis autem debet iussis vel incitamentis superioris auctoritatis obsequi.

Unusquisque ergo nostrum:

Primo, examen instituat utrum ea omnia exsequi curaverit quae a superiore respective auctoritate iussum sit.

Secundo, paratum sese praebeat ad excipiendum et exsequendum id quod a superiore respective auctoritate decernendum erit.

Tertio, mente et corde recogitet num aliquid adsit a semetipso praestandum, ut incitamenta et suasiones legitimae auctoritatis sive ad enuntiationem sive ad effectum deducantur.

(17) Ioseph Siri, l. c.
(18) Epist. ad E.mum Card. Praef. S. C. Rel., 12 nov. 1950.

I 7

4. Veniamus tandem ad quasdam *applicationes speciales.*
Mea relatio agere debebat de traditione et sensu renovationis «relate ad elementa tam communia quam peculiaria statuum perfectionis».

Quid sint istiusmodi «elementa communia» et «elementa peculiaria» iam dictum est in duabus praecedentibus relationibus, etsi ibi aliae adhibeantur voces...

Applicationes proinde continuo instituuntur, et quidem ad modum meri exempli, ex multis aliis quae afferri possent, iuxta praefatam duplicem classem elementorum, necnon iuxta triplicem totius programmatis partem.

Ex vita et disciplina. Elementum comune est lex « clausurae » lato sensu acceptae, quatenus moderatur relationes religiosorum ad extra. Olim huiusmodi relationes explebantur per religiosorum egressum vel per extraneorum ingressum vel per epistolas et, recentius, ephemerides. Hodie adest telephonium, cinematographia, radiophonia, televisio. Considerate: Caeca et mortua traditio haec inventa ignorat, ac ita nec emolumenta eorumdem sibi comparat nec damna seu pericula devitare satagit; e contra, haud legitima ac imprudens innovatio tendit ad huiusmodi inventa indiscriminatim adhibenda, ac ita aperire contendit mundo domum religiosam; viva autem traditio, apte cum genuino sensu renovationis composita, emolumenta aeque ac pericula inventorum perpendit, et iis utitur iuxta « spiritum » traditionis, seu eo modo et mensura, quam character, necessitas, adiuncta postulabunt.

De hac tamen quaestione agetur crastina die, in Commun. 4.

Ex formatione et institutione. — Elementum peculiare praebent adiuncta ex quibus fere omnes religiosae familiae adactae sunt pueros adsciscere ut eos ad vitam religiosam adducerent. Exinde factum omnino novum: hodie maxima pars alumnorum ad vitam religiosam initiantur inde a tenerrima aetate. Perpendite vim mortuae traditionis: hos alumnos educare contendit easdem methodos adhibendo quae adhibebantur cum alumni recipiebantur in adultiore aetate, vel saltem haud sufficienter aptatis his methodis; exinde infausta consectaria, eo quod non habentur religiosi apte formati, prouti traditio ipsa, si viva esset, requireret. Illegitima e contra innovatio contendit adhibere methodos quae haud congruunt cum fine essentiali cuiusvis vitae religiosae vel saltem cum indole peculiari uniuscuiusque familiae religiosae; et exinde deformatio. Quid autem viva traditio cum sano spiritu renovationis composita? Pueros et iuvenes candidatos, aptando methodum eorumdem aetati congruentem, eos ad genuinum spiritum religiosum conformare satagit.

At de hac quoque quaestione, diebus insequentibus fusius agetur.

Ex apostolatu ordinario et extraordinario. Elementum quod commune ac simul peculiare esse potest, pro diversitate adiunctorum sive locorum sive personarum, praebet condicio hodierna plurium fidelium qui a religione abalienantur. Olim contactus, ut ita dicam, sacerdotum cum fidelibus aderat fere universalis et continuus. Hodie huiusmodi contactus saepius veluti interruptus est. Quid mortua traditio? Pergit apostolatum agere intra parietes sacristiae et ecclesiae fere desertae vel per media aliorum temporum! Quid e contra illegitima et imprudens innovatio? Ipse Summus Pontifex respondit: « Spe usquequaque destituitur qui in opinione est posse se insolitis atque absurdis agendi rationibus et animi sui egestatem obtegere et Christi prolatando regno efficientem dare operam » (19). Quid autem viva traditio apte scilicet spiritu vivificata? Audistis et applicate: « Franciscales Capulati id semper, inde ab originibus, peculiare sibi habuerunt propositum, ut in tenuioris populi bonum apostolatus caritatisque incepta susciperent. Cur igitur in praesens evangelicam huius generis

(19) Adhor. Ap. « Menti Nostrae », l. c.

operositatem studiosiore quadam alacritate non adaugeant, dum in immensum succrescunt necessitates? Id ut agant, haec nostra tempora efflagitant, non modo in templis — ad quae saepenumero qui maiore in necessitate versantur non accedunt — sed etiam, quotiescunque eis ut sacerdotibus facultas datur sacri explendi ministerii, in agris, in officinis, in fabricis, in valetudinariis, in carceribus, inque mediis opificum agminibus, fratres fratribus facti, ut omnes Christo lucrifaciant » (20).

Ut patet, propositae applicationes referuntur ad limitatissimam sphaeram vitae religiosae in universum spectatae.

Haec tamen summatim recolere haud omittere volui, etiamsi de quaestionibus agatur quae serius in congressu diserte tractabuntur.

Sternere viam volui tum ad huiusmodi quaestiones fusius tractandas tum ad innumeras alias applicationes, pro cuiusque ingenio, faciendas.

Hoc tamen unico fine, scilicet ut perspecta magis ac magis habeatur necessitas nostras sanctas traditiones genuino spiritu semper alendi, ac ita vivas, non mortuas, servandi.

Ad finem relationis properans, unum omen exprimo, quod his verbis in aliqua ephemeride relatum inveni: «Le problème des adaptations n'est soluble que par la ferveur de l'Esprit» (21).

Sit velut sucus totius nostri congressus. Reviviscat in singulis religiosis familiis Spiritus, et accommodata renovatio statuum perfectionis fiet.

I. *Peculiares:*

1. Unaquaeque religiosa familia in doctrinam et praxim propriam convertere satagat ea quae Summus Pontifex insinuare non destitit circa necessitatem accommodatae renovationis religiosorum sive in genere sive in specie. Et Superiores diligentes curent ut doctrina Summi Pontificis ab omnibus suis subditis adaequate cognoscatur et applicetur (can. 509, § 2, n. 1.).

2. Superiores cuiuslibet religiosae familiae promovere satagant in suis subditis cognitionem genuinae spiritualitatis et historiae propriae, cum doctrina Ecclesiae comparatae, praesertim per periodicas instructiones sive orales sive scriptas, opportunas lectiones in scholis, editionem librorum aptorum, collationes etc.

3. Superiores foveant in propria religiosa familia studium tum condicionum culturalium et socialium hodiernarum, tum necessitatum spiritualium populorum, tum subsidiorum aptissimorum ad augendam efficaciam spiritualem et socialem propriarum institutionum, ut spiritus proprius in hodiernis adiunctis operari non desinat.

(20) Pius XII, Epist. l. c.
(21) Cfr. *La vie spirituelle*, *Suppl.*, 1948, N. 5, p. 2.

4. Superiores subditorum incepta ita obsecundent et moderentur ut his, quatenus laudabilia sunt, non desit auxilium et adiumentum, quatenus autem improbanda vel corrigenda vel perficienda sunt, adesse haud moretur tempestiva actio moderatrix legitimae auctoritatis.

II. *Synthetica:*

Unaquaeque religiosa familia, ut uberiores huius Congressus fructus consequatur, omni ope nitatur ut spiritum proprium, ad quem colendum et asserendum in Ecclesia orta est, indesinenter innovet et operantem conservet.

Alii periti viri, ex munere a Sacra Congregatione de Religiosis commisso, circa idem argumentum scripserunt.

82   Exc.mus D. Ioseph Siri, Archiepiscopus Ianuensis, *scripsit:*

1. Gli elementi tradizionali degli stati di perfezione sono noti, non è necessario io ne parli. Penso che in ogni caso qui l'argomento sia ristretto agli stati di perfezione nella vita religiosa comune e mi attengo a tali limiti.

2. Senso di rinnovamento:
Intendendo: *riforma* degli Ordini verso le loro origini, dalle quali molti si sono con estrema e dolorosa evidenza allontanati, sia pur nulla facendo di male, ma solo riducendosi a denominatore comune; *ringiovanimento* di talune soyrastrutture patinose, aggiunte dalla consuetudine, dalla lasca interpretazione, dai Capitoli per motivi contingenti e mai revisionati per il senso anche giusto di tradizione; *aggiornamento* allo stato spirituale in cui giungono i candidati, alla difesa contro gli influssi derivanti dal mondo, agli oggetti nuovi stimolanti maggiore contemplazione, azione ed organizzazione nella unità della Chiesa pregante e militante, SI'.
Intendendo: *aprire le porte* a spiritualità vaghe ed imprecise, figlie di poca teologia con tintarelle montaniste, a nuove e anormali concezioni dell'uomo con conseguenze sui suoi bisogni, autonomie, contatti diretti etc.; *rallentare* la chiara au-

sterità concreta dell'Evangelo fatta di Croce, di rinuncia, di carità, di adesione a Gesù Cristo come è: *accendere* orizzonti da visionari, sopratutto da cerebrali, portando nelle questioni spirituali lo stesso scientificismo che da un trentennio si porta in arte (da dove tende a invadere tutto), NO.

NOTA BENE — Mi pare sarebbe opportuno porre il problema della povertà non solo dei singoli, ma anche degli Enti. Non che gli Enti (salvo particolari Costituzioni) non debbano possedere nulla, ma occorrerebbero certi freni, perché si ha la impressione che da talune parti si faccia troppa politica economica a danno della fiducia nella Provvidenza e di quel tenore di vita, il quale autorizza a sperare meglio nella Divina Provvidenza.

83 Exc.mus D. ALAFRIDUS ANCEL, Episc. Auxiliaris Lugdunensis et Superior Generalis Societatis Sacerdotum « du Prado », *scripsit*:

1. Il faut que les religieux soient profondément persuadés non seulement de la nécessité des règles mais aussi de la nécessité des bonnes coutumes. Règles et coutumes sont, en même temps, une *réalisation concrète* de l'esprit religieux, *un signe de fidélité* à l'esprit du fondateur et *un signe d'unité* entre les diverses communautés appartenant à la même famille religieuse.

Une société religieuse qui prétendrait être purement spirituelle et qui s'opposerait, par principe, aux coutumes, risquerait d'être une communauté illusoire sans esprit religieux, sans fidélité, sans unité.

2. Mais il ne faut pas que les supérieurs et les membres des sociétés religieuses donnent *plus d'importance* à la lettre qu'à l'esprit, à la régularité qu'aux exigences authentiques de la charité. Surtout, il ne faut pas que la vie religieuse toute entière soit ramenée à une simple observation littérale, même minutieuse, de la règle et des observances. Il peut, hélas! exister un formalisme étroit et égoïste, sans amour et sans rayonnement. N'appelons pas cela une vie religieuse. Cela ressemble à la vie religieuse comme un cadavre ressemble à un homme vivant. Une vie religieuse n'est authentique que si l'amour est au point de départ et au terme de toute activité. Et l'amour vrai se manifeste d'abord par l'observation de la loi naturelle et de la charité envers le prochain.

3. Une coutume inadaptée ne peut plus manifester l'esprit religieux; elle devient une infidélité au fondateur; elle ne

peut plus être observée par tous et elle devient une cause de division entre les personnes et les communautés. Il serait facile, hélas! de multiplier les exemples. — Il faut donc changer les coutumes inadaptées et les remplacer progressivement par d'autres.

4. Avant de changer une coutume, sous prétexte qu'elle est inadaptée, il faut l'étudier soigneusement et voir comment elle s'est créée dans des circonstances données et comment elle répondait à l'esprit du fondateur. Il est toujours imprudent de supprimer une coutume tant qu'on n'en a pas compris toute la valeur et toute la signification. Il faut donc d'abord accomplir un effort de compréhension.

Quand on a découvert comment telle coutume manifestait un aspect déterminé de l'esprit du fondateur et quand on a constaté qu'actuellement elle ne répond plus à sa destination, il ne faut pas se contenter de la supprimer; il faut s'efforcer de découvrir quelle pratique pourrait aussi bien manifester l'esprit du fondateur, en étant adaptée à l'époque actuelle.

Si cette pratique est capable de jouer ce rôle, elle deviendra progressivement une coutume. Ainsi l'esprit du fondateur sera sauvegardé; il sera réalisé dans de nouvelles pratiques et l'unité de la société sera maintenue.

5. La modification des coutumes demande évidemment la ferveur religieuse des communautés et elle ne doit s'accomplir que lentement et progressivement. Il faut bannir complètement les initiatives individuelles indépendantes, mais il faut bannir aussi l'autoritarisme des supérieurs qui voudraient introduire des modifications sans s'inquiéter de la mentalité générale de la communauté.

Une société religieuse qui refuse de s'adapter se sclérose et va sûrement à la mort.

Une société religieuse qui décide arbitrairement des modifications va à la mitigation; elle perd son esprit et son unité; elle se détruit elle-même.

Une société religieuse, vraiment vivante et attachée à son fondateur, saura trouver les adaptations nécessaires pour mieux vivre spirituellement et être plus fidèle. Elle s'accroîtra et sera bénie de Dieu!

84   R. P. Delchard, S. I., Lector Th. Mor. et Iur.
Can. in schola S. I. Enghien in Belgio, *scripsit*:

Nous ne devons pas partir ici de l'affirmation de saint
Paul: « la lettre tue, l'esprit vivifie » (II Cor., 3, 6-18), car il
s'agit de l'opposition entre l'économie de la loi mosaïque et
l'économie de la nouvelle Alliance, entre la loi écrite sur des
tables de pierre et la loi qui, gravée dans les coeurs, est une
force divine agissant dans l'intime de l'âme. Ce dont il doit
être question ici, c'est de l'antithèse et de la relation entre
une formule d'action par elle-même morte et son sens profond.

I. Nous voudrions tout d'abord noter un point que nous
estimons essentiel: toute loi, toute règle religieuse est nécessairement commune, tant à raison des sujets qu'elle vise et veut
obliger que de la matière ainsi réglée. Une loi ou un précepte
donné «in communi» visent nécessairement des actes qui de
soi peuvent se répéter plus ou moins identiques; ils sont considérés par la norme, non dans leur singularité, mais selon les
conditions ordinaires de la vie individuelle et sociale; ils sont
définis en tant que dégagés d'éléments concrets particuliers et
contingents qui, eux, interviendront au moment de l'application ou de l'exécution. La loi, en outre, s'adresse aux membres
du corps social, non en tant que pris dans leur individualité,
mais en tant que membres de cette communauté, actuels ou
à venir. La loi et la règle sont en somme une formule commune et générale, de caractère abstrait et universel.

C'est pourquoi, quel que soit le degré de perfection de la technique législative, une loi ou une règle religieuse est nécessairement marquée d'une imperfection relative, mais foncière: dans sa simplicité et universalité, elle se doit
de formuler les exigences de vie et d'action de chacun des membres de la
communauté et de l'ensemble de cette communauté et cela sans devoir, ni même
pouvoir inclure, dans sa définition pratique, une parfaite adaptation tant aux
diverses nécessités concrètes du Bien commun qu'à toutes les conditions variées
et complexes des cas individuels. L'ordre normatif juridique requiert l'art de
l'application aux cas particuliers et celui non moins délicat, en relation immédiate, de l'interprétation du texte législatif. A cet égard notamment la
norme positive apparaît formaliste et n'a pas la souplesse de la pure loi morale.
De là une des raisons de l'inévitable problème de l'harmonieuse conciliation
de la lettre et de l'esprit, de la formule techniquement construite et de son sens
profond humain et moral. Notons que si ce même problème se retrouve dans
le cas de l'ordre donné directement par un supérieur à un inférieur au sujet
d'une action déterminée, les difficultés ne sont pas identiques et notamment ne
revêtent pas la même gravité. L'ordre intimé est individuel et adapté tant au
sujet qu'à l'objet. Reste alors le problème de l'obéissance religieuse qui fait
exécuter en fait et en esprit.

II. Donner vie et pleine efficacité à la lettre par l'esprit, rendre sa vraie force et valeur à la formule législative en l'imprégnant de son sens, notamment spirituel, c'est à la fois la tâche des supérieurs légitimes qui doivent promouvoir l'application des lois, et de tout inférieur qui doit observer les lois de son état. Sans doute, dans la vie religieuse, de par sa fin qui est de faire tendre à la perfection de la charité, on doit poser que le principe de toute action individuelle ou sociale doit être la loi d'amour et de charité. C'est un esprit d'amour qui doit faire servir et obéir. Cet esprit nous dit le sens profond et de l'attitude d'ensemble de la vie religieuse et des normes qui règlent cette vie. Mais la prudence au moins demande à tous, supérieurs et inférieurs, une attitude franchement réaliste: tous doivent avoir la volonté de faire observer et d'observer les lois et règles qui sont établis pour nous aider à mieux avancer dans le service de Dieu, suivant l'esprit de l'Eglise du Christ et celui de l'Institut religieux. Le religieux se voit obligé d'acquérir, sous l'action de la grâce, la perfection de la charité, de développer la vie en esprit par la fidélité notamment à sa règle et le progrès de toute sa vie religieuse. Il ne peut que tendre à cette spiritualisation; jamais il n'aura la liberté intérieure totale, fruit du dégagement que cherche à assurer de plus en plus la pratique mortifiante de ses voeux. Il se doit d'accepter également l'obligation de la loi positive à raison de son insertion nécessaire dans une institution sociale, juridiquement organisée. La communion à une même vie, la collaboration à une même action, la soumission à une même autorité sont en premier commandées par les nécessités de la charité, mais exigent en retour des relations de justice et d'obéissance. En toute humilité et vérité, le religieux ne peut qu'accepter sa condition d'homme et en particulier celle d'homme librement engagé dans un état de vie; il doit donc se soumettre, fidèlement et totalement, à l'obligation d'observer des règles et des lois, d'accomplir les ordres de ses supérieurs.

Pour autant peut-on préconiser comme une règle ayant valeur absolue la norme générale qui prescrirait une observation des règles « quasi ad litteram », qui urgerait une obéissance où le sujet n'aurait à considérer que ce qui est strictement commandé, à n'exécuter que ce qui est exactement commandé? Dans ce cas la soumission de la volonté et du jugement est totale, mais admettons tout de même qu'elle se traduit surtout par une fidélité rigoureuse sur le plan de l'exécution. L'importance est donnée avant tout à la lettre. Une telle exigence et une telle conception de la réalisation pratique peuvent se justifier à certains moments de la formation du jeune religieux, en certaines périodes de crise ou dans certaines circonstances de la vie de tout religieux. L'abnégation de soi doit aller jusque là et la foi d'ailleurs nous fait saisir la vraie valeur positive d'une obéissance aveugle, indispensable à certaines heures. Notons en passant qu'ici obéissance aveugle ne veut pas dire obéissance sans intelligence, pourvu qu'elle soit pleinement éclairée et pénétrée de lumière surnaturelle. Par là nous voyons que la lettre est encore vivifiée par l'esprit même en de tels cas extrêmes.

Toutefois il nous semble que la « discretio », vertu, naturelle et surnaturelle, éminemment pratique, autant que la « caritas », la « discreta caritas » en somme demande une observation des lois et préceptes, généraux ou personnels, exacte et toujours fidèle, mais engageant également toutes les forces et puissances, humaines et surnaturelles, de l'homme. Le sujet d'une loi, l'inférieur qui a reçu un ordre, se doivent d'entrer, autant qu'il leur est possible et dans la mesure même où la liberté leur est laissée, dans l'esprit même du législateur ou du supérieur qui commande et oblige; ils doivent poursuivre, non pas « mot à mot » et dans une fidélité simplement littérale, mais intelligemment et efficacement ce qui est requis ou urgé. Le religieux n'a pas sans plus à exécuter d'une manière plus ou moins formaliste; il doit appliquer à une situation particulière ce qui lui est demandé. Il doit vouloir ce que veut son supérieur, pleinement, concrètement, effectivement; il doit le vouloir d'une manière surnaturellement intelligente. La lettre lui impose une action que normalement il doit accomplir; des limites peuvent être posées que, sauf raisons proportionnées, il ne peut pas franchir; mais dans ce cadre il doit non seulement réaliser, exécuter matériellement, mais encore mettre au service de l'oeuvre à faire toutes les ressources d'une intelligence et d'une volonté qu'éclaire le sens de la lettre et que meut la grâce du Seigneur.

III. La relation intime « lettre et esprit » exige notamment, pour être bien saisie, une compréhension exacte de la lettre et à cet effet il est nécessaire de saisir le sens des textes du passé dans leur contexte historique et humain. Une loi peut avoir sans doute un sens actuel plus ou moins différent de son sens primitif. La tradition et la pratique peuvent légitimement charger des mots d'un sens nouveau ou particulier. Ce sens actuel s'impose dans le règlement des situations actuelles, car nous n'avons pas à réduire ou à modifier la portée de dispositions législatives de notre temps telles que les veulent et l'Eglise et nos Instituts particuliers, au nom d'une interprétation qui fut celle d'un passé maintenant révolu.

Il n'en reste pas moins que pour dégager le sens et l'esprit d'une loi ou d'une coutume, la portée d'une tradition, il nous faut faire travail d'historien consciencieux et attentif. On n'insistera jamais trop sur la valeur de la tradition religieuse, cénobitique et monastique, mendiante et régulière, lorsqu'on veut saisir le sens d'une institution ou d'une pratique. Une compréhension intelligente des réalités actuelles est à ce prix. On découvrira ainsi une certaine immutabilité des principes fondamentaux, la valeur constante de certaines grandes règles. On saisira, dans les faits eux-mêmes et au travers des expériences vécues, les possibilités d'application et d'adaptation; on verra quelle souplesse doit marquer nos conceptions pratiques, ce qu'elles peuvent permettre de solide et de bon ou entraîner de dangers et de risques. L'histoire donne une certaine intelligence du présent; elle permet également une action prudente en vue de l'avenir.

Etudier, par exemple, ce que furent, tout au long des siècles, les réalisations du conseil de pauvreté, saisir ce qu'était l'intention des divers fondateurs, établir la portée de leurs règles, rechercher dans les faits ce que furent les déficiences et les abus, les causes de mitigation, les raisons de certaines adaptations, dégager les motifs de certains renouvellements de l'esprit ou redressements dans l'ordre pratique, montrer les tentatives nouvelles et dire leurs raisons d'être, situer dans le contexte historique, notamment économique et social, cette pratique effective de la pauvreté selon ses diverses modalités, tout cet effort ne peut que nous éclairer et nous diriger dans notre effort actuel de compréhension, dans notre volonté d'adaptation pour une réalisation meilleure du conseil du Seigneur. L'effort patient d'analyse et la reprise intelligente dans un but de synthèse, ce qui sera le but immédiat de l'effort de l'historien, ne peuvent que nous orienter, nous religieux, vers une compréhension solide et prudente des exigences de la vraie pauvreté. C'est toute une tradition vécue sous le contrôle même de l'Eglise hiérarchique, qui nous fait entrevoir le sens profond de la volonté du Seigneur sur ce point. C'est toute une sagesse pratique, pénétrée par l'action de l'Esprit Saint, qui se découvre ainsi et, si nous n'avons pas à vouloir ressusciter des formes passées ou dépassées, nous avons à vivre de cet esprit évangélique qui animait nos devanciers et qui doit animer notre oeuvre actuelle.

85   R. P. Aemilius Jombart, S. I., Professor Iuris Canonici in Instituto Catholico Tolosano, *scripsit*:

I. — Il y a souvent une certaine opposition entre les amis de la *tradition* et les amis du *progrès*. Les premiers ne veulent rien abandonner des moindres usages qu'ils ont connus dès leur enfance et que leur ont transmis les générations précédentes. Ils sont « conservateurs » à l'excès; à l'époque des avions, ils seraient prêts à regretter les diligences; toute innovation excite leur méfiance ou même leur réprobation. Au contraire, les amis du progrès, voyant beaucoup trop facilement de vrais progrès dans les nouveautés les plus discutables, seraient quelquefois disposés à faire table rase du passé et à tout bâtir sur un nouveau plan. L'opposition entre la *lettre* et l'*esprit* se rapproche beaucoup de la précédente. Les partisans de la *lettre* ne veulent rien modifier, mais observer les règlements d'il y a plusieurs siècles exactement comme au début. Les partisans de l'*esprit* croient pouvoir abandonner bien des détails, sinon même des lois importantes; mais ils s'imaginent aisément mieux prendre l'esprit des lois, mieux répondre aux intentions du législateur, en supprimant ou en transformant bien des usages antérieurs.

Les partisans de l'esprit ne manquent pas d'alléguer les textes de St. Paul, où est exprimée cette sorte d'opposition entre la lettre et l'esprit: « *Serviamus in novitate spiritus, et non in vetustate litterae* » (Rom. 7, 6); « ... *littera enim occidit, spiritus autem vivificat* » (2 Cor. 3, 6). Les partisans de la lettre citeront des paroles du divin Maître, par exemple: « *Nolite putare quoniam veni solvere legem aut prophetas; non veni solvere sed adimplere. Amen quippe dico vobis, donec transeat caelum et terra, iota unum aut unus apex non praeteribit a lege, donec omnia fiant* » (Mt. 5, 17-18). Que faut-il en penser?

Autant que possible, pour bien retirer de l'état de perfection de sérieux résultats de sanctification et d'apostolat, il faut *unir l'esprit à la lettre*, bien loin de les séparer. La façon de se comporter pleinement normale est d'observer littéralement les lois de Dieu et de l'Eglise concernant l'état de perfection (et les règles et constitutions de l'institut auquel on appartient); mais en vivifiant toutes ces observances extérieures par l'esprit intérieur qui leur donne leur vraie valeur.

a) *La lettre est insuffisante sans l'esprit.* Elle pourra souvent mettre à l'abri du péché, du moins du péché grave; mais, si elle est seule, elle est indigne de personnes tendant à la perfection. Elle fait des esclaves, des sortes de machines, d'automates; elle multiplie les gestes mécaniques, mais supprime ou raréfie les actes vraiment humains, vraiment surnaturels, vraiment méritoires.

Que penser d'un religieux qui serait exact à tous les exercices de communauté, exécuterait les ordres donnés, observerait le silence, mais assisterait à la messe comme une bûche, sans presque aucune dévotion, somnolerait pendant l'oraison et les autres prières, observerait les règlements d'une manière toute routinière? Combien préférable celui qui a réellement à cœur de glorifier Dieu par sa sanctification et celle d'autrui, qui s'unit réellement au sacrifice 'eucharistique, qui prie non seulement de bouche mais du fond du cœur, qui profite de toutes les occasions de progresser dans l'obéissance même intérieure, la patience, l'humilité, l'esprit de détachement etc. et surtout qui fait toute chose avant tout pour l'amour de Dieu. Alors les moindres observances prennent un sens; dans toutes il y a moyen de trouver une occasion de progrès spirituel et de soumission filiale aux moindres désirs du Père céleste.

b) *Se débarrasser de la lettre de la loi, sous prétexte qu'on en garde l'esprit, serait une dangereuse illusion.* Ces règles, qu'on n'observe pas, sont pourtant la manifestation de la volonté divine sur notre vie. Comment prétendre aimer beaucoup Dieu en évitant souvent de faire ce qu'il nous demande? Le Christ n'a-t-il pas dit: « Si vous m'aimez, observez mes commandements »? Ce qui n'est pas vrai uniquement du décalogue, mais aussi, toute proportion gardée, de toute réglementation légitime.

Les lois de l'Eglise concernant les états de perfection ont très sagement prévu les meilleurs moyens de bien profiter dans cet état: exercices de piété, réception des sacrements, vie commune, clôture, relations avec le dehors, administration des biens etc. Les diverses constitutions complètent ces règles générales et précisent certains principes de spiritualité suivant le but propre à chaque institut, suivant la nature de ses sujets et les inspirations dont le Saint-Esprit a gratifié les fondateurs et que l'Eglise a approuvées; dans ces constitutions chaque religieux trouve les moyens les plus appropriés au genre de perfection que Dieu attend de lui. L'inobservation des constitutions ferait vite baisser le niveau de la ferveur, donnerait lieu à bien des illusions, diminuerait grandement l'étroite union qui doit régner dans une communauté; si chacun vit à sa guise, il n'y aura pas plus de vraie cordialité dans une communauté qu'entre des voyageurs qui s'ignorent et que le hasard a rassemblés matériellement dans une auberge pour quelques heures.

c) *Les contradictions entre l'esprit et la lettre,* le plus souvent, ne sont qu'apparentes. Si on est à l'affût de ces prétendues contradictions, n'y cherchant qu'un prétexte à ne pas observer certaines lois, on en verra souvent. Si l'on agit avec sincérité, bonne volonté, droiture d'intention, on trouvera très souvent moyen de conserver l'union de l'esprit et de la lettre.

Des cas de conflit réel se rencontrent pourtant. Alors il sera généralement légitime de *faire passer l'esprit avant la lettre.* Parfois une difficulté spéciale est admise par l'Eglise comme une *excuse* légitime à l'observation matérielle de telle ou telle prescription; parfois, pour une juste cause, la *dispense* de certains points peut être accordée par l'autorité compétente. Il ne faut pas exclure complètement les cas d'*épikie.* Le législateur humain, même ecclésiastique, n'a jamais tout prévu. Il est des circonstances où l'observation littérale de la loi serait peu équitable et ne correspondrait pas aux vraies intentions du législateur. Dans de tels cas, surtout lorsqu'on n'a pas la possibilité ou la facilité de demander la dispense à un supérieur, le bon religieux agira matériellement contre la lettre de la loi mais en fait suivant son esprit, suivant les intentions du législateur. Le cas se produira plus rarement pour les lois générales de l'Eglise, plus facilement pour les détails des constitutions de tel ou tel institut. L'épikie est d'un maniement très délicat. Des religieux médiocres peuvent être tentés d'en abuser pour esquiver souvent les petit sacrifices que demanderait l'observation exacte de leurs règles. Mais l'abus possible ne doit pas faire supprimer l'usage légitime, prudent et modéré.

II. — *Défauts à éviter* - Comme toujours et en tout, on pèche par défaut ou par excès; on va à l'extrême droite ou à l'extrême gauche.

1. — *Le premier défaut consiste à sous-estimer la valeur de la tradition et des lois.*

a) La jeunesse de tous les temps, mais encore un peu plus la jeunesse actuelle, n'est que trop portée à secouer le joug du passé, à mépriser toute tradition. Les jeunes s'imaginent naïvement qu'on n'a rien fait de bon avant eux, mais qu'ils vont tout améliorer, tout sauver, grâce à leurs innovations hardies. Faire table rase du passé et se lancer à corps perdu vers l'avenir leur semble la seule voie à suivre. Ces tendances se rencontrent même dans la jeunesse ecclésiastique et religieuse.

Il n'y aura plus d'art véritable que celui du XX siècle, qu'il s'agisse de poésie, de musique, d'architecture, de peinture, de sculpture... De même on souhaite de se débarrasser facilement du costume ecclésiastique ou religieux, jugé désuet et incommode, ou de le simplifier à l'excès. On ne croit plus guère à l'ascétisme d'autrefois, à la lutte contre soi-même, à l'humilité, à l'obéissance... On cultive la confiance en soi, la culture physique, le sport; mais on méprise les usages anciens. On hait le « conformisme »; certains affectent de dédaigner les règles traditionnelles du respect, de la politesse, du savoir-vivre. Les jeunes jugent que l'expérience des anciens ne peut que leur nuire, les enliser dans un passé irrémédiablement clos. Ils ne veulent pour chefs que des jeunes et ont horreur de la « gérontocratie ». Les vieux sourient de ces naïvetés surtout lorsqu'ils voient le « snobisme » de ceux qui s'affichent comme non-conformistes; ils ne veulent pas ressembler à leurs devanciers, mais ils singent certains de leurs contemporains, affectent de parler le même jargon ou le même argot et de se montrer « à la page » par l'imitation servile d'une foule de petits détails, souvent ridicules en eux-mêmes. Evidemment le mal n'atteint pas partout le même degré et bien des jeunes religieux n'en sont pas atteints ou très peu. Toutefois les tendances ci-dessus mentionnées se rencontrent réellement de nos jours.

b) **L'horreur de la tradition et du passé est très voisine de l'horreur des lois.** Les lois sont regardées comme des legs du passé, de fâcheuses survivances qui restreignent notre liberté, empêchent notre plein épanouissement. A notre époque, certains esprits superficiels reprochent à l'Eglise son « juridisme », comme si aucune société pouvait subsister sans avoir des supérieurs et des inférieurs et aussi des règles d'action; sinon, ce serait l'anarchie et le plus complet désordre. Pour certains le Saint-Esprit devrait suffire à tout.

Cette tendance, qui se rapproche beaucoup du protestantisme, s'inspire de principes absolument faux. Assurément le Saint-Esprit assiste l'Eglise et son aide lui est absolument nécessaire; mais Dieu ne veut pas tout faire; il veut que les hommes coopèrent à ses grâces: *gratia Dei mecum.* Les jeunes religieux ont généralement assez de bon sens pour ne pas prétendre supprimer toute loi, mais ils sont moins attachés qu'autrefois à l'observance parfaite de leurs constitutions, ils trouvent facilement de « bonnes raisons » de se soustraire aux obligations qui les gênent.

2. — *Il reste possible de pécher par excès,* de tenir tellement aux moindres détails des traditions et des règlements, qu'on n'imagine pas la légitimité du moindre changement, même avec l'autorisation de la hiérarchie ecclésiastique. Ces excès sont plutôt le fait de la vieillesse, car nous, les vieux, nous n'aimons guère à changer nos habitudes et nos manies.

Dans certains monastères, surtout féminins, on a facilement la phobie de toute innovation. Certaines moniales redoutent que leurs monastères soient confédérés, qu'on leur donne une supérieure générale (ce qui aurait sans doute de grands avantages), que quelques heures de leurs journées soient consacrées à des travaux rémunérateurs etc. C'est oublier qu'un organisme vivant ne reste pas longtemps immobile, que le respect du passé ne doit pas empêcher les progrès légitimes, que certains détails de la vie au XIIIe ou au XVIe siécle ne sont plus adaptés à notre époque.

86   R. P. Maria Eugenius a Iesu Inf., O. C. D.,
scripsit:

Fidélité à la tradition et changements dans les états de perfection doivent être commandés et réglés par la fidélité à eux-mêmes, c'est-à-dire aux éléments essentiels qui les constituent, et par la fidélité à leur mission particulière.

Les états de perfection sont constitués par l'obligation de tendre à la perfection et par la consécration totale qui stabilise cette obligation et la concrétise dans la pratique des conseils évangéliques. Les états de perfection sont divers dans l'Eglise comme les membres dans le corps mystique du Christ: « Divisiones vero gratiarum sunt, idem autem spiritus... et divisiones operationum, idem vero Deus qui operatur omnia in omnibus ». (I Cor. 12, 4-6). Chacun d'eux publie une vertu particulière du Christ et exerce une fonction de son Sacerdoce.

Pour rester eux-mêmes, les états de perfection doivent garder leur orientation efficace vers la perfection, conserver tout ce qui est nécessaire à sa réalisation par l'accomplissement de la mission particulière qui leur est confiée. Ils doivent changer et rénover tout ce qui, en une certaine période, est devenu obstacle à la réalisation de ce but, ou qui n'est plus moyen et secours efficace.

Le changement ne saurait donc, en aucun cas, être une concession à la médiocrité ou à l'esprit de nouveauté. Il peut être imposé, et il devient un devoir, lorsque par lui la perfection sera mieux atteinte et la mission plus efficacement réalisée.

Dans cette recherche du mieux faite avec des intentions pures, il est normal que des divergences se manifestent. Dans le problème qui nous occupe, les divergences, semble-t-il, s'appuient sur des différences non de doctrine mais de points de vue, et sur des oppositions de tendances. C'est ainsi que deux tendances générales se font jour: la première que l'on pourrait qualifier de statique et qui semble s'attacher davantage au bien et à la stabilité des états de perfection, insiste sur la fidélité à la lettre des obligations précises; la deuxième qui parait plus dynamique et est animée par une vision plus concrète des besoins de l'époque, met en avant la fidélité à l'esprit.

LETTRE ET ESPRIT

1. *Définition.*

A son maître, le prophète Elie, qui va lui être enlevé, Elisée son disciple, demande comme suprême faveur, qu'il lui laisse son esprit (4 Reg. 2, 9). Saint Jean de la Croix décrit (Vive Flamme, str. II) une grâce mystique par laquelle les fondateurs d'Ordre reçoivent grâce et puissance pour transmettre leur vertu et leur esprit à toute une descendance de disciples.

L'esprit d'un état de perfection est une grâce ou une forme particulière de la charité surnaturelle, donnée par Dieu à un fondateur et transmise par lui à son Institut, qui est ordonnée directement à la réalisation de sa mission dans l'Eglise. L'esprit exerce son influence sur tout le comportement et l'activité de celui qui l'a reçu. Il devient d'une façon concrète et vivante dans un Institut et en ses membres, une façon de penser, d'agir et d'être en fonction de la vertu du Christ qu'il doit publier et de la mission spirituelle qu'il doit réaliser. Ainsi incarné, l'esprit crée une forme particulière et caractérisée d'humanisme surnaturel qui fait école. L'esprit de saint Francois d'Assise, l'esprit de saint François de Sales, l'esprit de sainte Thérèse ont, chacun d'eux, des caractéristiques vivantes qui sont bien connues.

La lettre est constituée par l'ensemble des lois, règles, et constitutions, coutumiers et usages, qui précisent les obligations des membres des états de perfection et en organisent la vie extérieure.

2. *Union nécessaire de la lettre et de l'esprit.*

Dans la réalisation de la perfection, l'esprit apporte l'élément intérieur, intellectuel et spirituel, par conséquent primordial. C'est lui qui donne la lumière, la vie, la ferveur: spiritus vivificat. Il est dans l'état de perfection ce que l'âme est dans la nature humaine. Mais cette âme est faite pour être unie à un corps.

C'est toute la vie du religieux qui doit être informée par sa consécration et orientée vers sa perfection propre. L'esprit doit s'épanouir aussi bien dans les actes extérieurs que dans les actes intérieurs.

Il appartient à la lettre de régler cet épanouissement de l'esprit dans le domaine extérieur, de lui fixer ses voies et sa mesure, de lui fournir ses moyens d'expression et des armes de conquête, en déterminant d'une façon précise les actes extérieurs à produire, leur mode et leur ordonnance. Par les lois qu'elle édicte, la lettre protège l'esprit contre les déviations erronées ou coupables, lui assure un appui très ferme, le prolonge et le complète.

Bienfait précieux et irremplaçable: aux débutants et à tous ceux qui ne le possèdent qu'imparfaitement, elle indique les voies et les moyens pour vivre selon l'esprit, pour en acquérir par conséquent la science pratique et vivre selon ses exigences.

Enfin, tout état de perfection étant une société, seule la lettre peut en régler l'organisation et la vie extérieure.

S'il est vrai de dire que l'esprit vivifie, il serait faux de penser que toujours la lettre tue. Gaîne qui porte en elle le glaive acéré de l'esprit, la lettre est destinée à le conserver, à le protéger et à le prolonger en l'exprimant et en le réglant. Lettre et esprit sont inséparables, parce que nécessaires l'un à l'autre. La gêne ou la contrainte qu'ils s'imposent, doit être celle de deux réalités ou de deux êtres qui s'enlacent pour s'éclairer et se soutenir mutuellement dans leur marche vers le but commun. Un antagonisme profond et une opposition durable indiqueraient un état de crise dont la solution devrait être cherchée dans une harmonisation nouvelle.

3. *Harmonisation de la lettre et l'esprit.*

Ces crises ne sont point toujours imputables à l'état de perfection lui-même ou à l'infidélité de ses membres. Elles ne sont parfois que crises de croissance normales; souvent elles sont provoquées par les changements survenus dans les aspirations des âmes ou dans les besoins d'une époque. Quelle qu'en soit la cause, la crise doit être résolue par une harmonisation nouvelle de la lettre et l'esprit qui comportera une adaptation.

Lettre et esprit sont ordonnés au même but, à savoir: la réalisation de la perfection et de la mission propres à chaque état de perfection. C'est la poursuite efficace de ce but qui doit régler leurs démarches et tous leurs rapports. Lequel des deux fera les sacrifices qu'exige l'adaptation?

L'esprit, avons-nous dit, est la grâce particulière d'un état de perfection; il en est la lumière directrice et l'âme vivante. Il vient de Dieu et du fondateur qui l'a reçu pour le transmettre. Si cet esprit ne peut prétendre à une autonomie complète ni à une autorité absolue, il ne peut rien changer en ses éléments essentiels sans disparaître lui-même et sans supprimer, en même temps, la raison d'être de l'Institut qu'il a créé et dont il est devenu l'âme.

En sa simplicité souple et vivante, l'esprit est donc immuable et ne supporte pas de changement. Il est important toutefois de noter que l'esprit, comme tout trésor céleste, porte en lui des richesses anciennes et nouvelles. Cet esprit vivant livrera certainement ses secrets, des aspects nouveaux de lui-même, à la curiosité aimante de celui qui le possède et qui l'explore en ses profondeurs pour le mieux réaliser et en adapter les enseignements aux besoins des âmes de son temps.

La lettre ne doit pas oublier qu'elle est faite pour incarner l'esprit dans les réalités quotidiennes. Elle ne peut remplir son rôle qu'en restant une humble servante. Sa domination sur l'esprit serait mortelle: littera enim occidit. Sa rigidité native, la fermeté austère de ses ordonnances et de ses institutions doivent s'imprégner de la souplesse d'une docilité parfaite à l'esprit. La gaîne prend la forme du glaive qu'elle enveloppe. Pour remplir leur rôle, les vêtements doivent être ajustés fréquemment à la taille de l'enfant qui grandit. L'Eglise surtout offre à la lettre des états de perfection un modèle parfait de cette souplesse ordonnée au but à atteindre.

Continuant le Christ qui s'est fait comme l'un d'entre nous et a vécu parmi nous pour nous sauver, qui a proclamé qu'il était venu non pour être servi mais pour servir, l'Eglise s'adapte aux besoins, aux moeurs et aux civilisations pour remplir sa mission de conquête. En s'incorporant chaque jour de nouveaux membres, elle les purifie et les divinise, mais elle ne détruit pas la nature, et respecte dans l'homme et dans les institutions ce qui est bon ou est légitimement établi. Son royaume n'est pas de ce monde, mais sa royauté de paix et de lumière apparaît sous les visages divers des individus et des nations qu'elle a pénétrés de sa grâce. Telle est la souplesse que la charité donne à l'Eglise et que les états de perfection doivent imiter pour être fidèles à leur obligation de perfection.

Toutefois l'Eglise en sa charité si condescendante, ne sacrifie jamais au succès extérieur de son apostolat, ses éléments qu'elle juge essentiels. Parmi ces derniers il n'y a pas seulement son Christ personnel, ses dogmes, ses sacrements, mais aussi son organisation propre, sa législation et sa hiérarchie, ses droits sur les individus et les sociétés, bref tout ce qui lui appartient en propre comme corps mystique du Christ et qui lui est indispensable pour remplir sa mission.

De même dans les états de perfection il est des éléments dans la lettre qui, au même titre que l'esprit, sont essentiels à sa vie, à sa permanence et à l'accomplissement de sa mission. L'âme est faite pour le corps humain et en postule en quelque sorte les principaux organes; elle est paralysée en quelqu'une de ses fonctions si l'un fait défaut. Un état de perfection ordonné vers une fin particulière postule lui aussi un corps extérieur et visible, constitué et organisé d'une certaine façon, doué d'organes et de membres qui puissent remplir certaines fonctions essentielles à sa vie. Toucher à cette organisation, supprimer ce membre extérieur, changer la législation qui les protège, c'est peut-être attenter à sa vie en blessant son coeur ou en supprimant ses poumons, c'est du moins le mutiler sous prétexte de l'alléger et de le spiritualiser.

L'adaptation de la lettre aux exigences nouvelles d'une époque ne portera donc que sur les éléments secondaires. Elle ne sera pas une réforme ou changement de structure.

En travaillant avec liberté dans le champ si vaste des prescriptions secondaires, non seulement elle respectera les organes essentiels, mais elle n'aura pas d'autre but que d'assurer plus d'aisance et d'efficacité à leurs fonctions vitales. C'est ainsi que Sainte Thérèse d'Avila ne pouvant vivre au désert comme ces ermites dont elle se proclame la fille, organise ses monastères avec l'idée maîtresse d'y créer la solitude nécessaire à l'épanouissement de sa contemplation.

4. *Applications pratiques.*

Appliquer ces principes aux réalités concrètes, indiquer comment tel état de perfection doit s'adapter aux besoins de son temps pour y continuer sa mission spirituelle, ne relève plus de la science spéculative, serait-elle théologique. C'est un art délicat. L'autorité des Supérieurs ne peut s'y exercer qu'avec réserve et prudence. L'esprit d'un Ordre religieux a été incarné une première fois par un fondateur qui était ordinairement un saint. Les réincarnations ou réformes profondes ne sont pas oeuvre moins difficile, l'expérience le prouve. Elles restent un des privilèges de la sainteté qui possédant en plénitude l'esprit de son état de perfection, peut seule le mouler en la forme vivante et adaptée qu'exigent les besoins de l'époque dont la charité lui a donné le sens aigu et concret.

A défaut de règles positives pour réaliser cette oeuvre surnaturelle, on peut signaler les deux écueils extrêmes entre lesquels elle doit se mouvoir et qu'elle doit également éviter, à savoir d'un côté la mésestime de la valeur des traditions et des lois; de l'autre, une importance exagérée attachée à leur rôle.

a) *Mésestime de la valeur des traditions et des lois.*

Cette mésestime est habituellement le fait de la jeunesse qui aveuglée par son dynamisme et sa générosité, croit pouvoir réaliser un idéal embrassé avec enthousiasme, en dehors de ce cadre des traditions et des lois qui n'apparaît que gênant.

C'est aussi une illusion assez répandue dans la jeunesse de croire que le monde commence avec elle et d'ériger ses aspirations en lois universelles et absolues. Aussi pense-t-elle pouvoir légitimement réformer les institutions pour les mettre à sa mesure et les régler selon ses désirs les plus nobles. Ceci se vérifie surtout après les grands bouleversements qui rompent la chaîne de la tradition et semblent condamner le passé. La jeunesse subit une poussée instinctive et profonde de réaction contre le passé et veut «se réaliser» elle-même en pleine indépendance. C'est ce que l'on constate à l'heure actuelle.

Cette mésestime se trouve parfois chez l'apôtre authentique dont la charité est douloureusement immergée dans la grande misère des âmes de son temps et dans les besoins graves et urgents auxquels il doit répondre. L'ardeur de son zèle, sa grande pitié des âmes, la nécessité de l'action, ses méthodes et ses succès personnels lui font perdre de vue les exigences de la sanctification de l'apôtre lui-même; lui font oublier d'autres valeurs surnaturelles authentiques, comme la prière purement contemplative, ainsi que la perspective dans laquelle chacune doit s'inscrire pour rester dans l'ordre divin.

Quelle qu'en soit la cause ou l'occasion, cette mésestime de la lettre qui veut valoriser l'esprit, aboutit normalement à une anémie ou à des déviations de l'esprit. En méconnaissant la valeur éducative des institutions, la valeur préservatrice et régulatrice de la lettre, cette mésestime livre l'esprit sans défense efficace, aux jeux contraires de la générosité et des tendances, des besoins du monde et du mal qui y règne. L'héroïsme du parfait pourrait peut-être se mouvoir avec aisance et en toute sécurité au milieu de ces forces contraires et y trouver sa voie; la bonne volonté sincère de celui qui n'a encore que le désir de la sainteté en sera normalement la victime. L'esprit qui croyait que sa générosité et sa lumière suffiraient à résoudre tous les problèmes, se disperse et s'égare en vaines démarches que la lettre eût régularisées; il s'épuise à se donner sans mesure et pour n'avoir cru qu'en lui seul il étale ses déficiences dans le domaine des réalisations pratiques.

b) *Valeur exagérée attachée aux traditions et aux lois.*

L'attachement ~~excessif à~~ la lettre est assez fréquemment une des manifestations de ce «conservatisme» ou esprit de conservation de l'homme mûr ou ancien qui, absorbé par sa tâche spécialisèe n'a plus de contact vivant avec les réalités et les aspirations nouvelles, dont l'intelligence n'a plus la vigueur pénétrante nécessaire pour les saisir et dont la volonté refuse inconsciemment l'effort nécessaire pour s'adapter à des habitudes nouvelles. Les habitudes prises, seraient-elles des mortifications, sont devenues les reines de la vie et en raison de l'équilibre dont on leur est redevable, volontiers on est porté à leur donner une valeur absolue.

Cette tendance ne procède pas seulement d'une cause naturelle; elle trouve son appui puissant et surnaturel dans le souvenir des grâces dont les observances religieuses, quelques-unes en particulier, ont été l'occasion dans le passé et restent la source dans le présent.

Chez certains le goût et même le culte désordonné de l'antique créent une véritable répulsion pour toute nouveauté.

Le plus souvent l'attachement exagéré à la lettre procède du manque de ferveur de l'esprit.

Cette tiédeur s'est établie en des positions qui lui sont devenues faciles. On peut discuter avec la lettre et la faire céder sur les points gênants; l'esprit a des exigences plus absolues, bien qu'elles soient moins précises. Changer pour s'adapter, ce serait perdre des positions aménagées et des attitudes devenues faciles, se placer sous une lumière plus crue et plus exigeante et s'obliger à un effort vigoureux. Pour se défendre inconsciemment on exalte la valeur et même on s'astreint à une fidélité rigoureuse et minutieuse. Cette fidélité veut être une revanche et doit apaiser la conscience. Fr. Jean de Saint-Samson, frère convers aveugle de la Réforme Carmélitaine de Touraine au XVIIme siècle, prétendait que les « religions les mieux policées » étaient celles où l'esprit était en décadence.

Cet attachement exagéré à la lettre qui draine les forces pour les employer exclusivement à des observances régulières crée un ascétisme qui gêne l'épanouissement de la charité surnaturelle. Il cristallise la vie de l'Institut en des formes extérieures, souvent archaïques, fait perdre contact avec les réalités du jour et les besoins des âmes ou ne les découvre que sous une lumière pessimiste décourageante, diminue l'expansion de la charité et empêche pratiquement la réalisation de la mission spirituelle de l'Institut. Le vêtement trop court et trop étroit qu'on laisse à l'enfant, ne le protège plus et le gêne en ses mouvements. La fidélité exagérée à la lettre, préoccupée surtout de renforcer cette armature ou vêtement extérieur pour qu'il résiste à toutes les pressions, étouffe la vie qu'il veut conserver. A conserver ainsi, on risque de conserver un corps sans âme, une institution sans charité véritable et qui ira s'anémiant jusqu'à en mourir.

CONCLUSIONS

De ces considérations on peut dégager quelques conclusions qui pourraient être des règles à suivre pour l'harmonisation de la lettre et de l'esprit dans les états de perfection.

1. L'esprit d'un état de perfection est immuable et ne sera jamais sacrifié.

2. A chaque époque il doit être repensé à la lumière des nécessités nouvelles. C'est par un retour aux sources profondes de l'esprit (Evangile, écrits et vie du fondateur, tradition de l'Institut) qu'on trouvera habituellement la lumière la plus simple et la plus audacieuse pour les adaptations nécessaires.

3. La lettre doit servir l'esprit avec souplesse.

Toutefois dans la lettre il est des éléments aussi essentiels que l'esprit et immuables comme lui;

Les changements dans la lettre ne peuvent donc porter que sur les éléments secondaires;

En faisant ces changements on se souviendra que le nouveau n'est pas toujours le mieux; que l'ancien est souvent chargé d'expérience et de grâce; qu'il faut changer tout ce qui est devenu un obstacle pour l'épanouissement de l'esprit et la réalisation de la mission spirituelle.

87 R. P. REGINALDUS OMEZ, O. P., Doctor Phil. et Lector Theol., Cappellanus Syndicatus Scriptorum Cath. Galliae, *scripsit*:

La perfection évangélique, comme toute la doctrine contenue dans les Livres Saints, est absolument immuable. Le Divin Maître a donné à ses auditeurs un enseignement qui vaut jusqu'à la consommation des siècles.

Les Conseils évangéliques, moyens indispensables pour parvenir à la perfection religieuse, ne peuvent aucunement être adaptés en ce qui constitue leur esprit et en tous les éléments essentiels.

Mais cet esprit, exposé et mis en formules pratiques par les Pères de l'Eglise, les auteurs spirituels, les Fondateurs d'Ordre, a nécessairement été présenté à travers des mots: la lettre. Or, en voulant exprimer et expliquer la pensée, les mots s'efforcent de la déterminer, de la fixer en des formules précises, matérielles. Et ce travail risque fort de laisser échapper quelquechose de la richesse de cette pensée et de l'esprit qui l'anime. En traduisant la doctrine, les mots la mutilent souvent ou même la trahissent.

D'ailleurs, les mots eux-mêmes sont de quelque manière vivants: le sens que les générations successives leur donnent évolue: la langue se transforme au même rythme que les peuples qui l'emploient. Les mots latins d'aujourdhui ne sont plus ceux de Cicéron, quoiqu'on affirme que cette langue soit morte!

De plus, un idéal ne peut se réaliser que par des actes, des démarches, des comportements, qui s'opèrent nécessairement dans le temps et dans l'espace; et qui, dès lors, doivent subir leur influence.

Les auteurs spirituels, quand ils s'efforcent d'enseigner l'esprit évangélique et l'idéal de la perfection religieuse, en exposant leurs moyens pratiques de réalisation, doivent employer la lettre, le style de leur époque et de leur pays, et se conformer aux circonstances dans lesquelles vivent présentement leurs disciples.

C'est pourquoi les écrits anciens exposant les préceptes, les conseils ou les usages pratiques de la vie religieuse d'autrefois ne nous apparaissent point comme des données absolues et définitives, conçues en dehors du temps et de l'espace, mais bien comme étant adaptés à la mentalité et aux usages de telle époque et de tel pays.

Il en résulte que ces règles ou usages pratiques renferment d'une part un contenu immuable qui tient à leur essence même, correspondant à leur esprit fondamental, et d'autre part des éléments secondaires, accidentels, transitoires. Nous devons nous efforcer de distinguer ces deux sortes d'éléments, dont le premier ne peut aucunement évoluer, tandis que les autres peuvent et même doivent subir des adaptations progressives au cours des âges.

Tous sont d'accord sur ce principe. Mais les difficultés surgissent dès que se posent ces trois questions:

1. Quelles sont les frontières de l'essentiel et de l'accidentel dans telle pratique religieuse?

2. Parmi les éléments accidentels, quels sont ceux qu'il est véritablement nécessaire de modifier ou qu'on peut modifier sans inconvénient sérieux?

3. Comment peut-on remplacer ou enrichir les moyens secondaires qu'on estime devoir supprimer ou amputer, de manière à ne pas appauvrir l'essentiel?

1. Quelles sont les frontières de l'essentiel et de l'accidentel dans telle pratique religieuse?

Il est clair que la réponse à cette question n'est pas susceptible d'évoluer avec le temps. Elle doit au contraire être puisée dans les données de l'Ecriture interprétée par la Tradition ecclésiastique et la Théologie.

C'est là un problème qui doit être résolu à la lumière du passé, pour ne point courir le risque de se laisser influencer par les tendances modernes qui sont souvent en opposition profonde avec l'esprit de l'Evangile et de ses conseils.

Aux données doctrinales traditionnelles concernant l'essence de la perfection religieuse et des voeux de religion, nous pourrons joindre l'étude des variations apportées au cours de l'Histoire à la pratique de la vie religieuse: ces variations aideront à préciser les éléments secondaires, surajoutés, et susceptibles d'adaptation ou de suppression.

2. Parmi les éléments accidentels, quels sont ceux qu'il est véritablement nécessaire de modifier ou qu'on peut modifier sans inconvénient sérieux?

Ici une difficulté grave surgit.

Nous avons rappelé que l'adaptation des moyens secondaires doit tenir compte du temps et du pays.

Pour ce qui est du *temps,* la chose est relativement facile. Il appartient aux supérieurs responsables et aux chapitres généraux de se rendre compte de l'évolution de la société dans laquelle vivent les religieux de leur Institut, en la comparant aux mentalités et aux usages des sociétés antérieures. Il y a des changements si généraux et si définitifs qu'ils imposent certaines adaptations: l'usage du téléphone, de la camionnette, etc. ne sont plus incompatibles avec la pauvreté!

Mais quand il s'agit de tenir compte des circonstances *locales,* il devient infiniment malaisé de déterminer les adaptations nécessaires. A l'intérieur d'un même Ordre religieux, les conditions peuvent être fort différentes selon les régions; et il peut être prématuré et gravement nuisible à l'esprit religieux d'étendre à certains pays des accommodements qui semblent s'imposer en un autre. Il y a là un danger sérieux, surtout à l'heure où les déplacements de religieux d'une nation à l'autre sont choses aisées et fréquentes. Il y a des adaptations qui ne peuvent être nuisibles à l'esprit religieux dans certaines régions où elles sont entrées dans l'usage courant, mais qui deviennent au contraire, en d'autres régions, des latitudes excessives par rapport à la pauvreté, ou à l'esprit de mortification, ou à l'obéissance, ou à la prudence dans l'ordre de la chasteté.

Au point de vue spirituel et apostolique, les conditions sont aussi très diverses selon les lieux. Nous constatons, jusqu'à l'intérieur d'un même pays, que l'évolution des esprits, les progrès scientifiques et techniques, le développement de la spiritualité et de la Liturgie varient d'une région à l'autre. En nos Congrès nationaux d'étudiants français, nous nous rendons compte que certaines adaptations, heureuses en des régions, sont prématurées en d'autres.

De plus, il est clair que la nécessité ou la convenance de ces changements varie selon la forme de vie religieuse de chaque Institut, et selon les milieux avec lesquels il traite. Les Petites Soeurs des Pauvres n'ont pas à accepter les mêmes adaptations que les Dames du Sacré Coeur!

Quels critères pratiques peuvent aider à reconnaître les changements qui s'imposent ou qui conviennent?

Les *critères* principaux me semblent être:

1) Les *impossibilités:*

Impossibilité *matérielle:* tel objet est devenu introuvable, ou très rare ou très coûteux (ex. les étoffes de laine pure qui étaient autrefois le tissu des pauvres).

Impossibilité *physique:* l'état des religieux ne pouvant plus supporter tel usage (ex. le lever de nuit de religieux apôtres qui ne se couchent guère avant 23 h. 30 ou minuit).

Impossibilité *morale:* quand les usages sont en opposition avec l'état d'âme ou les conditions sociales des personnes du dehors, au point de devenir occasion de scandale (ex. certaines règles anciennes concernant les convers).

2) Les *exigences* matérielles ou apostoliques:

Exigences *économiques:* (ex. le travail manuel des contemplatifs).

Exigences *apostoliques:* (ex. modification d'horaire à cause de l'A. C.).

3) La *cessation de la raison d'être* d'un usage, qui finit même par être en opposition avec l'esprit qui l'avait dicté.

4) L'*exemple* des Instituts similaires.

3. *Comment peut-on remplacer ou enrichir les moyens secondaires qu'on estime devoir supprimer ou amputer, de manière à ne pas appauvrir l'essentiel?*

Trop souvent les adaptations consistent surtout en suppressions ou latitudes sans que rien ne remplace l'exercice vertueux abandonné. Si l'on ne veut pas amoindrir l'esprit religieux et les vertus religieuses, il est indispensable de ne jamais supprimer un usage sans s'efforcer de lui substituer un usage nouveau qui compensera celui qu'on a cru devoir supprimer. Faute de ce souci, on en arrive, sous prétexte d'adaptation, à détruire tout esprit de mortification, toute discipline, toute dépendance à l'égard des supérieurs; comme il arrive chez certains religieux qui jouissent de plus de bien-être et de liberté que les personnes du monde, liées par leurs obligations familiales et leurs devoirs d'état.

88   R. P. Ioachim a Sacra Familia, C. P., Praefectus studiorum, *scripsit:*

1. *Inquadramento del problema.*

La santità — ch'è nota caratteristica della Chiesa di Cristo — sorse sempre e vigoreggiò in ogni epoca della sua storia, in ogni ceto di fedeli. Ma è un fatto innegabile che fu sempre quasi come una prerogativa eminente dello stato religioso, sorto appunto nella Chiesa come consacrazione integrale all'anelito di perfezione nell'attuazione dei consigli evangelici, lanciati da Cristo come un invito di elevazione alle anime generose, desiderose d'una forma superiore di perfezione.

Fattori di questa santità perennemente fiorita negl'istituti religiosi sono stati e rimangono, anzitutto, la grazia di Dio e la volenterosa cooperazione delle anime da Lui chiamate alla perfezione; e poi quelle norme di vita santa che, insinuate da Dio ai fondatori, sono state dall'autorità ecclesiastica approvate come mezzi adattissimi per attuare i consigli evangelici e di raggiungere insieme il fine particolare caratteristico che a ciascun istituto à riservato la Provvidenza.

Sono esse che regolano opportunamente l'attività interiore ed esteriore del religioso e lo conducono per mano alla perfezione fortemente e soavemente. Per questo l'illustre pontefice Benedetto XIV soleva dire: « Datemi un religioso che osservi pienamente e fedelmente le regole del suo Istituto, ed io ve lo canonizzerò vivente.»

Infatti il complesso di norme comuni e particolari dei religiosi rappresentano una forma perfetta di santità che, impersonata con cuore grande ed animo volenteroso, attua in essi tutta la santità alla quale li ha chiamati la vocazione divina.

Ma, se la perfezione è sempre identica, consistendo essenzialmente nella carità che n'è il vincolo e nell'assimilazione a Cristo che n'è l'esemplare, mutevoli possono essere le circostanze in cui debba attuarsi; e, mutate le circostanze, può avvenire che possano e talora debbano mutarsi le norme disciplinari, e talvolta tutto l'inquadramento degli Istituti, per renderli più assimilabili a coloro che nelle mutate circostanze vengono ad abbracciarli, e più utili all'ambiente nel quale vengono a svolgere la loro attività comune e specifica.

Di solito, questo adattamento avviene lentamente, marcando il passo del lento mutare delle circostanze ambientali; ma può talvolta avvenire che il mutamento ambientale abbia avuto un corso così rapido che al suo ritmo non abbia corrisposto il progressivo adattamento, e ci si trovi perciò, ad un certo momento, davanti alla necessità d'un rinnovamento, che appare più radicale solo perchè fatto tutto d'un colpo.

Siamo noi oggi di fronte ad una tale svolta? Sono le circostanze attuali così mutate da quelle del passato più o meno recente da esigere una revisione dell'inquadramento ideale e pratico della vita religiosa per renderla più assimilabile agli uomini d'oggi e più utile all'umanità dei nostri giorni?

Questo il problema come viene impostato da tutto l'insieme dei temi proposti allo studio nello schema della Settimana di Studio. Dalla nostra esperienza e cultura — per quanto modesta — caviamo quest'umile contributo che dirà come ci sembra si avverta oggi l'urgenza d'un allineamento dei mezzi alle esigenze; fino a qual punto questo impulso innovatore non ci sembri rivoluzionario; quali i criteri generali e particolari d'aggiornamento; quali limiti debbano contenere la spinta rinnovatrice, perchè l'allineamento non sia superamento, e l'adattamento non si trasformi in rilassamento larvato.

2. Necessità d'un allineamento nuovo.

O' detto trattarsi d'un problema d'allineamento.

Allineare lo schieramento d'un esercito, dando a ciascun reparto il suo posto e le armi appropriate alle sue mansioni, è il segreto della vittoria. Perciò, oggi che lo schieramento delle forze del male contro la Chiesa è formidabile ed avanza su tutti i fronti simultaneamente, urge inderogabilmente, come non mai per il passato, che tutto lo schieramento cristiano dia la sua piena efficienza; e soprattutto che gl'istituti religiosi, che sono agli avamposti di milizie scelte, diano il massimo contributo alla comune vittoria, e siano per questo attrezzati come richiedono le esigenze del momento. Allineamento, dunque, nei senso d'un profondo rinnovamento d'idee e di mezzi che adegui l'inquadramento della vita religiosa alle contingenze del momento; e coordinamento comune, sia per l'indagine sulle esigenze e sui mezzi adatti allo scopo, sia per un'azione che dall'unione più intima delle forze tragga una maggiore efficacia. Non rinnegamento del passato, dunque, ma un nuovo impulso con nuovi mezzi adatti alle nuove possibilità del presente, per dare oggi non meno che ieri, anzi più di ieri, frutti di santità vivente ed operante, rinnovando, se occorre, armi e tattica per controbattere quella scaltrita del male, che non dorme sul culto degli allori riportati, ma si vale di tutte le possibilità dell'ora che volge, per farne un veicolo d'errore o un coefficiente di rovina.

Se la società contemporanea à superato, in un decennio o poco più, distanze che nel passato richiedevano forse secoli, non è il caso di stare a disquisire se questo progresso sia regresso, ma urge marcare il passo con essa, non già cambiando direzione per traviare con essa, ma per darle un aiuto centuplicato, intensificato dai singoli religiosi in proporzione del progressivo diradamento dei ministri di Dio, perchè non vi sia nella vigna del Signore della messe che maturi invano per deficienza, o peggio per inettitudine, degli operai specializzati, che sono i religiosi.

Allineamento nel senso di ripensare e risentire il piano generale della vita religiosa dei singoli Istituti attraverso le possibilità concrete di attuazione che offrono quelli che debbono professarli e quelli ai quali debbono giovare, per non deludere le generazioni di oggi forzandole ad impersonare l'ideale religioso in un inquadramento in cui si troverebbe a disagio la loro indole e mentalità, e per non trovarsi a perseguire un fine nobilissimo con mezzi e sistemi anacronistici, ovvero non corrispondenti alle possibilità concrete che offre il mondo contemporaneo.

Svecchiamento, dunque? Forse; ma solo nel senso di eliminare eventuali elementi divenuti ingombranti o controproducenti, per sostituirli con dei nuovi, sempre scaturiti dal tronco generoso dell'antica pianta, vivificata dalla linfa perenne di Cristo e del fondatore. E sopratutto, rinvigorimento generale di tutto l'organismo, perchè dia frutti sempre più copiosi.

In questa visione d'allineamento s'inquadra la settimana di studio perchè nessun istituto si fermi o rimanga arretrato mentre la società contemporanea marca il passo verso forme sempre nuove di pensiero e di azione. Studiando tutti insieme il problema, sarà molto più facile di evitare che ci sia chi si faccia superare dai tempi, o chi voglia superare i tempi: che sarebbe egualmente nocivo.

3. Tradizionalismo e modernismo: eccessi da evitarsi.

L'allineamento deve essere uno sviluppo e adeguamento negli elementi contingenti e mutevoli, fermi rimanendo quelli essenziali ed immutabili, sia dell'inquadramento generale dello stato religioso, sia dell'ordinamento specifico dei singoli istituti. Non dunque un rinnegamento del passato per velleità di spiriti insofferenti di forme non create da loro; ma neanche cristallizzazione del passato e feticismo di forme stereotipate, che vuotate di contenuto dal corso dei tempi, riuscirebbero soltanto a costituire, quando pure si seguissero, uno sciupio inutile di energie. Per evitare i due estremi bisogna avere un'idea precisa di quello ch'è tradizione e di quello che sarebbe tradizionalismo, di quello ch'è adeguamento, e di quello che sarebbe modernismo.

Tradizione. - - E' il filone d'oro che unisce il passato al presente e fa fiorire gl'istituti d'una perenne giovinezza. « Gesù Cristo ieri, oggi e nei secoli », diceva S. Paolo per esprimere la perennità della sua vitalità nella Chiesa. Ma, di fronte alla perenne immutabilità di Cristo come modello inesauribile di perfezione, sta il perenne divenire del mondo, che deve esser salvo nel suo nome; divenire progressivo (o regressivo se si vuole) verso forme sempre nuove di pensiero e di azione. Perfetto è il religioso che incarna nella sua vita il Cristo, da poter dire con Paolo: « Il mio vivere è Cristo ». Il religioso infatti con la professione si pone in stato di consacrazione all'ideale dell'immedesimazione per amore in Cristo. Ma significa forse questo, immedesimare la foggia di vestire o di parlare del Cristo? Questi erano elementi contingenti della sua missione, che lo rendevano nel tempo della sua vita uomo tra gli uomini. Qualche cosa di simile può dirsi della forma degl'istituti religiosi concretata dal fondatore. Nella loro perfezione, come specchio della forma di santità dell'istituto, c'è un elemento vitale e perenne che ogni religioso deve tendere ad assimilare, e ci sono degli elementi transeunti che rispecchiano usi e costumi dei loro tempi, e che sarebbe inutile voler imitare, come non coopererebbe ad immedesimare la perfezione di Cristo il parlare o il vestire come lui.

Di qui si vede che sia tradizione e che sia tradizionalismo. La trasmissione dello spirito dell'istituto nella forma plastica impressagli dal fondatore è il passato glorioso. La vitalità perenne che unisce le generazioni nuove a quelle passate per farne una progenie continuata di santi è la tradizione; il tradizionalismo sarebbe la cristallizzazione di questo passato, visto come ideale assoluto e forma immutabile valevole per ogni tempo e per ogni luogo; non solo incapace di deterioramenti, ma neanche di ulteriore perfettibilità. Orbene: c'è una perennità che viene dalla trasmissione della vita da generazione a generazione; e c'è la perennità che viene dalla fossilizzazione d'un relitto. La prima perennità è la tradizione, la seconda il tradizionalismo.

Che cosa è immutabile nella sua perennità, e che cosa è mutevole per la sua contingenza negl'istituti religiosi?

Ogni istituto è un po' come un qualunque organismo vivente, che à degli elementi immutabili e di quelli mutevoli, sia come istituto religioso in genere, sia come *tale istituto*.

Così dello stato religioso in genere, attraverso la varia legislazione canonica sviluppatasi nei venti secoli di Cristianesimo, vediamo che rimane come elemento immutabile l'ideale d'una vita consacrata all'ideale della perfezione in uno stato permanente implicante la rinunzia ai beni e piaceri del mondo: ossia la forma di perfezione superiore mediante i consigli evangelici, oltre i precetti comuni. Elementi mutevoli la foggia di vivere (eremitica, cenobitica ecc.), di vestire, di dedicarsi alla contemplazione o all'attività apostolica ed assistenziale, ecc. Così diversa è nelle diverse epoche la costituzione e il regime prima delle « laure », poi dei monasteri, quindi dei conventi; degli Ordini monastici prima e poi dei Mendicanti; delle Congregazioni regolari e secolari, e recentemente delle comunità senza voti pubblici, fino alle modernissime organizzazioni che quasi in niente differiscono apparentemente dalla vita dei comuni cristiani.

Egualmente ogni singolo istituto nelle sue caratteristiche che lo fanno « *tale istituto* » à degli elementi immutabili, rappresentati nella sua consacrazione all'ideale della perfezione con un fine suo specifico, che deve essere come il prisma attraverso il quale i membri di quell'istituto debbono vedere ed impersonare l'ideale della perfezione. L'approvazione della S. Sede e la santità del fondatore sono la garanzia di raggiungere attraverso quella specifica direttiva l'ideale comune della perfezione. Elementi secondari e mutevoli sono invece i mezzi che rappresentano il modo di concretare il raggiungimento del fine in un determinato tempo, popolo o regione. Per esempio: un istituto religioso missionario che sorge nel '700, adotta senz'altro il metodo di missione in voga nell'epoca, con svegliarini, oratori, discipline ecc.; e questo metodo passa, per ipotesi, nelle costituzioni dell'istituto. Ma se, cambiando tempi o regioni, quel sistema caratteristico di apostolato si troverà inadatto, o meno adatto, o addirittura controproducente, è evidente che bisognerà improntare lo spirito di apostolato dell'istituto al sistema che si dimostri più efficace in questo tempo, in questo popolo, in questa regione. Sarebbe un tradire lo spirito apostolico dell'istituto il voler defraudare l'apostolato specifico di esso soltanto per salvare un metodo di svolgerlo che eventualmente si dimostrasse superato o meno efficace.

E qui si pone il problema dell'armonizzazione tra lo spirito degl'istituti, e la lettera delle norme attraverso le quali lo spirito deve trovare la sua attuazione; ossia l'adattamento delle norme ai tempi e luoghi, affinchè lo spirito trovi la forma adatta per vitalizzare le opere dell'Istituto, e la sua vitalità non resti moritficata da norme che, mutate circotanze, rendano inadatte allo scopo inteso dal fondatore e dalla Chiesa.

4. Spirito e lettera armonicamente coordinati.

L'esatta valutazione degli elementi essenziali-immutabili e di quelli contingenti-mutevoli, sia nel concetto di vita religiosa in genere, sia nell'ideale proprio di ciascun istituto, non può risultare che dall'indagine storica sull'origine, evoluzione e sviluppo degli stessi elementi, per vedere quali siano rimasti immutati e quali si siano cambiati, e se da una parte l'immutabilità di alcuni elementi sia in ragione di persistere di circostanze identiche, o sia per intrinseca immutabilità, risultante dal fatto che anche cambiate le circostanze l'elemento sia rimasto immutato, senza detrimento dell'istituto stesso ; e dall'altra se la mutazione di alcuni elementi sia derivata da mutate circostanze, o sia stata soltanto effetto di rilassamento, con evidente detrimento dell'efficacia della vitalità spirituale dell'istituto.

In particolare questo studio s'impone come una necessità per quello che vuol essere il rinnovamento degl'istituti religiosi senza correre il rischio di disarmonizzare il loro spirito dalla lettera delle loro norme. Studio sull'origine e prima attuazione dell'istituto, sue successive eventuali modificazioni, sue crisi e sviluppi, ecc. suoi uomini illustri, suoi periodi di floridezza e decadenza, esaminando le cause specifiche di questi fenomeni, se ce ne sono stati...

Tutti questi elementi del passato vanno confrontati con le esigenze vere e provate dell'epoca contemporanea, con le sue effettive capacità e le sue difficoltà, per vedere quello che debba rimanere immutato e quello che debba essere sostituito per un maggiore rendimento di santità nei religiosi e di apostolato nel prossimo.

Per non mettere in antagonismo lettera e spirito in eventuali adattamenti richiesti dalle circostanze occorre mettersi a quest'opera con lo spirito con cui ci si metterebbe il fondatore; e in concreto, penetrando nel loro ideale come l'ánno inteso ed attuato in genere ed in specie, esaminando nel complesso di regole, costituzioni ed usi adottati per concretare quell'ideale, la ragione di essere delle singole norme in sè ed in relazione all'apporto nel complesso al fine, perchè è il fine che misura e determina i mezzi.

Ed essendo i mezzi di per sé molteplici, esaminare se il mezzo è stato prescelto perché di per sé più adatto al fine, o se consigliato dalle circostanze che lo facevano più adatto nell'epoca che le norme venivano stabilite. Infatti, se la norma risente nella scelta dell'influsso di circostanze, è evidente che, mutate le circostanze, il mezzo prescelto si possa presentare meno adatto di altri a conseguire lo stesso fine. La ragione come il criterio di ogni mutamento è tutta qui. Il fine rimane immutato; i mezzi per attuarlo possono variare, se mutazioni circostanziali suggeriscano delle sostituzioni o delle innovazioni.

Ripetiamo che l'ideale religioso non può essere altro che la carità di Dio e del prossimo, ricercata con tutto l'impegno di sè attraverso la dedizione nell'ideale proprio all'istituto abbracciato. Quest'ideale ci si presenta concretato nel passato nello spirito e nella lettera finora vigenti. Il fine è lo spirito, le norme la lettera. L'armonica fusione di spirito e materia formano l'uomo; l'armonica fusione di fine e mezzi formano l'istituto nella sua vitalità. La disarmonia sarebbe la morte, come nell'uomo la separazione dell'anima dal corpo. E a questa porterebbe, sia chi volesse esagerare l'importanza delle norme quasi ch'esse fossero o s'immedesimassero col fine stesso, e non già mezzi per conseguirlo; sia chi volesse rifugiarsi allo spirito delle norme ed al fine fino a volerlo ridotto a qualcosa d'impalpabile, senza mezzi concreti che portino al suo conseguimento. La prima mentalità ridurrebbe tutta la vita religiosa all'osservanza delle norme di ascetismo o di apostolato, indipendentemente dalla preoccupazione se ne segua o no il fine inteso dalle norme e con la presunzione che da quell'osservanza segua automaticamente il fine, perchè il fine è proprio l'esattezza in quell'osservanza. La seconda mentalità rimetterebbe la determinazione dei mezzi all'arbitrio d'ognuno, e ne seguirebbe il caos e inevitabile confusione. La prima mentalità potrebbe paragonarsi — anche al di fuori delle migliori intenzioni che animino i loro sostenitori, — a quella che Cristo rimproverava ai Farisei, che per eccesso di venerazione alle loro norme tradizionali, giungevano a svuotare il fine della legge, come nel caso tipico ricordato in S. Marco (7, 9-13) dei beni resi intangibili perchè consacrati da una parola del figlio (Corban) e non dati ai genitori bisognosi come prescriveva espressamente un precetto ben più importante della legge. La seconda mentalità potrebbe paragonarsi a quella luterana della fede senza le opere, fede che rimane inefficace come avverte S. Giacomo (2, 17).

Insomma: come l'atteggiamento del corpo suscita nell'animo il sentimento corrispondente e lo aiuta, così la pratica dell'osservanza religiosa suscita e nutrisce il desiderio della perfezione, ossia dell'attuazione del fine generico e specifico dell'istituto; ma di per sè sola non à un valore intrinseco di fine e non può costituire la perfezione religiosa. E viceversa: Come il sentimento interno si manifesta attraverso gli atteggiamenti del corpo, così egualmente l'ardore dello spirito dell'istituto si manifesta in opere corrispondenti ad esso e conducenti alla sua attuazione. Ma un ardore presunto che non si concreti in opere sarebbe tutt'al più indizio di velleità, ma non di vera volontà efficace di santificarsi secondo richiede lo spirito vero dell'istituto.

La venerazione dell'eredità di spirito e norme dell'istituto ricevuta dal passato non deve far considerare quel deposito come tesoro da nascondere in uno scrigno o cadavere da imbalsamare e custodire in una tomba; deve invece trasformarsi in volontà di impersonare ed assimilare ideale e norme, per tramandare alle generazioni future rivissuta ed incrementata quell'eredità. Come nella pianta la vitalità di ogni nuova stagione segna la creazione d'un nuovo strato di fibre, che, mentre rafforzano le precedenti aumentano fiori e frutti, così negl'istituti religiosi il passato è in funzione di rafforzamento del tenerume delle nuove generazioni, non già per coartarne la crescita, ma aderendo ad esse per assicurarne lo sviluppo. Nel tronco, ogni stria segna un'età, ma tutte sono intrecciate in un'unica vitalità: e così negl'istituti: ogni età à il suo caratteristico incremento, ma sempre nella perenne vitalità della pianta.

5. Caducità e rinnovamento delle norme.

Ogni norma di per sé è perenne nel senso che persiste finché persiste il fine; per accidens può diventare decidua quando per mutate circostanze non fosse più efficace al conseguimento del fine; in questo caso la norma diverrebbe inutile, se non addirittura nociva.

Possono esserci dei casi in cui le circostanze mutino talmente che venga a scomparire e diventare inutile il fine stesso specifico d'un istituto.

Così gl'istituti militari ospitalieri, i Templari. In questo caso, o l'istituto cessa, o si trasforma prendendo un fine similare (per es. i Mercedari già dediti alla redenzione degli schiavi). Ma di solito le circostanze mutano solo presentando la realizzazione dello stesso fine con possibilità diverse. In questo caso sono i mezzi che cambiano, e quindi le norme relative a questi mezzi. Non è esatto pensare che le norme così come sono state sistemate dal fondatore siano perpetue ed immutabili. E' vero che la Provvidenza divina, suscitando i fondatori per sovvenire a determinate esigenze sorte nella Chiesa nel corso dei tempi, ispira loro i mezzi più idonei allo scopo; ma è evidente che si tratta non d'una vera e propria ispirazione che dia l'infallibilità e l'intangibilità all'opera in tutti i dettagli. Tant'è vero, che spesso nell'approvazione pontificia, che dà all'opera la stabilità e l'autorità pubblica, delle norme vengono cambiate, attenuate o sostituite, e non per questo l'opera cessa di essere provvidenziale così come la stabilisce la Chiesa, che à l'assicurazione di aver confermato in cielo quello ch'essa opera sulla terra. Nè l'immutabilità deriva alle norme dall'approvazione pontificia, che come à legato può sciogliere, e cambiare sia le norme generali, sia a fortiori quelle particolari. La sola perennità delle norme è quella che viene loro dall'essere adatte al conseguimento del fine: questo assicura ad esse sia la prima approvazione, sia la susseguente perennità; ma, scomparsa quell'idoneità, non si vede più perchè la norma dovrebbe ancora sopravvivere, vivendo sulla terra sia i successori del fondatore, eredi della stessa missione ed autorità, sia l'autorità pontificia, che insieme possono dare ad una norma nuova, più corrispondente alle circostanze, tutto il peso d'autorità che aveva la norma precedente. Attribuendo invece ad esse un'intangibilità che non ànno, ne risulterebbe scapitato il conseguimento del fine, perseguito con mezzi inadatti, che furono ottimi ed efficaci una volta, ma ora non lo sono più.

Ma d'altronde la caducità delle norme non deve essere ai singoli religiosi pretesto per giustificare la velleità di novità.

Anzitutto perchè la caducità è giudicata, come accennavamo sopra, dall'autorità competente, che perpetua in un certo senso l'opera per cui sorse l'Istituto: e cioè i Superiori dell'istituto e la S. Sede. Poi anche perchè a circostanze contigenti può ovviarsi anche senza mutamento di norme, con ordinanze temporanee. Comunque il cambiamento non è giustificato che dall'inettitudine permanente della norma, o da attitudine maggiore, egualmente permanente, di un'altra. Quindi, non si può addivenire al cambiamento di norme se non dopo accertata la reale inettitudine della norma antica e la positiva adeguatezza della norma nuova; accertamento derivato dall'esame delle nuove esigenze ben definite e provate. Ed in questo non si deve dimenticare che ogni cambiamento di legge implica imperfezione (e non soltanto rilevando la caducità della norma precedente, che sarebbe poco male, dovendosi abrogare ma rilevando in anticipo che anche la nuova potrà domani esser giudicata come l'antica); il che sminuisce sempre un pò della venerazione dovuta ad una legge perchè sia eseguita come promanazione della giurisdizione divina. Oltre la difficoltà di transizione della norma antica a quella nuova, che non è insignificante, dato il complesso di abitudini e di attrezzatura. Se però il cambiamento urge, non è il caso di attardarsi a considerare quale potrebbe essere stato il meglio, ma qual'è attualmente il bene, affinchè l'ottimo ideale non sia di ostacolo al bene reale.

6. Necessità di mutamenti.

Si è accennato che di solito l'adattamento alle circostanze avviene lentamente, marcando il passo della trasformazione ambientale, che di solito è lentissima e appena percettibile nei risultati dopo vari anni. Ma cataclismi politici e scoperte straordinarie possono accelerare il corso della storia. Ed è appunto quello che è avvenuto nel passato recente e recentissimo dell'epoca nostra: con lo sconvolgimento di due guerre mondiali e le conseguenti rovine morali, fisiche e fisiologiche, con la meccanicizzazione della vita, con le crescenti preoccupazioni economiche, col ritmo accelerato impresso alla cultura ed alla diffusione delle idee da scoperte meravigliose, con la politica che è divenuta parte vitale delle masse popolari. Insomma in pochi anni la penetrazione di elementi nuovi nella vita sociale à fatto il corso di secoli, impostando dovunque nuove esigenze e nuovi problemi.

Nel passato l'autorità, che è depositaria dello spirito e della legge degl'istituti, provvedeva ai casi sporadici di esigenze diverse da quelle normali con privilegi e dispense. Voler insistere sulla stessa strada, provvedendo alle nuove esigenze con dispense nei singoli casi potrebbe dar l'illusione della sopravvivenza delle norme tradizionali, ma effettivamente la generalità dei casi sarebbero proprio quelli di dispensa. Oltre l'impressione psicologica affatto costruttiva che si creerebbe nei più che le norme esistano soltanto sulla carta. Più efficace, oltre che più sincero e costruttivo, affrontare coraggiosamente i nuovi problemi e provvedere con norme generali, senza lasciare all'arbitrio dei singoli superiori di provvedere nei casi che non sarebbero purtroppo più singoli, ma molto frequenti. Una norma generale, frutto della collaborazione dei migliori elementi d'un istituto è sempre da preferirsi a quella rimessa all'arbitrio dei singoli, siano pur superiori illuminati e dotati delle migliori intenzioni. Norme particolari urterebbero più facilmente in due scogli egualmente pericolosi: il conservatorismo degli abitudinari e l'insofferenza dei novatori. Perchè è una realtà innegabile che dappertutto ci son di quelli che non concepiscono neppure come possa essere doveroso di fare diversamente da come si è fatto sempre senza che il mondo sia caduto perchè s'à fatto così; e ci son di quelli cui ripugna a fare una cosa proprio perchè così si è fatto sempre, ed ora, per aver fatto così sempre, le cose non vanno come dovrebbero andare. I primi dimenticano che se l'esperienza del passato ha dato buoni risultati è proprio perchè nel passato le norme erano adatte alle esigenze; e l'inettitudine di quelle stesse norme ad esigenze mutate sarebbe fatalmente la rinunzia a quei buoni risultati ottenuti nel passato. I secondi dimenticano che non si può fare un fascio di tutto il passato per avventurarsi a capofitto in esperienze nuove, perchè la sola giustificazione d'un adattamento è la provata diversità di esigenze per ogni singola norma che debba cambiarsi. Non si può cambiare per velleità di nuovo, una norma già esperimentata efficace, e non dimostrata superata da reale sua inettitudine a conseguire oggi quello che produceva ieri. Una norma potrebbe essere anacronistica sia se si vuol farla perdurare oltre il tempo, sia se si voglia con essa prevenire i tempi: l'una e l'altra non risponderebbero alle attuali esigenze; e nell'ipotesi, meglio la norma antica già sperimentata buona che la nuova dal successo incerto e senza giustificazione attuale. Chi lascia la via vecchia per la nuova, sa quello che lascia e non sa quel che trova. Il savio proverbio rimane vero anche oggi.

7. Esigenze attuali.

Le circostanze mutate che possono esigere un adattamento di norme ed eventualmente un inquadramento nuovo sembrano:

1) Un notevole indebolimento della resistenza fisica, triste eredità dei disagi che ànno caratterizzato questi ultimi tempi.

2) Un moltiplicarsi di esigenze acuito dal diradarsi notevole del numero del clero secolare.

3) Un'indole diversa delle generazioni nuove, orientate verso l'iniziativa individuale e l'operazione cosciente.

4) Un ambiente culturale, politico ed economico generalmente diverso ed esteso alla grande maggioranza delle masse popolari.

A) *L'indebolimento fisico* porta maggiori difficoltà alle forme più accentuate di ascetismo; e non soltanto per la naturale ritrosia ai sacrificio, ma per effettiva limitata capacità di sopportazione, derivante dalle molteplici neuropatie che affliggono, oggi molto più che mai nel passato, la maggior parte degli uomini, religiosi compresi.

Certo la perfezione è frutto prodotto dalla grazia di Dio e dal sacrificio d'una perpetua immolazione con Cristo; e non sarà mai vero che si ottenga la perfezione eliminando il sacrificio che l'alimenta. Ma ciò non significa che siano immutabili determinate norme di ascetismo; e che ad un sacrificio non se ne possa sostituire un altro, che tenuto conto della diminuita capacità di sopportazione avrebbe lo stesso peso di uno maggiore per uomini dotati un tempo di maggiore resistenza. Un ottimo compenso potrebbe essere l'intensificazione del sacrificio interiore a proporzione della diminuzione di quello esteriore cui la salute non resisterebbe. Ma ogni sostituzione esige un compenso perchè al frutto della perfezione non venga a mancare il necessario alimento di sacrificio. Il criterio da seguire in questo sembrerebbe indicato dal livello indicativo della salute fisica nell'istituto. Se delle pratiche di ascetismo fossero divenute gravose da causare incapacità o capacità diminuita per le mansioni proprie dell'istituto, come questo fatto accertato nei singoli sarebbe motivo sufficiente a dispensarli da quella norma, così il generalizzarsi di esso potrebbe essere segno che la norma va cambiata e sostituita con altra più adatta alle possibilità dei più. Ovvero urge stabilire un compenso che reintegri all'organismo quello che le austerità prescritte gli sottraggono, sempre tenuto presente il fine dell'istituto e la ragion d'essere di ogni singola norma. Procedendo in questo con amore all'istituto e col cuore del fondatore, non sarà difficile trovare una sostituzione di eventuali pratiche eccessivamente debilitanti con altre meno penose fisicamente e magari spiritualmente più mortificanti e quindi più efficaci agli effetti pratici della norma. Però, evidentemente, è condizione indispensabile d'un adattamento che non voglia essere un rilassamento sotto pretesti più o meno plausibili, il fervore di spirito sia in chi deve giudicare, sia in chi deve attuare le norme; se no, l'adattamento si ridurrebbe a larvato rilassamento più o meno legittimato dalla mitigazione dell'autorità che approva; cosa che avvierebbe l'istituto all'estinzione, piuttosto che al rinnovamento.

B) *Il moltiplicarsi delle esigenze* richiede un moltiplicarsi di capacità non solo in pochi elementi come quelli che nel passato formavano l'*élite* degl'istituti religiosi, ma nella maggioranza dei membri. Ora per acquisire queste capacità necessitano corsi nuovi di studio e di addestramento, nuovo inquadramento della formazione; nuove esigenze di direzione ed istruzione, eventuali esenzioni dalle osservanze durante questi periodi di addestramento per agevolarne la rapidità a profitto d'un impiego più immediato di forze.

Inoltre il diradarsi preoccupante delle file del clero secolare pone i religiosi in necessità d'una maggiore dedizione alle opere di vita assistenziale ed apostolica, dedizione che senza norme ben precise ed adatte potrebbe ridursi a tutto discapito della vita interiore, riducendo l'apostolo ad una candela che illuminando altri strugge se stessa, o ad una campana che chiama alla casa di Dio, rimanendosene essa fuori. Di qui la necessità di norme precise, adatte alle nuove circostanze di cose, che mentre stabiliscono gli opportuni limiti e danno le dovute direttive, incanalino l'attività in quello che più o meno rientra nell'ambito del fine proprio dell'istituto; e precisino il compenso per l'intensificazione della coltura interiore del religioso in proporzione al diminuito tempo di attendere a sè.

Questo moltiplicarsi di esigenze può impostare anche nuovi problemi di adattamento. Un tempo, quando un'occupazione non si trovava adatta alle esigenze d'un istituto, se ne poteva conchiudere che quel campo di lavoro non era fatto per quell'istituto, e se ne lasciava la cura ad altri, che con altre esigenze ed altri indirizzi potevano benissimo assolvere il compito. Oggi questo ragionamento non sempre può farsi, appunto per il moltiplicarsi delle esigenze ed il restringersi degli operai. Ora quando la casa brucia non ci si può attardare a chiedersi a chi tocchi intervenire; e se occorre, bisogna sacrificare esigenze particolari di dettaglio per attendere con maggior larghezza di vedute ad esigenze più urgenti ed inderogabili. Per esempio, se una circostanza locale di clima rendesse impossibile ad un istituto missionario norme ascetiche normali in altri climi, ma che in quello sarebbero sfibranti, non ci sarebbe che da scegliere tra due ipotesi: o adattamento delle norme al clima diminuendone l'asprezza, o la rinunzia all'opera, lasciandola ad altri. Ma se questi altri mancano? Potrebbe assistersi coscienziosamente alla perdita delle anime per non sacrificare norme più o meno venerabili, ma che sono molto di minor peso della legge suprema che è la salvezza delle anime? E quello che qui si accenna per una circostanza di clima, vale evidentemente per qualsiasi altra, salvo che non si tratti di norme implicanti la fisionomia particolare dell'istituto. Ciò, peraltro, non significa che ogni istituto debba prodigarsi a tutte le opere di apostolato, sacrificando per questo le norme che dànno un ambito ed una fisionomia caratteristica alla sua attività. Del resto, al disopra delle norme e degl'Istituti c'è l'autorità suprema della Chiesa, ad ogni cenno della quale cade ogni norma particolare, e si è tenuti ad accorrere dovunque e comunque l'urgenza richieda; e si può esser d'altronde sicuri che la sua vigilanza non perde di vista le vere esigenze del momento, e non le mancano mezzi di adibire i religiosi per provvedervi, essendo essi alle sue dipendenze in forza del voto di obbedienza, che è il più caratteristico dello stato religioso.

Del resto — per conchiudere questo punto — si può tener presente che non è poi fatale affatto che l'intensificarsi dell'attività sia sempre a discapito della coltura interiore. Anche il contatto indiretto con Dio, ricercato attraverso il suo regno procurato nelle creature, può essere un continuo ricordo di Lui, e la sua grazia non dovrebbe mancare quando è Lui stesso che pone in necessità di far così. S. Paolo Apostolo, in mezzo all'attività portentosa senza un momento di requie, non trovava in essa un ostacolo a trasformarsi continuamente in Cristo in virtù della carità. E, se è vero che una S. Teresa del B. Gesù, nell'ascetismo della sua vita monastica aveva tanto spirito apostolico da essere proclamata patrona delle missioni estere, è anche vero che il Saverio tutto immerso nelle fatiche apostoliche, era confortato da Dio da ineffabili carismi, che ne confortavano lo spirito e sorreggevano perchè potesse durare, senza venir meno a tante fatiche.

C) *L'indole diversa delle generazioni nuove* imposta anch'essa nuovi problemi di adattamento. Lo spirito democratico penetrato profondamente nella società orienta verso l'iniziativa personale l'attività; tende alla ricerca di una giustificazione cosciente e ragionevole di ogni atto proprio ed altrui; ha maggiore coscienza di diritti e di doveri verso la società e nella società; tende alla valorizzazione di tutte le capacità fisiche e psichiche, piuttosto che al sacrificio di esse nel nascondimento; è insofferente di una passività di abbandono al criterio altrui prima d'aver avuto la certezza di poter dire: « scio cui credidi, et certus sum ».

Sono inclinazioni che possono essere considerate un pregio od un difetto dell'età contemporanea; ma insomma sembrano delle realtà diverse da quelle del passato più o meno recente. E, siccome in queste nature viene a trovarsi di dover essere attuato oggi lo stato religioso, occorre una revisione d'inquadramento e di norme che valorizzi i lati positivi di questi elementi in modo da concretare anche oggi l'ideale religioso con risultati positivi, non inferiori alle auree tradizioni del passato.

Di fronte a questo che sembra un dato di fatto, c'è anche tutto un fiorire di nuovi istituti nati fatti per l'indole nuova delle generazioni contemporanee, senza troppi legami ed imbarazzi — come dicono — di ascetismo superato. Certo le nature più tipicamente « moderne » son più adatte per quest'istituti, che per gli altri. Ma non sembra proprio vero quello che taluno rimprovera ai gloriosi istituti antichi d'essere divenuti ormai inutili, o quasi. Certamente questi non pretenderanno che le nuove reclute possano trovare in essi piena soddisfazione alle loro aspirazioni ed indoli, figlie del secolo XX, solo per forza di eroismo che riesca a spersonalizzarle per inquadrare le nuove esigenze nell'antica forma. Non si pone il vino nuovo in otri vecchi, se non si vuole che vadano perduti gli uni e l'altro. L'eroismo del resto non potrebbe dare risultati duraturi (naturam expellas furca, tamen usque recurret); oppure soltanto in pochissimi eroi. Certo non quanti ne occorrono nell'ora presente. Occorre quindi anche da questo punto di vista una revisione di norme e d'inquadramento per adattare l'indole moderna all'indole dell'istituto, e questa a quella, in modo da richiedere dalle generazioni moderne quello che possono dare, e valorizzarlo con la leva della

49

formazione all'autocoscienza più sentita, che è una leva di potenziamento quasi portentosa, quando agisca in umile cooperazione alla grazia. Tali norme dovrebbe riflettere sopratutto il sistema di formazione in tutto il corso così detto di probazione (probandato, noviziato-studentato) approntando a questo scopo maestri e direttori coscienti non solo dello spirito e delle tradizioni dell'istituto ma anche delle forme tipiche della psicologia contemporanea. Sempre in questa visione potrebbe porsi ancora il problema dell'esazione dell'obbedienza e dell'osservanza in armonia allo sviluppatissimo senso di personalità che la società contemporanea ha creato nelle generazioni nuove, non già piegando l'osservanza o l'obbedienza all'arbitrio personale, ma piuttosto insistendo sul porre in evidenza la valorizzazione della personalità e dell'attività nell'esplicarla secondo vuole Iddio, che sull'olocausto dell'iniziativa per una passività cieca. Quanto più scomparirà nell'obbedienza e nell'osservanza l'elemento umano del comando, tanto più volentieri l'indole contemporanea è portata a sacrificarsi ed agire con cuore e generosità ammirevoli. Perchè dunque insistere sulla passività remissiva più conforme all'indole dei secoli passati, in cui si viveva in climi meno democratici? Certo non si può giudicare l'autorità giurisdizionale della Chiesa, che viene direttamente da Dio, come si è avvezzi oggi a considerare l'autorità sociale, concepita piuttosto come una risultante della volontà della maggioranza pel bene comune; ma non tutto nell'obbedienza religiosa e nell'osservanza è competenza giurisdizionale e non tutto una luogotenenza diretta di Dio. E allora, specialmente dove si tratta di promuovere il bene comune con norme di applicazione pratica contenute soltanto virtualmente nei principi fissi, forse un po' di allargamento di visione alla democratica potrebbe essere più conforme alla mentalità moderna, e non proprio nocivo all'incremento dell'istituto e delle sue opere di santità, che in definitiva contano più del giudizio insindacabile che vorrebbe essere dato in nome di Dio.

D) *L'ambiente culturale, politico ed economico* in cui si trovano ad esistere ed operare gl'istituti religiosi, porta anch'esso le sue esigenze non prive di conseguenze per l'inquadramento della vita religiosa e dell'apostolato che gli è concomitante.

La rapidità portentosa che i mezzi moderni dànno alla diffusione delle idee ha centuplicato in intensità ed in estensione la cultura del mondo contemporaneo; e se ciò ha molte conseguenze deleterie, ha pure molti lati positivi suscettibili di bene. Per esempio il maggior bisogno sentito oggi da moltissime anime del laicato di avvicinarsi a Dio con una vita di spiritualità intensa, sia come dedizione, sia come cognizione. D'altra parte l'indole sportiva accentuatissima della gioventù ha fatto di quello che ieri era solo un espediente ricreativo, uno dei più importanti veicoli di Dio alle anime. Ora, stando alla lettera dell'inquadramento antico, il ricercare le anime in tutte queste vie potrebbe apparentemente legittimare la taccia di americanesimo data all'attività nell'apostolato di oggi. E non mancano infatti di quelli che hanno gridato e gridano all'eresia dell'attivismo. Fino a qual punto, dunque, si può seguire oggi la norma dell'Apostolo di « farsi tutto a tutti, per far tutti salvi »? Quali i mezzi e gli espedienti per evitare che questa discesa nei gusti del mondo delle anime religiose dedite all'apostolato o all'assistenza nelle sue svariatissime forme abbia quegl'innegabili pericoli, che sarebbe funesto ignorare, e più funesto affrontare senza opportune guide e direttive? Urge quindi adattare i mezzi di conquista alle capacità effettive d'assimilazione dell'anima moderna, coi suoi gusti e le sue risorse. Per la qual cosa non occorre affatto mutare fine ed indirizzo dei singoli istituti, ma nell'ambito del proprio fine e del proprio indirizzo immettere la corrente vitale che le generazioni nuove del religioso ricevono dall'ambiente così com'è e valorizzarla prendendo il mondo dal suo lato, quello buono che offre una possibilità di presa per condurlo a Dio, com'è necessario. In questo senso non dovrebbe far paura l'impiego di tutti quei mezzi di cui il male si serve come veicoli d'errori e rovine per farne veicoli di cultura personale dei religiosi e di apostolato pel prossimo. Ma la possibilità tutt'altro che ipotetica d'abusi impone insieme un complesso di norme adeguato all'inquadramento generale del fine, dell'indole e delle opere dell'istituto, affinchè l'uso non degeneri in abuso. Niente paura del nuovo, se il nuovo, innestato al vecchio, può anch'esso condurre a Dio. Le nuove norme permeate dello spirito delle antiche e come promananti da esse per sviluppo di crescenza, debbono operare il miracolo dell'innesto salutare.

Egualmente un adeguamento di norme richiede la nuova struttura economica caratteristica dell'epoca nostra, imperniata sulla valorizzazione immediata di tutti i beni economici, stante la loro sempre precaria stabilità, e le continue oscillazioni di valore d'acquisto, che possono avere molte conseguenze sulla base economica degl'istituti. Eventuali modificazioni di cespiti di sussistenza per assicurare alle comunità religiose il minimo indispensabile, qualora i cespiti passati risultassero inefficaci o insufficienti. (Questue, rendite, industrie ecc.).

Nuovi problemi pongono ai religiosi gli stessi principi politici ieri insignificanti, ed oggi divenuti quasi improvvisamente parte importantissima nelle occupazioni e preoccupazioni della vita quotidiana, sia per i pericoli sempre crescenti di traviamento nel popolo, sia per la stessa esistenza e libertà della Chiesa, che è attaccata, e talora intaccata. Sbandamenti e deviazioni sarebbero, o potrebbero essere, pericolosissimi pei religiosi e pel popolo. Anche in questo non sarebbero superflue direttive di orientamento e salvaguardia, per l'adempimento individuale e sociale di questi diritti e doveri imposti dai problemi politici.

Prospettive concrete

Riepilogando questi pensieri, ci pare d'aver ricordato:

1) Che lo stato religioso è essenzialmente consacrazione dell'individuo all'ideale della perfezione nella carità di Dio e del prossimo fissata dalla promessa dei consigli evangelici.

2) Quest'immolazione, inquadrata nella fisionomia caratteristica dei singoli istituti è lo *spirito* religioso; le norme ne sono il corpo che lo concretano e l'attuano.

3) Mutate circostanze di tempi e di luoghi possono talora esigere una revisione particolare o generale dell'elemento mutevole delle norme, in quanto stabiliscono mezzi più o meno adatti al fine in ragione di particolari circostanze.

4) L'adattamento va fatto nello spirito del fondatore, senza culto fanatico di cellule fossilizzate e non più vitali, e senza fanatica fobia del passato da cui deve scaturire la nuova vitalità.

5) Il criterio d'adattamento è unicamente l'idoneità dei mezzi al fine e la possibilità di attuazione del fine mediante tali mezzi.

6) Ogni organismo vitale deve in parte rinnovarsi ed in parte conservare elementi che ne mantengano l'identità e sostengano il nuovo.

7) Ogni revisione d'inquadramento va fatta sull'indagine accurata del passato e del presente, per accertare l'esigenza e l'idoneità dei mezzi per adeguarvisi.

8) La realtà contemporanea nel suo complesso presenta

tanti elementi nuovi che s'impone un adeguamento generale e un coordinamento di mezzi.

CONCLUSIONE

Non basta sentire il problema e avvertirne l'urgenza; occorre risolverlo superando tutte le difficoltà. Per la revisione dell'inquadramento degli elementi comuni dello stato religioso sarebbe desiderabile la costituzione d'una commissione permanente di studio e di consultazione fino a compito espletato: una commissione che comprendesse non solo gli elementi più rappresentativi dei singoli istituti, ma i più preparati al lavoro d'indagine e di coordinamento.

Egualmente sembrerebbe desiderabile una commissione permanente fatta dei religiosi meglio preparati al compito, in seno ai singoli istituti, per lo studio dei mezzi adatti all'attuazione dell'adattamento secondo le conclusioni della settimana di studio e le direttive della commissione generale di cui sopra. I risultati di questa commissione interna verrebbero sottoposti alle singole curie provinciali per eventuali osservazioni ed integrazioni, in modo che le conclusioni rispecchino veramente la realtà non solo come può esser vista in un centro di studio, ma anche nella più lontana periferia. Conclusioni, integrazioni ed emendamenti sarebbero esaminati dalla Consulta generale, o meglio ancora, dal capitolo generale, e le conclusioni proposte alla S. Sede per l'approvazione definitiva.

In questo modo si avrebbe a garanzia dell'adattamento la scienza dei migliori elementi dell'Istituto, l'esperienza dei Superiori, e la supervisione della S. Sede; e l'istituto sarebbe certo d'aver innestata la propria vitalità alla perennità della Chiesa, che è in definitiva quella del Cristo stesso.

COMMUNICATIO 1: *Obligatio ad perfectionem in suis diversis formis, canonice, moraliter et ascetice illustrata.*

89 *Orator* - R. P. ALBERTUS VAN BIERVLIET, C.SS.R.

1. *De natura perfectionis.*

Is est perfectus cui nihil deest.

Homini rite constituto una deest assecutio finis sui, scilicet Dei possidendi.

Perfectio absoluta est Deus. Unde homo perficitur in quantum coniungitur cum Deo.

Iamvero haec coniunctio fit per caritatem: *Deus caritas est, et qui manet in caritate, in Deo manet, et Deus in eo* (I Io. 4, 16).

Ergo perfectio consistit in caritate. *Plenitudo legis,* seu complexio omnium obligationum quarum adimpletione homo satisfacit ac placet Deo, *est dilectio* (Rom. 13, 10).

Dilectio, sane, erga Deum et dilectio erga proximum, quae sunt inseparabiles: *Hoc mandatum habemus a Deo ut qui diligit Deum, diligat et fratrem suum* (I Io. 4, 21).

Non est nisi una virtus caritatis, et haec est theologica, quia habet ipsum Deum ut obiectum, sive in ipso consideratum, sive in proximo; nam denique per caritatem dictam fraternam diligitur proximus in Deo, seu Deus in proximo (1). Et confirmatur ab Apostolo: « *Omnis enim lex in uno sermone impletur: Diliges proximum tuum sicut te ipsum* » (Gal. 5, 14).

2. *De tendentia ad perfectionem.*

Vita est motus, qui tendit ad ulteriora, ad ampliora et ad meliora; quod praecipue verificatur in vita spirituali, cuius finis est Deus infinitus, et ideo semper inexhaustus, unice a se ipso totaliter comprehensibilis et diligibilis. Insuper, prin-

---

(1) « Idem specie actus est quo diligitur Deus et quo diligitur proximus. Et propter hoc habitus caritatis non solum se extendit ad dilectionem Dei sed etiam ad dilectionem proximi » (IIa - IIae, q. 25, a. 1, c). — « Aimer le prochain par charité c'est aimer Dieu en l'homme ou l'homme en Dieu. C'est chérir Dieu seul pour l'amour de lui-même et la créature pour l'amour de lui-même » (*S. Franc. de S.* Tr. de l'am. de Dieu. L. X, ch. XI).

cipium vitae spiritualis, gratia habitualis, semper, sub influxu gratiarum actualium, clamat ad incrementum. « *Caritas in hac vita semper habet quo crescat* » (2).

Quare, quando tractatur de perfectione hominis viatoris, quaestio non ponitur de perfectione iam acquisita, in qua quis sistere posset, sed de *tendentia* ad perfectionem quam perpetuo conatu augere debet.

3. *De universalitate obligationis tendendi ad perfectionem.*

Huiusmodi obligatio urget omnes omnino homines, singulos autem « *secundum mensuram donationis Christi* » (Ephes. 4, 7).

Universalitatem talis obligationis seu vocationis, recolebant nuper, allatis variis locis S. Scripturae, nonnulla documenta magisterii ecclesiastici, inter quae citari queunt:

a) Litt. Encycl. de S. Francisco Salesio tertio pleno saeculo ab eius obitu. « Omnes... ex Dei voluntate ad vitae sanctimoniam niti debe(a)nt. *Haec est voluntas Dei*, ait Paulus, (I Thess., 4, 3) *sanctificatio vestra;* quam quidem, cuius generis esse oporteat, Dominus ipse sic declarat: *Estote ergo vos perfecti, sicut et Pater vester caelestis perfectus est* (Matth. 5, 48). Nec vero quispiam putet ad paucos quosdam lectissimos id pertinere, ceterisque in inferiore quodam virtutis gradu licere consistere. Tenentur enim hac lege, ut patet, omnino omnes, nullo excepto » (3).

b) Litt. Encycl. *Casti connubii* de matrimonio christiano: « Absolutissimum totius sanctitatis exemplar hominibus a Deo propositum, quod est Christus Dominus, omnes cuiuscumque sunt condicionis et quamcumque honestam vitae rationem inierunt, possunt et debent imitari atque, Deo adiuvante, ad summum quoque christianae perfectionis fastigium, ut complurium Sanctorum exemplis comprobatur, pervenire » (4).

c) Constit. Apost. *Provida Mater Ecclesia* S.S. Pii Papae XII: « Benignissimus Dominus... absque personarum acceptione (II Par. 19, 7; Rom. 2, 11; Eph. 6, 9; Col. 3, 25), omnes fideles semel iterumque ad perfectionem ubique sequendam et exercendam invitavit (Mt. 5, 48; 19, 12; Col. 4, 12; Iac. 1, 4) » (5).

Et haec est, sit per transennam dictum, materia passim praedicabilis, ut inculcetur magis ac magis, quibuscumque fidelibus, nobilitas vocationis christianae, et ideo praemium atque gaudium in ea digne ambulandi.

4. *De methodo evangelica tendendi ad perfectionem.*

1. Caritas colitur in se ipsa, quae est prima, excellentissima et regina omnium aliarum virtutum, et quidem affective, cui praecipue adaptatur vita contemplativa, et effective, cui magis adaptatur vita activa vel mixta, cum variis operibus misericordiae spiritualis et corporalis.

Et caritas colitur per observantiam omnium praeceptorum

(2) II-II, q. 24, a. 8.
(3) AAS, 1923, p. 50.
(4) AAS, 1930, p. 548.
(5) AAS, 1947 p. 117.

sive communium, sive particularium secundum condicionem personarum: « *Qui habet mandata mea et servat ea,* dicit Dominus, *ille est qui diligit me* » (Io. 14, 21). Quae omnia praecepta referuntur autem ad diversas virtutes, quarum omnium caritas est mater, forma, radix, motor, magistra ac ductrix.

Caritas ipsa numquam destrui vel impediri valet ab extrinseco, quippe quae promanet a sola propria voluntate, quae est ex essentia libera: « *Quis nos separabit a caritate Christi? tribulatio? an angustia? an fames? an nuditas? an periculum? an persecutio? an gladius?* » (Rom. VIII, 35, et 37-39). Ad amandum, sufficit amare velle.

Attamen, caritati seu perfectioni obstacula occurrunt et potissima sunt tres ex peccato originali ortae concupiscentiae, continuo quidem concitatae ab adversario diabolo qui « *tamquam leo rugiens circuit quaerens quem devoret* » (I Pet. 5, 8) in hoc « mundo toto in maligno posito » (I Io. 5, 19).

Quae concupiscentiae sic a S. Ioanne denuntiantur: « *Concupiscentia carnis est, et concupiscentia oculorum, et superbia vitae* » (Ib. 2, 16).

Ad has concupiscentias confringendas et ideo ad perfectionem tuendam, Christus Dominus ac Magister triplicem proposuit disciplinam quae directe memoratae triplici concupiscentiae obstat, i.e. tria consilia, simpliciter evangelica dicta, quia praecipua sunt inter omnia quae in evangelio continentur.

2. Cum ex una parte omnes homines teneantur ad praecavenda peccata, quae perfectioni adversantur, cumque ex alia parte ad id castitas, paupertas et oboedientia seu humilitas sint media efficacissima, haec omnes homines aliqua mensura exercere debent, seu mente eorum imbibantur oportet.

Sed iis qui ad maiora nati sunt, seu « quibus datum est », et qui « capiunt verbum istud » (Mt. 19, 11), pleniore mensura seu arctius tribus consiliis evangelicis obtemperare necesse est, ita v. g. ut castitatem ad formam elatiorem perducant scil. virginitatis; imo ad ea sese adstringere, ita ut ipsis mera consilia evadant vera praecepta.

Et sic devenimus ad statum perfectionis, in quo necessario, etsi gradu quodammodo diverso, viget, organice et ordinatim, disciplina trium consiliorum evangelicorum.

3. Sed in antecessum utile erit refutare quamdam obiectionem: primo obtutu, ascesis, qualis assumitur in statu perfectionis, videtur sat negativa utpote directe et immediate *removens prohibens* scil. pravas concupiscentias.

Minime. Nam prius: vindicare se ab illecebris mundanis importat non languidam passivitatem sed generosam activitatem moralem, seu actus valde positivos multarum virtutum.

Praeterea, liberatus a concupiscentiis, quasi necessario fertur in Deum, ad quem origine et natura sua destinatur et a quo continuo attrahitur. Cor humanum non exsistit vacuum: necessario impletur affectibus, sive terrenis, sive supernis. Omnis homo clamat ad bonum cui adhaereat, sive apparens ob hallucinationem, sive reale i.e. Deum. Inde illud concinnum et verissimum S. Augustini: « Perfectio, nulla cupiditas » (6). (Tantum attingitur perfectio, quantum sublata est concupiscentia). Et istud aliud S. Thomae: « Quanto deficit cupiditas, tanto plus crescit caritas » (7).

Insuper, status perfectionis ita fuit semper ordinatus, secundum inconcussam traditionem, ut tempus in eo magnopere insumeretur, sic disponentibus Regulis et Constitutionibus, in exercitia stricte spiritualia, in « Opus Dei », quaecumque sit forma qua opus istud perficiatur. Cui etiam expresse provident Codex Iuris Canonici (v.g. can. 595, 125) et iurisprudentia Ecclesiae in variis Institutis perfectionis approbandis.

5. De notione status perfectionis et de necessitate eius in Ecclesia.

1. Quid est in genere status?

Est condicio iuridica, stabilis, cum determinatis obligationibus et relativis praerogativis.

Iuridica, i.e. agnita, sancita, ordinata, munita a suprema auctoritate.

Stabilis, uti iam innuitur ipsa voce status, quae procedit ab hac altera: stare. Quae stabilitas seu continuata applicatio eidem operi compingit homines natura sua versabiles, et ideo multum confert ad peritiam capessendam in quacumque arte vel artificio.

Cum determinatis obligationibus, quae quidem semper supponuntur, cum versemur in re morali; *et relativis praerogativis,* saltem exercendi munera status, utendi mediis ad id necessariis, fruendi commodis et delectatione promanantibus ex prosecutione finis excelsi.

Hoc tertium elementum specificat singulos status in societate publica. Sic proprium status militaris est arma deferre pro Patriae defensione; status medicalis, agere medicum; status advocatorum, orare causas in iudicio; status iudicum, dicere ius partibus conventis.

Sic denique proprium status perfectionis in Ecclesia est tendere « ex professo » et authentice ad perfectionem caritatis per viam trium consiliorum evangelicorum.

2. Uti patet, non poterat Ecclesia quin morem gereret hor-

---

(6) P.L. 40, col. 25.
(7) In Phil. c. III, sect. 2.

tamentis Christi et exemplis, et ideo cultum perfectionis foveret et ordinaret. Et exemplis Christi, dico, nam nonne Ipse collegium Apostolorum, suorum quidem intimiorum sequacium, instituerat ad modum communitatis religiosae seu societatis perfectionis?

Quod utique luculenter perfecit Ecclesia ab incunabulis, eo libentius quod status perfectionis eo praecise tendit quo ipsa, seu ex huius status « arcta peculiarique relatione ad Ecclesiae finem, sanctificationem nempe, efficaciter, rationibusque adaequatis prosequendum » ut verbis utar Const. Apost. *Provida Mater Ecclesia* (8).

Sicut non omisit scholas condere vel approbare in quibus discebatur doctrina revelata, sic minime neglexit scholas practicas, seu technicas, uti aiunt, in quibus docebatur et exercebatur authentica atque secura disciplina perfectionis seu servitii Dei. Et ita « peculiari cura et benevolentia perpetuo prosecuta est », ut ait Pius XI in Epistola Apost. *Unigenitus Dei Filius* (9), in primis statum religiosum, qui iam a S. Benedicto eleganter vocabatur « Dominici schola servitii » (10).

Schola ceterum quae, utpote publica, prodesse debet non tantum propriis alumnis internis, sed etiam omnibus fidelibus, qui in ea conspiciant exemplar et apertam methodum salutis et sanctitatis a Christo et Ecclesia propositam atque ratam (11).

Ita ut professi perfectionis christianae sint simul *professores* eiusdem.

Nec hoc apostolatus genus in Ecclesia deficere potest; imo nec deficiet unquam (12).

Faxit Deus ut omnes huiusmodi professi, muneris conscii, ita se gerant ut vita sua agant iugiter ac plene efficaciter magisterium istud tacitum! Et hic certe locus datur semper sanctae renovationi.

6. *De varietate statuum perfectionis et de respectivis emolumentis eorum quoad perfectionem.*

1. Positis a Christo fundamento et elementis essentialibus status perfectionis, pertinet ad Ecclesiam statum illum in concreto instituere, ordinare atque moderari. Et ideo, decursu saeculorum, pleno iure determinat, extra immutabilem genuinam substantiam, varias condiciones sub quibus agnoscit de facto statum perfectionis plus minusve adaequatum. Sic, v. g. utrum per *vota* suscipienda sit disciplina trium consiliorum evangelicorum, et quatenus affirmative, utrum per vota *publica?* Utrum

---

(8) AAS, 1947, p. 116.
(9) AAS, 1924, p. 134.
(10) *Reg. Prol.*
(11) « Les Instituts religieux coopèrent grandement à la mission de l'Eglise, qui consiste essentiellement à sanctifier les âmes et à faire du bien à l'humanité... Ils ont eu le mérite de prêcher la vertu aux foules par l'apostolat de l'exemple autant que par celui de la parole... » Leo XIII, Litt. ap. *Au milieu,* 23 Dec. 1900 ad Card. Richard (Acta Leonis XIII vol. XX p. 341).
(12) « Les Congrégations religieuses... représentent la pratique publique de la perfection chrétienne... Il est certain qu'il y a et qu'il y aura toujours dans l'Eglise des âmes d'élite pour y aspirer sous l'influence de la grâce » (Ib. p. 236).

talis disciplina *plus minusve rigorose* sit observanda? Et, necne, sub regimine *vitae communis,* plus minusve arctae? etc.

Qua mente, Ecclesia, iure hodierno, triplicem statum perfectionis facit suum.

Primus est, omnino integer et pleniore sensu, *status religiosus,* Codice descriptus in Libri I Parte Secunda: De Religiosis. Complectitur tria vota, denique perpetua, et publica, et stabilem in communi vivendi modum.

Alterum agnoscit statum perfectionis in « *Societatibus* sive virorum sive mulierum *in communi* viventium *sine votis* » de quibus Titulus XVII eiusdem Partis L. I Codicis; quorum « sodales vivendi rationem religiosorum imitantur in communi degentes sub regimine Superiorum secundum probatas constitutiones, sed tribus consuetis votis publicis non obstringuntur » (Can. 673, § 1).

Quodsi in huiusmodi Societatibus, non iuridice religiosis etsi moraliter et ascetice, de facto emittuntur unum, vel duo, imo tria vota, haec non habentur publica.

Nihilominus, ut iterum declaratur in Constit. Apost. *Provida Mater Ecclesia,* « ad statum canonicum perfectionis satis plene Ecclesia aequiparare voluit Societates (istas)... quae quamvis aliquibus iuridicis sollemnitatibus ad statum perfectionis canonicum completum necessariis, ut votis publicis (cc. 488, 1. et 7; 487), carerent, tamen in ceteris quae ad vitam perfectionis substantialia reputantur, veris Religionibus arcta similitudine et veluti necessitate coniunguntur » (13).

Tertium tandem statum iuridicum perfectionis instauravit nuper *Provida Mater Ecclesia* constitutione Apostolica hisce verbis tam apte exordiens, die 2 Februarii anni 1947, confirmata Motu Proprio *Primo feliciter* anni sequentis, diei 12 Martii.

Hoc tertium genus status perfectionis constituunt *Instituta Saecularia,* scil. ea « quae in interna constitutione, in hierarchica regiminis ordinatione, in plena nullisque aliis vinculis limitata deditione, quam a membris proprie dictis requirunt, in consiliorum evangelicorum professione, in ratione denique ministeria et apostolatum exercendi, propius quoad substantiam accedunt ad status canonicos perfectionis, ac speciatim ad Societates absque votis publicis (tit. XVII), quamvis non vita communi religiosa, sed aliis externis formis utantur » (14).

« Illa... tantum ut vera Instituta agnoscantur, quae plenam perfectionis vitam authentice profiteantur (15).

Et sane saltem membra strictiore sensu horum Institutorum « ad perfectionem vitae christianae... efficaciter tendere debent:

1) Professione nempe coram Deo facta coelibatus et castitatis perfectae, quae voto, iuramento, consecratione in conscientia obliganti, ad normam Constitutionum, firmatur;

2) *Oboedientiae* voto vel promissione, ita ut stabili vinculo ligati totos Deo et caritatis seu apostolatus operibus se dedicent, et in omnibus sub manu et ductu semper moraliter sint Superiorum, ad normam Constitutionum;

3) *Paupertatis* voto vel promissione, vi cuius bonorum temporalium usum non liberum habeant, sed definitum ac limitatum, ad normam Constitutionum (16).

Membra talium Institutorum non ducunt vitam communem materialem, i. e. « sub eodem tecto », sed formalem, quae scil. requirit « incorporationem sodalium Instituto proprio » et quidem per « vinculum... stabile... sive perpetuum sive temporarium, elapso tempore renovandum... mutuum ac plenum » (17).

In his tribus statibus aeque viget obligatio tendendi ad

(13) AAS, 1947, p. 117.
(14) *Const.* cit. AAS, 1947, p. 117.
(15) Ib. p. 119.
(16) Ib. p. 121.
(17) Ib. p. 121.

perfectionem ope trium consiliorum evangelicorum, etsi condicione et mediis secundariis diversis.

Ex quo tamen non est concludendum quod obiective sunt aequalis valoris quoad sanctificationem, quidquid sit, uti patet, de eorum efficacia practica relate ad animas peculiares, iuxta uniuscuiusque supernam vocationem et aptitudines.

Etenim, ex ipsis documentis pontificiis eruitur, sicut et ex natura rei, quod vita *religiosa*, ob totam suam structuram et ampliores quas sodalibus subministrat opes spirituales, tendentiae ad perfectionem superiorem praebet formam, ex qua quasi procedunt reliquae formae et ad quam hae iterum accedunt.

Ceteris missis, a commentatoribus, praesertim religiosis, iam abundanter enucleatis, unum hic notare velim.

Soli Religiosi habent vota publica, i. e. nomine Ecclesiae a legitimo Superiore ecclesiastico acceptata (Can. 1308, § 1); ita ut si in ea committunt rei fiant *sacrilegii*.

Sed nonne vicissim affirmare licet quod ea observando, sibi comparant meritum et emolumentum speciale, i. e. vitae quodammodo *liturgicae*?

Etenim, quid est liturgia? Est cultus publicus Ecclesiae, seu exercitium sociale, legale, authenticum virtutis religionis, peractum ab ipsa Ecclesia, aut eius nomine, et iuxta normas ab ipsa praescriptas.

Nunc vero, vita rite appellata religiosa, ob vota quibus suscipitur et ducitur, tota refertur ad virtutem religionis, seu ad « dominicum servitium », seu ad cultum.

Sed ad cultum publicum, quia vota sunt publica, ergo ad liturgiam. Et Regulae et Constitutiones, approbatae quidem ab Ecclesia, nonne sunt Rubricae huius continuae Liturgiae Religiosorum?

Sane « liturgia » regularis observatiae non ita est sollemnis ac ea quae celebratur secundum libros formaliter liturgicos, quibus consulit S. Rituum Congregatio; sed sicut genuina vota religiosa distinguuntur in sollemnia et simplicia, quae tamen aeque sunt publica, nonne S. Liturgia distingui posset inter sollemnem, iuxta libros vocatos liturgicos, et simplicem, iuxta Regulas et Constitutiones?

Quod, etiam practice, non est parvipendendum, ob venerationem quam ingerit Religiosis erga suas observantias et ob stimulum qui exinde eis praebetur, et ob meritum ac adiumentum speciale eis ex eo obveniens.

Nam si sacra Liturgia est amplum quoddam sacramentale, vita religiosa participat naturam sacramentalium, et ideo confert iis, qui eam fideliter observant, efficaciam *ex opere operantis Ecclesiae* (18).

7. Qui negligit tendentiam ad perfectionem, etiam Religiosus, committitne peccatum speciale?

Quaestio non caret momento etiam practico. Etenim ex

(18) *Wernz-Vidal.* De religiosis, n. 383: « Status religiosus est institutus ad socialem cultum Deo exhibendum; ad quem cultum divinum fiunt personae sacrae per consecrationem in votis publicis contentam, sicut clerici sacrae personae fiunt per ordinationem ». Cfr. etiam ib. n. 10.

Lemonnyer O. P. Somme Théol. La vie humaine p. 559: « Grâce à cette consécration par les voeux, et plus spécialement par le voeu d'obéissance, toute la vie humaine, c'est-à-dire délibérée et volontaire, du religieux se trouve élevée, d'office et jusque dans sa source même, au rang de culte et de service religieux de Dieu, et devient une perpétuelle et sainte liturgie. Ce qui vaut au religieux... de prendre rang parmi les candidats privilégiés, officiels à l'intimité de l'amitié divine, c'est-à-dire de la parfaite charité, étant naturel que Dieu choisisse de préférence ses *Amis* particuliers entre ceux qui se sont rendus ses *Serviteurs* par profession ».

Concilio Tridentino (19), declaranda sunt in confessione peccata iuxta numerum et *speciem*. Ast, quomodo declarari valet peccatum quod non habeat speciem, quod non sit *speciale*, quod denique non exsistat, cum nihil exsistat nisi specificatum?

Iamvero, uti satis notavimus, tenditur ad perfectionem per adimpletionem omnium praeceptorum sive communium, sive particularium. Non attingitur finis directe et in se, nec appropinquatur ad eum immediate sed per media quae conducunt ad eum.

Unde actus relate ad finem *iam* specificantur obiecto suo proprio secundum varias virtutes ad quas referuntur.

Nec *multiplicitas* peccatorum addit eis speciem novam. Hic etiam invocari potest principium: Plus minusve non diversificat speciem.

Quare non intelligitur quomodo, sicut nihilominus prolatum est a quibusdam auctoribus, Religiosus habituatus in peccatis contra sua vota (vel etiam contra quodcumque praeceptum etiam commune, iuxta aliquos, allata quoque in hac materia nova illa inutili distinctione), quomodo Religiosus iste fieret insuper reus peccati contra obligationem tendendi ad perfectionem, ita ut, v.g., qui centies peccavisset contra vota, vel aliud quid, praeterea commisisset unum alterum peccatum contra tendentiam ad perfectionem.

Sane, iste miserabilis Religiosus laedit dictam tendentiam, sed per peccata iam specificata, superaddita forsan specie peccati scandali, iniustitiae, etc.

Saepe ab auctoribus in hac quaestione, ad determinandum peccatum, etiam recurritur ad *contemptum* formalem.

Sed frustra et indebite ad solutionem quaestionis particularis. Etenim, contemptus est independens ab omni substrato materiali et committitur *in ipsum Deum*, etsi plerumque occasione et per viam alicuius rei sacrae quae spernitur.

Ita, e.gr., si despicitur qualiscumque superior legitimus (etiam infimus et etiam civilis) *ut sic;* nam tunc contemnitur ipse Deus gubernans vel praecipiens, cum omnis vera auctoritas sit divina: « *Non est enim potestas nisi a Deo* » (Rom. 13, 1).

Haec est ratio cur contemptus formalis non admittat parvitatem materiae, non secus ac blasphemia.

Ceterum, huiusmodi contemptus habet suam malitiam specificam et ideo, qua talis et non sub alia qualificatione, declarandus est in confessione; nullam habet intrinsecam necessitudinem cum obligatione tendendi ad perfectionem, et denique non pressius tangit Religiosum quam quemcumque alium hominem.

Revera, ut saepe notatur, qui frequenter peccaverit sese exponit contemptui formali.

Utique. Et tunc, positis omnibus ponendis, iam reus est huius peccati, sicut omnis qui non aufugiens verum periculum offendendi aliquam virtutem iam peccat contra eamdem, saltem affective.

Sed, instant, Religiosus frequenter peccans se obiicit periculo renuntiandi tendentiae ad perfectionem, cui ligatur speciali modo vi professionis, seu periculo amittendi, uti aiunt, vocationem suam.

Iterum, tunc peccabit specifice contra votum vel iuramentum perseverantiae si quod emiserit, certe contra votum obedientiae, quod eum in primis obligat ne se subtrahat regimini Superiorum per apostasiam, sensu Can. 644.

Coronidis gratia, omnibus rite disceptatis, non perspicitur cur occasione studii tendentiae ad perfectionem, agitetur quaestio de peccato speciali; et videtur, ad inutilia removenda, adhaerendum esse expositioni simplicissimae acuti Patris Pii

(19) Sess. XIV, Cap. V, can. 7.

Sabadel de Langogne, O.F.M. Cap. (postea Archiepiscopi) in articulo nimis ignoto et cuius titulus totam prodit doctrinam: « Un péché qui n'est pas un péché » (Peccatum quod non sit peccatum) (20).

Eodem sensu et vi eiusdem principii, scil. defectus obiecti specifice distincti, non exsistit *virtus* paupertatis, nam omnes virtuosi affectus, sive negativi, sive positivi circa bona temporalia reguntur virtutibus iam determinatis. Sed locutio: virtus paupertatis, legitime designare valet varias virtutes quae paupertate religiosa coluntur, sicut tendentia ad perfectionem supponit exercitium, prudens utique, omnium virtutum.

Etenim paupertas religiosa inducit et complectitur verum complexum virtutum, imprimis religionis (ratione voti), oboedientiae (ratione necessariae dependentiae a superioribus in usu rerum temporalium), humilitatis, mortificationis et modestiae, caritatis fraternae (ratione vitae communis), spei in Providentiam, ob cuius amorem bona propria derelicta sunt, etc. Sed plerumque sic dicta virtus paupertatis, quae passim occurrit in tractatibus vitae perfectionis, imo et in Constitutionibus a S. S. approbatis, innuit spiritum seu fervorem religiosae paupertatis, qui progreditur ultra obligationes strictas voti eiusdem nominis, in eamdem lineam quidem, et secundum eiusdem mentem.

Iterum quoad tendentiam ad perfectionem, accusatio sat frequens: confiteor quia peccavi contra tendentiam ad perfectionem, significare solet varias culpas seu imperfectiones quas paenitens, parum edoctus vel diligens, confuse tantum in propria conscientia percipit, quasque, quasi securitatis causa, post determinatas accusationes, hac formula universali complecti satagit.

8. Quid de adagio: « Non progredi, regredi est »?

Sic primo invenitur expressum, a Pelagio in Epist. ad Demetriadem (inter opera S. Augustini, cui falso tributum est, P.L. t. 33, col. 1118) principium illud, quod postea, verbis sat aequivalentibus, invenitur apud varios Patres (21) et denique passim apud auctores spirituales omnis aevi.

Verum, non significat gratiam habitualem, in certo gradu obtentam, umquam minui. Nam si aliquando pessumdatur, id fit totaliter, i.e. simpliciter amittitur, scil. peccato mortali, sed eo solo.

Significat autem istud: si non vere tenditur ad perfectionem semper augendam — mediis cuique perviis et accommodatis — vanae fiunt gratiae actuales a Deo praestitae ad progrediendum. Unde magis in dies crescit spatium inter statum realem animae quae non progrediatur et statum idealem, scil. gradum perfectionis ad quem vocabatur.

Inde etiam discrimen pro anima, tali modo infideli, ut Deus denique, quasi fatigatus ex hac inutili profusione, hanc remittat; ita ut anima ista quasi derelinquatur et — non desi-

---

(20) *Analecta Ecclesiastica*, 1893, p. 495.
(21) *S. Augustinus*. « Si autem dixeris: Sufficit, et periisti » (P. L. t. 38, col. 926). — *S. Greg. M.* « Ad ima relabitur, nisi ad summa conetur » (P. L. t. 77, col. 118). — *S. Bernardus* « Nolle proficere, nonnisi deficere est » (P. L. t. 182, col. 461). Et alio loco « Si quis forsitan proficere dissimulat, noverit non in processione se esse; imo vero et in regressione, quoniam in via vitae non progredi, regredi est; cum nihil adhuc in eodem statu permaneat » (P. L. t. 183 col 369).

nentibus aliunde periculis et internis et externis — refrigeret fervorem et paulatim decidat in teporem et ideo exponatur vomitui divino, ut loquitur S. Ioannes (Apoc. 3, 16) (22).

Unde tandem necessitas fovendi in se saltem constantiam et sincera desideria perfectionis, et ea assidue efflagitandi, cum Matre Ecclesia: « Ut mentes nostras ad caelestia desideria erigas, Te rogamus, audi nos ».

Quae omnia praecipue valent pro istis praedilectis Dei qui, vocati ad statum perfectionis, in ipso inveniant efficaciora media perfectionis et abundantiora incitamenta ad eam.

Quibus si non correspondeant, longius absunt a fastigio cui destinantur, et ingratiores evadunt Deo; quod Ipse avertat ab omnibus nobis!

Alii periti viri, ex munere a Sacra Congregatione de Religiosis commisso, circa idem argumentum scripserunt.

90 R. Sac. ANDREAS GENNARO, S. D. B., ex Pont. Athen. Salesiano, *scripsit*:

Che s'intenda per *vita interiore* è ben noto. Essa è, come dice lo Chautard (1), « *lo stato di attività di un'anima che reagisce per dominare le sue inclinazioni naturali e si sforza di acquistare l'abitudine di giudicare e di regolarsi in tutto secondo la luce del Vangelo e gli esempi di Gesù Cristo* ».

La vita interiore è perciò essenzialmente unione o abituale commercio dell'anima nostra con Dio, così che essa pensa, parla, agisce costantemente nello spirito di Dio, guidata cioè, e interiormente spinta, in ogni suo movimento dallo spirito e dall'amore di Dio.

L'alimento naturale della vita interiore consiste nella pietà, così scultoriamente definita da S. Agostino, *Summae originis pius sensus, dulcis affectus, devotus famulatus*, ossia un pio sentimento della nostra altissima origine, un dolce affetto, una spontanea e devota servitù.

Per la pietà infatti l'anima rimane come estasiata dinanzi alla bontà infi-

<hr>

(22) *S. Alf. Lig.* « A chi conserva colla sua corrispondenza il guadagno fatto delle grazie e talenti donatigli da Dio, gli sarà accresciuta la grazia e la gloria; ma a chi malamente si sarà servito del suo talento, lasciandolo ozioso, senza aumentarlo, quello gli sarà tolto da Dio, e sarà privato delle grazie apparecchiate ». (*La Vera Sposa di G. C.*, c. V, n. 12).

(1) *L'anima dell'Apostolato*, S.E.I., Torino 1929, pag. 31.

nita di Dio, e si sente dinanzi a Lui come figlio affettuoso dinanzi al più buono dei Padri, di un figlio nel cui cuore ha profonda e dolcissima risonanza la divina protesta del Padre Celeste: *In caritate perpetua dilexi te: ideo attraxi te miserans* (Ier., 31, 3) e quell'altra dolcissima espressione: *Voluntarie genuit nos verbo veritatis, ut simus initium aliquod creaturae eius* (Iac., I, 18). Ecco il *pius sensus*.

Dall'estatica ammirazione l'anima passa all'espressione dei più teneri sentimenti di riconoscenza e di amore *(dulcis affectus)*, e dalla riconoscenza alla donazione totale di sè a Dio nel devoto e generoso servizio *(devotus famulatus)*, che non si contenta dello strettamente dovuto, ma onora e serve Iddio senza limiti e misura, teneramente, delicatamente e devotamente.

E non solo è dalla pietà alimentata la vita interiore, ma con essa si identifica, secondo il pensiero di Mons. de Ségur: «La pietà cristiana è l'unione dei nostri pensieri, dei nostri affetti, di tutta la nostra vita con i pensieri, con i sentimenti, con lo spirito di Gesù. E' Gesù vivente con noi».

Il carattere essenziale della vita interiore ce lo presenta con molta chiarezza l'Autore dell'Imitazione di Cristo (L. II, c. VI, v. 27): «Ambulare cum Deo intus, nec aliqua affectione teneri foris, status est interni hominis».

Dunque vivere in Dio, essere col cuore distaccati dalle cose terrene, ecco la vita interiore. Vivere in Dio vuol dire vincere le inclinazioni della natura corrotta, sottoporre le passioni all'impero della ragione e della Fede, così che tutti i nostri pensieri, tutti i nostri affetti, tutte le nostre parole, tutte le nostre azioni siano dirette a Dio; vuol dire vivere alla presenza di Dio, in unione con Dio; in una parola vivere vita soprannaturale, santa: «Ambula coram Deo et esto perfectus» (Gen. 17, 1).

Vivere distaccati dalle cose terrene vuol dire non lasciarsi trascinare dalla triplice concupiscenza degli occhi, della carne, del mondo; cioè essere distaccati dal desiderio della gloria, dei piaceri illeciti, dei beni materiali. Vivere distaccati dalle cose terrene vuol dire occuparsi sì di ciò che riguarda la vita materiale, ma senza preoccupazioni, senza soverchia cura, senza farci schiavi della terra, nè dare più importanza alle cose della terra che a quelle del Cielo.

Questo distacco dalle cose esteriori è condizione essenziale per formare in noi la vita di unione con Dio, è il presupposto della vita interiore. E' il pensiero dell'Autore dell'Imitazione di Cristo (L. II, c. I, v. 1-3): «Regnum Dei intra vos est, dicit Dominus. Converte te ex toto corde ad Dominum et relinque hunc miserum mundum; et inveniet anima tua requiem. Disce exteriora contemnere et ad interiora te dare, et videbis regnum Dei in te venire. Est enim regnum Dei pax et gaudium in Spiritu Sancto, quod non datur impiis».

E Gesù è nostro modello di vita interiore proprio in questa unione con Dio e in questo distacco dalle cose terrene.

L'anima di Gesù era sempre raccolta nella divinità che sostanzialmente abitava in essa. «Solus non sum, sed ego et qui misit me» (Io. 8, 16). «Pater in me manens, ipse facit opera» (Io., 14, 10). «Si iudico ego, iudicium meum verum est, quia solus non sum; sed ego et qui misit me» (Io. 8, 16). Adunque l'anima di Gesù era continuamente unita al Padre Celeste con tutti i suoi pensieri, con tutti i suoi affetti, con tutti i suoi sentimenti, non proponendosi che Dio in ogni cosa, non stimando, non amando altro che Dio. Nulla poteva distrarlo delle cose della terra che vedeva al di sotto di sè e dominava dalle altezze dell'unione con Dio.

Gesù è modello di distacco da tutto ciò che non è Dio. « Ego vivo propter Patrem » (Io., 6, 58). « Non quaero voluntatem meam, sed voluntatem eius, qui misit me » (Io., 5, 30). « Meus cibus est ut faciam voluntatem eius, qui misit me » (Io., 4, 34). « Quae placita sunt ei facio semper » (Io., 8, 29). « Non sicut ego volo, sed sicut tu » (Mat., 26, 39). Ecco Gesù staccato da tutto, indifferente a tutto, al godimento e alla sofferenza, all'onore e all'umiliazione, alla lode e al disprezzo; in Lui nessuno attaccamento, fuorchè alla volontà del suo Padre Celeste.

La nostra vita deve conformarsi alla vita di Gesù. Ce lo suggerisce la ragione. Dio è dappertutto e presente nel fondo del nostro cuore, come negli splendori dei santi. Dunque è nostro dovere pensare a Lui, venerare la sua presenza in noi, parlarGli, adorarLo, lodarLo, ringraziarLo, chiederGli perdono dei nostri falli, ascoltare con venerazione e raccoglimento la sua parola, piacerGli con l'offerta delle nostre azioni, col sacrificio della nostra volontà, dei nostri gusti, con la pratica della virtù.

Ce lo comanda la Fede. Gesù è, come afferma Egli stesso, la vite, noi i tralci. « Ego sum vitis, vos palmites: qui manet in me et ego in eo, hic fert fructum multum: quia sine me nihil potestis facere. Si quis in me non manserit, mittetur foras sicut palmes et arescet, et colligent eum, et in ignem mittent, et ardet » (Io., 15, 5). San Paolo, fondato su questa dottrina di Gesù, insiste perchè ciascuno di noi si ispiri al modo di sentire di Gesù: « Hoc sentite in vobis quod et in Christo Iesu » (Phil., 2, 5); vuole che di giorno in giorno rinnoviamo in noi stessi l'uomo interiore, man mano che l'esteriore si discioglie e scompare: « Licet is qui foris est noster homo corrumpatur, tamen qui intus est renovatur de die in diem » (II Cor., 4, 16).

Egli stesso scongiura il Padre Celeste perchè fortifichi nei suoi figli spirituali, gli Efesini, l'uomo interiore con la virtù del suo spirito e faccia abitare nei loro cuori Gesù con la fede viva, con la carità ardente e così li radichi bene nella loro vita interiore: « Flecto genua mea ad Patrem D. N. I. C. ut det vobis... virtute corroborari per Spiritum eius in interiorem hominem, Christum habitare per fidem in cordibus vestris, in caritate radicati et fundati » (Eph., 3, 14-17). S. Paolo arriva fino ad affermare solennemente che non può appartenere a

Gesù colui che non ha lo spirito di Lui: « Si quis spiritum Christi non habet, hic non est eius » (Rom., 8, 9).

La vita interiore: a) *Ci fa morire all'uomo vecchio e vivere dell'uomo nuovo.* Il vecchio Adamo è l'uomo del peccato, è l'uomo animale, che pensa alla terra e dimentica il cielo, si preoccupa del tempo e dimentica l'eternità: questa è la vita esteriore del mondo. Chi invece vive la vita interiore, fa vivere in sè il nuovo Adamo, Gesù. Egli vive del Cielo e si libera dalla schiavitù del peccato e dei sensi.

b) *Ci solleva all'altezza stessa della vita divina di Gesù.* E' S. Paolo stesso che ci assicura di questo, forte della propria esperienza: « *Vivo autem, iam non ego; vivit vero in me Christus* » (Gal., 2, 20). Dunque anche in noi, come in S. Paolo, non deve più vivere il vecchio Adamo con le sue malvagie concupiscenze, ma il nuovo Adamo, Gesù, i cui pensieri devono essere i pensieri nostri, i cui sentimenti devono essere i sentimenti nostri, amando noi ciò che Egli ama e volendo ciò che Egli vuole; potendo così ripetere sinceramente con San Paolo: « Mihi vivere Christus est » (Phil., 1, 21).

Appunto perchè Gesù è la vite e noi i tralci, dobbiamo vivere la stessa vita di Gesù, come il tralcio vive dei succhi che gli trasmette il ceppo della vite. Gesù deve regolare tutti i movimenti del corpo, contenendoli nella modestia e decenza, deve governare la nostra lingua perchè nulla di sconveniente sia da essa pronunciato, le nostre mani perchè attendano solo ad opere buone, il nostro spirito perchè coltivi soltanto pensieri santi, il nostro cuore perchè non abbia che i sentimenti di Gesù. « Hoc sentite in vobis quod et in Christo Iesu » (Phil., II, 5). Gesù è il nostro Capo, noi sue membra: « Christus caput est Ecclesiae... membra sumus corporis eius » (Eph., 5, 23-30). Ora il capo e le membra devono vivere della stessa vita; e come dal capo deriva la vita a tutte le membra, così la vita divina deve procedere da Gesù in noi.

c) *Produce in noi gioia e felicità di Cielo.* Per questo dice il Salmista: « Melior est dies una in atriis tuis super millia » (Ps. 83, 11). E S. Paolo invita le anime giuste a rallegrarsi nel Signore: « Gaudete in Domino semper, iterum dico, gaudete » (Phil., 4, 4); e dichiara che il frutto della vita interiore è la pace e la gioia: « Fructus spiritus, gaudium... pax... (Gal. 5, 22).

L'Autore della Imitazione di Cristo descrive mirabilmente la felicità della vita interiore (L. II, c. I, v. 4-8): « Veniet ad te Christus ostendens tibi consolationem suam, si dignam illi ab intus paraveris mansionem. Omnis gloria eius et decor ab intra est et ibi complacet sibi. Frequens illi visitatio cum homine interno, dulcis sermocinatio, grata consolatio, multa pax, familiaritas stupenda nimis. Eia, anima fidelis, praepara huic sponso cor tuum, quatenus ad te venire et in te habitare dignetur. Sic enim dicit: Si quis diligit me, sermonem meum servabit; et ad eum veniemus et mansionem apud eum faciemus ».

La vita interiore è essenzialmente necessaria per la santificazione nostra e per la fecondità del nostro apostolato di bene.

Senza vita interiore, ossia senza spirito di pietà, non è possibile quella intima relazione, e vorremmo dire quella ineffabile parentela che Gesù volle stabilire con noi nel S. Battesimo. Cesserebbe ogni intimo commercio fra Dio e noi; verrebbe anche meno lo spirito di fede che ci rende vivamente convinti delle verità di N. S. Religione, ce ne rende viva la memoria e salutare l'influenza in ogni circostanza della vita. Senza la vita interiore, le stesse pratiche di pietà diventano un peso, un mal sopportato tributo.

Al contrario, la vita interiore rende costante la nostra unione con Dio, comunica ad ogni nostro atto, anche il più indifferente, un sapore di religiosità che lo eleva al merito soprannaturale, e ci fa godere un principio di beatitudine celeste.

Senza vita interiore il religioso si inaridisce e si isterilisce nello spirito religioso e nell'apostolato e mette in grave pericolo la stessa sua vocazione.

Infatti il religioso dissipato si troverà nella morale impossibilità di scuotersi di dosso la polvere mondana che purtroppo quotidianamente si depone nelle nostre anime; perchè nè l'avverte, nè si infastidisce, perdendo poco a poco la delicatezza di coscienza.

Il religioso dissipato lavora sì secondo le norme del suo Istituto, segue in molte cose la comunità, ma quando gli è possibile, si sottrae volentieri alle pratiche di pietà, tanto è rilassato e indifferente. Da ciò consegue un apostolato arido e infruttuoso. Arido e infruttuoso il ministero del confessionale e del pulpito, aridi e infruttuosi i contatti con le anime, arido e infruttuoso il ministero della Cattedra.

Nessuno infatti può dare ciò che non ha. Se non vi è pietà e vita interiore, a nulla valgono le doti esteriori di brillante oratoria, di facile comunicativa, di capacità didattiche. Il religioso dissipato rimane bronzo squillante, scrosciante uragano e nulla più. Le anime restano aride e la benefica rugiada divina non può irrorarle e nutrirle!

Se oggi, con tante iniziative, con tante opere di preservazione morale, con tanta febbrile attività delle anime consacrate all'apostolato, così scarsi sono i frutti e così poche le anime veramente e sinceramente cristiane, non bisogna dare troppa colpa alla lotta tenacemente moltiplicata del male contro il bene, ma bisogna confessare che troppo si dà alla attività esteriore da coloro che fanno dell'apostolato e poco, ben poco, alla vita interiore. Si lavora troppo come se tutto dovesse dipendere da noi e si fa troppo poco affidamento sulla forza della preghiera, del raccoglimento e della unione con Dio!

I Santi erano anime eminentemente interiori; tali S. Giovanni Bosco, S. Giuseppe Benedetto Cottolengo, S. Giuseppe Cafasso, per parlare solo dei più recenti. Dalla loro vita interiore scaturì la fecondità meravigliosa del loro apostolato, non da altro!

Ecco dunque il grande dovere dei Religiosi: santificarsi nella vita interiore per poter santificare le anime nell'esercizio dell'apostolato!

OBLIGACION DE LA PERFECCION EN EL ESTADO RELIGIOSO

Introducción

En un programa de estudio sobre la renovación del estado religioso con miras a su mayor eficacidad, la perfección es tema de temas, por lo mismo que es la razón esencial de la vida religiosa. Cualquier renovación en las condiciones de esa vida, ha de tener por intento y norma la más fácil y segura consecución de la perfección y de su irradiación, por el apostolado, a la generalidad de los fieles. Sólo así puede ser beneficioso. El estado religioso sólo puede ser mejorado haciendo mejores a sus miembros. Y como los medios toman toda su razón y validez del fin, a éste hay que atender para excogitarlos, modificarlos o substituirlos con acierto. Errado empeño sería pretender vigorizar el árbol de la vida religiosa cultivando sus ramas o sus hojas y descuidando sus raíces. Y la raíz profunda y eterna de esta vida es el profundo anhelo de perfección divina que nace de la entraña viva de la gracia: una aspiración vital de endiosamiento, de ser perfectos como nuestro Padre celestial es perfecto. El punto de partida y el principio orientador permanente en este propósito renovador, ha de ser siempre el que es causa y fundamento de la vida religiosa, formulado irreformablemente por el divino Maestro: *Si quieres ser perfecto, déjalo todo y sígueme* (Mt. 19, 21). He aquí la insustituible condición, la eterna luz orientadora. Todo lo que ayude a ser perfectos. Sólo lo que ayude a ser perfectos. Mejor lo que más facilite el divino perfeccionamiento. Nada que dificulte la perfección evangélica de las almas llamadas a obtenerla, en seguimiento inmediato y pleno de Jesús.

Acaso ocurra pensar, que por ser esta verdad tan incuestionable, debe darse por sabida, y que lo que ahora se trata de esclarecer no es lo claro sino lo obscuro: No la obligación de los religiosos a procurar su perfección cristiana, sino la manera de hacer más cumplible esta obligación en las actuales circunstancias, atendidas las dificultades y exigencias de la hora presente. Pero no es acertado ese discurso. Lo que procede es proyectar la luz sobre la obscuridad, la obligación cierta y urgente de la perfección cristiana sobre las dificultades y exigencias que afectan actualmente a la vida religiosa. Y si esto es lo que procede, el estudio de esa obligación es de necesidad primordial, como lo es encender la luz para bien caminar. Y aun se debe añadir, que esa luz de orientación es a la par la secreta energía de realización y de eficacia. La perfección cristiana, como aspiración y como deber, es el resorte decisivo de la vida religiosa. Con ella todo es vida, renovación y fecundidad espiritual; sin ella, sin su aliciencia como ideal y su impulso como norma, todo es esterilidad, paralización y muerte. La renovación del estado de perfección tiene, según esto, una sola fórmula eficaz: renovación y vigorización del espíritu religioso, que es espíritu del Espíritu, amor del Amor, anhelo y voluntad de unión con Dios, de perfección cristiana.

A tono con este criterio, nuestro estudio debe ser una evocación de las razones siempre vigentes de la obligación de los religiosos a procurar sinceramente su perfección espiritual, meta de su vocación y condición indispensable de su utilidad social o apostólica. Un estudio de sus razones más esenciales, en cuanto a nosotros se nos alcancen, bajo la inspiración del Doctor Común, intérprete incomparable de los consejos evangélicos y Maestro sapientísimo de la vida religiosa. Acaso esta luminosa inspiración, podrá compensar en parte las deficiencias de que, por nuestra incompetencia y por la premura de tiempo con que lo redactamos, ha de adolecer nuestro trabajo.

Nuestro plan es muy sencillo. I. Principales razones de la obligación de tender a la perfección en el estado religioso. II. Alcance y gravedad de esta obligación. III. Consecuencias prácticas para el mejoramiento de la vida religiosa.

PRINCIPALES RAZONES DE LA OBLIGACION DEL RELIGIOSO A PROCURAR SU PERFECCION

En materia tan grave como ésta, la suprema razón es la autoridad de la revelación divina confirmada por la práctica y el magisterio tradicional de la Iglesia. Y aunque no es del caso explayar este argumento, es justo anteponerlo a cuantos queremos aducir.

Digo, pues, que en la divina revelación, es decir, en el mismo documento evangélico institucional de la vida religiosa, o de seguimiento de Jesús por la aceptación y práctica de sus consejos, consta que la aspiración y el compromiso de perfección es la razón de ser de esa vida. Se halla en los tres Sinópticos, y mejor en San Mateo, que en su cap. XIX dice así:

« Et ecce unus accedens ait illi: Magister bone, quid boni faciam ut habeam vitam aeternam? Qui dixit ei: Quid me interrogas de bono? Unus est bonus, Deus. Si autem vis ad vitam ingredi, serva mandata. Dixit illi: Quae? Iesus autem dixit: Non homicidium facies; non adulterabis; non facies furtum; non falsum testimonium dices; honora patrem tuum et matrem tuam; et, diliges proximum tuum sicut teipsum. Dixit illi adolescens: Omnia haec custodivi a iuventute mea; quid adhuc mihi deest? Ait illi Iesus: Si vis perfectus esse, vade, vende quae habes et da pauperibus, et habebis thesaurum in caelo; et veni, sequere me. Cum audisset autem adolescens verbum, abiit tristis; erat enim habens multas possessiones.

Iesus autem dixit discipulis suis: Amen dico vobis, quia dives difficile intrabit in regnum caelorum. Et iterum dico vobis: facilius est camelum per foramen acus transire, quam divitem intrare in regnum caelorum. Auditis autem his discipuli mirabantur valde, dicentes: Quis ergo poterit salvus esse? Aspiciens autem Iesus dixit illis: Apud homines hoc impossibile est; apud Deum autem omnia possibilia sunt.

Tunc respondens Petrus, dixit ei: Ecce nos reliquimus omnia, et secuti sumus te; quid ergo erit nobis? Iesus autem dixit illis: Amen dico vobis, quod vos qui secuti estis me, in regeneratione, cum sederit Filius hominis in sede maiestatis suae, sedebitis et vos super sedes duodecim, iudicantes duodecim tribus Israël. Et omnis qui reliquerit domum vel fratres, aut sorores, aut patrem, aut matrem, aut uxorem, aut filios, aut agros, propter nomen meum, centuplum accipiet, et vitam aeternam possidebit » (vv. 16-29).

Si quieres ser perfecto...! He aquí la invitación de Jesús, que leída a través de los siglos en el Evangelio, y sugerida por el Espíritu Santo en lo íntimo de los corazones, ha decidido y decide cada día a inumerables almas a dejarlo todo y a seguir a Jesús en el apartamiento del mundo, para vivir con arreglo a sus consejos de perfección. La historia de San Antonio, referida por San Atanasio (1), se ha repetido infinitas veces y

(1) He aquí el famoso relato protitípico de la vocación religiosa: Post parentum autem obitum, solus cum sola sorore admodum parva relictus,

no dejará de repetirse hasta el fin de los tiempos. Esta vida de perfección evangélica tuvo una larga evolución desde su práctica espontánea primitiva hasta su perfecta organización y reglamentación. Más costoso y lento que esta evolución externa fue el desarrollo doctrinal sobre sus condiciones propias o específicas, hasta plasmar en la magnífica teología del estado religioso elaborada por Santo Tomás. Pero en la vida y en la doctrina, el ideal de perfección propuesto por Jesús fué siempre el principio inconcuso, el punto indiscutible de partida. La índole de nuestro escrito no permite comprobar documentalmente esta aserción, cosa que por otra parte sería bastante fácil.

En cuanto al pensamiento y voluntad de la Iglesia, están claramente contenidos en los sagrados cánones, refererentes al estado religioso de los cuales el 593 dice así: Omnes et singuli religiosi, Superiores aeque ac subditi, debent, non solum quae nuncuparunt vota fideliter integreque servare, sed etiam secundum regulas et constitutiones propriae religionis vitam componere atque ita ad perfectionem sui status contendere.

Esta *perfección de su estado,* no es otra, como dice el canon 488, 1.o, que la perfección evangélica, para cuya adquisición, como dice el canon 487, los fieles se obligan a guardar además de los preceptos, los consejos evangélicos, por los tres votos de pobreza, castidad y obediencia.

Este es pues según el evangelio, la tradición, y la ley vigente de la Iglesia, el cometido esencial de la vida religiosa. Veamos con la posible brevedad las razones teológicas que legitiman y urgen esta perenne obligación.

cum decem et octo vel viginti annorum esset, domus sororisque curam gessit. Sex autem nondum exactis mensibus a parentum exitu, cum de more ad Dominicum procederet, atque secum animo cogitaret, qua ratione apostoli relictis omnibus secuti sunt Salvatorem, et qui in Actibus apostolorum, venditis possessionibus, pretia afferebant ad pedes apostolorum, ut egenis distribuerentur, necnon quaenam quantaque istis spes in caelis reposita sit, haec secum reputans, in ecclesiam ingreditur, contigitque, ut tum evangelium legeretur, et audivit Dominum diviti illi dixisse: *Si vis perfectus esse, vade, vende omnia quae habes, et da pauperibus, et veni, sequere me; et habebis thesaurum in caelis.* Antonius porro quasi divinitus immissa sibi esset sanctorum memoria, et quasi sui causa lecta illa fuissent, egressus quamprimum ex Dominico, quas a maioribus habuit possessiones (erant autem illi arurae trecentae, fertiles et perquam amoenae) vicanis dono dedit, ne sibi sororique molestiam afferrent. Mobilibus vero omnibus venditis, multam hinc collectam pecuniam pauperibus distribuit, paucis solum sororis causa reservatis.

Rursus in Dominicum ingressus, audivit Dominum in evangelio dicere: *Nolite solliciti esse in crastinum.* Nec ultra illic remanere sustinens, egressus, illa quoque tenuioribus largitus est. Sorore vero virginibus notis sibi atque fidelibus commendata, atque ad Parthenonem tradita, ut illic educaretur, ipse ante domum suam asceticae vitae deinceps operam dedit, atque attentus sibi asperum vitae genus toleranter agebat. (MG 26, 841 B. y MG 26, 844 A.).

1. La vocación religiosa es llamamiento a la perfección.

El religioso lo es por especial vocación o llamamiento divino. *Homo*, dice Santo Tomás, *instinctu Spiritu Sancti movetur ad religionis ingressum* (2). Jesús pone su mirada amorosa sobre esas almas preferidas (Mc. 10, 21), y con su inspiración íntima las invita e incita a seguirle, dejándolo todo por su amor (Mt. 19, 29; Mc. 10, 29), es decir por la perfección del amor divino. *Si quieres ser perfecto, ve, vende cuanto tienes, dalo a los pobres y tendrás un tesoro en los cielos, y ven y sígueme.* (Mt. 19, 21). El llamamiento de Jesús es pues un llamamiento a la perfección del amor. El alma lo percibe como una exigencia de perfeccionamiento, como un ideal de perfección que Dios mismo enciende en su espíritu, y reclama insistentemente su acquiescencia y aceptación. Atractivo y urgencia de perfeccionamiento divino, de amor total y exclusivo de Dios, que le exige un compromiso incondicional, una decisión plena, una obligación irrevocable de perfección.

El alma cede a la presión divina, acepta la invitación de Jesús, y *relictis omnibus*, va al claustro en pos de El. Le sigue para ser suya, solamente suya, enteramente suya. Le sigue para amarle sin reserva y sin medida, con todo el amor de su vida. Y este anhelo ilimitado de amor que la lleva a seguirle, la mantiene en su seguimiento. Vivirá con El y para El, para amarle siempre a El solo y amarle más cada día, y amarle al fin tanto, que la fuerza del amor le funda con El en una misma vida.

Este es el secreto y único sentido de la vocación, y sin esto carece de sentido. Sin aspiración y decisión de mayor perfección, de más perfecto amor divino, el ideal de la perfección se ha apagado. La llamada divina a más amor no cesa jamás mientras el alma no se niega a escucharla. Antes por el contrario es cada vez más fuerte y apremiante. El religioso vive en una solicitación perpetua del amor divino cada vez más urgente. Y es que la obra del amor es inacabable y cada día más grande y exigente. Sólo se interrumpe por resistencia del alma, infiel a su compromiso. ¿Cómo cabe pues dudar, que el religioso vive en permanente obligación de perfeccionamiento? ¿Cómo puede exonerarse de la obligación de procurar ser perfecto, siendo así que Dios le eligió y él aceptó ser religioso para serlo?

La vocación es la manifestación que Dios hace al alma de su eterno designio sobre ella. Es la luz que descubre al religioso la senda de su eterno destino. Esta senda es una vida de perfeccionamiento, un proceso de acercamiento a Dios por la unión cada vez mayor del amor, hasta la hora del abrazo perfecto y bienaventurado. Recorrer diligentemente esta senda, llevar hasta su consumación este proceso, es para el religioso el deber de sus deberes, su divino

---

(2) *Contra retr. hom. ab ingres. relig., cap. 9.* - Si igitur voci conditoris exterius prolatae statim obediendum esset, ut dicunt, multo magis interiori locutioni, qua Spiritus Sanctus mentem immutat, resistere nullus debet, sed absque dubitatione obedire... Non agitur homo impetu Spiritus Sancti, qui resistit vel tardat. Est ergo proprium filiorum Dei, ut impetu gratiae agantur ad meliora non expectato consilio... Et sicut a Spiritu Sancto qui est Spiritus fortitudinis et pietatis, hoc propositum homini inspiratur, ita etiam ab eodem, qui est consilii, et scientiae spiritus deliberatio interius ministratur. (Ibid.) - Sed illi qui ad religionem accedit, non potest esse dubium, an propositum de ingressu religionis, in corde eius exortum, sit a spiritu Dei, cuius est ducere hominem in terram rectam (2-2, q. 189, a. 10 ad 1).

deber. Una obligación constante y urgente de perfeccionamiento. Desatenderla, es cerrar los ojos a la luz del eterno destino, es cerrar los oídos a la voz del espíritu que le revela su ley de verdad y de vida.

2. La vida religiosa es estado de perfección.

Llevado de su vocación el religioso renuncia a la convivencia común de los fieles y profesa un nuevo estado de vida. Y en conformidad con su fin este nuevo estado, observa Santo Tomás, se denomina *estado de perfección* (3). Y como por ser estado reclama obligación inmutable o perpetua, el estado de perfección requiere, dice el mismo Santo Doctor, obligatio perpetua ad ea quae sunt perfectionis cum aliqua solemnitate (4). Esta obligación perpetua, solemne u oficial, se contrae por la profesión religiosa. En su virtud, el religioso se halla en estado de perfección, esto es, obligado o comprometido a procurarla de por vida. In statu perfectionis dicitur aliquis esse ex hoc quod obligat se perpetuo cum aliqua solemnitate ad ea quae sunt perfectionis (5). No profesa ser perfecto, pero profesa tender a la perfección (6). La perfección es pues el deber profesional del religioso. Es la dedicación de toda su vida. Vive para perfeccionarse.

Santo Tomás llama al estado religioso *empeño, escuela* y *ejercicio* de perfección. Es empeño de perfección (studium perfectionis) porque la perfección es el fin o ideal a que el estado religioso se ordena y que el religioso pretende al abrazarlo. (7). Es la escuela de perfección, porque alecciona al religioso en ella y le dirige a su consecución (8). Es ejercicio de perfección, porque lo es de las virtudes en las cuales habitúa a los religiosos mediante la práctica de los votos y de las observancias regulares (9).

Es justo, pues, decir con el mismo Doctor Angélico, que si bien el que toma el estado religioso, no está obligado a ser perfecto en la caridad, está obligado a tender a ella y a poner los medios para conseguirla (10). Tomar ese estado y obligarse perpetuamente a procurar perfeccionarse, es lo mismo. Para esa obligación es el estado religioso, para obligarse se abraza, y abrazándolo se obliga; y como se abraza hasta la muerte, obligado se vive mientras se vive.

El religioso que desiste de perfeccionarse, desiste moralmente de ser reli-

(3) 2-2. q. 186, a. 1. ad 3.
(4) 2-2, q. 184, a. 5 c. - Cfr. q. 186, a. 6 c. - Perfectionis statum non efficit nisi perpetua obligatio ad ea quae ad perfectionem spectant. (De perf. vit. spir. cap. 20).
(5) 2-2, q. 184, a. 4 c.
(6) 2-2, q. 184, a. 5 ad 2, donde dice: Homines statum perfectionis assumunt, non quasi profitentes seipsos perfectos esse, sed profitentes se ad perfectionem tendere.
(7) 2-2, q. 184, a. 8 c.
(8) 2-2, q. 186, a. 5 c.
(9) 2-2, q. 186, a. 2 c., y 5. ad 2.; q. 188, a. 1.
(10) Qui statum religionis assumit, non tenetur habere perfectam cariperfectam. (2-2, q. 186, a. 2 c.) - Ille qui transiit ad religionem non profitetur se esse perfectum, sed profitetur se adhibere studium ad perfectionem consequendam; sicut etiam ille qui intrat scholas non profitetur se scientem, sed profitetur se studentem ad scientiam adquirendam. Unde, sicut Augustinus dicit, «Pythagoras noluit se sapientem profiteri, sed sapientiae amatorem». (Ibid. ad Im.).

gioso. Y como, no vive la vida que profesa, es una mentira viviente (12). Profesa perfección, tiene su vida entera dedicada a ella, y vive sin afán ni esfuerzo por conseguirla. Está en escuela de virtudes y se desentiende de aprenderlas y asimilarlas. Practica exteriormente ejercicios de santificación, mas con alma desganada y desinteresada de la santidad. ¡La más fementida, la más absurda, la más malograda de las vidas!

Muy bien amplían estas reflexiones las siguientes del Cardenal Parrado: « Escuchad a S. Bernardo: *Indefessum proficiendi studium, iugis conatus ad perfectionem perfectio vocatur.* Un fervor que nunca se entibia, sino que infatigablemente aspira a progresar; un continuo esfuerzo a ir, adelante y hacia arriba, camino de la perfección. He ahí lo que constituye el estado de perfección. Detengámonos aquí un poquito.

Estado. Es decir: no una simple función o ministerio, que éste se dirige a utilidad de otros, sino a un género de vida escogido con la firme resolución de alcanzar el fin más alto de la vida, la propia santificación.

Estado. Esto es: constancia y perseverancia en la vocación abrazada de por vida.

Estado. Por ser aplicación de toda la actividad personal a una sola empresa específica, pues que por la actividad personal que es propia de cada estado se distinguen los diferentes estados. Pero no hay más que un trabajo, propiamente dicho y esencial, en la vida religiosa: el infatigable esfuerzo por llegar a la perfección por los medios que el estado religioso pone en manos de quien ha hecho su profesión en él.

Estado. Porque es una institución perfectamente organizada para realizar más prontamente, más fácil y plenamente, el programa completo de la vida cristiana.

En fin: estado de perfección, exterior, porque sus reglas, sus diferentes disposiciones y prácticas están universalmente ordenadas a facilitar a las almas las ascensiones hacia el total perfeccionamiento de su vida, o sea, a conseguir la perfección interior... Y una de las gracias particulares del religioso consiste en que él, por el hecho de haber abrazado el estado de perfección, solo puede escoger entre aspirar seriamente a la perfección, o ser infiel a sus obligaciones solemnemente juradas » (13).

3. *La vida religiosa es vida consagrada a Dios.*

El estado de perfección se llama también *estado religioso,* *religiosa* la vida en este estado, y *religiosos* los que la profesan. Reciben esta denominación de la *virtud de la religión,* no porque sólo ellos practiquen esta virtud, sino porque ella informa toda su vida ordenándola íntegramente al divino servicio.

Lo explica así Santo Tomás:
Id quod communiter multis convenit, antonomastice attribuitur ei cui per excellentiam convenit; sicut nomen fortitudinis vindicat sibi illa virtus quae circa difficillima firmitatis animi servat; et temperantiae nomen vindicat sibi illa virtus quae temperat maximas delectationes. Religio autem ut supra habitum est (q. 81, a. 2) est quaedam virtus, per quam aliquis ad Dei servitium et cultum aliquid exhibet. Et ideo antonomastice religiosi dicuntur illi qui se totaliter mancipant divino servitio, quasi holocaustum Deo offerentes. Unde Gregorius dicit: « Sunt quidam qui nihil sibimetipsis reservant: sed sensum, linguam, vitam, atque substantiam, quam perceperunt, omnipotenti Deo immolant » (14).

(12) Cfr. 2-2, q. 184, a. 5 ad 2m.
(13) La vida religiosa (Carta Pastoral) Granada, 1942, pag. 12-13, y 15.
(14) 2-2, q. 186, a. 1, c.

Se llaman pues religiosas esas personas y religiosa su vida, porque toda ella es religiosizada por su ordenación a Dios. Y es que la religión, como advierte Santo Tomás:

habet duplices actus: quosdam quidem proprios et immediatos, quos elicit, per quos homo ordinatur ad solum Deum, sicut sacrificare, adorare, et alia huiusmodi: alios autem actus habet, quos producit mediantibus virtutibus quibus imperat, ordinans eos ad divinam reverentiam; quia scilicet virtus ad quam pertinet finis, imperat virtutibus ad quas pertinent ea quae sunt ad finem (15).

Según esto, como observa el mismo santo Maestro, actus omnium virtutum, secundum quod referuntur ad Dei servitium et honorem efficiuntur actus religionis. Et secundum hoc, si quis totam vitam suam divino servitio deputet, tota vita sua ad religionem pertinebit; et secundum hoc ex vita religiosa quam ducunt, religiosi dicuntur qui sunt in statu perfectionis (16).

La religión es, pues, el principio moral de ordenación divina de la vida y de ella se vale el religioso en su voluntad y decisión de dedicación total y exclusiva a Dios. Quiere desposeerse de todo y de sí mismo, y darse y transferirse al dominio de Dios; quiere en una palabra *consagrarse* a Dios para su solo amor y servicio. Y la religión verifica esta *consagración*, mediante la ofrenda total de los votos en la cual el hombre lo renuncia todo y a sí mismo traspasándose al señorío y propiedad de Dios del modo más eficaz que le es posible, es decir, mediante la promesa definitiva e irrevocable, que Dios acepta por su Iglesia. Por esta profesión u oblación religiosa, el hombre se desnaturaliza, se desmundaniza, se deshumana: se emancipa de todo, se sobrepone a todo, se desposee además de sí mismo, y se hace *religioso, sagrado, divino*. Sólo por sacrílega infidelidad puede esclavizarse a nada ni a nadie, o disponer por sí de sí mismo, pues conculcaría el absoluto derecho con que le posee Dios.

Todo cristiano es consagrado a Dios por el bautismo mediante el carácter sacramental, divina participación del sacerdocio de Cristo que nos capacita y ordena para el culto divino (17). Esta consagración sacramental tiene en la consagración de la profesión religiosa su adecuada y connatural complementación. «La profesión religiosa, observa el P. Nicolas, no es más que la profesión cristiana perfecta. Es una renovación de los compromisos del bautismo. Y lo que en el alma se produce es una revigorización de la gracia bautismal, y como un despojo en la persona del religioso, de cuanto desdice de su carácter de bautizado, de su pertenencia a Cristo» (18).

Santo Tomás reconoce en esta total oblación del hombre a Dios por los votos religiosos, un verdadero sacrificio de su vida verificado a lo largo de ella por una incesante inmolación; sacrificio que por la totalidad de la entrega que el hombre hace de sí mismo, más bien merece el nombre de holocausto, que era el sacrificio en que la víctima se consumía toda entera en honor de Dios:

Cultus soli Deo debitus in sacrificii oblatione ostenditur. Offertur autem Deo sacrificium de exterioribus rebus, quando eas aliquis propter Deum largitur... Offertur etiam Deo sacrificium de proprio corpore, quando scilicet *qui Christi sunt carnem suam crucifigunt cum vitiis et concupiscentiis*, ut dicit Apostolus (Ga. V). Unde et ipse dicit (Rom. XII): *exhibeatis corpora vestra hostiam viventem, sanctam, Deo placentem*. Est etiam sacrificium tertium Deo acceptissimum, quando aliquis spiritum suum offert Deo, secundum illud psal. 50: *Sacri-*

---

(15) 2-2, q. 81, a. 1 ad 1.
(16) 2-2, q. 186, a. 1, ad 2.
(17) Cfr. III, q. 63, aa. 3, 5, 6.
(18) *La perfection chrétienne dans l'état religieux*, en directoire des Supérieures (Paris, 1948) chap. 1, pag. 22.

ficium Deo spiritus contribulatus. Sed sciendum quod sicut Gregorius dicit super Ezech., hoc inter sacrificium et holocaustum distat, quod omne holocaustum est sacrificium, et non omne sacrificium holocaustum. In sacrificio enim pars pecudis, in holocausto vero totum pecus offerri consueverat. Cum ergo aliquis suum aliquid Deo vovet, et aliquid non vovet, sacrificium est. Cum vero omne quod habet, omne quod vivit, omne quod sapit, omnipotenti Deo voverit, holocaustum est: quod quidem impletur per tria vota praedicta. Unde manifestum est eos qui huiusmodi vota emittunt, quasi propter holocausti excellentiam antonomastice religiosos vocari (19).

No hay que maravillarse de la eficacia sacrificial de la profesión religiosa. El principio inmediato de esta oblación a Dios de toda la vida es la virtud infusa o cristiana de la religión, bajo el imperio o información de la caridad; pero toda actividad sobrenatural nuestra es participación de la vitalidad divina y divinizadora de Cristo (del que dependemos como los sarmientos dependen de la vid) que nos configura e identifica con El. Nuestra actividad religiosa o cultual, es por tanto, la participación de la vida cultual de Cristo único Mediador y eterno Sacerdote, supremo liturgo de la humanidad. En esta actuación culminante, oblativa y consagrativa de toda la vida por la profesión religiosa, la virtud de la religión es la expansión vital de nuestra capacitad sacerdotal y sacrificial recibida en el bautismo por el carácter sacramental, verdadera participación, como ya dijimos, del sacerdocio de Cristo, que nos hace compartícipes de su misión y función sacrificial y victimal y aduna la ofrenda de nuestra vida al único y eterno sacrificio de la cruz y del altar. Muy bien advierte pues el P. Horvath:

Si agitur de tali oblatione, qua vita nostra consumitur in cultu divino, qua extrahitur simpliciter ab usu profano, ut fit in professione solemni, tunc habetur ratio sacrificii proprie dicti. Promissio votiva in hoc casu habet rationem actionis consecrativae, quam etiam effective realem reddit in virtute characteris baptismalis ex eo, quod totam eius virtutem explicat ratione extractionis vitae voventis ab usu profano, ita ut destinationi totali ad cultum Dei, ad quam character natura sua ordinatur, nihil amplius obstet, immo et de facto realizetur. Inde est quod promissio votiva, inquantum est simul actio sacrificalis, constituat rationem voti solemnis et quod votum solemne sit vera consecratio sacrificalis. Si insuper huic consecrationi per virtutem religionis, addatur ordinatio ad sacrificium crucis, revera nihil voto solemni deest ad rationem veri propriique sacrificii, etsi analogici» (20).

Tal es la ordenación divina, la dedicación, la oblación, la consagración, la entrega, la inmolación, el holocausto que de su vida hace el hombre a Dios por su profesión religiosa. Con razón dice Santo Tomás que el profeso religioso está muerto al mundo y vive para Dios (21).

Y sin embargo esta donación religiosa no es un fin en sí misma. Su fin como advierte Sto. Tomás, es la total adhesión o unión con Dios, es decir la perfección del amor divino. La vida religiosa se llama indistintamente estado religioso o estado de perfección; y sin embargo, aunque es lo uno y lo otro, no lo es por igual. Es estado de perfección como fin; es estado religioso como medio. Dicho de otro modo: es la vida ordenada por la virtud de la religión a la consecución de la caridad perfecta. En su total apoderamiento, en su sublimación de la vida humana para someterla a Dios, la religión no actúa por su cuenta ni para su solo bien, con ser tan alto: actúa al servicio y para el fin o bien supremo de la caridad que es unir e identificar al hombre con Dios. El hombre se hace religioso para ser perfecto. Se obliga a la vida religiosa para obligarse a buscar el solo, el puro, el perfecto amor de Dios: «Se comprende, dice el P. Nicolas, cómo la idea de transformar en voto la obli-

(19) De perf. vit. spir. cap. 11 - Cfr. Cont. Gent. III, cap. 130.
(20) De virtute religionis (annotationes ad secundam secundae) Romae, 1929, pag. 111-12. Esta es la causa de que se atribuya a la profesión solemne una total eficacia satisfactoria de las culpas pasadas. Cfr. Horvath, ibid., y Sto. Tomás, De perf. vit. spir. cap. 11; 2-2, q. 189, a. 3 ad 3.
(21) 2-2, q. 88, a. 11, ad 1m.

gación a la vida perfecta nace de la naturaleza de las cosas, y no de la voluntad positiva de la Iglesia. Querer ser perfecto, es querer no amar más que a Dios, *consagrar totalmente su corazón a Dios,* no tener otro objeto de ocupación y de esfuerzos que Dios. La pobreza, la castidad, la obediencia que profeso las empleo, las hago servir a la prosecución de la perfección, al ejercicio cotidiano y único del amor de Dios, al puro servicio de Dios» (22).

Los medios tienen su razón en el fin. Por el fin, en proporción al interés del fin, se quieren, se aceptan, se mantienen, se cumplen. En la medida en que disminuye la voluntad del fin, disminuye la voluntad y la utilización de los medios. Suprimido el interés del fin, quedan formalmente suprimidos, como privados de su verdadera motivación. El fin de la vida religiosa es el amor total de Dios. Sin esta aspiración a la perfección del amor divino, ni se quiere ni se acepta, ni se mantiene, ni se cumple esa vida. En la medida en que el entusiasmo por la perfección decae, la vida religiosa se entibia. Si el anhelo de la santidad se extingue, la vida religiosa se desmorona. Solo el amor divino que la causa puede sostenerla y afianzarla. El amor es el aliento, la fuerza, la vida de esa vida. Sin el ideal del amor sólo sobrevive por inercia. Pero es vida sin vida, es vida aparente, es vida muerta. Las apariencias pueden todavía ser muchas; la realidad sin el amor no es ninguna. El día en que se desentiende de su perfección, el religioso se suicida moralmente. Vive sin razón de vivir. Y todo por esto: porque religioso es un hombre que consagra toda su vida a Dios para amarle a El solo con todo su corazón.

4. La perfección es la razón de los votos.

La perfección cristiana no consiste en la pobreza ni en la castidad ni en la obediencia, sino en el amor de Dios y en el amor del prójimo por Dios. Los medios necesarios para el cumplimiento del precepto del amor, son los demás preceptos divinos. No es en cambio necesaria la guarda material de los consejos evangélicos, y menos la guarda obligada bajo voto. ¿Cuál es pues la utilidad de estos consejos y la razón de sus votos en el estado religioso? Su utilidad consiste en que facilitan admirablemente la perfección del amor y son por tanto los mejores instrumentos y vías de perfección (23). La razón de prometerlos o profesarlos es la voluntad de obligarse a procurar la perfección mediante su fiel cumplimiento.

Decimos que la observancia de los tres consejos facilita la perfección del amor divino, porque un amor perfecto es un amor único, total y exclusivo. Los enemigos del amor son los amores. Los obstáculos del amor divino son los amores humanos o temporales. Y estos amores rivales del de Dios son tres, porque tres son las clases de bienes que el hombre puede amar: bienes exteriores, bienes o satisfacciones corporales, bienes de su alma o voluntad. Y a la renuncia de esos bienes se refieren los tres consejos evangélicos de pobreza, castidad y obediencia. Imponerse este renunciamiento, es libertar el

(22) Lug. cit. pag. 20
(23) Cfr. 2-2, q. 184, a. 3

corazón para que ame totalmente a Dios. La pobreza le liberta del afecto de las riquezas o posesiones terrenas, la castidad del afecto de los placeres sensuales, la obediencia del afecto a la propia voluntad o independencia. De este modo los consejos evangélicos son los más eficaces auxiliares del amor divino, porque desligando el corazón de todo lo creado, lo concentran en Dios. Rompen las ataduras terrenas del espíritu y le dejan a merced de la atracción de lo celestial. Libre por ellos de todo óbice, el amor divino señorea absolutamente la vida humana. El hombre que quiere vivir solamente para Dios, que quiere amarle con plenitud y exclusividad, tiene en los consejos evangélicos el atajo más recto y eficaz.

Atajos de perfección, instrumentos del amor. Sin voluntad de amor perfecto carecerían de término esos atajos, carecerían de efecto esos instrumentos. Es el amor su único fin. Siempre convenientes para mejor conseguirlo, se hacen necesarios si se consagra la vida a su consecución. Santo Tomás no sabe aducir otra razón que el amor divino, cuando trata de explicar la necesidad de los consejos. Esa razón en cambio la sabe y expone maravillosamente ya hablando de los tres en conjunto, ya tratando en particular de cada uno de ellos. Dice hablando en general:

Religionis status potest considerari tripliciter: uno modo, secundum quod est quoddam exercitium tendendi in perfectionem caritatis; alio modo secundum quod quietat animum humanum ab exterioribus sollicitudinibus secundum illud (I Cor. 7, 32): Volo vos sine sollicitudine esse; tertio modo, secundum quod est quoddam holocaustum, per quod aliquis totaliter se et sua offert Deo. Et secundum hoc ex his tribus votis integratur religionis status (24).

Obsérvese que la segunda y tercera razón tienen su fundamento en la primera, es decir, en la adhesión total a Dios por el amor.

Dice respecto de la pobreza:

Status religionis est quoddam exercitium et disciplina, per quam pervenitur ad perfectionem caritatis. Ad quod quidem necessarium est quod aliquis affectum suum totaliter abstrahat a rebus mundanis; dicit enim Augustinus ad Deum loquens: «Minus te amat qui tecum aliquid amat, quod non propter te amat». Unde dicit Augustinus, «quod nutrimentum caritatis est diminutio cupiditatis, perfectio nulla cupiditas». Ex hoc autem quod aliquis res mundanas possidet, allicitur animus eius ad earum amorem... Et inde est quod ad perfectionem caritatis adquirendam primum fundamentum est voluntaria paupertas (25).

Dice respecto de la castidad:

Ad statum religionis requiritur subtractio eorum per quae homo impeditur ne feratur totaliter in Dei servitium. Usus autem carnalis copulae retrahit animum ne totaliter feratur in Dei servitium dupliciter: uno modo propter vehementiam delectationis, ex cuius frequenti experientia augetur concupiscentia, ut etiam philosophus dicit. Et inde est quod usus venereorum retrahit animum ab illa perfecta intentione tendendi in Deum... Alio modo propter sollicitudinem, quam ingerit homini de gubernatione uxoris et filiorum, et rerum temporalium, quae ad eorum sustentationem sufficiant (26).

Dice respecto de la obediencia:

Status religionis est quaedam disciplina vel exercitium tendendi in perfectionem. Quicumque autem instruuntur vel exercitantur ut perveniant ad aliquem finem, oportet directionem alicuius sequantur, secundum cuius arbitrium in-

(24) 2-2, q. 186, a. 7 - Cfr. q. 188, a. 7 c.
(25) Ibid. q. 186, a. 3
(26) Ibid. a. 4

struantur, vel exercitentur, ut perveniant ad illum finem, quasi discipuli sub magistro. Et ideo oportet quod religiosi in his quae pertinent ad religiosam vitam, alicuius instructioni et imperio subdantur (27).

Esta razón la completa el Santo Doctor con esta otra:

Ad exercitium perfecitonis requiritur quod aliquis a se removeat illa per quae posset impediri ne totaliter eius affectus tendat in Deum in quo consistit perfectio caritatis... (inter quae) est inordinatio voluntatis humanae, quae excluditur per votum obedientiae (28).

Siempre el amor por toda razón, porque como dice en otro lugar, manifestum est quod humanum cor tanto intensius in aliquid fertur, quanto magis a multis revocatur. Sic igitur tanto perfectius animus hominis ad Deum dililigendum fertur, quanto magis ab affectu temporalium revocatur (29).

La verdadera utilidad de los consejos es, pues, la facilitación del amor divino en cuanto someten a su dominio toda la afectividad humana. Grande e inestimable servicio, cuyo alcance no se entiende bien cuando se entiende negativamente como una simple remoción de obstáculos, y no positivamente como una información de la afectividad sensible y racional del hombre por la caridad, mediante las virtudes de pobreza, castidad y obediencia. Santo Tomás asigna a los consejos la función de instrumentos del amor. Y esta función es formal, no material. El instrumento no tiene causalidad propia, sino en cuanto movido por el influjo de la causa principal. La pobreza, la castidad y la obediencia, no actúan pues por sí mismas ni para los fines connaturales a su propia condición; son instrumentos al servicio del amor, al servicio de sus exigencias que se miden por su fin sin medida: por la unión y tranformación en el Bien Infinito. La caridad pues las moviliza con su superior influjo para purificar plenamente todas las afecciones del corazón humano, y elevarlas y concentrarlas cada vez más en Dios. El campo de estas virtudes en el servicio de la caridad y bajo su divino régimen se extiende ilimitadamente. La pobreza que comienza por el despojo de los bienes materiales, avanza alma adentro vaciándola de toda posesión que la posea, para dejarla en completo vacío de espíritu en la sola posesión de Dios. La castidad que empieza por desprender el corazón de las pasiones sensuales, no se satisface hasta libertarlo de todo gusto natural de las criaturas en la absoluta pureza del purísimo amor divino. La obediencia que comienza a sojuzgar el orgullo, someter la independencia y amordazar el egoísmo, no para hasta sustituir la voluntad humana por la divina, rindiéndola enteramente al dulcísimo señorío del espíritu de amor.

Esta perfección del amor divino, es decir, el deseo y decisión de alcanzarla, lleva pues al hombre a la aceptación de los consejos evangélicos.

Y no otra es la motivación de sus votos. Si la observancia de la pobreza, de la castidad y de la obediencia, carece de razón sin el deseo de perfección o de totalidad del amor divino, la obligación bajo promesa o voto de esa observancia carece de motivo sin la obligación de procurar esa divina perfección. El compromiso de los medios tiene por verdadera causa el compromiso de

---

(27) 2-2, q. 186, a. 5
(28) Ibid. a. 7, c.
(29) De perf. vit. spir. cap. 6. — Oportet igitur, dice el Sto. Doctor en otra parte, quod praecepta novae legis intelligantur esse data de his quae sunt necessaria ad consequendum finem aeternae beatitudinis, in quem lex nova immediate introducit; consilia vero oportet esse de illis per quae melius et expeditius potest homo consequi finem predictum. Est autem homo constitutus inter res mundi huius et spiritualia bona, in quibus aeterna beatitudo consistit, ita quod quanto plus inhaeret uni eorum, tanto plus recedit ab altero, et e converso. Qui ergo totaliter inhaeret rebus huius mundi, ut in eis finem constituat, habens eas quasi rationes et regulas suorum operum, totaliter excidit a spiritualibus bonis: et ideo huiusmodi inordinatio tollitur per praecepta. Sed quod homo totaliter ea quae sunt mundi abiiciat, non est necessarium ad perveniendum in finem praedictum; quia potest homo utens rebus huius mundi, dummodo in eis finem non constituat, ad beatitudinem aeternam pervenire; sed expeditius perveniet totaliter bona huius mundi abdicando, et ideo de hoc dantur consilia Evangelii (1-2, q. 108, a. 4 c.)

alcanzar el fin. Ya dijimos arriba, que la obligación perpétua, oficialmente aceptada, de tender a la perfección, es lo que constituye el estado religioso. Pero esa obligación que mira al amor como fin, se concreta como en medios principales en la promesa o voto irrevocable de los tres consejos evangélicos, indispensables para facilitarla. Así lo entiende Santo Tomás:

Ad religiosos pertinet quod sint in statu perfectionis... Ad statum autem perfectionis requiritur obligatio ad ea quae sunt perfectionis, quae quidem Deo fit per votum. Manifestum est autem ex praemissis, quod ad perfectionem christianae vitae pertinet paupertas, continentia et obedientia. Et ideo religionis status requirit ut ad haec tria aliquis voto obligetur (30).

¿Es acaso quo sólo con voto puede el hombre obligarse a tender a la perfección? Hay muchas otras maneras de contraer obligaciones y también de contraer la de servir a Dios. Pero no hay ninguna que comprometa tanto con Dios como el voto que se ofrenda y promete él mismo, ni votos que tan eficazmente desapropien de sí al hombre, y tan plenamente transfieran al Señor sus bienes y derechos como los tres votos religiosos. Ellos abarcan al hombre con cuanto se relaciona con su vida. Por ellos, como ya comentamos, queda consagrado a Dios y hace de su vida un verdadero holocausto. ¿Qué mejor manera de no pertenecer más que a Dios, de obligarse a no vivir más que para su solo servicio? No tiene el hombre otra más eficaz para darse del todo y darse para siempre.

El hombre no posee ni vive en un momento toda su vida, ni puede por tanto darla de una vez sino es prometiéndola. La promesa, aunque hecha en un instante del vivir, abarca y condiciona toda la sucesión de la existencia. En virtud de este acto transcendental, todos los sucesivos de la vida son ya de Dios y vivirlos no es más que hacer efectiva su entrega. Así lo hace notar preciosamente Santo Tomás: Perfectio religionis requirit, sicut Gregorius dicit, ut aliquis omne quod vovit Deo exhibeat. Sed homo non potest totam vitam suam Deo actu exhibere, quia non est tota simul, sed successive agitur. Unde non aliter homo potest totam vitam suam Deo exhibere, nisi per voti obligationem (31).

Pero además de que el voto da la vida del todo, la da para siempre, porque renuncia la posiblidad de no darla, y estabiliza la voluntad en la entrega, renunciando a la libertad de desistir. Por el voto la voluntad se inmoviliza en el amor del bien, haciéndose, en cuanto cabe, impecable. Santo Tomás tiene muy en cuenta estas ventajas de la obligación aceptada por el voto:

Ille qui vovet aliquid et facit, plus se Deo subicit, quam ille qui solum facit: subiicit enim se Deo non solum quantum ad actum, sed etiam quantum ad potestatem, quia de cetero non potest aliud facere; sicut plus daret homini qui daret ei arborem cum fructibus, quam qui daret ei fructus tantum, ut dicit Anselmus (32).

Promissio qua Deo aliquid vovemus, non cedit in eius utilitatem, qui a nobis certificari non indiget, sed ad utilitatem nostram, inquantum vovendo voluntatem nostram immobiliter firmamus ad id quod expedit facere (33). Y esto, quia per votum immobiliter voluntas firmatur in bonum. Facere autem aliquid ex voluntate firmata in bonum pertinet ad perfectionem virtutis (34). No es que el hombre pierda su libertad, pues libérrimamente promete no usar de ella sino como promete. Sicut non posse peccare non diminuit libertatem, ita etiam necessitas firmatae voluntatis in bonum non diminuit libertatem, ut patet in Deo et in beatis; et talis est necessitas voti, similitudinem quandam habens cum confirmatione beatorum. Unde Augustinus dicit, quod « felix necessitas est quae in meliora compellit» (35). Y esta libre entrega de la propia libertad, es acto del mayor mérito, por lo mismo que es ofrenda del mayor bien que el hombre puede dar. Inter alia quae licet nobis non impendere est etiam propria libertas, quam homo ceteris rebus cariorem habet. Unde cum aliquis propria sponte voto sibi adimit liber-

---

(30) 2-2, q. 186, a. 6 c.
(31) 2-2. q. 186, a. 6, ad 2m.
(32) 2-2. q. 88, a. 6, c.
(33) 2-2 q. 88, a. 4 c.
(34) Ibid. a. 6 c.
(35) Ibid. a. 4 ad 1.

tatem abstinendi ab his quae ad Dei servitium pertinent, hoc fit Deo acceptissimum. Unde Augustinus dicit: Non te vovisse paeniteat; immo gaude iam tibi non licere, quod cum tuo detrimento licuisset (36).

Todo esto evidencia que los consejos evangélicos son el mejor recurso de que las almas cristianas pueden valerse para darse del todo a Dios. Por lo cual, los votos de estos consejos constituyen la más firme obligación posible de vivir sólo para El con pleno y exclusivo amor. Religiosi in sua professione totam vitam suam obligant Deo ad ea quae sunt perfectionis (37). Y así es también notorio que la obligación de estas obligaciones, es la de procurar la perfección divina de la vida, pues sólo para amar a Dios con todo el corazón, renuncia cuanto lícitamente puede amar fuera de El, prometiéndole perpetuo desposeimiento de todo, perpetua pureza de cuerpo y alma, perpetuo renunciamiento al propio albedrío. Esta promesa de promesas, ni se puede hacer ni se puede guardar sin una aspiración aun más firme y decidida que los mismos votos de no vivir más que para amar a Dios. Votum religionis ordinatur sicut in finem ad perfectionem caritatis (38).

5. *También se ordenan a la perfección los demás recursos y observancias regulares.*

Con los votos por leyes peculiares y principales, el estado religioso es una organización completa de vida cristiana para facilitar la adquisición de la perfección. Este ordenamiento integral de la vida, no sólo proporciona, pues, al religioso, las ventajas de los consejos evangélicos, sino el mejor aprovechamiento de los recursos de perfección comunes a todos los cristianos, completados con múltiples observancias regulares que hacen más segura y eficaz la práctica de los votos. El religioso vive en el convento en constante aprendizaje y ejercicio de perfección cristiana.

En cuanto a los recursos comunes de perfección, sean sacramentales o morales, unos son de obligación diaria, como la santa misa y la oración mental, otros de obligación frecuente como la confesión y comunión; y todos de insistente recomendación y fácil uso (39).

Las demás prescripciones u observancias, diferentes en los distintos institutos religiosos, son, como dijimos, auxiliares de los votos y con ellos de la perfección del amor de Dios y del prójimo a que ellos se ordenan. Así lo entiende Santo Tomás: Omnes aliae religionis observantiae ordinantur ad praedicta tria principalia vota: nam si qua sunt instituta in religionibus ad procurandum victum, puta, labor, mendicitas, vel alia huiusmodi, referuntur ad

(36) 2-2. q. 186, a. 6, ad 3. — Cfr. Ibid. a. 8.; C. G. lib. 3, cap. 138
(37) Quodl. III. a. 17, c.
(38) 2-2 q. 186, a. 7 ad 1.
(39) Cfr. Can. 595.

paupertatem, ad cuius conservationem religiosi per hos modos victum suum procurant. Alia vero quibus corpus maceratur, sicut vigiliae, ieiunia, et si qua sunt huiusmodi, directe ordinantur ad votum continentiae observandum. Si qua vero in religionibus instituta sunt pertinentia ad humanos actus, quibus aliquis ordinatur ad religionis finem, scilicet, ad dilectionem Dei et proximi (puta, lectio, oratio, visitatio infirmorum, vel si aliquid aliud est huiusmodi), comprehenduntur sub voto obedientiae, quod pertinet ad voluntatem, quae secundum dispositionem alterius suos actus ordinat ad finem (40).

Todas estas facilidades de santificación que su estado de vida proporciona al religioso, son otros tantos títulos de obligación que le incitan a procurarla. Por qué abrazó estas prácticas de santificación si no por haber querido obligarse a procurar la santidad? Profesó y profesa regla de santidad para ser santo.

6. Su misión de perfeccionamiento ajeno se funda en su propia perfección.

El estado religioso, dice Sto. Tomás, se ordena a la perfección de la caridad que se extiende a la dilección de Dios y del prójimo (41). La mutua inclusión entre el amor de Dios y el amor divino de los hombres expansiona la vocación religiosa en una misión variadísima de apostolado y beneficencia que constituye el ideal secundario de los diversos institutos religiosos. Sólo en algunos de ellos la concentración en Dios es absoluta, sin directo cuidado del bien de sus hermanos; y aun estos religiosos exclusivamente contemplativos ofrendan por ellos su mismo aislamiento y urgen el corazón de Dios con sus caritativas inquietudes. Pero a los más, como decíamos, el mismo amor divino por el que se separan de los hombres les hace volver a los hombres para llevarlos consigo a Dios.

Así por lo común, el religioso no lo es sólo para ser santo sino también para ser santificador: para perfeccionarse y para perfeccionar. Pero esta vocación caritativa fraternal, como extensión o consecuencia de la principal, es siempre dependiente de ella. De ella nace, de ella se nutre, por ella se conserva, en acrecentamiento suyo debe redundar. El religioso es apóstol a impulsos del amor divino que le urge y le hace salir de sí. El es por definición esencial un consagrado a Dios, y solo como tal puede entender en la irradiación de lo div.no. Debe desbordar de su divina llenez, iluminar de su luz, incendiar de su fuego. Su acción, como enseña Sto. Tomás, ha de ser la expansión de su contemplación. Hay una actividad, dice, que es preferible a la sola contemplación y es la que deriva de su plenitud (42).

(40) 2-2 q. 186, a. 7, ad 2m. — Cfr. ibid. a. 9 c.; q. 188, a. I ad 2m.
(41) Cfr. 2-2. q. 188, a. 2, c.
(42) Opus vitae activae est duplex: unum quidem quod ex plenitudine contemplationis derivatur sicut doctrina et praedicatio. Unde Gregorius dicit, quod de perfectis viris post contemplationem redeuntibus, dicitur in

Y todo esto es decir que la misión social del religioso, que es el perfeccionamiento divino de los hombres, tiene por sostén y raíz su propio perfeccionamiento personal. Cierto, que en cuanto ministro del Señor o agente de la Iglesia, puede dar mayor bien del que tiene, pues no da de los suyo sino que transmite lo divino. Pero esta influencia bienhechora no se verificaría por él si no a pesar de él, es decir, a pesar de la indignidad con que la ejerciera. En cambio, por la perfección de vida que profesa debería serle como propio y connatural el perfeccionamiento ajeno, como es connatural a cada ser su propia acción: al fuego quemar, a la luz lucir, al aroma perfumar. Lo connatural al religioso debe ser religiosizar a los demás. Debe perfeccionar en función de perfecto; o al menos en función de un ideal de perfección tan altamente valorado y tan íntima y sinceramente pretendido que no sólo le mueva a procurarlo para sí con todas las veras del alma, sino a compartirlo en cuanto pueda con sus pobres hermanos.

Santo Tomás combatió enérgicamente a quienes en su tiempo propugnaban la incompatibilidad entre la vida religiosa y el ministerio de las almas. Su condición de religiosos, arguye, no los hace menos sino más idóneos por el ejercicio de santidad que profesan. Stultum est, añade, dicere quod per hoc quod aliquis in sanctitate promoveatur, efficiatur minus idoneus ad spiritualia officia exercenda. Et ideo stulta est quorundam opinio dicentium quod ipse status religionis impedimentum affert talia exequendi; y recuerda las palabras de Bonifacio IV: Quanto quisque est excellentior, tanto et in illis, spiritualibus scilicet operibus est potentior (43). De esta excelencia de perfección debe proceder la eficacia de su ministerio apostólico.

Es pues incuestionable, que el religioso ha de ser provechoso a los demás en cuanto religioso: en cuanto dedicado total y exclusivamente al servicio de Dios, en cuanto profesional de la perfección. De su propio aprovechamiento procederá el ajeno. El éxito de su vocación y misión colectiva es inseparable del éxito de su destino personal que es su propia santificación. ¿Cómo se puede suponer qu desentendiéndose o descuidándose de su propio adelantamiento, ideal profesado de su vida, pueda arder en el celo de la fe? ¿Cómo puede mover tanto la santificación de los demás, a quien nada o muy poco mueve la propia? ¿Cómo puede beneficiar mucho a los otros quien tan poco hace por beneficiarse a sí mismo? Más acertado será juzgar, por encima de toda engañosa apariencia, que los religiosos estériles no pueden ser fecundos. O dígase así: que no puede ser verdaderamente útil para los demás quien es inútil para sí mismo.

Y esta teología explica muchas tristes historias religiosas, individuales y colectivas, porque explica la causa de que siendo tantos a trabajar y tanto realmente el trabajo, sea tan menguado y desproporcionado el fruto. Los religiosos sólo son eficaces en cuanto religiosos.

psalmo 144, 7: memoriam suavitatis tuae eructabunt. Et hoc praefertur simplitem; sed tenetur ad hoc tendere et operam dare ut habeat caritatem ci contemplationi. Sicut enim maius est illuminare quam lucere solum, ita maius est contemplata aliis tradere quam solum contemplari. (2-2, q. 188, a. 6, c.) El mismo Santo Tomás advierte muy bien: Cum aliquis a contemplativa vita ad activam vocatur, non hoc fit per modum subtractionis, sed per modum additionis. (2-2, q. 182, a. 1, ad 3m.)

(43) 2-2. q. 187, a. 1, c. — Cfr. Contr. impugn. Dei cult. et relig. c. 2-4.

81

7. *Inconvenientes y peligros del descuido de la perfección religiosa.*

Esta razón quizás se podría silenciar, pues no hay medalla sin reverso. Y, los argumentos hasta ahora propuestos para urgir la obligación de perfección que incumbe al religioso, tienen por reverso los inconvenientes que derivan de su incumplimiento. La imagen luminosa de esas medallas es el religioso santo logrado en su vocación. Su oscuro y triste reverso, es el religioso de vida tibia que vive malográndose y acumulando responsabilidades. Las gracias son contraproducentes para quien las desecha. Cuanto mayor es la obligación del bien, tanto mayor es la responsabilidad si se incumple. Y a esta luz, una vida que tiene por ley única esencial, por ley libre pero gravísimamente aceptada, la obligación del propio perfeccionamiento, es muy peligrosa para quien pacta con sus imperfecciones y desoye los reclamos de su profesión de santidad. Vocación a la santidad, estado de perfección, vida consagrada a Dios, profesión de los consejos evangélicos, vida integral de santificación ajena, son divinas ventajas que hacen de los religiosos, privilegiados de la Providencia. Pero a la vez son títulos exigitivos de una fidelidad y de una correspondencia excepcionales. Si, por desgracia, estas fallaran, las ventajas se truecan en desventajas, los privilegios en desventuras, los títulos de perfección en alegatos de acusación.

Y tanta suerte o desdicha, sólo pende de una cosa: de la actidud del religioso frente a su compromiso perpetuo de perfección. Si mantiene y afianza su voluntad de conseguirla, si vive decididamente para conquistarla, si busca de verdad en todo sólo a Dios, benditas exigencias las que Dios le propuso y él aceptó. Mas sin esta voluntad firme y denodada, el yugo de la religión es duro y su carga pesada. Solamente el amor, el ilusionado empeño de total amor divino a toda costa, los hace llevaderos y hasta deleitosos. Si el amor falla, si el entusiasmo por la perfección se apaga, el religioso queda sin fuerza bajo el tremendo peso de sus gravísimos deberes. Lo dejó todo por amor de Dios, y ahora está sin amor de Dios y sin nada. ¿Cómo no añorar lo que perdió si apenas le interesa ya lo que buscaba como compensación? Los votos que fueron lazos de amor comienzan a ser cadenas insoportables.

La pobreza, dice Sto. Tomás, no es peligrosa cuando es voluntaria (44). Por lo mismo, si deja de ser voluntaria vuelve a ser peligrosa. Y ¿cómo pudo ni puede

(44) Cfr. 2-2. q. 186, a. 3, ad 2.

ser voluntaria si no por el tesoro del cielo, por la riqueza del amor divino que Jesús prometió a los que se empobrecen por Él? Sin la ambición de esta divina riqueza, no pueden menos de ser odiosas las privaciones de la pobreza temporal, por más profesada que se tenga. Y, al fin, los bienes exteriores son los menores bienes del hombre y la pobreza el menor mal que el religioso abraza por Dios.

Los goces del sentido y del corazón que renuncia por la castidad, son mucho más apreciables, y el vacío que dejan en el alma nada lo puede llenar si no lo llena Dios. Amor por mejor amor: amor humano por amor divino. Este es el pacto, esta es la compensación. Mas si el corazón no vive de este y para este amor divino, ¿de qué vivirá? ¿Qué fuerza podrá mantenerle en alto conteniendo su casi incontenible gravitación humana, si el amor divino no lo eleva con su omnipotente atracción? Luego sin decididísima voluntad de perfección, el voto de castidad que tanto ayuda al amor divino, se convierte en gravísimo perjuicio.

Y sin embargo, el más difícil de hacer y de guardar es el tercero, el de obediencia, con el cual sacrifica el hombre lo mejor que puede sacrificar que es su libertad y señorío. Nihil maius, pondera Santo Tomás, potest homo Deo dare quam quod propriam voluntatem propter ipsum voluntati alterius subiiciat (45), la cual, est potior quam corpus proprium quod offert Deo per continentiam, et quam res exteriores, quas offert homo Deo per votum paupertatis (46). Sólo por Dios somete totalmente el hombre su voluntad a otra voluntad humana. Y mientras Dios por su amor la tiene rendida a la suya, fácilmente se sujeta a la obediencia. Pero si el divino amor no es poderoso para atarla, ¿cómo podrá permanecer sujeta? Y además, ¿por qué y para qué? La única razón para no guiarse por el personal criterio y albedrío en la dirección de la propia vida, es la mayor perfección de someterse por Dios a la voluntad del superior. Si esa mayor perfección no interesa o interesa poco, la voluntad vuelve por sus fueros y rechaza como sinrazón y tiranía la imposición de ajenas preferencias. El religioso que no se guía por esta suprema razón del amor divino, vive en callada o manifiesta rebeldía. Su voto de obediencia, profesado para ser siervo de Dios, le pesa como la más insoportable servidumbre humana.

Y he aquí convertidas en peligros las tres ventajas características del estado religioso: sus tres votos. Y en peligros tanto mayores, cuanto por ellos el religioso hizo para sí obligatorio lo que era sólo de supererogación, y convirtió en ilícito lo que sin ellos le era lícito. Santo Tomás es partidario de que los hagan hasta los pocos ejercitados en la práctica de los preceptos. Y lo es por esta razón:

Status religionis est quoddam spirituale exercitium ad consequendam caritatis perfectionem; quod quidem fit inquantum per religionis observantias auferuntur impedimenta perfectae caritatis. Haec autem sunt quae implicant affectum hominis ad terrena. Per hoc autem quod affectus hominis implicatur ad terrena, non solum impeditur perfectio caritatis, sed interdum etiam ipsa caritas perditur, dum propter inordinatam conversionem ad bona temporalia homo avertitur ab incommutabili bono, mortaliter peccando. Unde patet quod religionis observantiae sicut tollunt impedimenta perfectae caritatis, ita etiam tollunt occasiones peccandi (47).

Bien clara está la condición imprescindible para hacerlos y para que sean provechosos: Ad consequendam caritatis perfectionem. Mientras esa motivación permanezca viva y operante, mientras el religioso conserve y afervore el deseo de santidad y la decisión de procurarla, sus votos le facilitarán el camino del amor que le conducirá a la posesión de Dios.

(45) 2-2. q. 186, a. 5, ad 5m.
(46) Ibid. a. 8, c.
(47) 2-2. q. 189, a. 1, c.

Probada la obligación que el religioso tiene de tender a la perfección, conviene declarar ahora el alcance y gravedad de esta obligación. Este problema lo plantean y resuelvan todos los tratadistas de estas materias. Pero suelen ceñirse con exceso a su aspecto moral negativo, esto es, a determinar la culpabilidad o responsabilidad del religioso que descuida estos deberes, en vez de considerar preferentemente su sentido espiritual y positivo que es el de mayor interés. Porque es de tener presente, que toda la razón de ser de la vida religiosa es la perfección cristiana, y no meramente el asegurar las condiciones mínimas para salvarse o para no condenarse. El alcance y la gravedad de los deberes que el religioso se impone para lograr más segura y fácilmente su santificación hay que justipreciarlos a esta luz, es decir, según las exigencias de la perfección que pretende, y no con el criterio negativo y minimista de lo que constituye pecado grave o leve en las infracciones de su profesión. Porque es muy diferente lo que es imprescindible para que no se condene por el incumplimiento de sus deberes de perfección, de lo que es imprescindible para que de verdad sea fiel a su vocación de santidad. Para lo primero, basta que guarde sustancialmente los votos con las demás prescripciones graves de la regla y que no menosprecie formalmente su adelantamiento espiritual. Para lo segundo, que es el verdadero fin de su estado, es preciso que con ardiente deseo de santificarse, se esfuerce cuanto pueda en la práctica fiel de los votos y de todas las observancias regulares, cual corresponde a la plenitud de amor divino que constituye el único ideal de su vida.

Para comprender pues el objeto e importancia de esta obligación debemos mirar y no perder de vista su fin. Veamos a su luz tanto su alcance como su gravedad.

1. *Alcance de la obligación de tender a la perfección.*

Bien claro está que el fin de la obligación es la perfección. Si vis perfectus esse. Porque el religioso quiere y decide serlo, se obliga, como dice Sto. Tomás, ad ea quae sunt perfectionis ut liberius Deo vacet (48). ¿Es que la obligación recae sobre la perfección misma? Fácil es ver que no, pues sería obligarse a ser pefecto. Y esto es lo que el religioso quiere con

(48) 2-2. q. 184, a. 5, c.

todo el querer de su vida; pero a lo que se compromete no es a serlo, pues no está en su mano, sino a tender a ello y procurarlo, que es lo que depende de él. Recae, pues, evidentemente la obligación sobre la tendencia y procuración de la perfección. La tendencia, equivale a la voluntad, a la intención, a la decisión, a la aspiración perpetua. Mas la tendencia no sería sincera si no se procurara realizar, esto es, si no se aceptaran y utilizaran los medios que la hacen realizable. Luego la obligación, que en primer lugar compromete el intento, en su consecuencia y a su servicio se extiende necesariamente a los medios.

Pero ¿a qué medios? Si se tratara solamente de pretender la perfección del amor divino, sin constituir su adquisición en obligación de la vida, bastaría con el firme propósito de utilizar los recursos generales de santificación, en conformidad con los deberes del propio estado y de las exigencias particulares de la gracia. Pero como en nuestro caso, se trata precisamente de convertir la adquisición de la perfección en propio estado, la obligación ha de referirse a aquellos medios que separan al hombre de la vida mundana y le consagran a Dios, es decir, a los tres consejos evangélicos de pobreza, castidad y obediencia, que dejan el corazón humano expedito para amar sola y totalmente a Dios (49). La obligación de estos medios o consejos se adquiere por la profesión religiosa, esto es, por la emisión de sus votos respectivos. Este es el proceso moral y lógico que lleva de la voluntad de perfección a la obligación de los votos. Y esta es la dependencia connatural e indefectible entre los votos y la perfección. Esta dependencia se ha establecido libremente, pero es necesaria una vez establecida. Los votos una vez profesados, no son ya medios libres sino medios necesarios de perfección. El religioso se ha comprometido a valerse de sus ventajas para perfeccionarse más fácilmente y mejor. Un seglar puede ser santo sin cumplirlos, un religioso, no.

La procuración de la perfección que conduce al religioso hasta el holocausto de los votos, ne queda suficientemente servida con ellos, e impone obligaciones ulteriores y complementarias en orden a su mismo intento de perfección divina del alma. Tales son las múltiples prescripciones de la regla, que el religioso acepta como normas de vida. Sto. Tomás, como vimos, considera estas prescripciones como ordenadas al mejor y más eficaz cumplimiento de los votos. En todo caso, están ordenados junto con ellos, a garantizar el adelantamiento del religioso en la perfección evangélica. Tria essentialia vota religionis pertinent ad exercitium religionis, sicut quaedam principalia, ad quae omnia alia reducuntur (50). Por lo mismo que estas observancias no son esenciales al estado

(49) Cfr. 2-2. q. 186, a. 7
(50) 2-2. q. 188, a. 1, ad 2. — Cfr. q. 186, a. 9

religioso, no son objeto de los votos, sino que estos se reducen a los tres consejos evangélicos. El religioso no hace voto de guardar la regla (51), aunque sí se compromete a conducirse en conformidad con ella, con obligación mayor o menor según su propio tenor.

¿Puede su obligación de tender y procurar la perfección, imponer al religioso alguna otra exigencia, no reclamada por los votos ni señalada por las reglas? Indudablemente. Las exigencias del amor divino en su apoderamiento sucesivo del corazón humano, no tienen otro límite que la necesidad de cada alma y la voluntad del Espíritu Santo. Este divino Espíritu no se contradice; nunca impone exigencias contrarias a las profesadas; pero al margen de ellas y para su mayor eficacia, dicta íntimamente con sus secretas inspiraciones, mandatos personales que no se pueden recusar sin desobedecerle y contristarle.

Y no se diga que el religioso tiene bastante con su regla para santificarse, pues en ella está contenido cuanto Dios quiere de él, y sólo a ella se ha obligado como programa de perfección. Lo cierto de esta observación es solamente que el religioso en cuanto tal, o en virtud de su profesión, solo está obligado a lo que prescribe su regla y que, al menos, ha de cumplir lo que ella le manda para santificarse. Pero la profesión no sustrae al religioso del señorío de Dios, ni Dios al privilegiarle con la vocación le exime de la fidelidad a su Espíritu. Muy al contrario, el fin de la vocación y de todas las reglas no es otro, que hacer a las almas más dóciles a las inspiraciones divinas, someterlas más fácilmente al reinado del amor divino. Sería el religioso el más desgraciado de los cristianos si le dispensara su regla de aceptar y secundar las reclamaciones íntimas de Dios. ¿Por qué no puede exigir Dios al religioso más oración, más recogimiento, más mortificación, más trabajo, etc. de los que le impone su regla? Nadie que tenga noción o experiencia de lo que es santificarse de veras, puede poner en duda que la única regla total del alma es el Espíritu de Dios (52).

2. Gravedad de la obligación.

Visto el alcance o extensión de la obligación del religioso a intentar y procurar su perfección, veamos ya la gravedad de esta obligación. Y para apreciarla, conviene precisar el grado de perfección a que se refiere.

No es, en efecto, otra cosa la *gravedad de una obligación,* que la importancia y responsabilidad que tiene por la magnitud del bien que proviene de su cumplimiento y por la magnitud del mal que resulta de su incumplimiento. Y como el mal se mide por el bien de que priva, a éste hay que atender principalmente para valorar la gravedad de la obligación. Veamos, pues, qué bien o perfección gana o pierde el religioso por la guarda o el quebranto de sus sagradas obligaciones.

Para lo cual nada mejor que reproducir la graduación de la caridad señalada por Sto. Tomás:
Perfectio vitae christianae in caritate consistit. Importat autem perfectio quandam universalitatem, quia ut dicitur, perfectum est cui nihil deest. Potest ergo triplex perfectio considerari. Una quidem absoluta, quae attenditur non solum secundum totalitatem ex parte diligentis, sed etiam ex parte diligibilis, prout scilicet Deus tantum diligitur, quantum diligibilis est; et talis perfectio

---

(51) 2-2. q. 186, a. 9, ad 1.
(52) Cfr. 1-2. q. 106, a. 1; q. 107, a. 1, ad 2m.; Quodl. 1, art. 14, ad 2m. — Menéndez Reigada (P. Ignacio, O. P.), Los dones del Espíritu Santo y la perfección cristiana (Madrid, 1948) pag. 210, sgs.

non est possibilis alicui creaturae, sed competit soli Deo, in quo bonum integraliter et essentialiter invenitur. Alia autem est perfectio quae attenditur secundum totalitatem absolutam ex parte diligentis; prout scilicet affectus secundum totum suum posse semper actualiter tendit in Deum; et talis perfectio non est possibilis in via, sed erit in patria. Tertia autem est perfectio quae neque attenditur secundum totalitatem ex parte diligibilis, neque secundum totalitatem ex parte diligentis, quantum ad hoc quod semper actu feratur in Deum, sed quantum ad hoc quod excludantur ea quae repugnant motui dilectionis in Deum; sicut Augustinus dicit, quod « venenum caritatis est cupiditas, perfectio nulla cupiditas ». Et talis perfectio potest in hac vita haberi; et hoc dupliciter: uno modo inquantum ab affectu hominis excluditur omne illud quod contrariatur caritati, sicut est peccatum mortale et sine tali perfectione caritas esse non potest, unde est de necessitate salutis; *alio modo inquantum ab affectu hominis excluditur non solum illud quod est caritati contrarium, sed etiam omne illud quod impedit ne affectus mentis totaliter dirigatur ad Deum;* sine qua perfectione caritas esse potest, puta in incipientibus et proficientibus (53).

Es notorio que la perfección a que aspira y se compromete el religioso, y que es la perfección propiamente dicha posible en esta vida, es la última indicada por el santo Doctor, pues para el ínfimo grado de perfección «consistente en que nada se ame sobre Dios o contra Dios o igual que a Dios» (54)', basta la simple guarda de los preceptos; mientras que el estado religioso, est quoddam spirituale exercitium ad consequendam caritatis perfectionem... inquantum per religionis observantias auferuntur impedimenta perfectae caritatis, ad perfectionem adipiscendam per quaedam exercitia, quibus tolluntur impedimenta perfectae caritatis (55); y a esto se ordenan los votos de los consejos, pues primo ad exercitium perfectionis requiritur quod aliquis a se removeat illa per quae possit impediri ne totaliter eius affectus tendat in Deum, in quo consistit perfectio caritatis (56). Cierto que lo más lleva consigo lo menos y que las obligaciones que el religioso contrae para alcanzar la perfecta caridad son la mejor garantía para conservarla al menos en el grado indispensable para salvarse.

Pero, ya se ve que la gravedad de la obligación, no puede medirse en atención a este grado mínimo, necesario a todo cristiano, sino principalmente en consideración del grado perfecto que al religioso le corresponde; es decir, de los bienes de su cumplimiento que son los de la santidad, y de los males de su incumplimiento, que ya son grandísimos con la sola frustración de la santidad, aun cuando el religioso no viva en enemistad de Dios ni se condene.

La gravedad de la obligación se funda, pues, primeramente en los bienes que conlleva la santidad a que se ordena su observancia; por lo cual ésta ha de ser tan fiel como este altísimo intento reclama. No basta el mero cumplimiento de los votos y demás deberes religiosos; es preciso un cumplimiento tal que sea eficaz para la santidad, es decir, proporcionado a las sucesivas y cada vez mayores exigencias del adelanto espiritual del alma. Se hacen los votos y se abraza la regla para hacerse santo. Debe guardarlos de tal modo el religioso que efectivamente le santifiquen. Y está demasiado comprobado, por

(53) 2-2. q. 184, a. 2, c. — Cfr. ibid. q. 24, a. 8
(54) 2-2. q. 184, a. 3, ad 2m.
(55) 2-2. q. 189, a. 1, c.
(56) 2-2. q. 186, a. 7, c.

desgracia, que hay muchas maneras de guardarlos, y por tanto de no infringirlos sustancialmente, que no producen el fruto de santificación que era debido. No se traiciona el ideal; pero no se sirve con la intrepidez que requiere su conquista. Permanece la voluntad de santidad, pero insuficientemente férvida para mantener concentrado el corazón en Dios e imponer una vida de constante fidelidad. No se cometen grandes infracciones; pero se cometen muchas pequeñas, y se practican muy remisamente los ejercicios de virtud. Las incitaciones de la gracia no dejan de solicitar la generosidad del alma, pero no encuentran la necesaria docilidad y se malogran. Si el religioso se habitúa a desatender la voz de Dios, cada día es más difícil su reacción y se expone a fracasar en el empeño fundamental de su vida que era la santidad.

Y ante este tremendo fracaso, no es consuelo aceptable pensar que, al menos ese religioso se salva. Se salva lo menos: lo que no exigía votos ni reglas; pero no se salva lo más, que es la santificación que juró procurar al profesar. Y un alma que se salva no es una compensación por un alma que no se santifica. Vale tánto un alma santa! ¡Vale por tantas que no lo son! Es tanta la gloria de Dios, el beneficio de la Iglesia, la dicha personal que la santidad reporta! Y todo eso se pierde, aunque el religioso en definitiva no se pierda. Esta es pues la gravedad positiva de la obligación del religioso a santificarse, que suele considerarse muy poco y que nunca se ponderará bastante.

La gravedad negativa, es decir, la malicia de la culpa y el reato de la pena, que el descuido o quebranto de la obligación importa, es muy diferente según los deberes incumplidos. Dijimos que la obligación se refería, en primer lugar, al intento y tendencia a la santidad, y en consecuencia a los medios necesarios para procurarla, principalmente a los votos y en ayuda de ellos a las ordenaciones de la regla y también a las imposiciones peculiares de la gracia.

El religioso incurre en culpabilidad grave o mortal cuando desiste positivamente o por desprecio de aspirar a la perfección, cuando quebranta en materia grave los votos y las prescripciones determinadas como graves en la regla. Por la infracción de las demás observancias regulares no peca mortalmente si no las deja precisamente por mandadas, o contra el precepto formal del superior o con escándalo de los demás, aunque por diversas causas el incumplimiento sea frequente y aun habitual. Pecará en estos casos venialmente si es que la ley expresamente no lo excluye, y aun excluyéndolo, por la negligencia y mala disposición que esta inobservancia supone. En cuanto a la recusación de las divinas inspiraciones, también nos parece verdadero pecado, pues no vemos cómo puede no serlo la resistencia y desobediencia a la voluntad de Dios que en la misma inspiración claramente se manifiesta, y el rechazo del mayor bien espiritual que propone. Una resistencia aun más culpable que ésta, se da también en las citadas inobservancias de la regla, al menos cuando son deliberadas. Las unas y las otras, aunque no rompen la unión habitual del alma con Dios por la caridad, se oponen a su actuación, la hacen cada vez más remisa, impiden por tanto su acrecentamiento, y predisponen para su pérdida por el pecado mortal (57). Y aunque no lleguen a este fatal extremo, grandísimo mal es ya el regateo a Dios de una vida que se le había prometido y consagrado, y el retraso, si no la frustración, de su santificación, única razón de su existencia.

Hablamos, claro está, del religioso tibio, habitualmente inobservante y persistentemente refractario a las urgencias de Dios. De las debilidades que aun los fervorosos cometen, nos complace el juicio benigno de Santo Tomás que dice así:

(57) Cfr. 2-2. q. 186, a. 9, ad 3m.; 1-2. q. 88, a. 3

Si vero religiosus non ex contemptu, sed ex infirmitate, vel ex ignorantia aliquod peccatum quod non est contra votum suae professionis, committat absque scandalo, puta in occulto, levius peccat eodem genere peccati quam saeculares, quia peccatum eius si sit leve, quasi absorbetur ex multis operibus bonis quae facit; et si sit mortale, facilius ab eo resurgit (58).

Illi qui sunt abstracti a cura temporalium rerum, etsi aliquando venialiter peccent, tamen levia peccata venialia committunt, et frequentissime per fervorem caritatis purgantur (59).

LA PERFECCION Y LA RENOVACION DE LA VIDA RELIGIOSA

Renovar es devolver a una cosa la perfección y eficacia que por su naturaleza y finalidad le corresponde. Toda renovación debe pues proyectarse y realizarse con arreglo a la naturaleza y fin de las cosas.

1. Según esto, la renovación del estado religioso, ha de consistir en revigorizar en sus diversas instituciones y miembros el espíritu de su vocación, para la mejor realización de sus fines connaturales.

2. Estos fines son dos: uno común y principal, que es la santificación de los religiosos, mediante la fiel guarda de los consejos evangélicos, y de las reglas peculiares de cada instituto; y otro secundario y consecuente, que es el bien del prójimo, en la medida y por los medios propios de cada instituto. El primero es fin general a todos los institutos religiosos; el segundo es su fin específico o peculiar (60).

3. El fin principal, por su misma excelencia y esencialidad, debe procurarse por sí mismo sin subordinarlo a ningún otro. De su realización depende esencialmente la autenticidad y la eficacia de la vida religiosa (61). Los fines secundarios deben proceder del fin principal, estar a él subordinados y recibir de él su mejor eficacia.

4. La santificación de los religiosos es, pues, el deber máximo de todo instituto y de sus miembros; y de su cumplimiento depende principalmente su mayor o menor eficacia

(58) 2-2. q. 186, a. 10, c.
(59) 1-2, q. 89, a. 2, ad 3m.
(60) Hoc est commune in omni religione quod aliquis totaliter se debet praebere ad serviendum Deo: unde ex hac parte non est diversitas inter religiones, ut scilicet in una religione aliquis retineat aliquid sui, et in alia aliud; est autem diversitas secundum diversa in quibus homo Deo servire potest, et secundum quod ad hoc homo se potest diversimode disponere. (2-2, q. 188, a. 1, ad 1m. — Cfr. ibid. a. 2, ad 2m)
(61) Status religionis est ordinatus ad perfectionem caritatis consequendam ad quam quidem principaliter pertinet Dei dilectio, secundario autem dilectio proximi, et ideo religiosi precipue et propter se debent intendere ad hoc ut Deo vacent. (2-2. q. 187, a. 2 c.)

espiritual. Si un instituto, por cualquier causa, compromete o dificulta la perfección de sus religiosos, traiciona su máximo deber y comete gravísima injusticia con ellos. Un instituto que no esté en condiciones de cumplir este máximo fin y deber, ha de ser capacitado o debe de ser suprimido.

5. Son garantías indispensables para salvaguardar el ideal de santificación cristiana en los institutos religiosos:

a) No admitir o no conservar ningún sujeto que no sea capaz de perfección religiosa, o que no abrigue o compruebe claramente sincera vocación a la santidad y decidida voluntad de alcanzarla. — En consecuencia, deben ser rechazados los incapaces de guardar fielmente los votos, y los que por sus condiciones personales de apatía moral, insustancialidad, ligereza, etc. no llenan las exigencias del ideal religioso de perfección. La mediocridad es incompatible con la vocación religiosa. Si invade los claustros, causa inevitablemente la decadencia de los institutos religiosos que al no poder sostener el peso muerto de su masa de mediocres, se rebajan a su nivel. — Nunca debe ser admitido a la profesión un sujeto inepto para el fin principal, que es la santidad, en atención a sus aptitudes para el fin secundario, es decir, para las actividades propias del instituto.

b) Proporcionar a sus religiosos una formación espiritual teórica cuidadísima, que asegure su plena conciencia de las exigencias de su ideal y su capacitación para realizarlo. — Esta formación, y por tanto, el tiempo y dedicación que requiere, no debe supeditarse a ningún otro interés material ni moral del instituto.

c) Salvaguardar a toda costa, el ideal de santificación de sus religiosos y su denodado esfuerzo por conseguirlo, facilitando su vida regular, evitando su absorción por las actividades, y estimulando enérgicamente su fidelidad.

6. Puesto que el fin secundario de todo instituto, es la práctica de la caridad con el prójimo en sus diversas formas como extensión y en servicio del amor de Dios, ningún religioso debe ser ocupado en ningún ministerio sin la preparación espiritual y especial suficiente, que asegure a la vez el provecho moral ajeno y su propio aprovechamiento. De no hacerlo así, estos ministerios son moralmente contraproducentes, pues además de ser ineficaces para el bien ajeno, comprometen el del religioso y desprestigian su estado e instituto.

7. Es, pues, una de las mayores dificultades y peligros actuales de la vida religiosa y de su misma eficacia social apostólica o benéfica, la prevalencia de los fines secundarios sobre el principal, es decir, la excesiva ocupación y actividad de los religiosos que absorbe sus energías físicas y agota sus reservas morales, impidiendo el cuidado de su propia perfección (62).

(62) Hacen muy al caso, las amonestaciones del Cardenal Parrado en su Pastoral sobre *La Vida religiosa* (*Granada*, 1942):
« Nos no podemos menos de ser justos y, por tanto, alabar, bendecir y agradecer la constante y solícita actividad de los institutos religiosos en la enseñanza y educación de la juventud o en el cuidado de los pobres y enfermos. Pero es deber Nuestro, a la vez, no disimular que, por esa causa, padezca no pocas veces gravísimos perjuicios la cultura de la vida interior, esencia y alma de la vida religiosa... » (pag. 23).
« Si somos sinceros, y debemos serlo, pues para dejarse conducir no hay

8. También pudiera representar un peligro para el espíritu religioso, el movimiento espiritual secularista de la hora presente. Este movimiento espiritual es antagónico al movimiento laicista y tiende de suyo a contrarrestarlo y a remediarlo. El laicismo intenta profanizar o desreligiosizar la vida reduciendo lo sagrado a los lugares sagrados. El secularismo espiritual tiende a sacar lo sagrado de su encerramiento e introducirlo en la vida seglar.

Este movimiento nace de buen espíritu, pues trata de realizar en la vida cristiana común el ideal de perfección cristiana, y hasta de aprovechar sustancialmente en el mundo las ventajas de los consejos evangélicos. Sin embargo, se debe advertir:

a) Su propósito es sobremanera difícil, pues las condiciones actuales de la vida en el mundo no son más sino menos favorables que en otros tiempos al espíritu evangélico; y por tanto no es más fácil conservarlo en él sin las facilidades exteriores de la vida religiosa.

b) Es pues un ideal que nace más de la necesidad ajena que de la conveniencia propia, pues de suyo es más fácil la santificación en el claustro que en el mundo.

c) Por esto mismo requiere una vocación muy especial y una preparación porporcionada a sus dificultades. Es temible que fracase, si deja de ser un movimiento de selectos.

d) Este movimiento lejos de menospreciar la vida religiosa, debe inspirarse y beneficiarse de ella y de sus recursos cuanto consienta su propia finalidad.

e) Esta nueva concreción del espíritu evangélico, no demuestra que hayan perdido su vitalidad y eficacia los institutos religiosos, sino la necesidad de complementar con nuevos procedimientos su beneficiosa influencia.

f) Los institutos religiosos han de acomodar en lo posible su apostolado a las necesidades actuales del mundo; pero sin detrimento de su propia vida, y por tanto, en la medida en que sea compaginable con sus exigencias. El

mejor brújula que la verdad, hemos de confesar que el espíritu del siglo ha franqueado muchas clausuras, y *se ha obscurecido el oro, y han palidecido los más bellos colores* (Lament. IV, 1). Allí donde el cultivo del espíritu y de la santidad personal marchaba siempre recto y en primera línea, anda ahora cojeando o arrastrándose al lado de un sinnúmero de exterioridades, las cuales necesitan mejoramiento, es verdad, pero ellas de por sí son incapaces de hacer mejores a los que en ellas mismas se ocupan. Es el signo o el vicio de nuestra época de fiebre y actividad externa, donde únicamente se da valor al hombre según el trabajo que puede hacer, según lo que puede producir o gastar por hora. Este mal espíritu de la sociedad presente explica la decadencia de la vida religiosa...» (pag. 25).

« Tómense las oportunas medidas de precaución para evitar los peligros de disipación a que se exponen las religiosas de congregaciones en no pocas de la obras caritativas y docentes que toman a su cargo, impulsadas por su buen deseo de hacer el bien. Hoy las religiosas son solicitadas para toda suerte de obras, que con facilidad aceptan y no siempre dentro de los límites de un prudente celo. Los peligros de disiparse están unas veces en la escasez de personal y en el exceso de trabajo, que consume las fuerzas del cuerpo y del espíritu; otras en la falta de preparación de las religiosas para la obra que se les encomienda o en la necesidad de prepararse, concurriendo a centros públicos de enseñanza, cuyo ambiente nada tiene de propicio para mantenerse en el recogimiento y en la presencia de Dios; y otras, en tener que organizar su labor en clínicas y otros establecimientos cuyas circunstancias exigen muchas cautelas para no perder el espíritu y el fervor propio de la vida religiosa. Encargamos, pues, a las superioras que miren mucho este punto y no se dejen llevar de un celo exagerado exponiendo sus súbditas a tales peligros u otros semejantes; y en todo caso adopten medidas eficaces contra la disipación » (pág. 39-40).

remedio no está en privar a los religiosos de sus ventajas de santificación, sino en llevar al mundo el beneficio de su santidad.

9. La mayor eficacia de la influencia de los religiosos, no hay que buscarla, pues, principalmente en la acomodación exterior de sus actividades, sino en su mayor energización interior, mediante una renovación exigente del espíritu de su vocación. Lo que el mundo necesita ante todo de los religiosos es santidad. El mejor medio de acrecentar la eficacia de los institutos religiosos es el florecimiento en ellos de su vida de perfección. Si se lograra la deseable concentración en Dios de las almas religiosas — primero e insustituible ideal de su estado — arrastrarían tras sí hacia lo alto a esta pobre humanidad materializada.

Por esta causa, urge sobre todo, la reorganización y vigorización de las religiosas de clausura, pues la Iglesia, más que de la acción de los demás, necesita de la eficacia de su contemplación.

10. De todo lo cual se deduce, como esencial conclusión, que la renovación de la vida religiosa se cifra en esta sola fórmula y consigna: *perfección evangélica*.

92 R. P. RADULFUS PLUS, S. I., *scripsit*:

Ce qui paraît important, c'est de faire remarquer que la vie intérieure ne doit pas être un simple moralisme sans attaches avec le dogme.

Mais au contraire qu'elle est en dépendance stricte de la double doctrine: de notre divinisation par la grâce sanctifiante reçue au baptême; de notre Christ-ification (sit venia verbo), ce que S. Paul appelle « le mystère », c. à d. la trouvaille par excellence de Notre Seigneur: nous re-diviniser, non du dehors, mais en nous faisant « un » avec Lui, « Christ » avec Lui.

Ce que résument admirablement d'ailleurs les deux premiers mots du Pater: *Pater:* nous sommes des enfants de Dieu, donc pas seulement des relations de créature à Créateur (sans l'oublier, certes!), mais d'enfant à Père; ce qui serait impossible si Dieu ne nous avait fait *divinae consortes naturae* — Divinisation. *Noster:* le Père *du* Fils est le même que le Père *des* fils; c'est affirmer que nous ne faisons qu'un avec l'« Unique » — Christ-ification.

Divinisation.

Parceque réceptacle vivant de Dieu par la grâce,
— devoir (négatif mais essentiel) de ne pas chasser Dieu de son âme. C'est toute la question du péché etc.
— devoir du *recueillement,* devoir positif, capital, dont si peu de baptisés paraissent se soucier. C'est toute la question de la prière, des prières, de l'union à Dieu etc.: « Dieu au plus intime de l'âme, l'âme au plus intime de Dieu » (1).
— devoir de l'*admiration.* Nous sommes des êtres merveilleux; il y a du « Dieu » dans chacune de nos âmes. Au lieu de tant développer la crainte (devant les âmes ferventes), que n'insiste-t-on davantage à l'admiration? (2).
— devoir de la *joie.* St. Thomas explique que ce n'est pas une vertu spéciale mais l'efflorescence normale de la vertu de charité, de l'état de grâce. Y aurait-il tant de personnes écrasées, inquiètes, si elles connaissaient mieux que le don de Dieu s'accompagne de la présence du donateur lui-même? Nous sommes, sur terre, un ciel ambulant; tout l'essentiel du ciel nous l'avons.

Voir par ex. Ste. Thérèse de l'Enfant Jésus: « Je ne vois pas bien ce que j'aurai de plus après ma mort que je ne possède maintenant... Je verrai le bon Dieu, c'est vrai! Mais pour être avec Lui, j'y suis tout à fait sur terre ». (Ce qui n'est pas pour diminuer le bonheur du ciel; elle ajoute spirituellement: « Ici-bas, c'est l'enveloppe. Que je voudrais bien voir la lettre! ») — Les théologiens sont d'accord sur le fait; voir par ex. le P. Gardeil, O. P., (3); ou Jeanjacquot, S. I. (4). Citons Gardeil, plus court: « Est-ce que maintenant nous possèdons Dieu aussi réellement et substantiellement que dans la vie éternelle? Oui. Notre âme a ce bonheur quand elle possède la grâce sanctifiante; nous possédons Dieu aussi réellement que les bienheureux... La vie chrétienne... c'est notre vie éternelle du ciel déjà inaugurée dès maintenant, avec tous ses éléments, sauf un seul, nous ne voyons pas Dieu. »
Des laïques même le comprennent: un Guy de Larigaudie (5), un Charles du Bos, écrivant (6): « A 44 ans, j'en suis encore à me centrer sur le centre ». Il se reproche d'avoir trop, jusque là, « traité les points de la périphérie comme des centres. Et cependant je n'ai jamais tout à fait perdu la sensation que le maître-autel de ma vie spirituelle demeurait vacant... J'ai trop donné aux chapelles latérales... Seul, dorénavant, le maître-autel m'importe ».

Que d'âmes n'ont jamais centré leur vie sur le centre! Quelle aide aussi pour la pratique de la charité que cette pensée: Dieu habite (ou désire habiter) dans chacun de mes pro-

---

(1) Voir Ste. Thérèse au ch. XXX du *Chemin de la perfection.*
(2) Voir pages magnifiques et si justes du Dr. Scheben dans: *Les Merveilles de la grâce* (éd. fran., Desclée de Brouwer, p. 91, comparaison avec Zachée; et p. 102, glose du *Si scires donum Dei!*)
(3) Dans: *Le Saint Esprit dans la vie chrétienne,* 4 éd. Cerf, p. 9.
(4) Dans: *L'Ordre surnaturel et l'Eglise,* Gaume 1886, pp. 108-110.
(5) Voir: *Etoiles au grand large, passim.*
(6) Dans: *Extrait d'un Journal.* Correa, p. 398.

chains! Et pour l'apostolat: Donner Dieu aux âmes! Et pour toute la vie d'ascèse! Si Dieu habite en moi, comment y aurait-il encore place pour moi?

Comme il conviendrait, avant de parler des conseils évangéliques, des voeux, de la perfection, d'apprendre aux âmes à « valoriser » leur baptême! Un baptisé, disait Tertullien, c'est une âme dans un corps et *Dieu dans cette âme*.

Le savoir. En vivre.

Christ-ification

Pour nous rapporter la vie divine perdue par Adam, le Christ n'a pas voulu seulement payer pour nous de l'extérieur; il nous a fait un avec Lui: « Je suis le cep, vous les branches ». Le baptême, à proprement parler, nous christ-ianise (nous mettons exprès un trait d'union).

Nous sommes re-divinisés parceque nous sommes christ-ianisés. Les premiers chrétiens appelaient un baptisé: *portio Christi,* un fragment de Jésus-Christ. Et ici encore quelles conséquences magnifiques pour la vie intérieure! Si je dois être un authentique prolongement vivant du Christ, je dois supprimer dans ma vie tout ce qui n'est pas du « Jésus Christ ». — « Je ne vis plus; il n'y a plus en moi que le Christ ». Mort de l'egïsme, due caprice, du mauvais amour-propre.

Parlant du P. Rabussien, S. I., fondateur de la Ste. Famille du Sacré Coeur, mort en 1897, Dom Chautard disait: « Le secret de la sainteté du Père était dans son impersonnalité: *Vivit vero in me Christus...* Le *moi,* en lui, je l'ai cherché mais je n'ai pu le découvrir. Tout rayonnait de Jésus dans son jugement, son coeur, sa volonté, son zèle, etc.... Sa tendance à tout ramener dans la vie intérieure à l'enfance spirituelle m'avait singulièrement frappé » (7).

Dom Boyland, O. Cist. R. (8), à propos de « l'enseignement de S. Paul sur l'inhabitation des Personnes divines dans l'âme baptisée et sur l'incorporation de l'âme au Christ »: « Cette doctrine était à la base de tout l'enseignement apostolique. Elle est encore la base incomparable de la vie de prière ».

Il ne s'agit pas tellement, pour nous, d'imiter ce que le Christ a fait, mais de faire, nous, ce que Lui ferait (demande que nous fassions) s'il était à notre place.

J'ai à prier. Lui, à ma place, comment ferait-il?

J'ai à vaquer à mon devoir d'état. Lui, à ma place, comment agirait-il?

J'ai à pratiquer la charité, l'apostolat (n'importe quelle vertu). Lui, à ma place, comment procéderait-il?

C'est marquer la place du renoncement dans la vie in-

(7) *Vie du P. Rabussien,* 2 éd., p. 217.
(8) Dans la Préface de:*Les étapes de l'oraison mentale,* trad. Minery, Alsatia, 1948, p. 12.

térieure et en le rattachant à ce grand principe d'amour; ne faire qu'« un » de plus en plus avec l'Unique.

Quelle aide pour la compréhension de la messe! Offrir et s'offrir avec Lui.

Quelle aide pour le travail apostolique! Le monde ne sera sauvé que si *tout* le Christ, le Christ au pluriel, Chef et membres, intervient. Sans doute les mérites rédempteurs de Notre Seigneur sont *de condigno;* mais les nôtres, puisque le Sauveur a daigné vouloir les requérir, sont devenus nécessaires. Nous sommes non seulement des rachetés, mais des racheteurs.

Quelle aide pour la pratique de la charité! Si chacun est Portio Christi, le prochain également. Nous devrions avoir la même dévotion aux membres du Christ qu'à Notre Seigneur dans sa personne de Chef, la même dévotion à nos frères qu'à l'hostie du Tabernacle. Ici et là, c'est le Christ.

« Ce que vous ferez au plus petit... c'est à Moi que vous le ferez ».

Ainsi, non seulement un Moralisme ne se rattachant que de très loin à la doctrine, mais une Vie intérieure fondée sur le dogme. Combien c'est autrement plus solide, plus entraînant, plus indépendant des « Ecoles de Spiritualité » qui, bien entendu, gardent leur place!

COMMUNICATIO 2: *Vita contemplativa, vita activa, vita mixta quoad doctrinam et praxim in hodiernis statibus perfectionis.*

93 *Orator* - R. P. GABRIEL A S. MARIA MAGDALENA, O. C. D., Professor Theologiae Asceticae.

Vorrei che la mia « comunicazione » potesse essere non già una nuda dissertazione teorica, ma una « testimonianza » che ci aiuti a metterci dinanzi la realtà concreta.

Non voglio fermarmi dunque sull'origine dei nomi: vita contemplativa, vita attiva, vita mista. Lo sappiamo tutti ormai: questi nomi — segnatamente i due primi — ci vengono dalla filosofia greca; sono concetti che sono stati « battezzati » cioè, ma che proprio così hanno acquistato un *nuovo senso* ed ora indicano le diverse forme che può assumere la vita cristiana e in particolare la vita religiosa (1). Naturalmente, usando qui tali vocaboli, è questo il senso che ci interessa.

La parola « vita » indica qui uno speciale « studio », un orientamento deliberato dell'attività umana che lo concentra in una direzione determinata, verso un fine (2), un ideale che particolarmente attira e che nella vita cristiana, la quale è essenzialmente esercizio di carità, sarà la preoccupazione per uno dei due grandi oggetti — in certo modo inseparabili, — di questa virtù: Dio e il prossimo. Il concentramento di tutta l'attività umana nell'immediata ricerca dell'unione con Dio si chiama: vita contemplativa; quando invece l'oggetto immediato dell'attività caritativa dell'uomo è il servizio del prossimo — sempre per amor di Dio e in tutta la varietà dei modi possibili — abbiamo la vita attiva.

E' poi stato messo in evidenza — dall'esperienza e dalla riflessione teologica — che certe attività a beneficio del prossimo (e sono proprio le più elevate, quelle apostoliche, con cui si comunica la vita soprannaturale alle anime) sono di

(1) Cfr. TH CAMELOT, O.P., *Action et contemplation*, in « Vie spirituelle », mars 1948, p. 272.

(2) Cfr. S. TOMMASO D'AQ., *Somma teologica*, II.a II.ae, q. 179, per totum

tal natura che richiedono, in colui che le vuole esercitare con piena fecondità, l'unione dello spirito con Dio (3).

L'apostolato non è solo, come alcuni dicono, l'attività esterna con cui si porta alle anime il messaggio di Cristo; parlare così è diminuire l'ampiezza dell'apostolato il cui scopo non è solo il messaggio cristiano, ma la comunicazione stessa della vita soprannaturale alle anime. A quest'opera — come espone magistralmente la « Mystici Corporis » — Cristo volle associare la sua Chiesa (4); ed essa collabora effettivamente con Cristo adoperando un triplice strumento, come ricorda la stessa enciclica in un testo ormai famoso: « Mistero certamente tremendo... che cioè la salvezza di molti dipenda dalle preghiere, dalle volontarie mortificazioni... dalla cooperazione dei pastori e dei fedeli.. ». L'apostolato quindi, per essere integro, richiede che l'attività esterna sia accompagnata da preghiera e da immolazione le quali di per sè sono opere di vita contemplativa, il cui valore spirituale *dipende dall'unione dello spirito con Dio.* Il desiderio di rendere l'attività apostolica interamente feconda ha fatto nascere così l'ideale di *vita mista,* la quale unisce contemplazione ed azione. Essa ha dunque un duplice fine: l'unione con Dio e l'attività apostolica anche esterna. Il religioso di vita mista ha come ideale di stare unitissimo alla fonte da cui sgorga ogni grazia di salvezza e di santificazione e di derivarne — in unione con Cristo e prolungandone, per dir così, nella propria vita le varie forme di attività salvifiche (preghiera, immolazione, azione esterna) — l'inesauribile abbondanza alle anime. Una tale vita è dominata dallo studio dell'unione con Dio e con Cristo, ma proprio così aiuta le anime con maggiore efficacia.

Il duplice fine della vita mista ne costituisce ad un tempo e la ricchezza e la difficoltà. La sua ricchezza perchè congiunge in uno le nobiltà proprie delle due forme di vita, contemplativa ed attiva; la sua difficoltà, appunto perchè questa duplicità di fine impone, in pratica, al religioso di vita mista la sollecitudine di conservare, fra le attività ordinate all'uno ed all'altro fine, un equilibrio non facilmente raggiungibile, come sanno per esperienza tutti coloro che vivono una tal forma di vita.

Teoricamente la soluzione è limpida: l'unione e l'equilibrio delle due finalità si raggiunge mantenendo interamente l'attività esterna sotto l'influsso della vita interiore, che deve essere l'anima di ogni apostolato. Ma, evidentemente,

(3) Cfr. *Ibid.*, q. 188, a. 6.
(4) « Mystici Corporis », versione italiana, AAS., 1943, n. 7, appendix; titolo: « c) per motivo di bisogni scambievoli », pp. 18-19.

ciò non è possibile se la vita interiore non è intensa, e questa intensità non si può procurare nè conservare — qui la voce dell'esperienza parla in modo decisivo — se non viene consacrato un tempo sufficiente ed un'attenzione studiata agli esercizi di vita interiore: alla preghiera nelle sue diverse forme, alla lettura spirituale, agli esami di coscienza e, direi pure, alle ore di ritiro nel silenzio e nella solitudine, alla mortificazione. Lo ricordino bene coloro che, presi dall'urgenza delle opere esterne e guidati forse da un concetto inesatto che riduce l'apostolato unicamente a portare il messaggio esterno di Cristo alle anime, vorrebbero diminuire, nella vita mista, le ore di preghiera per aprire un campo più ampio all'attività: se la vita interiore non viene sufficientemente alimentata con gli esercizi suoi propri, si affievolisce e non anima più l'attività esterna, non corroborandola più a sufficienza con la preghiera e con il sacrificio. La vita esteriore diventa allora spesso assorbente e, mentre rende la vita interiore più difficile, perde essa stessa in qualità (5).

E tuttavia non si può negare che anche l'attività esterna genera nel religioso di vita mista molteplici legittime sollecitudini: studio della sana dottrina, studio della vita del popolo, sacro ministero, insegnamento con la parola e con la penna, e non dico nulla delle attività materiali che, purtroppo, reclamano spesso, anche più di quanto sia opportuno, l'appoggio del sacerdote. In pratica, dunque, il religioso di vita mista deve conservare l'equilibrio fra due serie di attività, le une destinate immediatamente a portarlo all'unione con Dio, le altre a procurare la salvezza del prossimo: ambedue richiedono le sue sollecitudini e dividono il suo tempo. Anzi, esse « dividono », senza che sia possibile evitarlo, anche la sua mente applicata necessariamente ad una duplice finalità, ad un duplice « studio » che egli potrà ridurre spiritualmente all'unità solo includendo l'uno e l'altro nell'unica sollecitudine di glorificare il Signore. Solo così raggiungerà la necessaria unità richiesta da ogni forma di vita per poter essere vigorosa. Tuttavia rimane nella vita mista l'inevitabile conseguenza psicologica di *dividere*, dal punto di vista intellettuale, lo « studio » dell'anima.

E questo mi porta ad indugiarmi sui pregi della vita contemplativa pura. Mi piace parlarne perchè nella mia ormai lunga carriera di predicatore di Esercizi e di direttore spirituale ho avuto modo di avvicinare tanti conventi e monasteri di vita contemplativa pura ed ho avuto spesso la gioia spirituale di vederla vissuta con grande intensità e perfezione.

Per parlare in modo più concreto vi dirò che ho avuto contatto con una sessantina di tali ambienti e, specialmente con una cinquantina di essi, le relazioni sono state abbastanza ripetute e prolungate per potermi formare un fondato giudizio sul valore spirituale della casa religiosa. Aggiungo che in numero preponderante questi ambienti sono monasteri di Carmelitane Scalze, figlie di S. Teresa d'Avila. Sono felice di poter attestare qui in pubblico che ne ho riportato la profonda convinzione dell'alto valore della vita contemplativa pura e che questa, come viene attualmente vissuta, è un grandissimo tesoro per la S. Chiesa; ho potuto constatare « de visu » che tale vita è rimasta ardente nella Chiesa attuale, che l'ideale, per esempio, di S. Teresa di Gesù, di creare focolari in cui si viva nel modo più pieno la vocazione e l'apostolato dell'amore, è stato ed è tuttora realizzato. Sembra che in tali monasteri si attui davvero il desiderio che ogni giorno, all'inno di Terza, la S. Chiesa esprime allo Spirito Santo:

> Flammescat igne caritas
> Accendat ardor proximos.

Non crediate del resto che voglia idealizzare. Non pre-

(5) *Ivi*, p. 19.

tendo affermare che tutti i monasteri contemplativi siano ugualmente fervorosi o siano esenti da miserie umane: miserie se ne trovano in tutti gli ambienti in cui vivono uomini. Del resto, « corruptio optimi pessima »: e se un monastero perde il fervore, diventa una casa di donnette che lottano e si bisticciano e si perdono nelle piccinerie e pretensioni di amor proprio; tali monasteri io li sopprimerei senza misericordia.

Vorrei tuttavia ricordare in proposito — per evitare una confusione assai facile e frequente — che non bisogna confondere monastero di clausura e monastero di vita contemplativa pura (6). Esistono difatti monasteri di clausura che non sono affatto monasteri contemplativi: sono diventati di clausura solo per la legge generale della Chiesa sotto il Pontefice S. Pio V che nel '500 impose a tutte le religiose la clausura (7). Per tali monache non vedo nessuna ragione per continuare a tenerle in clausura, essendo ora modificata questa legge generale (8). Tutt'altra è la condizione delle monache che sono diventate di clausura per esigenza della loro vita contemplativa. Tali sono, per esempio, le Carmelitane Scalze perchè S. Teresa, proprio guidata dal suo ideale contemplativo, uscì dal suo monastero dell'Incarnazione, dove mancava la clausura, per fondare il monastero chiuso di San Giuseppe d'Avila.

Parlando dunque della vita contemplativa pura, mi domando due cose: Vi sono vantaggi spirituali nella vita contemplativa pura? E questi vantaggi spirituali non vengono poi pagati da svantaggi dal punto di vista sociale e apostolico?

Che nella vita contemplativa pura vi siano vantaggi per un più pronto conseguimento dell'unione con Dio, sembra assolutamente innegabile. Sì, anche la vita mista tende direttamente all'unione con Dio; tuttavia le « preoccupazioni » del religioso di vita mista sono necessariamente « divise »: egli persegue un duplice fine al quale ordina una duplice

---

(6) Cfr. P. GABRIELE DI S.M.M., O.C.D., *Importanza della vita contemplativa*, in « Rivista di Vita Spirituale », 1950, p. 115; in particolare, pp. 125-126.

(7) EMILE JOMBART et MARCEL VILLER, *Clôture*, in « Dictionnaire de spiritualité », tom. II, col. 993: la clôture loi générale; 3. S. Pie V et la législation actuelle.

(8) La Costituzione Apostolica « Sponsa Christi », nella sua parte storica, espone come, dalla fine del 1500 in poi, diversi istituti, pur desiderando di svolgere un'attività apostolica, abbracciarono la clausura proprio per poter continuare ad appartenere all'Istituto monacale. Tali furono, per esempio, le Visitandine di S. Francesco di Sales. La Cost. Apostolica ha ottimamente provveduto ai bisogni di tali istituti introducendo la distinzione tra Clausura papale *maggiore* e clausura papale *minore*. Quest'ultima introduce una divisione del monastero in due parti, una delle quali, destinata alle opere apostoliche, è accessibile alle persone secolari. Questa nuova disposizione non era stata ancora pubblicata quando noi abbiamo recitato la nostra « comunicazione ». E' una precisazione di cui siamo lieti di tener conto.

serie di attività, l'una distinta dall'altra. Nella vita contemplativa pura, invece, vi è un solo « studio » che accentra indistintamente tutte le attività e perciò le unisce in un solo fascio che le rende più che mai forti ed efficaci, a condizione però che il religioso di vita contemplativa pura non si lasci invadere *indebitamente* da qualche altra preoccupazione meno elevata, che potrebbe essere, per esempio, quella del suo lavoro (9), o di quanto accade nel piccolo mondo interno del suo monastero, oppure une preoccupazione d'amor proprio (10). Su questo deve vegliare attentamente. Ma « di per sè » è innegabile: l'unicità di studio della vita contemplativa pura fa di essa uno strumento efficacissimo e massimamente adatto per un sollecito conseguimento dell'unione con Dio.

Da una tale vita, del resto, le preoccupazioni apostoliche non sono affatto assenti: anzi, e anche questo posso attestarlo per averlo constatato tante volte personalmente, sono gli scopi apostolici — indicati, per esempio, esplicitamente da S. Teresa, quali il bene della Chiesa e la santificazione del suo sacerdozio (11) — che portano particolarmente i contemplativi al massimo fervore nella preghiera e nell'immolazione di se stessi, preghiera e immolazione che sono ad un tempo i mezzi più efficaci di unione con Dio e gli strumenti propri dell'apostolato interiore. E qui mi preme notare che la vita contemplativa pura non si contraddistingue affatto dalla vita apostolica in quanto questa si esercita eminentemente con la preghiera e con l'immolazione (con cui Gesù ci ha salvato in modo precipuo), ma si contraddistingue solo dall'attività esterna che richiede il contatto immediato col mondo.

Mi domando tuttavia: — ed è la seconda domanda alla quale voglio rispondere — questo innegabile vantaggio personale della vita contemplativa pura non si paga poi con qualche svantaggio dal punto di vista sociale ed apostolico?

Qui risponderanno i Santi e risponderà lo stesso Magistero della Chiesa.

I Santi ai quali alludo sono: S. Giovanni della Croce, Dottore mistico della Chiesa e la sua figlia spirituale, che Pio X chiamava « la più grande Santa

(9) La Costituzione Apostolica « Sponsa Christi » contiene una pagina ricchissima di spiritualità sulla santificazione del lavoro della monaca (AAS., 1951, p. 16, « Ad laborem »). Sono ottime direttive spirituali che assegnano il posto preciso che il lavoro ha nella vita della monaca contemplativa, mantenendolo assolutamente al posto di « mezzo » e non già di « fine ».

(10) Cfr. in proposito S. TERESA DI GESÙ, *Cammino di perfezione*, cap. 13, in cui la grande Santa mette in guardia le monache contro ogni preoccupazione dell'amor proprio.

(11) Cfr. *Ivi*, cap. 1 e cap. 3.

dei tempi moderni» (12), S. Teresa del B. G. S. Giovanni della Croce l'ha
affermato ripetutamente e S. Teresa del B. G., proclamata da Pio XI Patrona
di tutte le Missioni, nella sua vita di apostolato interiore si è ispirata esplicitamente a questa dottrina del Dottore mistico: «un pochino di puro amore —
cioè dell'amore di un'anima giunta all'unione con Dio — apporta maggiore
utilità alla Chiesa che non tutte le altre opere unite insieme» (13). Se tale
è il valore dell'amore di un'anima giunta all'unione con Dio e se la vita contemplativa pura è la forma di vita che di per sè conduce più presto a questa
unione, chi non vede il grandissimo valore della vita contemplativa pura per la
Chiesa tutta?

Ma ci è di più e di più chiaro ancora. Parlo dell'insegnamento del Magistero ordinario e proprio per bocca del grande Papa che ha lasciato un'impronta
tanto profonda nella vita della Chiesa attuale: Pio XI, il grande Papa del-
l'apostolato esterno, delle Missioni e dell'Azione Cattolica. Proprio nell'Enciclica
sulle Missioni, «Rerum Ecclesiae», egli ricorda la sua stima particolare per la
vita contemplativa pura: «Quanti equidem contemplativam nos vitam, quam
vocant, faciamus» (14), e rimanda esplicitamente, per vederne meglio il suo
pensiero, alla Costituzione «Umbratilem» (15) con cui confermò gli Statuti
riveduti dei Certosini ed in cui afferma: «Coloro i quali adempiono l'ufficio
della preghiera e della mortificazione continua contribuiscono molto più (multo
plus) all'incremento della Chiesa e alla salvezza del genere umano di quelli
che coltivano il campo del Signore con la loro attività» (16). Naturalmente,
perchè ciò sia vero non basta una vita contemplativa qualunque, ma bisogna
che venga vissuta come un vero impegno di preghiera e di mortificazione continua; e questo — lo posso assicurare — è attuato veramente in molti monasteri
contemplativi.

E permettetemi perciò di aggiungere una domanda: Sarebbe opportuno,
come oggi si sente dire talvolta anche da persone ben pensanti ed animate da
ottime intenzioni, sarebbe opportuno chiedere alle Carmelitane Scalze di Santa
Teresa di prendere parte all'apotolato esterno, sia pure in modo ridottissimo,
per esempio insegnando il catechismo alle bambine qualche ora al giorno o
alla settimana? Io troverei la cosa molto grave. Ciò significherebbe, infatti,
introdurre nella vita delle Carmelitane una nuova finalità, un nuovo studio
che costituirebbe un dovere di cui dovrebbero necessariamente occuparsi e che
le priverebbe del vantaggio spirituale proprio della loro vita, quello cioè di potersi
concentrare tutte nell'unica preoccupazione di giungere presto all'unione con
Dio. Anch'esse avrebbero allora la mente divisa da un duplice fine e ciò non
tornerebbe a vantaggio di una sollecita realizzazione dell'unione con Dio. Del
resto, ci sarebbe da dubitare molto delle qualità pedagogiche di persone che
vivono tanto ritirate dal mondo e che perciò spesso non intuirebbero le vere
necessità spirituali delle piccole alunne. Per insegnare bene il latino a Luigino,
bisogna conoscere bene il latino e Luigino! Qui Luigino, cioè le bambine, non
sarebbero affatto conosciute, oppure bisognerebbe mettere le Carmelitane in
ampio contatto col mondo: ed allora il Carmelo non sarebbe più quello creato
da S. Teresa e che si dimostra così utile alla Chiesa. Lasciamo piuttosto che
le Carmelitane vivano il loro impegno di mortificazione e di preghiera continua
di cui Pio XI ha dichiarato la speciale fecondità! (17).

(12) Cfr. Mons. G. D'Avack, «La più grande Santa dei tempi moderni»,
in Vita e dottrina spirituale di S. Teresa del B. G., Firenze, Libreria Fiorentina, 1948, pp. 27 segg.
(13) S. Giovanni della Croce, Cantico Spirituale. str. 29, n. 2 (ediz. di
P. Gabriele di S.M:M., O.C.D.), Firenze, Libreria Fiorentina, 1949, p 322.
(14) AAS., 1926, p. 78.
(15) AAS., 1924, p. 385.
(16) Ivi, p. 389.
(17) Queste pagine furono scritte e lette prima della pubblicazione della
Costituzione Apostolica «Sponsa Christi»; se avessimo conosciuto prima
l'importante documento, avremmo potuto dare utili precisazioni che vogliamo aggiungere ora, servendoci del preziosissimo testo.
Riteniamo molto opportuna e importante la distinzione fatta dal docu-

Anche dal punto di vista sociale, dunque, la vita contemplativa pura si dimostra utilissima. La Madonna, « Regina degli apostoli », che visse appieno l'apostolato interiore dell'amore, della preghiera e dell'immolazione, conservi intatte nella Chiesa le forze apostoliche della vita contemplativa pura!

mento tra vita contemplativa *interiore e teologica* e vita contemplativa *canonica*. La vita contemplativa interiore e teologica è quella che noi abbiamo definito sopra, notando come essa si accentri nella ricerca dell'unione con Dio e che vi si accentra *unicamente*, come nel suo unico fine, quando si tratta di vita contemplativa *pura*. La vita contemplativa canonica invece è una *tipica organizzazione* della vita, ossia della *disciplina religiosa* che sceglie e dispone i vari elementi di essa in tal modo da orientarla tutta verso il conseguimento della contemplazione interiore e teologica, e proprio in modo tale che tutta la vita e l'attività delle religiose sia facilmente ed efficacemente permeata dalla ricerca di questa contemplazione. Elementi tipici di tale disciplina religiosa sono: la clausura, la molteplicità delle pratiche di pietà, l'orazione, la mortificazione, il lavoro.

Pur essendo distinte tra di loro, queste due accezioni della vita contemplativa sono intimamente unite: la vita contemplativa canonica si orienta — come al suo proprio fine — verso la vita contemplativa interiore teologica, cioè la vita religiosa si organizza in quel determinato tipico modo che si chiama vita contemplativa canonica, appunto perchè vuol creare una forma di vita comune pratica che costituisca l'atmosfera in cui normalmente si possa conservare e sviluppare bene la vita contemplativa teologica che consiste nella ricerca dell'intimità e dell'unione con Dio.

S'intende così che l'elevatezza e la « purezza » dell'ideale contemplativo interno e teologico di un istituto eserciterà necessariamente un grandissimo influsso sul modo in cui esso organizza la sua vita. Se l'ideale contemplativo di un istituto è la vita contemplativa « mista », pur dando sempre la preponderanza agli esercizi di vita interiore, tuttavia nell'organizzazione della disciplina religiosa si potrà dare un ampio posto alle attività apostoliche esteriori. Quando invece l'ideale di un istituto è la vita contemplativa « pura », cioè quando l'istituto se la propone come suo unico fine e vuole perciò concentrarsi unicamente nella ricerca dell'unione con Dio, l'organizzazione pratica della sua vita non gli permetterà più in egual modo di far posto alle attività apostoliche esterne. Non crediamo tuttavia che queste siano sempre da escludersi in modo assoluto.

Infatti tutti gli istituti di vita contemplativa pura non concepiscono questa con la stessa elevatezza, in un modo egualmente *assoluto*, e non la vivono con lo stesso « spirito di totalità »; perciò non tutti sono ugualmente restii ad ammettere nell'organizzazione pratica della loro vita qualche attività apostolica. Questa non potrebbe mai prendere per essi un'importanza tale da costituirne *un vero fine*, perchè ciò significherebbe trasformare un istituto di vita contemplativa pura in uno di vita contemplativa mista. Ma non è inconcepibile che un istituto ammetta qualche attività apostolica senza farne tuttavia un fine propriamente detto: essa potrebbe essere mantenuta al posto di attività secondaria, accidentale, forse anche provvisoria e magari assumere talvolta anche la funzione di mezzo di sussistenza. Questi non sono casi ipotetici e la Costituzione Ap. « Sponsa Christi » vi fa esplicitamente allusione quando parla delle « Monache che professano la vita unicamente contemplativa » e che tuttavia « hanno o hanno avuto una qualche forma di apostolato esterno » (Art. IX, § 2, n. 1). Di tali religiose si deve dire che, pur professando la vita contemplativa pura, non ne concepiscono l'ideale in una forma così assoluta che escluda necessariamente ogni apostolato esterno; ma non è il caso di tutte. Vi sono istituti di monache contemplative che sempre, in tutti i tempi, hanno inteso la vita contemplativa pura nel senso più assoluto e questa è la ragione intima per cui, nell'organizzazione concreta della loro vita (cioè nella loro « concreta » vita contemplativa canonica), non hanno mai dato nessun posto ad opere apostoliche esterne. Questa è la ragione per cui anche nella Costituzione Ap. « Sponsa Christi » tali istituti formano una categoria speciale, per la quale le opere di apostolato esterno rimarranno sempre — se per caso una necessità particolare di luogo o di tempo dovesse richiederle — cosa di eccezione e temporanea.

Prudentissimamente la Costituzione aggiunge che dovrebbe sempre trattarsi di opere che « siano compatibili con la vita contemplativa *propria dell'Ordine* »; ed è qui che noi vediamo un motivo particolare per escludere le Carmelitane Scalze di S. Teresa dalle opere catechistiche, appunto perchè

E c'è proprio bisogno di chiamare all'apostolato esterno le religiose di vita contemplativa pura, quando deploriamo che tante religiose di vita attiva sono scarse nel rendimento apostolico appunto perchè la loro vita interiore non viene sufficientemente nutrita? Se abbiamo bisogno di maggiori forze attive, rendiamo più efficaci quelle che già esistono aiutando maggiormente le povere Suore a vivere più unite a Dio!

Anche di questo posso portare testimonianze: le Suore di vita attiva sono spesso molto, anzi troppo abbandonate, prive di sufficienti esercizi spirituali, di frequente immerse nel lavoro materiale, insufficientemente preparate per il loro lavoro apostolico. Perchè non cerchiamo di aiutarle più efficacemente, anzichè pensare a gettare nella mischia anche le contemplative? Crederei molto opportuno che si iniziasse un'azione in favore delle nostre Suore le quali abbracciano tutte la vita religiosa con sincero desiderio di santificarsi, ma tante volte, dopo alcuni anni si convincono che la santità non è per loro, appunto perchè si vedono tanto poco aiutate. Ne sono convintissimo: abbiamo nelle Suore ingenti forze di apostolato che si perdono perchè non viene alimentata la loro vita interiore.

E se vogliamo che fioriscano i nostri « Istituti secolari », creati proprio per l'apostolato — nei quali, come insegna il Motu Proprio « Primo feliciter » (18), il fine specifico dell'apostolato suscitò quello generico della perfezione e della santità — bisogna cercare di organizzarli in modo che anche in essi venga nutrita abbondantemente la vita interiore. E, direi, non in un modo qualunque: se vogliamo che il rendimento apostolico sia pieno — e dovrebbe esserlo in Istituti creati proprio per l'apostolato — bisogna che in essi l'apostolato sia praticato in tutta la sua completezza, non solo quindi nella forma di attività esterna, ma anche di quella interna della preghiera e dell'immolazione. Credo perciò che il tipo di vita a cui dovrebbero ispirarsi gli Istituti secolari debba essere piuttosto quello della « vita mista » anzichè quello della « vita attiva » (19).

E, ricordiamolo, per trasformare la vita attiva in quella mista non basta una unione qualunque della vita interiore con la vita attiva, ma bisogna che la vita interiore sia così intensa da concentrare l'anima nella ricerca di Dio e da mantenere tutta l'attività esterna sotto l'influsso interno della preghiera e dell'unione con Dio. Allora l'apostolato raggiungerà la sua maggiore efficacia. Ed è ciò che ci auguriamo per il bene della Chiesa e per la maggior gloria di Dio.

queste, se venissero assunte dalla Comunità, non permetterebbero loro di vivere l'ideale contemplativo con quella speciale « totalità » che è caratteristica della concezione teresiana.

(18) *AAS.*, 1947, p. ?

(19) Con gran piacere abbiamo sentito nello stesso Congresso che il Sac. Del Portillo, dell'*Opus Dei*, nella sua comunicazione su « Gli Istituti secolari », consentiva pienamente con noi su questo punto.

Alii periti viri, ex munere a Sacra Congregatione de Religiosis commisso, circa idem argumentum scripserunt.

94   R. P. Victorinus Capanaga, O. R. S. A., *scripsit*:

LAS ORDENES RELIGIOSAS DE VIDA CONTEMPLATIVA

Contra un prejuicio de nuestro tiempo.

El mundo moderno, en lo que tiene de opuesto al más noble espíritu católico y medieval, ha desestimado dos pensamientos fundamentales, formulados por San Agustín con tan vigorosa insistencia: *el amor de Dios como suprema ley de la vida y la contemplación de Dios como fin de la misma.* Los más sublimes anhelos del espíritu humano se cifran en el amor y conocimiento de Dios.

Pero el mundo moderno, totalmente absorto en las realidades de acá, ha perdido de vista los valores del espíritu.

Dios mismo pertenece a una esfera inasequible al esfuerzo humano. La vida contemplativa no tiene sentido, y el ocio de María, sentada a los pies de Jesús para escuchar sus palabras de vida eterna, merece desprecio. Aun dentro del Catolicismo se ha advertido una grande baja en los valores de la vida contemplativa. Se prefiere una espiritualidad de la acción, poniendo en ella la fuente misma de la fuerza espiritual. Más que las virtudes teologales, y las erróneamente llamadas pasivas, como la humildad, la obediencia, el espíritu de contrición, sirven las activas, la acción social, la predicación, la propaganda, las obras de misericordia. Esto es lo que se ha llamado « la herejía de la acción ». Contra esta tendencia, desestimadora de la vida contemplativa, hoy más que nunca conviene dar la voz de alerta, para dar al espíritu lo que el espíritu pide y al trabajo lo que el trabajo reclama.

Por Marta y por María el Catolicismo ha sentido siempre una fervorosa adhesión.

Pueden señalarse particularmente cuatro aspectos o razones para realzar y defender el « otium sanctum » de las Ordenes contemplativas.

1. La vida contemplativa es el ejercicio superior de la vida del espíritu, porque es vida de fe, esperanza y caridad.

Los antiguos distinguían tres especies de visión con sus correspondientes órganos: el *oculus corporis*, cuyo dominio es lo sensible y temporal; el *oculus rationis*, que se ejercita en el conocimiento de la verdad y del bien natural y el *oculus fidei, oculus contemplationiss*, que se extiende por los horizontes del mundo invisible, y expresa la forma superior de la vida espiritual. *Beati quorum hoc est negotium laudare Deum,* dice S. Agustín (1). Bienaventurados los que se consagran a las alabanzas divinas.

Cerrar los ojos a estos sublimes panoramas de Dios y de sus obras sería una horrible mutilación de un órgano preciosísimo, causando una especie de ceguera en la Iglesia Católica.

2. *La vida contemplativa embellece y glorifica a la Iglesia, que es un* hortus conclusus, *un vergel cerrado, pero lleno de la gloria de Dios.* La práctica del silencio, de la soledad, del ayuno y abstinencia, el apartamiento del mundo, la libertad para dedicarse a Dios, son la garantía de la perfección espiritual, reconocida por Cristo (2).

La vida de adoración, reparación y plegaria, la «vita abscondita cum Christo in Deo», refleja uno de los aspectos sublimes de la vida de Jesús: los 30 años de su existencia oculta. El Hijo de Dios se ocupó durante aquellos años de silencio y soledad en bendecir y alabar a Dios, en el ejercicio de todas las virtudes. Desde entonces muchas almas sintieron el atractivo de la soledad y retiro de la Casa de Nazaret y el encanto de la divina conversación de Betania.

Apagar este incienso perpetuo en el tabernáculo del espíritu, cortar esta santa conversación con Dios, sería una desventura para la fisonomía espiritual y la belleza del cristianismo, que consiste en la imitación de Cristo.

Para lograr la gran síntesis y perfección de la vida de Jesús es necesario que diversos Institutos imiten sus diversos aspectos: su pobreza, su amor eucarístico, su celo por las almas, su contemplación del Padre celestial, etc. Estos diversos rayos de luz integran la fisonomía del Salvador, cuyo reflejo es la belleza de la Iglesia y de las almas. Belleza que es uno de los encantos singulares de la santidad católica, tal como resplandece en grandes contemplativos como un S. Francisco de Asís, o en una Santa Teresita de Lisieux.

3. *Las religiones y almas de vida contemplativa son un campo de las operaciones maravillosas y transformaciones del amor divino.* La historia de la mística es la historia de las epifanías amorosas del Señor.

Como enseña San Agustín, Dios no sólo se revela en la historia del género humano, o por el órgano de la colectividad humana, sino también por la biografía o por la santidad de las almas individuales, en quienes obra tres clases de milagros: de purificación, de iluminación y transformación. Como zarza ardiente, Dios quema y purifica, da esplendor y renueva y glorifica toda la tierra. La santidad divina adquiere nuevos relumbres de belleza en la santidad de los grandes contemplativos.

¿Cuánto no ha iluminado el ser de Dios la profunda experiencia de una Sta. Teresa de Jesús, convertida en vergel de favores y gracias extraordinarias?

La Iglesia católica ha favorecido siempre el acercamiento de las almas nobles a la intimidad divina, al goce casto del místico desposorio.

4. Finalmente, *la vida contemplativa renueva en la Iglesia las fuerzas de la acción y del Apostolado.*

(1) *Enar.* in ps. 148, 4.
(2) Cfr. SUAREZ, *De Religione,* tr. IX, 1. II, c. 4, 6.

El P. Chautard ha dicho sobre este punto cosas muy bellas y fundamentales, que no es necesario repetir.

Para sintetizar el carácter y labor de las tres Ordenes, Benedictina, Franciscana y Jesuíta se ha dicho: *Nosotros te adoramos, Señor, te amamos y te defendemos*. Pero la adoración, el amor y la defensa de Cristo toman sus mejores fuerzas de la contemplación. S. Agustín, S. Benito, S. Francisco de Asís, Sto. Domingo de Guzmán, S. Ignacio de Loyola, Sta. Teresa de Jesús, S. Juan Bosco, S. Antonio Claret, fueron hombres de apostolado, porque fueron contemplativos. Las empresas caritativas de S. Vicente de Paúl se nutrían del mismo espíritu. *Inde panis, inde potus*. Allí están los manantiales de la energía santa. Lo mejor de la vida activa es el amor al prójimo y al amor del prójimo se llega por el amor de Dios y el amor de Dios se inflama en la contemplación divina.

La vida contemplativa es la *fons hortorum*, la fuente de los vergeles, que embellece la Iglesia de Dios, la colma de frutos de bendición.

Decía S. Juan de la Cruz: *Es más precioso delante de Dios y del alma un poquito de este amor puro de Dios y más provecho hace a la Iglesia, aunque parece que no hace nada, que todas las obras juntas.*

RENOVACION CULTURAL

Para lograr todos los frutos que puede producir la vida de contemplación, no debe sustraerse al ambiente espiritual de nuestra época, sino asimilar sus mejores estímulos, que se reducen a dos: los que vienen de la renovación cultural de nuestro tiempo, y los que impone la catolicidad del apostolado misionero.

La vida contemplativa debe nutrirse de la cultura, no como manjar de la curiosidad, sino como alimento de la misma contemplación.

Es el programa de un gran asceta medieval, Dionisio Cartujano: « Leamos, estudiemos, no para matar el tiempo, ni para cargar la memoria, sino para refrescar nuestro espíritu y encender en amor de Dios nuestro corazón ».

La antigua vida monástica se asentaba sobre tres bases: *meditación, estudio y trabajo de manos*. Este ideal no ha envejecido, sino subsiste todavía en todas sus partes.

No se niega con esto la posibilidad de llegar a los grados más altos de la contemplación con un espíritu sencillo y puro y desprovisto de cultura. En los caminos de la sencillez evangélica, desiertos de toda cultura humana, han florecido muy lindos lirios del Señor. Pero es profunda tendencia del espíritu moderno aliar la religión y la cultura, la naturaleza y sobrenaturaleza. En este aspecto, la cultura debe organizarse como una fuerza espiritual y medio de elevación en sentido agustiniano: *Lex et doctrina ut multum adiuvet, ad hoc adiuvat ut gratia requiratur*. El conocimiento de la ley y la doctrina debe ordenarse a buscar la gracia de Dios, a preparar el peldaño para unirse más fácilmente al Creador.

Por eso en la ordenación de los estudios, que han de tener vigencia aun para las religiosas de clausura y para los hermanos conversos, tal como se practica en algunos institutos, debe atenderse sobre todo a dar combustible al espíritu, para mantener el ardor de la contemplación.

La base lo formarán los estudios humanísticos. *El estudio*

*del latín debe extenderse a las religiosas de clausura, para
que el rezo del Oficio divino sea más gustoso y provechoso.*

No condenamos como completamente estéril el rezo latino del oficio, aun
sin entender nada de él, pero resulta sin duda más razonable el cumplimiento
de tan grave carga con más preparación y cultura.

Podría aducirse aquí como testimonio de mayor excepción el de Sta. Teresa
de Jesús que tanto apreciaba las letras y a los letrados.

Confiesa lo mucho que padeció por desconocer una distinción entre las po-
tencias del alma, entre la imaginación y el entendimiento, entre el apetito sensible y la voluntad. Muchas oscuridades de conciencia como también muchos
engaños de iluminismo y boberías de carácter místico, reconocen la misma causa.

Con más cultura en los monasterios femeninos, se introduciría una mayor
lucidez de conciencias y mayor seguridad en los senderos del Señor. La ignorancia tiende de suyo a forjarse y a vivir en un limbo de ilusiones.

*De aquí la necesidad de la cultura y de la formación
teológica en los aspirantes a la contemplación.*

Hoy que la Iglesia impone programas tan extensos de
cultura religiosa a los mismos seglares que militan en la Acción Católica, ¿con qué pretexto pueden excluirse de ella las
personas consagradas a Dios, aun cuando vivan completamente retiradas del mundo? El estudio de la teología hace
más andaderos los caminos del Señor, y más seguro el paso
de los viadores humanos.

*Al estudio de las humanidades y formación teológica,
deben añadirse los conocimientos de la Sagrada Escritura.*

Basta leer a S. Juan de la Cruz para percatarse del valor que tuvo la Biblia
en la dirección e iluminación de su pensamiento místico. Lo más original y
profundo de su doctrina es la práctica de un famoso texto del Profeta Jeremías:
Sponsabo te mihi in fide. Te desposaré a mí en la fe.

Toda la mística carmelitana nació de un profundo ahincamiento en estas
palabras proféticas.

Una frase del Evangelio puso a Sor Teresita del N. Jesús en los senderos
de la infancia espiritual: *Si no os hacéis como uno de estos pequeñuelos, no
entraréis en el reino de Dios.*

Otra frase del Apóstol dió lumbres a la espiritualidad de Sor Isabel de la
Bma. Trinidad.

Sin duda la Sagrada Escritura está llena de focos ardientes, que sólo esperan
la tranquila mirada de los amigos de Dios, para ser descubiertos.

Entre los documentos de la revelación, tiene particular importancia para
la vida contemplativa el *conocimiento del Salterio.* Con mucha insistencia, la
Santa Sede manda a los sacerdotes que conozcan bien el contenido de los salmos
para el desarrollo de su vida espiritual y el rezo del oficio divino.

Los tres caminos que llevan a la perfección, el de la purgación, iluminación,
y unión, son muy conocidos de los autores de los salmos. Vivir la vida que arde
en los salmos es purificarse, iluminarse y subir constantemente a los brazos de
Dios.

Además, la Iglesia ha hecho de la voz de los Salmos la voz de Cristo y su
Iglesia. En todas partes, como San Agustín, oye los clamores del Mesías, Cabeza
de la Humanidad, o los de los miembros de ésta, que gimen en los trabajos

del mundo. Sabemos cuánta y cuán profunda mística entresacó de los Salmos el genio de S. Agustín.

Juntamente con el conocimiento del salterio, los consagrados a la vida contemplativa, deben vivir familiarizados con la *liturgia católica en su triple aspecto: bíblico, hagiográfico y eclesiástico.*

La oración de la Iglesia está penetrada del Espíritu de las Sagradas Escrituras. No sólo David sino los grandes orantes del Antiguo Testamento nos han enseñado a dirigirnos a Dios. Toda la historia sagrada es una historia de las comunicaciones de Dios a la tierra, por nuestros primeros padres, por los patriarcas, los Profetas, Cristo y los Apóstoles. Estas comunicaciones iluminan las relaciones secretas que han lugar en la vida contemplativa. Los justos del antiguo Testamento nos enseñan a conversar con Dios con respeto y confianza. Lo mismo digamos de la vida de los Santos de la ley de gracia, que nos muestran el camino por donde las almas puras suben a Dios, recorriendo las vías purgativa, iluminativa y unitiva. La Hagiografía católica es la más bella historia de la contemplación, desde S. Pablo, el de los raptos sublimes y palabras arcanas, hasta el Cura de Ars y S. Juan Bosco. Y da todavía mayores alas para volar a las alturas la Iglesia orante, Maestra sublime de la contemplación. A ella aludo con el aspecto eclesiástico del Breviario, o las plegarias bellísimas que esmaltan la liturgia.

Hay una teología de la oración eclesiástica, que todavía no se ha explorado bastante. La oración de la Iglesia produce lo que podría llamarse *la mística del vacío*, tan cara a S. Juan de la Cruz, y *la mística de la plenitud o del henchimiento.*

La primera se cifra particularmente en la humildad, que es el vacío de sí mismo, indispensable para recibir los favores de Dios.

En las plegarias eclesiásticas constantemente se alude a la doctrina de la gracia en sus tres momentos, el principio, el medio y el fin. Nótese por ejemplo la riqueza de esta oración: *Actiones nostras, quaesumus, Domine, adspirando praeveni, et adiuvando prosequere: ut cuncta nostra oratio et operatio, a te semper incipiat et per te coepta finiatur.*

Una robusta conciencia de la pobreza íntima, y de la fuerza y grandeza de Dios es el mejor preámbulo para la vía unitiva. Dios sube a las alturas a los que no confían en sí mismos.

Y con este vacío, produce la plenitud, esto es, el henchimiento del Espíritu de Cristo. El pensamiento de Jesús, Salvador nuestro, penetra totalmente la vida interior de la Iglesia. Las fiestas litúrgicas son augustos temas y manjares sublimes de contemplación, con que se remoza la fortaleza y la lozanía del espíritu cristiano y religioso. El contacto con Jesús es contacto con las realidades del mundo invisible, su vista produce el vigor y la fuerza del *oculus contemplationis* en la Iglesia católica.

Por eso la práctica de la vida contemplativa debe abrazarse al Salvador, que es la vía que conduce al Padre, es decir, a la cima más alta, donde descansa el espíritu humano.

EN LAS FILAS DEL APOSTOLADO CATOLICO MODERNO

A la renovación cultural deberá añadirse la incorporación en las filas del Apostolado católico moderno. La experiencia ha mostrado cómo el ideal misionero introducido en muchas Comunidades de rígida clausura, ha llevado un refresco espiritual al ambiente cansado y marchito de muchos monasterios. La Comunión de los Santos se ha hecho un dogma vivo, ardiente y amable. El hecho de darse una *actio in distans,* que tiene su centro en las Casas de oración y su periferia en los más remotos confines del mundo, y que con ella se puede influir en vastos sectores del reino de Dios, es el gran milagro de la plegaria católica y de sus riquezas inagotables. Y este milagro, — para el cual nos abrió los ojos la lluvia de las rosas de Sor Teresita del Niño Jesús — ha llenado de nuevo espíritu y júbilo católico a innumerables almas contemplativas, que han hecho del ideal misionero una escala de ascensiones santas.

Conviene recoger el fruto de esta experiencia y canalizar y dirigir hacia el campo del apostolado las reservas espirituales, ocultas en los monasterios.

La vida contemplativa debe hacerse más católica, y más orientada hacia el mundo, como objeto de salvación y de amor de Dios. Nada humano debe ser ajeno o indiferente a los que moran entre los hombres. Los Monasterios deben ser la caja de resonancia de todos los gemidos y suspiros humanos.

Las muchas y graves necesidades que hacen gemir a la Iglesia: la fuerza y autoridad del Romano Pontífice, la conservación y aumento de la jerarquía eclesiástica, la libertad y exaltación de la Iglesia, las buenas relaciones entre ella y los estados, la prosperidad de las vocaciones eclesiásticas y religiosas, la santificación del Clero, la eficacia del Apostolado seglar y la Acción Católica, la propaganda de las Misiones, la santidad del matrimonio cristiano, la educación cristiana de los hijos, el cese de los escándalos, la reunión de los disidentes a Roma, la pureza de las costumbres, la abundancia del pan y del catecismo en los hogares, la sumisión de los fieles a los Prelados y Párrocos, etc., todas estas y otras gravísimas necesidades daben arder en la plegaria cotidiana de los amigos de Dios, para cumplir el gran mandamiento de la caridad.

Así la vida contemplativa se carga y dinamiza con una inmensa responsabilidad, que obliga a las almas al ejercicio de una caridad continua en favor de los hombres; y el ocio santo se convierte en la acción más divina y noble, en el *opus maximum,* en la obra máxima de la doctrina pontifical romana. El *oculus contemplationis* debe abarcar todo el inmenso campo de las miserias humanas, para presentarlas a la misericordia del Señor y así cooperar desde el silencio de la clausura a la salvación del género humano, que es también el más noble fin de la vida contemplativa.

EUCHARISTISCHE NEUBELEBUNG

als wesentliche Voraussetzung und Teilfrage einer zeitgemässen Erneuerung und Anpassung

Jedwede Erneuerung und Anpassung der Orden und Congregationen muss wurzelecht sein. Sie setzt voraus die nötige Wirklichkeitsnähe und Kenntnis der Zeit- und Seelenlage neben der Verwurzelung im spezifischen Ordensgeiste. Schulungskurse können hier wertvolle Einsichten vermitteln, wichtiger jedoch ist die Berührung mit dem Leben.

Ueber blosse Wissensvermittlung und Unterweisung geht der Wille zur Formung des Nachwuchses und zwar *von inner her*. Wo liegen die Kräfte und Beweggründe, die über blosse Belehrung hinaus gehen? Zu dieser Frage soll im folgenden Stellung genommen werden. Es geht um eine Erweckung und Weiterführung der eucharistischen Linie dieses Jahrhunderts mit dem Zweck einer erneuten eucharistischen Bewegung. Im Hinblick auf eine kommende Erprobung und Bewährung in den Orden und Congregationen soll diese eucharistische Neuwerdung und Fortführung der eucharistischen Bewegung der ersten Hälfte dieses Jahrhunderts angeregt werden.

Der ganzen Frage liegen folgende Tatsachen und Beobachtungen zugrunde: In einer Uebergangszeit, ja Zeitenwende der Geschichte, beobachten wir selbstverständlich immer manchen Leerlauf bisher gültiger Formen und Energien. In solchen Zeiten erfordert es eine Neubeseelung alter wesensgemässer Formen vom Kernpunkt, von einer religiösen Mitte her.

Wichtiger aber noch als Restauration alter Formen des Ordenslebens ist in solchen Zeiten des Formenwandels eine sinngemässe Schaffung neuer Formen. Neue Formen können aber wiederum nur echt sein, wenn sie von der religiösen Mitte erfasst werden; sonst gibt es eine Ueberspitzung sekundärer Werte.

In diesen Zeiten können wir meistens nur Masstäbe, Vorbilder und Vergleichsmöglichkeiten bieten, keine fertigen Rezepte für das Handeln bloss von oben her. Die eigene Entscheidungsfähigkeit, die persönliche Initiative und der Mut sind sehr stark aufgerufen; die Kräfte zum Aufbauwillen müssen geweckt werden. Sie liegen in der Schaffung von Kernerlebnissen und in einer klaren Gewissensbildung; letztere liegt zumeist sehr im argen. Kernerlebnisse und persönliche sowie soziale Gewissensbildung setzen aber eine Konfrontation voraus mit der Person Jesu Christi.

Die Zukunft fordert den Mut des schöpferischen Einsatzes bei nüchterner Berücksichtigung der kleinen Ansatzpunkte des Lebens im täglichen Alltag und trotz zu erwartender Misserfolge. Nach Katastrophenzeiten erleben wir diesen persönlichen Einsatz und die dementsprechende Erneuerung ganzer Gemeinschaften in der Weckung von grossen Bewegungen. So im Urchristentum, in der cluniacensischen Bewegung, in der Mystik des Mittelalters und in der des 16./17. Jahrhunderts. Die Fruchtbarkeitsquelle lag aber in einer erneuten eucharistischen Bewegung.

Auch für uns liegen die Kräfte der Erneuerung in einer Neubelebung, Vertiefung und Weiterführung der eucharistischen Lebenslinie der Kirche des 20. Jahrhunderts. Man sage nicht, das sei eine Selbstverständlichkeit. Die allerselbstverständlichsten Dinge sind heute ins Fliessen geraten, die in ruhigeren Zeiten unbestrittener Besitz waren. Ein Blick in die Entwicklungslinie der eucharistischen Bewegung dieses Jahrhunderts soll das dartun. Die erste Etappe dieser Entwicklung finden wir in den Kommuniondekreten Pius X. Sie trugen bei zur Lösung der aktuellen Fragen des Ordenslebens, vor allem was die Weckung gediegener Berufe angeht. Man lese nur in den Chroniken der Orden und Congregationen nach, welchen Auftrieb die gesamte Erziehung des Ordensnachwuchses dadurch gewann und welche Kräfte in den Seelen geweckt wurden. Die Dekrete Pius X. betr. der häufigen Kommunion wurden als befreiende Tat empfunden. Im zweiten Stadium der Entwicklung haben wir die Forderung der Frühkommunion vor uns; auch deren Verwirklichung trug bei zur Weckung guter Berufe vom zartesten Kindesalter an. Nach 1914 - 1918 folgte aber eine Versandung, Veroberflächlichung und Stagnation der eucharistischen Bewegung; sie ging parallel mit einer Entwertung oder Uebergehung der Werte der Jungfräulichkeit, der evangelischen Räte und des Ordensstandes. Der Krieg und die Nachkriegsentwicklung nach 1918 haben eine steigende Absage an das Bürgertum der Vorkriegszeit herbeigeführt; damit auch eine Absage an überkommene Formen des religiösen Lebens. Trotz reichster Entfaltung der Klöster im aktiven Einsatz auf allen Lebensgebieten setzte eine Verringerung der religiösen Substanz ein, mitbedingt durch die politischen und sozialen Umschichtungen, durch die «Entwöhnung» von der religiösen Atmosphäre in den totalitären Staatssystemen nationalistischer, sozialistischer, freimaurerischer Prägung und durch den biologischen sowie religiös-sittlichen Substanzschwund in den christlichen Ehen und Familien.

Das Heilige Jahr zu Beginn der zweiten Hälfte dieses Jahrhunderts sollte einen erneuten Auftrieb vermitteln zur Fortführung und Vertiefung der Linie dieses Jahrhunderts, bereichert durch die Erfahrungen der letzten Jahrzehnte. Vielleicht kann die hl. Kongregation der Religiosen vom Hl. Vater *eine erneute Encyklika erbitten* zur Weckung des Bewusstseins in allen Herzen, dass dieses Jahrhundert mit Vorzug das «eucharistische» heisst und uns dementsprechende Verpflichtungen auferlegt.

Nach dem zweiten Weltkrieg 1939 - 1945 stehen wir überall vor neuen Anfängen. Nirgendwo können wir dort beginnen, wo wir vorher aufgehört hatten. Ausserdem hemmen soviel Mutlosigkeit, Mittelmässigkeit und Misstrauen den inneren Schwung. Die Schaffung von inneren Reserven tut not; diese liegen aber in einer zeitgemässen eucharistischen Bewegung. *Diese Forderung liegt noch vor einer gediegenen theologischen und sozialen Ausbildung und muss letztere befruchten.* Ebenfalls soll sie beitragen zur Weckung des sozialen Verantwortungsbewusstseins und des sozialen Gewissens, indem die Selbstheiligung ergänzt und erfüllt wird von der Sorge für das Reich Gottes.

Da wir im Hinblick auf zu erwartende Stürme keine Zeit zu verlieren haben, kommt alles auf die Stärkung des inneren Kernpunktes beim einzelnen an und auf die persönliche Entscheidungsfähigkeit aus seiner inneren Lebensmitte heraus. Die Unsicherheiten der Zeit und die Entwurzelung aus dem heimatlichen Boden, mit der Millionen rechnen müssen, lassen die erstrebte eucharistische Vertiefung und Weiterführung nicht primär in der zahlenmässigen Steigerung des Sakramentenempfanges sehen, sondern vielmehr in dem *eucharistischen Verlangen überhaupt,* in seiner *Glut und Stärke,* die allein hinführt zu der von Jesus Christus geoffenbarten Dauervereinigung mit Ihm auf Grund der eucharistischen Verbindung. In nicht wenigen alten und neueren Heiligenleben lesen wir, dass dem eucharistischen Verlangen der Menschen die reale Gegenwart Christi entsprach durch die Erhaltung der eucharistischen Gestalten im Kommunizierenden, länger als der Mensch ahnen konnte. Das ist ebenso wenig ausserordentlich zu nennen wie Seine Erscheinungsweise auf Tabor; das eigentliche Wunder ist im Gegenteil das Erscheinen in der «Erniedrigung» und Demut, die Seine göttliche Unvergänglichkeit bindet an die Vergänglichkeit der kleinen Hostie. Eine Studie über seelsorgliche Erfahrungen in dieser Beziehung wäre vielleicht aufschlussreich.

Praktische Wege zur Verwirklichung des Gesagten liegen in folgenden Vorschlägen und Anregungen:

1. «*Ewige Anbetung*» oder wenigstens «*Tagesanbetung*» in den Noviziatshäusern, evtl. auch in den Provinzialatshäusern oder weiblichen Mutterhäusern *bei entsprechend grosser Besetzung.* In vielen Orden und Congregationen ist dieser Gedanke schon verwirklicht, überall dort, wo eine kleine Anbetungskapelle das Zentrum der ganzen Gemeinschaft bildet. Diese Anbetung wird getragen von allen Mitgliedern, vorzüglich aber von einem Kreis geeigneter Männer und Frauen innerhalb oder ausserhalb der klösterlichen Gemeinschaften.

Ganz besonders die Ordensjugend soll heranwachsen unter den Strahlen der eucharistischen Liebe. Das Weniger an äusserer Arbeitsleistung wird wettgemacht durch ein Mehr an Wirkung. Der Wandel vor Gott und das Gebet der Einfachheit müssen erreicht werden, damit auch die weiteren Fruchtbarkeitsquellen erschlossen werden und der Träger der Arbeit zutiefst empfindet, dass er nur Kanal und Werkzeug ist. Dasselbe gilt auch für die folgende Anregung.

2. Jeweils das 3. oder 5. Jahr nach der Profess bezw. Priesterweihe gelte als spezielles *Aufbaujahr;* aber auch die späteren Jahre in Abständen von 5 Jahren behalten diesen Charakter eines besonderen Aufbaujahres. In manchen Gemeinschaften spricht man von einem Jahr der Innerlichkeit oder gar Herz-Jesu-Jahr. Ordensmitglieder, die sich im Lebens- oder Ordensalter näher stehen, treffen sich zu einer Weiterführung *ihres religiösen und beruflichen Lebens.* Die tätigen Zweige der Orden, vornehmlich die Priesterorden, stehen ja schon allzu sehr im Strudel der Zeit und müssen mit noch mehr Lockerungen ihres klösterlichen Gemeinschaftslebens rechnen. Ein neuer missionarischer Typ bildet sich heran. Er müsste soweit durchgebildet sein, dass er auf Arbeitsstätten oder in den Missionen und in Exerzitien etc. selbst tief gegründet ist und Apostel bilden kann. Die Jahre der äusseren Tätigkeit zwischen den 3 oder 5 Jahren müssen in Wahrheit «fette» Jahre sein. Wenn der einzelne in den tätigen Orden nicht ganz herausgenommen werden kann aus der Arbeit, dann wäre ein möglicher Anfang gegeben in einer 4 wöchigen Erneuerung am Mittelpunkt der Provinz oder der Congregation oder in einer intensiveren Betreuung vonseiten der Ordensleitungen in dem betreffenden Jahr. Manche Mitglieder scheitern, weil die in den ersten Jahren gemachten Erfahrungen in der Härte des Lebens nicht genügend verarbeitet werden.

Der Austausch von Erfahrungen über die Grenzen der Orden hinaus und die möglichst weitgehende Teilnahme von anderen Ordensmitgliedern und von Laien an den gemachten Erfahrungen können die Brücken schlagen zu fruchtbaren Interessengemeinschaften aller Orden bezw. Congregationen und Laienverbände. Damit gingen nicht soviele Möglichkeiten dem Reiche Gottes verloren infolge von Unverstand, Kurzsichtigkeit oder Bequemlichkeit. Selbst der einfachste Laienbruder oder die einfachste Ordensfrau haben im Alltag ungezählte Möglichkeiten des Apostolates, zum mindesten das Apostolat des Beispiels und das so hervorragend wichtige Apostolat der Sühne. Ein Beispiel möge dies aufzeigen: Ein Mitglied eines Lehr- oder auch Krankenpflegeordens ist regeltreu, religiös eifrig und beruflich vorzüglich geschult und erfahren; infolgedessen erfolgreich tätig. Dabei sieht er oder sie in den Familien vielfache religiöse und seelische Not, Verfall der Ehe und Familie und den grossen Mangel der religiös-erzieherischen Fähigkeiten der Väter und Mütter. Der Ordensmann oder die Ordensschwester sehen oft diese Not, aber gehen daran vorüber aus Kurzsichtigkeit, Unverstand oder aus Furcht, sich in Dinge zu stürzen, die sein oder ihr eigenes Seelenheil belasten könnten. — Würde die Selbstheiligung quillen aus dem Zentralpunkt der eucharistischen Vereinigung, dann fände die Sorge um die Ausbreitung und Erhaltung des Reiches Christi den Weg, auf dem sie sich die Mittel zur Hilfeleistung verschaffen könnte. Die apostolische Aufgabe eines Erziehers oder einer Krankenschwester hat eine noch nicht erfasste Tiefe; beide stehen aufbauend, vorbeugend und bewahrend an der Keimzelle der Menschen- und Gotteskinder, am Pflanzgarten der Priester- und Ordensberufe, während sie in ihrer Breite in fast alle menschlichen Lebensbereiche hineinragen. Das Gesagte gilt in fast gleicher Weise von allen anderen tätigen Ordenszweigen. Diese in der Gegenwart so dringend wichtige Aufgabe muss von den Ordensleitungen gesehen, erfasst und in die Praxis übertragen werden.

Zur Steigerung des persönlichen Wertbewusstseins ist es gut, eine gediegene berufliche Ausbildung mit abschliessender Prüfung jedwedem Ordensmitglied zuteilwerden zu lassen, selbst dem letzten Laienbruder. Die Schlussprüfung erstreckt sich

a) auf die religiös-ascetische Gesamtbildung.

b) auf ein gutes Durchschnittswissen an Allgemeinbildung, wie es etwa für die missio canonica erforderlich ist, im Normalfall wenigstens.

c) auf die beruflichen Fragen.

3. In der Praxis der Kirche hat sich von selbst schon eine Vertiefung der eucharistischen Verehrung angebahnt im sogenannten eucharistischen «*Heiligen Triduum* »: Priesterdonnerstag, Herz-Jesu-Freitag, Herz-Mariä-Samstag. Mag das Ganze auch noch im Raum der privaten Initiative liegen, so ist doch zu erwarten, dass die Kirche auch offiziell dazu Stellung nehmen wird. Diese drei Tage am Anfang jedes Monats könnten in den Noviziaten und darüber hinaus ausgebaut werden zu starken Erziehungsfaktoren. Der Sinn darf dabei nicht eine blosse Vermehrung der Frömmigkeitsübungen sein, sondern die Schaffung einer eucharistischen Haltung durch die Sammlung in diesen Tagen und durch die ständige Verlebendigung der zentralen Grundgedanken der höchsten Tage des liturgischen Jahres, des Triduum Sanctum der Hebdomada Major. Eventuell könnte die Stellungnahme der offiziellen Kirche zu diesem Punkte erfolgen gleichzeitig mit der bereits erwähnten Encyklika. Nach der nunmehr erfolgten Seligsprechung Pius X. ist der Anlass dazu gegeben.

Die Verwirklichung des Ganzen geht Hand in Hand mit einer vertieften marianischen Erziehung nach dem Worte Pius X., dass Maria der Weg sei zu einer cognitio vitalis Christi und nach den Weisungen Pius XII. in seiner Encyklika « Mystici Corporis ». Jede einzelne Ordensperson soll zu einer vorbehalt- und rückaltlosen Hingabe an Maria geführt werden.

Mag in vorstehenden Anregungen auch keine eigengesetzliche Lösung der Frage der Anpassung und sozialen Ausbildung der Mitglieder gegeben sein, so sind sie doch wichtige Voraussetzungen zur Lösung der Frage der Erneuerung und auch der Anpassung; denn bei diesen Fragen kommt es oft mehr auf die seelischen Unterströmungen an und auf die hintergründigen Kräfte als auf die direkte Aktion. Für dieselbe in einer grossen Zeit den Boden zu bereiten, ist ein Nebenzweck der eucharistischen Neubelebung.

96   R. P. Aemilius Jombart, S. I., Prof. Iuris Can. in Instituto Cath. Tolosano, *scripsit*:

DOCTRINE CLASSIQUE

1. *Notions.* - Quoique ces concepts aient passablement varié au cours des siècles, depuis assez longtemps on entend par « vie contemplative » une vie consacrée à la contemplation de Dieu et des choses divines, contemplation au sens large, n'exigeant pas la contemplation infuse ni même nécessairement la contemplation acquise, mais une grande place faite à la prière sous toutes ses formes, oraison mentale ou prières vocales, fonctions liturgiques ou dévotions privées. Est « active » la vie donnée à l'action enseignante ou hospitalière, à l'enseignement des enfants, au soin des malades, à des travaux manuels, etc. La vie contemplative cherche Dieu immédiatement, directement en lui-même, veut s'unir à Lui de mieux en mieux. La vie active est ordonnée plus immédiatement vers le service du prochain.

Aucune vie humaine ne peut être uniquement contemplative ou uniquement active. On ne peut prier ni travailler pendant les vingt-quatre heures du jour. Toute vie, du moins toute vie religieuse, comporte nécessairement une part de contemplation et une part d'action. Mais une vie est dite contemplative ou active suivant que domine en elle la contemplation ou l'action.

Par « vie mixte » on entend une vie donnée à la fois à la contemplation et à l'action sans prédominance manifeste de l'une sur l'autre.

2. Excellence de la vie contemplative.

— Toute la tradition a vu l'éloge de la vie contemplative dans la parole bien connue de Notre-Seigneur: « Marie a choisi la meilleure part, qui ne lui sera pas ôtée » (Lc 10, 42). Marie de Béthanie, qui écoute la parole du Sauveur, est préférée par Lui à Marthe, à l'activité fébrile. Comme l'explique S. Thomas d'Aquin (1), la vie contemplative est l'exercice le plus immédiat de la charité envers Dieu. Il est plus parfait de s'appliquer directement et en première ligne à l'amour de Dieu que de se proposer de rendre service au prochain. La contemplation est comme un avant-goût de l'union béatifiante.

Le 8 juillet 1924, dans la Constitution *Umbratilem*, qui approuvait la mise en harmonie de la règle des Chartreux avec le Code de droit canonique, Pie XI faisait un magnifique éloge de la vie contemplative: « Il faut dire qu'ils ont assurément choisi la meilleure part, comme Marie de Béthanie. En effet, on ne peut proposer aux hommes, quand toutefois Dieu les y appelle, un plus parfait genre de vie à embrasser, une meilleure règle à suivre. Par leur très étroite union avec Dieu et leur sainteté intérieure, ceux qui mènent une vie solitaire dans le silence du cloître entretiennent abondamment le renom de sainteté que l'Épouse immaculée du Christ Jésus présente à l'attention et à l'imitation de tous ».

3. Supériorité de la vie mixte bien comprise.

— La vie mixte est encore plus parfaite que la vie purement contemplative, mais à certaines conditions. Il faut qu'il n'y ait aucune diminution de la vie contemplative, mais que le trop-plein de celle-ci, en quelque sorte, aille fertiliser d'autres âmes. Par l'enseignement de la science sacrée ou par la prédication on fait profiter le prochain, sans rien perdre soi-même, des chaudes lumières reçues dans la contemplation.

Comme le dit S. Thomas (qui toutefois n'emploie pas l'expression « vie mixte »), « il est plus parfait de faire connaître aux autres ce qu'on a contemplé que de contempler seul » (2). Exceller à la fois dans la contemplation et la prédication est un idéal d'une réalisation difficile, mais certains religieux sont du moins appelés à y tendre.

(1) *Summa*, 2, 2, q. 182.
(2) *Summa*, 2, 2, q. 188, a. 6.

4. *Dangers de la vie contemplative*. — Les dangers de la
vie active sont trop manifestes pour qu'il soit nécessaire d'y
insister: tendance à négliger la prière, la vie intérieure; ac-
crocs possibles à la pauvreté ou à l'obéissance; esprit d'indépendance; recherche des aises et des commodités de la vie;
manquements aux règles et constitutions; mondanisation de
l'esprit; parfois dangers très sérieux pour la chasteté ou même
pour la foi...

Mais la vie contemplative n'est pas non plus exempte
de tout inconvénient. On pourrait être tenté de la prendre
comme une vie douce, exempte de tout souci, où l'on ne
manque de rien; de négliger l'ascèse, de tomber dans un
certain pharisaïsme (en affectant un extérieur irréprochable,
mais qui ne correspondrait pas aux vrais sentiments) ou dans
une routine qui remplacerait la ferveur du début par une
attitude presque machinale.

Assurément tout le monde n'est pas appelé à la vie contemplative. La vie
active est aussi voulue par Dieu qui y appelle ceux qu'il veut, et les contemplatifs auraient tort de mépriser la vie active, d'autant que la valeur personnelle ne correspond pas toujours à la catégorie à laquelle on appartient. La vie
active peut revendiquer l'estime à laquelle lui donnent droit les paroles du Juge
divin: «...chaque fois que vous avez fait du bien au plus petit de mes frères,
c'est à moi-même que vous l'avez fait» (Mt. 25, 40).

2. *Quelques tendances actuelles*.

1. A notre époque d'aspirations utilitaires et toutes ter-
restres, bien des gens ne comprennent plus l'importance de
la vie contemplative. Dans ceux qui la mènent ils seraient
tentés de voir des fainéants, des êtres improductifs, à charge
de la communauté nationale. Beaucoup admettent assez volontiers la vie religieuse au service des malades, des infirmes,
des fous, des anormaux, de la jeunesse délinquante, des
vieillards, etc.; certains, pas tous, admettent qu'elle s'adonne
à l'enseignement, mais la vie cloîtrée et silencieuse avec Dieu
seul leur fait l'effet d'un anachronisme, d'une survivance des
siècles barbares. Quelque chose de cette mentalité se rencontre
même chez plus d'un catholique.

Certains veulent, comme ils disent, «la sainteté en plein vent», au milieu
du monde, et ont horreur des fruits de serres chaudes. Parfois ils n'estiment
plus guère l'état religieux et l'admettent tout au plus dans son activité enseignante, missionnaire ou hospitalière. Souvent, comme le rappelait il y a quelques
années le cardinal Suhard, alors archevêque de Paris, ces fidèles assez médiocres
n'ont plus guère le «sens de Dieu». Ils oublient que les devoirs les plus importants sont ceux envers notre Créateur et notre Sauveur, qui demande notre ado-
ration, nos louanges, notre gratitude, le repentir de nos fautes, la sollicitation
des secours qui nous sont nécessaires; ces chrétiens oublient que Dieu est le
maître suprême, qu'il appelle qui il veut et pour le genre de service qu'il pré-

fère; que des âmes peuvent être choisies par Dieu pour être continuellement occupées à l'aimer et à le servir et ainsi contrebalancer quelque peu la multitude des péchés du monde et la froideur ou l'extrême médiocrité d'un bon nombre de chrétiens.

2. La doctrine de S. Thomas sur la supériorité de la vie mixte est parfois très mal comprise. Pour le saint Docteur, il s'agissait d'une vie avant tout contemplative mais qui, sans le devenir moins, communiquait au prochain ses richesses spirituelles par l'enseignement ou la prédication.

De nos jours certaines congrégationnettes prétendent naïvement avoir la « vie mixte » et se trouver en conséquence dans la catégorie la plus parfaite des instituts religieux. Au concret, il s'agit de congrégations qui ont dû insérer dans leurs constitutions les quelques exercices de piété rigoureusement exigés par le Code (can. 595), mais qui passent presque toute leur journée en des occupations très profanes de leur nature: enseigner aux enfants l'alphabet, l'écriture, le calcul... surveiller des élèves; coudre, repasser, tricoter...; soigner des malades ou des vieillards, faire la cuisine, nettoyer la maison etc. etc. On aurait le plus grand tort de dédaigner ces marques de dévouement, mais on est loin là de la vie contemplative et même de la vraie vie mixte, malgré quelques prières fixées pour la journée (même en admettant qu'on y fût toujours fidèle).

3. Même dans les Ordres contemplatifs il se peut que la vie intérieure, l'union à Dieu subisse quelque détriment provenant de la préoccupation de certains travaux manuels exécutés non seulement dans des fins ascétiques mais surtout pour avoir de quoi vivre, ou travaux intellectuels pour faire progresser la science ou l'art et faire honneur à l'Eglise.

Parfois tel ou tel moine est autorisé à vivre quelque temps hors de son monastère pour consulter des bibliothèques et il arrive que sa vie ressemble très vite à celle des séculiers. Une discipline assez ferme est nécessaire dans les Ordres contemplatifs, comme partout; toutefois, il ne faudrait pas que des réglementations trop multipliées, trop minutieuses ou trop rigides puissent rendre les âmes moins attentives ou moins dociles aux inspirations de la grâce.

DROIT CANON

Le Code de droit canonique ne parle guère de vie religieuse contemplative ou active. Il laisse aux différentes constitutions le soin de légiférer sur ces matières. Il impose à tous les instituts religieux un minimum de vie contemplative: assistance à la messe, oraison mentale, exercices fixés par les constitutions, confession hebdomadaire, communion fréquente, retraite annuelle (can. 595). En fait certaines dispositions du Code conviennent mieux à tel ou tel genre de vie.

La clôture papale s'accorde très bien avec la vie contemplative des moniales, mais serait très gênante dans un institut actif. Le gouvernement centralisé (Supérieur général, provinciaux, supérieurs locaux) est moins utile à des contemplatifs qu'à des instituts plus actifs, dont les membres ont besoin de consignes communes et doivent être employés partout où le demande le service de l'Eglise. Précisément parce que les moniales doivent vaquer à la contemplation et pour qu'elles soient à l'abri des soucis temporels, elles sont soumises à de nombreux contrôles de l'Ordinaire de lieu, surtout en matière financière.

Il y a plus d'une façon de vie contemplative. Ce peut être dans les déserts, comme les anachorètes et les ermites de la Thebaïde. Les ermites sont très rares de nos jours, malgré un essai tenté actuellement. La vie en commun a prévalu chez presque tous les religieux, y compris les moines (cénobites). Ce sont surtout les moines de St. Benoît qui ont eu une influence considérable et peuplé une foule de monastères. Ils insistent sur la célébration parfaite de la liturgie, « opus divinum ». Leurs loisirs ont été souvent employés à de très savants travaux d'érudition. Les Cisterciens dérivent aussi de S. Benoît, mais se réclament spécialement de S. Bernard. Des moines noir (Bénédictins) se distinguèrent les moines blancs (Cisterciens) qui insistèrent davantage sur les austérités corporelles et le travail manuel. Les Cisterciens, réformés au XVII.e siècle par l'abbé de Rancé, devinrent les Trappistes, ces grands silencieux. Les Carmes mènent bien la vie mixte, très appliqués à la contemplation, mais en faisant bénéficier bien des âmes ferventes par leurs prédications et leurs savantes « Etudes Carmélitaines ».

Ces exemples suffisent pour donner une idée de différentes formes de vie contemplative. Par contre, la vie active l'emporte dans les Ordres dévoués au soin des malades (Camilliens, Frères de St. Jean de Dieu), à plus forte raison dans les fameux Ordres hospitaliers et militaires (Templiers, Chevaliers de Malte etc.) qui ont disparu. Les Ordres Mendiants du XIIIe siècle et les Cleres réguliers du XVI.e entendent généralement la vie mixte comme S. Thomas. Quant aux Congrégations à voeux simples, aujourd'hui innombrables, les contemplatives en sont le petit nombre. Beaucoup ont une vie active, très active, aujourd'hui trop active. Elles sont parfois exposées à ne pas garder très exactement le minimum de vie contemplative exigé par l'Eglise (can. 595). Leurs sujets sont trop peu nombreux, on les charge de besognes de tout genre, elles sont même souvent stimulées par la nécessité de gagner leur vie. Alors quelques exercices de piété risquent d'être omis ou écourtés ou faits négligemment. On m'a dit qu'une supérieure avait carrément supprimé pendant des mois presque tous les exercices de ses sujets (ne laissant guère que la messe) pour faciliter la préparation de certains examens! Et si celles-là se glorifient de leur prétendue « vie mixte », la bouffonnerie dépassera les bornes.

PRATIQUE

La pratique ne vaut presque jamais mieux que la théorie. Généralement on reste inférieur à son idéal. Il faut viser à une vie très contemplative pourqu'en fait la contemplation occupe dans notre vie une place à peu près suffisante. Si la vie contemplative est très difficile et assez imparfaite dans plusieurs Congrégations actives, tout donne lieu de croire que les instituts contemplatifs s'appliquent à réaliser de leur mieux leur idéal. Pourvu que la contemplation y tienne le premier rang, il n'y a pas à blâmer dans ces instituts quelques heures consacrées au travail manuel ou intellectuel, grâce auxquels sous le regard de Dieu les forces se réparent, le prochain est enseigné et édifié et même le pain en partie assuré.

Un phénomène assez curieux se manifeste, au moins en France, depuis quelques années. Alors que les instituts plus ou moins actifs, hospitaliers ou surtout enseignants, ont le plus grand mal à se recruter, manquent de novices, voient leur nombre diminuer sans cesse, des Ordres purement contemplatifs regorgent de sujets. On le constate chez les Bénédictins et les Bénédictines, et aussi chez les Trappistes et chez les Carmes, et sans doute ailleurs. Par une curieuse réaction contre la vie moderne, oublieuse de Dieu et des biens éternels, trépidante, agitée, enfiévrée à la poursuite des biens temporels, il semble que le Saint-Esprit inspire à des âmes d'élite le désir de la contemplation pour compenser un peu la triste attitude de beaucoup de leurs contemporains. Parfois on serait tenté de se demander s'il n'y a pas là un engouement excessif, quelque illusion, quelque entrainement peu réfléchi; on serait tenté d'insister devant la jeunesse sur l'importance des religieux hospitaliers et surtout des religieux enseignants. Peut-être reviendra-t-on en plus grand nombre à ces derniers instituts, si la piété et la sainteté y deviennent de plus en plus manifestes.

97 R. Dom. Odo Lottin, O. S. B., Prof. hon. in Univ. Cath. Lovaniensi, *scripsit*:

Cum in doctrina de multiformi vivendi ratione tradenda, experientia propria ea sit quae ab antiquis dicebatur « vitae magistra », liceat auctori monacho perpaululum dicere de vita activa, contemplativae vero aliquantum immorari. Insuper, cum hic agendum sit non tam de actu contemplativo quam de vita contemplationi addicta, et de ea quidem prout in domibus religiosis degitur, inutilis erit disputatio tum de natura intima actus contemplationis, utrum scilicet sit acquisitus an infusus, tum de miris vitae mysticae signis quae aliquando accidunt contemplativis. Idcirco sit

§ 1. *De ordinaria vita contemplativa.*

Praevie recolenda est notio omnibus pervia actus contemplativi quae praedicari possit de omni vita contemplativa. Et ut securius procedatur, antequam sermo sit de actu supernaturali, loquamur de actu naturali.

Contemplatio naturalis, ut est actus, est aspectus protractus rei admiratione dignae propter eius maiestatem vel eius pulchritudinem.

Sic contemplor fluctus maris, cacumina montium, altas silvarum arbores propter eorum maiestatem; item opus pictoris, sculptoris propter operis pulchritudinem. Sic etiam contemplari possum personam ob eius maiestatem vel vultus venustatem. Quando contemplatio circa personam versatur, facile in amorem vergit, et satis notum est amorem inter iuvenes saepe a contemplatione admirativa oriri. Sed etiam, sua vice, contemplatio oritur ex amore: amans enim personae amatae intimiorem contemplationem quaerit scrutans dotes et qualitates phisycas amorem accendentes. In gradu altiori contemplationis obiectum sunt huius personae qualitates tum intellectus, tum voluntatis, virtutes scilicet morales quae honestatem et pulchritudinem moralem constituunt. Sic autem contemplatio non iam indiget corporali personae praesentia, sed sufficit ipsius repraesentatio interna per imaginationem, per memoriam et per illam attentionem ad praesentiam intimam qua amicus habitat in amico.

Iam autem, ascendens ad Causam primam, ratio humana potest aliqua saltem suspicari de infinita Dei maiestate, ac de Eius pulchritudine quatenus elucet in universo physico et morali. Et sic acquiri potest aliqua Dei Eiusque operationum contemplatio naturalis.

Sed super hanc contemplationem locus est alicui supernaturali. Haec autem fundatur in fide quae aliquid saltem de essentia Dei unius et trini nobis revelat, itemque de omnibus entibus quae, supernaturalitate sua, capacitatem intellectus excedunt.

Sic fide novimus Deum unum et trinum modo speciali habitare in mentibus hominum in statu gratiae versantium, per illam nempe mirabilem familiaritatem qua Deum ut praesentem alloqui possumus. Sic etiam fide novimus Christum « habitare per fidem in cordibus » nostris *(Eph.* 3, 17). Hac ergo Dei praesentia in anima, homo ad contemplationem Eius maiestatis ac pulchritudinis adducitur. Quae contemplatio sponte vergit in reverentiam pro maiestate et in amorem pro pulchritudine.

Amor autem per contemplationem Dei provocatus duplex est: amor concupiscentiae et amor benevolentiae. Amor quidem concupiscentiae, quia contemplatio Dei in caelis erit summum bonum nostrum, cum Deum facie ad faciem visuri simus; et his iam in terris, quia maxima delectatio quam hic appetere possimus est contemplatio Dei omnem humanam delectationem excedens. Sed contemplatio etiam amorem benevolentiae provocat, immo amorem amicitiae. Quis enim potest Deo, Eius maiestati ac pulchritudini animum intendere quin Ipsi adhaereat ut summe propter se amabili; immo Ipsi ut Patri qui nos vocavit ad illud mirabile consortium divinum in quo fundatur amicitia cum Deo? Sic ergo contemplatio ex fide orta directe ad caritatem ducit.

Sed, sua vice, caritas provocat et nutrit contemplationem, ut dictum est de amore naturali. Et re quidem vera, quanto anima intimius Deo adhaeret ac Eius praesentia fruitur, tanto magis Ipsius maiestatem et pulchritudinem contemplatur. Et quamvis cum Apostolo clamare debeat: « O altitudo divitiarum sapientiae et scientiae Dei, quam incomprehensibilia sunt iudicia eius et investigabiles viae Eius » *(Rom.* 11, 33), tamen totis viribus homo tendit ad profunda Dei perscrutanda.

Haec sufficiant de actu contemplationis prout est exercitium habituum infusorum qui sunt virtutes theologicae.

Exercitium vero paulisper protractum actus huius contemplationis aliquam necessario gignit facilitatem; et sic de habitu acquisito contemplationis supernaturalis sermo fieri potest.

Haec autem facilitas supponit intellectum facile docibilem quoad illustrationes intimas Spiritus sancti obiectum contemplationis nos docentis, item voluntatem facile mobilem ab instinctu interno Spiritus sancti nos ad adhaerendum huic obiecto contemplationis moventis. Ista autem docibilitas et mobilitas causatur per concursum fidei et caritatis affectivae. Quare contemplatio vocari potest oratio affectiva: « oratio » quatenus est actus rationis fide illustratae, « affectiva » quatenus est actus voluntatis caritate amicali accensae.

Haec insuper facilitas potest aliqua naturali praedispositione nativa praeparari. Ut enim experientia constat, aliqui iuvenes a pueritia sua indolem produnt magis contemplativam quam activam: libenter admirantur ortum et occasum solis, constellationes caelorum, fulgura procellarum aliaque magnalia Dei; item ab exercitiis corporalibus, ludis violentis se elongant quae maiorem requirerent activitatem. Insuper notum est Deum aliquibus puerulis infundere aliquem quasi naturalem gustum pro oratione et animi recollectione.

Assiduae contemplationis exercitium et vita maxime activa sane coexistere possunt.

Recolantur sanctus Franciscus Salesius, sanctus Vincentius a Paulo, sanctus Iohannes Vianney, aliique plures sacerdotes saeculares. Attamen coexistentia vitae integrae contemplativae et vitae maxime activae supponit aliquam quae paucorum est animi virtutem et constantiam. Et ideo satis obvium est ut anima contemplationis cupida rationem et condiciones vitae quaerat in quibus facilius et securius orationi internae vacare poterit. Et sic, a primis Ecclesiae saeculis, plures christiani strepitum et pericula mundi fugerunt ac eremum adierunt, ibique vitam degerunt sive soli sive cum sociis eumdem finem prosequentibus, prima fodientes fundamenta vitae eremiticae et vitae coenobiticae.

Hanc ultimam vitae condicionem adaptavit sanctus Benedictus moribus et capacitati Occidentalium. Sane in decursu temporum monachi educationi christianae populorum magnopere collaboraverunt et sic vitam activam coluerunt maximo cum fructu pro animabus et Ecclesiae propagatione. Attamen certum est sanctum Benedictum pro illis qui longe a mundano turbine vivere cupiebant suam Regulam scripsisse. In memoriam revocentur hi textus: « Monasterium, si fieri potest, ita debet constitui ut omnia necessaria, id est aqua, molendinum, hortus, vel artes diversae intra monasterium exerceantur, ut non sit necessitas monachis vagandi foras, quia omnino non expedit animabus eorum » (1). Loquens de instrumentis artis spiritualis subdit: « Officina vero ubi haec omnia diligenter operemur, claustra sunt monasterii et stabilitas in congregatione » (2). De monachis ab itinere redeuntibus statuit: « Nec praesumat quisquam referre alio quaecumque foris monasterium viderit aut audierit, quia plurima destructio est » (3). Quibus satis patet vitam conformem Regulae benedictinae necessario separationem physicam implicare a saeculari commercio, quae excludit rationem vitae activae regulariter extra claustra monasterii exercendae.

Cum tamen hodiernis temporibus necessitas urgeat Evangelium praedicandi, non solum barbaris sed etiam concivibus nostris, quaestio ponitur: an haec vita contemplativa quae bonum privatum prosequitur alicuius personae singularis non debeat locum cedere vitae activae, praesertim sacerdotali, quae a bono communi totius Ecclesiae exigitur.

Cui quaesito respondemus sine haesitatione vitam contemplativam, adhuc nostris diebus, dignam remanere quae a christianis colatur.

Et primo quidem, vita contemplativa habet perfectam in seipsa essendi rationem, cum ad eius valorem moralem nullatenus exigatur ut ad alium finem ordinetur. Oratio enim adorationis et laudis, obiectum scilicet vitae contemplativae, est primus actus virtutis religionis quae praestantissima est inter virtutes morales. Quare vita contemplativa habet finem propter se amabilem.

(1) *Regula*, c. 66.
(2) *Ibid.*, c. 4.
(3) *Ibid.*, c. 67.

Insuper, vita contemplativa perutilis est fidei propagationi. Secundum enim divinae Providentiae oeconomiam ordinariam Deus gratiam non confert nisi haec ab Ipso petatur. Cum ergo sanctificatio animarum sit praeprimis opus gratiae, moraliter necessarium est propagationi fidei ut gratia a christianis postuletur, quod praecipue fit ab illis qui ex officio in vita contemplativa vacant orationi. Quapropter Ecclesia semper agnovit utilitatem ordinum contemplativorum in ipsis regionibus missionum; et valde commendat ut monachi et moniales contemplativae per assiduas suas preces missionarios adiuvent, exemplum sequentes sanctae Teresiae a Puero Iesu, quae idcirco data est ut caelestis patrona missionariorum.

Tandem, si supprimerentur domus contemplativae, frustrarentur iuvenes utriusque sexus qui sincere desiderant vitam spiritualem intensam et nullam habent aptitudinem ad vitam activam. Nonne tamen et ipsi merito ab Ecclesia expectare possunt ut saltem aliqua remaneant monasteria suis sanctis desideriis pervia?

Optandum est ergo ut vita contemplativa suas conservet partes in corpore mystico Christi, ibique fructus uberrimos ad dilatationem Ecclesiae proferat.

Attamen non est dissimulandum vitam claustralem et contemplativam suis propriis laborare difficultatibus ac periculis.

Et primo quidem ipsa vita claustralis non vacat incommodis.

Nostris praesertim diebus ubi magis coluntur virtutes activae scoutismi et apostolatus sic dicti « Actionis catholicae » iuvenes multo magis quam olim ad actionem propensi sunt et sic ad vitam quae prima facie ipsis apparet inutilis deperditio virium non sunt praeparati. Si tamen voluerint ob amorem Christi suam libertatem immolare et claustra ingredi, non raro post aliquot menses aut saltem annos difficultatem vitae sedentariae et apparenter otiosae experiuntur. Insuper maxima regularitas vitae claustralis uniformitatem generat quavis distractione carentem, quae facile fastidio est indoli parumper ad activitatem propensae.

Secundo, ipsa contemplatio sua habet pericula. In quibusdam enim fervor, praesertim si in sensus diffunditur, facile in exaltationem imaginationis vergit, in aliquem « illuminismum », illusionibus plenum, qui cum humili et placida oratione veri contemplativi nil commune habet. Aut e contrario exercitium orationis cum nimia attentione protractum provocare potest aliquam nervorum depressionem cum animi demissione et torpida acedia.

Ut ergo, his nonobstantibus, vita contemplativa vere utilis Ecclesiae remaneat, quaedam condiciones stricte requiruntur.

Quarum prima est severitas et maxima circumspectio in admittendis postulantibus habitum sacrae religionis.

Ad hanc enim vitam non sufficit pietas iuvenilis, nec ipse gustus sacrae liturgiae — haec enim sensibilitas cito obtundetur — sed ante omnia exigitur aequilibrium in complexu psycho-physiologico, et aliqua prudentia naturalis quae quasi instinctive excessus vitat exaltationis et depressionis.

Secunda condicio est aequilibrium inter orationem et laborem. Cum enim apud nos adhuc viatores impossibilis sit oratio actu continua — haec enim est comprehensorum — oportet labor partem sat notabilem temporis occupet. Labor tamen iste, sive corporalis sive intellectualis, ne sit merum medium ad terendum tempus, ut nempe vitetur otiositas, sed communitati prosit, quia sic maiori cum cura expendetur.

Labor quidem manualis plerumque non officit orationi internae, nec mentis recollectioni. Secus autem est de labore intellectuali, aliquando tam intenso ut nedum orationem iuvet, eam potius praepediat. Re quidem vera sat facile labor intellectualis fit quaedam « passio » seu occupatio cui nimis et inordinate vacat animus .Quapropter caveat vir intellectualis ne tempus orationi dedicatum parvipendat, et orationi studium substituat quod sibi videtur utilius. Quod periculum, ut patet, remanet pro illis qui rebus theologicis operam navant.

Praeter laborem manualem et intellectualem, vir contemplativus ad sacerdotium evectus, saluti animarum sane consulere poterit. Attamen non quemvis assumat laborem sed solum vitae suae claustrali innocuum.

Sic certo certius in ipso monasterio per suas praedicationes exercitiis spiritualibus ad quae quotannis obligantur sacerdotes saeculares praeesse poterit; item recollectionibus iuvenum aliorumque laicorum. Item de se nullo modo vitae claustrali nocent confessiones et exercitia spiritualia quae extra septa monasterii instituuntur, dummodo monachus in domo religiosa sedem figat; nec aliquod ministerium occasionale prope monasterium, ut legitur in vita sancti Benedicti. Sed viro contemplativo nullo modo prodest exercitium sui sacerdotii quod frequentem aut diuturnam exigeret a suo monasterio absentiam. Efficacius enim vir contemplativus per sanctam morum suorum conversationem fervidamque orationem saluti animarum consulet.

Cum autem per severam selectionem postulantium satis provisum fuerit ingressui in vitam contemplativam, et rectae ordinationi huius vitae per prudens aequilibrium inter orationem et laborem, tertio et praecipue perseverantiae animarum in tam sublimi vocatione providendum erit.

Huius autem perseverantiae condicio essentialis est fervor et alacritas animi, quae, sicut amor, « leve facit omne onerosum, onus sine onere portat et omne amarum dulce ac sapidum efficit » (4). Hanc autem alacritatem efficit haec clausura spiritualis quae est solitudo, solitudo mentis, solitudo cordis: solitudo quidem mentis per intimam recollectionem spiritus in Deo, solitudo vero cordis per liberationem ab omni inordinato creaturarum amore.

Et primo quidem solitudo mentis per internam orationem seu animae recollectionem.

In domibus religiosis quae sacrae liturgiae primum locum assignant, aditus naturalis ad contemplationem per ipsam liturgiam praebetur quae est fons iugis semperque vivus orationis intimae. Ad hoc tamen oportet ut haec ipsa recitatio et celebratio per animi recollectionem praeparetur. Ad quid enim prodessent vitae spirituali cantus, caerimoniae externae et solemnis recitatio sacri officii, si non essent aut expressio orationis intimae, aut media ad hanc ipsam orationem ordinata? Notum est enim actum externum valorem suum moralem mutuari ab actu interno quem praeparat aut exprimit. Quapropter praeter orationem liturgicam omnino requiritur viro contemplativo oratio intimior qua in secreto animae suae se recondendo, Deum sibi praesentem frequenter alloquatur.

(4) *De Imitatione Christi*, 1. 3, cap. 5.

Ad vitam intimam contemplativi secundo requiritur solitudo cordis, scilicet abrenuntiatio cuilibet affectui mere humano qui mentem captivaret, seu, aliis verbis, aliqua paupertas spiritualis qua monachus iuri suo naturali renuntiat aliquam creaturam ut suam tractandi inhaerendo ipsi ut eam quovis modo vitae sociam faciat.

Sane monacho non est prohibenda quaevis teneritas cordis, cum ipsa possit suae et aliorum saluti magnopere prodesse. Sed requiritur ut nulla sit servitus, integra remaneat cordis libertas; vitetur ergo teneritas quae alicui creaturae agglutinaret animam occupando memoriam, satiando affectum. Legatur auctor *Imitationis Christi:* « Dilectus tuus talis est naturae ut alienum non velit admittere, sed solus vult cor tuum habere » (5); « et nisi quis ab omnibus creaturis fuerit expeditus, non poterit libere intendere divinis. Ideo enim pauci inveniuntur contemplativi, quia pauci sciunt se a perituris et creaturis ad plenum sequestrari » (6).

Quibus patet solitudinem cordis solitudini mentis intime connecti cum sit eiusdem condicio sine qua non. Unde ultimatim omnis vita contemplativa reducitur ad illam « puritatem cordis » quam fervidis laudibus extollebant primi eremi incolae. Et sic intelliguntur verba Domini: « Beati mundo corde, quoniam ipsi Deum videbunt » (Mt. 5, 8).

Haec duplex solitudo mentis et cordis et fervor animae sunt ante omnia effectus perseverantis conatus ipsius voluntatis: fervor enim ab extra non ingeritur. Attamen externa auxilia voluntatem contemplativi magnopere possunt adiuvare; et quidem solitudini mentis quam maxime prodest silentium imaginationis et memoriae; et solitudini cordis mortificatio sensuum et abstinentia ab inutilibus colloquiis cum saecularibus personis. Sic autem, cum magna utilitate pro Ecclesia, « cella continuata dulcescit » contemplativo (7) cui haec « beata solitudo » facta est « sola beatitudo ».

§ 2. *De vita activa et mixta.*

Quidquid sit de influxu ordinum contemplativorum in corpus mysticum Christi, luce clarius est Ecclesiam ordinibus activis maxime indigere quibus committuntur officia caritatis effectivae erga proximum: conversio nempe animarum in nostris et in longinquis regionibus, instructio et educatio iuvenum, varia misericordiae spiritualis et corporalis opera.

Cum autem nullum membrum corporis mystici Christi bonos fructus facere possit nisi uniatur Capiti — quod fit per

(5) L. 2, c. 7.
(6) L. 3, c. 31
(7) *Ibid.*, l. 1, c. 20.

adhaesionem mentis et cordis (orationem nempe intimam et liberationem ab amore indebito creaturae), patet omnem ordinem activum esse aliquo modo mixtum; et revera, saltem secundum ordinarie contingentia, eo fructuosior erit vita activa quo profundior fuerit in viro apostolico vita spiritualis interna.

Nullam habentes auctoritatem ad disserendum de variis ordinibus activis et mixtis, unice de ordine sancti Benedicti aliqua notabimus.

Ordo sancti Benedicti, ut omnes norunt, multiformis fuit et talis remanet nostris diebus. Quae varietas partim procedit ab antiquitate instituti quod, diversis temporibus, diversitati populorum ac variis modis propagationis Evangelii sese adaptare debuit; partim ab autonomia coenobiorum, suam unaquaque domo sedulo servante propriam indolem.

Et revera, vocabulum « ordo sancti Benedicti » in primis temporibus fuit certe « univocum », eodem nempe sensu de omnibus coenobiis praedicabile: certum est enim, ut dictum est supra, sanctum Benedictum unice vitam contemplativam intendisse. Sed, satis cito vocabulum istud factum est, ut ita dicam, « analogicum », principaliter nempe de vita contemplativa praedicabile, secundario de vita activa, ita scilicet ut vita activa esset irradiatio vitae contemplativae. Nostris autem diebus fatendum est istud vocabulum esse quasi « aequivocum »: pauca enim remanent elementa communia inter aliquas domos perfecte contemplationi vacantes et aliquas domos proxime ad vitam saecularium sacerdotum accedentes. Iam autem — et hoc quidem gravius est — aliquando contingit ut in eadem domo vita contemplativa cum vita activa conversetur. De hoc ultimo genere vitae mixtae haec notanda veniunt.

Sanctus Thomas dicit summum gradum perfectionis religiosae obtinere illos ordines qui doctrinae et praedicationi vacant, quia melius est contemplata tradere quam solum contemplari; secundum vero gradum obtinere qui ad solam contemplationem ordinantur (8).

Haec propositio, ut iacet, vera est, immo immediate evidens, si tamen in abstracto sumatur. Si enim perfectio contemplationis nullum detrimentum patitur ex eo quod ad bonum aliorum ordinatur, procul dubio melius est genus vitae ubi contemplationi additur aliquid de se optimum, doctrina scilicet et praedicatio.

Sed in concreto, utrum contemplatio remanet integra in exercitio praedicationis aut alius activitatis exterius expensae? Haec est quaestio de facto, per experientiam solvenda.

Sane, si omnes essent ut S. Bernardus aut S. Teresia ab Avila, optime pari passu procederent contemplatio et actio. Sed loquendo in concreto, secundum ordinarie contingentia, quomodo in praxi sat saepe degitur haec vita mixta? Qui partem notabilem suae vitae apud saeculares expendit, ut sic alternatim extra

(8) II-II, q. 188, a. 6.

et intra claustra monasterii vitam degat, haud facile extra monasterium internae mentis recollectioni vacare poterit, quae, « ut in pluribus », exigit solitudinem claustralem; et intra claustra reversus, utrum faciliter resumet, et quidem alacriter, — non dico meram disciplinam externam — sed fervorem recollectionis intimae? Paulatim, sed ineluctabiliter, familia monastica in duas scindetur partes, non dico oppositas, sed ad invicem extraneas; domus disgregabitur et ruina collabetur in acervum lapidum quos nullum iam caementum ad invicem coadunat. Et revera activam vitam agentes conquerentur de impedimentis quae disciplina regularis necessario opponit libero et expedito sui zeli apostolici exercitio, forsan etiam de apparenti saltem contemplativorum erga suos expensos labores indifferentia. Contemplativi e contra, saltem in primis suae conversationis annis, de carentia adiutorii spiritualis dolebunt quod merito ante ingressum suum a parte communitatis qua talis expectabant, de absentia scilicet unitatis tendentiarum quae procedere deberet ab unitate finis proximi coenobii. Et sic in praxi velint nolint, vita mixta fit sensim pessima optimorum elementorum commixtio, neutri parti fructuosa, utrique nociva.

Quid concludendum est pro statuto hodierno Ordinis sancti Benedicti? Cum tanta inter domus monasticas emergat diversitas, forsan optandum videretur ut ordo sancti Benedicti in duas familias aperte dividatur: unam scilicet monachorum claustralium seu contemplativorum, alteram vero monachorum apostolicorum seu activorum.

At vero rem paulisper consideranti apparebit sic graviter periclitari ipsa Ordinis sancti Benedicti constitutio. Urgente enim curae animarum necessitate, periculum habetur ut in aliquo alterove monasterio ad nihilum vel fere ad nihilum reducatur tum vita coenobitica, tum recitatio choralis officii ivini. Deficiente autem hoc essentiali duplici elemento, an huiusmodi monasteria adhuc iure computari poterunt inter membra familiae benedictinae? Sapientiores iudicent.

Si autem huc pervenire nolimus, reformatio, sane optabilis, Ordinis sancti Benedicti potius se acommodet indoli multiformi quam tot abhinc saeculis nactus est ordo monasticus.

Et primo quidem, quoad vitam contemplativam, pro certo habeant domus contemplationi addictae vivendi rationem intentioni SS. Legislatoris nostri esse omnino consonam dignamque esse quae favoribus ac protectione Superiorum fruatur. Idcirco, in unaquaque regione unum alterumve adsit monasterium quod strictae contemplationi sit addictum. In una eademque tamen Congregatione, non admittantur simul domus contemplationi et domus activitati apostolicae devotae; haec enim coexistentia necessario quoad regimen instituendum et quoad concordiam servandam perpetuis ansam praebebit difficultatibus ac dissidiis.

Secundo, quoad vitam mixtam, ante omnia prohibeatur ratio vivendi in qua supprimeretur vita coenobitica et recitatio publici divini officii. Insuper vigilent superiores ut, ad mentem divi Thomae, activitas apostolica sit sincerus fructus vitae contemplativae. Idcirco, prohibeatur ministerium sacerdotale quod frequentem aut diuturnam exigeret absentiam, item prohibeatur istud ministerium iunioribus sacerdotibus, praesertim illis quos acedia spiritualis ad vitam extraclaustralem alliceret, illis vero solis committatur qui per plures annos vitae contemplativae serio vacaverint.

98 R. P. Ioseph Rousseau, O. M. I., Proc. Generalis, *scripsit*:

1. Distinctio seu divisio vitae humanae in contemplativam et activam.

Exploratum est, duce Doctore Angelico, vitam humanam *convenienter* et *sufficienter* dividi in *contemplativam et activam*.

Huius divisionis *convenientia* apparet ex eo quod etsi « *vita universaliter sumpta non dividitur per activam et contemplativam; ...vita hominis* (autem), *qui speciem sortitur ex hoc quod habet intellectum* » convenienter dividitur secundum operationem eius intellectus qua vita eius proprie manifestatur; « *et ideo eadem divisio intellectus et vitae humanae* » (1). Atqui, vita intellectus humani est duplicis rationis, contemplativa nempe et activa: « *quia ...quidam homines praecipue intendunt contemplationi veritatis, quidam vero intendunt principaliter exterioribus actionibus, inde est quod vita hominis convenienter dividitur per activam et contemplativam* » (2). Eodem sensu prosequitur Sanctus Doctor: « *...vita activa et contemplativa distinguuntur secundum diversa studia hominum intendentium ad diversos fines: quorum unum est consideratio veritatis, quae est finis vitae contemplativae; aliud autem est exterior operatio ad quam ordinatur vita activa* » (3).

Haec divisio vitae hominis in contemplativam et activam non solum conveniens dicenda est, sed etiam *radicaliter sufficiens*.

Nam si vitae contemplativae et activae aliam fas sit superaddere quam *mixtam* diceres, haec non est intelligenda tamquam nova species a prioribus adaequate distincta; sed potius veluti novum genus vitae utramque contemplativam et activam certo gradu referentis et amice coordinantis, quatenus, ait Angelicus, « *media conficiuntur ex extremis, et ideo virtute continentur in eis, sicut tepidum in calido et frigido, et pallidum in albo et nigro. Et similiter sub activo et contemplativo comprehenditur id quod est ex utroque compositum. Et tamen sicut in quolibet mixto praedominatur aliquod simplex, ita etiam in medio genere vitae superabundat quandoque quidem contemplativum, quandoque vero activum* » (4).

(1) II-II: q. 179, art. I, ad 2.
(2) II-II: q. 179, art. 1.
(3) II-II: q. 181, art. 1.
(4) II-II: q. 179, art. 2, ad 3.

Sane de vita contemplativa et activa hic agitur non qua-cumque humana, sed *ordinis supernaturalis,* quae ex super-naturali caritate procedit, qua Deum et homines diligimus.

« *Ad dilectionem autem Dei directe pertinet contemplativa vita, quae soli Deo vacare desiderat; ad dilectionem autem proximi directe pertinet vita activa, quae deservit necessitatibus proximorum* » (5). Aliis verbis sub alioque aspectu idem docet Angelicus Doctor: « ...*vita enim contemplativa, de qua nunc loquimur, principaliter ordinatur ad considerationem divinorum, ut supra habitum est* (6), *in qua dirigitur homo per studium ad considerandum divina...* (7); ...*religio institui potest non solum ad opera vitae contemplativae, sed etiam ad opera vitae activae, inquantum pertinent ad subventionem proximorum et obsequium Dei, non autem inquantum pertinent ad aliquid mundanum obtinendum* » (8).

2. *Correlativa divisio religionum in contemplativas, activas et mixtas.*

Ex praefata divisione vitae supernaturalis facili gressu ducimur ad correlativam divisionem *Religionum* pro diversis generibus vitae supernaturalis in singulis receptis.

Quod a Cl.mo Ferraris compendiose his verbis illustratur: « *Et hinc Religio, alia est contemplativa, alia activa, et alia mixta. Contemplativa est, quae praeter observantiam trium votorum substantialium ex primaeva sua institutione principaliter in contemplatione rerum caelestium et divinarum se exercet; sicque ad vitam contemplativam potissimum ordinatur. Activa est, quae principaliter ex primaeva sua institutione ordinatur ad vitam activam et opera misericordiae et caritatis erga proximum, sive spiritualia sive corporalia exercenda. Mixta est, quae utraque includit, scilicet contemplativam et activam, eo quod ex primaeva sua institutione ordinata sit, tam ad contemplationem rerum caelestium et Divinarum, quam ad actionem operum misericordiae et Caritatis erga proximum* » (9).

3. *Triplex aspectus contemplationis: ut actus, habitus et status.*

Ad divisionem inter religiones vitae activae et contem-plativae et mixtae distinctius perspiciendam, iuvat de ipsa contemplatione triplicem considerare aspectum, nempe, ac-tum, habitum et statum.

a) Ut *actus:* contemplatio divinorum praestantissimam signat animi christiani operationem secundum quam intellec-tus fide supernaturali illustratus *simplici intuitu* Divinam Veritatem perspicit, in quo quiescit et delectatur.

Quod autem talis operatio a voluntate divina caritate animata imperetur in dulcique sui obiecti fruitione terminetur, non impedit, docente Divo Thoma,

(5) II-II q. 188, art. 2.
(6) II-II q. 180, art. 4.
(7) II-II: q. 188, art. 5.
(8) II-II, q. 188, art. 3.
(9) *Prompta Bibliotheca*: ad Voc. «*Religiones Regulares*»: art. I, nn. 18-21; cf. etiam S. Th. II-II: q. 188, art. 2, 3, 4, 5.

quominus ratione sui essentialiter sit operatio intellectus cuius proprium est obiectum considerare et intueri. Attamen, ob imperium caritatis intellectum moventis, haud irrationabiliter contemplatio potuit dici constituta in caritate ut habet S. Gregorius, inquantum scilicet « *aliquis ex dilectione Dei inardescit ad eius pulchritudinem conspiciendam... et quia... vita contemplativa terminatur ad delectationem, quae est in affectu, ex quo etiam amor intenditur* » (10).

b) Ut *habitus:* contemplatio divinorum signat stabilem animi dispositionem sive acquisitam sive infusam ad divinorum contemplationem faciliter et delectabiliter exercendam. Hunc habitum acquirere vel obtinere inter fines vitae contemplativae sine dubio est reponendum.

c) Ut *status* tandem: contemplatio permanentem imo et perpetuam signat hominis constitutionem qua ad finem vitae contemplativae sub speciali et proportionata disciplina principaliter exercendae ipse firmiter ordinatur, obligatione hunc in effectum suscepta.

Hac positiva constitutione hominis qua ipse ad vitam contemplativam exercendam *de iure,* ut ita dicam, ordinatur, status contemplationis perficitur, plane distinctus tum a simplici actu contemplationis, tum etiam ab habitu contemplationis qui in quadam subiectiva facilitate contemplandi consistit, tum tandem formaliter ab ipsa vita contemplativa pout merum habituale exercitium *de facto* contemplationis, praecisione facta ab ordinatione *de iure* hominis ad contemplandum. Quae omnia faciliter intelliguntur si attendamus quod *status* vitae humanae fundatur non in mero facto etsi habituali, sed in certa *obligatione* qua homo stabiliter constituitur respectu libertatis qua pro sua specifica natura fruitur: « *...solum id videtur ad statum hominis pertinere,* ait Angelicus, *quod respicit obligationem personae hominis, prout scilicet aliquis est sui iuris vel alieni: et hoc non ex aliqua causa levi, vel de facili mutabili, sed ex aliquo permanente; et hoc est quod pertinet ad rationem libertatis, vel servitutis. Unde status pertinet proprie ad libertatem vel servitutem sive in spiritualibus sive in civilibus* » (11).

Notare autem oportet quod haec obligatio in qua status fundatur cum duplicis esse possit indolis, duplex quoque erit status contemplationis.

1) — Quidam excogitari posset status contemplationis quem homo propria sua auctoritate assumeret in foro suae conscientiae, quatenus promissione vel voto privato Deo facto ad vitam contemplativam exercendam sese ordinaret. Procul dubio, talis status contemplationis non esset nisi mere *privatus, internus* et *theologicus;*

2) — alius autem status contemplationis de facto in Ecclesia habetur, a publica ecclesiastica lege praeformatus certaque publica sollemnitate assumptus, indeque merito dicendus *publicus, externus* et *canonicus:* de quo solo nunc directe sermo erit in praesenti relatione.

(10) II-II: q. 180, art. 1.
(11) II-II: q. 183, art. 1.

Ad rem, liceat doctrinam Doctoris Angelici referre eamque ad nostram particularem conclusionem deducere. « *Respondeo dicendum quod, sicut supra dictum est (12), status proprie pertinet ad condicionem libertatis vel servitutis. Spiritualis autem libertas vel servitus potest in homines attendi dupliciter; uno modo secundum id quod* interius agitur, *alio modo secundum id quod* agitur *exterius. Et quia, ut dicitur I.Reg. 16, 7: Homines vident ea quae parent, sed Deus intuetur cor, inde est quod secundum interiorem hominis dispositionem accipitur condicio spiritualis status in homine per comparationem ad iudicium divinum; secundum autem ea quae exterius aguntur, accipitur spiritualis status in homine per comparationem ad Ecclesiam. Et sic nunc de statibus loquimur, prout scilicet ex diversitate statuum quaedam Ecclesiae pulchritudo consurgit. Est autem considerandum quod quantum ad homines, ad hoc quod aliquis adipiscatur* statum *libertatis vel servitutis, requiritur primo quidem obligatio aliqua vel absolutio... Secundo, requiritur quod obligatio praedicta cum aliqua solemnitate fiat, sicut et ceteris quae inter homines obtinent perpetuam firmitatem, quaedam solemnitas adhibetur. Sic ergo in statu perfectionis proprie dicitur aliquis esse, non ex hoc quod habet actum dilectionis perfectae, sed ex hoc quod obligat se perpetuo cum aliqua solemnitate ad ea quae sunt perfectionis »* (13).

Cum vero religio non solum ad perfectionem christianam seu ad perfectionem caritatis ordinetur in genere, sed etiam in specie « *ad vitam activam et contemplativam* » (14) sequitur quod sicut aliquis solemnitate professionis religiosae statum religiosum in Ecclesia consequitur, ita eadem professione in religione vitae contemplativa emissa obtinet statum canonicum contemplationis: de quo nunc amplius est disserendum.

4. *Indoles distinctionis inter statum contemplationis et statum religiosum.*

De statu canonico contemplationis seu vitae contemplativae loquendo, superfluum est advertere eum non esse adaequate distinctum a statu religioso cuius speciem constituit in genere. Sicut christianus in statu religioso canonico publica professione in Ecclesia accepta constituitur, ita idem in statu canonico vitae contemplativae publica professione in aliqua religione vitae contemplativae dedita. Unde non omnes religiosi sunt in statu canonico vitae contemplativae; omnes autem qui in statu canonico vitae contemplativae inveniuntur a fortiori in statu canonico vitae religiosae versantur.

5. *Respectus status canonici vitae contemplativae ad vitam activam.*

a) — Retenta distinctione inter vitam contemplativam quae a principiis mere theologicis pendet et statum canonicum vitae contemplativae prout a lege ecclesiastica ipsa praeformatum, expedite intelligitur religiosos omnes, etsi in statu canonico contemplationis non constitutos, ad certam vitam contemplativam theologicam tendere posse ac debere tam-

(12) q. praec. art. 1.
(13) II-II: q. 184, art. 4.
(14) II-II: q. 188, art. 5.

quam ad praestantissimam suae perfectionis formam. Hanc contemplationem vero religiosi vitae activae prosequi debent secundum rationem propriae condicioni consonam, quin ipsa vitae activae opera deserant pro operibus propriis vitae contemplativae assumendis.

Nam, ut docet Divus Thomas, «*dum... operibus vitae activae insistunt intuitu Dei, consequens est quod in eis actio ex contemplatione divinorum derivetur. Unde non privantur omnino fructu contemplativae vitae*» (15). Imo, vita activa quae a contemplatione derivatur ad eamdem conducit, quatenus, ait S. Thomas, «*etiam dici possit quod vita activa dispositio sit ad vitam contemplativam*», ope scilicet virtutum moralium in vita activa maxime adhibitarum (16). Ideoque religiosis vitae activae proportionaliter applicari potest quod iterum Sanctus Doctor de Praesulibus praedicat, quibus «*non solum pertinet vita activa, sed etiam debent esse excellentes in vita contemplativa; unde Gregorius dicit in Pastorali: «Sit praesul actione praecipuus, prae cunctis in contemplatione suspensus*» (17).

Non querantur ergo religiosi et religiosae vitae activae de proprio statu quasi inferioris meriti coram Deo et Ecclesia; si ex una parte titulo religionis contemplativae in facie Ecclesiae nequeant gloriari, eius merito autem, ex alia parte, carere non debent coram Deo; imo electio talis status prae alio, praesertim nostris perturbatis temporibus et maximae indigentiae in campo apostolatus, peculiari ratione iustificari potest, quatenus, docet S. Thomas, «... secundum quid et in casu est magis eligenda vita activa propter necessitatem praesentis vitae» (18), «suscipienda... propter caritatis necessitatem» (19).

b) — Status canonicus contemplationis vero, licet exterioribus operibus penitus careat, utilitati proximi tamen efficaciter inservire potest ac debet. Alioquin, quomodo praeceptum divinae caritatis perfecte adimpleret quae in dilectionem Dei et proximi eodem impulsu fertur? De facto, omnibus notissimum est contemplativos proximi variis et praesertim spiritualibus necessitatibus valide subvenire eius causam apud Deum a quo omne descendit donum perfectum potenter agendo, puras ad Divinam offensam Maiestatem elevando manus atque suavem in corpore suo hostiam offerendo. Hic apostolatus orationis et sacrificii non solum vere effectivus est dicendus, sed etiam essentialis in oeconomia salutis animarum providendae.

(15) II-II: q. 188, art. 2, ad 1o.
(16) II-II: q. 181, art. I, ad 3.
(17) II-II: q. 182, art. I, ad 1.o
(18) II-II: q. 182, art. 1.
(19) Ibid.: ad 3o.

6. Duplex status canonicus contemplationis.

Pro diversitate religionum vitam contemplativam profitentium, diversos quoque status canonicos contemplationis distinguere oportet.

a) — Est status canonicus contemplationis inferioris gradus religionum votorum simplicium ex instituto quae satis multiplicatae sunt inter mulieres adoratrices, divinae contemplationi sub rigidiori quoque disciplina et clausura unice vel fere unice deditae. Istae religiosae in statu canonico professione publica obtento vitae contemplativae merito dicendae sunt constitutae, licet inferiori gradu ob simplicitatem earum votorum.

b) — Est etiam status canonicus vitae contemplativae proprius religionum votorum solemnium ex instituto seu Ordinum regularium, sive virorum sive mulierum seu monialium.

7. Elementa constitutiva figurae iuridicae status contemplationis.

De instituto canonico seu statu vitae contemplativae quaeri possunt elementa iuridica constitutiva quibus eius figura iuridica delineatur. Ad statum canonicum contemplationis superioris gradus seu religionum votorum solemnium specialiter attendendo, haec elementa, ni fallor, sub duplici capite comprehendi possunt:

a) — Primum elementum est *finis* proprius status, ad quem prosequendum homo totam ordinat vitam suam quique in casu nostro est *exercitatio vitae contemplativae supernaturalis* prae aliis exterioribus operibus vitae activae. Sicut finis generalis status religiosi est perfectio divinae caritatis, ita finis specialis status vitae contemplativae est exercitatio divinae contemplationis quae pertinet ad dilectionem Dei, operibus vero huic directe inservientibus.

b) — Alterum elementum est *disciplina vitae* praestitutae fini aptata seu complexus normarum quibus religiosus contemplans in tota vita sua convenienter occupatur et dirigitur per ordinem ad contemplationem divinorum exercendam.

Normae istae ut figuram iuridicam status contemplationis constituere possint, non solum stabiles esse debent sed a competenti quoque auctoritate imponi, scilicet, ab Ecclesia, sive ius commune promulganti, sive Constitutiones singulorum Ordinum approbanti.

Ad scopum nostrum sufficiet hic enumerare diversa obiecta quibus normae referuntur ad integram disciplinam status contemplationis perficiendam. Respiciunt nempe:

1) — *Clausuram:* quae papalis dicitur et quidem rigidior pro Monialibus quam pro viris regularibus habetur;

2) — *Vota religiosa:* quae solemnia esse debent saltem ex instituto;

3) — *Officium chorale:* quod uti opus Dei vitae contemplativae proprium merito consideratur;

4) — *Regimen:* quod apud Moniales in peculiari solitaria autonomia monasteriorum fundamentaliter consistit; id quod apud viros etiam verificari potest.

Ad statum canonicum inferioris gradus contemplationis seu religionum votorum simplicium quod attinet, elementa iuridica etsi haud perfecte eadem, ad ista tamen accedunt. Etenim, Finis eadem est exercitatio vitae contemplativae prae exterioribus vitae activae operibus; Disciplina autem essentialia religionum votorum solemnium conservat, quoad clausuram quae severior remanet etsi sanctionibus excommunicationis careat et quoad officium chorale etiam tempore nocturno faciendum, cui haud raro additur adoratio coram Sanctissimo saltem diurno tempore. Neque desunt huiusmodi religiones quorum singulae domus perfectam retinuerunt autonomiam monasteriorum monialium, etsi hisce temporibus ad foederationem saltem vel pleniorem unionem ineundam tendant.

99   Rev.mus Dom. IACOBUS WINANDY, Abb. O. S. B., *scripsit*:

VIE CONTEMPLATIVE ET VIE MONASTIQUE

Plutôt que de me tenir à de pures généralités sur les diverses formes de vie distinguées par les théologiens, je crois répondre aux désirs des organisateurs de la Semaine d'Etudes en examinant ici la distinction des deux vies par rapport à l'état religieux d'abord, au monachisme ensuite, ce qui m'amènera forcément à étudier la nature propre de celui-ci et sa raison d'être au sein de l'Eglise. S'il m'arrrive au cours de cet exposé de représenter la vie monastique sous des contours apparemment trop dépouillés des formes concrètes qu'elle revêt de nos jours dans plusieurs Ordres ou Congrégations, je demande une fois pour toutes qu'on veuille bien ne voir dans ces prétéritions que le souci de dégager l'essentiel de l'accessoire.

1. La distinction des deux vies et l'état religieux.

La distinction des deux « vies » doit son origine à la philosophie grecque.

Pour Aristote, comme pour Platon, la vie *contemplative* (théorique, spéculative) est celle des sages, ou philosophes, qui consacrent toute leur existence à l'étude et à la contemplation désintéressée de la vérité; la vie *active* (ou pratique) est celle des hommes libres qui vaquent à tous les travaux de la vie civile, à l'exclusion des travaux manuels et des arts jugés indignes d'eux (hommes politiques, soldats, marins, juges, avocats, commerçants, entrepreneurs de constructions, etc.). La vie des philosophes réclame d'abondants loisirs: elle est par suite conditionnée par la vie active que mènent la plupart de leurs compatriotes; l'une et l'autre supposent l'existence de nombreux esclaves, réduits à traîner une vie infra-humaine au service des hommes libres.

La vie active, il faut le remarquer, n'est vraiment humaine qu'en tant qu'elle fait pratiquer toutes sortes de vertus: prudence, force, tempérance, justice, libéralité, magnificence, etc.

Les stoïciens mettent fortement l'accent sur ce dernier caractère de la vie active, au point de pouvoir désigner sous son nom l'ensemble des exercices ascétiques, même pratiqués en dehors de toute vie sociale.

C'est sous leur inspiration que les docteurs chrétiens, à la suite de Clément d'Alexandrie et d'Origène, vont appeler vie active la vie ascétique, la pratique des vertus, avec les moyens divers qu'elle utilise, et qu'ils vont la considérer comme la préparation indispensable à la vie contemplative. La doctrine de Cassien est caractéristique à cet égard. Pour ce maître de la spiritualité monastique, la vie active s'exerce dans divers états ou professions: érémitisme, cénobitisme, vie consacrée aux oeuvres de miséricorde (1). La vie contemplative consiste dans la science des Écritures et la prière pure.

La doctrine est à peu près la même chez tous les docteurs de l'âge patristique. On notera seulement que St. Augustin et S. Grégoire le Grand semblent limiter la notion de vie active à la pratique des oeuvres de miséricorde spirituelle et corporelle. En outre, pour le premier, la vie purement contemplative est réservée à l'au-delà: l'existence terrestre ne peut en réaliser qu'une ébauche très lointaine.

Dans son ensemble, la tradition patristique est donc bien éloignée de regarder la vie active et la vie contemplative comme deux carrières, deux professions différentes, deux formes diverses de vie chrétienne, embrassées par des individus distincts. Elles ne sont pour les Pères que deux aspects de la même et unique vie chrétienne intégrale. Par suite, la vie contemplative n'est plus réservée à une élite peu nombreuse, comme le voulaient les philosophes grecs: elle est ouverte à tous les chrétiens avides de perfection, libres ou esclaves, pauvres ou riches, savants ou ignorants. D'où la place qu'elle

(1) *Conl.*, XIV, c. 4.

fait au travail manuel, par souci d'humilité et par crainte des dangers de l'oisiveté.

La doctrine actuellement reçue est un héritage de St. Thomas, qui a cherché, selon son habitude, à combiner les éléments que lui fournissait la tradition patristique avec une synthèse empruntée directement à Aristote. On appellera donc désormais vie contemplative celle des chrétiens qui orientent toutes leurs pensées, tous leurs désirs, toutes leurs occupations vers la contemplation des réalités divines, et qui organisent leur existence en conséquence. La vie active sera celle qui se consacre aux activités extérieures, quelles qu'elles soient, mais spécialement aux oeuvres de charité envers le prochain. On parlera même de vie mixte, dans laquelle la contemplation déborde en action dans la prédication et l'enseignement.

Appliquées aux diverses formes de vie *religieuse,* ces notions ne vont pas sans difficultés. Ordres contemplatifs, ordres actifs, de telles qualifications n'ont qu'une valeur très relative. Ramenée à son essence, toute vie religieuse est contemplative. N'étant pas autre chose qu'une manière de mener plus parfaitement la vie chrétienne, elle n'a pas d'autre but que celle-ci: à savoir la contemplation intuitive et inamissible du ciel; et elle met tout en oeuvre pour se rapprocher autant que possible de cet idéal dès ici-bas. « Consilia sunt instrumenta contemplativae vitae », dit St. Thomas (2). Ce but essentiel, aucune forme de vie religieuse ne saurait l'exclure sans cesser d'être chrétienne. A la poursuite de ce but, les Ordres dits actifs joignent une activité qualifiée d'extérieure, parce qu'elle a pour objet le bien de personnes étrangères à la communauté ou à l'Institut. En somme, ces Ordres ont été institués en vue d'employer des religieux, contemplatifs en tant que tels, à des oeuvres de charité envers des non-religieux. Ce qui les caractérise, ce n'est pas tant le fait même de cette activité — laquelle peut se rencontrer dans des communautés dites contemplatives (pensons à l'hospitalité pratiquée traditionnellement par les moines), — mais bien ceci que l'Ordre est institué et organisé en vue de cette activité, étant entendu que celle-ci doit toujours rester subordonnée à la vie contemplative ou vie intérieure des individus. Dans les religions dites contemplatives, ces oeuvres extérieures, ou bien sont inexistantes, ou bien n'ont qu'un caractère purement accessoire par rapport à l'institution.

En résumé, on peut, si l'on veut, appliquer aux diverses formes de vie religieuse la distinction des deux formes de vie humaine. Mais il faut se souvenir que dans cette application, le sens de cette distinction ne coïncide parfaitement, ni avec celui qu'elle avait chez les philosophes de l'antiquité, ni avec celui que lui ont donné les Pères. La vie religieuse comme telle est contemplative par la fin qu'elle se propose; elle est active par les moyens qu'elle emploie pour y arriver, à savoir toutes les pratiques de l'ascèse chrétienne, y compris les oeuvres de charité. Mais on peut convenir de désigner sous le nom d'actifs les Instituts religieux qui attribuent une place essentielle à telle ou telle de ces oeuvres de charité dans l'ac-

---

(2) *Quodl.,* IV, art. 24, ad 5. Cf. *De Perfectione vitae spirit.,* c. VI.

tivité de leurs membres, et qui les leur font exercer d'une façon normale et habituelle à l'égard des personnes étrangères à la communauté. Les religions contemplatives seront dès lors celles qui s'abstiennent délibérément de ce genre d'activité, ou du moins ne l'exercent que d'une façon occasionnelle et sans en faire la raison d'être de leur institution.

2. Caractère spécifique de la vie monastique.

L'homme qui veut se livrer à la contemplation — quelle que soit la nature de celle-ci: réflexion, étude ou prière — doit forcément se retirer de l'agitation des affaires, des occupations extérieures et du bruit pour s'enfermer dans le silence et le recueillement d'une solitude au moins relative. Ceci vaut pour l'ordre naturel comme pour l'ordre surnaturel, pour l'ordre civil comme pour l'ordre religieux.

Est-ce dans le but de vaquer tranquillement à la contemplation que les premiers ascètes chrétiens menèrent dès l'origine une vie retirée et que les moines, leurs successeurs, finirent par s'isoler quasi totalement du monde en s'enfonçant au plus profond des déserts? Fut-ce plutôt par crainte des persécutions? Ou au contraire pour fuir les facilités d'une vie chrétienne jouissant, après l'édit de Constantin, de la protection des lois? Ou encore, comme on l'a affirmé, en vue de combattre le diable jusque dans ses derniers retranchements? Faute de textes suffisamment formels à ce sujet, le problème est difficile à solutionner et ne le sera sans doute jamais de façon satisfaisante.

Toujours est-il que la vie monastique sous ses diverses formes s'est constamment caractérisée par un isolement volontaire plus ou moins complet à l'égard du monde. « La séparation du monde, a dit très justement Dom Guéranger, à elle seule fait le moine » Elle n'est pas pour lui une pratique d'ascèse parmi les autres: elle est de l'essence même de sa vocation, et lui donne par suite une mentalité, une tournure d'esprit toute particulière. C'est dans la solitude, loin des hommes, qu'il est appelé à trouver Dieu. S'il est vrai de dire que tout charisme dans l'Eglise est la reproduction de l'un ou l'autre des « états » du Verbe Incarné, celui du moine est de renouveler perpétuellement la retraite de Jésus au désert, ou les nuits solitaires qu'il passait dans la prière au cours de son ministère. Le moine a choisi la part de Marie de Béthanie: il écoute la parole de Dieu à l'abri des vains soucis, des jouissances stériles et de l'agitation vide du siècle présent. Il fait tout converger vers l'union intime avec le Seigneur, et, dans cette vue, il écarte avec soin tout ce qui distrait et tout ce qui disperse. C'est en ce sens que sa vie peut être dite contemplative; disons: plus nettement et plus exclusivement orientée vers la contemplation que les autres formes prises par la vie religieuse en Occident (3).

(3) Depuis longtemps la législation ecclésiastique et la théologie nous ont habitués à regarder les moines comme formant une catégorie particulière de religieux: *species sub genere*. Il est permis de le regretter, car cette manière de présenter les choses entraîne le risque de faire méconnaître

Qu'on n'aille pas croire cependant que l'occupation du moine soit faite d'une sorte de gymnastique de l'esprit destinée à procurer une connaissance ésotérique de la Divinité et une jouissance raffinée à ce contact mystérieux. Non: quoi qu'il en soit d'infiltrations possibles de doctrines néoplatoniciennes ou autres en ce domaine, la contemplation du moine, comme celle de tout chrétien, ne saurait se définir autrement que comme l'union à Dieu dans la charité.

Cette union, le moine la cherche par le moyen de l'ascèse la plus spécifiquement chrétienne: pauvreté, continence, humilité, obéissance, silence, mortification du corps, travail des mains, et en même temps, et plus encore, dans la méditation des saintes Lettres et dans la prière. Sa contemplation ne le dispense nullement de la loi du travail et des obligations *réelles* de la charité. Elle l'y soumet au contraire davantage. Aussi une telle vie n'offre-t-elle que des analogies fort lointaines avec l'orgueilleux loisir des philosophes de l'antiquité. Elle est un pur écho de l'Evangile, et ses adeptes n'ont pas d'autre prétention que de porter leur croix à la suite du Sauveur pour trouver au terme de cette route ardue la gloire de sa résurrection.

Tout ceci ne distingue en rien la vie monastique de la vie chrétienne poussée jusqu'à l'observation des conseils évangéliques. Ce qui la constitue en propre, répétons-le une fois encore, c'est qu'elle est menée loin du monde, sans autre contact avec lui que ceux que requièrent les nécessités de l'existence terrestre ou les devoirs occasionnels de la charité.

3. Le monachisme et le devoir de l'apostolat.

Devant ce programme de séparation du monde que le moine considère comme essentiel à sa vocation, on ne peut manquer de se demander s'il est conciliable avec les exigences de la charité, surtout dans le monde moderne, si profondément déchristianisé. Le problème s'impose avec d'autant plus de force, que les moines sont maintenant, du moins en Occident, régulièrement élevés au sacerdoce. Ne semble-t-il pas que les besoins de l'heure en fait d'apostolat sont tels qu'ils exigent impérieusement la mobilisation de toutes les forces cléricales?

Le problème n'est pas nouveau. Déjà saint Augustin

l'inspiration propre du monachisme et les caractères très particuliers de l'institution dans laquelle elle a pris forme.

le rencontrait sur les lèvres des chrétiens de son temps: « Videntur (anachoretae) nonnullis res humanas plus quam oportet deseruisse, non intelligentibus quantum nobis eorum animus in orationibus prosit, et vita ad exemplum, quorum corpora videre non sinimur » (4). La réponse esquissée ici par le saint Docteur a été reprise naguère avec une force accentuée par le Pape Pie XI dans la bulle *Umbratilem*, approuvant les statuts révisés de l'Ordre des Chartreux: « Facile, ceteroqui, intelligitur, multo plus ad Ecclesiae incrementa et humani generis salutem conferre eos, qui assidue precum macerationumque officio funguntur, quam qui dominicum agrum laborando excolunt; divinarum enim gratiarum copiam nisi in agrum irrigandum illi e caelo deducerent, iam evangelici operarii sane tenuiores e labore suo fructus perciperent » (5).

Rôle de prière et de pénitence: telle est la forme que revêt la fonction apostolique chez les moines. On peut ajouter que toute leur vie est une prédication muette, plus efficace que bien des discours. Qui dira le sens que prend au milieu d'un monde détaché de Dieu et prétendant se suffire à lui-même le fait seul et l'exemple d'une communauté d'hommes ou de femmes ne vivant, eux, que pour Dieu, consacrant toute leur existence à Le louer, à Le prier, à ne s'occuper que de Lui? L'homme n'a jamais pénétré si complètement les secrets de la création; il n'a jamais été si habile à les utiliser pour son profit immédiat; mais il n'a jamais si peu prié, si peu reconnu les droits de son Créateur, si peu agi sous sa dépendance. Rien n'est plus urgent que de lui rendre la crainte de Dieu, avec le sens de l'éternité, de la primauté du spirituel, des traces laissées par le péché dans la création. Une telle oeuvre réclame autre chose que des écrits et des sermons. « Ce qui manque, disait saint Jean de la Croix, ce n'est pas de parler et d'écrire — car on le fait d'ordinaire à profusion, — mais bien de se taire et d'agir ». Cette action silencieuse, les moines l'exercent, ou du moins doivent l'exercer, dans leurs cloîtres: « Officina vero, ubi haec omnia diligenter operemur, claustra sunt monasterii et stabilitas in congregatione » (6). Le monde a besoin de ce message; et pour le lui apporter, les moines n'ont besoin que d'être totalement eux-mêmes. Tout essai d'imitation de ce qui se fait ailleurs est ici une compromission. Pour agir sur le monde, les moines n'ont rien à changer à leur vie de retraite, de prière et de pénitence. Ils le doivent d'autant moins que les chrétiens eux-mêmes, influencés par le naturalisme ambiant, risquent trop souvent d'oublier que rien d'utile ne se fait sans la prière et la pénitence, et qu'une activité qui ne se soumet pas à cette loi inéluctable du christianisme se dépense en pure perte. Et si, sous un vain prétexte de charité, les moines perdaient de vue leur vocation propre, ils cesseraient par le fait même d'exercer cette action si nécessaire; il manquerait désormais quelque chose à l'intégrité du Corps mystique; le Seigneur ne recevrait plus tous les hommages auxquels Il a droit; et les chrétiens ne trouveraient plus dans les monastères l'atmosphère très particulière de sainteté qu'ils y viennent chercher.

Tout ceci laisse entièrement saufs, bien entendu, les devoirs *réels* de charité, et l'obligation qui incombe à tout chrétien de subvenir, selon ses possibilités, aux nécessités du

(4) *De moribus Ecclesiae catholicae*, c. 31.
(5) A.A.S., XVI, 1924, p. 389. Cf. *Monachorum vita*, ibid., XVII, 1925, p. 67.
(6) *Regula S. Benedicti*, c. 4, in fine.

prochain. En outre, l'hospitalité qui continue de nos jours à s'exercer dans les monastères donne fréquemment aux moines l'occasion d'exercer un apostolat qui ne les détourne en rien de leur vocation. Il faut d'ailleurs remarquer que cet apostolat en clôture est plus le fait de la communauté comme telle que des individus. Enfin les moines peuvent, sans nuire à l'intensité de leur vie contemplative — au contraire: dans la mesure où celle-ci est intense — contribuer par leurs écrits au progrès et à la diffusion de la vérité.

Il faut noter à ce propos que si la cléricature généralisée des moines a entraîné pour eux, dans la plupart des Ordres et Congrégations, l'abandon presque total du travail manuel, il est de toute nécessité que le travail intellectuel le remplace. Il est permis de penser que s'il a régné parfois dans certains cloîtres une tendance antiintellectualiste qui n'a rien à voir avec la spiritualité authentique, cela n'a pas été sans nuire gravement à l'épanouissement normal de vertus théologales dans les âmes et à la profondeur de leur vie intérieure. Il est d'expérience que les moines les plus attachés à leur vocation sont ceux qui cultivent davantage, chacun selon sa capacité, la science des réalités divines. Le recours aux sources de la Révélation et à celles de leur tradition propre est pour eux l'aliment indispensable de leur vie contemplative. Car s'il est vrai que la vraie théologie et la spiritualité ne doivent pas être dissociées, c'est bien à propos des contemplatifs que cette remarque prend toute sa force. Une spiritualité anémiée dans sa substance intellectuelle est souvent à l'origine de la désaffection du moine à l'égard de sa vocation.

D'autre part, il semble que les moines ont, dans ce domaine encore, un rôle non négligeable à jouer au point de vue de l'influence qu'ils exercent sans le chercher sur ceux qui entrent en contact avec eux. Quoi qu'on puisse penser des erreurs commises par certains partisans d'un retour aux sources, nul, sans doute, ne songe à nier que tout renouveau dans l'Eglise est conditionné par une fidélité accrue au message évangélique tel qu'il nous a été transmis par ses premiers témoins, et par une intelligence rajeunie de ses richesses. Or il se fait qu'en vertu d'une sorte de connaturalité profonde, le monachisme, s'il reste fidèle à lui-même, se tient spontanément en contact étroit avec l'esprit de l'Eglise primitive et de l'âge patristique. On l'a parfois représenté comme une sorte de conservatoire des monuments du passé. Il serait plus vrai de dire que dans les monastères fervents le passé de l'Eglise reste en quelque manière vivant, toujours actuel, s'offrant pour ainsi dire à quiconque veut boire à cette source d'incomparable sagesse. Liturgie toute classique, *lectio divina* assidue, simplicité, paix et silence, tout contribue à maintenir dans les cloîtres l'esprit chrétien traditionnel dans toute sa fraîcheur. Ici encore, l'absence de contact avec le monde est indispensable si l'on veut sauvegarder la pureté de cet idéal. Le rôle du moine n'est pas de composer avec la mentalité ambiante: il est, au sein de l'Eglise et comme elle, de garder dans son intégrité et sa jeunesse inaltérable le message du Christ.

4. *Les problèmes actuels de la vie monastique.*

On se contentera de relever ici ceux qui sont liés à l'évolution générale des conditions économiques et sociales. Ce sont, semble-t-il, les plus graves.

a) Le *régime économique* des monastères au cours du Moyen Age et jusqu'à nos jours, fondé sur la propriété foncière et sur le capitalisme, n'est pas sans avoir fait perdre aux moines le souci de gagner leur vie par leur travail personnel.

Sans doute, la vie contemplative, et en particulier la célébration solennelle de l'office divin, réclame un certain loisir et ne saurait, sans subir de détriment, se laisser envahir par le souci dont nous parlons. Néanmoins, l'idée de se procurer par son propre travail le nécessaire pour vivre et le moyen de subvenir aux besoins des pauvres fait si intimement partie de l'ancienne tradition monastique qu'il faut des raisons bien graves pour s'en croire dispensé. Il y a tout lieu de prévoir que les difficultés des temps ramèneront forcément les moines à une conscience plus nette de leur devoir sur ce point. C'est là encore un exemple que le monde attend de leur part. Le problème sera pour eux de découvrir le travail lucratif qui leur apportera des ressources suffisantes sans empiéter, comme il vient d'être dit, sur leur vie de contemplation, et sans rendre illusoire leur séparation du monde.

b) Si justifiée qu'elle soit par le sacerdoce des moines et l'intérêt même de leur contemplation, *la substitution du travail intellectuel au travail manuel* n'a pas été sans troubler l'équilibre interne de la vie monastique. Outre que tous ne sont pas aptes à s'y livrer sérieusement, et par suite risquent de manquer d'occupation utile, il est bien peu d'hommes qui peuvent se passer de tout exercice physique.

Aussi les santés se ressentent-elles fâcheusement de cette prédominance presque exclusive de l'effort cérébral. Les récréations et les promenades ne parent que d'une manière artificielle à cet inconvénient. Ici encore, les circonstances extérieures apporteront probablement la solution: la nécessité de se créer des ressources par le travail, et la pénurie de Frères convers imposeront tout au moins un certain retour au travail manuel.

c) L'abandon du travail manuel a eu pour conséquence *l'institution des Frères convers.*

Même dan l'Ordre de Cîteaux de l'étroite observance, où le travail manuel tient encore une large place, l'office divin ne laisse pas assez de temps aux Pères de chœur pour leur permettre d'assurer par leur travail la subsistance de la communauté et l'entretien de la maison. Des Frères convers, voire des ouvriers à gage ou des familiers, sont indispensables.

Chez les moines comme partout, il y a un problème des Frères convers. Problème de leur recrutement, si on croit devoir maintenir purement et simplement l'état de choses actuel. Problème plus grave et plus fondamental de leur existence même. Sans tomber dans un égalitarisme qui serait au détriment des vrais intérêts spirituels des Frères, on peut penser que les authentiques vocations monastiques ne trouvent pas parmi eux la satisfaction de leurs légitimes aspirations: participation effective à la liturgie, temps suffisant pour l'oraison privée et la *lectio divina.*

Les Frères convers constituèrent à l'origine une sorte de Tiers-Ordre régulier vivant en marge de la communauté monastique au service de laquelle il se consacrait. Peu à peu, ils se sont assimilés davantage aux moines. De nos jours, les candidats inaptes au sacerdoce désirent en général mener intégralement la vie monastique; et il n'y a pas de raison de ne pas se montrer accueillant à ce voeu, s'il est vrai que la cléricature représente dans le monachisme un élément purement accidentel.

Conclusion. — On voit par ce bref exposé que la vie dite « contemplative » reste une nécessité vitale dans l'Eglise. En particulier, la vie séparée du monde, qui est celle des moines, y garde un droit de cité incontestable. On pourrait même dire qu'elle est plus que jamais de saison. En dehors des raisons intrinsèques que nous avons données, la preuve en est que l'Ordre monastique, pris dans son ensemble, ne connaît pas de crise sérieuse des vocations: au contraire, dans les principales de ses branches et dans plusieurs pays, il ne cesse de se développer. Toutefois, l'évolution actuelle des conditions économiques et sociales semble devoir amener les moines à consentir à certaines adaptations d'ordre purement secondaire, ayant plutôt le caractère d'un retour aux origines que d'innovations proprement dites.

COMMUNICATIO 3: *Specimina practica renovationis harmonicae sub praecipuis respectibus vitae perfectionis.*

100 *Orator* - R. P. ALBERTUS PLE, O. P., Moderator commentarii « La vie spirituelle ».

PROLEGOMENES

Avant de donner des exemples pratiques de rénovation de l'état de perfection, il me paraît indispensable de poser quelques principes sans lesquels les faits que j'aurai à citer perdraient l'essentiel de leur signification et de leur portée.

1. La rénovation de l'état de perfection me paraît se ramener essentiellement à une question d'esprit. A toutes les époques de l'histoire, l'état de perfection a eu prise sur les âmes croyantes et généreuses dans la mesure où il se montrait animé par l'esprit qui le définit: une adhésion en esprit à l'esprit des conseils évangéliques, ou pour tout dire, à l'Esprit-Saint: « C'est l'Esprit qui vivifie » (Jo 6,64).

Pour ce qui est de la France, je puis attester que, pour autant que je puisse être informé, la diminution des candidats masculins et féminins à la vie religieuse, ainsi que les départs trop nombreux au cours de leur formation, s'expliquent principalement par une insuffisance d'animation de la lettre par l'esprit.

Un exemple le montrera: celui d'une conversation, dont je rapporte exactement les termes, entre une jeune fille de vingt-cinq ans, assistante sociale, et un prêtre qui la dirigeait depuis quelque temps:

— Quand je lis dans l'Evangile le « Viens et suis-moi » de Notre Seigneur, je sens qu'il s'adresse à moi.

— Cela veut dire sans doute, Mademoiselle, que vous pensez entrer en religion?

— Oh, jamais! Je ne veux pas être « bonne soeur ».

— Mais pourquoi? Qu'avez-vous donc à reprocher aux « bonnes soeurs »?

— Elles sont trop loin de l'Evangile: elles ne s'aiment pas entre elles; elles ne prient pas, elles récitent des prières; elles ne sont pas pauvres, elles sont économes; l'obéissance les voue à l'infantilisme, la chasteté fait d'elles des vieilles filles...

Le problème de fond me paraît être révélé par cette réaction, malheureusement assez répandue, non seulement chez les jeunes filles et le jeunes gens, mais également parmi le clergé. En conséquence, une rénovation de l'état religieux me paraît devoir être d'abord cherchée dans une « renovatio spiritus »

141

(Tt. 3, 5), grâce à laquelle les religieux et religieuses seront pleinement de fait ce qu'ils sont en droit (1).

De ce principe, on peut déduire deux conclusions:

a) Des changements de Constitutions, voire même des décisions législatives universelles et obligatoires — fussent-elles très opportunes, — ne peuvent constituer qu'un facteur très secondaire de cette rénovation: changer quelque chose à la lettre ne suffit pas à changer un esprit, encore que cela puisse y aider.

b) Ces changements de Constitutions ne peuvent porter que sur des points secondaires.

2. Des changements importants peuvent cependant être constatés dans de nouvelles fondations qui s'appuient sur une conception relativement nouvelle de l'état de perfection.

C'est le cas surtout des Instituts séculiers.

Je n'ai pas à y insister ici, chacun connaissant les caractéristiques si nouvelles de cet état de perfection reconnu par l'Eglise. Je voudrais signaler, malheureusement trop rapidement, une forme relativement nouvelle d'un état proprement religieux: celui des Petits Frères et des Petites Soeurs de Jésus, disciples du Père de Foucauld (2). Selon cette conception de l'état religieux, il s'agit d'imiter, dans toute la mesure du possible, la vie de Notre Seigneur à Nazareth.

Vie de Nazareth, c'est-à-dire, en tout premier lieu, une vie d'union à Dieu, la plus profonde et la plus intime, mais dans des conditions de vie humaine aussi semblables que possible à celle des pauvres gens de l'entourage dont on s'efforce de partager les conditions de travail, de logement, de vie sociale.

Vie de Nazareth, c'est-à-dire aussi qu'il ne s'agit pas d'une vie « apostolique »: on n'entreprend en effet aucune oeuvre organisée de miséricorde matérielle ou spirituelle. On est simplement présent, fraternel, pauvre parmi les pauvres, travaillant parmi les travailleurs, les aimant de charité. Par là un témoignage est donné au Christ à qui on est lié par les trois voeux, la vie commune et toutes les observances religieuses adaptées à cet état de vie. Comme dans les Instituts séculiers, on est invité à atteindre également la perfection de la charité « dans le siècle et pour ainsi dire par le moyen du siècle ».

En bref, les Instituts séculiers d'une part, les Petits Frères et Petites Soeurs de Jésus d'autre part semblent présenter deux types relativement très nouveaux d'état de perfection, à quoi l'on pourrait peut-être ajouter - mais je manque d'informations sur ce sujet - les Instituts de religieux et religieuses indigènes qui naissent actuellement en pays de mission, en Asie comme en Afrique.

En tous ces cas, il s'agit plutôt, me semble-t-il, d'innovations que de rénovation de l'état de perfection. C'est pourquoi, pour rester dans mon sujet, je ne citerai pas d'exemple pris chez eux.

3. Ces nouvelles formes de l'état de perfection menaceraient-elles les formes traditionnelles au point que celles-ci

(1) Dans Le Supplément de La Vie Spirituelle, 1, (15 mai 1947): cf. Adaptation des religieuses? p. 99.

(2) R. Voillaume: Les Fraternités du Père de Foucauld: Mission et esprit, ed. du Cerf, p. 66 sq. - Dans Adaptations de la vie religieuse, ed. du Cerf, p. 86-95. - Dans Le Supplément de la Vie Spirituelle, 13, (15 mai 1950), p. 162 sq. - Dans La Vie Spirituelle, décembre 1950: Nazareth et le Père de Foucauld, p. 472. - Dans Le Bulletin de la Fraternité Charles de Foucauld, 80, IV trim. 1950, p. 19-32.

doivent disparaître? Evidemment non. J'irai même jusqu'à penser qu'elles doivent se défendre contre la tentation de vouloir imiter ces formes nouvelles. Que les ordres et congrégations anciens restent ce qu'ils sont: ils sont toujours d'actualité dans l'Eglise du Christ.

L'histoire, en effet, nous montre que l'apparition des Ordres mendiants au XIIIème siècle n'a rien enlevé à la raison d'être dans l'Eglise du monachisme; ni la naissance des clercs réguliers aux moines et aux mendiants des siècles précédents.

Il reste cependant que certaines innovations des nouvelles formes de l'état de perfection peuvent être utilement introduites dans les anciennes. Là aussi l'histoire nous donne d'utiles leçons. Par exemple, l'oraison conçue comme une exercice obligatoire, de temps précisément réglé et commun à tous, est une des grandes innovations du XVIème siècle dont ont rapidement bénéficié des ordres plus anciens, non pas que ceux-ci ignorassent l'oraison: ils la pratiquaient plus librement.

Il se peut donc que les Ordres et congrégations de forme classique aient bénéfice à prendre quelque chose des innovations des nouvelles formes de l'état de perfection ou plutôt qu'ils aient à s'en inspirer. Mais il est évident que de telles modifications, toujours secondaires, ne peuvent toucher aux fins générales et particulières de chaque Institut ni à leurs moyens essentiels. En effet, il ne peut s'agir alors que d'un meilleur aménagement des moyens « ea quae sunt ad finem », à quoi se mesure, selon saint Thomas, la perfection d'un Institut religieux (3). Si des changements surviennent dans le jeu des moyens traditionnels, il devient souhaitable, qu'avec toute la prudence et les approbations nécessaires, on s'efforce de les mieux adapter à la fin poursuivie. Or, il est incontestable que de profonds et rapides changements s'introduisent dans les conditions actuelles de la vie dans le monde, voire aussi de la vie dans l'Eglise. Je pense notamment au changement de la vie économique, politique et sociale. Je pense aussi aux changements de mentalité, voire peut-être de civilisation, qui rendent nos contemporains plus sensibles que les générations précédentes à certains aspects de la vie évangélique et qui rendent nécessaires de nouvelles méthodes d'apostolat. Comment ne pas signaler aussi, dans la plupart de nos nations civilisées aussi bien qu'en pays de mission, l'accès de la femme à une majorité sociale et politique qui ne peut manquer d'avoir ses conséquences dans la psychologie des jeunes religieuses d'aujourd'hui.

C'est à la lumière de ces principes que je puis maintenant donner quelques exemples pratiques de rénovation des formes classiques de l'état de perfection, énumération bien incomplète, et limitée à ce qu'une jeune et courte expérience m'a permis de connaître en France. L'Allemagne et les U.S.A. nous apporteraient sur ce point, j'en suis sûr, d'utiles informations.

EXEMPLES PRATIQUES

1. *Quant au gouvernement, à la direction et l'institution.*

a) La clôture. L'exemple des Instituts séculiers ainsi que les Petits Frères et Petites Soeurs de Jésus semblent établir qu'une certaine forme de l'état de perfection est possible sans la clôture traditionnelle.

Je me permets de penser que la vie contemplative, de type monastique surtout, ne doit rien changer d'essentiel à

(3) *Summa Theol.*, 2, 2, q. 188, a. 6.

un moyen de perfection qui lui paraît si spécifique et qui l'a si nettement marqué dès l'origine.

Par contre, la situation à cet égard des Instituts à finalité apostolique est fort différente.

C'est ainsi que des Congrégations féminines (enseignantes, hospitalières, catéchistes) semblent actuellement fort gênées par la « semi-clôture » établie par leurs Constitutions — encore qu'elle soit ignorée par le Droit canon — et qui semble avoir été imposée à leurs fondateurs par la mentalité d'une époque, où l'on ne pouvait concevoir une religieuse sans clôture. A ma connaissance, certaines de ces Congrégations cherchent à aménager cette demi-clôture, voire à en demander la suppression, pour mieux leur permettre d'atteindre la fin apostolique qu'elles ont reçue de leurs fondateurs.

L'habit religieux manifeste publiquement la séparation du monde qui spécifie, à tout le moins en esprit, l'état religieux. Sauf des cas tout à fait exceptionnels ou provisoires, personne ne songe à le supprimer; ici ou là cependant, surtout chez les religieuses, on a simplifié l'habit pour le rendre plus pauvre, moins anachronique, et, dans les pays de mission, mieux adapté aux circonstances locales ou aux exigences du climat.

Un certain nombre de congrégations masculines et féminines semblent soucieuses de marquer moins fortement que naguère la séparation de leurs membres d'avec leur famille. Les parents ont plus de facilités pour visiter leurs enfants entrés en religion, ils n'y sont pas reçus comme des étrangers dont la visite est présumée dangereuse; ils font quelque peu partie de la famille religieuse où leur enfant est entré. Par ailleurs, ceux-ci sont plus aisément autorisés à visiter leurs parents et à leur manifester ainsi leurs devoirs de piété familiale. Le fait devait être signalé, encore que sur ce point comme sur les autres, un heureux équilibre ne soit pas facile à trouver et à maintenir.

b) Je veux signaler également une plus grande exigence de charité fraternelle et de vie communautaire qui se manifeste ici ou là par des mises en commun des soucis et des travaux apostoliques, une participation plus spontanée aux charges ingrates du bien commun, surtout par une redécouverte des fruits de charité fraternelle communautaire tirés de la Messe conventuelle et de l'Office choral.

c) En beaucoup d'endroits, de graves questions se posent au sujet des frères convers, frères lais, ou frères coadjuteurs.

En effet, non seulement le nombre et la qualité de ces vocations sont en régression, mais la séparation en deux « classes » de religieux ou religieuses choque les intéressés et plus encore peut-être leurs frères ou soeurs de choeur. Des enquêtes récentes ont montré que certaines congrégations viennent de supprimer purement et simplement leurs frères convers ou soeurs converses; d'autres, plus nombreuses, s'efforcent d'atténuer les différences d'habit, de régime de prière, de formation, du travail lui-même (4).

d) Le gouvernement et la formation des religieux et religieuses ne sont pas des tâches faciles et l'on a pu légitimement s'étonner que ceux ou celles qui se trouvent élus ou nommés à ces charges n'y aient pas été directement préparés. En plusieurs endroits, des efforts se dessinent dans ce sens.

(4) Cf. *Le Supplément de la Vie Spirituelle*, 11, (15 nov. 1949). J. BONDUELLE, dans *Le Supplément de la Vie Spirituelle*, p. 5. - Dans *Le Supplément de la Vie Spirituelle*, 14, (15 août 1950), p. 243.

Par exemple, une congrégation de religieuses actives fait venir à la maison-mère toutes les religieuses qui viennent d'être nommées supérieures locales: pendant un mois, et avant leur entrée en charge, elles y sont rapidement initiées aux exigences multiples de leur supériorat, de la spiritualité à la manière de tenir les comptes.

Depuis quelques années, l'Ordre de saint Dominique, puis celui de Marie Immaculée ont créé à leur usage une école des Pères Maîtres. En France, depuis deux ans, des cours pour Maîtresses des Novices de toutes congrégations connaissent un franc succès. De son côté à Rome même, l'Institut de Spiritualité, fondé recemment au le Collège Angélique, poursuit un but analogue pour tous les Pères Maîtres et Pères Spirituels.

Comment ne pas signaler aussi l'importance croissante prise en France depuis quelques années par de nombreuses et multiples rencontres entre congrégations: semaines d'études, enquêtes, retraites de Supérieures. Les religieuses se sont groupées en « Union » (religieuses hospitalières, religieuses enseignantes, religieuses éducatrices paroissiales) dont les congrès annuels, les sessions et les bulletins s'avèrent d'une très grande fécondité. Ces trois unions sont maintenant fédérées en une « commission nationale de religieuses » créée et nommée par l'Assemblée des Cardinaux et Archevêques de France. Enfin, au plan diocésain, notamment à Paris, une Commission diocésaine de Religieuses fonctionne sous la présidence d'un Directeur général des Communautés, qui facilite les rapports des religieuses entre elles, avec le clergé, l'Action catholique et les incorpore plus aisément à la vie de l'Eglise diocésaine (5).

e) En ce qui concerne l'hygiène, beaucoup de détails seraient à signaler ici. Qu'il suffise de faire remarquer que nos contemporains sont, en fait de propreté, plus exigeants que les générations précédentes. En de nombreux endroits, mais pas encore partout hélas! on a aménagé les appareils nécessaires dont les religieux ou religieuses peuvent user librement.

Les questions d'hygiène mentale sont plus importantes encore: la civilisation citadine et les ébranlements sociaux semblent en effet compromettre gravement l'équilibre et la stabilité nerveuse de nos contemporains.

Un sommeil plus long leur est nécessaire: sept heures et demi paraissent un minimum; huit heures sont même prévues maintenant dans certaines communautés. D'autres, chez les contemplatifs et contemplatives, ont supprimé la sieste — là où le climat ou les moeurs du pays ne l'imposent pas — pour permettre à leurs sujets un long sommeil d'affilée plus réparateur. Ailleurs, chez les actifs, on a calculé les heures du lever et du coucher pour les mettre mieux en harmonie avec les moeurs citadines contemporaines, etc.

A ce sujet, je voudrais communiquer à cette assemblée le souhait du Président de l'Association Catholique pour l'Etude des Problèmes de thérapeutique psychiatrique et psychologique. Association qui vient de se créer en France et a pour but une confrontation scientifique entre théologiens et psychiâtres. Son président, le Professeur Lhermitte, de l'Académie de médecine française, m'a adressé à ce sujet un court rapport, signé également du Professeur Courcoux, de l'Académie de Médecine, où il est dit notamment:

« Ainsi qu'un grand clinicien l'a spécifié: « le sommeil est tout ensemble le repos et le repas du cerveau » et son insuffisance se traduit par un fléchissement des activités physique et psychique lequel ne nous semble pas sans relation avec le manque d'équilibre psycho-somatique que nous avons rappelé.

C'est en nous appuyant sur cette donnée que nous nous permettons d'attirer

(5) Cf. *Le Supplément de La Vie Spirituelle*, 7, (15 nov. 1948): Au service des religieuses, p. 268. - N. 10: Les récentes décisions de l'Assemblée des Cardinaux et Archevêques de France au sujet des religieuses, p. 217.

l'attention des autorités religieuses sur l'interêt qu'il y aurait à reconsidérer des dispositions qui réglementent la durée effective et continuelle de la période de sommeil nycthéméral ».

Cette fatigue nerveuse rend également nécessaires des aménagements des horaires et du rythme de vie.

Chez les contemplatifs et pour tous les novices, on prévoit souvent un certain temps de détente nerveuse: la culture physique quotidienne a été introduite ainsi que des jeux un peu violents pendant les récréations; certains travaux manuels sont préconisés; on organise des journées entières de détente, etc. Le problème est inverse chez les actifs où l'hygiène, rejoignant les exigences d'une ascèse bien adaptée, semble demander l'organisation de certains temps de repos, soit individuel, soit conventuel, qui donnent aux religieux ou religieuses l'équivalent de ce que nos contemporains trouvent dans les « congés payés ». Dans le même sens, il faut signaler, avec louange me semble-t-il, une politique presque héroïque de la part des supérieurs qui refusent d'accepter de nouveaux champs d'action, certes utiles, mais qui achèveraient d'écraser leurs religieux ou religieuses, d'autant plus débordés déjà qu'ils deviennent moins nombreux pour satisfaire aux tâches déjà acceptées et qui se font par elles-mêmes de plus en plus compliquées. Les religieux et religieuses « débordés », épuisés nerveusement, risque non seulement de mal accomplir leur tâche de miséricorde, mais, ce qui est plus grave encore, de ne plus pouvoir tirer profit spirituel des temps de prière et d'oraison prévus par les Constitutions. C'est ainsi que l'on tombe dans l'activisme, dont il n'est pas besoin de montrer ici qu'il est contradictoirement opposé à la fin première et commune de l'état de perfection.

2. Quant à la discipline religieuse et aux voeux de pauvreté, obéissance et chasteté.

La jeune génération est « douée et atteinte de sincérité »: lui paraissent odieux tout conformisme, toute routine, tout acte extérieur qui ne serait pas l'expression et comme l'invention spontanée d'une vie profonde et personnelle.

Les observances religieuses, ce « cadre tout fait », — et souvent dans les moindres détails — dans lequel le jeune novice doit entrer, ne peut manquer de lui faire difficulté, surtout s'il est reçu dans une communauté qui n'a pas échappé aux dangers sournois d'un culte de l'observance pour elle-même. « Elles ne prient pas, elles récitent des prières », comme disait cette jeune fille dont je parlais en commençant.

Dans les communautés religieuses où les observances paraissent être devenues plus la fin que les moyens, la Règle s'appauvrit de son esprit, on rend un *culte à la Règle* plus qu'à Dieu. Pour pratiquer matériellement un point secondaire de la Règle, on manque gravement à son esprit et notamment à la charité. Ces misères heurtent profondément la générosité des jeunes. Leur exigence de « vérité » a certes besoin d'être purifiée, elle a néanmoins de solides fondements dans l'Evangile. Pour former leurs jeunes religieux aux observances, plusieurs Pères Maîtres ont pour méthode de montrer à leurs novices comment chaque observance se rattache à l'Evangile, comment elle doit les aider à pratiquer les conseils évangéliques, en un mot, comment chacune est un moyen de parvenir à la perfection chrétienne. Cette pédagogie, qui est celle même de l'Evangile, est particulièrement opportune de nos jours.

Dans ce même esprit d'intelligence profonde de la Règle, certaines communautés ne considèrent plus comme nécessairement sacrilège tout projet de changement apporté aux Constitutions. Certes, toute modification est grave et il faut pour la réaliser heureusement beaucoup de sagesse et de sainteté, mais c'est en manquer que de se refuser a priori à tout changement. Le cas est encore plus net en ce qui concerne les coutumiers. Certaines congrégations féminines récentes, dans la crainte de voir dans l'avenir la vie religieuse figée par un « coutumier tabou », ont prévu dans leurs constitutions qu'elles n'auraient jamais de coutumier. D'autres, plus nombreuses, procèdent à une révision profonde et à un allègement de leur coutumier.

C'est au sujet de voeu de pauvreté que se posent peut-être les plus graves problèmes d'adaptation: les conditions économiques du monde ont si profondément évolué; la pauvreté elle-même et la conception qu'on s'en fait ne sont plus les mêmes qu'aux siècles précédents.

Or, la pauvreté religieuse, qui est essentiellement une libération et une imitation de Jésus pauvre, doit aussi se conformer à la pauvreté des hommes parmi lesquels elle est pratiquée. D'où les courageux efforts de certaines congrégations pour partager l'insécurité des pauvres de notre temps, ce qui se manifeste notamment par la volonté de vivre en toutes petites communautés pour éviter de grands édifices qui, même si on y vit très pauvrement, donnent une impression de richesse. Dans ce même esprit de communion dans la pauvreté avec les gens du voisinage, on envoie à l'hôpital, et en salle commune, les religieux ou religieuses malades, etc.

Dans tous les pays qui ont connu, depuis la guerre, les malheurs de l'inflation financière, la vie contemplative paraît gravement compromise par un grave insuffisance de ressources: le revenu des dots, et les dots elles-mêmes, fondent dans les doigts.

Un effort se dessine en France, d'abord pour étudier soigneusement la situation matérielle des monastères, puis ensuite pour mettre au point les remèdes urgents à cette situation. De cette étude, il résulte que la plupart des communautés de vie contemplative se livrent à un travail lucratif. C'est, semble-t-il, la meilleure solution et elle paraît compatible avec la vie contemplative à condition que soient heureusement réglés des détails d'organisation intérieure et extérieure. On cherche actuellement, au plan national, à apporter à nos contemplatives des informations de tous ordres et à les aider à résoudre tous ces problèmes matériels.

Au sujet du voeu d'obéissance, un seul point important me paraît devoir être signalé: le reproche que l'on fait à l'obéissance religieuse de cultiver l'infantilisme. Et l'on parle avec plus de chaleur que de discernement d'« épanouissement de la personnalité ». Il y a là une équivoque qu'il ne m'appartient pas, dans cette communication, de résoudre. Ce qui est vrai, me semble-t-il, c'est que l'obéissance religieuse, pour être pleinement ce qu'elle est, un moyen de perfection, encore qu'elle consiste essentiellement dans un holocauste, ne doit pas moins être un « acte humain ». Le voeu d'obéissance religieuse doit donc être émis par un sujet libre et, dans toute la mesure du possible, majeur. L'obéissance religieuse doit donc même être considérée comme une école de formation du jugement, elle est à la vertu de prudence, une école de maturité. La recommandation de saint Paul aux Corinthiens est valable, me semble-t-il, pour les religieux et religieuses: « Frères, ne vous montrez pas enfants en matière de jugement; des petits enfants pour la malice, oui; mais pour le jugement, montrez-vous des hommes faits » (1 Cor 14,20).

La formation de l'obéissance, loin donc de supprimer tout jugement, doit l'éduquer. C'est ce qui se fait dans plusieurs congrégations, dès le noviciat, mais surtout dans les années qui lui succèdent. On y pourvoit par l'usage tempéré d'une « pédagogie active » et surtout par une formation doctrinale plus poussée qu'auparavant sur tout ce qui concerne les religieuses. C'est ainsi que Bible, Liturgie, Pères de l'Eglise, Docteurs de l'Eglise, grands ouvrages de théologie, meublent de plus en plus les bibliothèques conventuelles et que les possibilités sont données d'un travail personnel. Il semble qu'on puisse appliquer aux religieux, et même aux religieuses, ainsi qu'aux membres des Instituts séculiers, les recommandations que Sa Sainteté Pie XII faisait récemment aux prêtres dans l'exhortation *Menti Nostrae:* « Quiconque se fixe comme but sa propre sanctification et celle des autres, doit être muni d'une solide doctrine, où entrent non seulement la théologie, mais aussi les sciences et découvertes modernes ».

En ce qui concerne le voeu de chasteté, on ne voit guère ce qu'on pourrait y changer. Il faut cependant signaler un souci croissant et mieux éclairé de donner aux jeunes religieux et religieuses, avant leurs engagements définitifs, les informations nécessaires pour qu'ils sachent à quoi ils s'engagent, ces informations portant plus sur les réalités affectives et psychologiques (ce sont en effet les plus importantes) que sur les questions d'anatomie.

Renonçant à une politique traditionnelle de silence absolu sur ce point certes délicat, cette information serait insuffisante si elle n'était complétée, comme c'est souvent le cas, par un enseignement qui montre aux jeunes religieux et religieuses la beauté proprement chrétienne de la chasteté et la qualité exceptionnelle de ce moyen de tendre à la perfection.

Tous ces exemples, certainement bien incomplets, limités pour beaucoup à la situation en France, dont l'un ou l'autre peut être discutable, ne portent, comme vous le voyez, que sur des points très secondaires. Ils sont cependant très importants, car ils manifestent un renouveau de l'esprit de l'état de perfection.

Alii periti viri, ex munere a Sacra Congregatione de Religiosis commisso, circa idem argumentum scripserunt.

101   Rev.mus D. PETRUS BASSET, Abbas O. S. B., *scripsit*:

Afin de rendre notre étude tout à fait pratique, il nous a semblé préférable de la limiter à un exemple concret: celui d'*un monastère de moniales bénédictines.* L'exemple demeure assurément idéal. Cependant nous connaissons tel monastère où cet « idéal » ne se trouve pas très loin d'être réalisé, nous voulons dire cet équilibre d'être atteint. Au surplus, nous pensons que cet exemple peut être utile à la réflexion d'autres religieuses que les moniales bénédictines, sans cependant être propose le moins du monde à leur imitation littérale. Voici donc le monastère que nous rêvons...

Les questions qui se posent à ces moniales.

1. au point de vue de la vie matérielle:

Le capital est réduit à peu de choses, et surtout les revenus sont trop minces pour constituer un sérieux appoint à la vie de communauté.

Les nouvelles venues ou n'apportent pas de dot, ou apportent une dot dont les revenus sont sans proportion avec l'entretien d'une religieuse.

Il n'y a presque plus de soeurs converses, et il semble peu probable qu'il s'en présente de nouvelles.

Par conséquent, il faut que les religieuses de choeur gagnent leur vie, qu'elles trouvent du temps pour le faire, et qu'elle acceptent une vie pauvre.

2. au point de vue de la santé des religieuses:

Les jeunes religieuses ont besoin de plus de sommeil qu'on n'en donnait autrefois.

Leur équilibre nerveux et leur résistance à la fatigue sont en baisse; et il ne semble pas que cela doive s'améliorer dans l'avenir. Elles ont besoin de plus d'hygiène et de soins médicaux que jadis.

3. au point de vue de la mentalité des jeunes filles actuelles:

spécialement en face de la vie contemplative,

— avec leur habitude de tout juger, et leur dédain de ce qui n'est pas « authentique »;

— avec leur désir de savoir et comprendre, particulièrement légitime quand il s'agit de jeunes filles ayant parfois poussé leurs études jusqu'aux grades universitaires;

— avec l'instabilité qu'engendre leur mauvais équilibre nerveux.

4. au point de vue de l'isolement à l'égard des secours extérieurs:

— soit à l'égard des autres monastères féminins de leur Ordre; si elles appartiennent à une Congrégation, cela ne constitue guère qu'un lien nominal entre les maisons;

— soit à l'égard des religieux de leur Ordre, capables de les aider à vivre utilement l'esprit de leur Règle.

Exemple d'un horaire « adapté ».

2h.	Lever
2h.1/4	Matines et Laudes. Chaque moniale en est dispensée en moyenne une fois par semaine. Les jeunes en sont dispensées plus souvent.
3h.3/4	(en moyenne) Coucher.
6h.1/2	Lever - et ménage.
7h.	Prime - puis Oraison.
8h.	Tierce - Mese conventuelle chantée (et la communion) - Sexte.
9h.1/4	(environ) - Petit déjeuner.
9h.1/2	Travail.
12h.1/4	Dîner. - Puis grand silence avec temps livre (Visite au St. Sacrement - Lecture d'Ecriture Sainte - promenade au jardin - parfois vaisselle - etc.)
2h.	Lecture commune, pendant laquelle on travaille.
2h.1/2	Travail.
4h.1/2	None - Vêpres.
5h.10	(environ) - Etude (lectio divina) au scriptorium commun.
6h.	Oraison.
6h.1/2	Souper - puis récréation.
8h.5	Complies.
9h.	Couvre-feu.

Les jours chômés ont un horaire spécial.

Vie de prière.

Office divin. Célébré avec simplicité et grand soin. On chante chaque jour au moins la Messe Conventuelle et les Vêpres.

Toutes savent assez le latin et sont assez instruites pour comprendre l'Office. Leur culture religieuse est à base d'Ecriture Sainte et de liturgie. Elles aiment leur Office et en nourrissent leur piété. On a éliminé toute prière conventuelle non liturgique. Ce qui permet de célébrer l'Office sans hâte, et lui assure toute sa valeur dans l'esprit des religieuses.

Prière privée. Elle s'exerce avant tout dans les deux demi heures d'orâison, dont on remarquera qu'elles sont placées à des moments favorables au recueillement. Noter aussi que l'oraison du soir fait suite, tout en s'en distinguant nettement, à la « Lectio divina ».

Silence. Une seule récréation par jour, à la fin de la journée.

Culture religieuse.

Alimentée par un peu plus de trois quarts d'heure d'étude personnelle, qui est assurée *effectivement* chaque jour à chaque religieuse et placée à un moment favorable à l'étude.

De plus, il y a chaque jour une demie-heure de lecture commune bien choisie, et le dimanche la conférence spirituelle de l'Abbesse.

Jusqu'à la profession perpétuelle, les jeunes religieuses ont des cours et conférences spéciales. Et leur « lectio divina » est dirigée.

De plus, on s'efforce de maintenir dans la maison une atmosphère d'intérêt aux choses religieuses. On en parle utilement et simplement pendant les récréations. Tout cela suppose évidemment une *direction intelligente et ouverte: là est sans doute le secret des adaptations qui réussissent.* On est abonné à des revues. On a des livres, en nombre limité, mais bien choisis.

On tâche d'ouvrir l'esprit des jeunes. On s'efforce de répondre à leurs questions. Une jeune fille cultivée qui arrive dans ce milieu ne s'y sent pas dépaysée, ni regardée avec défiance. Elle ne se sent pas obligée de renoncer à toutes les méthodes de penser qu'elle a pu apprendre dans le monde.

Elles n'étudient pas la théologie technique; elles n'en ont pas le temps; et la plupart ne seraient pas capables de le faire utilement. Mais elles étudient l'Ecriture Sainte, les textes liturgiques et des livres de théologie à leur portée, tels ceux du P. Lebreton, du P. Mersch, du P. Prat, etc.

Travail manuel.

Travaux de la maison. On a renoncé à ce qui est inutile: nettoyages sans fin, entretien indéfini de linge ou de vêtements usés.

Des religieuses de chœur travaillent à la cuisine, à la ferme. De plus, il y a des oblates régulières (qui font profession religieuse) qui, n'ayant pas l'obligation de l'Office ni celle de la clôture, remplacent dans une certaine mesure les Sœurs converses et assurent les relations avec l'extérieur.

Travaux lucratifs. On a organisé l'horaire de manière à avoir le matin près de trois heures de travail sans interruption, et l'après-midi près de deux heures. On a notamment renoncé à avoir la Messe conventuelle au milieu de la matinée.

On entreprend des travaux d'artisan: reliure, broderie, ornements d'église, etc.; et des travaux agricoles (apiculture, etc.).

Les résultats de ces travaux sont les suivants:

— la communauté arrive à vivre à peu près complètement du travail de ses mains. Il demeure cependant difficile de « joindre les deux bouts » et les travaux entrepris demeurent, dans une certaine mesure, aléatoires. On trouve parfois difficilement des débouchés.

Le résultat moral est excellent. Les religieuses y gagnent un sens de la vie commune plus réel; un sens de la conscience dans le travail, qui vaut pour toute leur vie spirituelle; un sentiment plus vif des difficultés de la vie; l'équilibre qui résulte d'une vie sérieusement occupée où l'imagination n'a pas le temps de s'exercer; enfin la fantaisie personnelle et la volonté propre trouvent moins d'occasions pour se satisfaire.

Pauvreté.

L'immeuble est vétuste et sans valeur architecturale. Il est pauvre au-dedans comme au-dehors. Il y a pourtant un très grand jardin, où l'on peut respirer, travailler et s'ébattre.

La vie est strictement commune, avec dortoir commun et scriptorium commun.

On vit du travail de ses mains, et l'on sait que le lendemain n'est pas tout-à-fait assuré.

Toutes ces conditions sont aimées par les moniales et donnent à leur vie un aspect à la fois austère et très vivant, en harmonie avec les aspirations des jeunes.

La clôture.

Elle suit la loi commune et semble être aimée par toutes comme une condition de leur vie contemplative.

Je n'ai pas l'impression qu'à la plupart, elle pèse lourdement, ni surtout qu'elles doutent de son opportunité. Car ces religieuses estiment leur vie contemplative et s'y donnent joyeusement.

D'ailleurs, l'évêque du lieu est large pour accorder les dispenses passagères opportunes.

Dans le fait, les moniales sortent, quand c'est nécessaire, pour les traitements médicaux, parfois même, mais rarement, pour un besoin de la communauté, plus rarement encore pour apprendre quelque chose. Elles sortent aussi pour voter.

A ce sujet, il ne manque pas de gens du dehors pour s'étonner que toutes les lois de la clôture soient levées pour aller voter, alors qu'on interdit à ces femmes, pour le bien de leur vie contemplative, l'accomplissement de toute oeuvre de charité ou sociale même urgente, qui les solliciterait au dehors. Il y a là, *me semble-t-il*, une anomalie et un point contestable: le vote aux élections politiques ne constitue pas une obligation d'un ordre tellement urgent qu'elle doive être mise au-dessus de toute autre obligation sociale ou charitable.

Les secours extérieurs.

Ils se trouvent assurés jusqu'à un certain point par un monastère de bénédictins situé à 50 kilomètres. Ce monastère donne à ces moniales leur aumônier et confesseur; un autre moine est leur confesseur des Quatre-Temps; en fin de temps en temps, et selon l'opportunité, une aide spirituelle plus spéciale est donnée.

Conclusion.

Le résultat est un monastère de moniales où les âmes sont épanouies et manifestement heureuses de la vie qu'elles mènent. Jusqu'ici, il a pu se recruter très régulièrement, et on a pu se montrer suffisamment sévère pour le choix des vocations. Il compte 50 religieuses. Il semble qu'on y mène une vie contemplative bien adaptée à notre époque.

De plus, le monastère exerce un rayonnement spirituel, limité, mais certain, sur les gens qui l'approchent: familles des religieuses, oblates séculières et autres personnes qui viennent faire des retraites à l'hôtellerie extérieure, prêtres qui passent, etc. On ne peut pas dire que le « témoignage » de ce monastère soit saisi par l'ensemble de la population de la ville où il se trouve; il est notable cependant que, grâce à la pauvreté de leurs édifices et de leur travail, elles ne portent pas un témoignage « à rebours ».

Disons enfin que nous ne nous dissimulons pas le caractère fragile de cette réussite. Mais le « précaire » n'est-il pas le propre de la condition chrétienne, surtout si l'on en porte plus haut l'idéal?

102   R. P. THOMAS A. BROPHY, S. I., *scripsit:*

The title of this « Communicatio » calls for some practical cases where modern circumstances may require certain adaptations in some of the features of religious life. Accordingly we shall speak (I) first of education and the Religious' function in it which may demand a harmonious adaptation to its requirements. After that mention will be made (II) of other ministries and finally (III) some points referring to Religious Women will be touched.

1. Education.

As point of departure, certain facts, pertaining at least to the U.S.A., should be borne in mind.

1. Higher education embraces the broadest fields possible: humanities, physical sciences, phisolophy, religion, history, mathematics, sociology, economics, anthropology, etc. — And

in addition campus-life is filled with a widespread program of social events and activities.

2. The age-group of College and University students is roughly between 17 and 24 years, the formative and critical years in the lives of young men and women which will determine more or less the attitude of their future lives.

3. Our own Catholic institutions of higher learning, numerous as they are, have the finances, buildings, manpower, etc. to absorb only a portion of the Catholic students wishing to pursue further studies, and consequently there are thousands of Catholics matriculating at State and Secular Universities. So much is this the fact, that some of the Deans in these places openly boast and advertise that they have the largest Catholic college in the city or state or country. And, as is only to be expected, our youth in such colleges are exposed to the poison of naturalism and atheism and, from statistics which have been quoted, in some places defections among Catholic students have exceeded fifty percent.

Granted these facts, Religious, who conduct higher institutions of learning, must see to it that their standards in the field of secular subjects come up to the level of the non-Catholic colleges and their colleges be recognized by and enjoy the respect of the Educational Associations. This will mean in the concrete that the Religious himself, in many cases, do his graduate work and obtain his degree in these outside colleges (to avoid v. g. the charge of 'inbreeding') and keep abreast with the current and outstanding works and developments etc. in his destined field of teaching. Hence, if his rule admits of little flexibility, this may involve certain adaptations regarding common-life, poverty and the religious-habit, so that he will be able to attend these places on a basis of equality, make necessary purchases, attend certain university functions, etc.

Moreover adaptations of like kind may be required because of his work in his own college, where he must be the moderator as well of social-intellectual seminars, evening functions, off-the-campus meetings with various groups etc.

And in view of such a future life his early training as a Religious, intensely spiritual as always, will also look forward to the concrete circumstances of his apostolate (and the moreso as he advances in the years of formation), and hence things hitherto rigidly forbidden may under careful guidance be permitted: as v. g. listening to certain radio broadcasts, watching television programs of national, cultural, literary, religious importance, reading apt periodicals, — all to enable him in keeping up with the problems and interests of the times and in gaining an insight to the modern mind with which he will have to deal when his active work begins. Assuredly he must be exceptionally well grounded in his religious life and must remain unworldly always, and his training must ever emphasize this and the spirit of mortification and deep interior prayer, — but he must also always be conscious that he is to work in the world, that he is one of the people of the world, and that his efficiency in the Apostolate for the upbuilding of the Mystical Body of Christ will be greatly increased by the knowledge of the people he is to engage with, educate, guide, and train for the direction of others.

Another aspect of this Intellectual Apostolate, demanding similar adaptations in regard to common-life, etc., would be the acceptance of teaching-posts in outside colleges and universities. The primary purpose of such work would be to influence the faculty and the writers among them in these Universities, to neutralize their prejudices, keep steadfast the Catholic students, make converts. Catholic parents who now send their sons and daughters to these institutions will continue to do so, whether Religious accept such posts or not. But already invitations to such professorships have been extended (v. g. for courses in Religion, Philosophy, History), and acceptance of these, making the Faith respectable on the campus, will also have the effect of halting the leakage among Catholics. — Of course, for such positions men of solid and proven virtue and of high intellectual caliber and special training are needed; for, if Catholicism is to be respected on the campus, the aim should be to provide a gifted lecturer, who would be the opposite number of the University' most brilliant non-Catholic lecturer, and that necessitates a rather thorough background of modern philosophy to fit the man into the environment and enable him also to comprehend the jargon of the faculty and students. — The possibilities for the Church in cases like this would be tremendous: the teaching, the character, the mode of life of such men would be a salutary influence not only on students but on faculty and executives; knowledge of what is taught in other classes would be had immediately and immediate opportunity is given to answer the false and dangerous theories before the cancerous doctrine has chance to do much damage; seminars and discussions would be held on the campus and would certainly attract the non-Catholic as well; social gatherings under the patronage of the Catholic students, but under the guidance of the Religious (who would mingle with the group), would assemble many; and, in all, a true picture of Catholicism would be gained by large numbers inside and outside the Church, and these the ones who will have the most pronounced intellectual impact on the country. — But, as is clear, this again may call for adaptation, especially in the demands of common-life, since the Religious most likely would have to maintain quarters on the campus and live such a mode of life as not to estrange the ones he wishes to influence.

2. Other ministries.

Similar factors to those in the educational field obtain also in other ministries and works of zeal, and consequently may also ask for like adaptations in training and practice. This will show particularly in social fields, social-welfare work, parish-activities, etc. Nowadays most of these events take place at night and, if they are to be guided in a religious way, if contact between the active religious and the laity is to be maintained and the people reached and influenced, then in those institutes where strict prohibitions prevail against being outside the religious-house after dark some harmonious modifications would seem to be in order. Here too may enter again the advisibility of wearing the religious-habit at such gatherings or rather preferring the street-clothes of the American Clergy.

The question may come up about making certain changes in the rising and retiring hours of the religious (and shifting other duties of the daily order to fit such changed circumstances). Finally once again the problem may have to be faced about allowing the religious under proper supervision a greater liberty in acquiring the necessary knowledge of modern problems and interests through the channels of literature, radio, television to bring the message of Christ more effectively to the hearts of people and in a way with which they are familiar.

155

The complaint is heard sometimes that contact has been lost with the people in many cases. And, since the aim of the active religious institutes is also the salvation and perfection of others, it will fail of full realization unless the religious are with the people, know the people, who in turn want them and want them too to understand and grasp their conditions and problems and difficulties and look to them for the solutions and the guidance in their quest of true happiness. All this would seem to require adjustments in the traditional mode of the externals of the religious' life and at the same time call for a more intense spiritual formation à propos of the altered circumstances.

3. Religious women.

Several things come to mind in regard to the work of the various congregations of the active sisterhoods. We know very well that they are doing an heroic work in the education of the young, in hospitals, in social-welfare activity and so many other varied labors of the apostolate, — and by their fervent lives and unfailing devotion they win the esteem and admiration of Catholic and non-Catholic alike. But even amongst these there may be room for adjustments...

1. Thus the work of Institutes, who wear no distinctive religious-habit, as v.g. « The Daughters of the Heart of Mary », might be expanded. They reach people and quarters inaccessible to other sisters. Perhaps other societies already in existence, whose Rule calls for similar works, could be amended to allow their subjects similar liberty of dress when the habit would be a hindrance.

2. Again the presence and influence of religious women is needed at times when normally their rules will not permit association with externs: v.g. evening convert-classes for girls, who cannot assemble during the daytime; attendance at the social affairs conducted in their own schools; social-welfare work that cannot be done until night, when the family is gathered together, etc.

3. The so-called « semi-cloistered » groups may need more liberty of movement to better accomplish their teaching mission and to deal on the outside with those in their charge. And those « cloistered » Orders, who have entered the educational field (v.g. certain convents of Visitation Nuns) may need to take measures enabling their subjects to obtain the necessary intellectual formation. This has since been treated in the Decree « Sponsa Christi ».

4. More and more sisters are now driving their convent-cars, which can be a great time-saver and make for far more efficient work in their social apostolate; this could be expan-

ded to include the other groups where such is now forbidden.

5. Certain rules and customs of various congregations seem to need some adaptation to enliven and make less burdensome the arduous works of the sisters. Thus many have long protracted and overburdening vocal-prayers in common, when in many cases what they need is a better and more enlightened training in mental prayer and growth in it.

Some are so restricted that they cannot even take a drink of water outside the convent and engaged in their apostolic work, v. g. in the homes of the poor (I know of a congregation whose members nurse the sick-poor: the sister leaves the convent early, consumes perhaps a half-hour in transportation, returns to the Convent for lunch and then goes back to the home of the sick till evening). With others there is a confusion between poverty and economy to the detriment of the former. Others too have no provision for the general permission in smaller things, demanding v. g. an explicit permission for the use of an envelope and a piece of writing-paper. Another institute does not allow one to be a hospital patient without a sister-companion and this often to the distress of the hospital authorities and the harm of the sister-companion's ordinary assignments. And so much at times seems to be taken up with the minute details of certain externals, that the religious herself is not able to distinguish between the solid substantial factors of religious life and the accidentals proper to the individual congregation.

6. Perhaps this is not to the purpose in the present paper, but much could be done in the training of the active woman-religious.

In so many institutes the Sisters are ready for their external labors after but six months of postulancy and two years novitiate (in fact some, contrary to Rome's directives, go out to their works in the second year of Novitiate, even during the postulancy), and you find these young religious (some but 18 or 19 years of age) quite insufficiently trained not only in the work (v.g. teaching) they are doing, but in the very principles and meaning of the life of perfection itself. The result is that only after long years, if then, do they find out just what religious life is all about. In their case it would seem that a harmonious renovation would make provision for a longer period of training whereby they could assimilate much more of what their life of perfection means and to make the necessary studies which their active life requires. The studies-program in many cases at present is rather a « hit-and-miss » affair, carrying over many years before the sister is able to qualify for her academic degree; consequently she loses the fruit of real study and that grasp of learning which can be had only with a certain continuity in the process. For the teachers of the higher branches a program in some respects, « mutatis mutandis », like that needed for the male religious, will be demanded. But above all, it certainly seems that the early training of many religious must be extended, if the sisters are to be really fitted for their tasks: that is only fair to the sister herself, who must be solidly grounded in the principles of spiritual life and ably qualified for the work she has to do; and justice would almost seem to demand it on behalf of the one she is to train and teach and bring closer to God.

103 R. P. Ambrosius M. Fiocchi, S. I., olim Professor Theologiae asceticae et mysticae in Pontificio Athenaeo Lateranensi, *scripsit*:

1. Quoad regimen.

1. — Mi sembra che, quanto alla divisione delle classi in ciascun Istituto religioso, si debba tener conto oggi più che per il passato della *coltura intellettuale e della educazione civile dei soggetti*.

Negli Istituti maschili questo è abbastanza in vigore; ma negli Istituti femminili si è allargato troppo, fino a volere una unica classe di religiose o ad ammettere nella classe avente voce attiva e passiva persone incapaci ed imperfette per mancanza della necessaria coltura. — Costoro nel dare il voto per le elezioni si lasciano condurre ad errori dannosissimi all'Istituto. — Inoltre negli Istituti dedicati alla istruzione ed educazione della gioventù si trovano per il predetto motivo Suore incaricate dell'assistenza o della istruzione delle fanciulle senza che a tale ufficio abbiano il sufficiente grado di preparazione.

2. — Mi sembra che si debba insistere di più sui canoni del Codice riguardanti il governo dell'Istituto, segnatamente sui canoni 504 e 505, le cui eccezioni (in particolare per il can. 505) sono tanto frequenti, che i superiorati si protraggono fino ad oltre i 20 anni!

Ciò avviene soprattutto negli Istituti femminili, accettandosi facilmente la scusa della scarsezza di soggetti atti al governo; in realtà si tratta invece di amore disordinato al posto di governo e di riguardi umani. — Vengono così esclusi dalla esperienza del governo persone che potrebbero invece riuscire assai utili, come si riscontra in parecchi istituti femminili. E frattanto si riesce a mantenere dalle Superiore Generali una specie di oligarchia che non le disturbi in abitudini e disegni a loro assai cari.

3. — Per le stesse ragioni e per gli inconvenienti che ne seguono non di rado, mi sembra doversi abolire l'uso invalso in parecchie Congregazioni di formare quasi una classe di persone addette al governo, sì che i superiori e le superiore rimangono sempre in carica pur mutando di luogo (quando pur lo mutano).

Avvezzi così alla potestà dominativa, dimenticano spesso costoro le pratiche difficoltà dell'obbedienza, le virtù che debbono essere esercitate e sviluppate nei sudditi, il gravame dell'eccessivo lavoro, gli impedimenti alle cose spirituali, e soprattutto il pregio dell'esercizio della umiltà. — Inoltre dalla permanenza nelle cariche di governo si insinua nei superiori e nei sudditi l'opinione funestissima che il cambio o l'esonero dal superiorato debba attribuirsi per lo più a mancanze o a disapprovazione di indirizzo: ed infatti non è raro il caso di religiosi o religiose, che, esonerati dal governo, cadono in miserabili abbattimenti o son fatti segno all'amara recriminazione altrui.

4. — Mi sembra che converrebbe energicamente abolire certe forme aristocratiche e quasi mondane nel trattamento ora in uso in certi Istituti per i Superiori maggiori e special-

mente per le Superiore generali, anzi talora anche per le locali, come: prendere i pasti a parte e non della medesima qualità del vitto somministrato alla Comunità; oppure nel refettorio comune avere un posto distinto elevato da predella; avere lussuose stanze di abitazione, con tendaggi di ricercata fattura, bagno proprio e lussuoso quale si troverebbe solo in case di gente assai ricca, tappeti ecc.

Bisogna che il superiorato religioso si circondi di santità piuttosto che di maestà, e che le persone rivestite di autorità tra la gente consacrata alla perfezione sia di stimolo e d'incoraggiamento con l'esempio a tutti, e non pretesto di rilassamento. * Mi sembrerebbe anche opportuno nei tempi nostri abolire certe forme di riverenze ai superiori dettate nei secoli scorsi da condizioni psicologiche assai diverse dalle nostre, come: certe genuflessioni ed inchini, ecc. — Oggi le persone umane si sentono con maggior sincerità ugualmente umane, ed il rispetto all'autorità si pensa dover essere dettato dal lume interiore della Fede ed espresso nella vera obbedienza, piuttosto che nelle cerimonie esterne, soprattutto quando il superiore non sia investito di Ordine sacro.

5. — La libertà di corrispondenza epistolare tra sudditi e Superiori, segnatamente coi Superiori maggiori, va rivendicata e meglio garantita: in parecchi Istituti femminili non si ha neppure la nozione della *gravità* della violazione del segreto epistolare e si trovano superiore che aprono le lettere dirette alle Provinciali o alla Generale o provenienti da esse!

Non si capisce da molte persone religiose che la violazione del can. 611 è di materia grave. Da parte poi dei Superiori maggiori dev'essere più sentito ed osservato *l'assoluto segreto* delle informazioni, in quanto non deve in alcun modo da essi essere indiziato il nome di chi ha dato l'informazione. Evitino parimenti tutto ciò che può destare sospetto nel suddito e togliergli la confidenza.

6. — Mi sembra ancora che convenga dare ai Superiori generali ed alle Superiore generali degli Istituti maggiore autorità e facilità di procedura (garantita sempre dal voto deliberativo del loro Consiglio) nelle dimissioni dei soggetti inetti per cattiva condotta o per cause di salute risalenti al tempo precedente all'accettazione in religione, ancorchè solo ignorate e non taciute colpevolmente.

Le restrizioni attuali imposte dalla Sacra Congregazione dei Religiosi e specialmente quella di esigere la sottoscrizione del dimittendo al decreto di dimissione, costringono a ritenere nell'Istituto una quantità di persone senza buono spirito o senza capacità, sì che ne resta gravato di troppa zavorra l'Istituto medesimo e ne soffre necessariamente la comune osservanza. — Mi sembra che questo modo di procedere attuale nelle dimissioni sia una delle cause del rilassamento nello spirito, che si mostra nella vita religiosa.

2. *Quoad directionem.*

7. — Si nota generalmente nelle persone incaricate del governo delle case religiose una grande sollecitudine del *pro-*

gresso materiale, cioè di introiti sempre più copiosi, ed invece facile acquiescenza alla *mediocrità spirituale dei soggetti.*

Infatti non mancano superiori e superiore che impongono moralmente (quando non anche formalmente) la promozione di alunni o alunne, che le suore insegnanti ritengono immeritevoli perfino della minima nota di passaggio: e ciò vogliono i superiori per non perdere alunni dei collegi e senza considerare che frattanto creano una moltitudine ingombrante di giovani nelle classi e di spostati nella vita. — Quanto alla mediocrità nella virtù religiosa, si vede chiaramente che i superiori ne sono causa limitandosi per lo più a zelare la disciplina domestica, che giova al comodo e pulito andamento della casa; ma non interessandosi molto della vita interiore, non urgendo le regole riguardanti propriamente lo spirito e non fornendo regolarmente i mezzi per la istruzione religiosa e per lo stimolo ascetico alla virtù ed al suo progresso. Mi consta che in qualche Istituto si son lasciati passare molti anni senza che parecchie suore e specialmente parecchie superiore facessero gli esercizi spirituali prescritti dal Codice ogni anno. Alcune persone hanno passato dieci, quindici e perfino diciotto anni senza fare gli Esercizi!

8. — **La miglior direzione spirituale per le persone religiose è nelle loro Regole approvate dalla S. Sede, quando sieno bene intese e ricordate con la frequenza necessaria.**

Si riscontra invece che molti confessori delle Suore sono impreparati a dirigere le loro figlie spirituali nel cammino della perfezione cui si sono impegnate: infatti non conoscono le Regole dell'Istituto, non le valutano come dovrebbero, e talora contano per nulla le trasgressioni o si arrogano il potere di dare facoltà in materia di povertà o di disciplina. — Si richiede quindi che le Superiore abbiano i mezzi per un'adeguata spiegazione e particolareggiata applicazione casistica delle Regole, e ne tengano la conferenza almeno ogni settimana. — I libri adatti forse non mancano: ma di questa dote di insegnamento ascetico proprio di ciascun istituto non si suole tener conto, quando s'hanno da eleggere le persone da destinarsi al governo delle case.

3. *Quoad institutionem.*

9. — **Mi sembra che venga dimenticato nell'accettazione delle nuove reclute alla vita religiosa il criterio fondamentale: l'indagine cioè molto seria e particolare del *serio proposito di tendere alla perfezione cristiana* nell'esercizio di *tutti* i consigli evangelici e nel serio profitto delle virtù.**

Si tiene molto conto dell'ingegno, dell'attitudine al lavoro, della salute corporale; ma della seria volontà del profitto spirituale non pare che si faccia molto calcolo; e perciò si vedono oggi troppe defezioni dalla vita religiosa anche nei primi anni dopo emessi i voti.

10. — **La seria tendenza alla perfezione religiosa dev'essere sviluppata nel noviziato: da questo dipende tutta l'impostazione della vita. — Ora mi sembra dover notare che in parecchi Istituti vi sono molte deficienze a questo riguardo.**

a) La istruzione ascetica è molto scarsa, — quasi mai metodica: il motivo è che neppure la Maestra delle novizie è istruita su tali materie ed ha, in certe Congregazioni, una coltura limitata a quella delle classi elementari o poco più. — Perciò anche i libri dati in lettura alle novizie sono o troppo superficiali o troppo oscuri. — Converrebbe forse che da parte della S. Congregazione dei Religiosi si dessero delle indicazioni pratiche dei libri di formazione più utili, tenendo conto, s'intende, delle diverse classi di ogni Istituto e del livello comune culturale di ciascun Istituto.

b) Le regole vengono esposte per lo più superficialmente, senza mostrarne il fondamento dottrinale ed il fine specifico per la vita dell'Istituto, soprattutto quando si tratti di Regole propriamente ascetiche; invece si punta molto su quelle Regole che riguardano la disciplina, le cerimonie di rispetto o del tratto vicendevole o la maniera esterna del vivere nell'Istituto.

c) Si tiene troppo poco conto dell'inettitudine dei soggetti ad assimilare la formazione religiosa dell'Istituto, segnatamente ove si tratti di fratelli laici o di sorelle converse o coadiutrici. La loro ignoranza perfino quanto al leggere o scrivere, la loro rozzezza dovuta alla vita trascorsa nei campi e lontano dall'ambiente civile dei nostri tempi formano veri e grandi ostacoli alla formazione religiosa, ancorchè si tratti talora di persone ingenue e pure: sebbene anche su tale purezza ingenua si debbano fare caute riserve! — Converrebbe perciò per tali classi di persone prescrivere un pre-noviziato di istruzione e preparazione, nel quale (oltre la necessaria coltura elementare) si insegni in modo opportuno il catechismo comune.

11. — La formazione spirituale è spesso mancante di esercizio pratico delle virtù fondamentali alla vita interiore. Mi sembra che si esageri oggi nel dare sollievi ricreativi, nelle comodità corporali e nei conforti sentimentali verso la gioventù candidata alla perfezione evangelica ed alla vita apostolica: ciò almeno deve dirsi di parecchi Istituti.

Ne segue che il noviziato non acquista neppur l'idea della *robustezza* spirituale di chi segue da vicino il Divino Maestro; trova nella stessa casa di Noviziato molto naturalismo, qualche esigenza di facili norme disciplinari proprie del tempo di prova, molto compatimento di difetti, che vengono avallati per la speranza di un futuro rendimento delle qualità germinali (vere o supposte dalla benignità dei Superiori): una maniera insomma di vita assai diversa da quella descritta dai Fondatori e praticata dai Santi nella stessa forma di vita religiosa.

12. — Si aggiunge a tutto questo l'impazienza di adoperare i soggetti, cavandoli dal noviziato ed impiegandoli nelle opere di insegnamento nei collegi, negli studi o negli uffici domestici o negli ospedali.

Così quasi tutte le Congregazioni femminili fanno passare il secondo anno di Noviziato (prescritto in molti Istituti) fuori della casa di formazione, col pretesto di addestrare alla vera vita che si dovrà svolgere dopo nella religione; si dice che il novizio o la novizia in queste case non di noviziato hanno delle cure particolari e vigilanze da parte dei Superiori: ma in realtà ciò è ridotto quasi a nulla, e quel secondo anno di Noviziato non è altro che attesa dei Voti. — Alle scuse o pretesti di tale usanza ed impazienza si potrebbe rispondere che la Chiesa ha provvisto coi Voti temporanei al bisogno di provare i soggetti nell'ambiente del lavoro proprio dell'Istituto. — La verità sembra invece che le Superiore o le Maestre delle novizie non sanno come impiegare il tempo del secondo anno di noviziato.

4. Quoad disciplinam religiosam.

13. — L'apostolato negli Ordini clericali, mentre dovrebbe rendere più ferventi i sacerdoti religiosi nella osservanza

161

delle loro regole, sembra spesso occasione di rilassamento nella disciplina e nella condotta personale ascetica.

Infatti molto spesso tali religiosi contraggono abitudini secolaresche (fumare, fraseggiare da caserma, soddisfazioni della gola, tratto famigliare con laici ed anche con famiglie private o con donne, allentamenti della povertà facendosi fornire in vario modo da secolari ecc.); — stando per lungo tempo o molto spesso nei ministeri si disavvezzano alla vita comune e finiscono per non averla in istima, sì che, anche quando sono in casa, mancano facilmente alle pratiche della Comunità: mentre la vita comune è più che mai necessaria per conservare le energie del religioso proprio in vista del suo apostolato.

14. — Si sono introdotte in questi ultimi decenni nelle comunità religiose dell'uno e dell'altro sesso abitudini assai disdicevoli alla vita di consacrazione a Dio, come:

a) Periodi di tempo passati in, famiglia per consolazione dei congiunti, oppure a titolo di vacanze estive o di sanità. Il mondo se ne meraviglia e le persone religiose s'abbassano nello spirito; s'accende anche l'invidia e l'amarezza negli animi di confratelli e consorelle che, deboli nella virtù, non hanno l'occasione propizia di potersi godere tali soddisfazioni della natura; — b) villeggiature al mare ed al monte, senza stretto motivo di salute, per lunghi periodi e non sempre in case religiose. Ciò avviene specialmente tra i religiosi. La maggior parte del popolo non si gode tali spassi e soffre le inclemenze delle stagioni dove si trova: i religiosi, che han fatto professione di povertà e vengono spesso da famiglie poverissime, mostrano in questa materia esigenze riprovevoli. — Tutti comprendono la necessità di case in regioni salubri ed anche in montagna o al mare per i giovani religiosi, che oggi sono più fragili che in passato; in tali case potrebbero essere curati anche gli altri religiosi particolarmente scaduti in sanità: ma non si può ammettere l'uso quasi generale di sollievi stagionali e molto meno fuori della casa religiosa.

15. — Ove sono opere di apostolato annesse alla casa religiosa si coglie spesso l'occasione di divertirsi col cinematografo o col teatro fatto per i laici di tali opere.

Oltre alla mancanza della più elementare mortificazione religiosa, si contrae in tali divertimenti lo spirito mondano e s'incappa in tentazioni pericolose in modo speciale a coloro dai quali Iddio esige ben altra forma di vita. Si noti poi che ben poche pellicole cinematografiche convengono alla pace dello spirito ed al decoro religioso.

16. — Si sopporta in parecchi casi che per fare gite in montagna si deponga l'abito religioso, con la scusa che così fanno molti preti secolari. Si dovrebbe invece opporre che il religioso ha rinunciato a molte cose lecite del mondo e che tali gite son ben lontane dalla necessità.

17. — Sebbene oggi sia necessaria la motorizzazione per l'apostolato, si vede la necessità di moderare l'uso di tali mezzi in modo da non far meraviglia ai secolari: si dovrebbe dunque far uso dei mezzi comuni alla gente là ove esistono, come corriere e treni ecc.

5. Quoad vota religiosa.

18. — Sembra necessaria una maggior istruzione sugli obblighi del voto di povertà negli Istituti femminili di vita mista. Molte suore non ne hanno il giusto concetto.

a) Dispongono (se Superiore) del danaro di casa per far doni ai proprii congiunti e talora con somme riguardevoli: il pretesto della elemosina si mostra in mala fede, perchè si fanno scomparire tali elargizioni nei conti di casa, in modo che le Superiore maggiori non se ne accorgano nella Visita;
b) Ove le Suore hanno case d'amministrazione accadono talora parecchi inconvenienti. — Non si debbono fare mai appropriazioni di qualsiasi genere neppure in vantaggio della Casa Madre o di altre case dell'Istituto».

19. — E' molto diffusa l'opinione falsa di credere che il peccato contro il voto di povertà si commetta quando si fa danno alla propria Comunità o all'Istituto; ma non quando si dispone di danaro o cose avute in dono per riguardo alla propria persona.

20. — Nella costruzione di case religiose sta bene che si introducano quegli accorgimenti ed impianti moderni che servono alla igiene ed alla *ordinaria cura della salute* o al disimpegno più rapido delle mansioni religiose; ma purtroppo accade non raramente che si accettano forme lussuose di arredamento nelle sale di accoglienza, col pretesto che servono agli esterni; mentre proprio gli esterni vorrebbero vedere la povertà delle case religiose.

Inoltre la funzionalità della casa religiosa anche per le opere di apostolato o di amministrazione non deve ammettere tutte le comodità dei secolari e tanto meno gareggiare con esse: telefoni, mezzi meccanici di contabilità ecc. dovrebbero essere ridotti alla vera necessità, non misurarsi solo con la comodità.

21. — Le singole opere apostoliche permanenti hanno spesso una propria cassa ed una propria amministrazione. Ciò costituisce un pericolo per chi le presiede, potendo maneggiare danaro all'insaputa del Superiore e forse anche a proprio comodo. Converrebbe che tutto fosse amministrato dall'unico Economato di casa, pur tenendo le partite distinte ed avuto scrupoloso riguardo agli scopi delle diverse casse.

22. — Circa la castità si deve esigere che le regole precauzionali vengano inculcate sempre più: ogni Istituto ha le sue e sono approvate dalla S. Sede; ma accade non di rado che vengano eluse con vari pretesti, specialmente nei parlatorii o nelle amministrazioni di ospizi.

23. — Per l'obbedienza il voto ha rara applicazione; ma la virtù è di fatto molto in ribasso per la mancanza di vita interiore e perchè i superiori locali che volessero l'esercizio di questa virtù non sono appoggiati dai Superiori maggiori; i quali troppo spesso confondono la giusta esigenza dell'osservanza religiosa e dell'esercizio delle virtù religiose con la durezza del governo. Quindi il diffondersi di abusi in nome della mitezza di governo.

24. — Osservo finalmente che a torto si vorrebbe da certa scuola confondere il Voto con la virtù e si condanna la chiarificazione fatta dai moralisti o giuristi ed accettata da molto tempo nella Chiesa: il Voto, obbligando sotto peccato, deve avere una materia ben determinata; la virtù ha per sua natura una materia illimitata quasi, e dev'essere proposta come una *via di progresso continuo*.

6. *Quoad asceticam: nempe abnegationem sui, humilitatem, orationem etc.*

25. — Per l'ascetica religiosa bisogna prima di tutto curare la idoneità del soggetto. Quindi l'ammissione al noviziato deve essere preceduta da un più diligente esame *morale*, anche con l'aiuto del sacerdote fuori di confessione.

Con certe abitudini (di affetti isterici, di sensualità, di ribellione ecc.) non si può entrare in religione, *neppure se si ha l'intenzione ed il proposito di correggersi:* la buona volontà di *tendere alla perfezione* (in che consiste la vita religiosa) dev'essere già nota per la vittoria su la cattiva abitudine di peccare mortalmente. — Altrimenti in religione si aggraverà il pericolo di perdizione eterna.

26. — Quanto all'abnegazione ed all'umiltà mi sembra che le deficienze notate nei precedenti capitoli bastino a suggerire la necessità di insistere molto più del presente nell'*esercizio* delle virtù.

Si veda però nei Superiori che si tiene in conto la virtù dei sudditi assai più che i doni naturali e le opere esterne ed i buoni successi e i vantaggi economici apportati alla casa. C'è il *vezzo* di lodare ed usare anche favori a chi splende naturalmente o attira elemosine...

27. — Quanto all'orazione bisogna incrementare assai di più la orazione mentale, diminuendo fors'anche la quantità dell'orazione vocale, di cui certi istituti femminili si caricano senza discrezione e talora fino alla superstizione. — Durante il tempo degli Esercizi annui bisogna lasciare il tempo a ciascuno di meditare, esaminarsi ecc.; non opprimere con tante pratiche vocali di Via Crucis, Rosarii, Visite in comune ecc.

L'orazione mentale però va insegnata bene in noviziato; non va confusa con una lettura meditata quale è in uso in molti istituti femminili.

Si dovrebbe quindi usare questo metodo con maggior discrezione e con le dovute limitazioni.

Premessa:

1. Desidero anzitutto esprimere la mia piena fiducia in questa opera di aggiornamento che la Chiesa ha intrapreso. Se lo Spirito Santo l'assiste indefettibilmente in tutta la sua missione di santificazione delle anime, non si può dubitare che questa assistenza sarà particolarmente amorosa, efficace e costante quando si tratta di condurre le anime alla perfezione della santità.

Sulla opportunità o anche necessità di un « rinnovamento » e di un « aggiornamento » il giudizio definitivo appartiene alla Chiesa stessa. Se questo giudizio verrà dato, basterà, da solo a tranquillizzare i veri figli della Chiesa.

2. Poichè il tema assegnato chiede soltanto delle indicazioni pratiche (« specimina practica ») per un rinnovamento ed aggiornamento, non mi diffonderò in considerazioni e dimostrazioni teoriche, ma esporrò in modo piuttosto scarno tali indicazioni pratiche, senza alcuna pretesa nè di essere completo nè di scendere a dettagli.

1. Organizzazione e regime.

A. — Gli Istituti moderni sono generalmente più centralizzati degli antichi. Ne risulta per essi una maggiore agilità. Mi pare opportuno e sotto certi aspetti necessario aggiornare in proposito molti degli Istituti antichi. Proporrei pertanto:

1. Aumentare l'autorità e il controllo di fatto dei Superiori Provinciali sui locali e dei Generali sui Provinciali.

2. Semplificare il procedimento per la nomina dei Superiori subalterni, e, qualora ciò si rendesse necessario, per la loro rimozione.

3. Rimediare alla deplorevole frantumazione degli Istituti in Province poco consistenti, nelle quali tutte le forze vive sono appena sufficienti pei compiti organizzativi interni.

4. Attenuare le divisioni tra le varie Province, favorendo in tutti i modi lo scambio di forze tra di loro.

5. Altro frazionamento dannosissimo per l'osservanza regolare è quello in case cosidette « formate », che però si dimostrano incapaci di conservare tale osservanza. Inconveniente minore mi pare, ove non si possa fare altro, attendere per dichiarare casa « formata », finchè non vi sia in permanenza un numero di religiosi *veramente* sufficiente.

B. — I Superiori specialmente locali vengano richiamati ai limiti fissati dalle leggi alla loro autorità in materia di dispense, specialmente con l'intera comunità religiosa. Così si eviteranno quei passi, prima saltuari, poi sempre più frequenti verso il rilassamento.

C. — Sottoscrivo pienamente alla proposta di imporre esercizi spirituali riservati ai Superiori.

2. Direzione.

A. — E' opportuno rendere più evidente nei Superiori la figura amorevole del padre, che quella giuridica del Superiore.

E' difficile tradurre ciò in termini di legge; ma è tanto importante che vale la pena di tenerlo presente e fare qualche tentativo in questo senso.

B. — Quanto al problema della direzione spirituale, sarei contrario ad un eventuale progetto d'imporre l'obbligo della « aperitio conscientiae » al Superiore, ove ciò implicasse anche la manifestazione delle colpe. Per queste vi è la Confessione e non mi pare opportuno vincolare in alcun modo la libertà in materia così delicata, nella quale tutti i fedeli sono così protetti dalla Chiesa stessa. — Del resto ho forti dubbi sulla sincerità e sulla integrità di una « aperitio conscientiae » di questa portata. Ed allora essa in realtà diventa un mezzo per imbrogliare un Superiore, anzichè illuminarlo sul proprio interno.

Anzi per i pericoli numerosi a cui si andrebbe incontro, ritengo debba conservarsi in tutto il suo vigore l'attuale disciplina, contraria, in linea di massima, a che il Superiore sia confessore abituale dei suoi sudditi.

Però trovo opportuno raccomandare vivamente la confidenza filiale che conduca ad una specie di « aperitio animae » con la manifestazione delle inclinazioni e tendenze al Superiore, affinchè questi possa tenerne conto nell'affidare incarichi e doveri.

3. Formazione.

A. — Per gli Educatori:

Si lamenta il gravissimo inconveniente della *improvvisazione*.

Quando si dice che i giovani di oggi sono più difficili ad educare, perchè più insidiati da ogni parte dall'ambiente moderno, si dice una verità. Perciò oggi più che mai si constata l'insufficienza di tanti educatori improvvisati, i quali non hanno una solida preparazione per questo compito.

Questa preparazione, che ritengo debba essere imposta obbligatoriamente, dev'essere teorica e pratica.

Le conoscenze moderne circa la psicologia dell'età evolutiva sono senza dubbio maggiori e più precise delle antiche. Bisogna che queste siano apprese con metodo rigoroso e completo.

Inoltre vari metodi educativi sono stati sperimentati e sono in uso con maggiore o minore efficacia. E' necessario che si facciano meditare profondamente i futuri educatori su questi metodi (attenti alle infarinature superficiali, più dannose della stessa ignoranza completa!); e possibilmente si faccia prender contatto pratico con essi, a fine di trarre da tutti il meglio, per applicarlo coi dovuti adattamenti alla educazione dei giovani religiosi. — Fra tutti questi metodi educativi indico, per averne fatto esperienza personale, il metodo scautistico, che è ricchissimo di contenuto psicologico, ed offre molti elementi che possono essere sfruttati utilmente nella formazione dei giovani aspiranti allo stato religioso.

Una solida preparazione di Sacerdoti educatori è richiesta anche da una delle attività più delicate e più necessarie dell'apostolato moderno: l'educazione cristiana della gioventù. E' forse il più grave problema odierno della Chiesa, verso il quale essa si mostra particolarmente sensibile: perciò è dovere gravissimo di noi religiosi dare il nostro contributo con generosità, con ampiezza e con una coscienziosa preparazione.

Perciò propongo in pratica:

1. Imporre un corso di *pedagogia* veramente efficiente tra le materie di primo piano del corso teologico. Per carità, non si tratti di pedagogia soltanto come un ramo letterale della pastorale. E' ormai una scienza a sè, complessa nella sua struttura e di importanza enorme.

2. All'atto della nomina e della destinazione di qualcuno a compiti educativi imporre un periodo di preparazione teorico pratica. Appositi istituti sarebbero una vera benedizione.

3. Favorire, in tutti coloro che all'interno dei loro Istituti o nell'apostolato esterno debbono occuparsi della gioventù, l'esperienza diretta e pratica dei migliori metodi educativi, specialmente dello scautismo cattolico.

B. — *Per i giovani candìdati:*

1. Si badi ad instillare una forte vita interiore ed una solidità di convinzioni personali.

2. Si utilizzino coscenziosamente e razionalmente le cognizioni pedagogiche moderne, e si aggiornino certi metodi educativi che almeno ai nostri tempi fanno strage di personalità ed anche di vocazioni.

3. Nella formazione allo spirito di ubbidienza si insista nella prassi tradizionale della rinunzia generosa e totale del proprio volere.

Ma affinchè non si verifichi un soffocamento della personalità, chi educa deve cercare di rendersi conto degli elementi positivi di ciascuno (capacità e legittime inclinazioni), e condurre per la via dell'ubbidienza al loro sviluppo, in vista della loro piena utilizzazione futura. E' ovvio che non intendo in alcun modo fare l'apologia delle inclinazioni sregolate. Parlo delle inclinazioni legittime, che in genere sono correlative con le particolari abilità di ciascuno.

Ritengo che in questo campo si commettano molti peccati, almeno materiali, contro Dio Creatore, costringendo i sudditi a forme abituali di attività, per le quali non sono portati, ed impedendo quelle in cui, oltre al merito dell'ubbidienza, anche naturalmente metterebbero capacità ed entusiasmo. Spesse volte si affidano e si impongono incarichi soltanto in base alle necessità dell'Istituto: nei casi migliori si tien conto della *capacità* generica; *l'inclinazione* personale è normalmente la cenerentola della quale i Superiori non si preoccupano. In conseguenza, se il suddito si sottomette al comando dell'ubbidienza ne avrà un merito davanti a Dio; ma innegabilmente molte sue energie, anch'esse dono di Dio, resteranno inutilizzate e spesso addirittura mortificate, con immenso danno pei risultati.

Sono pienamente legittime le concezioni moderne che riconoscono con maggior consapevolezza e coerenza la funzione positiva della natura, creata da Dio, anche nell'economia della grazia. Dio *può* fare a meno di noi e delle nostre capacità naturali; ma normalmente *non lo vuole;* e questo è un grande onore per noi, al quale non possiamo rinunziare senza danno ed anche senza offesa del Creatore, che prima di innalzarci all'ordine della grazia ha strutturato la nostra natura.

Concepisco quindi il *rispetto della personalità* nella pratica dell'ubbidienza, non come una attenuazione nei sudditi di quello che è l'olocausto della propria volontà, ma come un dovere dei Superiori di rispettare le capacità e le legittime inclinazioni dei sudditi.

4. Per la formazione intellettuale ritengo di immenso vantaggio che agli studi filosofici si premetta una completa ed accurata preparazione di studi classici (ginnasio quinquennale e liceo almeno biennale con programma completo). Va da sè che i Professori debbono essere convenientemente preparati e specialmente nei corsi filosofico e teologico debbono esser sensibili particolarmente alle questioni di interesse attuale.

5. Le esigenze igieniche debbono esser più curate.

Servizi igienici conformi ai criteri moderni; grado di luminosità naturale ed artificiale nelle stanze, direzione della luce sulla scrivania (bisognerebbe ridurre la piaga degli occhi... in vetrina, spesso provocata durante l'adolescenza da cattive condizioni di luce); aerazione abbondante delle case religiose; igiene del cibo (di solito vi è eccessiva distanza tra i pasti, con conseguente bisogno di sovraccaricare lo stomaco; per cui si producono delle dilatazioni di questo organo che sono tanto frequenti tra i religiosi).

Ginnastica regolare e progressiva obbligatoria. Se si fa dello sport, si scelgano esercizi sportivi convenienti allo stato religioso, e si eseguiscano con rispetto delle relative regole: anche questo è formativo!

A scopo igienico, ma con la massima discrezione, si pratichi anche il *lavoro muscolare utilitario*. In ciò va evitato l'eccesso di rendere troppo... rustici i candidati al Sacerdozio e di distrarli dalla attività intellettuale, che deve rimanere lo scopo ultimo dello stesso lavoro manuale.

Si tenga conto del maggior bisogno di sonno che hanno i nervi sovraeccitati della gioventù moderna. In proposito si eviti anche di mandare a letto subito dopo aver mangiato.

Per queste ed altre esigenze igieniche si consultino seri e provetti igienisti.

C. — *Per i Fratelli coadiutori* (conversi, laici...).

1. In genere si nota una deficiente cura della loro formazione *spirituale*.

Spesso questa si riduce alle istruzioni periodiche, non di rado comuni ai novizi coristi. Una vera assistenza continuata nello svolgimento della loro giornata è spesso inesistente. — Si richiede pertanto una disciplina precisa del loro noviziato, e inoltre una vera e continua assistenza in seguito. Molti insuccessi saranno così evitati.

2. Parimenti deficiente la loro *istruzione* profana e religiosa.

Per ovviare alla crisi dei fratelli coadiutori si è ricorso qua e là ad un reclutamento fra ragazzi inclinati alla vita religiosa, ma inadatti per la vita di studio. E' un espediente che bisogna incoraggiare. Ma perchè raggiunga onorevolmente lo scopo, ritengo che, oltre una particolare formazione spirituale, si dovrebbero imporre delle *scuole* organizzate apposta per loro, con relativi esami davanti ai Superiori. Queste scuole dovrebbero portarli almeno al livello medio culturale della classe operaia. Nel campo religioso dovrebbero abbracciare la Storia Sacra, la Vita di Gesù, elementi generali della storia della Chiesa, il catechismo per adulti; oltre naturalmente la recita perfetta delle preghiere del cristiano e delle risposte alla S. Messa.

3. Altra grave deficienza la loro *educazione civile*. Non si tratta di togliere loro quel tratto semplice che li avvicina anche alle classi più umili con edificazione di tutti.

Ma perchè non debbono essere più educati e soprattutto più puliti? Certe volte noi stessi religiosi ci vergognamo di trovarci accanto a certuni (purtroppo non soltanto fratelli coadiutori!) che col loro tratto e col loro sudiciume disonorano tutto lo stato religioso. Mi domando se non sarebbe meglio proibire a costoro di portare l'abito religioso, quando debbono portarlo in modo così indecente.

4. Ottimo il suggerimento di farli istruire nel lavoro, comune o specializzato, condotto con mezzi e metodi moderni. Ciò servirebbe a dar loro un senso di dignità di fronte agli operai secolari, e forse potrebbe avviare la soluzione del problema della questua, sul quale ritornerò a proposito della povertà.

4. *Disciplina.*

Un « aggiornamento » della disciplina religiosa mi pare debba ispirarsi a questo criterio fondamentale: gli Istituti religiosi debbono esser portati a vivere il loro ideale di perfezione in modo aderente alle necessità odierne della Chiesa ed alle direttive di azione che la Chiesa stessa, guidata dallo Spirito Santo, impartisce.

Una fondamentale classificazione delle fisionomie proprie dei vari Istituti è data dalla divisione in Istituti di vita *contemplativa, attiva* e *mista.*

1. Quanto agli Istituti di vita *contemplativa* non mi sento competente per esprimere proposte; tanto più dopo la sapiente costituzione circa le monache.

2. Per gli Istituti di vita *attiva* ho fortissimi dubbi sulla esattezza teorica e sull'opportunità pratica di questo appellativo:

a) *Teoricamente:* nessun Istituto religioso è esclusivamente o anche solo pre-valentemente di vita *attiva*. Ogni attività apostolica deve sgorgare dalla sovrab-bondanza della vita interiore. Questo rapporto oggettivo tra unione con Dio (parte principale) ed azione apostolica (parte subordinata) non può non avere un riflesso nella struttura disciplinare della vita del religioso. Ed allora come si fa a distin-guere ed a contrapporre un Istituto di vita *attiva* ed uno di vita *mista?*

b) *praticamente:* il ripetere che certi Istituti *non* sono di vita *mista*, ma di vi-ta *attiva*, in pratica ha fatto sì che spesse volte o in Istituti interi, o in molti individui, si è trascurata gravemente la vita interiore, per dedicarsi ad un atti-vismo non sufficientemente soprannaturale.

Per conseguenza ritengo che anche nella disciplina esterna tutti gli Istituti di vita *attiva* debbano esser considerati come Istituti di vita *mista*. Sarà un vero «aggiornamento», perchè, oltre a ritornare alle vere proporzioni realiz-zate in sè dal Santo Fondatore, risponderà alla aspirazione tanto sentita nel mondo moderno verso una più ricca spiritualità.

3. Per gli Istituti di vita *mista:*

Due cose sono essenziali a tali Istituti: una intensa vita interiore ed una attività esterna apostolica, sgorgante da essa e aderente ai bisogni ed alle direttive della Chiesa.

Quindi un «aggiornamento» della disciplina deve in primo luogo proteg-gere e coltivare lo spirito di orazione, di silenzio e di mortificazione nelle co-munità e nei singoli.

In secondo luogo deve favorire e sviluppare l'azione apostolica diretta, con-formemente ai bisogni odierni delle anime ed alle direttive odierne della Chiesa.

Non si conserva la vera fisionomia essenziale degli Istituti di questo tipo nè limitando il proprio contributo apostolico alla sola vita contemplativa, perchè a questi Istituti, per divina vocazione sancita dalle leggi emanate dall'Autorità Ecclesiastica, è chiesto anche il contributo delle braccia apostoliche, nè limitando il proprio contributo apostolico a qualche predica, di efficacia concreta discuti-bile, ed alle confessioni ordinarie di alcune «beate» ed a quelle straordinarie di molti «pasqualini».

Un vero «aggiornamento», secondo le intenzioni di Dio e della Chiesa per gli Istituti di vita *mista*, in questo campo consisterà soprattutto in una orga-nizzazione della disciplina che faciliti una attività apostolica, emanante dall'unione con Dio, ma organica, continuativa, che permetta di seguire le opere nelle loro esigenze, di assistere efficacemente i giovani, bisognosi di formazione profonda, gli ignoranti che hanno fame e sete, spesso inconsciamente, delle verità del ca-techismo, gli operai che sono tanto insidiati e che invece, se coltivati, potrebbero esser riportati a Cristo.

Qui lo chiedo, lo invoco con tutto il cuore un «aggiornamento», perchè son convinto che, proprio secondo il piano di Dio, i Religiosi di vita *mista* rappresentano nella Chiesa una forza enorme immediatamente attiva ed utiliz-zabile; essa però rimane in larga parte inutilizzata, perchè o per tradizionalismo o per scrupolo si rimane troppo ancorati a quelle due o tre forme di attività apostolica che erano considerate sufficienti quando i bisogni delle anime erano meno gravi e l'attività apostolica della Chiesa era meno vasta e complessa. L'aggiornamento della disciplina in questo campo abbia come scopo principale di dare ampio respiro all'apostolato diretto dei Religiosi chiamati da Dio alla vita *mista*.

Ciascun Istituto sia presente generosamente nell'apostolato e porti nella varietà delle opere apostoliche l'onda della propria spiritualità. E' quello che attendono le singole anime e la Chiesa stessa.

5. Voti religiosi.

E' ovvio che non vi è nulla da cambiare nella sostanza. Nella pratica, le condizioni della vita moderna e l'intento di una azione apostolica più complessa ed impegnativa mi inducono a queste riflessioni generali:

1. *Povertà:* a) Si distingua diligentemente ciò che è semplice lusso o divertimento da ciò che rappresenta una vera utilità ed una maggiore capacità di irradiamento nell'ambiente moderno in cui il religioso si trova a vivere. Perciò non si considerino in contrasto col voto quelle comodità che permettono una maggiore intensità di lavoro, quelle attività che servono ad allargare la cultura ed a far sì che il religioso sia rispettato anche in ambienti elevati, ecc.

b) Se si deve continuare col sistema della questua, mi permetto di chiedere che almeno i religiosi questuanti si presentino in modo più decoroso...

2. *Ubbidienza.* Ripeto quanto ho detto, parlando della formazione dei candidati, a proposito della utilizzazione intelligente e coscenziosa non solo delle capacità generiche, ma anche delle attitudini specifiche e delle legittime inclinazioni dei sudditi. La professione dell'ubbidienza non deve condurre ad un livellamento antinaturale degli individui, ma ad una sublimazione delle disposizioni naturali di ciascuno.

3. *Castità.* In vista di una partecipazione più attiva dei Religiosi alle varie forme di apostolato, specialmente in mezzo alla gioventù, si tengano presenti le direttive della prudenza circa i contatti con elementi di altro sesso. I Religiosi si occupino direttamente dei giovani e dedichino soltanto una assistenza alta alle giovani. A queste pensino direttamente le Religiose. Sarebbe opportuno che venissero emanate in proposito norme tassative.

6. *Vita ascetica.*

Riguardo all'ascetica sotto certi punti di vista un « aggiornamento » dovrebbe essere un ritorno all'antico.

1. Si nota in certi Istituti moderni un difetto nella vita di mortificazione. Lo spirito del mondo penetra nei chiostri più facilmente oggi che in passato.

2. Altro difetto, connesso col precedente e più grave, si nota nella vita di orazione e di raccoglimento.

Già ho detto che forse questo fatto deriva in parte dall'abuso dell'appellativo « Istituto di vita *attiva* ». Bisogna richiamare e vigorosamente affermare il concetto che gli Istituti cosidetti « di vita attiva » sono in realtà di vita *mista*, ed anche per loro vale ciò che è vero per l'apostolato cristiano in genere, cioè che la parte principale è la vita di unione con Dio cercata attraverso la vita di orazione e di raccoglimento.

3. Se qualche innovazione si intende fare circa le *pratiche di pietà,* si diminuiscano le preghiere vocali (specialmente la repetizione macchinale delle stesse preghiere per un gran numero di volte) e si aumenti l'orazione mentale.

Questa però sia un colloquio amoroso con Dio, e non soltanto un continuato esame di coscienza.

Le preghiere vocali, di cui si riconosce la necessità per l'individuo e per la vita comune, siano sostanziose, accessibili alla mente ed al cuore, ed uniscano in quanto è possibile alla preghiere liturgica della Chiesa.

4. Molti *libri di meditazione* che vanno per le mani dei Religiosi hanno anch'essi un orientamento « attivista ».

Invece di insistere sulla contemplazione amorosa di Dio nei misteri della fede, dalla quale contemplazione si riverserebbe spontaneamente per semplice ridondanza un'onda di amore sulla vita morale del soggetto e sulla sua attività apostolica, il più delle volte prendono appena il pretesto dal mistero per lanciarsi immediatamente alle applicazioni morali. Ne segue che chi si nutre di tali meditazioni saprà bene ciò che deve fare, ma avrà immagazzinato poco amore per farlo soprannaturalmente.

Giunto al termine di queste note mi rendo perfettamente conto della frammentarietà delle osservazioni e delle proposte avanzate. Mi rendo conto anche che non tutto può essere oggetto di disposizioni legislative.

Alla grande opera dell'« aggiornamento » degli Istituti religiosi ho cercato di dare un piccolo, modesto, forse inutile contributo, rispondendo al quesito che mi era stato proposto e seguendo lo schema indicato dalla direzione della Settimana di studio. Poichè altri problemi sono stati oggetto di studio diretto, mi sono astenuto dal toccarli. Dall'insieme dei contributi parziali si potrà avere la visione panoramica completa di tutto il complesso problema.

All'autorità della Chiesa, assistita dallo Spirito Santo, spetta l'ultima parola circa il modo e l'estensione di questo « aggiornamento ».

L'augurio di ogni figlio della Chiesa, pensoso dei diritti di Dio e dei bisogni delle anime create da Dio e redente dal Sangue di Cristo, è che tale « aggiornamento » si compia con rapidità, con coraggio e in perfetta aderenza alla missione santificatrice di Cristo.

105   R. P. Maurus a Grizzana, O. F. M. Cap.,
scripsit:

I nuovi aspetti ed i nuovi bisogni sociali creano anche per la vita religiosa nuove esigenze e nuovi pericoli.

Come provvedere alle esigenze sociali ed ovviare ai pericoli per la vita religiosa; come coordinare armonicamente autorità e dipendenza, disciplina e pratiche di pietà; come modificare la forma esterna dei voti e favorire ugualmente la continua ascesa dell'anima verso Dio, in modo che, salvi i principi immutabili della spiritualità e lo spirito di ciascun Istituto, la vita religiosa si possa rendere più efficiente in una sana modernità: è quanto si ricerca in questa Comunicazione.

In generale si osserva che in tutti i settori della vita religiosa è subentrata una stragrande esigenza di lavoro sia materiale sia culturale sia di sacro ministero: esigenze di lavoro per il proprio sostentamento, essendo venute a mancare le fonti di altri tempi; esigenze di lavoro per le condizioni sociali contemporanee, create da sempre nuovi assestamenti politici ed economici; esigenze di lavoro per le necessità spirituali o materiali delle popolazioni; esigenze di lavoro rese necessarie anche dall'opera di disgregazione intellettuale e morale, non solo favorita, ma organizzata dai nemici della Chiesa.

Non è quindi il caso di chiudere gli occhi sopra questo stato di cose, molto meno escludere da quest'opera quegli elementi che possono fornire le migliori e più sane energie e portare il massimo contributo, in quanto la loro opera si suppone alimentata da una vita spirituale intensa.

Questo moltiplicarsi di lavoro ha anche moltiplicati i problemi in ordine alla vita spirituale. Siccome però la vita che si deve vivere è quella voluta e dettata dalle impellenti necessità; per non lasciarsi travolgere e trasformare dalle circostanze dei tempi, sarà necessario studiare il giusto rapporto tra l'attività esterna e la vita interiore, per trovare una linea di condotta in cui la stessa attività esteriore possa rientrare come materia plasmabile e plasmata nell'opera della santificazione. Per far questo, come principio, è necessario mantenere alla vita interiore il dominio e l'indirizzo dell'attività esteriore.

Occorre però tener presente che la persona umana è il risultato di un organismo unitario, del quale non se ne può prendere una parte trascurando l'altra: ci si troverebbe di fronte ad un elemento decentrato, come una ruota dell'ingranaggio che debba muoversi per conto proprio. In altre parole occorre impadronirsi di tutto l'organismo umano, in tutti i suoi elementi ed imprimervi un'unica ed organica direzione.

Quindi tutto ciò che nella vita religiosa può avere un influsso diretto od indiretto sulla formazione e sviluppo della vita spirituale, dovrà subire quelle modificazioni ossia quell'aggiornamento che renda atta la persona religiosa ad affrontare, senza pericoli e danni spirituali, simili attività.

Hanno rapporti con la vita spirituale dei Religiosi: il governo di un Istituto nella sua organica e gerarchica costituzione e nella sua pratica attuazione; la direzione delle anime e la fisionomia della loro formazione; la disciplina in quanto è ordine nella vita conventuale; la pratica esterna dei voti religiosi; le diverse virtù che formano l'ascesa dell'anima verso Dio.

Se tutti questi elementi non sono armonicamente disposti, coordinati e subordinati in una visione del problema in tutto il suo insieme, si formeranno nella educazione delle situazioni spirituali violente, le quali, oltre non sciogliere il problema, non potranno essere mai durature.

Non intendo in alcun modo esporre una completa dottrina, ma di fare solo alcuni rilievi.

1. Il governo degli Istituti.

In altri tempi le leggi che presiedevano al governo di un Istituto o di una Comunità religiosa, potevano essere poche ed accentrare tutto nel Superiore, il quale aveva la possibilità di tenere realmente tutto nelle proprie mani e nulla si muoveva senza di esso o se non da lui mosso. Nessun altro della Comunità era necessario che avesse responsabilità dirette verso terze persone all'infuori del Superiore, dato che egli poteva rispondere per tutta la Comunità e per l'attività dei singoli individui. Perciò quando le leggi avevano provveduto per le pratiche di pietà ossia per il servizio divino, per l'amministrazione dei beni e per i rari rapporti dei Religiosi con le persone secolari, avevano già espletato il loro compito.

Ora non è così, fatta forse eccezione per qualche Monastero di stretta clausura sia di uomini sia di donne.

Le esigenze di una molteplice attività per i bisogni propri ed altrui, ha creato la necessità di dividere e distribuire più ampiamente le responsabilità ed attribuirle anche ad altri. Il Superiore non può più rispondere di tutto: potrà e dovrà pur sempre rispondere dell'attitudine dei sudditi preposti alle singole attività; potrà e dovrà organizzare il lavoro dei propri sudditi, ma non sostituirsi a tutti, sia per esigenze di capacità tecnica sia per la molteplicità delle azioni da compiersi. Si creano quindi per necessità altrettanti piccoli centri di attività nel monastero, i quali, pur rimanendo subordinati al tutto, debbono godere di una adeguata indipendenza e di un certo diritto di iniziativa.

La saggezza delle leggi e dei Superiori si mostrerà nel sapere coordinare e subordinare sapientemente le diverse attività in modo che non si intralcino a vicenda, nella scelta delle medesime, nel fissare la misura in cui debbono svolgersi, in modo che siano salvi e lo scopo dell'Istituto e la vita spirituale dei Religiosi.

2. La direzione spirituale e l'educazione.

Nella direzione ed educazione non si può quindi tener conto dei soli rapporti della vita interna del convento, ignorando quasi sistematicamente e volutamente quelle condizioni nelle quali in un domani dovranno trovarsi i Candidati.

Il lavoro esterno e il contatto con le persone deve costituire una base di orientamento della formazione spirituale, perchè quella è la vita che dovranno condurre ed in mezzo a questi rapporti si dovrà sviluppare la loro vita spirituale: premunirli quindi contro i pericoli che vi possono incontrare e addestrarli a trarre profitto anche da questi rapporti per la propria santificazione. Così deve farsi se si vuole che la formazione sia completa e possa rispondere in pieno alle aspettative della Chiesa e della società.

Occorre quindi corredare i candidati di tutte le cognizioni necessarie ed utili alle diverse mansioni; cognizioni anche di carattere profano, sia letterario sia scientifico sia tecnico; nè si coprire col velo del mistero quello che dovranno incontrare nell'esplicazione della loro missione. Occorre che ne abbiano una piena conoscenza e vi si portino con quella tranquillità di spirito che è data dalla conoscenza perfetta di quelli che saranno i rapporti dell'attività con la propria vita spirituale. Quelli che eventualmente non sono adatti o vi trovano facili pericoli debbono essere risolutamente eliminati come esseri dannosi a sè e agli altri.

L'essenziale è di formare degli spiriti che si possano mettere a contatto con tali cose senza subirne danno, sia per le cose in se stesse che possono interessare le diverse virtù, sia indirettamente per quell'aureola di gloria vana e di malintesa superiorità che facilmente porta seco una cultura qualunque e che è tanto dannosa allo spirito religioso.

Sarà pure necessario formarli ad una purità d'intenzione così limpida e profonda da essere capaci di vedere il divino in tutte le cose; di vedere tutte le cose con la luce di Dio stesso, il Quale tutto coordina alla sua gloria.

Così si acquista l'indipendenza dello spirito ed il contatto con le cose umane non potrà che appena sfiorare l'anima e rimarrà sempre una sovrastruttura per uso esterno che mai intacca l'anima; se pure l'anima stessa non si rende capace di scorgere anche in queste degli elementi adatti per lo spirito che non mancano mai nelle cose e di servirsi anche di quelli per una maggiore e più intensa unione con Dio.

3. La disciplina religiosa.

La disciplina religiosa deve contenere una opportuna distribuzione di ore di lavoro e di riposo; di pratiche di pietà e di lavoro esterno, in modo che sia il corpo sia lo spirito abbiano il conveniente lavoro e riposo.

L'impiego della giornata non deve in alcun modo costituire una forma di vita impossibile; deve essere anzi delle più ragionevoli e attendano i Superiori di adeguare le attività esteriori alle pratiche di pietà, in modo che, mentre si assegna a queste il tempo conveniente per la loro efficiente attuazione, le pratiche di pietà non subiscano troppo frequenti omissioni o trasposizioni per le eccessive esigenze di lavoro: occorre soprattutto che sia eliminata la preoccupazione del lavoro urgente o interrotto o che attende: segnerebbe l'estinzione dello spirito di pietà e con essa ben presto dello stesso spirito religioso.

Lo spirito che è eccessivamente assorbito nel lavoro materiale o culturale, ben presto acquista la mentalità del medesimo. Nello stesso tempo però gli atti disciplinari siano dotati anche di una conveniente elasticità, onde potere provvedere alle occorrenti esigenze di lavoro straordinario, senza creare angustie di spirito a causa di vincoli che si prospettano come indissolubili: creerebbero uno stato di coscienza violento e perturbato con grave danno della vita spirituale.

Non si possono formulare principi categorici: la disciplina per il lavoro o il lavoro per la disciplina; la via giusta è di contemperare l'una con l'altro in modo che si completino a vicenda e diano per risultato tutto il complesso dell'attività religiosa e l'una con l'altro presentino il quadro completo dell'attività giornaliera dei Religiosi.

4. *I Voti religiosi.*

Si possono aggiornare anche i voti? Certamente; non nel loro contenuto essenziale, ma piuttosto nei riflessi attivi e passivi all'esterno e nella società.

a) E' ovvio che la *Povertà*, sia teoricamente sia praticamente, pei Religiosi deve sempre significare o lo spogliamento dell'uso indipendente delle cose o lo spogliamento anche delle cose stesse, sulla base di una vita mortificata, allo scopo di giungere al completo distacco del cuore da ogni cosa.

Siccome però i sistemi di vita economica sono ora alquanto mutati, non solo, ma l'esigenza delle attività esteriori porta seco l'impiego di grandi mezzi economici, occorre trovare la linea di condotta sia per gli Istituti sia per i singoli membri, per raggiungere ugualmente lo scopo della povertà.

La linea di condotta dell'Istituto in rapporto alla povertà professata dai suoi membri sarà dettata, in ordine ai mezzi economici, dalla necessità di tali mezzi per un razionale mantenimento dei Religiosi e per l'esplicazione del proprio mandato, nel quadro del fine dell'Istituto e nella misura richiesta dalle circostanze.

Per quanto lo spirito dell'Istituto ammetta concetti larghi in materia di povertà, esso dovrà sempre esprimere vita mortificata, la quale esclude la raffinatezza e la ricercatezza delle comodità e tutto ciò che ha solo carattere lussuoso sia negli edifici sia nel mantenimento sia negli utensili destinati ai Religiosi. Resta inteso che i mezzi economici di qualsiasi specie sia per la vita dell'Istituto sia per lo svolgimento delle opere, debbono essere di legittimo acquisto, che pei Religiosi significa anche l'esclusione di qualsiasi forma di commercio o di mercatura, per quanto possa considerarsi onesta.

Non sarà inutile dire che la forma più pura di povertà nella vita religiosa è quella di vivere del proprio lavoro, ma fatto fruttare in quella misura che tien conto anche dello scopo caritativo della propria attività.

I singoli Religiosi che maneggiano danaro o dispongono di mezzi economici, debbono coltivare la ferma convinzione, sia teorica sia pratica, di disporre degli altrui beni, in modo da non riconoscere per sè che la responsabilità del « redde rationem ». Ai beni altrui non si attacca il cuore. Si preoccuperanno quindi della più assoluta dipendenza dai Superiori nell'uso delle cose, sottoponendo quanto ricevono, amministrano o distribuiscono ad un vero ed efficiente controllo dei medesimi.

Siccome è difficile maneggiare la pece e non impegolarsi, sarà ufficio degli educatori di formar i candidati ad un vero spirito di povertà per cui si sentano spontaneamente portati a non appropriarsi nulla ad uso personale ed esclusivo; a non sottrarre alcuna cosa al controllo dei Superiori, anche ciò che è loro consentito di usare; a proscrivere dal proprio uso personale ogni cosa inutile e a ridurre al minimo le proprie esigenze; a chiedere sempre i dovuti permessi anche per l'uso delle cose necessarie.

Qualora siano animati da questo spirito, non sarà loro di danno il maneggio di ingenti somme e la povertà vera cioè veramente santificante sarà possibile qualunque sia la condizione in cui si debba svolgere la vita religiosa per l'esplicazione della propria missione. In tal modo la vita religiosa resterà sempre imperniata sullo spirito e sulla pratica della mortificazione, perchè attuerà la parola dell'Apostolo: « usa delle cose di questa terra come se non le usassi ». Il religioso particolare, a più ragione che l'Istituto, deve pensare che non vi può essere povertà vera e meritoria che non sia espressione di mortificazione. Con ciò anche appare evidente come il voto di povertà non è un intralcio all'attività esteriore, che anzi rende questa maggiormente redditizia, perchè più disinteressata e meno dispendiosa.

I Superiori debbono tener presente che le violazioni della povertà, a differenza degli altri voti o almeno più degli altri voti, hanno dei riflessi su tutta l'economia della vita religiosa, sia perchè tali violazioni sono più visibili esteriormente, sia perchè intaccano proprio la cornice difensiva della vita religiosa. In vista di ciò è essenziale ed essenzialmente moderno che ognuno accetti la regola comune, evitando di andare in cerca di oggetti più ricercati di quelli messi a disposizione dalla vita comune, non mai accettando nulla dal di fuori senza i dovuti permessi e senza versare tutto nella cassa comune o mettere tutto nelle mani del Superiore perchè ne disponga come crede bene; è necessario anche che ognuno sia disposto ad accettare volentieri gli oggetti meno belli, più usati, meno moderni o meno comodi, anzi a preferirli.

Il Religioso animato da un tale spirito osserva il voto di povertà in ogni occorrenza e gli può essere affidato anche tutto l'oro del mondo che si sentirà e sarà realmente sempre povero.

b) *L'obbedienza,* per essere ben compresa ed usata, deve significare per il Religioso, la più ampia libertà di azione nell'ambito della volontà di Dio.

Per parte dell'Istituto, allo scopo di mantenere all'azione la elasticità necessaria, è opportuno che l'obbedienza non sia imperniata in una eccessiva molteplicità di precetti e tanto minuziosi da fissare ogni momento ed ogni movimento della vita religiosa. Ciò finirebbe per materializzare l'obbedienza e la vita stessa, ed il Religioso, chiuso in questo cerchio, finirebbe per agire come un automa. Se poi circostanze speciali lo obbligano ad uscirne si troverebbe impacciato; senza pensare poi che un simile meccanismo favorirebbe troppo l'abitudine e diminuirebbe il merito delle azioni.

Ufficio del Superiore deve essere sempre quello di farsi un giusto interprete dei voleri di Dio, ed a ciò si riduce la sua responsabilità in ciò che impone ai propri sudditi, sia esso grave o leggero. E nelle sue disposizioni deve avere di mira, non semplicemente un'attività da affidare ai singoli, ma un'attività efficiente. Se il suddito non deve rendere conto a Dio della efficienza del proprio lavoro, perchè a lui basta di avere lavorato coscienziosamente; il Superiore deve rendere conto anche della inettitudine dei mezzi usati allo scopo, della scelta delle persone, dei mezzi messi a disposizione dei sudditi. Se il suddito, dopo un lavoro coscienzioso può riposare tranquillo anche se poco o nulla ha realizzato, il Superiore deve anche rendersi conto se il lavoro dei sudditi sia stato efficiente o no e se l'inefficienza debba a lui attribuirsi.

E' certamente necessario che i Superiori abbiano in mano le fila di tutto il movimento dell'Istituto o della Comunità, ma non pretendano di arrogarsi il diritto o il privilegio esclusivo della iniziativa: la vita è troppo complessa perchè il Superiore possa essere l'anima di tutto. Può e deve tutto controllare, in modo che tutto si svolga coordinatamente e subordinatamente ai fini dell'Istituto; deve unire e far convergere tutte le energie ad un unico sforzo; distribuire equamente le incombenze, tenendo conto delle capacità fisiche, intellettuali e morali di ciascuno; dirigere le volontà dei sudditi, ma non sostituirsi alle medesime; indicare ai propri sudditi il piano divino, che essi debbono accettare ed eseguire. Soprattutto il Superiore deve avere davanti agli occhi ben chiaro e definito il fine del proprio Istituto in modo da potere subito avvertire le deviazioni e le esorbitanze, per evitare di invadere il campo altrui e creare conflitti tra i vari Istituti.

Il suddito deve preoccuparsi unicamente di fare in ogni istante quello che Iddio gli domanda. Ciò però solamente potrà fare se riconoscerà nella obbedienza un ossequio alla volontà di Dio nella persona del Superiore che gli comanda — e questa deve essere la sua convinzione se vuole poter sempre obbedire ed obbedire con merito. — Con tale convinzione radicata nel cuore non avrà bisogno che ogni suo passo sia misurato e nemmeno avrà bisogno di un controllo continuo ed immediato del Superiore; potrà vivere anche lunghi periodi senza vedere il Superiore nè udirne le voce: il merito ed il valore della sua obbedienza sarà il medesimo perchè dettata da quell'ossequio perenne della sua volontà, la quale per questo e solamente per questo non deflette di una virgola nella missione assegnata; non è guidata da una scelta, da un gusto, da una inclinazione o da una soddisfazione personale, ma unicamente dalla convinzione di una missione ricevuta da Dio sotto il cui sguardo la eseguisce in ogni momento. Per questo anche la eseguisce non solo nelle sue linee generali, ma anche in tutti i suoi particolari per renderla, non solo nelle apparenze, ma nella realtà efficiente. Nei confronti di attività nelle quali i Religiosi godono di una grande libertà di azione e diritto di iniziativa, è necessaria una solida formazione allo spirito di obbedienza onde valorizzare i diversi atti e renderli meritori.

Sarà quindi compito degli educatori combattere specialmente l'orgoglio, frutto dell'amor proprio. Nella pratica della vita si vede bene che basta che un atto sia comandato, un indirizzo sia imposto, un determinato atteggiamento sia voluto dai Superiori, perchè per questo solo fatto costi maggiore fatica; è il solo fatto che è voluto dalla volontà altrui e non dalla nostra; è l'orgoglio che non ama sottostare anche in quello che d'altronde forse avrebbe anche scelto spontaneamente. Niente di meraviglia: Eva dei tanti frutti deliziosi scelse proprio quello che era stato proibito. L'orgoglio rende difficili anche gli atti che per sè sarebbero di facile esecuzione; non si tratta di difficoltà di carattere fisico, ma di carattere psicologico e morale: l'amore del proprio « Io ».

Sarà pure compito degli educatori fare risaltare la dignità e il valore della obbedienza, analizzandone gli elementi psicologici, dai quali emerge come essa contenga l'esercizio di tante altre virtù: della pazienza, della umiltà, della fede, della confidenza, della docilità e quindi i suoi atti valorizzano tutta intera la vita religiosa.

E specialmente facciano ben comprendere che l'obbedienza non è una schiavitù e nemmeno una distruzione o anche una diminuzione della propria personalità. Essa anzi ci riallaccia alla volontà di Dio nell'ambito della quale si può godere della più ampia libertà nel fare il bene: il solo e vero bene che noi possiamo fare per noi e per gli altri è unicamente quello che Iddio vuole da noi. La vera obbedienza non ha per iscopo di farci fare in ogni istante quello che v'ha di meglio in sè, ma di permettere al Signore di compiere ad ogni istante, per mezzo nostro, quello che v'ha di meglio per Lui. Si può immaginare quindi una dignità maggiore e si può assegnare alle opere nostre un valore più grande di quello di essere assunte ad opere stesse di Dio? Non è il meglio considerato in sè che vale, ma il meglio in rapporto a Dio in quanto è trasformato in servizio divino.

Data la grande varietà di azioni e di occupazioni, in conseguenza delle attività esteriori, è necessario formare le anime religiose alla più assoluta indifferenza nei confronti di qualsiasi ufficio di cui siano capaci: non quello che è gradito, ma quello che è dovere, ed è dovere quello che è voluto da Dio. Una tale indifferenza però non autorizza il Superiore ad imporre inconsideratamente gli uffici e le mansioni ai sudditi, senza tener conto della loro effettiva capacità, ritenendo che la sola obbedienza li possa rendere abili o che essa possa operare sempre miracoli: essi sono obbligati, come si è detto, a provvedere per la maggiore efficienza del lavoro.

e) Nel voto di *castità* non vi è nulla da aggiornare, ma solo da ricercare nuove difese o rinforzare le antiche di fronte ai nuovi pericoli.

Le esigenze dell'ora non consentono sempre che la vita religiosa si svolga in una segregazione totale e alle volte nemmeno parziale dal mondo e dai suoi pericoli.

Le mura del chiostro erano una siepe protettiva esterna; l'interdizione completa del contatto, specie con le persone di altro sesso, era un protettivo per la mente e per il cuore. Ora le cose per molti Religiosi vanno diversamente: non solo a contatto con le persone, ma sono impegnati — e lo debbono essere per necessità — in studi e lavori che mettono a contatto diretto ed immediato con ciò che può costituire un pericolo vero e non immaginario per la Castità. Caratteristico è il lavoro negli ospedali ed in parte anche il lavoro missionario; pericoli poi se ne trovano ovunque vi sia la necessità di contatto con persone estranee. D'altra parte non è il caso di rinunziare alle mansioni caritative o di apostolato per non mettere in pericolo le promesse fatte a Dio; sarà più giusto ed opportuno ricercare il modo di mettere al sicuro le proprie promesse onde poter raccogliere maggior bene nel campo della carità e dell'apostolato.

La preparazione religiosa, per questo solo riflesso, deve essere informata ad un grande spirito di mortificazione interiore, in modo da poter acquistare il pieno dominio di se stessi, dei propri sensi, delle potenze dell'anima. Non basta però la possibiltà del dominio; ci vuole anche la volontà di esercitare questo dominio. Quindi ci vuole un orientamento della volontà che sia fissato su una mentalità tutto consona alla propria missione.

Nelle esigenze naturali della vita non basta introdurvi la rinunzia alla paternità o alla maternità. Il solo lato negativo sarebbe troppo imperfetto e non sufficientemente giustificato o potrebbe significare una forma di egoismo. Il lato positivo ha maggiore importanza.

Se davanti ad ogni allettamento della carne l'anima non può aver pronto qualcosa di meglio, di più alto e che maggiormente la attiri e la soddisfi, la rinunzia non porta seco una sufficiente giustificazione e resta una pura violenza inferta alla natura la quale viene privata di legittime soddisfazioni. D'altra parte nell'ordine provvidenziale di Dio nessuno può sottrarsi al dovere della fecondità. Vi è però il corpo ed anche lo spirito ed ambedue hanno la propria fecondità. Generare i corpi è bella cosa: corrisponde ad un istinto naturale ed è anche necessario nei limiti della esigenza della propagazione del genere umano; ma generare le anime ed in numero illimitato è cosa anche migliore, più bella e divina: se la prima popola di cittadini la terra; la seconda popola di cittadini il cielo. Quindi l'amore naturale che spinge l'uomo a farsi principio generatore di corpi deve essere sostituito nel Religioso dall'amore divino che lo spinge ad essere principio generatore di anime.

La castità intesa nella luce di questa missione è certamente possibile ed è sicura. Se la rinuncia all'amore umano è totale sì che il cuore possa essere e sia realmente posseduto dall'amore di Dio, in tale stato non vi sono più pericoli per la castità. La persona religiosa può benissimo trovarsi a contatto con qualsiasi umana turpitudine e con tutto quello che può allettare la carne; non avrà nulla da temere; avrà forse occasione di meglio consolidare il proprio proposito, potendolo meglio apprezzare nei confronti con le umane miserie. In questi contatti, mentre assisterà di continuo alle più amare delusioni della vita, troverà invece che le sue aspirazioni trovano sempre il loro compimento sia nel darsi a Dio sia nel darsi alle anime.

Benchè non si debbano trascurare le necessarie cautele protettive della castità, dovendosi evitare non solo il male ma anche le apparenze del male, la prima ed insostituibile difesa deve essere organizzata a tempo opportuno in un ordine di idee adeguato alla propria professione: idee destinate a divenire vita e vita operante. Bisogna che la persona religiosa possa guardare tutte le gioie terrene, non col rimpianto nostalgico di chi ha fatto una inutile rinunzia, ma serenamente e con la gioia di chi ha trovato qualche cosa di meglio, non solo idealmente, ma nella vita pratica e di cui già ne assapora i frutti.

***

Tralascio di parlare delle altre virtù il cui esercizio deve necessariamente assumere forme diverse pur essendo l'espressione dello stesso spirito interiore. Questi semplici rilievi che riguardano i capisaldi della vita religiosa vanno intesi nel senso di un contributo alla formazione di una sana mentalità religiosa che ritenga l'efficacia santificatrice di questi mezzi anche di fronte alla impossibilità di mantenerne le forme esteriori, in modo che i mezzi essenziali della vita religiosa restino sempre i medesimi benchè mutate le condizioni dei tempi e della vita.

106 R. P. REGINALDUS OMEZ, O. P., Doctor Phil.
et Lector Theol., Cappellanus Syndicatus
Scriptorum Cath. Galliae, *scripsit*:

Etant donné la multiplicité et l'étendue de ces problèmes, je me contenterai, en cette brève note, de choisir quelques observations concernant des progrès déjà réalisés en certains Instituts, ou qui semblent souhaitables.

1. *Quant au gouvernement des Congrégations.*

On note généralement, sous l'influence de l'évolution « démocratique » de la société contemporaine (avec trop souvent la désagrégation du sens de l'autorité), diverses adaptations qui corrigent ce qu'il pourrait y avoir d'absolutisme et d'autoritarisme dans la manière pratique de gouverner de certains supérieurs, surtout féminins.

Ils font davantage appel aux Conseils, et tiennent plus compte de l'avis des conseillers ou des chapitres.

L'application des articles du Code de Droit Canonique qui règlent l'usage de l'autorité est souvent en progrès, grâce aux changements apportés aux Constitutions particulières.

On déplore cependant encore fréquemment l'absence de visites canoniques qui permettraient de mettre fin à certains abus!

En France et en Belgique, la publication des Revues destinées aux Religieux et Religieuses, et de divers volumes adressés aux supérieures ou aux maîtresses des novices a aidé à ouvrir les yeux.

Nous notons chez beaucoup de supérieurs (et même supérieures) plus de simplicité et « d'humanité »:

— réduction des marques de déférence qui étaient parfois excessives et inadaptées aux coutumes nouvelles des familles et des sociétés civiles et militaires.

— il est plus rare de rencontrer des supérieures qui semblent s'attribuer une sorte d'infaillibilité et d'impeccabilité en tous les domaines.

— Les supérieurs se mettent davantage à la portée de leurs sujets.

2. *Quant à la discipline religieuse et aux voeux.*

En plus des heureuses rénovations réalisées spontanément par des Supérieurs éclairés, et ouverts à l'égard des modifications apportées dans la vie spirituelle comme dans la vie profane par les progrès modernes en tous les domaines, la diminution des vocations, et des départs de novices ou de profès ont incité d'autres supérieurs à élargir et adapter leurs conceptions personnelles et les usages de leur Congrégation.

Dans les Instituts d'hommes, les modifications ont pris souvent des proportions très considérables, et même excessives (par exemple dans la suppression pratique du contrôle au point de vue de la réception et de l'usage de l'argent, aboutissant au retour à la vie privée) surtout à l'égard des religieux prêtres et adonnés au ministère hors du couvent.

Chez les Religieuses, ces rénovations sont généralement moins développées. On note cependant, surtout dans les grandes Congrégations, des conceptions plus « intelligentes » et éclairées de la discipline religieuse, avec le souci de laisser s'épanouir la personnalité: ex. plus d'initiative laissée aux religieuses chargées de mission en dehors de la Communauté, dans l'Action Catholique...

Mais il y aurait encore, en certains cas, beaucoup à faire pour empêcher l'étouffement de jeunes sujets, doués, et d'excellente volonté, qui sont encore menés avec trop de « maternalisme » (intervention excessive de la supérieure jusque dans les plus petites choses).

3. Quant à la vie ascétique.

Les efforts accomplis en tous les milieux pour développer le respect et la culture de la personnalité, et d'autre part le renouvellement de l'ascèse catholique, par une recherche plus assidue du sens profond et de l'esprit des vertus chrétiennes et des exercices ascétiques, ont fort éclairé les notions de renoncement à soi et d'humilité, en les ramenant aux conceptions primitives authentiques, et en les libérant de certaines déformations et exagérations des derniers siècles.

En particulier la vertu fondamentale d'humilité est peu à peu ramenée à sa conception théologique véritable (« la connaissance de ses propres limites devenue règle directive de la volonté ») (1), et libérée d'un certain nombre d'affectations, de mesquineries, de caricatures, qui la rendaient ridicule ou absurde: (comme de s'accuser de fautes qu'on n'a pas commises, se déclarer incapable de certaines actions ou charges alors qu'on a au contraire de vraies aptitudes pour cela).

---

(1) S. Thomas, 2, 2, q. 161, a. 2.

107   *Orator* - R. P. Reginaldus Omez, O. P., Doctor Phil. et Lector Theologiae.

1. De orali oratione.

Non raro apud fideles magis instructos de re religiosa, et magis devotos, mirabiles videmus progressus circa intelligentiam Sacrae Liturgiae.

Pro illis, Sacratissimum Eucharistiae Sacramentum non est amplius devotio quaedam inter alia plurima; sed vere apparet ut essentialis et centralis manifestatio Cultus et Religionis.

Quapropter, fideles ipsi multo attentius ac sedulius Sacrosancto Sacrificio assistunt, omnibus orationibus ac ritibus intime communicantes, sive per liturgicos cantus, sive ipsas orationes Missae, latine vel in lingua vernacula recitantes.

Ex altera parte, multi fideles Officium Divinum melius intelligunt, atque devote assistunt quasi quotidie diversis Horis canonicis, praesertim Completorio.

Haec melior et profundior intelligentia orationum traditionalium nostrae Religionis, generat in illis quamdam displicentiam circa orationes et devotiones recentiores, praesertim ultimi saeculi, quae nimis superficiales sunt, et Romantismum vel Sentimentalismum sapiunt.

Valde convenit orationes vocales in Ordinibus et Congregationibus talem felicem evolutionem sequi: quae non est aliud nisi *reditus ad veras primitivas et genuinas orationes christianas.*

Alia adaptatio quae requiri videtur a mutatis temporibus esset *reductio durationis orationum,* pro religiosis qui ad vitam activam aut mixtam vocantur.

Talis autem minutio nullum detrimentum verae pietatis ferre posset si, loco orationum plus minusve superficialium, aut quae quamdam monotoniam facile generant, eliguntur orationes quae magis spirituales divitias continent, et iam quasi meditationem constituunt vel facilitant.

Ex. gratia: Non pauci sunt Fratres conversi vel sorores qui, loco recitationis « Pater Noster » et « Ave Maria », licentiam recitandi Officium Parvum B. M. V. vel Sacratissimum Rosarium cum meditatione Mysteriorum, a paucis annis petierunt.

2. De oratione mentali.

Haec est essentiale medium ad perfectionem religiosam, quod nullo modo minui potest. Per Contemplationem, ideae abstractae fiunt fervidae convictiones; et anima religiosa, sub influxu Doni Sapientiae, recipit lumen supernaturale fidei, caritatis ardorem, necnon voluntatis vigorem ad vitam spiritualem magis fovendam, et ad missionem apostolicam sanctius et efficacius agendam.

Sed qualitas et effectus orationis mentalis multo minus a duratione talis exercitii pendunt quam ab authenticitate et fervore illius contemplationis.

Ut autem veram contemplationem attingant, iuvenes religiosi hodierni quam maxime indigent, non amplius imaginibus, vel affectibus plus minusve effeminatis, sed e contra omnino requirunt solidam doctrinam evangelicam vel theologicam. Illam requirunt sive immediate in ipsis Evangeliis vel in Epistolis, sive in textibus Sacrae Liturgiae.

Saepe talibus iuvenibus sufficere non amplius possunt libri pro meditationibus in recentioribus anteactis temporibus redactis.

Tali felici evolutioni mentium mihi videtur quod debemus libenter adhaerere.

Amplius, iuvenes hodierni religiosi saepe maximam curam habent circa, ut aiunt, propriae personalitatis cultum. Propterea, in ipsis spiritualibus exercitiis, valde requirunt propriam praerogativam et *libertatem in obiecto meditationis eligendo.*

Quapropter illis non placet determinatio a superiore facta pro tota Communitate de obiecto meditationis, nec lectio publica talis obiecti durante meditatione.

Circa hoc etiam mihi videtur quod feliciter possumus tali desiderio caute assensum dare.

Examen conscientiae.

Recentiores religiosi saepe parvi pendunt tale exercitium et illud omittunt. Magis eis placet seipsos tradere, absque mensurationibus et praevisionibus, impulsionibus fervidis quae in momento surgunt; istae eis videntur esse inspirationes divinae; dum facile putant examina conscientiae, sive de praeteritis sive de agendis, esse quemdam egocentrismum, plus minusve morbidum!

Pro illis, quod importat est generosa intentio et fervidus spontaneus impulsus ad ea quae immediate meliora videntur, absque computationibus et absque moralibus vel casuisticis considerationibus, quae eis valde displicent.

Talis habitus, in quo saepe latet et absconditur amor proprius necnon spiritus independentiae, aliquando crescere potest propter modum antiquum concipiendi tale examen, qui non est amplius satis accomodatus menti contemporaneae.

Etenim, non raro invenimus formularia in quibus adhuc subsistunt quaestiones quae nullo modo conveniunt cum novis consuetudinibus modernis, cum statu psychologico nostri temporis, cum reactionibus intimis hodiernis: ex. gratia: circa pudorem, modestiam, humilitatem, oboedientiam, etc.

Videtur quod valde utile esset, ad servandum tam indispensabile exercitium (ad illusiones vitandas, et ad emendationes necessarias revelandas), formularia inadaptata renovare, et magis insistere circa intentiones et motiva, plus minusve secreta actionum, quae plus important quam particularia obiectiva talium actionum.

Mortificationes et paenitentiae.

Nullus salvari potest nisi crucem suam ferat et dolorum particeps fiat Illius qui voluntarie dolores atroces elegit et sustinuit.

Sed formae quaedam mortificationis corporalis non amplius aptatae videntur sive sanitati iuvenum, sive regimini vitae hodiernae.

Puto quod saepe exaggeratur debilitas physica novarum generationum. In multis casibus experiri potuimus quod nostri iuvenes adhuc capaces sunt, si quando pulsantur a necessitate, aut a concupiscentia aut ambitione, aut a generosis passionibus, non tantum aggrediendi sed feliciter adimplendi actiones quae solidam sanitatem ac miram vim physicam exigunt!

Sed e contra, in campo nervorum, saepe saepius sanum aequilibrium valde compromittitur vel periclitatur.

Vita moderna, cum excitationibus et abusibus multiplicibus, cum rhythmo suo antivitali, valde ferit systema nervosum.

Propterea, iuvenes hodierni omnino indigent *somno* prolixo et tranquillo, necnon *cibo*, minoris voluminis, sed nervos nutriente et reficiente.

Quapropter mortificationes quae systema nervosum debilitant vel turbant, et aequilibrio mentali minantur, valde temperari debent.

Ex alia parte, dum multi educatores, et ante omnes Summus Pontifex Pius XII, valde insistunt petentes liberationem ac progressum Personalitatis humanae, videtur quod omnino supprimendae sunt mortificationes et paenitentiae quae potius vexationes aut absurditates apparent, et nullo modo intelligi possunt a iuvenibus modernis.

E contra ampliandae sunt mortificationes quae secundant generosas aspirationes iuvenum hodiernorum: ex. gratia: suppressio effeminatarum consuetudinum, curationum, sollicitudinum, quae in usu erant in societate mundana, in principio huius saeculi, et quas novae generationes repellunt ad vitam magis simplicem et virilem agendam. Aliquando inveniuntur religiosi et religiosae qui tales usus servant, quos laici iam quasi omnes dereliquerunt.

Etiam saepe valde bonum erit religiosos adhibere ad labores domesticos et etiam ad istos labores qui antea operariis reservabantur: et hoc, tam ratione mortificationis quam caritatis exercendae ac spiritus paupertatis fovendi. Semper primum locum assignemus mortificationibus seu paenitentiis quae aliis utiles esse possunt, et quae non amplius romantismum sapiunt, aut quamdam secretam amoris proprii exaltationem fovere possunt.

Exercitia spiritualia.

Illorum necessitatem in memoriam revocantes, quae forsitan in hodiernis temporibus urgentior est quam in nullis anteactis, ostendere vellem quod ad maiorem fructum et profunditatem assecurandum, oportet nunc multitudinem exercitiorum in his diebus vitare, ita ut religiosi possint magis ad personales conatus et veram contemplationem se addicere.

Scientia - Recreationes.

Ut melius apti simus ad ea quae nunc aut exiguntur aut desiderantur, cogitare debemus de necessitate relaxationis nervorum.

Propterea, exceptis religiosis qui per totam diem, physicum seu manualem laborem stantes operantur, non amplius iuvenum religiosorum recreationes, placide sedentium circum Superiorem, habeantur.

Necesse est quod religiosi qui vitae sedentariae mancipantur, musculos exercitent et in « sportivis » ludis versentur.

Amplius, in certis casibus, caute et discrete, aliquomodo concedatur usus, iam universaliter sparsus, modernarum inventionum, quae simul ad instructionem et delectamentum tendunt: scilicet: cinema, radio, televisio. Attamen, circa hoc, stricte provideatur ut nihil in detrimentum silentii, monasticae compositionis et religiosi spiritus introduci possit.

Alii periti viri, ex munere a Sacra Congregatione de Religiosis commisso, circa idem argumentum scripserunt.

108   R. P. Beniamin a SS. Trinitate, O. C. D., *scripsit*:

Osservazione generale. Mi sembra di somma importanza rilevare come il problema del rinnovamento aggiornato degli stati di perfezione nel mondo debba essere studiato e risolto *innanzi tutto in conformità con lo spirito caratteristico* e la missione propria di ogni Istituto religioso nella Chiesa. Suscitati da Dio stesso, i Fondatori hanno dato al loro Istituto una fisionomia propria ed un ordinamento legislativo corrispondente all'ideale di vita che essi avevano la missione di creare nella Chiesa. Ogni rinnovamento dovrà quindi procedere da una maggiore consapevolezza dello spirito caratteristico dell'Istituto e dal desiderio di viverlo con maggiore fedeltà.

Ora questo spirito proprio di ciascun Istituto è cosa talmente delicata, personale, corrispondente ad una vocazione divina speciale del Fondatore e dei suoi figli, che solo coloro i quali possiedono questa vocazione *e la vivono praticamente, sperimentandone le difficoltà e le gioie,* possono comprenderla a fondo.

Chi considera l'Istituto dal di fuori, come estraneo, non ne potrà avere che una conoscenza teorica, astratta e quindi incompleta, inadeguata alla realtà. Ciò si verifica sopratutto per quegli Ordini che hanno una finalità propria più spiccatamente interiore, spirituale, come gli Ordini puramente contemplativi e gli Ordini di vita mista con maggiore prevalenza di vita interiore.

Perciò sembra necessario che il problema del rinnovamento aggiornato degli stati di perfezione *venga esaminato e risolto non da persone estranee, ma da ciascun Ordine in particolare e per proprio conto,* tenendo evidentemente presente e la propria missione e le esigenze odierne della Chiesa e della società.

Ciò non esclude che vi possa e vi debba essere una *fraterna collaborazione fra i diversi Istituti,* i quali molto utilmente potrebbero comunicarsi le proprie esperienze e i successi ottenuti in materia.

Del resto tocca alla suprema Autorità della Chiesa, mediante la *S. Congregazione dei Religiosi,* alla quale spetta la vigilanza sul regime e la disciplina degli Istituti (can. 251), di vigilare e, in caso di negligenza degli Istituti, di imporre anche questo aggiornato rinnovamento.

Anzi sembra opportuno rilevare come, anche nell'ambito di ciascun Ordine, il problema debba essere risolto non da i singoli religiosi o Provincie, bensì *dalla suprema autorità* a cui spetta, secondo le Costituzioni, il potere legislativo in tutto l'Ordine. Si deve inoltre presumere legittimamente che i Superiori generali siano meglio informati intorno allo stato concreto e ai bisogni attuali dell'Ordine di cui reggono le sorti, e che abbiano maggiore esperienza degli uomini e della vita, come pure una più adeguata conoscenza dello spirito del proprio Fondatore.

Sarebbe però opportuno che venisse costituita in ogni Istituto una *apposita Commissione,* di cui farebbero parte religiosi che, per la loro speciale competenza in uno o l'altro ramo della vita religiosa, potrebbero essere di grande aiuto ai Superiori generali nella elaborazione del delicato problema. Penso in modo particolare agli educatori (maestri) esperti della mentalità della gioventù moderna; ai professori specialmente competenti nel campo della formazione intellettuale, ai religiosi più eminenti nell'apostolato, ai superiori con lunga esperienza di governo.

Tale procedimento eviterebbe il pericolo di prendere provvedimenti imprudenti, ispirati più da capriccio privato e da amore di novità, che dal vero desiderio di vivere più intensamente la propria vocazione e di venire in tal modo in aiuto ai bisogni urgenti della Chiesa nell'ora presente.

A questo proposito sembra poco opportuna la grande pubblicità che si sta facendo intorno al problema dell'aggiornamento dei religiosi, tanto all'interno dei singoli Istituti quanto nella stampa e tra i fedeli. Questi ultimi o fraintendono l'impostazione stessa del problema o ne vengono quasi scandalizzati; mentre i religiosi stessi, specie i più giovani, facilmente credono che si metta in discussione l'indirizzo fondamentale del loro Istituto.

Un esame sereno del problema, condotto così nell'interno di ciascun Istituto e dalla autorità costituita, coadiuvata da religiosi particolarmente competenti, potrebbe condurre ad una rinnovata consapevolezza della vocazione caratteristica e della missione dell'Istituto nella Chiesa nel momento attuale. Il risultato sarebbe che nel campo dell'apostolato avremmo religiosi veramente *specializzati* per le attività più confacenti allo spirito di ogni Ordine. Oggidì, purtroppo, quasi tutti gli Istituti si dedicano indifferentemente a qualunque attività apostolica, col grande pericolo di inadeguata preparazione e quindi di insuccesso e di sterilità, anche nel campo più corrispondente alla propria vocazione.

I mezzi spirituali di perfezione. Restringendo ora queste osservazioni ad alcuni mezzi *spirituali,* ordinariamente in uso per promuovere e raggiungere la perfezione, come sono l'ora-

zione, l'esame di coscienza, gli esercizi spirituali, la mortificazione, (di altri mezzi spirituali trattano altre comunicazioni),
è innanzitutto opportuno sottolineare la loro *intima connessione* con la stessa perfezione cristiana.

Infatti è nell'uso di codesti *mezzi* spirituali che l'anima religiosa si applica
principalmente alla pratica delle virtù tanto teologali quanto morali. Ciò vale
in modo particolare per l'orazione mentale che è eminentemente un esercizio
di fede e di amore di carità. Una *soppressione* quindi o comunque una menomazione di questi esercizi di vita spirituale metterebbe in grave pericolo l'edificio
stesso della perfezione religiosa.

Il rinnovamento aggiornato in questa materia deve consistere sopratutto
nel creare presso i religiosi *una consapevolezza più chiara* e quindi un maggior
impegno di fedeltà e di interiorità nel compimento di questi doveri del loro stato.

Il problema è in fondo di ordine educativo. Si tratta di
dare alle anime religiose *una formazione spirituale più soda.*
Perciò è necessario:

1. Dare idee chiare e *convinzioni più profonde* sulla vita
spirituale e soprannaturale, sul valore della vita interiore e
dei mezzi spirituali in uso nella Chiesa per il raggiungimento
dello scopo della propria vocazione religiosa.

Queste convinzioni non di rado mancano presso i religiosi. In certi Istituti
la maggioranza dei membri entra nel Noviziato ad una età (15 anni) in cui
queste convinzioni non possono ancora esistere. Quindi vengono abituati a compiere gli esercizi di vita spirituale troppo materialmente, esternamente, senza
spirito, più per obbligo che per convinzione personale. E una volta abituati
così, più tardi è assai difficile provocare in essi maggiore interiorità.

2. Dare una *direzione spirituale* appropriata ad ogni anima religiosa in particolare, e ciò specialmente nel periodo
della formazione. Senza una direzione spirituale illuminata e
costante, è in via ordinaria assai difficile che le anime religiose traducano in pratica le loro convinzioni ed usino con frutto
i mezzi di vita spirituale.

E' doloroso costatare che molti religiosi non hanno direttore spirituale; col
risultato che, rimanendo soli nel cammino della perfezione, fanno scarso progresso, e se sono giovani, si formano da se soli, senza conoscere se stessi e col
deplorevole risultato di non avere quelle caratteristiche speciali che sono proprie
del loro Istituto.

Per i giovani poi che hanno un direttore, non di rado questa direzione
è inefficace, perchè manca di aderenza alla vita. A questo proposito desidero
far notare che una delle ragioni principali di questa deficienza di direzione
efficace si trova nell'uso introdotto di affidare la direzione spirituale ad un religioso *diverso dal Maestro* che cura la formazione esterna dei giovani e che convive abitualmente con loro. Il risultato è questo: il direttore non conosce sufficientemente nè la vita concreta, quotidiana, nè il comportamento abituale del
suo diretto e quindi dà dei consigli non appropriati, oppure in contradizione
colle direttive date del Maestro. D'altronde la formazione data dal Maestro
non estendendosi alla formazione individuale interiore, benchè extra-sacramen-
tale, diventa quasi unicamente esterna, formalistica, esponendo anche i giovani
a prendere dinnanzi a lui degli atteggiamenti poco leali, poco sinceri.

3. Creare *condizioni ambientali favorevoli* alla vita spirituale. Per condurre la vita interiore occorre che l'ambiente della vita comune favorisca il raccoglimento e quindi, almeno in certe ore, il silenzio, la solitudine.

Molto importante in questo senso è anche la fedeltà della Comunità *come tale* agli esercizi di vita spirituale prescritti dalle Costituzioni. I giovani, a buon diritto, sono esigenti su questo punto: vogliono o che si faccia ciò che è prescritto, lealmente, senza glossa, o che si tolga la prescrizione stessa. Ci sono delle Comunità dove la mezz'ora di meditazione prescritta si fà durante la santa messa ugualmente prescritta, cumulando così, contrariamente certo allo spirito della legge, l'adempimento di questi due obblighi, ai quali l'uno o l'altro religioso potrebbe aggiungere ancora la recita, sempre nel medesimo tempo, di una parte del breviario.

Scendendo ora ai punti più particolari, ecco ciò che mi sembra dover notare in proposito.

1. *Orazione mentale.*

Per una maggiore valutazione della orazione mentale occorre insistere di più nel suo concetto fondamentale: l'orazione è essenzialmente un *contatto personale e intimo* dell'anima col Dio (Uomo-Dio) personale e vivente. Nella luce della fede e nell'ardore della carità divina, l'anima si mette consapevolmente in contatto con Colui da cui sa di essere anch'essa personalmente ed attualmente conosciuta ed amata.

L'esperienza dimostra che *numerose* sono le anime religiose che non possono « fare la meditazione » nel senso di ragionamento discorsivo sulle verità della fede, e ciò non per mancanza di buona volontà, ma perchè non hanno le dovute disposizioni mentali, oppure perchè hanno già percorso in qualche modo il cammino iniziale della vita di orazione. Se a quelle *numerose* anime non si insegna che l'orazione mentale non consiste tanto nel « meditare » ma ben più nel contatto intimo con Dio nella fede e nell'amore, esse facilmente abbandonano l'esercizio della orazione, o se la fanno, non ne cavano frutto. Occorre quindi far capire che la meditazione discorsiva non è che una *parte* della orazione, una preparazione, un avviamento al contatto intimo con Dio. S. Teresa di Gesù in modo particolare ha insegnato con chiarezza come la meditazione possa essere utilmente sostituita da una lettura spirituale pacata e raccolta o anche dalla recita lenta di qualche preghiera vocale, coll'intento di fissare la mente e sopratutto il cuore in Dio. Concepita in tal modo l'orazione mentale, nella sua realtà vivente e concreta, costituisce per così dire il fine stesso della vita interiore: l'unione con Dio mediante la carità.

Da ciò risulta chiara *tutta la importanza* della orazione mentale nella formazione e nella vita religiosa. L'orazione mentale, o meglio l'unione che ne è il centro, è fine a se stessa e non è ordinata ad altro. In pratica troppo spesso se ne fà un esercizio *di riforma morale* dell'anima religiosa. Evidentemente tale riforma non deve essere esclusa da colui che fa orazione, ma ne è solo una conseguenza; è nel contatto personale con Dio, che l'anima scorge meglio i suoi difetti come pure le esigenze che Dio pone alla sua generosità.

Nel medesimo senso occorre evitare di ordinare la meditazione ad una *immediata* preparazione dell'azione apostolica: preparazione di prediche, di insegnamento ecc. L'apostolo deve saper dare un tempo esclusivamente destinato a fomentare il suo contatto intimo con Dio. Questo contatto personale col Signore è la vera fonte di ogni apostolato soprannaturalmente fecondo.

Conseguenze pratiche:

a) E' necessario *insegnare praticamente alle anime religiose un metodo* dell'orazione che le aiuti a trovare il contatto personale con Dio senza intralci.

b) E' necessario lo studio teologico o almeno la lettura di buoni libri spirituali (in primo luogo della S. Scrittura) per dare alle anime idee chiare sulle realtà soprannaturali, in modo da prepararle al contatto prolungato con queste realtà della fede durante la preghiera.

c) E' necessario dare un tempo esclusivamente riservato all'orazione mentale nell'orario della vita religiosa.

d) E' necessario creare nelle Comunità un ambiente esterno che favorisce la vita di orazione: raccoglimento, silenzio, solitudine, mortificazione.

e) Benchè l'esercizio della orazione debba essere controllato dalla direzione spirituale, occorre lasciare nondimeno una grande spontaneità e *libertà individuale* nella pratica della orazione mentale. Ciò corrisponde certamente all'aspirazione della nostra gioventù moderna.

Infatti il contatto intimo con Dio è una cosa personale, corrispondente al temperamento spirituale e alla vocazione individuale di ognuno. Quindi mi sembra molto opportuno di rinunziare, almeno in via ordinaria, alle meditazioni *fatte in comune a voce alta da un predicatore* o superiore e su soggetti stereotipati. Anzi non si dovrebbe neppur troppo prolungare la lettura del « punto di meditazione » che in qualche caso potrà essere utile per coloro i quali non hanno avuto occasione di prepararsi personalmente all'orazione, ma che per la maggioranza costituisce piuttosto un'ostacolo allo svolgimento del pensiero personale che hanno scelto come avvio al loro colloquio intimo con Dio. Meglio sarebbe che ognuno si valesse del libro che più lo aiuta a trovare il Signore.

2. La preghiera vocale

Ricordo alcune *verità elementari:*

1. L'orazione vocale è l'espressione connaturale all'uomo del suo contatto intimo con Dio. Quindi nè può essere disgiunta dall'orazione mentale che ne è l'anima, nè può sostituire l'orazione mentale.

2. Ognuna di questa forme della preghiera deve avere il suo posto in una vita spirituale armonicamente equilibrata.

3. La preghiera liturgica è la forma sociale più perfetta dell'orazione vocale. E' ricchissima di contenuto dottrinale e fonte genuina di vita interiore.

Onde i seguenti *rilievi pratici:*

1. Una accurata istruzione liturgica dovrebbe dare alle

anime religiose maggiore consapevolezza della eccelsa dignità della preghiera liturgica fatta ufficialmente, in unione con Cristo, in nome della Chiesa e che trova il suo punto culminante nella celebrazione e nella partecipazione al S. Sacrificio della messa.

2. Per non soffocare lo spirito interiore, conviene evitare le preghiere vocali o troppo numerose o troppo prolisse. Si potrebbe ridurle sostanzialmente alla recita del divino ufficio, per coloro che vi sono tenuti, o a una parte dell'ufficio, per coloro che non vi sono obbligati. Ciò non dovrebbe peraltro escludere qualche breve devozione quotidiana e collettiva, per es. in onore di Maria SS. o del Santo Fondatore...

3. Converrebbe dare maggiore cura ad ottenere una recita *veramente devota* della preghiera vocale, in particolare del divino ufficio. Una recita troppo affrettata, o che manca di unità, fatta « alla buona », materialmente, per soddisfare all'obbligo e... per guadagnare tempo, causa l'agitazione, esaurisce lo spirito, impedisce la devozione interiore.

3. L'esame di coscienza

E' un esercizio spirituale necessario per dare alle anime la conoscenza di se stesse e quindi per aiutarle nella pratica della virtù. In questa materia vi sono due *principali difetti* da evitare:

1. L'esagerata preoccupazione del proprio mondo interiore, che ripiega le anime su se stesse, invece di aprirle all'azione della grazia divina.

2. Il disprezzo, o comunque una menomazione di questo esercizio, sotto pretesto (oggidì non raramente corrente tra i giovani religiosi) che il Signore non è « calcolatore » e che vuole più spontaneità nell'andare a Lui. Costoro corrono il pericolo di non iniziare mai in modo serio la riforma del loro carattere e la mortificazione delle passioni, indispensabili mezzi del progresso spirituale.

Mi sembra che per evitare queste due tendenze difettose, converrebbe *spiritualizzare* maggiormente l'esame di coscienza, facendolo, non tanto come un computo materiale delle colpe o delle infedeltà commesse, ma in presenza di Dio, come un contatto consapevole con Lui: nella Sua luce l'anima scorge più facilmente i propri difetti e le sue resistenze alla grazia; vede meglio non *ciò* che ha fatto (di bene o di male) ma *il perchè*, l'intenzione con cui ha operato.

In questa materia è particolarmente necessario che l'anima segua i consigli di un direttore esperto il quale sappia al momento opportuno insegnarle a semplificare il suo esame di coscienza, come del resto tutto l'andamento della vita interiore.

4. Gli esercizi spirituali.

Numerose sono le anime religiose che provano un senso di disagio, per non dire di noia, durante gli esercizi spirituali, i quali non corrispondono, così come vengono dati abitualmente, alle esigenze personali della loro vita spirituale. La ragione principale si trova nel fatto che le istruzioni sono quasi esclusivamente ordinate alla «conversione» di anime che vivono nel peccato, e non già al progresso spirituale di chi già si è dato interamente al Signore, e forse da lunghi anni.

Invece per la grande maggioranza delle anime religiose, il corso degli esercizi spirituali dovrebbe essere un tempo di maggior raccoglimento in cui, sotto lo sguardo di Dio, prendono più intima consapevolezza delle esigenze della propria vocazione e della grazia divina al loro riguardo. Sono una sosta sul cammino della vita per ritemprare l'anima nel contatto intimo con Dio.

Di quì i seguenti *rilievi pratici:*

1. Le prediche sono generalmente troppo numerose e troppo lunghe. Con due o tre istruzioni di una buona mezz'ora, e ben preparate si può dare nutrimento spirituale abbondante.

2. Non moltiplicare troppo le pratiche di pietà durante gli esercizi, ma lasciare alle anime il tempo di elaborare e assimilare per conto proprio la dottrina ricevuta, e ritrovare se stesse dinnanzi al Signore.

3. Avere cura di mantenere le anime in un ambiente di pace, di raccoglimento e di silenzio per favorire la preghiera interiore.

5. Mortificazioni e penitenze.

Sembra avverato che i temperamenti di oggi siano meno resistenti, specie per ciò che riguarda i nervi, quantunque non in tutti i paesi il fenomeno si verifichi con la medesima frequenza ed intensità. Abbastanza generalmente i giovani manifestano in particolare un bisogno di maggiore riposo e anche di moto.

D'altra parte rimane pur vero che la vita di perfezione non è possibile, anche per le generazioni moderne, senza vera e generosa mortificazione, anche *esterna.* Senza dubbio il distacco interno è più necessario di quello esterno, ma sarà difficilmente autentico se non viene corroborato e provato dalla rinunzia esterna ed effettiva.

Di quì il delicatissimo problema pratico di mantenere in vigore la mortificazione (anche esterna) pur tenendo conto della diminuita capacità di resistenza fisica, specialmente dei giovani di oggi, i quali, per di più, sono spesso inconsapevolmente imbevuti di una tendenza troppo naturalistica e umanistica.

Suggerisco i seguenti *principi* per la soluzione pratica del problema:

1. Non diminuire la *quantità* della mortificazione, bensì cambiare *la forma*, il modo di attuazione, almeno nelle penitenze che non sono di regola.

2. Nella valutazione della quantità e della forma di mortificazione esterna *non attendere solamente al temperamento* dei singoli individui, ma anche *alle esigenze oggettive* della propria vocazione. Così p. e. il silenzio, che per certi temperamenti è molto gravoso e addirittura impossibile è pure una condizione indispensabile per chi vuole condurre una vita contemplativa.

Di qui i seguenti *rilievi pratici.*

1. Occorre spiegare ai giovani *il motivo* della mortificazione e la sua necessaria connessione con la perfezione cristiana e religiosa.

2. Esigere le mortificazioni e penitenze prescritte dalla regola, e piuttosto diminuire o, secondo i casi particolari, anche sopprimere le penitenze supererogatorie.

3. Indirizzare ad Istituti meno rigidi i soggetti che si dimostrano abitualmente incapaci di portare il giogo delle mortificazioni e della vita comune.

4. Abituare *gradualmente* i giovani alle penitenze di regola. Non di rado per mancanza di questa graduata iniziazione, i giovani si rovinano al principio della vita religiosa.

5. Richiedere come vere mortificazioni: più igiene, più pulizia...

6. Insegnare a sopportare gli incomodi della malattia e la stanchezza nel lavoro in spirito di penitenza.

7. Per la questione del sonno e del nutrimento occorrerebbe stare al giudizio di *competenti* medici cattolici, i quali capiscano il senso e le esigenze (naturali e soprannaturali) della perfezione cristiana e religiosa.

6. Ricreazioni.

Dal punto di vista *della salute*, il tempo destinato alla ricreazione potrebbe essere impiegato più utilmente dedicandolo a qualche *lavoro manuale*. Oltre poi a procurare ai religiosi un certo moto, che è di sollievo e al corpo e alla mente, il lavoro manuale aiuta molto a mantenere il contatto con la vita concreta e dà il senso della realtà pratica, che troppo spesso manca negli uomini non avvezzi al contatto con le umili realtà della vita.

Dal punto di vista della *perfezione religiosa*, è di grande importanza che i religiosi trovino le loro ricreazioni (vacanze) nel loro ambiente religioso e non presso la famiglia o amici. Il soggiorno presso i parenti contamina facilmente lo spirito religioso: si infiltrano infatti lo spirito mondano e mancanze alla povertà religiosa in particolare.

7. Scienza.

In altra sede si tratterà della sua necessità, del programma di studio e del metodo.

Ci preme solo segnalare quì, in relazione col problema della formazione spirituale, la necessità che l'insegnamento, specie quello filosofico e teologico, sia permeato da un vero soffio soprannaturale, il quale del resto non deve menomamente impedire quello scientifico dell'insegnamento.

In modo particolare ci sembra che nello studio della teologia morale e del diritto canonico non si distingue abbastanza bene il punto di vista della semplice moralità (lecito o illecito) da quello della perfezione cristiana, alla quale il religioso deve tendere. La norma di vita per l'anima religiosa non è soltanto il lecito ma il più perfetto.

Occorre far in modo che i giovani capiscano bene che, oltre alla osservanza delle norme giuridiche e della comune morale, la vita di perfezione alla quale essi devono tendere, richiede lo slancio generoso della carità divina, la quale non si lascia esaurire dalle sole prescrizioni canoniche.

Il problema del rinnovamento aggiornato del sistema ordinario dei mezzi *spirituali* in ordine alla perfezione è essenzialmente un problema di *formazione spirituale*. Pertanto noi crediamo sommamente utile, per non dire necessario, che i vari Istituti facciano sforzi per preparare *maestri* spirituali ed educatori competenti. Già in alcune famiglie religiose si sta provvedendo a questo bisogno vitale con la creazione di istituti speciali per la preparazione dei futuri maestri. E' da augurare che questa iniziativa diventi generale. La perfezione spirituale dei religiosi dipende in massima parte dalla loro accurata formazione e quindi dalla preparazione dottrinale, pedagogica e spirituale dei loro educatori.

Les grandes sources évangéliques et traditionnelles de sainteté ne sont plus guère à découvrir, ni surtout à inventer. Ne pourrait-on du moins les mieux utiliser?

Sous prétexte de zèle, une tendance universelle et grave s'est fait jour de les mésestimer et de les négliger, quitte à verser dans ce qu'on a justement appelé l'« activisme » ou l'hérésie des oeuvres. Le résultat ne s'est pas fait attendre: appauvrissement de vie intérieure et stérilisation partielle de l'apostolat.

Dans l'exploitation des moyens classiques de sanctification, ne serait-il pas toutefois opportun, de joindre à la fidélité traditionnelle, une sage évolution et quelques prudentes adaptations, postulées, soit par le développement de la doctrine spirituelle, soit par les circonstances et les nécessités de la vie contemporaine? « Nova et vetera ».

Des tentatives, plus ou moins heureuses, ont déjà été faites dans ce sens.

Les quelques remarques consignées ici et accompagnées de certaines suggestions, nous ont été inspirées par trente années d'un apostolat consacré exclusivement aux retraites religieuses. Nous les livrons pour ce qu'elles valent.

D'aucunes auraient besoin de longs développements et de multiples précisions: mais ce commentaire déborderait manifestement le cadre étroit d'un modeste rapport. On voudra bien se contenter de ce qui n'est guère qu'un schéma.

LA PRIERE

Après les sacrements, la prière, sous toutes ses formes — orale et mentale — constitue une des premières sources de sanctification. Toutes les Règles et Constitutions la prescrivent — plus ou moins abondante — selon la nature, l'esprit et la fin de chaque Institut.

Encore faudrait-il une juste et harmonieuse proportion entre l'oraison mentale et la prière vocale. Il semblerait parfois que la première soit sacrifiée à la seconde et n'occupe point, dans les exercices de piété, la place qu'elle mériterait. Déficience d'oraison, excès de prières vocales, et par là même, danger de routine et de verbalisme.

1. Prière vocale.

a) Dans la plupart des Congrégations, la prière vocale est à l'honneur. La prière liturgique ne pourrait-elle y avoir, un peu plus, droit de cité?

b) Souvent fort dispersés dans le cours de la journée (ce qui d'aillleurs semble favoriser le recueillement habituel et l'union à Dieu) les différents exercices de piété ne pourraient-ils être groupés, dans le but de renforcer le travail manuel et rémunérateur, condition essentielle d'existence à l'heure actuelle, pour nombre de communautés contemplatives?

c) Afin de réciter avec plus de ferveur et de profit l'Office divin (bréviaire romain — petit office de la Vierge) il serait à désirer que les Religieuses fassent une étude du psautier, ou du moins, aient toujours devant les yeux, une traduction en langue vulgaire.

2. *Oraison mentale.*

Quelques réflexions touchant les *méthodes d'oraison,* les *sujets* à méditer, l'oraison *en commun,* et la nécessité de donner à l'oraison une *heure fixe.*

Méthodes d'oraison. Double écueil à éviter:

a) Sous prétexte de laisser à l'âme sa spontanéité et de donner toute liberté à l'action de la grâce, *suppression* de *toute méthode d'oraison.*

b) Se faire *l'esclave* d'une méthode, et en faire pour tous une obligation permanente.

Les méthodes, inventées et recommandées par les saints ont leur utilité, surtout dans les premiers temps de la vie spirituelle. S'en servir sans s'y asservir. Les pratiquer tant qu'elles favorisent le travail de l'oraison; les abandonner du jour où elles deviennent un obstacle à l'épanouissement de notre vie intérieure et à l'emprise de la grâce. Les méthodes d'oraison, recommandées ou imposées par les Constitutions ou les Directoires, n'ont donc qu'une valeur de direction et non de prescription.

Oraison en commun. Est-il opportun de supprimer toute lecture publique des points d'oraison? Et cela pour respecter la liberté d'âme: chacun ayant ses besoins, ses attraits et ses grâces particulières.

L'essai qui fut tenté, de-ci de-là, a présenté plus d'un inconvénient.

a) D'abord est-il bien vrai que chaque âme surtout au début de la vie spirituelle ait besoin à l'oraison d'une nourriture toute speciale? Certains menus vont à tous les estomacs.

b) Pour les débutants, danger d'oublier la méditation de certaines vérités capitales, essentielles à toute formation religieuse; avec en plus le danger de s'aventurer trop tôt dans des voies d'oraison pleines d'illusions.

c) Dans les communautés nombreuses, qui comptent 50 à 60 membres et plus, pourra-t-on jamais trouver assez de livres de méditation appropriés à l'état d'âme d'un chacun?

d) Tous les religieux (surtout les soeurs converses et les frères servants) trouveront-ils toujours le temps et auront-ils la facilité de trouver pour chaque jour leur sujet particulier d'oraison?

Pour obvier à ces inconvénients le mieux ne serait-ce point de maintenir la lecture en public? Liberté à chacum d'en profiter. « Qui potest capere, capiat ». Autorisation, pour ceux pui en auraient besoin, d'user d'un livre personnel.

Sujets d'oraison. Avec la méditation des vérités éternelles, qu'il ne faudrait pas oublier, faire une part plus large à la liturgie et à l'Evangile.

Pratique de l'oraison à heure fixe, sous forme d'exercice spécial de piété. La prétention de remplacer cet exercice par la « vie d'oraison » semble bien illusoire: cette dernière n'étant le plus souvent que le prolongement et l'épanouissement dans la vie de l'oraison elle-même.

LES SACREMENTS

Confession. La confession hebdomandaire imposée à tous les religieux par le Droit Canon est souvent négligée, surtout dans les petites communautée perdues dans la campagne; manque de confesseur, ou plutôt curés, qui refusent d'entendre les religieuses, ou ne se prêtent que de mauvaise grâce à ce ministère. Le confesseur des IV Temps, lui aussi, plus d'une fois, fait défaut. Nous indiquerons plus loin un moyen de remédier a cette carence.

Communion. Ne serait-il pas possible, d'obtenir règle générale, des religieux et religieuses, de communier pendant la messe, sans que pour autant l'action de grâces se termine avec le Saint-Sacrifice ou soit réduite à quelques minutes?

MORTIFICATION

Vertu quelque dépréciée et démodée qu'elle soit de nos jours, la mortification n'en reste pas moins nécessaire pour les candidas à la perfection; encore qu'elle puisse admettre sur quelques points certains tempéraments.

Mortification Extérieure et Corporelle. Dans l'apostolat moderne, où le contact avec le monde est plus fréquent, plus intime, et par là, même, plus dangereux, la mortification des sens, la réserve dans l'attitude, les relations est de mise, plus que jamais. Le zèle ne peut autoriser ni justifier toutes les imprudences et toutes les aventures apostoliques.

Quand aux pénitences afflictives... jeûne, abstinence, discipline, privation de sommeil etc. peut-être serait-il sage, en certains cas, à cause du fléchissement général des santés, d'user de certains adoucissements.

Mortification Intérieure. Colle-ci, sans dommage pour le corps, mais avec grand profit pour l'âme, serait à renforcer, en particulier pour ce qui concerne la critique, la volonté propre, l'esprit d'indépendance, le détachement du monde et la garde du coeur.

Au sujet des retraites, nécessaires de nos jours plus que jamais, quelques desiderata.

1) *Retraite spéciale* pour les Supérieurs de Congrégations (hommes et femmes) dont beaucoup improvisés semblent quelque peu ignorer leurs devoirs, leurs responsabilités et les dangers de leur charge.

2) Nécessité de retraites *prêchées*, de préférence par des religieux, pour tous les Instituts, même les Ordres contemplatifs.

3) Dans les Congrégations hospitalières, et vouées aux oeuvres extérieures, quelques *retraites générales* annuelles, où se rendraient à tour de rôle, toutes les religieuses, libérées de leurs occupations journalières.

4) Silence absolu *pendant la retraite,* pas de séances d'études ou d'apostolat; programme allégé d'exercices communs, afin que les retraitants aient le temps de méditer et de s'examiner.

5) *Retraite mensuelle:* si possible une prédication avec possibilité de s'adresser à un confesseur extraordinaire.

VACANCES

Pour les religieuses hospitalières et autres qui durant toute l'année, n'ont aucun jour de répit et de repos, quelques semaines de détente dans une maison appropriée, semblent bien utiles, voire nécessaires. Repos physique. Pieuses lectures, études ascétiques ou professionnelles, cure de vie intérieure. Ce serait tout profit pour le corps et pour l'âme... pour la sanctification personnelle et l'apostolat.

Les vacances, surtout prolongées chez les parents (voire chez les frères et soeurs, oncles et tantes) semblent contre-indiquées au point de vue religieux.

SCIENCE ASCETIQUE

Il semble bien que la plupart des Congrégations, surtout actives, souffrent au point de vue ascétique, d'un manque de formation intellectuelle. Beaucoup de leurs membres, n'ont sur l'état religieux et ses obligations que des idées incomplètes, vagues, superficielles. De là, fatalement une certaine médiocrité morale et banalité de vie spirituelle.

De cette carence de connaissances religieuses, multiples sont les causes. En voici quelques-unes.

a) Manque d'éducation chrétienne dans la famille et dans le monde.

b) Noviciat trop court pour être efficace et former une mentalité religieuse. Formation hâtive, incomplète et superficielle.

c) Rareté des formateurs et formatrices de la jeunesse religieuse: père-maître et mère-maîtresse des novices. Absence parfois du prêtre dans l'instruction religieuse à donner.

d) Lancées aussitôt dans l'apostolat, les jeunes professes sont presque toujours livrées à elles-mêmes, sans direction spirituelle et sans formation complémentaire. Ames abandonnées. En dehors des exercices de règle, le travail manuel et les oeuvres occupent tout leur temps et mangent toutes leurs forces.

e) Manque de bibliothèque, d'ouvrages ascétiques, de revues spirituelles. Auraient-elles d'ailleurs le temps de les lire?

Cette pauvreté intellectuelle,, répétons-le, ne peut avoir, à la longue, qu'un contre-coup néfaste sur la vie spirituelle et la sanctification des âmes religieuses.

Plus de lumière oblige à plus de vertu.

Pour obvier ou remédier à ces déficiences, quelques suggestions:

a) Prolonger de six ou de douze mois le noviciat d'un an; la dernière année étant plus spécialement consacrée à l'étude.

b) Pour les monastères indépendants du même Ordre ou Institut, noviciat central, avec chance d'une formation plus complète et plus sérieuse.

c) Choix et préparation d'excellents formateurs de la jeunesse religieuse. Trop d'improvisation.

d) Durant le temps des études professionnelles, continuer et perfectionner la formation intellectuelle ascético-religieuse.

e) Second noviciat de six mois avant la profession perpétuelle.

f) Prêtre séculier ou religieux, chargé dans le diocèse, de donner des conférences régulières et de prêcher la retraite du mois, avec le droit de confesser.

g) Utiliser au mieux, dans un but d'instruction, les vacances, lectures spirituelles et lectures à table.

h) Dans chaque communauté petite bibliothèque ascétique, et choix d'auteurs spirituels ou revues à la disposition des religieuses.

Un danger grave, universel, menace à l'heure actuelle la sanctification des religieux, surtout dans les Congrégations actives: la tentation de sacrifier la vie intérieure aux oeuvres extérieures d'apostolat.

Pullulation des oeuvres, pénurie des vocations, sollicitations pour de nouvelles fondations. Des religieux et religieuses surchargés jusqu'à l'écrasement d'occupations multiples au détriment de leur vie de piété et de leur santé. De là une médiocrité de vie spirituelle, des chutes et parfois des vocations gravement compromises. On a sacrifié l'essentiel au secondaire et oublié qu'avant d'être « apôtre » il fallait être « religieux ».

Obligation morale pour les Supérieurs d'assurer à leurs sujets un « minimum vital » spirituel.

110 R. P. Delchard, S. I., Lector Theol. Mor. et Iuris Can., *scripsit*:

1. *Oratio oralis et mentalis.*
2. *Examen conscientiae.*
3. *Mortificationes et poenitentiae.*
4. *Spiritualia Exercitia.*
5. *Scientia et recreationes, etc.*

1. Le maître des novices et le directeur spirituel de religieux se doivent d'observer et d'étudier le comportement humain de ceux qui leur sont confiés. Cette question est étudiée par ailleurs dans d'autres relations ou communications, mais il est bon de redire l'importance de ce point dans la question que nous abordons ici. D'ailleurs un jugement éclairé et équitable en cette matière ne peut être porté que grâce à des observations multiples et provenant de divers milieux.

Devant les difficultés éprouvées au cours de la formation spirituelle des générations actuelles, tant par les jeunes religieux que par ceux qui ont mission de les former, il serait tout d'abord souvent injuste de porter un jugement sévère et sans nuances. Sans que l'on puisse attribuer la constatation de ces difficultés au seul fait que nous portons, de nos jours, une attention plus grande que par le passé aux constitutions mentales et aux tempéraments des individus, il faut reconnaître la gravité de déficiences réelles sur le plan des santés physiques et mentales, tant avant l'entrée en religion qu'au cours même de la formation. Nous n'avons pas ici à en chercher les causes.

La vie régulière est plus pénible de toute évidence aux tempéraments instables que nous rencontrons assez fréquemment. Il nous faut souvent reconnaître que nous avons affaire à des nerveux ou même à des candidats à des formes plus ou moins marquées de psychasténie. C'est un fait qu'il nous faut accepter au départ; à nous de partir de ce donné et de travailler en connaissance de cause. La régularité du sommeil et ses limites imposées par un réglement commun, le silence et le recueillement, la fidélité patiente dans l'effort quotidien que suppose toute vie de prière, la nécessité d'une formation personnelle solide qui permettra de prendre ses responsabilités et suscitera le courage devant les ennuis ou les contradictions de la vie commune et de l'action, les sentiments d'infériorité ou d'échec... autant de points qui ne peuvent manquer de faire obstacle à un développement progressif et harmonieux des jeunes. Ces obstacles ne sont pas insurmontables, car le jeune apprend à les surmonter, mais ils sont. En dehors des cas graves, nous n'avons pas, dans tous les cas, une contre-indication demandant d'écarter de tels sujets de la vie religieuse.

Pourrions-nous sur d'autres points signaler des déficiences? Il serait faux notamment de parler d'un manque de zèle et cela non seulement apostolique, mais bien de « zèle de la vie intérieure ». On ne peut dire que les générations montantes veulent agir avant d'être formées spirituellement, avant de prier. S'il existe une difficulté sur ce point, elle est de tous les temps. On ne pourrait pas plus dire que le jeune est contre tout esprit et toute pratique de mortification et de pénitence. Non seulement il accepte, mais il recherche, par exemple, une plus grande simplicité dans le régime alimentaire et si, sans doute, à ses yeux le travail manuel n'est pas une « oeuvre basse et humiliante », car il est homme de son temps, il sait pour autant l'entreprendre, non comme un geste d'humilité, un moyen d'humiliation, mais comme un signe très simple de dévouement et de charité. On peut noter, dira-t-on parfois, une certaine désaffection pour certaines pratiques de dévotion, parfois même chez certains une moindre estime pour des formes traditionnelles de la dévotion chrétienne. On ne peut pas cependant, dans la grande généralité des cas, constater une méconnaissance de la valeur, tant pour leur vie intérieure personnelle que pour leur action future, des grandes dévotions de l'Eglise: au Sacré-Coeur, à la Vierge notamment. Des formes particulières d'expression peuvent varier et nul se saurait les condamner au nom d'une tradition qui ne peut être immuable dans ses éléments de détail sensibles et extérieurs.

Un point nous semble autrement plus délicat et il mérite une certaine attention. A travers les expressions de sa vie intérieure, fidèle à sa psychologie féminine, la jeune religieuse veut « sentir »; le jeune religieux veut, lui aussi, goûter une certaine expérience de la vie intérieure. Les valeurs affectives, non pas nécessairement sentimentales, risquent parfois de prendre plus de poids que les valeurs de notre raison illuminée par la foi. La charité, tout en étant authentique, se nuance de ces valeurs affectives et la chose est sensible dans l'ordre de la charité envers le prochain. Le jeune sent profondément les souffrances et les misères des autres, il est vite attentif aux nécessités de ceux qu'il rencontre, il est ouvert sur ce point et accueille facilement avec sympathie et de ce fait il a une puissance réelle d'accueil, il parle alors facilement de charité, mais il sait aussi répondre à son besoin de dévouement. Une telle attitude d'âme risque de le rendre particulièrement vulnérable aux mouvements de fatigue et de dépression, dans la mesure où le sentiment intervient; elle tend à lui faire accepter un envahissement assez vite ruineux, sous couleur d'enrichissement, de sa vie personnelle et de lui faire perdre de vue les réalités qui se jouent au plus intime de lui-même. Mais qui ne se rendrait pas compte des richesses que nous pouvons et devons exploiter pour une formation réelle et vraiment structurée? Une vie d'abnégation et de foi s'impose tout particulièrement, une ouverture aux réalités divines, silencieuses et nues, est absolument requise, l'amour de la personne du Christ Notre Seigneur qui anime le jeune, permet ce travail. C'est à nous de le prendre tel qu'il se remet entre nos mains et de le former.

2. Un renouvellement du système traditionnel des moyens spirituels? en eux-mêmes? non. Dans certaines modalités ou mieux certaines orientations et applications? peut-être. Le renouvellement ne peut porter sur les éléments qui sont la charpente de cette vie spirituelle: l'oraison doit toujours être une oraison et les formes traditionnelles n'ont rien de désuet; une vie religieuse sans de sérieux et fréquents examens de conscience sera difficilement une vraie marche vers la perfection. Il en est évidemment de même des pratiques de pénitences et des mortifications de règle ou personnelles.

Par contre certains points méritent toute notre attention: en premier, le besoin profond d'une connaissance solide, d'un conctat sans cesse repris avec l'Ecriture, notamment le Nouveau Testament. Sur les jeunes la parole du Seigneur est plus efficace que les exposés de spiritualité et surtout que les ensembles de sujets de méditation méthodiquement ordonnés et rationnellement bâtis. Encore ne faudrait-il pas généraliser hâtivement, mais dans tous les cas s'imposent une formation personnelle préalabre plus poussée et toujours poursuivie, une étude effective et intelligente des textes aussi bien pris en eux-mêmes que pénétrés grâce à des commentaires, un contrôle discret, mais effectif, toujours prudent. Pour tous, au début, le livre de méditation est relativement nécessaire et il peut rester utile à certains dans la suite; pour un bon nombre au contraire la prière cherche à se faire plus personnelle. Serait-ce un mal? A notre point de vue, cela augmente notre responsabilité et accroît notre tâche, car cela requiert une éducation spirituelle plus poussée et renouvelée, cela nécessite une direction régulière et attentive. Mais alors comprenons les difficultés suscitées, par exemple, par la coutume dans certains Instituts d'imposer des sujets communs de méditation à des religieux ou religieuses formés.

De là également l'importance des Exercices spirituels annuels qui devraient être des journées, non pas tant de recueillement et au cours desquelles le religieux se doit d'écouter un nombre imposant de sermons, mais bien un temps de silence et de prière, la retraite étant avant tout le moyen efficace de proposer des méditations et sujets d'oraison conduisant l'âme au plein conctat de foi avec le Seigneur. De là aussi l'importance d'une vraie prière liturgique, car pour être aussi marquée d'un caractère personnel, toute la vie intérieure doit s'ouvrir et ouvrir l'âme, faire communier le religieux à la prière de l'Eglise.

Elle doit notamment être l'un des moyens qui unifie dans un même rythme de vie: participation au Saint Sacrifice de la Messe, Sainte Communion, récitation de l'Office divin, avec la prière personnelle. Par là toute la vie religieuse peut et doit devenir un acte incessant et renouvelé de culte rendu à Dieu; elle devient ainsi, au sens fort du mot, une religion qui embrasse toutes les activités de la vie et toute la personne du religieux, qu'il soit prêtre ou non. De là aussi l'importance des lectures spirituelles. La pauvreté d'une vie intérieure est souvent en fonction de la pauvreté ou de la rareté des lectures spirituelles. La lecture d'auteurs qu'une saine tradition considère comme essentielle, s'impose toujours à tous et à chacun, c'est hors de doute même de nos jours et nous songeons à des auteurs de tendance franchement ascétique comme Rodriguez. Si on peut constater parfois un engouement pour certains auteurs, il faut aussi reconnaître chez certains une ignorance grave des auteurs classiques. Ce point est particulièrement lourd de conséquences chez de futurs directeurs d'âmes, pour ne pas parler du manque sérieux de formation des sujets eux-mêmes. Mais en retour serait-il essentiel que cette lecture spirituelle soit commune? ne serait-il pas mieux qu'elle soit orientée, adaptée et réglée?

3. Il pourrait être bon d'évoquer les difficultés qui marquent cette pratique des grands moyens de vie intérieure et en premier celles qui proviennent des occupations nombreuses, lourdes et absorbantes risquant trop souvent d'accabler des religieux actifs ou des religieuses enseignantes ou hospitalières. Le service commande, les religieuses sont moins nombreuses, les diverses tâches sont multiples et plus difficiles ou délicates, l'action envahit ainsi la vie et épuise: que deviennent dans de telles conditions les exercices de piété? Ces faits sont patents.

A cet égard un moment de la formation nous semble particulièrement important et requiert toute notre attention: le temps des vœux temporaires où la jeune religieuse, n'ayant pas un temps d'études plus favorable à une vie de prière comme le religieux futur prêtre, prend le conctat expérimental avec les réalités ordinaires de sa vie religieuse. Période de crise de croissance qui doit la faire passer à l'état religieux adulte. Elle doit alors vivre ce qu'elle a reçu, appris et cela relativement seule; elle doit se faire de sérieuses convictions personnelles. De là une attention particulière est requise de la part des supérieures et une direction éclairée de la part du directeur spirituel est de toute nécessité; de là le besoin de temps de reprise et de recueillement. La religieuse n'est pas encore formée; elle est en pleine formation et nous ne pouvons en rien incriminer, si des déficiences s'accusent, la formation reçue au noviciat.

Mais nous voudrions enfin noter, en dehors du rôle essentiel et particulièrement lourd du prêtre qui a change des âmes de jeunes religieux et religieuses, l'importance du rôle et en conséquence de la formation préalable et continue du maître et surtout de la maîtresse des novices ou jeunes professes. Ce que nous avons dit rapidement du caractère personnel de la formation intérieure, montre assez tout ce qu'on doit attendre d'elle tant sur le plan de sa vie propre que sur ses connaissances (connaissance de la vie spirituelle, de l'Ecriture, de la liturgie... de l'âme humaine et de ses difficultés somatiques et psychiques etc...). Son expérience peut être grande, son tact délicat et sa sainteté peut être vraiment rayonnante. Le Seigneur peut lui donner le don de conseil ou de discernement des esprits; elle peut avoir de réelles qualités de pédagogue. Mais devant sa responsabilité, la maîtresse des novices sent ses ignorances ou tout au moins ses insuffisances. Cela la situe en pleine humilité et la confiance en Dieu peut la soutenir. Mais elle est laissée souvent à elle-même. On lui demande beaucoup et le prêtre et la hiérarchie, croyons-nous, devraient l'aider dans sa tâche: de là la nécessité de retraites appropriées, de sessions d'études, d'indications solides de bibliographie etc...

111 R. Dom. Iulius Fohl, O. S. B., *scripsit*:

Accommodatio dicit reciprocam habitudinem vel proportionem inter plura contribuentia ad efformandam rem et videtur convenire, in practicis, cum iusto medio virtutum, cuius determinatio competit virtuti prudentiae. Propositum thema de hoc virtutis medio disserendum suggerit quoad quaedam exercitia pietatis vel regularis observantiae communiter recepta et praecise respectu traditae eorum formae tuendae vel novae inducendae. Nam substantia horum exercitiorum in discrimine non est.

Cum in re agatur de actibus humanis directe ad bonum agentis destinatis, forsitan convenientius statui quaestionis definiendo quam solutioni proponendae insistetur, i. e. prudentiae actui consiliativo potius quam electivo et multo minus praeceptivo.

Inde praeprimis electionis libertati favendum esse videtur, colendo efficaciter facultates animae, ut aptae fiant sanae et fecundae liberae electionis exercendae.

Respectu o r a t i o n i s, videtur vindicanda genuina ratio et valor, formae tam vocalis quam mentalis, relicta singulis libertate, extra publicum cultum, modi sibi opportunioris adoptandi. Retineatur distinctionem hanc non esse generis in species, sed potius graduum perfectionis, ita ut devotioni, «ad esse» orationis necessariae, sufficiat mentis applicatio, dum vocalis orationis propria perfectio est, aut in abundante fervore devotionis mentis, aut in disciplina mentis recollectioni destinata. Sequitur igitur ut, praeter divinum cultum, ad tramitem ecclesiastici praecepti celebrandum, mensura prudenter statuta in iure particulari, et ultra privata exercitia limitative praescripta, servetur margo sat ampla pro libero supererogatorio et pro spontaneo et homogeneo progressu vitae interioris.

Quoad e x a m e n c o n s c i e n t i a e, videtur ratio habenda, non tantum finis proposili, sed indolis subiecti, praesentim formae mentis, quae aut synthetice procedit aut analytice, secundum varias naturae inclinationes, necnon vivendi et agendi rationem plus vel minus complexam, pro muneris vel oficii aliorumve adiuctorum reapse data condicione.

Respectu m o r t i f i c a t i o n u m vel m a c e r a- t i o n u m c o r p o r a l i u m voluntarie assumendarum vel etiam usu receptarum, non videtur tepiditatis arguendus qui critice examinare intendit determinatas formas sese affligendi, ratione habita opinionum et observationum peritorum in re valetudinaria vel psychologica. Videtur etiam tenenda tradita regula vigilantiae sive superiorum fori externi, sive patrum spiritualium, pro suo cuiusque munere, tum quoad paenitentiarum selectionem, tum quoad earum certum effectum, sola experientia cognoscendum. Colendo, in materia, maiorem prudentiae interventum, timendum non est ne mortificatio corporalis paulatium deficiat, sed potius sperandum eius fecunditatem vere evangelicam augeri.

Quoad s c i e n t i a e, non tantum sacrae, sed universae, c u l t u m, sufficiat in mentem revocare factum historicum, sc. religiosos, in Ecclesia latina, semper litteris studuisse pro varia adiunctorum opportunitate, nec propterea eos aliarum regionum religiosis cessisse sub respectu suae vocationis ad evangelicam perfectionem.

Etiam e x e r c i t i a s p i r i t u a l i a, si renovatione indigeant, videntur prudentiae magisterio oculatius subiicienda, ne mere perfunctiorie quotannis celebrentur.

Quas vocant « r e c r e a t i o n e s », prudenter ita promoveantur, ut reapse relaxationem animi praebeant. Ad hoc videtur optandum, ut ii qui praesunt, bono adstantium revera provideant, secundum instituti naturam, admittendo « varietatem quae delectet », sive in forma exteriori commercii inter membra communitatis, sive in agendi ratione, non exclusis ludis vel corporalibus exercitationibus, cum religiosa observantia et perfectionis studio compatibilibus, ratione habita morum receptorum, discretae existimationis et necessariae caritatis.

112   R. P. E. AEMILIUS ALFONSUS LANGLAIS, *Dire-ctor* Scholae Magistrorum, O. P., *scripsit*:

1. Il s'agit ici des exercices spirituels énumérés dans les Constitutions de chaque Institut, ordinairement sous le titre: Exercices de piété.

Ils ont été choisis, voulus par le Fondateur, approuvés par l'Eglise, et ils sont prescrits comme des moyens officiels, les meilleurs et les plus efficaces, pour atteindre avec la fin spéciale de l'Institut, la sanctification personnelle de ses membres. Et comme l'Eglise les a sanctionnés de son autorité, ils ne peuvent être changés sans son approbation.

2. Plusieurs de ces mêmes moyens spirituels sont également recommandés ou prescrits aux clercs et aux religieux par le Code (can. 125, 595).

Les uns sont essentiels à la vie chrétienne: les sacrements d'eucharistie et de pénitence, le S. Sacrifice de la messe et la communion. Ils sont nécessaires aux fidèles comme aux religieux, plus nécessaires à ces derniers à raison des obligations spéciales de leur état de perfection. Les autres principaux exercices sont: les prières d'Office (Office divin, Office de la Ste Vierge, Rosaire, etc.), l'oraison, la lectio divina, ou lecture spirituelle, la visite au S. Sacrement, la récitation du Rosaire, l'examen de conscience, la retraite annuelle, la catéchèse ou l'instruction religieuse (Can. 509, 1, n. 2; 565, II, 2). Ils doivent être faits en commun ou privément, selon les Constitutions. Notons aussi l'obligation de droit ecclésiastique, de la récitation chorale de l'Office divin: « In Religionibus sive virorum sive mulierum, quibus est chori obligatio... » (Can. 610, 1, 1).

3. Tous les moyens prescrits dans les Constitutions, la fin spéciale elle-même de l'Institut, concourent à la sanctification de ses membres.

Ce sont les exercices de piété, les observances pénitentielles, l'activité extérieure de l'apostolat ou des oeuvres, etc. Il nous paraît opportun de les considérer dans leur ensemble. Ils sont tous des sources vitales de grâces.

4. Dans l'économie surnaturelle d'un Institut, ces sources vitales remplissent le rôle même, pour ainsi dire, de la nourriture dans le corps.

L'aliment suppose la vie, il ne la donne pas. Sous l'action vitale de celui qu'il nourrit, il se laisse transformer, élever, assimiler par lui; il devient sa vie même. Les sources vitales de l'Institut présupposent également la vie dans ses membres, l'union à Dieu par la charité. Le détachement incessant opéré par la fidélité aux voeux, les exercices de piété, de pénitence, les oeuvres, tous les devoirs d'état, sous l'action vitale de Dieu et de sa grâce, activent la charité. L'homme religieux se purifie, se moralise, il se livre aux exigences expiatrices de sa vocation de sauveur d'âmes; et l'âme de l'apôtre, éclairée par les saintes lectures et l'étude, vivifiée par l'oraison, fortifiée dans sa foi, « enracinée et fondée dans la charité » (Ephes. 3, 17), livrée au service de Dieu dans son activité extérieure, s'élève à ce sommet, à cette plénitude de contemplation ou de l'union à Dieu qui est son rayonnement dans le ministère apostolique.

Nous venons de dire que tous les moyens de perfection prescrits par les Constitutions d'un Institut sont des sources vitales de grâces de sanctification pour ses membres.

A. - Le religieux, en effet, est un consacré à Dieu par sa profession. Toute son activité extérieure et intérieure est devenue comme un jaillissement de la vertu même de religion. Celle-ci s'incarne pour ainsi dire en lui; et captivant les puissances corporelles et spirituelles, inspirant les autres vertus, elle les voue à l'honneur de Dieu et fait de lui un homme religieux. Les vases sacrés, par le fait de l'onction une fois reçue, sont destinés exclusivement au culte divin; tout autre emploi serait une sorte de sacrilège. Le religieux, par sa professsion est soustrait aussi à tout ce qui est profane; sa vie entière est comme une liturgie continuelle, chacune de ses actions, intérieure ou extérieure, est un acte du culte, et donc éminemment sanctifiante.

B - Ce qui importe, c'est de demeurer de coeur, d'esprit, de volonté, sous l'action de Dieu comme ses instruments conscients et dociles: ipse operatur in nobis velle et perficere (Philip., 2, 13), et de lui être présents, unis par la foi et l'amour, faisant son oeuvre, conduisant les âmes à lui, travaillant uniquement pour sa gloire: in laudem gloriae (Ephes., 1, 12). Les oeuvres alors deviennent saintes, sanctifiantes pour les âmes, sanctifiantes aussi pour soi-même comme les exercices de piété: à la condition que Dieu soit le centre de gravité et le foyer de rayonnement, l'âme de notre activité intérieure et extérieure; pourvu encore que toute l'activité de la journée ou de la vie du religieux soit ordonnée et harmonisée par la Règle de l'Institut qui est l'expression de la pensée et de la volonté de Dieu sur lui.

C. - Mais les exercices de piété demeurent évidemment les plus parfaits et les plus élevés de tous les moyens de perfection, puisqu'ils ont Dieu pour objet et qu'ils unissent immédiatement l'âme à Dieu. Ils sont donc, considérés en eux-mêmes, plus sanctifiants et de plus, disposent à trouver Dieu, à rester en contact avec Dieu dans l'action.

6. Les moyens prescrits par les Constitutions forment un tout dans la pensée du fondateur ou des premiers Pères, un tout harmonieusement ordonné. Ils sont indispensables sous peine de ne pas atteindre la fin de l'Institut: sa fin spéciale et la sanctification de ses membres.

Sans ces moyens, le religieux ne serait qu'un soldat sans armes ni munitions, un aviateur sans ses ailes. Ils n'ont de raison d'être que pour la fin à laquelle ils sont ordonnés et qui les spécifie. Lorsque deux Instituts apostoliques ont la même fin spéciale, par exemple le salut des âmes par la prédication, ils se distinguent alors par leurs moyens respectifs; et celui qui aura les moyens mieux adaptés à la fin, plus efficaces, sera plus parfait que l'autre. C'est ainsi que les moyens donnent, eux aussi, à chaque Institut son caractère propre, sa physionomie qui le distingue (1).

7. « Faut-il mieux vaquer à la prière ou vaquer à l'étude? » demandait un Frère O.P. au Bx Jourdain de Saxe, le premier successeur de S. Dominique dans le gouvernement de son Ordre. Le Maître lui répondit: « Quel est le meilleur, de toujours manger ou de boire toujours? Evidemment il est préférable de faire l'un et l'autre. Ainsi en est-il pour ce que vous demandez ».

Quel est le meilleur aussi, pour le religieux apôtre, des moyens prescrits par ses Constitutions: le ministère extérieur et l'activité des oeuvres ou les exercices de piété avec les autres devoirs conventuels?

L'activité intense et continue du ministère épuise surnaturellement l'apôtre, l'absorbe, le disperse et devient une activité naturelle, souvent de l'agitation, l'expose à incliner vers l'« hérésie de l'action » (Pie XII). Les observances exclusives font de lui un simple contemplatif et le coupent de la fin spéciale de son Institut: l'apostolat extérieur auprès des âmes. L'un et l'autre moyens sont donc nécessaires; mais il importe qu'ils soient bien ordonnés, harmonisés par la Règle, comme l'a voulu le fondateur avec l'approbation de l'Eglise.

L'essentiel, c'est l'union à Dieu, l'âme de l'apostolat, afin que l'apôtre ne soit qu'un instrument docile et conscient sous la motion de la cause principale en lui, et que les âmes reçoivent le rayonnement divin de son ministère.

8. L'exercice de piété n'est pas l'union à Dieu, mais un moyen seulement pour nous élever à lui: un exercice où la foi et la charité s'« exercent », s'illuminent, s'activent et s'in-

(1) S. Th., 2,2, q. 188, a. 1-6.

tensifient; où l'âme reçoit de nouvelles grâces et s'alimente, se nourrit; où le zèle des âmes pour l'amour de Dieu devient plus ardent: in meditatione mea exardescet ignis (Ps. 38, 4).

L'activité extérieure, de son côté, la prédication elle-même, n'est pas spécifiquement l'apostolat, mais un moyen. L'action apostolique est formellement le don de Dieu aux âmes. Dans cette action, il importe que l'âme de l'apôtre soit unie à Dieu, et que, mue par Dieu, elle déverse dans les âmes le trop plein de son amour et de son zèle.

C'est l'enseignement de S. Thomas: l'action apostolique ex abundantia et « plenitudine contemplationis derivatur ». Ce fut le mot d'ordre de S. Dominique à ses Prêcheurs: « Aut cum Deo aut de Deo »; la déclaration aussi de S. Pierre définissant le mandat de l'apostolat reçu du Christ: « Nos vero orationi et ministerio verbi Dei instantes erimus » (Act., 6, 4). Le secrétaire de S. Ignace de Loyola, Jérôme Nadal, disait de lui: « In actione contemplativus ». Quel est l'apôtre qui n'a senti au contact des âmes la présence et l'action de Dieu? Mais quel est le saint qui n'a pas éprouvé aussi, avant et après son ministère, le besoin de se trouver seul avec Dieu dans une prière directe et immédiate, dans une contemplation plus intense, à l'exemple du Divin Maître « pernoctans in oratione Dei » (Luc. 6, 12)! C'est précisément la raison des exercices de piété dans les Instituts apostoliques.

9. « Lex orandi, lex credendi » disait S. Augustin aux hérétiques de son temps, pour prouver que la prière officielle de l'Eglise est l'expression vivante et authentique de sa foi. Le degré de fidélité habituelle à l'oraison, à ses prières de règle, est aussi pour le religieux apôtre la mesure de sa foi, de sa charité, de sa piété et de son zèle.

La prière est la fonction essentielle et indispensable de la vie chrétienne, « la respiration de l'âme en Dieu » comme la définit Origène. Voulons-nous connaître le degré de notre vie surnaturelle et de notre rayonnement apostolique? Voyons comment notre âme respire. C'est le vrai thermomètre. A la fréquence et à la régularité de nos oraisons, nous reconnaîtrons notre degré d'union à Dieu et la sincérité de notre zèle. C'est la pensée prévoyante des fondateurs dans leurs prescriptions. C'est le sujet de la sollicitude de l'Eglise pour ses clercs: Curent Ordinarii (can. 125); et aussi pour ses religieux: « Curent superiores ut omnes religiosi legitime non impediti quotidie Sacro intersint, orationi mentali vacent, et in alia pietatis officia, quae a regulis et constitutionibus praescripta sint, sedulo incumbant » (can. 595, I, 2.o).

10. Un Institut est une personne morale. Il est aussi un membre de l'Eglise, un organe vivant du corps mystique du Christ. En sa qualité de personne morale, il ne vit et n'agit, il n'a d'influence ou de mérite que par la valeur et la sainteté de ses membres, les personnes physiques qui le composent.

En général ce sont moins les états de perfection qui ont besoin de se renouveler et de s'adapter que les personnes elles-mêmes qui doivent s'appliquer à se conformer toujours plus à la règle sainte de leur Communauté et à ré-

(2) S. Th., 2,2, q. 188, a. 6

pondre aux appels des âmes: « Donnez-nous des saints! » Comme organe vivant de l'Eglise, institué pour un service spécial, l'Institut doit se renouveler dans la mesure où le demandent l'efficacité et l'opportunité de ce service, sans toutefois changer sa raison d'être ou sa fin spéciale, sa nature et ses moyens spécifiques. Ainsi les membres du corps selon la comparaison de S. Paul (I Cor., 12) ont dans le corps leur place et leurs fonctions définies, immuables.

11. **Tout être vivant s'adapte à son milieu; il se renouvelle sans cesse mais reste le même, toujours le même. Ainsi les Instituts religieux.**

L'Eglise, divine et humaine, s'adapte elle aussi et elle se renouvelle; on l'appelle « l'éternelle recommenceuse ». Elle se fait toute à tous, répond à tous les besoins spirituels des âmes. Sa mission étant universelle, elle est multiple dans ses moyens; et elle se sert de tous ses organes; elle en crée de nouveaux au besoin. Un Institut n'est qu'un membre ou un organe particulier. Il est limité à la fin pour laquelle il est institué et aux moyens spécifiés par cette fin. Selon, à nouveau, la comparaison de S. Paul, « Dieu a placé chacun des membres dans le corps, comme il a voulu. Si tous étaient un seul et même membre, où serait le corps? Il y a donc plusieurs membres et un seul corps » (I Cor., 12). Si un Institut voulait répondre à tous les besoins de l'Eglise, où seraient les autres Instituts? Où serait l'Eglise elle-même? « Si le corps était oeil, où serait l'ouïe? où seraient les autres membres du corps? »

12. **Si un Institut s'est ankylosé au point de ne pouvoir plus répondre aux besoins de son temps et au service pour lequel il a été institué, mieux vaut le laisser mourir et demander à Dieu des grâces de fondation qui feront surgir d'autres Instituts et de nouveaux fondateurs, comme l'histoire de l'Eglise nous le montre au cours des siècles, au lieu de vouloir le transformer.**

L'oeil peut-il devenir l'ouïe, ou l'oreille, ou la tête, ou le corps? Les thomistes enseignent encore que l'on ne change pas les espèces. Les Instituts ne sont pas de simples personnes juridiques, mais aussi et surtout des organes vivants. Le Philosophe déclare, je crois, que les institutions gardent leur raison d'être, grandissent et prospèrent dans la mesure où elles sont fidèles au principe qui leur a donné la vie.

13. **Une adaptation est la mise d'une chose au point pour l'ajuster à sa place; une rénovation signifie le rétablissement d'une chose dans l'état où elle était, où elle devrait être. La rénovation et l'adaptation d'un Institut consistent donc, s'il en a besoin, à le remettre dans son état premier ou à le remettre à jour, à date, afin de lui faire donner, avec sa constitution et ses moyens propres, tout le rendement possible dans le service particulier pour lequel l'Eglise l'a institué.**

14. **Les supérieurs et les chapitres ont seuls grâce et autorité à ce sujet, conformément aux Constitutions et sous la dépendance de l'Eglise.**

15. Les principes suivants de rénovation ou d'adaptation pourraient être soumis:

A. - Il ne s'agit pas de « repenser » l'Institut, son Ordre, comme s'il avait besoin d'être défini à nouveau, ni de l'adapter à sa mentalité subjective; mais de l'étudier objectivement, comme l'intelligence est soumise à la réalité des choses dans l'ordre de la connaissance.

B. - Le retour aux origines et aux traditions. Il importe de remonter aux institutions et aux enseignements du fondateur, pour bien connaître sa pensée et ses volontés.

C. - Le seul retour aux origines ne suffit pas. La connaissance de l'histoire et du développement de son Ordre est aussi nécessaire. Le Christ des Evangiles ne peut être compris que dans la Tradition vivante de l'Eglise, avec la doctrine de ses théologiens, les enseignements et les expériences de ses spirituels. Un Institut, un Ordre religieux, s'il est ancien, a aussi toutes ses traditions, sa spiritualité, son évolution historique. On étudiera les directions données par les Chapitres, l'autorité vivante, comment il s'est renouvelé et adapté au cours des siècles en demeurant lui-même, dans la ligne authentique.

D. - Puis l'étude des modèles, la contemplation et l'imitation des saints de l'Institut: comment, pour être de leur temps, pour répondre aux appels de l'Eglise et des âmes, ils ont imité le fondateur et suivi sa règle de vie, en demeurant toujours des fils et des disciples, en se sanctifiant au service de l'Institut.

E. - Le désir personnel de la perfection ou de la sainteté, conformément à l'idéal de l'Institut, avec la volonté de s'en laisser inspirer. « Si vis esse perfectus ». C'est l'invitation du Divin Maître et du fondateur à l'arrivée du postulant qui demande son admission: « Si tu veux acquérir la perfection de l'Institut ». Pour obtenir la grâce plénière de sa vocation, il importe de se modeler sur l'âme de ses premiers Pères, de demander son amour et son zèle au service de l'Eglise.

F. - L'estime et l'observance de la règle, afin de lui faire donner son plein rendement pour la sanctification personelle du religieux et pour le service de l'Eglise. Cela, à raison des engagements contractés par chacun à sa profession, à raison du devoir du supérieur de la faire observer. La règle se lit dans la lettre écrite; elle est surtout vivante dans l'âme et l'esprit. Celui qui n'agit pas comme il pense finit par penser comme il vit.

16. Nous remarquons au programme du Congrès des Religieux plusieurs études sur la formation des Maîtres de Novices et Directeurs spirituels chargés de la formation des jeunes. Pour la rénovation religieuse des Instituts et leur adaptation à leur idéal de vie comme aux besoins de nos jours, ne serait-il pas opportun d'étudier les responsabilités des supérieurs et la nécessité de leur préparation à l'exercice de la charge du supériorat? Ils sont la tête.

C'est de la tête que doivent venir les directions, les impulsions de vie ou de renouveau; et c'est aux déficiences, aux ignorances, aux insouciances de la tête qu'il faut attribuer en général les déviations. Dans plusieurs Instituts, les Constitutions prescrivent une retraite personnelle aux supérieurs avant leur entrée en charge, afin de les mettre, dans la lumière de Dieu, en face des devoirs qu'ils assument.

Le bon supérieur entraîne à la perfection de son Institut; il a le sentiment de la primauté du spirituel sur le temporel dans sa communauté et auprès de chacun de ses frères; il comprend qu'il a charge d'âmes; il gouverne avec une fermeté paternelle: primus inter fratres; il se rappelle la recommandation de S. Paul: « Praedica verbum, insta opportune, importune; argue, obsecra, increpa in omni patientia et doctrina » (II Tim., 4, 2).

17. Ces moyens, comme nous l'avons dit précédemment, (Nos 1, 2) sont les exercices de piété énumérés dans les Constitutions de l'Institut.

18. Les moyens spirituels spécifiques et traditionnels en vue de la fin ne sauraient être changés. Ils constituent la principale source vitale essentielle à l'Institut, essentielle aussi à l'activité surnaturelle et à la sanctification de ses membres. Ils sont comme l'âme des autres exercices réguliers; ils marquent souvent l'horaire de la journée pour le religieux.

19. Les exercices de piété moins importants, que la Règle prescrit, peuvent être modifiés ou adaptés ou déclarés temporairement inapplicables par les supérieurs et les chapitres dans les limites de leurs pouvoirs, pour un plus grand bien à la lumière de la fin de l'Institut, si les circonstances le demandent.

Les religieux cependant ne sauraient oublier que les exercices spirituels énumérés au commencement de cette étude (Nos 1, 2) demeurent prescrits, recommandés par l'Eglise. Le religieux apôtre en a psychologiquement besoin pour sa sanctification personnelle et son ministère.

20. La manière de les faire, de les mieux faire, les méthodes, les surcharges imposées quelquefois par les supérieurs à temps et à contre temps, sont laissées à l'étude et à l'appréciation de qui de droit, à l'intelligence et à la ferveur de chacun.

21. Les âmes sont-elles aujourd'hui plus religieuses, plus croyantes, plus pieuses qu'autrefois??... Elles paraissent plus exigeantes, plus éveillées et personnelles. On s'attache à prier avec l'Eglise, avec le Christ dans son corps mystique, à participer à la messe avec un missel, si elle n'est pas chantée, à méditer avec un livre, en particulier la Bible. Les supérieurs pourraient favoriser ces besoins: permettre aux religieux, aux religieuses spécialement, d'avoir une Bible à leur usage personnel, leur missel en langue vulgaire, un livre à l'oraison, de pouvoir lire en pleine lumière, au lieu d'avoir avant l'oraison une lecture commune, suivie de la « nuit obscure », qui ne semble pas celle voulue de Dieu.

113 R. P. Hadrianus M. Malo, O. F. M., Director
comm. « La vie des Communautés religieuses »
scripsit

La fidélité aux moyens traditionnels de piété pour tendre
à la perfection compte parmi les obligations certaines et in-
discutées de la vie religieuse; leur mise en pratique et leur
organisation réclament parfois des revisions et des réajustements qui en conservent la fraîcheur et en assurent l'efficacité.

Les arguments qui établissent le caractère obligatoire des
moyens spirituels de perfection viennent de sources différentes; ce sont les textes des lois communes et particulières, la
psychologie et les besoins de notre temps.

Le Code de Droit Canonique par le canon 592 impose à tous les religieux
les exercices de piété énumérés au titre des obligations des clercs: la purification
fréquente des taches de la conscience par le sacrement de pénitence, les actes
quotidiens de l'oraison mentale, de la visite au très saint Sacrement, de la récitation du chapelet, de l'examen de conscience (c. 125), les exercices spirituels
(c. 126). Le canon 595 porte trois prescriptions: il détermine la fréquence et
charge les supérieurs de voir à l'accomplissement des exercices de piété de tous
les religieux: retraite annuelle, assistance à la messe, oraison mentale quotidiennes, réception au moins hebdomadaire du sacrement de pénitence, communion fréquente et même quotidienne. Enfin ce même canon enjoint aux supérieurs de veiller à ce que tous les religieux « pratiquent fidèlement les autres
exercices de piété prescrits par la règle et les constitutions ».

Ainsi le droit commun introduit et couvre de son autorité les prescriptions
du droit particulier. Chaque communauté possède sa propre législation. Tenant
compte du caractère propre à chaque religion, elle adapte la loi générale aux
conditions particulières du contemplatif, du prédicateur, du missionnaire, de
l'hospitalier, du professeur... Elle s'inspire des documents pontificaux plus récents, comme *Haerent animo* de Pie X, *Mens nostra*. *Ad catholici sacerdotii fastigium* de Pie XI, *Menti nostrae* de Pie XII; elle porte des points communs,
comme la lecture spirituelle, la récollection mensuelle, la rénovation des voeux,
certains actes de consécration.

Ces textes codifient harmonieusement les pratiques de
piété dont les siècles passés ont connu la valeur et qui sont
entrées dans le patrimoine de l'Eglise. De plus ils s'appuient
sur la psychologie qui découvre chez l'homme un esprit lent
à comprendre, une volonté mobile et des énergies limitées.

Le procédé naturel de l'esprit humain fait que, placés en face d'une vérité,
nous n'en voyons pas tout d'un coup le fond, sa place et son rôle dans l'ensemble du monde et surtout dans la conduite de la vie, enfin son importance
tant individuelle que relative. D'un mot les psychologues affirment que notre
esprit est en général non pas intuitif, mais discursif; ils en concluent que pour
pénétrer jusqu'au coeur des choses, il a besoin de solitude, de réflexion, de
raisonnement et d'efforts de compréhension. Ces besoins, variés selon les vérités

dont il s'agit et l'entraînement des sujets, trouvent leur satisfaction dans la prière surtout mentale, la retraite, la récollection. Ces exercices s'imposent d'autant plus impérieusement que la vie religieuse n'apparaît pas immédiatement et toujours comme la perle précieuse de l'évangile; elle place dans le monde surnaturel où parfois le sens pratique est désemparé et sent la nécessité du recours à des lumières supérieures, celles de la foi.

Ce qui complique cette lenteur de perception, c'est la mobilité frappante de la volonté. Ce qui hier apparaissait comme l'idéal est aujourd'hui mis en question, en doute et parfois même rejeté. C'est que lancés à la poursuite du parfait, nous les abandonnons pour refaire des convictions plus solides. Il y a aussi la multiplicité des buts partiels qui s'imposent à l'attention des religieux et en absorbent les énergies parfois au détriment de l'unique nécessaire. Pour parer aux inconvénients de cette mobilité déconcertante, pour fixer nos coeurs là où se trouvent les joies véritables, il faut l'action calme, sereine, prolongée de la prière, du recueillement; c'est elle qui pacifie, favorise la pénétration et l'imprégnation de l'âme par les vérités éternelles.

A cette lenteur, à cette mobilité, s'ajoute la limitation des énergies humaines. Dans le domaine spirituel, comme dans le domaine temporel, tout s'use certainement, tout s'use vite. Des décisions qui avaient atteint la vigueur de convictions, au conctat du temps et du monde s'ébranlent, s'affaiblissent, s'émoussent et se volatilisent. Comme il s'agit de vérités fondamentales qui influent sur la conduite de la vie, il faut de toute nécessité les revigorer, les fixer dans l'esprit, les cheviller dans l'âme, en étendre l'emprise sur la personne et la vie. Ce résultat ne s'obtient que par la prière, l'oraison et la retraite.

Voilà comment la psychologie qui enseigne les lois constantes de la nature humaine démontre chez le religieux la nécessité d'un régime organisé de piété.

Cette nécessité semble encore plus inéluctable quand on considère la mission de la vie religieuse dans le monde contemporain.

C'est un thème fréquemment développé par les historiens et les apologistes que la valeur sociale de la vie religieuse sous toutes ses formes. D'une manière spéciale s'appliquent à elle les paroles prononcées par Jésus dans son sermon sur la montagne: « Vous êtes le sel de la terre... Vous êtes la lumière du monde. Une ville ne peut être cachée quand elle est située sur la montagne... Qu'ainsi brille lumière aux yeux des hommes, afin qu'ils voient vos bonnes oeuvres et glorifient votre Père qui est dans les cieux » (Mt. 5, 13-16). Ce qui manque à nos sociétés contemporaines ravagées par le matérialisme païen et l'existentialisme desséchant, c'est la connaissance, l'estime et la poursuite des réalités célestes. Le religieux élevant son esprit et son coeur vers Dieu pour adorer, remercier, expier, demander, prend immédiatement le sens d'une valeur rédemptrice.

Il ne s'agit donc pas de restreindre ni de diminuer la force d'un devoir si profondément inculqué par le droit, la psychologie et les besoins de notre temps. Il convient de l'affirmer fermement. Précisément parce qu'elles exigent une plus grande fidélité au régime traditionnel des moyens spirituels de perfection, les conditions du monde contemporain en réclament un renouvellement de bon aloi qui en sauvegarde la richesse ainsi que l'efficacité. Or deux traits caractérisent le monde religieux d'aujourd'hui: la Bible et la liturgie.

L'une des deux sources autorisées de la révélation, la Bible a reçu un essor vigoureux par les encycliques *Providentissimus Deus* de Léon XIII, *Spiritus Paraclitus* de Benoît XV et *Divino afflante Spiritu* de Pie XII. Il en est résulté un réel mouvement biblique qui répond à l'un des besoins dominants du Canada. Comme partout ailleurs dans notre pays il y a des rationalistes et des incroyants; mais il n'y forment qu'une infime proportion de la population. Le peuple appartient soit à la religion catholique soit à la religion protestante. La Bible reste sa richesse commune; dans la vie religieuse du pays, elle occupe une place de choix que les catholiques, y compris les religieux, auraient tort de négliger.

Le mouvement biblique fut dans une certaine mesure préparé par le mouvement liturgique. Par son encyclique *Mediator Dei et hominum* Pie XII a projeté une lumière bienfaisante dans le domaine liturgique. Après avoir légitimement légiféré, il insiste sur l'importance de vivre la vie liturgique. « Tout ce qui concerne le culte religieux extérieur, écrit-il dans la conclusion, a son importance, mais ce qui est le plus urgent et ce qui importe au plus haut point, c'est que les chrétiens vivent la vie de la liturgie, en alimentent et en fortifient leur esprit ». Les religieux y puiseront l'aliment de leur vie de prière. « La liturgie, écrit le P. Lemonnyer, O. P. dans *Liturgia*, Paris, Bloud et Gay 1935, p. 65, est la grande et universelle école de l'oraison, parce qu'elle est excellemment propre à nourrir dans nos âmes la charité contemplative ».

Basé sur ce critère de rajeunissement, puisant dans ces deux sources nouvelles, le régime ordinaire de la vie de piété peut recevoir des précieuses améliorations. En voici quelques-unes qui semblent pouvoir convenir aux différentes Communautés Religieuses du Canada.

1. Comme texte pour les prières du matin et du soir, que les communautés adoptent les heures de prime et des complies de l'office divin.

2. Que l'oraison faite en commun porte sur Jésus; fixée à une heure commune, elle pourrait être laissée au choix de chaque religieux en ce qui concerne le lieu et le sujet.

3. La pratique de la récollection mensuelle devrait être introduite parmi les actes de la vie communautaire. De plus, on pourrait favoriser l'insertion dans la législation d'un article autorisant les supérieurs à accorder une récollection supplémentaire aux religieux qui en feraient la demande raisonnable.

4. L'organisation de la vie pieuse des communautés viserait à protéger la loi du travail en évitant de morceler le temps par des interruptions trop fréquentes.

5. Convaincus que les exercices de piété doivent créer, conserver et développer la vie spirituelle, les supérieurs verront à ce que les actes communautaires réservent une place pour la vie de piété individuelle.

6. Dans le même sens on pourrait favoriser dans les com-

munautés surtout de frères et de soeurs l'assignation d'une cellule à chaque religieux.

Recueillies au cours des contacts que la direction de la revue LA VIE DES COMMUNAUTÉS RELIGIEUSES occasionne avec les différentes communautés du Canada, ces suggestions comptent parmi les principales et sont laissées à l'entière discrétion de la S. Congrégation des Religieux.

114   R. P. Henricus Middendorf, S. C. I., *scripsit*:

Saepe Romani Pontifices decenniis sex transactis admonuerunt et candidatos ad S. Presbyteratum et ipsos sacerdotes, ut omni cum diligentia studio Sacrorum Librorum incumberent.

Omissis, non neglectis, ceteris documentis, illud solum prae oculis habeamus verbum Pii XII die 24 Iunii 1939 ad universos clericos studentes eorumque moderatores dictum: « Ne autem constantiam et virtutem vestram labefactari sinatis, cotidie, dilecti filii, quantum fieri potest, ex inexhaustis Sacrorum Librorum fontibus, Novi praesertim Testamenti, genuinos Iesu Christi et Apostolorum spiritus haurite, qui semper in mentibus, in verbis, in operibusque vestris resplendeant. Indefessi estote in labore, vacationum etiam tempore, ut qui vobis praesunt, fidentes dicere possint: « Luceat lux vestra coram hominibus, ut videant opera vestra et glorificent Padrem vestrum, qui in caelis est » (1).

Et nuper in adhortatione « Menti Nostrae » ad universum Clerum facta dixit: « Frugiferas illas veritates, quas Spiritus Sanctus per Sacrarum Litterarum sententias pandit, atque Patrum Doctorumque scripta commentantur, accurate diligenterque meditamini... » (2). Et idem Pontifex sequens praedecessores suos *lectionem cotidianam* privatim et in familiis faciendam valde commendavit in Litteris Encyclicis « Divino Afflante Spiritu », uti satis omnibus notum est (3). Quis dubitare audeat, quin ante omnes fideles a religiosis utriusque sexus maximo cum ardore Sacri Libri legendo meditandoque perscrutandi et a sacerdotibus in monasteriis diligentius profundiusque quam a clero saeculari tractandi atque eloquentius populo christiano proponendi sint? Nihil antiquius invenies in ordinibus studio S. Paginae, sicuti testantur Regulae S. Benedicti et S. Basilii (4).

(1) AAS 31 (1939) 249. — *Enchiridion de statibus perfectionis*, in: Collectanea S. Congr. de Religiosis, Romae 1949; p. 534.
(2) AAS 42 (1950) 12/13, p. 671.
(3) AAS 35 (1943) 320 sq.
(4) *L'Ascetica di S. Basilio il Grande*. Tradotta dal P. Efrem Leggio. Soc. Ed. Internazionale. Torino 1934, p. 45: «... il superiore deve condursi come nutrice che riscalda al petto i suoi figlioli (I Tess. II, 7), compiacendosi di somministrare a ciascuno, non solo la dottrina del Vangelo divino... » p. 99: Interrogazione 95 br. « Se sia espediente ai nuovi venuti, far loro apprendere subito gli insegnamenti delle Sacre Scritture? » — Risp. « Anche questa domanda fa d'uopo risolverla con quello che s'è già detto; cioè giusto e necessario che ciascuno apprenda delle Divine Scritture quanto gli bisogna, sia per progredire nella pietà, sia per non accostumarsi a tradizioni umane».
p. 133. Dello studio. Quoad sensum refero: Il superiore deve apprendere

Nostris temporibus ordines antiqui et recentiores certamen, ut ita dicam, inierunt incumbentes studio Sacrarum Litterarum scientifico et divulgationi Sacrorum Librorum ad eorum lectionem et meditationem inter fideles ubique terrarum fovendam (5). Altera ex parte nondum dicere possumus: Satis est. Etsi Summi Pontifices non raro incitaverunt clericos tam saeculares quam religiosos ad lectionem S. Scripturae faciendam, ita ut quoad studium stricte dictum voluntas supremae Ecclesiae auctoritatis omnes clericos religiosos obstringat, nullibi autem modo generali omnes et singulos religiosos et religiosas obligavit ad S. Scripturam legendam. *Non exsistit statutum neque in C. I. C. neque in tota legislatione ecclesiastica quod omnes respiciat* (6).

In Ecclesia Orientali viget talis lex ad omnes monachos spectans. Cf. annotationem (4). Certo clerici et moniales legunt psalmos et lectiones, cum

dalle Scritture le cose per tutti. Degli altri cerchi ciascuno di apprendere dalla Scrittura quanto lo riguarda.

Omnes responsiones datae ad interrogationes (hoc nempe schema regularum est) inspiratae sunt spiritu S. Scripturae.

Cfr. etiam legislationem Byzantinam, *Justiniani Novellas,* CXXXIII, c. VI «Oportet enim duplex hoc opus monachis propositum esse: aut divinis vacare scripturis aut quae monachos decent manuum opera quae vacare solent; meditari scilicet et operari: mens enim frustra vacans nihil bonorum pareret». Vide in opere: *De monachico statu iuxta disciplinam Byzantinam.* Ed. P. Placidus de Meester O. S. B. in: Codificazione canonica orientale. Fonti, Serie II, fasc. X, p. 77. Regula S. Benedicti agit in cap. 48 de labore manuali cotidiano, sed etiam de lectione S. Scripturae, saltem implicite, si lectio ut quodvis studium intelligitur; si autem vocabulum «Bibliothecae» interpretamur ut «Bibliam», etiam explicite per totum. Cf. Revue Bénédictine LX (1950) 65 sqq. En textus Regulae: «In quibus diebus Quadragesimae accipiant omnes singulos codices de *bibliotheca,* quos per ordinem ex integro legant: qui codices in caput Quadragesimae sunt dandi». Toti regulae inserta sunt verba innumerabilia S. Scripturae, sunt quasi eius anima. In ultimo capite legis verba perpulchra: «Quae enim pagina, aut qui sermo divinae auctoritatis Veteris et Novi Testamenti non est rectissima norma vitae humanae».

(5) Quis ignorat Institutum Biblicum Romae a Patribus Societatis Iesu directum et Scholam Biblicam Hierosolymis ab Ordine Praedicatorum curatam atque studia Patrum Ordinis S. Benedicti pro editione Vulgatae? Alii ordines, ut filii S. Francisci et Canonici Regulares S. Augustini atque recentes congregationes ut Claretiani in Hispania praecipue divulgationi Bibliae operam dant. Cfr. A. Pujol. *Beati Ant. M. Claret Studiorum Biblicorum cultor et fautor.* Verbum Domini 16 (1936) 47-51.

(6) Sed videtur, quod Decretum «Ubi primum», diei 22 Aug. 1814, contineat quandam ordinationem generalem. Sic sonat incisum: «Ceterum quae per Sacros Canones, Apostolica Decreta et singulorum Ordinum Regulas et Constitutiones, praesertim de oratione mentali..., lectione ad mensam habenda, *lectione item S. Scripturae* vel casuum conscientiae, collatione, aut sermone super disciplina regulari et acquisitione virtutum... sancita sunt, ea omnia et singula accurate serventur».

Vide *Ench. stat. perf.* p. 153. Sed si inspexeris Fontes C.I.C. (IV, Nr. 1893) videbis illud decretum ad solos viros pertinere. Insuper valde dubium est, num supra memorata «lectio S.S.», sit lectio in sensu latissimo; verisimile est, quod sit lectio stricte dicta, i. e. studium a Synodo Tridentina ordinatum. De cetero non dicit hoc decretum utrum sit quoddam statutum regulae singulorum ordinum an generale. Lex dubia autem non obligat.

Officium Divinum recitant, sicut omnes fideles pericopas ex S. Scriptura sumptas inter S. Missam audire possunt. Particulares quoque leges pro singulis religionibus ab Ecclesia earum regulam aut constitutiones approbante latae sunt. Sed nequaquam omnes constitutiones continent praescriptionem specialem de lectione S. Scripturae habenda. Etiam usus in singulis familiis religiosis multum differt alius ab alio.

Hac de re auctor huius relationis elenchum quaestionum misit ad Curias Generalicias familiarum religiosarum Romae residentes et quidem ad centum Superiores et ad quinquaginta Superiorissas Generales.

Responderunt 53 religiones virorum et 24 mulierum, quibus gratias quam maximas hac occasione refero.

De cetero ex schemate, prout pag. 218-219 exhibetur, apparet, quod non responderunt fratres hospitalarii neque moniales. ⁖   ⁖

In prima parte huius elaborati tractabimus de lectione S. Scripturae, prout hucusque facta est in religionibus. In altera autem de lectione, prout in posterum facienda esse videtur.

Vocabulum « lectionis » intelligendum est tum in sensu latissimo, amplectens quamlibet occupationem S. Scripturam respicientem; tum in sensu strictiore ut praelectio et studium scientificum; tum in sensu verbali ut lectura privatim aut in communi facienda. Qui singuli sensus concordantes cum semasiologia decursu saeculorum (7) ex contextu apparebunt.

De studio autem scientifico non expresse, neque in extenso agemus, tum quia responsa data non sufficiunt ut fundamentum seriae discussionis, tum quia Pontificia Commissio Biblica, instructione die 13 Maii 1950 promulgata, omnia fere desiderata exegetarum adimplevit; nihilominus proponam lectoribus benevolis etiam responsa quoad studium stricte dictum accepta ut quoddam complementum totius investigationis.

---

(7) Nomine « lectionis in sensu verbali » veniunt in regula S. Benedicti lectio ad mensam et in ecclesia facienda. Sed in cap. 48 lectio sensu latissimo de studio, meditatione et lectura privata sumenda est. In sensu strictiore ut studium solum Conc. Tridentinum hac voce utitur sess. V c. I. Ita semper promiscue in usu fuit; cf. etiam annotationem 6.

QUAESTIO DE LECTIONE SCRIPTURAE
IN RELIGIONIBUS CLERICALIBUS

An sit	Contempl.(9)			Apost.(35)			Educat.(9)		
	G	N	S	G	N	S	G	N	S
I - a) Ordinat. generalis?	8			18			6		
b) Commendatio generalis?	0				6			0	
c) Usus generalis?	1				11			3	
II - Lectio in communi an desit?	0	0	0	2	1	?	0	0	0
III - Lectio privata									
a) an desit?	1	1	1	1	1	0	0	1	1?
b) an dubia sit?	0	5	2	0	4	6	2	2	2
c) libera, commendata?	4	3	4	15	11	7	3	3	3
d) ordinata?	4	?	1	19	19	22	4	3	3
IV - Explanatio									
a) psalmorum?	0	5	v	0	6?	v	0	0	v
b) epist. et evangelii?	1,1?	3	v	5	8	v	2	3	v
c) historiae bibl. popul.?	1	1	v	1	1?	v	1	1,1?	v
V - Lectio continua cum magistro?	1	2?	1	3	1	3	0	0	0
VI -									
a) Schola quasi scientifica, cursus, collationes?	1a)	?	1	2b)	1?	4?	?	?	?
b) Stud. linguarum bibl. et latinae?	v	?	v	v 1,3?		v	v	?	v
VII - Pro fratribus et sororibus conversis?									
a) Lectio privata?	1	1?	v	3	3?	v	1	1?	v
b) Explanatio psalmorum, epistolarum, evang.?	1	1	v	0	0	v	0	0	v
c) Histor. bibl. popul.?	1	3	v	1	1?	v	2	2?	v
d) L. continua cum magistro	0	0	v	0	0	v	0	0	v

VIII - Quanta semestr. exegesi et scientiis auxiliaribus (2 horis hebd.) tribuunt singulae rel. clericales?

Contempl.: 18a), 10, 10, U1x, 5x?

Apost.: 22c), 21d), 20, 20,19, 19,18,18,18,17, 16,16,15,15,14,14, 14,13,12,12,12b), 11,8,7,5e),U,8x, 3x?

Educat.: 21, 13, 12, 10, U1x; 4x?

QUAESTIO DE LECTIONE SCRIPTURAE IN RELIGIONIBUS LAICALIBUS

	Fratrum				Sororum			
	Educ.(3)		Apost.(7)		Educ.(15)		Hosp.(2)	
	G	N	G	N	G	N	G	N
I -								
a) Ordinat. generalis?	2		5		14		1	
b) Commendatio generalis?	?		0		0		0	
c) Usus generalis?	1		2		1		1	
II - Lectio in communi								
an desit?	0	0	0	0	1	1	0	0
III - Lectio privata								
a) an desit?	0	1	3	3	2	2	0	0
b) an dubia sit?	0	0	0	0	1	2	0	0
c) libera, commendata?	2	1	2	2	10	9	2	2
d) ordinata?	1	1	2	2	2	2	0	0
IV - Explanatio								
a) psalmorum?	0	1	0	2	0	0?	0	0
b) epist. et evangelii?	0	0	2	1	5	0	0	0
c) historiae bibl. popul.?	3	3	2	2?	15	?	0	1
V - Lectio continua								
cum magistro?	0	0	2	2	1	3	0	1
VI -								
a) Schola quasi scientifica, cursus, collationes?	3	0	3	0	15	?	0	0
b) Stud. linguarum bibl. et latinae?	?	?	0	2	?	?	?	?
VII - Pro fratribus et sororibus conversis?								
a) Lectio privata?	v	v	0	0	1	1	0	0
b) Explanatio psalmorum, epistolarum, evang.?	v	v	0	0	0	0	0	0
c) Histor. bibl. popul.?	v	v	0	0	0	0	0	0
d) L. continua cum magistro	v	v	?	?	1	?	1?	?

DE LECTIONE S. SCRIPTURAE PROUT HUCUSQUE FACTA EST

Declaratur elenchus

Ad I. dicendum videtur, quod saepius forsitan quam ex responsis eluceat, fundator ipse, plus minusve enixe, lectionem S. Scripturae commendet, quod novem instituta expresse declaraverunt. Altera ex parte praescriptio generalis est valde diversa quoad extensionem; aliquoties sola lectio in communi habenda esse videtur, aliquoties haec occupatio in Scriptura totum modum vivendi compenetrat. Quamquam, v. g., moniales non responderunt ad elenchum quaestionum, aliunde notum est, quod magno cum zelo operam dant meditationi et studio Librorum Sacrorum (8).

Ad II. Plerumque lectio in communi fit in mensa, aliquoties in capitulo aut occasione examinis particularis. Leguntur pauci versus aut integrum capitulum, hoc praesertim tempore Quadragesimae. In institutis virorum generatim et NT et VT praeleguntur, exceptis aliquibus Libris e. g. Psalmis, Cantico Canticorum; una congregatio legit solum VT. Etiam apud sorores in 6 aut 7 societatibus VT non omittitur; diebus festivis Evangelium proprium sumitur. Decursu 2 vel 3 annorum tota Biblia legi potest. Si S. Antonius M. Claret vult, quod singulis annis a suis tota Biblia legatur, sine dubio lectionem privatam includit. Non caret curiositate, quod saltem 4 religiones clericales allegant VT ad prandium, NT autem ad cenam esse legendum, forsitan conscii aut inconscii Regulam S. Benedicti sequentes, quae vetat, 7 libros priores Veteris Testamenti ante somnum a monachis legi (9).

Ad III. In 3 institutis lectio diurna unius paginae vel capituli fieri debet flexis genibus. In 5 religionibus clericalibus VT non legitur; et obligatorium est tantum in 10 scholasticatibus. In nonnullis religionibus virorum et mulierum postulantes (adspirantes) NT saltem secum afferre debent in noviciatum. Dolendum est, quod, praesertim in conventibus sororum, NT non semper et ubique est liber usualis pro singulis. Nonnulli fundatores suis filiis praescribunt, ut semper secum portent NT. Sine dubio multi utuntur Sacro Textu ad meditandum, uti fit in instituto quodam recentissimo italico sororum, in quo Evangelium eiusdem diei apertum offertur sorori facienti adorationem SS. Sacramenti. Aliqua responsio valde queritur de defectu meditationum de Libris Sacris, quae religiosis accommodatae sint.

Saltem 5 religiones ordinant, ut novicii cotidie aliquos versus memoriae

---

(8) Sit venia redactori huius articuli allegandi propriam congregationem ut exemplum ex una parte defectus statuti in constitutionibus relate ad lectionem Scripturae Sacrae, ex altera parte eius commendationis et ordinationis a Fundatore latae. Redactio Constitutionum potius opus canonistae quam Fundatoris est. Nil dicunt de Scriptura legenda; unum tantum incisum e S. Scriptura continent, cum econtra dictorum e S. Scriptura sumptorum plenae sint antiquae regulae, ut Regula S. Benedicti, quae 211 verba biblica ab invicem distincta praestat. Directorium autem spirituale Fundatoris nostri agit per latum et longum de lectione S. Librorum (Pars V, § 8): « L'Ecriture Sainte est avec la divine Eucharistie l'aliment de notre vie spirituelle... Les Prêtres du Coeur de Jésus, désireux d'accroître en eux la vie spirituelle, feront de la Sainte Ecriture leur aliment quotidien... Que chacun de nous fasse donc chaque jour sa lecture d'Ecriture Sainte *et* sa lecture spirituelle... Il faut environ vingt minutes pour faire une lecture utile... etc. ».
Quoad fervorem in perscrutando S. Libros intra claustra monialium cf. L. Fillion. *L'étude de la Bible*. Paris 1922, p. 319 sqq. et hodie testis est P. Foos S. C. I. Epistola diei 23 Nov. 1950.
(9) Textus c. XLII regulae sic sonat: « ... si tempus fuerit prandii (i. e. non ieiunii); mox surrexerint a Cena, sedeant omnes in unum et legat unus Collationes vel Vitas Patrum aut certe aliud quod aedificet audientes; non autem Heptateucum aut Regum, quia infirmis intellectibus non erit utile illa hora hanc Scripturam audire; aliis vero horis legantur... ».

tradant, qui mos iam apud monachos in Thebaide vigebat. In una societate 4 evangelia ediscuntur.

Ad IV. Praescripto can. 1345 « optandum est, ut in Missis, quae, fidelibus adstantibus, diebus festis de praecepto in omnibus ecclesiis vel oratoriis publicis celebrantur, brevis evangelii aut alicuius partis doctrinae christianae explanatio fiat... ». Tenentur hac lege etiam religiosi exempti Ordinario iubente. Fratres laici et sorores hac in re non in peiore condicione versari debent laicis extra claustra viventibus. Collatio ad conversos in noviciatu (can. 565 § 2) et catechesis bis in mense ad omnes fratres et sorores habendae (can. 509 § 2) non intelliguntur a canonistis ut catechesis biblica neque necessario ita intelligendae sunt secundum Instructionem S. Congregationis de Rel. « Quantum Homini » de die 25 Nov. 1929; neque ibi citatum programma Vicariatus Urbis continet quaestiones de re biblica (10). Experientia revera docet realitatem interpretationi legis, proh dolor, congruere. Quaedam tamen praesumptio stat pro aliqua declaratione Psalmorum in Noviciatu; sed constat eam non ubique fieri. Lectio de Liturgia dominicae sequentis in aliquibus Institutis nuper fundatis in usu est, sed nequaquam in omnibus religiosis familiis.

Ad V. Lectio continua raro fieri videtur. Methodus ipsa antiqua est. Patres Iesuitae ea usi sunt, etiam in Italia, tempore Reformationis in ecclesiis occasione missionum (11). Sic non solum nostris temporibus iidem Patres, sed etiam Fratres Minores, aliique in ipsa Urbe has collationes habent, sicuti aliis in regionibus alii Patres, e. g. Canonici Regulares Sancti Augustini in Austria. Hanc viam ingrediuntur in ipsis conventibus Fratres O. P. (12), et Filii S. Benedicti in nonnullis monasteriis necnon pro scholasticatu Patres S. I., aliique.

Ad VI. Cursus biblici, conferentiae hebdomadales, vel expleto curriculo theologico singulis mensibus praescriptae, schola quaedam scientifica ad acquirendum diploma catechistae: haec omnia subsumuntur sub hoc numero. Responsa data sunt paucissima. Sed quis dubitet, quin non solum in Gallia sorores a S. Ursula vel a Bono Pastore nuncupatae vel in Carmelo absconditae avidae sint explicationis Verbi Divini (13)?

Linguas biblicas fratres et sorores ad munus catechisticum in scholis mediis destinati in universitatibus discunt. Ulterius autem quaeritur, an hodie in noviciatibus clericalibus fiat quoddam studium linguarum latinae et graecae. Duae societates modernae mulierum mentionem faciunt de studio linguae latinae in tirocinio, et una Pia Societas virorum, forsitan duae vel tres aliae.

Ad VII. Sorores et fratres conversi negleguntur, si responsa data vera sunt. Non raro accidit, ut patres ad laicos in saeculo viventes sermones collationesque habeant de re biblica, omissis propriis confratribus. Nemo dixerit his desiderium deesse profundius in mysteria Sacrorum Librorum penetrandi. Iuniores saltem conversi magno cum zelo intersunt conferentiis biblicis.

Ad VIII. Restat ut studium stricte dictum theologorum in scholasticatibus consideremus. Numeri allati indicant summam semestrium — omnia et singula cum duabus horis in hebdomada sumpta — scientiarum auxiliarium, ut quaestionum introductoriarum, linguae hebraicae et graeco-biblicae, et exegeseos stricte dictae. En exemplum: In col. VIII 18 semestria sic intellegenda sunt: 2. sem. cum 1 lectione hebd. lingua Graeco-biblica; 4 sem. cum 2 lectionibus hebd. lingua Hebraica; hermeneutica 2 sem. cum 1 lectione hebd; 4 sem. cum 3 lectionibus hebd. A. T. (introductio et exegesis); 4 sem. cum 3 lectionibus hebd. N. T. (introductio et exegesis) = 35 sem. cum 1 lectione hebd. = 17 ½ sem. cum 2 lectionibus hebd. Elucet ex iuxtapositione immensa differentia inter singula instituta. Et in ipsis religionibus invenis magnam

(10) *Ench. Stat. perf.*, p. 419.
(11) Dict. de la Bible, tom. III, p. 1403 sqq.
(12) Dict. de la Bible, tom. II, p. 1463 sqq.
(13) Cfr. notam 7.

diversitatem; 15 tantum responderunt studia esse regulata a suprema auctoritate ac proinde eadem ubique. Scopus studii Sacrae Scripturae magis magisque esse videtur conspectus quidam universalis, ita ut exegesis « summaria » in 10 responsis exhibeatur. Ad singula notes velim, quod indicatur: sub littera *a*) abbatia quaedam favens praeter studium stricte dictum per 18 semestria per solvendum collationibus hebdomadariis biblicis; alumni electi linguis orientalibus et exercitationibus specialibus instituuntur. Sub littera *b*) ordo, qui per saltem 5 annos lecturam privatam, sed directam a superioribus et illuminatam cursibus a viris peritis habitis praemittit exegesi duobus annis ultimis theologiae traditae; sub littera *c*) medius inter 26 et 18 numeros semestrium (forsan diversus secundum provincias) electus est; sub littera *d*) congregatio, in qua lectura et explicatio brevis ipsius textus per 4 semestria etiam in numero allato comprehenduntur, lingua graeco-biblica altera ex parte neglecta; sub littera *e*) forsitan (?) error irrepserit, ita ut 10 semestria numeranda essent.

Certo ultimis decem annis, uti scribit superiorissa quaedam, amor Sacrorum Librorum in dies crevit (14). Sed elenchus clare monstrat « laborem indefessum et cotidianum » (cfr. admonitionem. papalem p. I) in hauriendo de fontibus vitae scientiam et caritatem divinas non apud omnes religiosos et religiosas susceptum esse.

DE SCRIPTURAE LECTIONE, PROUT IN POSTERUM HABENDA SIT

Primum in hac parte methodus practica proponitur quoad singulos modos legendi Libros Sacros. Secundo quaedam proponuntur auctoritati ecclesiasticae. Tertio motiva ante oculos subicimus, quae nos adducant ad fovendam magis magisque lectionem Sacrae Scripturae.

1. *Methodus practica.*

Ad II. Lectio communis, praesertim in refectorio, gaudet traditione antiquissima. In abbatiis adhibetur tonus aliquo modo solemnis, diversus a vulgari modo loquendi, quod nobis exemplo sit. Item liber ipse habeat formam Sermone Divino dignam. Semper servetur debita reverentia exterior, uti e. g. fit in ordine quodam apostolico, ubi stando auditur Textus Sacer et capite detecto. Ne omittantur omnino Libri Veteris Testamenti. Post lectionem detur per aliquot minuta occasio ad meditandum de verbis auditis, uti laudabiliter observatur in aliquibus monasteriis.

Ad III. Quoad *lectionem privatam,* instructio Pontificiae Commissionis Biblicae nuper edita consilia optima praestat. « Eis (theologis) commendet (sc. magister), ut hoc exercitium (cotidianae S. Scripturae lectionis) adeo utile per totum studiorum tempus constanter ita continuent, ut totam Scripturam *identidem cursim perlegant...* Quae S. Scripturae lectio maiore

---

(14) Sic in Germania 200 domus religiosae aggregatae sunt Operi Biblico « Katholisches Bibelwerk, Stuttgart ». Epistola diei 28 Nov. 1950.

cum fructu peragetur, si discipuli iam inde ab initio curriculi studiorum in Sacris Libris recte legendis scite instituantur et dirigantur proposito etiam brevi singulorum Librorum conspectu seu analysi, quemadmodum in « Introductione speciali » fieri solet. Huiusmodi cotidiana lectione *continuata et ordinatim concinneque* facta sacerdotii candidati tam ad sacram liturgiam recte intelligendam et digne celebrandam, quam ad ipsa studia Sacrae Theologiae cum fructu agenda egregie parabuntur » (15).

Peritissimus ille vir Ioannes Mabillon similem methodum confratribus in suo ordine proponit. Primo opera quaedam praeparatoria de re biblica perlegenda esse vult. Porro lectio exoritur a Novo Testamento, quod per totum sine interruptione perlegatur commentario non adhibito, nisi excipias forsitan epistolas S. Pauli. Secunda vice legentes commentariis utantur. Idem progrediendi modus servetur quoad VT, sed ita, ut Libris Sapientialibus et Psalmorum praemissis legantur opera introductoria supra memorata, et post haec bis totum VT sine commentario et tertia vice cum eo (16).

Omnes periti suadent legentibus, ut dividant totum corpus Sacrorum Librorum in pensa cotidie persolvenda. Professor exegeseos aut praefectus spiritus vigilet de hoc ordine servando; tribuat etiam singulis scholasticis, aut confratribus laicis aut sororibus libros legendos, quod sane cum quadam discretione spirituum fieri debeat. De cetero infra amplius de hac re tractabimus. Introductio ad meditandum Verbum divinum detur iam in noviciatu. Exegetae est, Sacros Libros religiosis meditandos proponere, exercitia spiritualia ex Sacra Scriptura tamquam ex fonte praecipuo hausta tradere, collationes biblicas habere etc. ...

Ad IV et VII. dicendum imprimis est *psalmos* omnibus ad Officium Divinum obstrictis esse explicandos. Sororibus tradantur lingua patria recitandi, nisi excipere velis communitates internationales aut quaedam officia festiva. Fratres conversi melius aliquod Breviarium quam tot Pater noster dicant. — *Pericopae* Missae sequentis dominicae vel festi explanari possunt aut praelectione libri totam liturgia amplectentis, aut melius sermone vivo sacerdotis aut quadam collatione in coetu ad modum colloquii habita. — *Historia Sacra popularis* conversis tradenda est ex una parte compendiatim; ex altera parte ne neglegatur lectura ipsius textus. *In instructione noviciis conversis* danda Sacra Scriptura sit fons totam materiam tractandam fecundans.

Ad V. *Lectio continua cum magistro facta* optima methodus est ad incitandos animos ad lecturam privatam frugiferam et remedium immediatum contra omnes difficultates exortas. Instituitur colloquium de Sacro Eloquio, ita ut alius alium adiuvet eique de thesauro cordis sui divitias praebeat. Atten-

(15) AAS. 42 (1950) 498.
(16) *Tractatus de studiis monasticis.* Auctore P. Joanne Mabillon. Latine versus a P. D. Joseph Porta. Venetiis 1745. Pars. II, cap. II § 2.

dendum est, ut coetus sit aliquo modo homogeneus quoad gradum scientiae. Ita separandi sunt clerici a conversis, tirones a perfectioribus (17). Numerus participantium ne sit nimius; secus communicatio inter eosdem vigere non potest.

Unusquisque textum in manu teneat, et quidem, si fieri potest, diversae editionis, quia comparatio editionum magnam lucem intellectui affert. Etsi exordium fit a philologia ad inveniendum sensum litteralem, finis totius investigationis est sensus theologicus et practice asceticus. Sensus spiritualis, in quantum est mere allegoricus, hodie non iam placet. Homo nostrorum temporum oculos dirigit ad *realitates* tam naturales quam supernaturales. Quamquam autem ipsi Sancti Doctores Ecclesiae uti S. Bernardus et Ioannes a Cruce non semper cognoverunt (vel cognoscere noluerunt) sensum litteralem, ex altera parte quadam congenialitate coniuncti fuerunt cum auctore sacro inspirato (magis quam philologus modernus) et proinde etiam nobis duces illuminati sunt. Si occasio detur, ut per diuturnum tempus collatio fieri possit, haud dubie lectura totius libri continua prosequenda est. Primum sumantur Actus Apostolorum aut Evangelium (18). Tota haec methodus eo tendit, ut qui intersint ipsi inveniant thesauros absconditos in agro Scripturae. Experientia docet sorores et fratres conversos esse fossores avidos, tenaces et in inveniendo felices.

Ad VI. De schola quasi scientifica incipiendum est a societatibus laicalibus.

Si Catechismus Romanus a P. Pio X velut specimen vel ratio tractandi veritates chistianas in noviciatu conversorum laudatur (19), neque modus in Archidioecesi Newark (America Septentrionalis) nimis amplus est neque methodus Archidioecesis Paderbornensis (Germania) nimis « biblica » est (20). Prior continet inter 160 lectiones catechisticas 100 doctrinae stricte dictae, 30 rei biblicae, 20 historiae ecclesiasticae et 10 liturgiae tributas. Ordinariatus Paderbornensis nuper tradidit magistris noviciarum aut sacerdotibus hoc instructoris munere fungentibus librum optimum complectentem in unaquaque lectione rem biblicam, dogmaticam, liturgicam et practice asceticam. Ut scopum habet educationem noviciae ex toto fonte revelationis divinae et vitae christianae haustam et nutritam; non respicit activitatem a sorore in posterum exercendam. Methodus vero est « scholae laboris seu activitatis alumni », ut praeparando, concomitando, et continuando ipsam lectionem discat, non tam scholae, quam vitae.

In societate sororum a S. Ursula nuncupatarum (Unio Romana) viget sequens programma. Praeter lectionem privatam per dimidiam partem horae in NT cum commentariis ad dispositionem faciendam, unam horam catecheseos et 2-3 horas studii de re biblica in noviciatu habent. Meditatio fit duobus annis postulatus et noviciatus de evangelio. In iuvenatu (i. e. tempore votorum

---

(17) Collationes publicae in ecclesiis habitae forsitan aliquos inter eos qui intersunt indiscriminatim admissos periculo de fide dubitandi exponunt.

(18) Alias P. Foos (sec. articulum supra citatum), qui audientibus electionem pericopae aut thematis relinquit, quod sane activitatem uniusculusque stimulat.

(19) Decretum « *Sacrosancta Dei Ecclesia* », diei 1. Ian. 1911. *Enchiridion status perfectionis,* p. 313.

(20) Vide: *Course of Christian Doctrine for Religious Novitiates in the Diocese of Newark,* 1931; (Distributum occasione Congressus catechistici, Romae 1950).
Otto Hilker. *Werkbuch für die Unterweisung der Ordensjugend.* Als Manuskript gedruckt. Meinwerk-Verlag, Salzkotten 1950
Vide etiam P. Foos S. C. I. *La sainte Ecriture dans les noviciats,* in Revue des Communautés religieuses. 21 (1949) 53 sqq.
Quoad methodum prosequendam cf. « *Bibliographiam de usu S. Scripturae* », auctore P. Nober S. I. Romae 1949.

temporalium) lectio privata bis in hebdomada per unam horam integram et bis instructio de re biblica praescripta est. Postea pro omnibus semel in mense collatio biblica, in vacationibus cursus speciales habentur; occasio datur ut intersint conferentiis simul cum aliis congregationibus institutis. In regionibus praecipue protestanticis Ordinarii loci exigunt studia biblica et proinde etiam examina rigorosa. Intra septa propriae religionis institutum Fratrum Scholarum Christianarum statuit, ut catechistae intra 4 annos tria examina subire debeant. Materia prioris et introductio generalis et exegesis Evangeliorum; materia alterius anni Actus Apostolorum, Epistolae et Apocalypsis, ex quibus selectio fit; tertium comprehendit VT, introductionem et partes librorum selectas; accedit ad haec Historia Veteris Testamenti et tractatus de veritate Revelationis Foederis Antiqui. Non desunt quaestiones syntheticae, uti de conceptu Dei in VT, de christologia in NT. Materia digna theologo! Praeparatio privatim fit.

Si ab hoc instituto fratrum omnes religiones similes videre possunt materiam discendam sat amplam esse debere et scientiam acquisitam examinibus constare oportere, ex altera parte societas illa sororum S. Ursulae omnibus exemplum praestat modo suo ulterius instituendi membra congregationis adhibitis collationibus similibusve. Illae duae vero recentes congregationes candidatas linguam latinam docentes, ut supra dictum est, omnibus duces sunt.

In religionibus clericalibus studium stricte scientificum in noviciatu vetitum est. Sed lectio Evangelii S. Lucae et Actuum Apostolorum lingua graeca commendata a P. Pio X, Decreto «Ad Explorandum» diei 27 Aug. 1910, etiam hodie prohibita non est; sic etiam partes Bibliae hebraice ab iis legi possunt, qui in lyceo (uti e. g. saepe in Germania accidit) hanc linguam didicerunt. Forsitan in omnibus religionibus studium linguae hebraicae in postulatu incipere poterit, et postea in noviciatu haberi solummodo quaedam repetitio compendiosa legendo textus liturgicos. Sic scholasticatus exoneratus esset a praelectionibus hebraicis, saltem quod attineret auditores communes nec ad sublimiorem huius scientiae gradum tendentes.

De studio in scholis theologicis postea breviter tractabimus. Collationes menstruas vel hebdomadarias de S. Scriptura valde commendant ipsi Summi Pontifices et Pont. Commissio Biblica. Scopus esse debet: Saluti animarum audientium et populi christiani inservire.

Ad VIII. De *studio proprie dicto* non nimis dicendum esse videtur. Commissio Biblica voluntatem Ecclesiae nobis sat conspicue declaravit. Ut auferatur omne dubium de validitate can. 1366 § 3 pro institutis religiosis, expresse non solum magistrum unum pro exegesi postulat distinctum ab aliis, sed valde commendat, ut pro VT et NT singuli lectores constituantur (21).

De modo tractandi introductionem, specialem imprimis in libros V.T., alii aliter opinantur. Mabillon, v.g., commendat, ut libri prophetici legantur una cum libris historicis, hocque modo unitatem totius historiae Revelationis in mente legentis stabilit. Similiter sunt exegetae, qui introductionem specialem cum histo-

(21) Can. 1366 § 3 secundum ipsum Codicem valeret pro solis seminariis dioecesanis, quia sub tit. XII «De ratione studiorum in religionibus clericalibus» canones non recurrunt ad § 3 allegati canonis, sed solummodo et quidem expresse (vide can. 589) ad § 2, unde apparet, quod Codex non volebat obligare religiosos ad instituendum 4 lectores pro disciplinis principalibus. Sed P. Pius XI in Litteris ad Summos Ordinum et Congregationum virorum Moderatores die Martii 1924 directis, dicit: «Neque illud vobis excidat, quod in Codice Iuris Canonici legitur: Curandum ut saltem Scripturae Sacrae, theologiae dogmaticae, theologiae moralis et historiae ecclesiasticae totidem habeantur distincti magistri». Vide *Ench. stat. perf.*, p. 409.

ria connectunt, quae methodus in Pont. Instituto Biblico vigere videtur. His pro praxi in medio relictis, quaevis introductio in Libros Sacros valorem dogmaticum, asceticum et relationem cum Salvatore eiusque Regno prae oculis habere et ostendere debet. — Unius ordinis responsum problema nobis ponit. Exegesis ultimis duobus annis theologiae, 3 horis in hebdomada, tractatur; antea Biblia legitur privatim duce magistro, alumni assistunt cursibus similique modo praeparantur ad praelectiones stricte dictas. Sic exegesis quasi corona totius studii apparet. Nonne est etiam fundamentum, immo anima totius theologiae? Exegesis evolvens libros tum analytice tum imprimis synthetice secundum ideas, i.e. theologia biblica, magno emolumento est theologiae dogmaticae et morali ideoque illas antecedat aut eas concomitetur, ut videtur, oportet (22).

Ex iam dictis consequi videntur.

2. Propositiones Auctoritati Ecclesiasticae debita cum reverentia faciendae.

1) Lex feratur, quae omnes religiosas familias obstringat, ut Lectio S. Scripturae diligenter excolatur, modo et gradu quidem secundum finem institutorum diverso.

2) Statutum edatur, ut in omni religione cuiusvis generis tempore tirocinii candidatis modo eis adaptato et quoad partes utiles S. Scriptura explicetur; imprimis psalmi, pericopae missarum et historia biblica popularis declarentur.

3) Edatur ratio studiorum biblicorum, quae omnibus religionibus inter alia saltem limitem inferiorem vere praescribat.

4) Decretum promulgetur omnes clericos obligans ad perlegendos libros integros Veteris et Novi Testamenti ante completum curriculum S. Theologiae. Idem valeat, mutatis mutandis, pro fratribus et sororibus munere catechistico in scholis mediis fungentibus.

5) Ordinetur, ut sacerdotibus iunioribus pro examinibus per quinquennium superandis etiam materia e S. Scriptura praescribatur; item ut in conferentiis menstruis aliquoties in anno S. Biblia tractetur (23).

6) Ad Capitula et Superiores Maiores pertinebit statuere, ut in singulis domibus maioribus sit saltem unus Pater in his disciplinis versatus, cuius sit dirigere collationes; qui etiam praesto sit clero saeculari ad cursus biblicos pro ipsis sacerdotibus atque pro fidelibus habendos. In conventibus quoque sororum superiorissa aut alia soror studio S. Scripturae insistat adeundo cursus biblicos; etsi non erit formata modo stricte scientifico, fovebit tamen Lectionem Divinam in sua familia.

---

(22) De hac re optime disseruit P. Meinrad Schumpp O. P. « *Die Bedeutung und Behandlung der Hl. Schrift in der systematischen Theologie.* In: Theologie und Glaube 21 (1929) 179-198.
(23) Cf. Instructionem Comm. Bibl. III, 8. — Nil desiderandum foret, nisi haec instructio norma tantum directiva esse videretur.

7) Sororibus detur Officium Divinum in lingua vernacula recitandum (24).

3. Motiva ad faciendam lectionem S. Scripturae cum omni qua par est diligentia, sunt magni ponderis.

Primum causa honoris est. Traditio monastica atque exemplum et voluntas fundatorum nos obligant. Deinde hora iam est ad certamen concurrere. Formatio iuventutis spiritu liturgico-biblico extra monasteria postulat a nobis, ut institutionem nostram in noviciatu adaequemus.

Cardinales et Archiepiscopi Galliae commendaverunt anno 1948 Superiorissis Generalibus, ut prae oculis haberent educationem puellarum huius aevi: «Si la jeune fille a assez souvent perdu l'habitude des exercices de piété et des dévotions traditionnelles, elle est par contre très attachée à la vie liturgique et à sa source, la Sainte Ecriture... » (25). Etsi non valet pro omnibus puellis et omnibus regionibus aequali modo, attamen monitio contemnenda non est, immo eam transferri oportet ad formationem iuvenum.

Imprimis occasione congressus religiosorum meminisse iuvabit, quod renovatio statuum perfectionis nostris temporibus accommodata ultimam rationem desumere non potest a circumstantiis hodiernis neque a fundatoribus religionum humanis, sed ab «Ipso Fundamento, praeter quod nemo aliud ponere potest, a Christo Iesu» (1 Cor. 3, 11). Lectio vero S. Paginae nos adducit ad hunc nostrum Fundatorem. S. Scriptura nobis praebet «genuinos Iesu Christi et Apostolorum spiritus», secundum illud P. Pii XII (26). Unde oritur *genuinitas conceptuum* quoad statum perfectionis. Sic paupertas Christi et Apostolorum fundatoribus religionum semper exemplar fuit et esse debet eorumdem filiis; cf. relationem « de paupertate Christi et Apostolorum imitanda meditatio biblica » (Acta Congr. Rel. Vol. I.).

« Naturalis » fuit Magistri nostri modus se gerendi, accommodatus personis et rerum circumstantiis. Vita nostra in conventibus non debet esse, ut ita dicam, « artificialis », sed consentanea temporum atque regionum adiunctis.

Conceptus « status » certo, in quantum stabilitatem vocationis nostrae exprimit, biblicus est; in quantum vero exhibet formam iuridicam coetus fidelium ad perfectionem contendentium est originis ecclesiasticae, uti Pius XII ad ipsos delegatos congressus statuum perfectionis die 8 Dec. 1950 dixit (AAS, 1951, 1.28). Ideo formas exteriores numquam aeternas habebimus; secus Ipse Fundator noster Christus nos reprehenderet ut pharisaeos nolentes oboedire tempo-

(24) Vide supra p. 9. — In Gallia, Hollandia, Germania, Austria, Helvetia discussio de hoc problemate iam dudum fit. — Quoad Galliam vide: La Vie Spirituelle 314 (1947, Janv.) 197-204. — In Hollandia in periodico « Ons Geestelijk Leven » Dec. 1950, p. 274-286 de hoc argumento refert A. Munsters, quod in nonnullis congregationibus sororum Officium lingua patria recitatur. Pro congregationibus laicalibus in Helvetia, Germania, Austria P. Hildebrand Fleischmann, O. S. B. edidit « *Officium Divinum Parvum* ». Wien. 1950. Herder. Ab episcopis illorum territoriorum approbatum et commendatum est pro institutis religiosis supradictis. Non est Officium Marianum, sed selectio ex magno Officio Romano accommodata temporum exigentiis. Translationem novi Psalterii « Piani » a Romano Guardini auctoritate omnium episcoporum Germanicorum curatam continet.

(25) Vide in periodico: La Vie Spirituelle. Supplément. Num. 10 diei 15. Aug. 1949., p. 221.

(26) Allocutio P. Pii XII diei 24. Iunii 1939, iam citata. — *Ench. stat. perf.* p. 534.

rum et circustantiarum exigentiis. « Spiritus est, qui vivificat » vel « fides, quae per caritatem operatur » (Gal. 5, 6). Forma exterior ius existendi non ex se ipsa eruere potest neque ex solis rerum adiunctis, sed praecipue ex virtute spiritus evangelii, ita ut forma inanis abicienda, econtra forma vivificata spiritu Cristi servanda sit. Ut exemplum afferam: Denuntiatio defectus aut peccati confratris aut sororis ordinata per Regulam in nonnullis religionibus, si esset indiscriminatim et semper immediate superiori aut superiorissae facienda, videretur contradicere et regulae a Primo Fundatore Iesu Christo statutae (Matth. 18, 15-17) et doctrinae S. Thomae (S. Th. II, II, qu. 33, 7; item: Quodlibeta 11, a. 12 s.) et sine dubio spiritui nostrae aetatis.

Lectio S. Scripturae nobis aperit aditum ad mysterium Corporis Christi. « Sumus corpus Christi, membra de membro » (1 Cor. 12, 27).

Contra hunc conceptum Paulinum stare videtur denominatio « classis » pro distinctione alias necessaria membrorum in familia religiosa. Hodie hoc nomen sensum odiosum habet. Familia « classificata » est contradictio in adiecto. Nova denominatio forsitan esse poterit pro « classis » ordo ministrationis, vel diaconia (uti 1 Cor. 12, 5; Eph. 4, 12, ubi de Corpore Cristi agitur). Unitatem membrorum Christi ordine et imprimis caritate in varietate munerum et operationum stabiliendam atque primum in una eademque familia religiosa, tum inter omnes familias religiosas, denique cum omnibus fide et baptismate fratribus observandam esse ut testamentum Domini Nostri S. Paulus, praeco Mysterii Corporis Christi indefessus proclamat. Non est religio, quae omnem plenitudinem gratiae Capitis in se contineat, repraesentetque Christum Totum. Imitatio cuiusvis coetus religiosi prae se fert characterem, ut ita dicam, partialem, « unilateralem »; si absolutam et unicam viam, proprium modum sequendi Magistrum ducerent, maximum mandatum Novi Testamenti violarent, caritatem enim et cum ea libertatem. Vita et doctrina Christi eiusque apostolorum « legem Christi » (Gal. 4, 2) sane ut legem, sed ut « legem *spiritus vitae in Christo Iesu* » (Rom. 8, 2) ubique praestant, i.e. ut rectam proportionem inter caritatem, libertatem et regulam videlicet ut « *legem libertatis* », sicut ipse Apostolus Iacobus de caritate, libertate et lege disserens opposita complectitur una definitione (1, 25; 2, 12).

Christum ergo induamur! (Rom. 13, 11). Nobis cordi sit illud Origenis: « Semper in Scripturis Verbum caro fit, ut habitet in nobis » (27). Nec unquam dubitare poterimus, quin aptae sint Sacrae Paginae, quae « nos efficiant sanctae novitatis capaces » (Or. super pop. Fer. III. Hebd. Sanctae). Ergo manducemus, gustemus, dispensemus fratribus Panem Caelestem, Verbum Divinum, Ecclesia Nutrice et Magistra.

115   R. P. Leo Veuthey, O. F. M. Conv., Prof. Theol. Ascet. et Myst., *scripsit*:

Defectus breviter exponam qui impediunt quominus, meo quidem iudicio, media per se optima ad perfectionem acquirendam omnino sterilia pro multis evadant, taedium in reli-

(27) *The Philocalia of Origen*. Ed. O. A. Robinson. Cambridge 1893; cap. 15. p. 85.

giosam vitam afferant atque efficiant ut tot animae quae vitam perfectionis susceperunt, in statu mediocritatis et sterilitatis permaneant.

1. Oratio mentalis.

In Ordinibus multis et Congregationibus mos invaluit, a Constitutionibus sancitus, meditandi in communi, secundum « puncta » determinata quae a Superiore, intervallis fixis, praeleguntur. Religiosi audiunt — vel non audiunt — lectionem atque tenentur meditari circa ea quae lecta sunt, in determinato tempore. Praeter factum quod iidem libri et eadem argumenta per annos iterum et iterum afferuntur — id quod maximum taedium et despectum generat — remanet quod, etiam mutatis textibus, illa methodus omnino contra rectam rationem meditandi peccat. Etenim:

a) In quacumque communitate omnino diversi sunt gradus perfectionis membrorum statusque animarum, ita ut impossibile sit, idem textus meditationis conveniat dispositioni psychologicae atque gradui perfectionis uniuscuiusque; immo: quod omnibus convenit nulli convenit, et meditatio sic habita saepe evadit ut negatio omnis meditationis, perditio temporis atque grave pondus vitam religiosam inutiliter onerans atque taedium generans ariditatem sterilitatemque.

b) Evenit quoque ut quis inveniat in prima lectione materiam meditationis individualis, sed vix bene incepit cum Superior aliud legit « punctum », et tunc meditatio bene incepta interrumpitur et iam distractio, a lectione Superioris causata, impedit quominus iterum resumatur. Econtra fit ut alius nihil inveniat ad meditandum in lectione habita, tempus inutiliter terat expectando ut quid aliud legatur. Et sic transit totum tempus meditationis.

Quidquid sit, necessario sequitur ut sic dicta meditatio hoc modo habita omnino sterilis fiat, pondus intolerabile evadat, religiosi cum possunt eam effugiant, aut, si stimulo conscientiae premantur, eam quietent mera participatione mechanica et materiali, in quantum scilicet tempus praescriptum meditationi dedicant quin ullam ab ea utilitatem accipiant.

Neminem vero latet mechanismum formalismumque esse mortem omnis vitae religiosae ac sic dictum legalismum — scilicet satisfactio verbi legis — posse quidem quietare conscientiam, sed esse simul fontem sterilitatis et pharisaismi, quae sunt negatio perfectionis evangelicae. Proh dolor! meditatio, quae debebat esse fons vitae, effecta est fons mortis in multis communitatibus, generans quoque taedium vitae religiosae quae ad profundam spiritualem vitam et ad gaudium cum Deo unionis debebat ducere.

Remedium: Posset esse universalizatio meditationis privatae quae pro multis est iucundus fons fecunditatis vitae. Sed dubitandum est utrum meditatio privata regulariter fiat ab illis qui tamen ea maxime indigerent, atque pro Ordinibus et Congregationibus quae ducunt laudabilem et perfectiorem vitam communem, optimum est ut meditatio sit etiam exercitium vitae communis. Conveniant ergo omnes religiosi in sacello ad horam pro meditatione determinatam; hoc erit pro debilibus adiutorium fidelitatis atque pro omnibus exercitium vitae unitatis in Christo et in Spiritu Sancto qui in unitate operatur. In silentio, quod recollectionem profundam fovet, unusquisque autem propriam faciat meditationem, habeat et proprium librum. Si eo indigeat, ab eo materiam sumat meditationis; si vero non indigeat, meditetur ex propria reflexione; sumat vero librum cum ex se non amplius procedere possit atque distractionibus vel somno obnoxius erit.

Ita unusquisque facile poterit meditari, secundum propriam capacitatem et necessitatem; pondus meditationis fiet leve, immo mutabitur in iucundam necessitatem, evanescet difficultas meditandi de qua universaliter auditur querimonia, formalismi plaga auferetur et meditatio fiet id quod debet esse: fons vitae fecundae ac interioris gaudii.

Quod si Superiores teneant inculcare veritates et principia peculiaria, id faciant in conferentiis et instructionibus ac in selectis lectionibus spiritualibus, quin tamen impediant, modo generali, regularem meditationem in qua unusquisque haurire potest cibum proprium et personalem quo specialiter indiget quemque assimilandi capax erit. Curent autem ut bonos libros, ad vitam interiorem fovendam aptos, religiosi prae manibus habeant. Ad hunc finem habeatur et copiosa bibliotheca spiritualis, disponendo ad hunc finem ut libri bibliothecarum privatarum in usum evadant totius communitatis. Hoc erit et pro beneficio perfectae vitae communis simul ac vitae spiritualis membrorum.

Ubi autem adsunt fratres laici qui nesciant legere vel religiosi qui praeferant vivam vocem audire, fiat pro illis lectio meditata vel instructio in quodam sacello separato, ita ut qui privatim meditantur non turbentur.

2. *Preces in communi.*

Vita christiana est essentialiter vita Christi in unitate Corporis eius ducenda. Ad fovendam profundiorem vitam religiosam, partem eminentem habet oratio in communi religiosorum, quae est oratio Christi in medio eorum in unum iunctorum. Sic optimum medium ad perfectionem in Christo acquirendam erunt recitatio choralis divini officii, participatio activa communis ad missam conventualem et aliae orationes in communi habitae.

Sed evenit etiam in oratione vocali id quod et in oratione

mentali: id quod deberet esse fons vitae fit fons mortis et taedii, quia vita locum cedit mechanismo et formalismo.

Conceptio « legalis » orationis facit ut conscientiae quietetur recitatione materiali omnium verborum et praesentia corporali in omnibus exercitiis vitae communis, sed vera significatio orationis amittatur. Tunc et oratio vocalis fit pondus intolerabile, tempus ei dicatum reducitur quam maxime et anima sine vera oratione paulatim a Deo elongatur, cadit in peccata, vel tepida, arida et sterilis efficitur.

Remedia: a) Instructionibus, lectionibus ac meditationibus oportet animas ad veram vitam orationis interioris reducere: oratio, sive vocalis sive mentalis, est essentialiter communio et communicatio intima cum Deo a quo anima haurit vitam, vim et totum progressum spiritualem; oratio debet fieri continua sicut et semper oportet vivere, consuetudine scilicet unionis cordis et cogitationis cum Deo; participatio activa in sacrificio missae, recitatio divini officii, rosarii et aliarum orationum debent haberi ut media ad fovendam unionem illam cum Deo, vivendo in Christo, gratia, corde, cogitatione et opere. Si tunc anima habitualiter cum Deo vivit, facile colet veram orationem communem, immo in ea gaudium magnum inveniet utpote quae medium optimum evadat ad profundam unionem fovendam cum Deo, cum unitas orationis et amoris cum fratribus in Christo sit via immediata ad divinam unionem.

Conscii econtra fiant religiosi quod mera recitatio materialis verborum ac participatio passiva ac mere corporalis in choro nullius sint valoris, immo offendant divinam maiestatem, duritiam inducant cordis ac mortem vitae spiritualis. Quod si unio constans cogitationis cum Deo nimis videatur difficilis propter sic dictas distractiones inevitabiles, sciant unionem cordis et intentionis per se sufficere ad orationem continuam, et hoc esse facile pro eis qui veram religiosam vitam ducere intendant. Oratio, ut bene fiat atque iucunda evadat, oportet ut et a corde bene disposito exoriatur. Oratio continua adiuvat orationem formalem et communem sicut et haec illam fovet. Unitas debet esse in vita religiosa, nec quis potest esse religiosus in momento orationis formalis tantum.

b) Ne recitatio choralis divini officii taedium generet sed e contra iucunda, pia ac fervorosa evadat, oportet ut reformetur modus recitationis apud plures communitates, ubi magna cum festinatione habetur, sine pietate et modo omnino mechanico, tantum ut materialiter servetur lex.

Habeatur officium chorale ut vera oratio scilicet ut exercitium unionis cum Deo, ut laus Dei et laus divina in Christo in unitate Corporis mystici, et tunc diligetur ab omnibus vere religiosis qui non quaerent dispensationem a chori participatione, cum sic inveniant econtra ibi fontem vitae, gaudii interioris et progressus spiritualis. Quod si autem recitatio divini officii sive privata sive choralis inordinate fit et tantum ut satisfactio legalis habeatur, tunc erit mors vitae religiosae necnon dehonoratio Dei maiestatis.

Damnanda est propensio hodierna facile dispensandi a divino officio vel saltem a recitatione chorali, sicut damnanda est recitatio festina, mechanica ac mere legalis et formalistica. Religiosus debet esse imprimis homo Dei ad servitium divinum deditus; et si Deo primum servat locum, evadet actio eius exterior fecunda; si vero pars Dei abbreviatur, et sterilis evadet actio eius apostolica.

c) Licet omnino commendanda sit oratio in communi, utpote oratio unitatis in Christo, tamen damnandus est mos multiplicandi orationes vocales non liturgicas mechanismo faventes et formalismo, qui ducunt ad mortem verae vitae et orationis interioris.

3. Mortificationes et paenitentiae.

Debilitas hodierna corporum et nervorum fecit ut mortificationes et paenitentiae traditionales, ut ieiunia, cilicia et flagellationes, sanitatis causa paulatim derelinquerentur.

Consequentia fuit despectus ipsius mortificationis et paenitentiae atque virtutum passivarum ut extollant externam activitatem ac virtutes activas. Magno tamen cum detrimento vitae religiosae, cum non detur vita supernaturalis nisi mortificata natura, ac semper valeant verba Christi: « Si quis vult post me venire, abneget semetipsum et tollat crucem suam *quotidie* et sequatur me » (Luc. 9, 23). Absentia mortificationis continuae, ratio est quare hodie tot religiosi vitam mere naturalem ducant ac sic facile in peccatum cadant et mundi viam percurrant. Qui non mortificat naturam quotidie, eam sequitur quae ad peccatum et tenebras ducit spirituales.

Etiamsi mortificationes Patrum deserti hodie vix suadendae sunt, tamen inculcare oportet necessitatem mortificationis et in cibo et in potu, sed praesertim oculorum, cogitationum, tactus et omnis satisfactionis sensualitatis. Inculcetur et necessitas sic dictarum virtutum negativarum, humilitatis, oboedientiae, paupertatis, quibus homo semetipsum abnegat ut vivat in eo Christus, in homine novo qui vivere nequit nisi mortificato sine intermissione homine vetere.

4. Spiritualia exercitia.

Mirum est quomodo spiritualia exercitia parum habeant effectum in vitam religiosorum, cum econtra possint mutare vitam laicorum in mundo viventium. Ratio est forsitan quia pro saecularibus exercitia significent quid omnino extraordinarium quod eos in mundum novum introducit, dum econtra pro religiosis ea sunt continuatio vitae quotidianae.

Forsitan etiam quia praedicatores exercitiorum spiritualium illum sensum novitatis nesciunt afferre atque eorum praedicatio non est nisi semper eadem repetitio argumentorum iam tritorum quae nullum influxum habent in religiosos ad ea iam assuefactos. Forsitan etiam quia praedicatores pavent veritatem dicere et contra abusus et defectus pugnare, et sic relinquunt animas quiescere in propria tepiditate. Forsitan et quia nesciunt exponere finem idealem ad quem obtinendum cor accenderetur, atque tacent ordinarie partem essentialem vitae religiosae quae est vita interior unionis cum Deo in Christo ac totum mysterium vitae gratiae.

Audivimus etiam hanc reflexionem: « Quam pulchra essent exercitia spiritualia si non esset praedicator! » Exercitia spiritualia deberent esse tempus recollectionis in magno silentio exteriore et in intimo cum Deo commercio. Quomodo
autem hoc sit possibile si animae semper distrahuntur a verbis tritis praedicatoris
et a multitudine exercitiorum externorum? Pro multis, quaedam praedicationes
sunt utiles, sed quatuor in die, pro religiosis qui tenentur etiam recitatione chorali divini officii et tot aliis exercitiis, sunt exaggerationes quae omnino impediunt veram recollectionem in silentio ad vitam interiorem tam necessario.

Augeatur tempus silentii, reflexionis propriae, lectionis
et orationis privatae, minuanturque praedicationes ac distractiones exteriores et augebuntur boni fructus tam salutarium
exercitiorum spiritualium.

Conclusio

Optima sunt media ad perfectionem spiritualem attingen-
dam tradita et sunt omnino a nobis retinenda. Sed et omnino
vitandum est ne, propter formalismum et mechanismum in
ea introductum, media quae vitam fovere deberent mortem
afferant et despectum vitae religiosae. Ceterum non oblivi-
scamus media et illa ad nihil inservire si desit fundamentum vitae religiosae, unio scilicet quam intima cum Deo a religiosis praeprimis et semper colenda.

ARGUMENTUM 1: *Instituta saecularia ut status recognitus perfectionis.*

116   *Orator* - R. P. ANASTASIUS GUTIERREZ, C.M.F., Officialis S. Congregationis de Religiosis.

Ut positio Institutorum saecularium in statu perfectionis apte dignoscatur, perutile erit doctrinam generalem theologicam et iuridicam de statu perfectionis evangelicae tradere, et comparationem inter eiusdem diversos gradus ab Ecclesia iuridice ordinatos instituere. En totum praesentis studii obiectum.

Gradus in iuridica status perfectionis professione sunt diversi: *Religiones, Societates in communi viventes sine votis, Instituta saecularia.* Planum est in his diversis categoriis plura communia elementa inveniri, in quibus profecto omnes conveniunt, plura e contra singulis peculiaria ex quibus ad invicem distinguuntur.

Elementa communia reducuntur, ut plurimum, ad characterem theologicum-asceticum, et ad ea quae ex charactere iuridico in genere (ex « iuridicitate ») procedunt: omnes enim sunt et *status perfectionis* evangelicae totalis quoad substantiam et *status iuridici* in Ecclesia; et proinde agemus:

1. De elementis theologicis-asceticis.
2. De elementis quae characterem iuridicum in genere consequuntur.
3. De elementis status religiosi in specie.
4. De Societatibus in communi viventibus sine votis.
5. De Institutis saecularibus.
6. Comparationem instituemus inter diversos gradus status iuridici perfectionis evangelicae.

ART. I. — ELEMENTA THEOLOGICA STATUS PERFECTIONIS EVANGELICAE TOTALIS.

Elementa theologica dicimus ea quae Christus constituit quaeque ab Ecclesiae traditione tanquam essentialia constanter retinentur in statu christianae perfectionis acquirendae. Ipsa autem procedunt tum ex conceptu *perfectionis evangelicae* tum ex conceptu *status.* Utraque S. Thomas his verbis expressit: « Ad perfectionem vitae Dominus pertinere dixit quod aliquis *Eum sequeretur* (perfectio evangelica totalis) [et] non qualitercumque, sed *ut ulterius retro non abiret* » (forma stabili) (1).

§ 1. Elementa perfectionis evangelicae totalis.

I. Ex parte perfectionis evangelicae unum essentialiter requiritur, nempe totalis Deo consecratio seu deditio in ordine ad perfectionem caritatis obtinendam (2) per adimpletionem divinae voluntatis non tantum praecipientis sed etiam consulentis.

Christus duplicem viam hominibus monstravit ad perfectionem caritatis assequendam: viam *praeceptorum* et viam *consiliorum*. Primam his praesertim verbis indicavit: « Si vis *ad vitam ingredi* serva mandata » *(Math.* XIX, 17); aliam vero dum diversa consilia hominibus dedit, quae, quatenus consilia, non sunt ad vitam necessaria; praecipue autem: « *Si vis perfectus esse*, vade, vende quae habes... et veni, sequere me » (Mc X, 21), ubi directe consilium paupertatis evangelicae fertur, denotantur vero castitatis et obedientiae consilia (3).

II. Haec totalis Deo consecratio fere dici potest converti cum trium consiliorum generalium (4) obedientiae sc., castitatis ac paupertatis professione.

(1) S. THOMAS, *Summa Theol.*, 2.a 2.ae, q. 186, art. VI, ad 1; *Contra Gentes*, lib. III, c. 131. « Cum vero personae attribuitur status duo semper indicat, sc. *perfectionem* in aliqua condicione vel modo existendi eius, et *quietem* seu *immobilitatem* in illa » SUAREZ, *De Religione*, tract. VII, lib. I, n. 1).

(2) Planum est perfectionem hominis consistere in caritate. « Unumquodque dicitur esse perfectum in quantum attingit proprium finem, qui est ultima rei perfectio. Caritas autem est quae unit nos Deo, qui est ultimus finis humanae mentis, quia « qui manet in caritate in Deo manet, et Deus in eo » ut dicitur in *Joan.*, IV, 16. Et ideo secundum caritatem specialiter attenditur perfectio christianae vitae » (S. THOMAE, II II.ae, q. 184, art. I). Cfr. etiam SUAREZ, *De virtute religionis*, tr. VII, lib. I, cap. III, IV. LOTTIN, *La doctrine de St. Thomas sur l'état religieux*, in *La Vie Spirituelle*, XL (1923), pag. 385 ss.

(3) Dum Christus dicit: « Si vis perfectus esse, vade... et veni sequere me » (Math., XIX, 16, ss.) clare docet perfectionem aliquid addere eis quae ad salutem necessaria sunt, observantiam sc. consiliorum (Cfr. NAVAL, *CpR.*, I, (1920), p. 236-242. BOUIX, *De Iure Regularium* (1857), I, p. 37-43; S. THOMAS, II II.ae, q. 184, art. III.

Egregie PIUS XI viam praeceptorum et viam consiliorum descripsit: « *Unigenitus Dei Filius* cum ad redimendum humanum genus in mundum venisset, datis spiritualis vitae praeceptis, quibus homines ad finem sibi praestitutum regerentur universi, docuit praeterea, qui ipsius vestigiis proprius insistere vellent, eos evangelica consilia amplecti ac sequi oportere... » (Epistola Apostolica ad supremos Moderatores Ordinum regularium aliarumque sodalitatum religiosorum virorum, 19 martii 1924; *A. A. S.*, vol. XVI (1924), p. 133).

SUAREZ de consiliis agens, haec habet: « His ergo concludimus christianam perfectionem sine observantia consiliorum praeter praecepta, non acquiri. Assertio haec est certa et communis eamque tradit divus *Thomas* q. 184 art. 3 et sumitur ex verbis Christi *Math.* 19: Si vis perfectus esse, abi et vende omnia quae habes et veni sequere me » (*De virtute religionis*, tr. VII, 1. I, cap. X, Numero 3).

(4) Consilia Christi, alia sunt *generalia*, alia *particularia*. Generalia dantur non solum propter suam honestatem, sed etiam propter utilitatem ad alias virtutes, praesertim caritatem, acquirendas. Particularia dantur de

Imprimis, quod trium consiliorum generalium susceptio pro *totali* consecratione *requiratur,* pacificum videtur (5); quod autem *sufficiat,* si tamem recte intelligatur (6) videtur etiam doctrina certa. Etenim:

Consilia generalia: 1) *negative* removent impedimenta quibus homo ad perfectionem praepeditur; 2) *positive* instrumenta praebent ad quae alia reducuntur et ex quibus integer homo ad perfectionem dirigitur, fitque perfectus Christi imitator.

1) *Removent impedimenta generalia perfectae caritatis.* Perpulchre S. Thomas hanc peculiarem consiliorum efficaciam generali modo exponit (7): «Quia vero optimum hominis est ut mente Deo adhaereat et rebus divinis; impossibile autem est ut homo *intense* circa diversa occupetur: ad hoc quod liberius feratur in Deum mens hominis, dantur in divina lege consilia, quibus homines ab occupationibus praesentis vitae retrahantur, quantum possibile est terrenam vitam agenti».

Porro tria sunt impedimenta generalia perfectionis, sc. triplex concupiscentia (I Ioan., II, 16): *oculorum* seu nimius affectus erga res exteriores «quae suffocant sementem», et nimia sollicitudo circa ipsas adquirendas, conservandas, augendas. «Facilius est camelum per foramen acus transire, quam divitem intrare in regnum coelorum» *(Matth.,* XIX, 24). Haec verba Christi clare innuunt difficultatem nedum ad perfectionem etiam ad salutem in divitiis adesse. Et Petro impossibilitatem salutis concludenti, Dominus respondit: «Apud Deum omnia possibilia sunt»;

carnis, seu inordinatus affectus erga carnis delectationem et corporis voluptatem, ac sollicitudo de uxore et filiis. Constat ex Apostolo: «Mulier inupta et virgo cogitat quae Domini sunt, ut sit sancta corpore et spiritu *(I Cor.,* VII, 34). Et paulo ante (v. 32): «Qui sine uxore est, sollicitus est quae sunt Domini, quomodo placeat Deo; qui autem cum uxore est, sollicitus est quae sunt mundi, quomodo placeat uxori, et divisus est». Et S. Augustinus: «Nihil esse sentio quod magis ex arce deiciat animum virilem, quam blandimenta feminea, corporumque ille contactus, sine quo uxor haberi non potest» *(I Soliloq., c.* X*);*

superbia vitae, seu inordinatus affectus erga propriam excellentiam, bona

aliquo opere bono propter suam ipsius honestatem. Cfr. Suarez, *De Religione,* tract. VII. lib. I, cap. VIII, n. 20.

(5) Nullam inducit difficultatem quod Ecclesia tanquam *regulares* et *religiosos* recognoverit aliquando alumnos Ordinum militarium qui matrimonio coniuncti erant, observata tantum sub voto coniugali castitate. Haec recognito erat tantum *iuridica* seu ad effectus iuridicos, minime vero *dogmatica* declaratio quod ipsi statum evangelicae perfectionis totalis profiterentur. Absque dubio evangelicam aliquam perfectionem amplectebantur; consilia enim evangelica *aliquo modo* profitebantur — et haec partialis professio fundamentum praebebat partialis etiam aequiparationis statui regulari; — minime vero perfectionem evangelicam substantialem.

Ex hoc facto historico clare constat Ecclesiam posse quidem aequiparare, et de facto ex parte aequiparasse, statum perfectionis non totalis statui perfectionis totalis; minime vero ad statum perfectionis evangelicae totalis consilium castitatis non pertinere. De re amplissimae habentur discussiones in operibus saec. XVII (Cfr. Nicolini, *Elementi costitutivi dello stato religioso,* Thesis ad lauream, 1937, pag. 66 ss., speciatim pag. 72, 75). Auctor tamen aliquantum confuse loqui videtur, non bene distinguens inter statum theologicum et statum iuridicum.

Quaestio momento hodie non caret; sunt enim qui putare videantur consilium castitatis non magis perfectioni evangelicae conferre quam alia consilia *particularia* (Cfr. infra, not. 31 circa statum completum vel minus completum perfectionis).

(6) Si recte intelligantur, dicimus namque et totalis consiliorum generalium professio exigit exercitium aliorum consiliorum particularium, ut statim videbimus.

(7) Cfr. S. Th. II.a II.ae, q. 186, art. 7, ad 2.

animae et propriam libertatem, ac sollicitudo in his adquirendis, conservandis et vindicandis.

Iam vero: concupiscentiae *oculorum* medetur per consilium generale *paupertatis* ex quo bonis exterioribus renuntiamus; concupiscentiae *carnis* remedium affertur per generale consilium *castitatis* ex quo non solum illicitis voluptatibus, sed etiam honestis valedicimus; *superbiae vitae* resistimus per consilium obedientiae ex quo, ut Christum sequamur, propriis voluntatibus nosmetipsos expoliamus.

Breviter Pius XI: « Eiusmodi autem consilia quicumque, obligata Deo fide, servaturum se spondeat, is non modo omnibus exsolvitur impedimentis quae mortales a sanctitate remorari solent, ut bona fortunae, ut coniugii curae sollicitudinesque, ut immoderata rerum omnium libertas; sed etiam tam recto expeditoque itinere ad perfectionem vitae progreditur, ut iamiam in salutis portu anchoram veluti iecisse videatur » (Epist. Apostol. *Unigenitus Dei Filius*, 19 martii 1924; *A.A.S.*, vol. XVI (1924), p. 133-148).

2) *Exhibent generalia instrumenta virtutum.* Ad *paupertatem* apte reducuntur alia omnia particularia media seu consilia quae versantur circa rectum usum bonorum exteriorum, ipsum ordinando ad hoc ut ad sanctificationem inserviant; ad *castitatem* consilia quae usum proprii corporis moderantur et sensibilium delectationum; ad *obedientiam* demum consilia quae usum propriae voluntatis regulant et bonorum spiritualium (8). Per *obedientiam, castitatem* et *paupertatem* universali ratione ad perfectionem integer homo dirigitur, sive quoad propriam personam sive quoad res exteriores ad quas sese extendit ita ut plenum ac perfectum inde sacrificium, holocaustum revera Deo offeratur. Sane per *obedientiam* bona animae Deo offerimus et libertatem; per *castitatem* corpus; per *paupertatem* vero res exteriores. « Status religiosus [tunc temporis erat unica forma status perfectionis] eorum est qui se *totaliter* mancipant divino servitio, quasi *holocaustum* Deo offerentes » (9).

(8) Consilia ergo particularia, veluti modestia, oratio, mortificatio, etc. compatibilia cum proprio vitae genere electo, etiam necessaria sunt (Cfr. *Le Associazioni di laici consacrati a Dio nel mondo,* 1939, n. 12, p. 16-17), sed quodammodo in tribus generalibus continentur ab ipsisque exiguntur. Constitutio *Provida Mater* necessitatem consiliorum particularium incidenter innuit: « Art. III, § 2: Quoad vitae consecrationem et christianae perfectionis professionem. Sodales, qui ut membra strictiore sensu sumpta, Institutis adscribi cupiunt, *praeter illa pietatis et abnegationis exercitia, quibus omnes qui ad perfectionem vitae christianae adspirant...* ». Cfr. etiam c. 593. Iuxta PASSERINI, *De hominum statibus,* q. 186, art. II, n. 12): « Nedum observantia castitatis, paupertatis et obedientiae sunt de essentia religionis; sed praeter huiusmodi consilia generalia, alia magis specialia veluti accidentia, necessaria sunt, quia non invenitur substantia religionis sine suis accidentibus quae illam perficiunt, et ad observantiam trium substantialium consiliorum perducunt. Immo bene advertit SUAREZ, quod cum omnis religio perfecta in observantia trium illorum consiliorum conveniat, sicuti convenit in fine, qui est perfectio caritatis ad quam omnis religio tendit, distinctio religionum desumitur per ordinem ad diversas formas servandi tria vota, et ad diversa consilia, ad quorum observantiam veluti ad fines proximos unaquaeque religio ordinatur ». SUAREZ, agendo de necessitate consiliorum particularium: « tum quia haec particularia consilia, ad observantiam principalium consiliorum moraliter necessaria sunt, ut abstinentia, modestia, clausura ad castitatem, et sic de ceteris. Tum etiam quia sunt proportionata media ad perfectionem singularum virtutum, sine quibus perfectio caritatis obtineri non potest. In quo tandem observandum est, quod, licet finis communis omni statui religioso sit perfectio caritatis, nihilominus unusquisque status religiosus habet suum peculiarem finem et scopum, in quo et per quem illam perfectionem caritatis acquirere intendit, ut contemplando aut salutem proximi procurando, vel utrumque exercendo vel alia opera religionis aut misericordiae praestando. Iuxta hos ergo particulares fines, unusquisque religiosus status indiget aliquorum particularium consiliorum observatione suo fini proportionata... et ideo, licet non omnia consilia singulis religiosis statibus, neque eadem omnibus conveniant, nihilominus unicuique aliqua suo fini proportionata, necessaria sunt ». (L. c. traet. VII, 1. II., c. I, n. 6).

(9) S. THOMAS, II II.ae, q. 186, art. 1.

Ita fit ut, qui *propter Deum* se spoliaverit ab amore rerum sibi externarum (paupertas), ab amore suipsius propriaeque concupiscentiae et ab amore sexuali sc. uxoris et filiorum (castitas), ab amore tandem propriae libertatis (obedientia), revera *totus* Deo dicatus paratusque omnino ad perfectionem caritatis assequendam inveniatur.

Apte igitur distingui potest in tribus ·votis religiosis, ita intellectis atque explicatis, *triplex adspectus* vitae spiritualis, per quos ad perfectionem caritatis, iuxta vitae spiritualis magistros, ducimur: adspectus *purificationis*, adspectus *illuminationis*, adspectus *unionis*.

Denique per trium consiliorum generalium susceptionem Christum sequimur (10) et perfecta Eius imitatio obtinetur, qui «factus est obediens usque ad mortem» *(Philip., II, 8)* «propter nos egenus factus est» *(II Cor., VIII, 9)*, «non habens ubi caput reclinaret» *(Math., VIII, 20)*; «conceptus de Spiritu Sancto, natus est de Maria Virgine» *(Credo)*.

Unde, trium consiliorum *generalium* totalis et integra professio, cum illa totali consecratione, in qua substantialiter et synthetice consistit status perfectionis evangelicae, fere convertitur (11).

III. Haec totalis Deo consecratio *substantialiter* incohative obtinetur per definitivum personale *propositum* divino servitio sese integre mancipandi (12).

(10) « Dicendum, quod in illis verbis Domini aliquid quasi via ad perfectionem; hoc sc. quod dicitur: *Vade, vende omnia quae habes, et da pauperibus;* aliud autem in quo perfectio consistit, sc. quod dicit: Et *sequere me* » (II II.ae, q. 184. III). « perfectio religionis maxime consistit in imitatione Christi, secundum illud Math. XIX, 21:· *Si vis perfectus esse... sequere me* » (Ib., q. 186, art. V). Cfr. etiam SUAREZ, l. c., tract. VII, lib. III, cap. II, n. 4. Cfr. etiam textum Pii XI in nota 3.

(11) S. THOMAS, II II.ae, q. 186, art. VII: « Respondeo dicendum quod religionis status potest considerari tripliciter: uno modo secundum quod est quoddam exercitium tendentis ad perfectionem charitatis; alio modo secundum quod quietat animum ab exterioribus sollicitudinibus, secundum illud I Cor. VII, 32: «*volo vos sine sollicitudine esse*»; tertio modo secundum quod est quoddam holocaustum per quod aliquis totaliter se et sua offert Deo. Et secundum hoc *ex his tribus votis* [consiliorum professione] *integratur religionis status*». In II II.ae, q. 186, art. VI: «Manifestum est autem ex praemissis (art. 3, 4, 5) quod ad perfectionem christianae vitae pertinent paupertas, continentia et oboedientia». Cfr. etiam SUÁREZ, tr. VII, lib. II, cap. VII et commentatores Sti. Thomae generatim. CONCILIUM TRID. in sess. XXV, cap. I, *De Regul.*: «Omnes regulares tam viri quam mulieres, ad regulae quam professi sunt praescriptum, vitam instituant et componant, atque in primis, *quae ad suae perfectionis professionem ut oboedientiae, castitatis et paupertatis... pertinentia,* fideliter observent». Tandem, ut alia omittamus, in Constitutione *Provida Mater* iam ab initio pari gressu procedunt et totalis Deo consecratio et consiliorum evangelicorum professio: « Provida Mater, quanto studio maternoque affectu contenderit, ut suae praedilectionis filios, qui *totam vitam Christo deditionem et consecrationem* fovit et propagavit, ut primis temporibus communitates christianae *consiliis evangelicis* bonam terram...» In lege autem peculiari, art. III, ita haec duo elementa coniungit: «Quoad *vitae consecrationem* et christianae perfectionis professionem...», proceditque ad enumeranda sive «illa pietatis et abnegationis exercitia, quibus omnes, qui ad perfectionem vitae christianae adspirant, incumbant necesse est» (consilia particularia), sive tria consilia evangelica generalia.

Codex Iuris Canonici in can. 487 et 593 statum religiosum definit ex professione trium *consiliorum generalium*. Cfr. etiam commentarium ad Motu proprio *Primo feliciter*, II, 1, *secundum*, CpR. 1949, p. 270-271. Cfr.· etiam LOTTIN, *Considération sur l'état religieux,* p. 23-32.

(12) Quod ita illustratur in *Le Associazioni di Laici consacrati a Dio nel mondo,* n. 6: «Risulta, in secondo luogo, dal fatto che tale proposito esaurisce l'essenza di quella manifestazione della virtù di religione, che è la «devotio», consistente appunto nello «habere promptam voluntatem», nel tenere la propria volontà intimamente e prontamente assoggettata al

§ 2. Elementa ex parte status.

Ex parte « *status* » duo necessario requiruntur ad statum perfectionis evangelicae constituendum: *stabilitas* et *vinculum* (13).

I. Stabilitas. « Status proprie loquendo significat quamdam positionis differentiam secundum quam aliquid disponitur secundum modum suae naturae, quasi in *quadam immobilitate* » (14). Moderni, prae oculis habentes status iuridicos, statum definiunt « stabilem vitae condicionem ex causa permanenti nec de facili mutabili » (15).

« Non est de essentia status immobilitas absoluta, sed satis est quod sit difficile mobilis, et quod habeat graves causas permanentes durationis moraliter perpetuae » (16). — Quod autem ad statum perfectionis evangelicae necessaria sit stabilitas, ita declarat S. Thomas: « Ad perfectionem vitae Dominus pertinere dixit quod aliquis Eum sequeretur non qualitercumque, sed *ut ulterius retro non abiret* » (17). Absoluta etiam est Eius invitatio: « Si vis perfectus esse... *veni sequere me* » (Mc. X, 21).

II. Vinculum quod immobilitatem in animo et in modo vivendi inducat. Hoc vinculum debet esse *morale;* id enim exigitur sive a natura *subiecti* (*homo*) sive a natura *finis assequendi (caritas* perfecta) sive *mediorum* adhibendorum (opera *consilii*).

servizio di Dio (Cfr. S. Thom. II II.ae, q. 72, art. I). Esso è veramente un atto sufficiente a riassumere in un'unica offerta, orientare a Dio e indirizzare alla Sua gloria ed al Suo onore, — conferendo cioè un carattere latreutico, e il merito della virtù di religione — a tutte le ulteriori opere particolari che verranno compiute in esecuzione ed adempimento di esso (Cfr. MENNESTER, *Donation à Dieu et voeux de religion,* in *La vie Spirituelle*, XLIX (1936) suppl. pag. 279-282 et 285): è quindi un atto capace di differenziare nettamente la condizione di colui che compie certe opere particolari come specificazione ed adempimento di quell'offerta unica e di quella donazione irrevocabile, dalla condizione di colui che, senza aver compiuto tale offerta, adempie di volta in volta le stesse opere particolari ». Cfr. Dom ODON LOTTIN, *Consideration sur l'état religieux et la vie benedictine,* p. 25. Cfr. autem infra § 2, III, d) et not. 24 et 25.

(13) Haec duo revera ad unum apte reducuntur, *vinculum sc. morale stabile* quod professionem vitae evangelicae stabilem reddat. Claritatis gratia tamen duo distinguimus.

(14) S. THOMAS, II. II.a, q. 183, art. I. Definitionem repetunt et explicant omnes post S. Thomam. Cfr. praesertim SUAREZ, *De Religione,* tract. VII, lib. I, cap. I; PASSERINI, *De hominum statibus,* q. 183, art. I; LOTTIN, *La doctrine de S. Thomas sur l'état religieux,* in *La Vie Spirituelle,* (1923), p. 388.

(15) GOYENECHE, *De Religiosis* (1938), n. I.

(16) SUAREZ, l. c., cap. I, n. 10. PASSERINI, l. c., 11 ss, LARRAONA, CpR. II (1920), p. 136 ss.

(17) II II.ae, q. 186, art. VI, ad 1; *Contra Gentes,* l. III, c. 131. SUAREZ, l. c. tract. VIII, lib. II, cap. III, n. 4.

Non ignoramus conceptum status, ex eo praecise quod immobilitas absoluta non sit de essentia status sed sufficiat relativa et moralis, magnam decursu temporum evolutionem subiisse; ita ut hodie ab aliquibus, iuris civilis praesertim cultoribus, cum statu sociali fere confundatur. Nec a iure canonico quaedam stabilitas mere iuridica et positiva omnino exulat (Cfr infra sub art. V, § 1, 1, d finem versus), sed quodammodo admitti videtur tamquam fundamentum aequiparationis *vero statui perfectionis.*

Hoc vinculum morale nihil aliud est nisi *obligatio* quaedam *erga Deum libere contracta* prosequendi seu procurandi *stabiliter et speciali modo* perfectionem *caritatis.*

a) *Obligatio:* status *humanus* aliunde *moralem immobilitatem* sortiri non potest; status enim est « quaedam positionis differentia secundum quam aliquid *(homo*, si de statu *humano* agatur) disponitur *secundum modum suae naturae* quasi in quadam immobilitate » (Cfr. not. 12) (18).

b) *Libere contracta:* Christus simpliciter dixit: « *Si vis* perfectus esse... » *(Math.,* XIX, 1 sq.). Ait Suarez: « Obligatio status perfectionis non inducitur sine consensu eius qui talem statum assumit... Hic status eiusque obligatio est res consilii, et non praecepti; nemo autem potest ad ea quae sunt consilii per solam alterius voluntatem sine suo consensu obligari » (19). Si *ab extrinseco imponatur*, deficit ratio *consilii.*

c) *Erga Deum,* sive *directe* sive *indirecte,* ut statim (n. IV) exponitur.

d) Procurandi *stabiliter* (cfr. a) *et speciali modo:* generali modo omnes homines perfectionem caritatis procurare debent (20). Hic autem *specialis modus* non tantum exigit ut media specialia adhibeantur, communibus (i. e. praeceptis) superaddita, (de quo argumento in tota paragrapho praecedenti egimus), sed etiam quod *speciali obligatione* ad ipsa adhibenda quis teneatur seu obstringatur. Ita homo vere constituitur in quadam *positionis differentia* respectu perfectionis christianae *(diversa quidem a positione simplicis christiani)* secundum modum suae naturae, et in quadam immobilitate.

e) Procurandi *perfectionem charitatis:* « perfectio enim christianae vitae secundum caritatem specialiter attenditur » (21).

(18) « Unde et circa homines, ea quae de facili circa eos variantur et extrinseca sunt, non constituunt statum; puta quod aliquis sit dives vel pauper, in dignitate constitutus vel plebeius, vel si quid aliud est huiusmodi. Unde et in iure civili dicitur, quod ei qui a senatu amovetur, magis dignitas quam status aufertur. Sed solum id videtur ad statum *hominis* pertinere quod respicit *obligationem* personae hominis, prout sc. aliquis est sui iuris vel alieni; et hoc non ex aliqua causa levi, vel de facili mutabili, sed ex aliquo permanente... » (S. Thomas, II II.ae, q. 183, art. 1). « Ad statum autem perfectionis requiritur *obligatio* ad ea quae sunt perfectionis » (Ib., q. 186, art. VI. cfr. etiam q. 184, a. IV).

« Immobilitas moralis non potest non esse effectus alicuius legis vel absolventis vel obligantis... Et si status [moralis] non materialiter seu per accidens, sed formaliter et per se respicit *obligationem ut causam sui*, et importat vel absolutionem ab obligatione, vel obligationem, quia aliunde nequit haberi *moralis immobilitas* » (Passerini, *De hominum statibus,* q. 183, art. I, n. 14; cfr. etiam q. 184, art. IV, nn. 3, 34, etc.). Bouix, *De iure Regularium* 2 (1867), p. 7, affirmat ad essentiam status non requiri ut causa in eo permanendi sit aliqua proprie dicta obligatio. Ratio autem quam affert, si propositio de statu perfectionis intelligenda sit, non videtur rem evincere: « Probatur facili exemplo status saecularis. Nulla enim existit obligatio in eo permanendi; sed e contra laudabiliter potest quis e statu saeculari ad statum religiosum migrare ». Sed notari debet quod saecularis persona statum *christiani* et *catholici* conservare tenetur. Transitus vero ad statum perfectionis nihil officit stabilitati status christiani, quia in statu religioso status christianus continetur ut imperfectum in perfecto. Cfr. can. 487. Ceterum, quomodo quis in statu operum *consilii* constitui possit nisi per aliquod vinculum morale non intelligitur. Si tale vinculum deficiat, homo liber remanet, nec fundamentum stabilitatis invenietur. Ipse Bouix de statu viduitatis vel virginitatis dicit: « status non sunt, nisi ex aliquo voto aliave de causa, stabilitas quaedam inducatur » (ib.) Cfr. Suarez, tract. VII, lib. I, cap. I, n. 4 ss.

(19) F. Suarez, 1. c., cap. XII, n. 2 sqq. Cfr. etiam Passerini, 1. c., q. 184, art. IV, n. 8 sqq. Wernz-Vidal, *De religiosis,* n 8, II Quomodo Ecclesia exigat absolutam in consiliis amplectendis libertatem, cfr. in can. 572 § 1,

(20) Cfr. Peinador, in *CpR.*, XXIX (1950), p. 44 ss. 54 ss.

(21) « Perfectio christianae vitae secundum caritatem specialiter attenditur ». Cfr. S. Thomas, II II.ae, q. 184, art. 1. « Nam obligatio, ad aliquid

Haec obligatio *stabilitatis* seu stabiliter aliquid prosequendi (v. gr. consilia evangelica), *theoretice* diversa est ab obligatione qua adstringimur erga materiam ipsam status, erga materiam videlicet quam prosequi *stabiliter obligamur;* adeo ut (agendo de statu perfectionis evangelicae) absque difficultate concipiatur v. gr. obligatio *levis stabilitatis* simul cum obligatione *gravi votorum.* In Religionibus in quibus vota emittuntur « donec in Congregatione vivam », sodales possunt libere in quolibet momento Religionem deserere, et tamen vota obligare possunt sub gravi.

In iure hodierno obligatio stabilitatis continetur in ipsa emissione, temporaria vel perpetua iuxta casus, votorum vel promissionum; et ex iure communi sub gravi tenet. Iuridice tamen et theologice, adaequate distinguitur ab obligatione votorum; ideo dici nequit contra obligationem stabilitatis delinquere eo ipso quod quis contra votum aliquod peccet.

III. *Status perfectionis acquirendae proinde non consistit:*
a) In aliqua re *homini extrinseca* (22).

b) In *facto* perfectionis, seu aliis verbis: status distinguitur ab ipsa perfectione.

Perfectio est condicio hominis relate ad Deum; status perfectionis est condicio externa et socialis relate ad Ecclesiam societatem visibilem. Perfectio est finis, perfectus enim dicitur qui suum finem assecutus est (II IIae. q. 184, art. 1), status perfectionis est medium ad perfectionem obtinendam (22bis).

Perfectio caritatis etiam extra statum perfectionis obtineri potest et revera a multis obtinetur; dum e contra potest quis statum perfectionis profiteri et a perfectione caritatis alienus esse, quia vel consilia aut vel ipsa praecepta non observat. Hoc bene innuitur in accepta denominatione *status perfectionis acquirendae* (cfr. c. 488, 1.o; 593).

c) Immo, nec status perfectionis consistit in *actu* tendendi ad perfectionem, sed in sola *obligatione speciali* ipsam procurandi (23).

est obligatio; unde status perfectionis non est nisi obligatio ad opera perfectionis. Et hic obiter advertitur quod SUAREZ n. 5 intendit de mente S. Thomae, q. 183, a. 3 quod status perficitur in ordine ad operationes, quod debet caute legi. Nam officium est, et non status, quod specificatur in ordine ad operationes, sed status non respicit opera ut opera, sed respicit perfectionem formaliter, et ideo respicit opera ut sunt actus » (PASSERINI, *De Statibus et Officiis hominum,* q. 184, art. IV, n. 5).

(22) « Unde et circa homines ea quae de facili circa eos variantur et extrinseca sunt, non constituunt Statum: puta quod aliquis sit dives vel pauper in dignitate constitutus vel plebeius, vel si quid aliud est huiusmodi... Sed solum id videtur ad statum hominis pertinere quod respicit obligationem personae hominis, prout sc. aliquis est sui iuris vel alieni; et hoc non ex aliqua causa levi vel facile mobili, sed ex aliquo permanente ». (II II.ae, q. 183, art. 1).

(22-bis) « Ille qui transit ad religionem non profitetur se esse perfectum, sed profitetur se adhibere studium ad perfectionem consequendam, sicut etiam ille qui intrat scholas non profitetur se scientem sed profitetur se studentem ad scientiam acquirendam » (II II.ae, q. 186, art. 2, ad 1).

(23) « Sic ergo in statu perfectionis proprie dicitur aliquis esse, non ex hoc quod habet actum dilectionis perfectae, sed ex hoc quod *obligat* se perpetuo cum aliqua solemnitate (loquitur de statu perfectionis iuridico), ad ea quae sunt perfectionis. Contingit etiam quod aliqui se obligant ad id quod non servant, et aliqui implent ad quod se non obligaverunt, ut patet *Math.* XXI, 28; de duobus filiis: quorum unus patri dicenti: *operare in vinea, respondit, Nolo, et postea abit;* alter autem *respondens ait: Eo, et non ibit.* Et ideo nihil prohibet aliquos esse perfectos, qui non sunt in statu perfectionis, et aliquos esse in statu perfectionis, qui tamen non sunt perfecti » (II II.ae, q. 184, art. IV).

d) Nec sufficit *simplex propositum* ut quis in statu perfectionis constituatur (24).

Propositum sufficit quidem ad characterem *religiosum* vitae tribuendum, ut supra diximus (§ 1, II), sed non videtur sufficiens fundamentum *stabilitatis;* quia si nullo vinculo teneor propositum conservandi, ipsum quovis momento possum libere mutare; cum hac autem *mutabilitate,* conceptus *status* conciliari nequit. (25). Hoc quidem iuxta traditionalem doctrinam.

IV. Hoc vinculum necessario debet esse *in conscientia* et *coram Deo* obligans; alioquin, nec plene et simpliciter *morale* dici poterit.

Potest autem contrahi cum Deo vel *directe* vel *indirecte.* Directe, ope *voti* aut *consecrationis;* indirecte, per *promissionem, iuramentum promissorium, contractum cum homine,* dummodo in obsequium Dei fiant et in conscientia seu coram Deo, ut supra dicimus, obligent.

Modus aptior, et quidem adaequatus, huiusmodi vinculum contrahendi — ratione praesertim habita finis et obiecti (perfectio caritatis, consilia evangelica) — est *votum.* Doctrina tamen hic proposita admitti potest, immo necessaria diceretur ad explicandum statum perfectionis Societatum in quibus *vota* non emittuntur. Per plura insuper saecula *vota* non emittebantur.

Insuper, votum gignit ex natura sua specialem obligationem religionis, sed haec *specifica* obligatio non est necessaria ad *stabilitatem theologicam* obtinendam; nam absolute loquendo vota nata per se non sunt ad stabilitatem *sub ratione temporis* conferendam (26); vota enim fieri possunt definite temporaria;

(24) Contra *Le Associazioni di laici...,* p. 7-8. Ibi et in pag. 10, 18, 21, etc. tenet auctor vinculum seu obligationem esse solummodo elementum *iuridicum.* Ratio desumpta ex can. 488, 1.o ad probandum sufficere simplex propositum, rem evincere non videtur, quia canon non solum propositum, sed etiam vinculum supponit, ut postea demonstrabimus. Mens tamen cl. auctoris perspicua omnino non est, nam in pag. 6 probat quomodo positionis differentia (condizione differenziata) respectu perfectionis caritatis non obtineatur nisi per aliquam *obligationem* specialem.

(25) « Nec sufficit ad hoc firmitas propositi sine obligatione, ut bene etiam advertit Suarez, tract. VII, lib. I, cap. V, n. 7, quia propositum non est moraliter immobile, sed integrum est homini mutare propositum... » (Passerini, *De Statibus...,* q. 184, art. IV, n. 3; V. etiam q. 186, art. VI, n. 5). Hoc autem concedi potest, quod propositum seu intentio libere emissum, ex desiderio obsecundandi divinae speciali vocationi (quod iam pactum quoddam cum Deo includit), vinculum aliquod morale inducat coram Deo, sive sub gravi, sive sub levi, sive saltem sub imperfectione positiva, ut statim videbimus. Ideo in Const. *Provida* utrumque elementum unitur dum dicitur: « Provida Mater Ecclesia, quando studio maternoque affectu contenderit ut... *tam coelesti proposito et angelica vocatione* dignos iugiter redderet... »

(26) De historia votorum religiosorum cfr. B. Kurtscheid, *Historia iuris canonici* (1941), p. 77: « Eremitae et monachi qui ascetis successerunt, simul paupertatem, castitatem et oboedientiam usque ad saec. IV non emittebant; haec ope S. Basilii, Schenute et aliorum introducta fuerunt ». Cfr. etiam ib., p. 75. Quoad relationem inter vota et stabilitatem: *votum non esse necessarium ad stabilitatem theologicam obtinendam* ita probat Suarez: « De ratione huius, quod immobilitatem attinet, solum est quod cum sufficienti obligatione fiat, nec obligatio alio titulo postulatur, nisi propter immobilitatem; ergo omnis actus qui satis est ad obligationem necessariam inducendam, erit etiam sufficiens ad constituendum hunc statum: ergo si dantur alii actus ad hoc sufficientes, praeter votum, poterit aliquando hic status sine voto speciali constitui... » (Suarez, *De Religione,* tract. VII, lib. I, c. XII, n. 6). Constat hodie non solum de statu perfectionis in genere, etiam incompleto, sed etiam de statu perfectionis completo; sane in Societatibus *sine*

neque est illa specifica obligatio necessaria ad *characterem religiosum,* vitae perfectionis tribuendum; sufficit enim ut aliquid fiat in obsequium Dei ut actus religiosus dici possit (27).

V. Vinculum morale ex quo status elementum formale (stabilitatem videlicet) sortitur, *diversimode intrinsece tenere seu obligare coram Deo potest;* vinculum nempe tenere potest sub *peccato,* gravi vel levi, et sub *imperfectione* quam *positivam* appellamus.

Illustrare aliquo modo iuvabit naturam vinculi moralis sub *imperfectione positiva* obligantis.

Imperfectio positiva de qua hic agimus est resistentia divinae voluntati non stricte praecipienti, sed aliquid hic et nunc personae in concreto proponenti et ab ea, tanquam ad suum finem consequendum ut absolute expediens, expostulanti. Versatur circa res quae non sunt praeceptae sub gravi, nec sub levi impositae. Sane, dantur aliqua media quae sunt ad ultimum finem consequendum omnino *necessaria* (sive in se, sive ex suscepta obligatione), et obligatio ea adhibendi *graviter* tenet. Dantur et alia media, quae, quin ad ultimum finem conse-

votis et in Institutis saecularibus. (Const. *Provida Mater,* art. III, § 2), non necessario obligatio per votum contrahi debet. De relatione inter vota et stabilitatem, historice, cfr. S. GOYENECHE, CpR., I (1920), p. 109; E. GAMBARI, *De evolutione historico-iuridica Congregationum religiosorum,* Thesis ad lauream in utroque iure, 1945, p. 546-550.

Duo hic obiiciuntur: *a)* personae cuiusvis humanae nihil interesse de observantia castitatis vel paupertatis alterius. Sed notandum in primis obligationem non contrahi cum aliquo propter eius commodum seu interesse, sed in obsequium Dei et in beneficium ipsius personae quae sese obligat. Insuper, hospitale, Institutum aliquod cultus, beneficentiae vel apostolatus, magnum poterit interesse habere quod illa persona coelibatum vel paupertatem servet, si in suis legibus et constitutione id exigatur. *b)* Obicitur etiam: «haec promissio, nisi fiat Deo, id est nisi sit votum, non inducet perpetuam obligationem permanendi in observantia consiliorum. Nam si fiat alicui homini, v. gr. alicui Episcopo, qui eam acceptet, valebit quidem, cum sit pactum de re bona et licita; at cessabit obligatio illa, si is cui facta est promissio, consentiat in illius cessationem; si nempe promittentem a contracta obligatione liberum declaret; quae declaratio, cum possit quotidie fieri, ad arbitrium illius qui promissionem acceptavit, sequitur firmam et stabilem non esse obligationem ex tali obligatione ortam» (BOUIX, *De iure Regularium,* I, p. 45, 2.o). Huic difficultati responderi potest promissionem factam homini sed in obsequium Dei et coram Deo obligantem, revera dicendam esse et Deo factam, quatenus coram Deo de eius adimpletione respondetur et hoc supposito valet quod SUAREZ de statu religioso dicebat: «ad hoc ut aliquis sit proprie et vere religiosus, sufficere ut saltem ex parte voventis detur obligatio perpetuo manendi in religione, licet religio non habeat vicissim obligationem absolutam eum perpetuo retinendi» (*De Religione,* l. c. 1, II, c. 14, n. 12); scilicet, ad statum, in genere, sufficit ut quis seipsum non possit ab ea vitae condicione faciliter liberare. De scholasticis Soc. Iesu qui professionem perpetuam ex parte voventis tantum emittunt, declaratum est pro veris religiosis esse habendos, ut notum est. (Cfr. SANCHEZ, *Theol. Mor.,* I, V, c. I, n. 26. LESSIUS, *De iustitia et iure,* 1, 2, c. 41, n. 8. SCHMALZGRUEBER, in tit. 31 libri 3ii. Decret., n. 18).

(27) *Votum non esse necessarium ad characterem religiosum, vitae perfectionis tribuendum,* ita explicant auctores; SUAREZ, l. c. lib. I, cap. XII, n. 7: «...modus poterit esse pius et religiosus... etiamsi non fiat ex voto». Et PASSERINI, *De Statibus,* q. 186, art. IV, n. 7: «spectata absoluta potestate voluntatis posset promitti religiosa paupertas, castitas et oboedientia, etiam si sunt actus religionis, et ita ut promissio esset *esset religiosa,* et tamen haec promissio fieret homini, et Deus esset is cuius obsequium promitteretur, sed homo esset cui fieret promissio». (Cfr. S. THOMAS, II II.ae, q. 186, art. I, ad 2. Le Associazioni di laici..., p. 20-23. GOYENECHE, CpR. I, p. 107. NICOLINI, *Elementi costitutivi dello stato religioso.* Thesis ad lauream, 1947, p. 122 ss.

quendum sint omnino necessaria, ita tamen ad ipsum conducunt, ut eorum praeteritio christianum aliquo modo de via deducit et a plena consecutione finis
semper retrahit ac retardat; horum mediorum adhibitio imponitur *sub levi*, et
eorum praeteritio leve peccatum constituit. Sunt denique alia media quae nec
omnino necessaria sunt nec etiam per se sub levi imponuntur, sed meliora aestimantur et in concreto efficaciora ad finem consequendum, divina inspiratione ad
ipsa eligenda simul aliciente. Istorum omissio hoc saltem facit, ut anima indigna
reddatur specialis Dei erga ipsam benevolentia, et Deus deobligetur ad danda
auxilia efficaciora et uberiora (28).

Id ergo quod tenet sub imperfectione positiva certe constituit *vinculum
morale*, et quidem *arcte stringens*, illos praesertim qui ex speciali et uberi Spiritus Sancti gratia, speciali rerum spiritualium cognitione donantur (29).

Scholion.

1. *Criteria ad aestimandam perfectionem status in genere.* — Ex elemento
materiali et *generico*, seu qua status est *vitae condicio*, eo status perfectior dicendus est quo magis actus et operationes *intensive* et *extensive* dominatur ac
pervadit, ita ut vitam plenius ac intimius informare videatur; eo, ex adverso
erit imperfectior quo pauciores operationes regat, minoris momenti ipsae sint,
ac magis externae et accidentales videantur. Ex elemento *formali*, seu qua status
est vitae condicio *firma et stabilis*, status erit absolute perfectus cum causa
stabilitatis talis sit ut necessitatem inducat, relative eo erit perfectior quo magis

(28) «Nam licet propter ipsas non avertatur Deus positive ab homine,
ut ita dicam; avertitur tamen quasi negative, id est minus convertitur ad
ipsum, et licet non irritetur positive ad puniendum; tamen deobligatur ad
danda auxilia efficaciora et uberiora» (DE LUGO, *De Poenitentia*, disp. III,
sect. I, De imperfectionibus, Ed. Vivès (Parisiis, 1842, 398). Naturam obligationis sub imperfectione positiva, ita illustrat ARRIAGA, *Disput. Theologicae,
Tract. de legibus*, disp. 16, sect. 3, n. 4 (Lugduni 1647), 168: «Iam ergo oportet declarare in quo ea obligatio constat. Dico ergo in genere moris praeter
peccatum mortale et veniale debere nos agnoscere imperfectionem quamdam
positivam seu indecentiam: quae licet non mereatur ullum odium Dei, ne
quidem leve, quale respondet veniali, tamen meretur quodammodo, ne illi
Deus speciales favores conferat; reddit enim subiectum, ut sic dicam, quasi
irregularem: ut enim in ordine ad aliqua officia aut dignitates agnoscimus
externas quasdam imperfectiones, ratione quarum dicimus minus esse de-
cens, ut ille habeat talia et talia officia: hic cocles, gibbosus, deformis dicitur esse indignus sacerdotio, ut coram populo Sacrum celebret; esto illi
defectus, non solum mortale aut veniale peccatum non sint, sed plane nec
imperfectio ex parte animae; ita in anima ipsa possumus agnoscere imperfectiones quasdam voluntarie contractas; quae etsi ad veniale non accedant,
possunt dicere reddere eum hominem minus dignum ad favores et beneficia
divina...» Si mater puellae dicat: minime placet quod cum iuvene A. amicitiam foveas in ordine ad matrimonium; id tibi non prohibeo, libera es
omnino in electione status; scias tamen mihi magnopere displicere, immo
nec daturam pinguens dotem quam tibi utique darem si cum B. matrimonium contraheres: puella illa vi *mandati* non tenetur fugere amicitiam iuvenis A.; quis tamen dubitare poterit de *vinculo morali* quod, sive matris
displicentia, sive timor amittendi pinguem futuram dotem in suo animo,
forsan erga matrem obsequentissimo, gignere valent? Illam amicitiam prosequi, non est certe mandatum matris infringere, sed desideriis matris simplex non obsecundare, cum certo tamen periculo non fruendi *speciali* —
non debita — matris benevolentia et largitate. Nisi fallimur comparatio haec
explicare aliquo modo valet vocationem divinam ad statum perfectionis evangelicae (consilia), et vinculi quod in animo *vocati* producere potest, et praesertim naturam infidelitatis quae non est peccati, sed imperfectionis positivae.

(29) Quaestionem praetermittimus an imperfectio positiva obliget sub
peccato; de argumento consuli potest copiosa et selecta bibliographia moderna apud PEINADOR, Theol. Mor. I (1946), n. 330 ss; MAZON, *Las reglas de
los religiosos*, Romae, 1940, p. 335.

causa ad immutabilitatem accedat. Diversi sunt gradus status secundum haec criteria (30).

II. *Status perfectionis evangelicae:* Ex parte elementi materialis erit status perfectionis *completus et totalis* (31), quatenus secum ferat stabiliter:

A) *negative,* remotionem omnium obstaculorum *generalium* charitatis et perfectae ad Deum conversionis, per remotionem triplicis concupiscentiae, *carnis* nempe, *oculorum* et *superbiae vitae;*

B) *positive, a)* omnia media seu instrumenta generalia ad consequendam perfectam caritatem, obedientiam, sc. castitatem et paupertatem; *b)* consecrationem seu deditionem totius integrae vitae et humanae activitatis — publicae et privatae, internae et externae, etiam quoad minutissimas operationes — ad perfectam caritatem assequendam; et consequenter praxim etiam aliorum consiliorum particularium quae secundum propriae vitae genus electum exerceri possint; *c)* perfectam Christi imitationem, sive in professione trium consiliorum sive in exercitio caritatis.

III. *In professione externa evangelicae perfectionis totalis, gradus diversi dari possunt,* puta in professione paupertatis evangelicae, perfectior est renuntiatio proprietatis et capacitatis alia acquirendi actusque proprietatis agendi, quam renuntiatio liberi usus, remanente iure proprietatis et capacitatis alia acquirendi (31 *bis*).

Ex parte *elementi formalis* seu ex parte *stabilitatis* et *vinculi* ipsam inducentis, gradus etiam diversi dari possunt. Perfectior est status in quo causa stabilitatis strictius ligat; stabilitas enim in statu perfectionis suscipi potest, sub gravi vel sub levi vel sub imperfectione positiva. Similiter perfectior est status in quo causa sufficiens ad solvendum vinculum gravior requiritur; unde maior est stabilitas si existentia causae ad illum relinquendum necessaria sit ad validitatem et liceitatem, quam si necessaria sit tantum ad liceitatem, vel sub sola imperfectione positiva (32). Cfr. etiam infra, art. II, § 2, n. 2, B et C.

(30) LARRAONA, CpR. II (1921), p. 136-137. GOYENECHE, CpR. I (1920), p. 24 seq.

(31) Status completus contraponitur statui *incompleto,* qui nec tollit omnia impedimenta quibus fervor caritatis impediri potest, nec adhibet ad ipsius perfectionem media omnia quae ad eam ducunt; sed aliquod tantum impedimentum tollit, et unum aut alterum ex generalibus caritatis instrumentis complectitur; ex. gr. status subdiaconi, vel virginis in saeculo (etsi solemniter Deo sacrae) sunt status perfectionis, quia hi, modo firmo et stabili, consilium castitatis et quidem perfectae amplexati sunt, ac proinde, teste Apostolo, magnum imperfectionis impedimentum per renuntiationem voluptatum corporalium et onerum matrimonii abstulerunt; sed non sunt status perfectionis *completi* quia adsunt alia impedimenta non minus gravia, et alia efficaciora perfectionis instrumenta. Unde completum praedicamus statum perfectionis qui tria consilia generalia amplectitur ut supra diximus, et totalem consecrationem profitetur; *incompletum,* eum qui consilia tantum particularia, vel aliquod seu aliqua ex generalibus, non tamen tria acceptat (Cfr. BOUIX, *De iure Regularium,* p. 42-43).

(31-bis) De variis gradibus paupertatis, et quisnam ad constituendum statum perfectionis evangelicae sufficiat, cfr. BOUIX, *De iure Regularium,* I, p. 95-101.

(32) Gradus diversos dari in statu perfectionis totalis constat ex ipso Codice I. Can. qui diversos gradus Religionum admittit et diversos gradus vinculationis (Cfr. can. 487; 488, 1.o; 581 § 1; 637, etc.). Inde tamen non sequitur diversam etiam esse participationem characteris iuridici (contra VIDAL, n. 532, nota 2. Cfr. GAMBARI, l. c. p. 533).

§ 1. Praenotanda circa naturam et species status iuridici.

I. Status *individualis, mere socialis, iuridicus*. Status, quantum nostra interest, distingui potest: individualis, socialis, iuridicus.

A) *Individualis* afficit personas singulas qua tales et potest esse mere internus (33).

B) *Mere socialis* externus est, et coetum personarum afficere potest, sed absque *iuridica* recognitione, ordinatione et sanctione (34).

C) *Iuridicus* iuridicam seu publicae auctoritatis recognitionem supponit, ordinationem et sanctionem.

Potest esse individualis (anachoreticus) et collectivus seu in aliqua congregatione susceptus. Status iuridicus est condicio quae iura, privilegia, facultates, officia in foro externo confert, ac proinde debet vel formaliter legis auctoritate constitui, vel si actu privato, hic debet a lege roborari ut hos iuridicos in societate effectus producere possit (35).

Cum in Ecclesia status perfectionis evangelicae *iuridici* mere individuales

---

(33) Ecclesia hodie in suis legibus statum *mere individualem* non ordinat. «Spiritualium moderatorum prudentiae, ac studio ex animo commendantes, singulorum nobiles perfectionis conatus, in foro interno, de Associationibus nunc solliciti sumus...» (Const. *Provida*, in medio praeambuli).

(34) Cfr. GOYENECHE, CpR. I (1920), p. 25 ss. Status externi mere sociales, ut plurimum, sunt vitae condiciones, ex quibus positio personae in hierarchia sociali relationes ad alios homines et vivendi consuetudo omnino vel profunde modificantur, quae tamen non *ex iure oriuntur*, sc. ex. legis dispositione seu recognitione, sed ex facto quod ad ius proprie non pertinet, ex. gr. ex nativitate, ex industria, e fortuna, etc. Nonnisi lato sensu *status* dici possunt. Etiam status perfectionis in Ecclesia hos gradus expertus est, prout eleganter exprimit Const. *Provida* in praem.: «Opera autem ministerioque suo ita impense plenam Christo deditionem et consecrationem fovit et propagavit, ut primis temporibus communitates christianae consiliis evangelicis bonam terram semini paratam optimosque fructus secure promittentem ultro offerebant, pauloque post, ut ex Patribus Apostolicis et antiquioribus ecclesiasticis scriptoribus facile comprobari potest, in diversis ecclesiis vitae perfectionis professio adeo iam floruerit, ut ipsius sectatores, velut ordinem *classemque socialem* variis nominibus — ascetarum, continentium, virginum, aliisque — clare recognitam et multis probatam atque honoratam, in ecclesiasticae societatis sinu incipere constituerent. Saeculorum decursu... status perfectionis *disciplinam* pedetemptim evolvit...».

(35) Virgines Deo dicatae, iuxta aliquos, iam tempore Tertulliani votum *publicum* castitatis emiserunt (Cfr. SCHIWIETZ in *Arch. f. kath. KR.* 78, 1898, 21); iuxta alios, S. Cyprianus adhuc ignorat huiusmodi votum *publicum* in Ecclesia Carthaginensi; pro Ecclesia Romana vero primum documentum (imago in catacumbis) ad medium saec. III pertinere communiter retinetur (Cfr. SCHARNAGL, p. 13). Certe S. Ambrosius publicam virginum initiationem per votum et veli traditionem supponit iam longo tempore in Ecclesia esse in usu *De virginibus*, I. 3; c. 1., I; *De lapsu virginis*, n. 19 ss.). KURTSCHEILD, *Historia iuris canonici*, Romae 1941, I, p. 75. Minus recte DOSSETTI affirmare videtur statum perfectionis in Occidente effectus iuridicos non habere ante S. Ambrosium. In ipso tamen clara apparet distinctio inter illos, qui *spiritu Deo devotos erant* et illos qui etiam *professione* per professionem intendens declarationem externam propriae consecrationis et Ecclesiae approbationem (DOSSETTI, *Lo stato di perfezione in S. Ambrogio*, pag. 23-24, 40).

hodie non admittantur, huius rationis status considerationem praetermittimus, et de statibus quos collectivos diximus sequentia praenotamus.

II. Status iuridicus iuris publici, status iuridicus iuris privati.

Status iuridici publici in Ecclesia, sunt qui ad constitutionem iuridicam ipsius Ecclesiae pertinent (36). Tres tantum numerantur, nempe; *status clericalis, status religiosus* et *laicatus* (c. 107) (37). Relationes iuridicae (iura, officia, etc.) quae specifice hos status qua tales spectant, sunt publicae (38).

Status iuridici privati sunt status iuridici qui intra status fundamentales iuridice recognoscuntur et iuridice ordinantur. Relationes iuridicae (iura, officia) quae fundamentalibus respectivi status publici relationibus superadduntur sunt characteris seu indolis iuridicae privatae. Ita, associationes laicorum (can. 684 ss.) intra statum publicum laicatus condicionem *iuridicam* constituunt privatam, iuraque et officia quae ex associatione promanant characterem tantum privatum habent.

Haec notanda sunt quae discrimen demonstrant inter status publicos et privatos:

(36) Doctrina unanimis circa publicum et privatum in iure canonico non existit (Cfr. Angelo Criscito, *Diritto pubblico e diritto privato nell'ordinamento canonico,* praesertim pag. 69 seq.); in hoc tamen omnes conveniunt: publicum esse quod ad constitutionem Ecclesiae pertinet.

(37) *Adaequatae* divisiones statuum publicorum in Ecclesia sunt: ratione hierarchiae *clericatus* et *laicatus;* ratione modi seu mediorum quibus finem suum procurat, sanctificationem nempe animarum, status *vitae communis* et status *perfectionis evangelicae.* «Hinc, in primis status *publicus* perfectionis inter tres praecipuos ecclesiasticos status recensitus fruit, atque ex ipso Ecclesia secundum personarum canonicarum ordinem gradumque unice petivit (c. 107). Res sane digna quae attente ponderatur: dum alii duo canonicarum personarum ordines, scilicet clericorum et laicorum, divino iure, cui ecclesiastica adiungitur institutio (Can. 107, 108 §3), ex Ecclesia petuntur, quatenus ipsa est societas hierarchice constituta et ordinata; haec media, inter clericos et laicos, religiosorum classis, quae utrisque clericis et laicis communis esse potest (c. 107), ex arcta peculiarique relatione ad Ecclesiae finem, sanctificationem nempe, efficaciter, rationibusque adaequatis prosequendum, tota desumitur » (Const. *Provida,* circa medium praeamb.). Ecclesia profecto sancta est et indefectibilis in suo fine prosequendo; proptereaque, homines ad finem suum non solum per viam praeceptorum ducere debet, sed etiam per viam consiliorum Christi, quae sunt quidem media aptiora et efficaciora. Inde perpetuo in Ecclesia tanquam status cardinalis et fundamentalis in sua publica constitutione retentus est status perfectionis evangelicae.

Absque dubio *laicatus* etiam constituit statum publicum cardinalem et fundamentalem in Ecclesiae constitutione; et status iuridicus laicorum (relationes nempe cum ceteris Ecclesiae membris) est vere publicus, sive qua opponitur statui perfectionis, sive qua opponitur statui clericali (Can. 107; 682; 683, etc.): *negative* in quantum iura et officia peculiaria aliorum statuum non habent nec eis frui possunt; *positive* in quantum qua christiani peculiaria iura et officia habent. Stabilitatem confert character baptismalis.

(38) *Specifice, qua tales:* planum enim est *publicas* societates relationes iuridicas characteris *privati* posse etiam contrahere.

a) Auctoritas qua regitur status publicus necessario publica esse debet (39), auctoritas qua regitur status privatus privata est.

b) Status *iuridicus* privatus actu formaliter privato inducitur v. gr. promissione, contractu, voto, iuramento, etc. non publico, id est non recepto nomine Ecclesiae vel auctoritatis *publicae* in genere. Hic tamen actus *formaliter privatus* debet solemnitatibus a lege praescriptis vestiri, ut, quin naturam mutet, sed privati iuris remanendo, tamen effectus *iuridicos* validos producat.

Status *iuridicus publicus* actu inducitur formaliter publico, qui vel totaliter a publica auctoritate ponitur, vel quem ipsa ut pars recipit etsi a privato ponatur, vel si non recipit, ita ipsi assistit ut eius naturam mutet. Semper autem est actus qui hunc effectum habet: constituere personam in aliquo ex statibus *publicis* seu fundamentalibus Ecclesiae. Ita, totaliter ab Ecclesiae auctoritate ponitur baptismus et ordinatio, quibus persona, christianus vel respective clericus efficitur; a privatis et simul ab Ecclesia ponitur professio *religiosa*, qua quis in statum religiosum ingreditur; vota enim religiosa sunt publica (c. 488, 1⁰) seu nomine Ecclesiae a Superiore ecclesiastico accepta (c. 1308 § 1).

Medius inter publicos et privatos status invenitur status qui *semi-publicus* merito, dici posset, ille nempe status qui supremum locum inter status privatos occupat, quique proxime ad statum vere publicum accedit. Status *semi-publicus*, si proprie loquendo et per se in categoria status privati contineatur, hoc saltem peculiare habet quod illi Ecclesia faciliter per extensionem seu aequiparationem, per privilegia nempe et indulta, immo et per aequiparationem iuridicam plus minusve generalem, iura et functiones vere publicas concedere possit, quae per se statui tantum publico competunt. Huius naturae sunt Societates sine votis et Instituta saecularia (39 *bis*).

c) *Natura obligationum et iurium* in statu iuridico privato inter membra et societatem ipsam, et membrorum inter se, remanent privata, etsi propter iuridicum characterem tutela iuris gaudeant (40).

(39) *Iurisdictio* appellatur illa qua regitur vel tota Ecclesia vel partes formales ipsius Ecclesiae. E partibus formalibus aliae sunt territoriales (dioeceses, etc. quibus praesunt Ordinarii loci), aliae personales (religiones exemptae, quibus praesunt Ordinarii et praelati) (can. 198). Potestas qua reguntur aliae societates quibus iure commendantur functiones vere publicae (veluti statum publicum continere, vices dioeceseos facere, etc.), sed quae non sunt partes adaequate formales Ecclesiae, dicitur adhuc potestas *dominativa* (c. 501 § 1); sed characterem publicum absque dubio habere dicenda est. Nomini tamen non nimis est insistendum; quod indubium videtur est huiusmodi potestatem effectus vere et *formaliter publicos* in Ecclesia producere atque ipsa regi et gubernari statum *publicum* in Ecclesia. (Cfr. pro hac tota quaestione P. LARRAONA, *De potestate dominativa publica, in Acta Congressus Iuridici Internat*. Romae, 12-17 Nov. 1934, vol. IV, pag. 145-180) Cfr. etiam FOGLIASSO, *De extensione iuridica Instituti exemptionis religiosorum logice, historice ac positive considerati*, Romae 1947, pag. 9, ss., 48 ss. ubi etiam crisim instituit contrariae sententiae P. KIND in «*Ephemerides Theol. Lovan.*», 1942, p. 246-295 defensae.

(39 *bis*) Aequiparationis fundamentum est, ut plurimum, character universalis et regiminis centralizati. Notandum tamen quod hic character non est essentialis et specificus Religionum, neque procedit ab ipsarum charactere *publico;* dantur enim Religiones non centralizatae veluti Monachi, et hodie adhuc Moniales, quae generatim regimine non centralizato reguntur. Absolute, ergo illum assequi poterunt aliae etiam Associationes (quid simile intentatum est pro Actione Catholica). De facto tamen admittitur tantum in Religionibus, quia difficulter quaelibet alia Associationum species, praeter Religiones, compensare centralizatione poterit incommoda quae respectu Ordinariorum locorum et hierarchiae in genere ex ea derivantur. Porro talis character concessus est etiam sive Societatibus vitae communis sive recenter Institutis saecularibus; cum autem, uti modo diximus, non confundendus sit hic character cum charactere publico, neque alius ab alio dependeat, consequitur Societates vel Instituta non ideo publica fieri dicenda esse ex eo quod talem characterem centralizationis assequantur, nec ex eo quod ipsis applicentur quae in Religionibus centralizatis ex tali charactere promanant.

(40) Supra iam diximus potestatem seu relationem auctoritatis ad membra esse publicam in statu publico, privatam in statu privato.

d) In iure *processuali*, defensio iurium in statu privato non fit nisi ad petitionem partis; in iure *poenali* violatio ordinis interni privati delictum non constituit (41).

e) Admissio et dimissio a privata societate remanent actus privati, nec inde modificatur character personae publicus (42).

f) Differentia theologica magni momenti hic ponderanda est, agendo iam de statu perfectionis. Personae quae statum publicum perfectionis profitentur, quorum nempe vota sunt publica, ex publica Ecclesiae auctoritate ut personae sacrae deputantur ad publicum cultum Deo tribuendum, non ex privata devotione; indeque se sacrilegii delicto commaculant qui realem iniuriam ipsis intulerint (c. 119). Professio in statu perfectionis iuridico privato, nonnisi privatae devotionis cultum Deo tribuit (43).

§ 2. *Elementa status iuridici perfectionis in genere.*

In praesenti paragrapho definire intendimus elementa status *iuridici* perfectionis evangelicae *in genere,* elementa sc. quae communia esse debent cuilibet possibili status iuridici categoriae.

Iam vero, quaerentes elementa *status perfectionis iuridici,* duo considerare oportet: I. quae perfectionem evangelicam respiciunt; II. quae characterem iuridicum consequuntur.

I. *Elementa ex parte status perfectionis.* In quolibet statu perfectionis evangelicae *iuridico* dentur in primis oportet *per se* et *ex regula* elementa theologica supra descripta in art. I, sc. *totalis Deo consecratio, stabilitas* et *vinculum morale* (44).

Dicimus *per se,* quia non repugnat quominus status perfectionis *non totalis* quoad effectus mere iuridicos aliquos vel etiam omnes, aequiparetur statui perfecto et *totali* (45). Di-

---

(41) E contra in statu publico. Cfr. can. 656, I⁰: « Ad processum [dimissionis] instituendum deveniri nequit nisi praecesserint: Gravia delicta externa, sive contra ius commune sive contra *speciale religiosorum ius* ».

(42) Addictus tertio Ordini, vel associationi laicorum, remanent in propria categoria clerici vel laici. Exceptiones, privilegia, aequiparationes iuridicae statibus publicis concedi possunt, sed probandae sunt.

(43) « Status religiosus est status in Ecclesia publicus, iuridice recognitus ut status ecclesiasticus atque iuridice deputatus ad publicum seu socialem cultum divinum, *imprimis per ipsum holocaustum in honorem Dei factum, et in ipsa votorum nuncupatione contentum,* deinde per varia opera pietatis quibus haud raro accedunt opera caritatis. Ubi illa vota per legitimos Superiores ecclesiasticos nomine Ecclesiae non acceptantur, manent in condicione *privatorum, et continent actus cultus mere privati* » (WERNZ-VIDAL, *De religiosis,* p. 13). Cfr. etiam Decr. S. C. Ep. et Regul. 11 Aug. 1889 *Ecclesia catholica.* In Constit. *Provida* haec etiam habentur: « Ne professio *publica ac solemnis sanctitatis* frustraretur atque in cassum cederet, Ecclesia, hunc canonicum perfectionis statum, semper maiore rigore... ». (In praeambulo).

(44) « Au point de vue *moral,* il (l'état de perfection) consiste dans une vie consacrée à l'éffort vers la perfection de la charité, par la pratique des trois conseils evangeliques, pratique sancionée par un engagement qui en assure la stabilité. *L'état juridique de perfection est la forme de vie dans la quelle la hierarchie ecclesiastique reconnait officiellement la presence, — a des degrés divers, — de l'état moral de perfection* » (I. CREUSEN, Revue des Communautés religieuses, 20.me année (1948), p. 137).

(45) Ita, Societates in communi viventes sine votis generatim perfectionem evangelicam profitentur; nihil tamen impedit quominus aliquae

ximus etiam *ex regula,* quia absolute concipi potest status perfectionis mere iuridicus, et theologice etiam perfectus quoad elementum tantum genericum status perfectionis (sc. quoad praxim perfectionis evangelicae), deficiente specifico elemento *stabilitatis* (46).

II. *Elementa ex charactere iuridico derivantia.* Non consideramus hic statum perfectionis prout hodie in Ecclesia de facto ordinatur (forma *socialis),* sed investigare intendimus tantum ea elementa quae ex solo charactere iuridico (ex *iuridicitate)* promanant. Porro ratione characteris iuridici haec requiruntur: 1) character externus condicionis stabilis vitae; 2) character externus et iuridicus causae stabilitatem inducentis; 3) approbatio Ecclesiae.

1. Character *externus condicionis stabilis vitae.* Quod est iuridicum, externum etiam esse necesse est. Ceterum, vita perfectionis evangelicae ex sua ipsius condicione *externa* est, cum renuntiationem triplici concupiscentiae per obedientiam, castitatem ac paupertatem exigat, et consecrationem *totius vitae* et *humanae activitatis* divino servitio expostulet (47).

2. A) Character *externus* et *iuridicus* causae stabilitatem inducentis.

Stabilitatem inducit vinculum morale coram Deo contractum ad permanendum in illo statu (cfr. supra, art. I, § 2, II); ut ergo statu perfectionis *iuridicitate* donetur, hoc vinculum externum esse debet; immo et iuridicum etiam reddi, id est exigibile in societate (47 *bis).* Ad hoc requiritur aliqua solemnitas, esto minima, ex qua character iuridicus dignosci possit et a cuius momento effectus iuridici in societate computentur (48). Haec solemnitas, dummodo externa, potest esse *occulta.*

earum minus perfecte illam profiteantur; et tamen *omnes* satis plenam aequiparationem, iuridicam utique, in Codice I. C. obtinuerunt (Cfr. *Provida* circa medium praeambulum). Cfr. etiam supra (not. 5) circa Ordines militares. Similiter novitii religiosis in pluribus aequiparantur.

(46) Religiosus votorum temporariorum qui vota pronuntiat cum intentione ea servandi, sed simul cum intentione positiva ea non amplius renovandi, statum *iuridicum* plene acquirit proprium religiosorum votorum temporariorum, immo et votis tenetur sicut et ceteri (perfectio evangelica), sed statum theologicum non plene sortitur. Quid simile dici posset de eo qui vota emittit cum intentione ea renovandi, sed eam durantibus votis retractat, et de sodalibus illarum Societatum (ex. gr. Philippenses) qui liberi omnino sunt societatem quocumque momento reliquendi.

(47) «Nam perfectio ad quam hic status ordinatur, debet esse eidem statui proportionata; ergo si de ratione huius status est ut sit externus et visibilis, etiam perfectio debet esse externa et visibilis; unde propter solos actus mere internos non instituuntur in Ecclesia speciales modi vivendi visibiles et externi, cum de actibus mere internis Ecclesiae non constare possit; et non minus pertineat ad ecclesiasticum statum ut de actionibus eius possit Ecclesia constare, quam de statu ipso qui ad illas ordinatur (Suarez, tract. lib. I, cap. V, n. 11; cfr. etiam lib. I, c. 12, n. 7 ss.; lib. II, c. V, n. 16 ss.).

(47 *bis)* Quoad evolutionem historicam elementi stabilitatis in statu *iuridico* religioso, cfr. Schaefer, *Religiosis* (1947), n. 131 ss. et auctores ibi citatos.

(48) De solemnitatibus loquitur S. Thomas (II IIae, q. 184, art. IV) et

B) *Gradus « iuridicitatis »* seu diversae *vinculi species ratione effectuum iuridicorum.*

Ut supra diximus vinculi formae practicae et concretae sunt vota, iuramentum promissorium, promissiones et consecratio.

Quod ad vota attinet (et fere eodem modo dici posset de iuramento et promissionibus) diversus solemnitatis gradus et valde diversi effectus iuridici in ipsis agnosci valent. Sane:

a) In primis, prae oculis habenda est distinctio inter *vota iuridica* et vota *non iuridica;* illa (iuridica) ad forum externum pertinent, effectus iuridicos in societate producunt (id est sociales), et ab organis gubernativis Ecclesiae dependent quoad interpretationem, dispensationem, etc.; ista (non iuridica) ad forum internum et individuale exclusive pertinent, emittentem tantum respiciunt, in foro externo ignorantur et effectus iuridicos minime producunt, et dependent a tribunalibus fori interni (S. Poenitentiaria, Sacramentum Poenitentiae) (49).

b) Vota iuridica alia sunt *publica* alia *non publica* prout nomine Ecclesiae a Superiore ecclesiastico acceptentur vel minus (c. 1308, § 1). Personae quae vota publica emittunt sacrae fiunt ita ut peccata contra vota peculiarem malitiam profanationis seu sacrilegii inducant, « seseque sacrilegii delicto commaculant, qui clericis iniuriam realem intulerint » (c. 119) (Cfr. c. 614). (Cfr. quae supra diximus de statibus iuridicis publicis, sub art. II, § 1, n. II, 2 b). Haec vota *iuridica non publica* merito appellari possunt « *semipublica* », vel etiam « *privata recognita* », aut si velis « *socialia* ». (Cfr. infra not. 71 *bis*).

Vota publica dividuntur in *solemnia* et *simplicia,* ut notum est (c. 1308, § : 579).

C) *Diversi gradus firmitatis seu stabilitatis vinculi iuridici.*

a) Secundum gradum necessitatis causae quae sufficiens sit ad vinculi dissolutionem producendam: causa necessaria est aliquando ad *validitatem* dissolutionis, puta in religiosis, sive dissolutio fiat per viam rescripti saecularizationis (cfr. c. 40) sive per viam dimissionis (cfr. can. 646 ss.); aliquando solum est necessaria ad *liceitatem,* ex. gr. in religioso votorum temporariorum expleto votorum tempore (c. 637); quo sensu, infra explicare tentabimus.

b) Secundum causae gravitatem cui subiicitur vinculi solutio; aliquando requiritur causa *gravissima* (v. gr. ad dimissionem ipso facto; c. 646), aliquando *gravis* (ut pro saecularizationis rescripto, vel pro dimissione), aliquando *iusta et rationabilis* (ut pro exclusione a renovatione votorum, c. 637).

c) Secundum modum in vinculi dissolutione servandum; aliquando necessarius est *publicae auctoritatis* interventus, alias *privatae* tantum (uti in Institutis saecularibus, quorum auctoritas est, per se, non publica), immo vel simplex ex *legitima causa* recessus ab statu prius assumpto (c. 637).

d) Cum modernis distinguere adhuc possumus duas alias vinculi species, quarum exempla in iure etiam canonico invenire licebit: *onus* et *obligationem* (onere, obbligo) (50). Sive *onus* sive *obligatio* constituunt vinculum personae et necessitatem quamdam iuridicam inducunt aliquid faciendi vel omittendi.

Onus est vinculum ad aliquid faciendum vel omittendum, non absolutum sed conditionatum, quod ita exprimi posset: « *si vis tali iure* frui, vel talibus iuribus non privari, debes hoc vel illud facere aut omittere ». *Obligatio* e con-

post ipsum auctores communiter sive antiqui (Cfr. SUAREZ, tract. VII, lib. I, c. V, n. 6,8. — PASSERINI, in q. 184, art. IV) sive recentes. In ipsa tamen non nimis insistendum, quia quilibet actus externus assumi potest ad valorem seu characterem iuridicum actui tribuendum et significandum. Patet autem non sufficere obligationem mere internam; sufficere autem externum, licet occultum (Cfr. SUAREZ, 1. c., c. XII, n. 9-10).

(49) Cfr. LARRAONA, comment. ad art. III Const. *Provida,* n. III, *a)* 5) *CpR.,* 1949, p. 167.

(50) Cfr. CIPROTTI PIUS, *Lezioni di diritto Can.* 1943, n. 151.

tra procedit ex praecepto absoluto: «hoc debes facere, vel, illud omittere teneris»; cui praecepto communiter poena tanquam sanctio respondet.

Obiectum ergo oneris, sc. actio vel omissio in qua onus consistit, non directe et ratione sui, sed ratione alius boni, publici vel privati, quod ex oneris adimpletione proveniet, a iure statuitur. Actio vel omissio onerosa, per se, a iure non imponitur (immo aliquando nec desideratur); est per se quid iuri indifferens; est vinculum quod tenet ad aliquid faciendum vel omittendum tanquam requisitum ad obtinendam aliam condicionem favorabilem, vel vitandam condicionem minus favorabilem. Exemplum clarissimum quod distinctionem demonstrat onus inter et obligationem inveniri potest in coelibatu ecclesiastico: coelibatus est *onus* pro clericis minoribus (c. 132 § 2), est *obligatio* pro clericis maioribus (c. 132 § 1, 1072, 2388). Cfr. etiam can. 1706, 1398, 1683, 1761, etc.

Gradus vinculi onerosi duo possunt adhuc distingui. Datur primo vinculum onerosum cuius infractio secumfert amissionem condicionis *privilegiatae* (v. gr. onus caelibatus in clerico minore) vel *iurium* quae fideli oneris observationi adnexa sunt (v. gr. onus ieiunii pro illo qui S. Communionem recipere vult, c. 858, § 1); secundo, vinculum onerosum cuius infractio secumfert *privationem positivam* iurium communium quibus fruuntur omnes qui tali onere ligati non fuerunt, et quibus frueretur etiam illa persona nisi tali onere ligatus unquam fuisset (51).

3. Approbatio Ecclesiae ad constituendum statum *iuridicum* perfectionis e natura rei et ex iure vigenti necessaria est. *Ex natura rei* quia nullus status iuridicos effectus sortitur in societate nisi ex legitimae auctoritatis recognitione et protectione (52). *Ex iure positivo,* quia hodie status perfectionis iuridicus obtineri nequit nisi in societate aliqua; haec autem, approbatione Ecclesiae indiget sive qua persona moralis (c. 100), sive speciatim qua Religio (c. 492, § 1), Societas sine votis (c. 674) vel Institutum saeculare. (Const. *Provida,* art. V-VII) (53).

Approbatio debet esse, non mere negativa, seu simplex «non damnatio» (54), sed positiva, etsi, in genere loquendo, non necessario requiratur *formalis*.

Approbatio duobus formaliter constat elementis: actu ministerii seu regiminis, et actu magisterii (55). Actus *regiminis* consistit, primo, in erectione so-

---

(51) Exemplum huius secundi gradus invenitur, ni fallimur, in ex-religioso qui religionem deseruit expleto votorum tempore. Hic enim privatur aliquibus iuribus omnibus communibus, ex eo praecise quod sit ex-religiosus, quibus frui posset si nunquam religiosus fuisset (Cfr. c. 642).

(52) Exigitur a *charactere iuridico;* non pertinet ad substantiam status perfectionis (v. infra, nota 54). Cfr. SUAREZ, I, II, c. XV, n. 13, 14.

(53) De singulis postea agemus. Cfr. SCHAEFER, *De Religiosis* (1947), n. 145, qui tamen statum publicum a simpliciter iuridico non bene discernere videtur. Circa historiam approbationis pontificiae cfr. MOLITOR, *Religiosi iuris capita selecta* (1909), p. 50 ss. VIDAL, *De religiosis*, p. 11-12. SCHAEFER, 1. c., n. 267.

(54) De approbatione mere negativa, cfr. SUAREZ, trac. VII, lib. I, cap. XV, n. 7-9. «...ad statum religiosum constituendum ex natura rei requiritur negativa Ecclesiae approbatio, qua modus quidam specialis assumendi statum religiosum nec *prohibetur* nec *irritatur;* nam status perfectionis prohibitus vel irritus est manifesta contradictio» (VIDAL, *De religiosis*, n. 8, IV) «...de essentia est status religiosi ut sit status perfectionis acquirendae; statim autem ac fuit ab Ecclesia prohibitus, iam hoc ipso non est status perfectionis, sed *rebellionis*, ut aiunt doctores» BOUIX, *De iure regularium*, I. p. 61).

(55) «Profecto, inde a primis rei christianae incunabulis, Christi et Apostolorum doctrinam atque exempla ad perfectionem alicientia, Ecclesia

cietatis in personam moralem collegialem cum omnibus quae ex tali charactere in iure consequuntur; secundo in concessionem specialis characteris et categoriae in statibus perfectionis (Religionis, Societatis vitae communis, Instituti) cum potestate regiminis, facultate membra cooptandi etc. Actus *magisterii* consistit in actu approbationis, declaratione sc. talem societatem statum perfectionis evangelicae continere (56). Duo gradus in hac approbatione dantur, alter *infallibilitatis*, alter *magisterii simplicis*, de quibus conferri possunt dogmatici (57).

Art. III. - ELEMENTA STATUS RELIGIOSI

Status religiosus est prima categoria status iuridici perfectionis. In illo tres respectus cardinales considerandi sunt:

1) Quod est perfectionis evangelicae *status*.
2) Quod est status *iuridicus*.
3) Quod est iuridicus *religiosus*.

§ 1. *Elementa status religiosi quatenus est status perfectionis evangelicae.*

Sub hoc respectu ea omnia habere debet atque complecti quae de statu perfectionis evangelicae supra (art. I, §§ 1 et 2) diximus. Et revera:

I. Est *totalis*, personae sc. totiusque vitae, *Deo consecratio*. Id egregie S. Thomas expresit: « Religio... est quaedam virtus, per quam aliquis ad Dei servitium et cultum aliquid exhibet. Et ideo antonomastice religiosi dicuntur illi

---

reapse *magisterio* illustrare sategit, secure docendo qua ratione vita perfectioni dicata ducenda esset apteque componenda. Opera autem *ministerioque* suo... ». Const. *Provida*, in initio).

(56) Haec simplex declaratio statum perfectionis supponit, non facit. Per approbationem non mutatur intrinsece; sicut canonizatio sanctorum nihil addit eorum sanctitati (Bouix, *De iure regularium*, I, p. 61. Vidal, *De religiosis*, n. 8. Suarez, tract. VII, lib. II, cap. XV, n. 2). Hodie approbatio, non unice, sed magna ex parte reducitur ad declarationem conformitatis Societatis eiusque legum cum canonica legislatione vel cum Constitutione *Provida*, in quibus authentico modo definiuntur elementa et requisita status perfectionis evangelicae.

(57) Alii sequentes Suarez, alio modo explicant approbationem, qui tamen potius conceptus philosophicos quam iuridicos sapit; approbatio, aiunt, constat actu *intellectus* et actu *voluntatis*: «Primo modo (ex iudicio intellectus) approbare, nihil aliud est, quam post sufficiens examen iudicare interius, et exterius authentice declarare, hunc vivendi modum esse sanctum, sine ullo errore, vel superstitione, et tam in fine quam in mediis perfectionis viam obtinere, ideoque esse aptum ut in religiosum statum erigatur, et consecretur; unde per talem approbationem nihil tali instituto confertur, sed quod habet innotescit. Posteriori autem modo approbare, est, quasi efficaciter creare, seu erigere talem communitatem personarum in statum ecclesiasticum, et vere religiosum, quod immediate fit per voluntatem efficacem approbantis: quae moraliter confert tali congregationi quidquid ad verum statum religiosum ex parte approbantis conferri potest: ut est potestas admittendi ad talem statum quos Deus vocaverit, potestas condendi statuta, eligendi Praelatos, fruendi privilegiis ecclesiasticarum personarum, et similia » (Suarez, tract. VII, II, c. XV, n. 11). « Per se *regula scripta* non est necessaria; Ecclesia posset approbare aliquam societatem quae perfectionem evangelicam profiteatur, absque regula speciali sed solum sub ductu seu directione personali Superioris » (Vidal, l. c. n. 13).

qui se totaliter mancipant divino servitio, quasi holocaustum Deo offerentes» (58). Haec totalis consecratio seu holocaustum concrete offertur professione trium consiliorum generalium evangelicorum, obedientiae, castitatis ac paupertatis (59). Horum professione illa totalis vitae consecratio significatur et in praxim reducitur (60). Unde status religiosus est antonomastice *status perfectionis evangelicae acquirendae* (61), constat ex textu Codicis I. C. 487, 1⁰, 593, et ex Const. *Provida* (62).

II. *Vinculum morale* erga Deum strictissimum in statu religioso habetur; nam in ipso emittuntur tria *vota* religiosa in conscientia et coram Deo obligantia; immo et suscipitur specialis ad perfectionem tendendi obligatio (Cfr. can. 487; 488, 1⁰; 593).

III. Elementum *stabilitatis* ex vinculo morali procedit. Vinculum morale perfectum habetur in *professione perpetua*. In ea stabilitas obtinetur per vota perpetua; aliquando accedit votum vel iuramentum perseverantiae (63). Haec autem vinculum strictissimum (sub gravi) et stabile (perpetuum) constituunt, non solum iuridice, ut postea videbimus, sed etiam theologice coram Deo, quod morte tantum vel Apostolica dispensatione in Religionibus iuris pontificii, dispensatione Ordinarii loci in Religionibus iuris diocesani, solvitur (c. 638).

In professis votorum temporariorum alio modo vinculum et stabilitas habentur et explicantur. *a) Ex votis temporariis.* Haec sane vinculum grave (sub gravi obligant) et iuridice stabile inducunt, ut statim explicare tentabimus. Iam vero haec sola stabilitas iuridica ab Ecclesia imposita, fit eo ipso etiam stabilitas theologica seu in conscientia aliquo modo ligans. *b) Ex intentione seu proposito vota renovandi et perseverandi.* Hoc propositum ex natura *status* qui assumi intenditur exigitur, et est per se permanens, licet per accidens, ex novis nempe motivis supervenientibus, revocabile sit. *c)* Quod autem praecipue et directe propositum firmum et stabile in conscientia reddit, est vinculum morale quod supra diximus tenere sub *imperfectione positiva; professus vero votorum temporariorum divinitus vocatus moraliter *tenetur* ad perseverantiam, id est professionem renovare et intentionem seu propositum non retractare ne fiat reus infidelitatis et imperfectionis positivae.

(58) S. Thomas., II II.ae q. 186, art. I.

(59) Consilia hoc ordine referuntur: « Religio namque perimitur si a meritoria subditi oboedientia subtrahatur; magna quidem paupertas, sed maior integritas, bonum est oboedientia maximum, si custodiatur illaesa: nam prima rebus, secunda carni, tertia vero menti dominatur et animo » (*Extrav. Ioan.* XXII, tit. XIV, cap. I, in fine). Cfr. S. Thomas. II II.ae, q. 186, art. VIII.

(60) In traditione et in mente Ecclesiae haec trium generalium consiliorum professio cum consecratione vitae convertitur. (Cfr. supra nota 11). Crisis quae ab aliquibus instituitur (Cfr. *Le associazioni di laici cansacrati...*, p. 17) can. 488, 1, forsan non omnino iusta sit. Codex *iuris* elementa iuridica clara et praecisa praebere debet; Codex autem in can. 488, 1 non definitionem theologicam, sed iuridicam, merito dare intendit. Ad iuridicam definitionem autem, magis confert oboedientiae, castitatis et paupertatis determinatio, in ordine quidem ad perfectionem evangelicam, quam *consecratio* quae potius conceptum theologicum sapit.

(61) « Quam arcte atque intrinsece, historia sanctitatis Ecclesiae et apostolatus catholici, cum historia fastisque vitae religiosae canonicae, Spiritus Sancti iugiter vivificantis gratia, mira varietate in dies subcrescentis et nova magis magisque altiore atque firmiore unitate roboratae, coniuncta sit, in comperto apud omnes est » (*Provida Mater*, praefatio).

(62) Perpulchre haec omnia simul expressit, non exclusis consiliis particularibus, Pius XI, f. m. in *Nuntio radiophonico* diei 12 februarii 1931: « Nunc vos alloquimur filii, et filiae praedilectionis Nostrae, qui quaeve charismata meliora aemulantes (I Cor. XII, 31) atque in fide sanctissimorum votorum et in religiosa disciplina totius vitae, nedum praeceptis sed et desideriis consiliisque divini Regis et Sponsi obsecundantis, Ecclasiam Dei virgineo odore fragrantem facitis, contemplationis illustratis, orationibus fulcitis, scientia et doctrina ditatis, ministerio verbi et apostolatus operibus in dies percolitis et augetis » (A.A.S., vol. XXIII, (1931), p. 67).

(63) Notitias historicas cfr. apud Gambari, *De evolutione historico-iuridica Congregationum religiosarum*, Thesis ined., p. 167, 543-544.

§ 2. *Elementa status religiosi quatenus est status iuridicus.*

Iuxta supra dicta (art. II, § 2, II), character *iuridicus* exigit: *a*) characterem externum condicionis stabilis vitae; *b*) characterem externum et iuridicum causae stabilitatem inducentis; *c*) approbationem Ecclesiae.

I. Statum *iuridicum* religiosum *characterem externum* condicionis stabilis vitae habere, speciali probatione non indiget, cum omnibus notum sit statum religiosum esse: stabilem *in communi vivendi modum (c. 487);* Religionem autem intelligi « *Societatem* a legitima auctoritate ecclesiastica approbatam in qua secundum proprias leges vota publica emittuntur » (c. 488, I), statum religiosum cardinalem constituere statum in Ecclesia societate visibili (can. 107, 487-672), religiosos proprium habitum gestare debere (can. 482 §3, 596), etc.

II. Status religiosus iuridicus, insuper, continet *characterem externum et iuridicum causae stabilitatem inducentis.* Stabilitatem enim inducit vinculum *morale;* hoc autem vinculum morale, vere *iuridicum* fit, et quidem plene in professis a votis perpetuis, minus plene, sed sufficienter, in professis a votis temporariis.

1. *Vinculum stabilitatis iuridicum in professis votorum perpetuorum* constituitur ex votis religiosis in determinata Religione servandis; haec enim non solum coram Deo et moraliter obligant, sed etiam coram Ecclesia, proindeque sunt vere *iuridica* (can. 487, 488, I, 593, etc.); praetereaque sunt *stabilia* quatenus usque ad mortem sunt duratura, salva tantum apostolica dispensatione (can. 638, 640). Votis accedit aliquando *iuramentum* perseverantiae.

2. *In religioso votorum temporariorum* explicatio *vinculi stabilitatis iuridicae,* difficultate non vacat, maiorique declaratione indiget.

Praemittimus nos hic agere de professo temporario qui divina adhuc vocatione augetur, ille enim qui divinam vocationem non amplius conservat, vel cuius condiciones mutatae sunt post professionem, clarum est Religionem posse et debere relinquere.

Illum ergo qui divinam conservat vocationem, aliquo non tantum morali, sed etiam *iuridico* vinculo, esto infimi gradus, teneri ad perseverantiam, proindeque condicionem professi a votis temporariis vere statum religiosum non solum moraliter (cfr. § 1) sed etiam iuridice continere, ex triplici capite deduci

255

posse nobis videtur (64): a) ex requisita a iure intentione perseverandi; b) ex natura votorum religiosorum temporariorum; c) ex sanctionibus ab Ecclesia impositis iis qui vocationi valedixerunt.

A) *Ex requisita a iure intentione perseverandi.* Mens Ecclesiae certa et indubia est quod vota temporaria non admittuntur nisi quae ad perpetua vel saltem ad ulteriores usque ad mortem renovationes ordinentur (cfr. can. 488, I). Professio in *Religione* cum intentione taxativa et definite temporaria, efficeret ut quis assumeret statum *iuridicum* perfectionis sine assumptione status theologici, quod quidem gravem deordinationem implicare videretur omnino menti Ecclesiae contrariam (65). Professio ergo temporaria *religiosa* omnino exigere videtur *intentionem positivam* seu *propositum* perseverandi, nisi obstaculum aliquod superveniat.

Haec tamen *positiva intentio,* non necessario explicita esse debet, seu in animo expresse concepta ac formulata; sufficit per se implicita, quae continetur in professione temporaria *ad mentem Ecclesiae.*

Insuper, intentio perseverandi non solum est necessaria ad primam professionem, sed est etiam requisitum ad continuandum *statum vitae religiosae.* Absonum enim videretur, intentionem in initio exigere, et postea libertatem omnimodam concedere eam pro lubitu mutandi, etiam sine speciali ratione temporali professioni superveniente.

Haec quae dicimus de positiva perseverandi intentione confirmationem obtinent ex Instructione S. C. de Religiosis diei 1 dec. 1931 circa formationem religiosam et clericalem alumnorum ad sacerdotium vocatorum, ubi haec leguntur sub n. 14 « Novitii ante professionem votorum temporalium... Superiori petitionem scripto deferant, in qua expressis verbis testimonium ferant de sua ad statum religiosum et clericalem vocatione, *simulque firmum propositum pandant perpetuo se militiae clericali, in statu regulari, mancipandi* » (66).

(64) Professi temporarii *vero* statui *iuridico* perfectionis, ex voluntate Ecclesiae tandem aliquando, accensentur (c. 488, I, 7). Sed minus recte asseremus, ut videtur, hanc voluntatem Ecclesiae meram efficere aequiparationem, i. e. extensionem iuris quod pro professis perpetuis fertur ad professos temporarios (cfr. quae de historia codificationis canonis 488, 1 sub nota 69 dicemus); voluntas ergo Ecclesiae aliquo modo in rerum natura fundetur oportet. Iam vero, supra statuimus (art. II. § 2,2 A): « ut status perfectionis iuridicitate donetur vinculo morale stabilitatis externum esse debet; *immo et iuridicum etiam reddi, id est exigibile in societate* »; unde, si character *iuridicus* status perfectionis exigit stabilitatem vinculi *coram societate aliquo modo exigibile,* consequitur stabilitatem vinculi in professis temporariis aliquo modo exigibilem esse oportere in Ecclesia.

(65) Nostra quidem sententia intentio positiva perseverandi exigitur tantum ad liceitatem professionis; valida proinde esset professio facta cum intentione definitive et limitate temporaria. Ita etiam SCHAEFER, *De Religiosis* (1947), n. 128, cum VERMEERSCH, *Periodica,* XXI (1932), 122 ss.; GOYENECHE, CpR., XVI (1935), p. 315-316 contra VIDAL, *De religiosis,* n. 9: «...nec per talia vota cum exclusione renovationis emissa is fieret verus religiosus, licet in foro externo ob non cognitam intentionem *statui* religioso contrariam, haberetur talis ». Magna et gravia incommoda ex utriusque fori divergentia circa eamdem personam sequerentur. Melius omnia explicantur si validitas professionis admittatur. Ceterum, finis a lege intentus sufficienter obtinetur si talis professio illicita habeatur.

(66) A. A. S. XXIV (1932), p. 79. Haec quae in textu exposuimus, in iure particulari aliquarum Religionum *expresse* exiguntur. Videas ex. gr. *Constitutiones* pro Missionariis Congregationis Filiorum I. Cordis B. M. V., Prima pars, n. 115: « Tandem, si anno probationis exacto, firmam habeant voluntatem ac propositum in Congregatione perpetuo permanendi, sicque scripto solemniter declaraverint... ». In executionem autem huius Constitutionis, *Codex* noster *additicius* haec statuit: « Ante tres pro prima professione menses novicius humiliter et scripto ad illam admitti expostulabit a Superiore Maiore, et in sua petitione sequentia declarabit: 1. Se sinceram habere voluntatem professionis emittendi in Congregatione et in ipsa usque ad mortem perseverandi, nisi, ante professionem perpetuam, obstaculum,

B) *Ex natura iuridica votorum temporariorum religiosorum.* Haec vota, quorum normalis obligatio eiusdem prorsus naturae est ac obligatio votorum perpetuorum, si formaliter et in se dici debeant temporaria eo sensu quod non ultra ligent quam ad tempus ad quod sunt emissa, *virtualiter* tamen sunt perpetua. Agitur enim de votis *statuto tempore renovandis* (c. 488, I), quae *per integrum diem quo finientur renovari possunt* (c. 34, § 3, V), immo *anticipari* (c. 577, § 2), numquam autem retardari, quia: « elapso tempore ad quod vota sunt nuncupata, renovationi *nulla est interponenda mora* » (c. 577, § 1). Iuridice ergo, character temporaneus votorum non officit perpetuitati, et perseverantiae seu stabilitati; immo, cum sint elapso tempore renovanda, *et non aliter admittantur*, stabilitatem in animo et proposito perseverandi, quod supponunt ac denotant, iuridice (c. 488, I) confirmant (67).

C) *Ex vinculo morali aliquo modo ab Ecclesia iuridice sancito.* Adest ut supra explicavimus (art. I, § 2, n. V; art. III, § 1, III, c.) vinculum morale quod religiosum divinitus vocatum tenet ad perseverandum sub imperfectione positiva. De hoc vinculo utpote fori interni, Codex directe non loquitur, sed absque dubio illud supponit. Ecclesiae, profecto, de statu *perfectionis evangelicae* sollicitae, indifferens esse non potest quod religiosi, certi de sua vocatione, ipsam sine speciali motivo relinquant. Quapropter et iuridici textus non desunt in quibus Ecclesia adversatur huiusmodi religiosorum inconstantiae et infidelitati, ita ut aliquo sensu, et ex novo capite, fiat quodammodo *iuridica* illa moralis obligatio perseverandi. Sane, canon 642 privat iure recipiendi quaedam officiat et beneficia clericalia illos qui semel professi, in saeculum regressi sunt. Ex can. 542, I. « Invalide ad novitiatum admittuntur qui obstringuntur vel obstricti fuerunt vinculo professionis religiosae », Cfr. can. 640 § 2. Ex can. 632 requiritur indultum S. Sedis ad transitum ad aliam religionem faciendum. Inter causas dimissionis durantibus votis numerari etiam potest, ut videtur, emissio professionis temporariae, excluso proposito emittendi perpetuam (Cfr. can. 575, § 1 et 647 § 2, I). Qui e religione egreditur et seminarium ingredi vult, speciali indiget licentia S. C. Seminariorum (Cfr. A.A.S., 1941, p. 371).

Dixerit quisquam illam iurium communium privationem, de qua nuper agebamus, directo non tangere obligationem moralem; nempe infractionem iuris — i. e. praecepti iuridici *absoluti* — proprie supponere in professo qui Religionem expleto tempore votorum deserit. Et hoc libenter concedimus. Respondemus tamen non inde negari posse absolute aliquod adesse vinculum iuridicum. Ut alibi (Art. II, § 2, n. 2) explicavimus, duplex gradus existit vinculi iuridici; aliud *absolutum* quod moderni dicunt *obligationem*, aliud *conditionatum* quod vocant

---

quod nullo modo praevidet, supervenerit » (Art. 347, § 1). Et in art. 348, § 1, « Superior Maior, vel ipsius delegatus, novicio professionem expostulanti, scripto expresse declaravit; 2. novicium, qui professionem emittendo, non habuerit voluntatem perpetuo perseverandi, statim esse dimittendum ». Cfr. LARRAONA, CpR. II 1921, p. 209, nota 81.

(67) « Per quam renovationem ex obligatione generali instituendam et requisitam in intentione, tum statum amplectentis tum ad eum admittentis, obtinetur illa firmatas propria veri status religiosi, quam vota dumtaxat temporanea de se non afferunt » (VIDAL, *De religiosis*, n. 9). Cfr. etiam BIEDERLAK FÜHRICH, *De religiosis*, p. 14, nota 2.

Ceterum, eadem fere retinent aliqui auctores. « Haec clausula [elapso tempore renovanda, c. 488, 1.ol ...pariter innuit talem intentionem et in religioso qui vota emittit, et in Superioribus qui ad professionem admittunt, adesse debere ut, *si nullum impedimentum superveniat*, vota renoventur » (LARRAONA, CpR. II (1921), p. 209.

« A nonnullis doctoribus vota temporaria elapso tempore renovanda, dicuntur vota *virtualiter* perpetua (CHELODI, *De personis*, n. 243). Doctrinae in textu propositae non opponitur can. 637, nam libertas discedendi aut dimittendi expleto tempore votorum temporariorum, fundatur in causa post votorum emissionem superveniente, non autem in reservatione libertatis tempore emissionis factae, quae reservatio est exclusa » (VIDAL, *De religiosis*, p. 9, nota 11). « Mais cette clause suppose et insinue que si nul empêchement ne survient, soit le religieux qui les émet, soit le Supérieur qui l'admettent à la profession, entendent bien que les voeux soient renouvelés » (BASTIEN, ed. 4, p. 7, nota).

onus. Sive *obligatio* sive *onus* (praecipue illud cuius infractio secumfert privationem iurium omnibus debitorum et consequenter condicionem iuridicam minus favorabilem), vinculum constituunt (68).

In hac explicatione, si recipiatur, canon 637, dum dicit «*libere potest Religionem deserere*, «*obligationem*» renovationis positive excluderet; sed haec libertas non excludit vinculum «*onerosum*» (immo vinculum onerosum libertatem supponit); quod vinculum admittendum videretur ex eo quod ex aliis iuris praescriptis religiosus infidelis privatur iuribus quae omnibus generatim agnoscuntur (69).

Verba canonis 637: «*...libere potest Religionem deserere*» ita absolute interpretari ut significent omnimodam libertatem in fine periodi votorum temporariorum, et ita ut infideles, qui nullam sc. habent rationem Religioni valedicendi, sub his verbis comprehendantur, videretur et menti Ecclesiae omnino repugnans et parum aequum Religioni, quae nonnisi «ex iusta et rationabili causa potest professum a renovatione excludere» (c. 637).

III. *Status religiosus iuridica Ecclesiae approbatione donatur.* Religiones sc. in Ecclesia iuridice non existunt nisi mediante approbatione ecclesiastica. Hoc inde constat, quod:

a) Vota quae in religione emittuntur sunt vota publica, quae sc. «nomine Ecclesiae a *legitimo Superiore ecclesiastico* acceptantur» (c. 1308, § 1). Character autem legitimi *Superioris ecclesiastici*, quem possident Superiores religiosi, supponit approbationem Societatis cui praesunt.

b) Religiones sunt personae morales in Ecclesia (cfr. can. 492; 536 § 1, etc.); persona vero moralis ecclesiastica vel ipso iure vel decreto formali constituitur (c. 100, § 1).

c) «Religio est societas a *legitima ecclesiastica auctoritate approbata*» (c. 488, 1.o).

d) Nihil impedit quominus religiones ipsa S. Sedes erigat; competentes tamen sunt Episcopi (c. 492, § 1); sed nonnisi per *Decretum formale* id facere possunt

---

(68) Obiici potest privationes illas tenere etiam ex-religiosos qui, consilio *recte* mutato vel vi coactos, religionem in fine votorum temporariorum deseruerunt; ipsos minus recte dicerentur hoc *onere* ligari, cum revera infidelitatis et inconstantiae rei non sint. Respondemus privationes supra descriptas ferri (ut videtur) fundatas in *praesumptione* infidelitatis et inconstantiae, proindeque iustas esse iusteque applicari illis qui forsan sine ulla culpa propria Religioni valedixerunt.

(69) Digna quae ponderetur est armonia inter ordinem theologicum et iuridicum in re exsistens. Professus cuius votorum tempus finitur, seseque divine adhuc ad divinorum consiliorum professionem vocatum sentit, tenetur — vinculum *morale* — professionem renovare, non quidem ex formali divino *mandato*, sed ne divinae invitationi positive resistat, reumque se *positivae imperfectionis* efficiat, cum consequenti divinae largitatis et benevolentiae amissione. Isdem professus tenetur *iuridice* professionem renovare; non autem ex praecepto absoluto Ecclesiae (*obbligo, obligatio*), cum «libere possit Religionem deserere» (c. 637); sed quidem ne privetur certis iuribus quae ab Ecclesia omnibus universim conceduntur (vinculum iuridicum quod a libertate dependet *onus*).

Hanc explicationem stabilitatis in professis a votis temporariis tentavimus, ne cogamur affirmare eos theologice et evangelice vere religiosos non esse, sed tantum iuridice (cfr. not. 64); et hoc non *proprie*, sed per solam extensionem seu aequiparationem cum professis perpetuis (quod asserere videtur VIDAL, n. 299); vel etiam, ne cogamur asserere religiosos votorum temporariorum nonnisi statum *facti* assumere cui ius effectus iuridicos tribuit. Nostrae thesi favere videtur historia codificationis. Sane, in Schemate anni 1912 duplex sensus in hac voce «religionis» agnoscebatur, *proprius* seu *strictus* ac *extensivus. Stricto sensu* religiones dicebantur societates in quibus vota erant *perpetua* (c. 369, § 1), *extensive* dicebantur religiones, societates in quibus vota ad tempus nuncupabantur (§ 2): «§ 2. *Extensive religionis vocabulum comprehendit quoque societatem legitima auctoritate approbatam, in qua tria illa vota nonnisi ad tempus nuncupantur*». In

(S. C de Religiosis, 30 Nov. 1922; *A. A. S.* XIV (1922), p. 644). Approbationem *pontificiam* religiones consequuntur vel per Decretum laudis, vel per formalem approbationem S. Sedis (c. 488, 3.o; 492, § 2).

Hodie ergo non sufficit approbatio mere *negativa;* nec *positiva* quidem, sed *tacita* tantum aut *generalis* ut per plura saecula obtinuit et sufficiens reputabatur (70).

§ 3. Elementa status religiosi qua religiosi.

Status religiosus qua *religiosus* alios characteres possidet qui non praecise ex natura *status perfectionis,* nec ex capite *iuridicitatis* procedunt, licet et ipsi iuridici sint. Praecipui, qui momentum habent in ordine ad comparationem instituendam cum aliis categoriis status perfectionis, sunt sequentes.

1. Status religiosus est status *publicus* in Ecclesia; 2. Status religiosus iuridicus nonnisi in aliqua *Societate* ab Ecclesia approbata admittitur. 3. In statu religioso *vota* emittuntur. 4. Alia elementa iuridica *peculiaria.*

1. *Status religiosus est status publicus in Ecclesia (71).*

Id hodie amplius dubitari non potest, aiente Const. *Provida Mater:* « Hinc, in primis status *publicus* perfectionis inter tres praecipuos perfectionis status recensitus fuit, atque ex ipso Ecclesia secundum personarum canonicarum ordinem gradumque unice petivit » (Ante medium proëmium)... « Ne professio *publica* ac solemnis sanctitatis frustraretur atque in cassum cederet, Ecclesia, hunc *canonicum* perfectionis statum... » (Ib.). « Denique canonica status perfectionis, *qua status publici,* disciplina, ita ab Ecclesia sapienter ordinata fuit... » (Ib.). Et paulo post: « Postquam Codex Pianus-Benedictinus, in Parte II, Libri II Religiosis dicata, diligenter collecta, recognita, atque accurate expolita religiosorum legislatione, statum canonicum perfectionis, *sub respectu etiam publico,* multipliciter confirmaverat atque inceptum opus Leonis XIII f. m. in sua immortali Constitutione « Conditae a Christo » sapienter perficiendo, Congregationes votorum simplicium inter stricte sumptas religiones admiserat, nihil in disciplina status canonici perfectionis addendum esse videbatur » (Ib.).

Ex hoc *publico* Religionum charactere, sequentia necessario consequuntur:

a) Superiores religiosi sunt Superiores ecclesiastici (can. 1308, § 1 collato canone 488, I).

b) Superiorum potestas, etsi solum dominativa, est potestas *publica,* regendi nempe statum publicum.

---

(70) Codice promulgato hae societates sunt *Religiones* plenissimo sensu. Cfr. can. 488, 1.o, 7.o. Hoc commodum etiam habet haec explicatio: favere firmitati status et voluntatis profitentium, quam omnibus modis procurare oportet.

(70) Cfr. VIDAL, *De religiosis,* pag. 11-12 cum notis, et auctores ibi citatos. PIAT, *De regularibus* 2, I, p. 16 ss. VERMEERSCH, *De religiosis,* I, n. 66.

(71) De graduali admissione Congregationum ad statum iuridicum, et tandem ad ius publicum, cfr. P. LARRAONA, CpR., I (1920), p. 45 ss., 133., 171 ss.; AELIUS GAMBARI, S. M. M., *De evolutione historico-iuridica Congregationum religiosarum,* Thesis ad lauream in utroque iure, 1945, et studium edendum in proximo fasciculo *CpR.*

c) Vota in eo emissa sunt *publica,* seu nomine Ecclesiae a Superiore ecclesiastico accepta (c. 488, I; 1308, § 1). Vota publica computantur in Const. *Provida Mater* inter « solemnitates iuridicas ad statum perfectionis canonicum substantiales » (Circa medium preambulum). Per ea persona fit sacra, et eorum violatio, vel etiam injuria reali personae illata constituit sacrilegium (c. 1190, 614 *(71 bis).*

d) Status religiosus *actu publico* suscipitur, nempe professione religiosa quae virtutem habet mutandi statum cardinalem personae in Ecclesia et efficiendi ex integra religiosi vita holocaustum quoddam *publicum* ab Ecclesia Deo oblatum. Actu item publico dimittitur (egressu vel dimissione) cum mutatione item status et amissione illius publici personae characteris.

e) Relationes membrorum inter se et cum auctoritate sunt *publicae.*

f) Violatio ordinis interni religiosi potest constituere delictum, iuri processuali obnoxium, et poenis vere canonicis puniri (cfr. c. 656, I).

g) Religio clericalis vices facit dioeceseos pro suis membris, sive quoad vitam christianam, sive quoad vitam clericalem (72).

II. *Status religiosus iuridicus nonnisi in aliqua societate ab Ecclesia approbata admittitur.*

Haec socialis professio quatenus vitae *individuali* opponitur, requirit quamdam *unitatem socialem:* unitatem finis et unitatem mediorum, cum consequenti cooperatione, comparticipatione et activitatis coordinatione. Haec autem unitas socialis tria ad normam Codicis requirit et supponit:

a) incorporationem societati seu religioni;

b) vitam communem;

c) regulam seu constitutionem.

A) *Incorporatio.* Vita evangelica eremitica non prohibetur, sed *hodie* iuridica recognitione caret; vita coenobitica iam diu ante Codicem praescripta erat (73)

(71-*bis*) Contrarium authentice declaratum est a S. C. de Religiosis de votis quae in Institutis saecularibus emittuntur: « 5. Etiam quando certa sit formalis ex virtute religionis obligatio, cum agatur de votis seu de vinculis quae, etsi adaequate privata non sint, tamen ex regula nec sensu stricto atque specifico publica dici valeant nec publicam personae consecrationem inducant, ipsorum violationi sacrilegii malitia non est tribuenda » (S. C. de Religiosis in Congressu pleno diei 19 maii 1949: *Circa obligationes votorum seu promissionum quae in Institutis emittuntur.* Cfr. sectionem « *Decreta, rescripta, formulae* ». CpR., 1949, p. 293.

(72) Cfr. etiam P. LARRAONA, *De potestate dominativa publica,* in *Acta Confr. Iur. Internat.* Romae 1934, passim, speciatim p. 158-160.

(73) Cfr. Cap. 9, X, *de relig. domibus,* III, AC, c. unic. eodem III, 17 in

et incorporationem alicui monasterio necessario secumferebat. Admittebantur autem religiosi theologice et iuridice sine incorporatione; tales erant saecularizati et aliquando etiam dimissi quorum vinculum cum religione rumpebatur manentibus tamen votis religiosis. In vigenti disciplina, ne per exceptionem quidem datur religiosus qui alicui religioni non pertineat (Cfr. can. 488, 7.o; 640, § 1; 572, § 1; 648; 669; 672). Ex Codice incorporatio statui religioso iuridico ita necessaria dicenda est, ut nec valide suscipi possit hic status sine ipsa, nec dissoluto vinculo, quo religiosus religioni iigabatur, status religiosus amplius retineatur. Eo ipso quo vinculum cum Religione dissolvitur status religiosus seu condicio religiosa subiecti perit omnino, nec ulla amplius votorum vestigia permanent (74).

Effectus huius incorporationis est mutua traditio religionem inter et religiosum, quae producit mutuum vinculum inter utramque partem.

Character huius vinculi. 1) Est natura sua *publicum.* De natura huius vinculi et mutuarum inde promanantium relationum adhuc non omnino constat. Moderni fere omnes, et omnes etiam fere antiqui, tenent esse *contractum bilateralem,* proindeque obligare sub iustitia commutativa (75). Pauci (76) censent, et merito quidem prout nobis videtur, non esse formaliter *contractum* licet in pluribus, contractibus accedat et ad modum contractus in iure tractetur. Hoc iam sufficeret in memoriam revocare quod supra diximus, nempe religiosum statum esse statum natura sua *publicum,* publicumque esse actum quo in ipsum ingredimur, et relationes membrorum qua talium inter se et cum societate auctoritateque sociali. Contractus e contra ad ius privatum pertinet et relationes privatas regulat.

2) Vinculum incorporationis est *a votis distinctum.* Traditio religioni est a votis religiosis inseparabilis, sed ab eisdem prorsus distinguitur, etiam a voto oboedientiae; vota enim Deo immediate fiunt, sunt promissio Deo facta, e contra traditio seu donatio, Deo immediate non fit sed religioni (77).

3) *Stabile,* non minus quam vota ipsa religiosa et traditio; vota quippe emittuntur *in religione determinata* servanda, indeque vinculum cum Religione fit stabile, sicut ipsa vota: *virtualiter* perpetuum in votis temporariis, *formaliter* perpetuum in votis perpetuis.

4) *Mutuum,* licet non necessario eodem gradu pro utraque parte (78).

5) *Plenum* seu *totale.* Religio, et eius nomine Superiores legitimi, disponere iuxta Constitutiones possunt de persona et de universa eius activitate ac capacitate ad fines Societatis. Similiter religiosus titulum acquirit ad omnia ad suam perfectionem necessaria, sive media naturalia sive supernaturalia iuxta Constitutiones, et ut tanquam *membrum* Religionis tractetur (79).

B) *Vita communis.* Vitam communem seu cohabitationem intelligimus « totius vitae socialis consortium prout sub eodem tecto vivitur eiusdemque mensae

Sexto; S. C. Ep. et Regul. 11 Aug. 1889. Evolutionem historicam cfr. apud SCHAEFER, *De religiosis,* pag. 58-59.

(74) Cfr. LARRAONA, CpR., II (1921), p. 138-139. Datur e contra *incorporatio sine votis,* religiosus nempe qui servitio militari addictus est cuius vota cessaverint durante servitio, qui tamen « membrum » Religionis esse perseverat.

(75) Cfr. E. BERGH, *S. I., Elements et nature de la Profession religieuse,* Louvain, 1937, p. 12 ss.

(76) Cfr. PASSERINI, *De hominum statibus,* tr. III, q. 189, art. X; MOLITOR, *Religiosi iuris capita selecta,* 1909, c. I, n. 41-46; TAMBURINI, *De iure Abbatum et Praelatorum,* Lugdunii 1640, t. III, disp. II, q. 10. BILLUART, *De statu relig.,* diss. I, a. 2. MUZZARELLI, *De professione relig. a primordiis ad saec. XII,* Romae 1938, n. 1533 ss. Pro omnibus cfr. E. BERGH, l. c.

(77) Cfr. VIDAL, *De religiosis,* n. 17.

(78) Nihil prohibet quominus vinculum proveniat ex traditione quae ex parte profitentis sit magis perpetua et absoluta quam ex parte religionis, uti accidit in aliquibus religionibus, ex. gr. in Soc. Iesu quoad simpliciter professos, et verificabatur etiam in simpliciter professis in Ordinibus ante Codicem, inde a Decreto Sanctissimi Pii IX anni 1858 (Cfr. VIDAL, *De religiosis,* n. 17 cum fontibus et litteratura in notis allegatis).

(79) Cfr. *Le associazioni di laici consacrati...* n. 20.

261

participatur » (80). Hoc elementum *ex regula* est essentiale in statu religioso iuridico (81) hodierno (82). Tamen, quia per exceptionem in aliquibus deficere potest, ideo ab aliis dicitur *integrale*. Deficit autem in illis qui ad Episcopatum vel alias dignitates promoventur (c. 627, § 1), in exclaustratis (c. 639), in legitime absentibus a domo religiosa (c. 606, § 2), in fugitivis et apostatis (c. 645, § 1), in dimissis a votis perpetuis ante concessam saecularizationem (c. 672, § 1) (83).

C) *Regulae et Constitutiones.* 1) In iure hodierno auctoritatem supremae regulae pro omnibus veri nominis Religionibus constituit Codex I. Can. in parte II libri II (can. 487-672), inderogabilis per ius mere particulare (c. 489). Sola iuris canonici religiosorum acceptatione constat de natura alicuius societatis vere religiosa.

Haec acceptatio seu conformitas cum iure canonico est etiam obiectum primi elementi approbationis ecclesiasticae (Cfr. supra, art. II, § 2, II, 3).

2) Regulae tamen *particulares* et Constitutiones etiam hodie (84) necessariae sunt. Cfr. can. 488, 1.o; 489; 593 (85). Iuris particularis obiectum est vitae religiosae ordinatio, officiorum, iurium, regiminis, etc. Praesertim autem iuris particularis est finem specialem definire, modum in observantia consiliorum evangelicorum servandum ordinare et opera consilii particularis (86) definire in illa religione servanda, quae ut supra diximus (Art. I, § 1) necessario consequuntur statum perfectionis evangelicae *totalem*.

D) De hac sociali Religionum natura et activitate, ad normam Iuris canonici et Constitutionum aliqua addenda adhuc sunt (87).

Religiones activitatem socialem et religiosam *in mundum* exercent quasi ex-

---

(80) GOYENECHE, *De religiosis*, n. 1. Eius ambitus ex diversis canonibus deduci potest: 594, 606, 638, 639, 644. Haec materia aliquantulum in Codice indeterminata, Constitutionibus uniuscuiusque Religionis relinquitur definienda (Cfr. *Le associazioni di laici consacrati...* n. 21).

(81) Quod ad essentiam status perfectionis non pertineat, est doctrina communiter recepta: «...neque ex ratione status, ut sic, nec ex ratione status perfectionis necessaria est illa condicio vitae communis; nec status religiosus ex qua specifica ratione aliquid habet, unde illam necessario requirat... Sed potest quis, privatam vitam agens, perfectionis acquirendae insistere, et certam vitae rationem firmam et stabilem assumere, in qua per observantiam trium consiliorum ad perfectionem tendat, et ad hunc finem sub alicuius potestate sit firmiter constitutus. Ergo nihil deerit, quominus vere ac proprie sit in statu religionis». SUAREZ, tract. VII, lib. II, cap. IV, n. 1 ss.; tract. IX, lib. I, cap. II, n. 3 ss. PASSERINI, *De statibus*, q. 186, art. VII, n. 2; q. 188, art. VIII, n. 26-27. BOUIX, *De iure regularium*, I, p. 53 ss. 64 ss. PIAT, *De regularibus*, I, p. 15. LARRAONA, CpR. II (1921), p. 137: « Vita communis, quae ponitur ut elementum essentiale status religiosi, non ex ipsius natura theologica provenit, sed a iure canonico fuit ipsi addita in Conc. Later. IV ». MAROTO, *CpR.* V (1924), p. 343-346. Et alii communiter.

(82) Can. 487: « Status religiosus, seu stabilis in communi vivendi modus... ». Sensus obvius et directus canonis, denotat vitam sic dictam communem, potius quam incorporationem.

(83) Nihil impedit quominus societates quae vita communi carent, religiones verae declarentur. Vita communis essentialis est *iuridice* tantum, seu ex positiva iuris praescriptione, a qua legitima auctoritas dispensare potest; privilegia autem particularia nihil iuri communi (systemati) detrahunt, nec ex illis arguere licebit contra praescriptum generale, ita ut dicamus non esse essentiale elementum. Paulo aliter *Le associazioni di laici consacrati...*, p. 30, nota 5.

(84) Iam iure Decretalium exigebantur. Cfr. cap. 9, X, *de relig. domi.*

(85) De ipsarum observantia, cfr. Pium XI, in Ep. *Unigenitus* 19 III 1924.

(86) *Le associazioni di laici consacrati...*, n. 12. Cfr. LARRAONA, comment. ad art. II, Const. *Provida*, § 2, *e*), 3) seq.

(87) Cfr. *Le associazioni...*, n. 32. Haec quae dicimus de externa, iuridica et sociali religiosorum actuositate, apte reduci possent ad elementa theologica-ascetica, et revera constituunt fundamentalem differentiam Religiones inter et Instituta saecularia in modo prosequendi perfectionem evangelicam. Sane, religiosi ut melius et securius mentem et animum in Deum intendere possint, non tantum triplici concupiscentiae renuntiant, sed etiam saeculo et mundo valedicunt; sodales Institutorum, e contra, in saeculo remanent,

trinsecus operando seu, quatenus possibile est, extra mundum et vitam saecularem. Profecto:

a) Religiosi statum socialem omnino distinctum ab statibus socialibus saecularium constituunt, nec « professiones » quae vulgo dicuntur **individuales** exercere generatim possunt, nec publica officia aut munera saecularia assumere (cfr. c. 592 ss.).

b) Opera et actuositas religiosorum plurimum differunt ab operibus et actuositate saecularium; nam eorum opera, etiam externa, specifice sunt opera religionis, cultus, caritatis, apostolatus, etc., et publice qua tales habentur et recognoscuntur.

c) Opera religiosorum sunt ut plurimum opera *collectiva*, quae nempe ab ipsa communitate suscipiuntur et promoventur, quaeque religiosi singuli generatim non quatenus singuli, sed quatenus communitatis membra, suscipiunt et aggrediuntur.

d) Religiosi separationi etiam physicae et materiali a mundo consulunt, ut securius et facilius Dei servitio et propriae sanctificationi vacare possint; unde et *habitum* distinctum gestant, *commorationem* a mundo separatam colunt, *segregationem* a familia et a socialibus relationibus quae hodie dicuntur, necnon a negotiis saecularibus, profitentur.

III. *Vota religiosa.*

In statu religioso *vota* emittuntur, id est, professio consiliorum evangelicorum tribus substantialibus votis oboedientiae, castitatis ac paupertatis firmatur. Inde non tantum character *religiosus* vitae integrae provenit, sed insuper hac de causa obtinet ut infractio consiliorum evangelicorum intra ambitum Constitutionum, malitiam induat peccati contra virtutem religionis; quod non valet de statibus perfectionis qui peculiares tantum promissiones emittunt (cfr. notam 71bis).

Praeterea haec vota *religiosa* sunt *publica,* id est nomine Ecclesiae a Superiore ecclesiastico accepta (c. 1308, § 1; 488, 1.o). Unde personae quae ea emittunt (propter castitatem praesertim) sacrae fiunt, ita ut peccata contra vota peculiarem malitiam profanationis seu sacrilegii induant, atque ideo privilegiis fori et canonis defendantur (c. 614).

Vota particularia, de consiliis evangelicis seu operibus particularibus, non sunt necessaria (88).

IV. *Alia elementa iuridica particularia.*

Tria tantum enumerabimus quae ad scopum nostrum utilia videntur.

a) Religiones omnes sunt natura sua *universales,* i. e. non sunt uni loco seu Dioecesi circumscriptae.

ita ut ipsorum « apostolatus [et tota fere vita ascetica] non tantum *in saeculo,* sed veluti *ex saeculo,* ac proinde professionibus, exercitiis, formis, locis, rerum adiunctis saeculari huic conditioni respondentibus, exercendus est fideliter » (Motu proprio *Primo feliciter,* n. 11). Cfr. LARRAONA, comment. ad art. I, n. III, c) 4);

(88) Cfr. VIDAL, *De religiosis,* p. 9, nota. In multis Religionibus emittitur *quartum* votum. Cfr. exempla in VERMEERSCH, *De religiosis,* n. 82; historicas notitias in GAMBARI, *De evolutione historico-iuridica congregationum religiosarum,* p. 543-546. In *Normis* anni 1902 non permittebatur emissio aliorum votorum praeter substantialium (art. 102).

b) Aliae sunt *iuris dioecesani* « Ordinariorum iurisdictioni ad normam iuris plane subiectae » (c. 492, § 2), aliae *iuris pontificii*, ex quibus aliquae (Ordines omnes et non paucae Congregationes) exemptae sunt a potestate Ordinarii loci, exceptis casibus a iure expressis (c. 615). Omnes autem Congregationes iuris pontificii *non exemptae* immunes sunt a potestate Ordinarii loci quoad immutationem Constitutionum, quoad rem oeconomicam, quoad regimen internum ac disciplinam ad normam can. 618, § 2.

c) Religiosi utuntur *habitu* speciali, quo ab aliis qui statum publicum perfectionis, vel saltem clericalem, non profitentur, faciliter distinguuntur (cfr. can. 492, § 3).

ART. IV. — SOCIETATES IN COMMUNI VIVENTES SINE VOTIS

In Constitutione *Provida* haec legimus: « Ecclesia tamen, magna qua gaudet animi mentisque largitate, tractuque vere materno, brevem titulum legislationi religiosae, veluti peropportuni complementi gratia, adiungendum censuit. In ipso (tit. XVII, Lib. II) ad statum canonicum perfectionis, satis plene Ecclesia aequiparare statuit Societates, de ipsa et frequenter etiam de civili societate optime meritae, quae quamvis aliquibus iuridicis solemnitatibus ad statum perfectionis canonicum completum necessariis, ut votis publicis (can. 488, 1.c et 7.o; 487), careret, tamen in ceteris quae ad vitam perfectionis substantialia reputantur, veris Religionibus arcta similitudine et veluti necessitate coniunguntur » (Circa medium praeambulum).

Tria solemniter affirmantur: 1) Societates sine votis, in illis quae ad vitam perfectionis *substantialia* reputantur, veris Religionibus arcta similitudine et veluti necessitate coniunguntur; 2) non tamen constituunt statum canonicum perfectionis completum *proprie dictum*, carent enim votis *publicis*, quae elementa necessaria status canonici perfectionis sunt; 3) Ecclesia tamen, ad statum canonicum perfectionis *satis plene* Societates illas aequiparare statuit in tit. XVII, Libri II.

Haec magnopere conferent ad naturam harum Societatum dignoscendam et explicandam, quod breviter aggredimur.

Omnia quae hic dicere intendimus, sub his capitibus comprehendemus:

Societates in communi viventes sine votis

1. *Quoad elementa theologica*, continent statum perfectionis evangelicae completum.

2. *Quoad elementa iuridica generalia*, continent statum iuridicum, qui est publicus seu canonicus in iis in quibus religionibus aequiparantur.

3. *Quoad elementa iuridica peculiaria*, satis plene aequiparantur statui canonico publico perfectionis, sed ab ipso in pluribus distinguuntur.

§ 1. *Societates sine votis quoad elementa theologica, seu quatenus continent statum perfectionis evangelicae.*

Tria complectitur conceptus status perfectionis evangelicae: totalem Deo consecrationem, vinculum morale et stabilitatem (Cfr. art. 1).

1. Societates sine votis *totalem vitae consecrationem divino servitio profitentur.*

Trium consiliorum generalium professionem Codex I. C. non expresse memorat; illorum autem susceptionem in huiusmodi societatibus necessariam esse, sufficienter constat, quia:

a) Codex I. C. hoc elementum *supponit* dum in tit. XVII sub II parte « De religiosis » de ipsis agit. Dum in can. 673 loquitur de sodalibus « rationem religiosorum imitantibus in communi degentibus sub regimine Superiorum secundum probatas Constitutiones », non loquitur de societatibus quae alium habeant scopum praeter *religiosum* (cfr. etiam c. 642, § 2).

b) Constat *ex historia* et *ex facto.* Eiusmodi societates, aliquae saltem, quoad extensionem et intensitatem in praxi consiliorum evangelicorum nihil fere differunt a Congregationibus religiosis, et de facto earum historia et natura iuridica usque ad Codicem pari gradu procedit et fere confunditur.

c) Canone 679 § 1 sancitur: « Sodales Societatis, praeter obligationes quibus, *uti sodales, obnoxii sunt secundum Constitutiones...* » Iam vero, Societates istae ex suo fine et Constitutione exigunt totalem Societati traditionem sub observantia quidem oboedientiae, castitatis et paupertatis ad finem religiosum. In aliquibus evangelicorum consiliorum professio explicite emittitur, in aliis implicite per ipsam Societati incorporationem.

d) A S. Congregatione de Religiosis dependent (c. 251 § 1), salvis quidem can. 247, § 5; 250, §§ 2, 3; 252, § 5; 256. Praeterea transitus ab huiusmodi Societatibus ad religionem non patet nisi ad normam can. 632-635 (c. 681).

De earum natura *religiosa* fere hodie dubitari non potest aiente Const. *Provida:* « quamvis aliquibus iuridicis solemnitatibus ad statum perfectionis canonicum completum necessariis, ut votis publicis (can. 488, 1.o, 7.o; 487), carerent, tamen in ceteris quae ad *vitam perfectionis substantialia reputantur,* veris Religionibus arcta similitudine et veluti necessitate coniunguntur » (Circa medium proëmium). Revera in mente Ecclesiae et in iure canonico Societates tit. XVII locum prae Institutis saecularibus et gradum superiorem in professione evangelicae perfectionis occupare videntur; Institutis autem saecularibus, saltem membris strictiore sensu sumptis, stricta sane consiliorum evangelicorum observatio exigitur.

Haec dici possunt *universim* et *generatim* loquendo; et hoc sensu generali vera sunt, ita ut affirmari possit typum huiusmodi Societatum esse religiosum seu « *perfectionis evangelicae* ». De aliquibus *in concreto* quis merito dubitare poterit an perfectionem evangelicam totalem amplectantur, praesertim ex satis ampla in usu rerum temporalium libertate quae quandoque sodalibus permittitur (89), vel ex omnimoda libertate illud vitae genus relinquendi.

Aequiparatio iuridica « satis plena » quam in Codice obtinent cum Religionibus Societates illae quae forsan minus plene evangelicam perfectionem profitentur, ex eo explicatur quod omnes « vitam religiosorum imitantur in communi sub regimine Superiorum iuxta probatas Constitutiones » (c. 675, § 1).

Praeterea legislatio hucusque systemate completo et adaequato carebat quo specifice regerentur.

Quoad illas tandem in quibus vinculum perseverantiae vel non existit vel parum validum est, haec valeat explicatio. Societates illae in se ipsis quadam iuridica stabilitate gaudent in quantum personalitatem moralem in Ecclesia obtinent et legibus gubernantur quae earum subsistentiam securam reddunt. Haec certe non sufficiunt ad *verum statum* constituendum, in sensu stricto supra explicato, sed absque dubio *Societates* illae, qua tales, stabilitate quadam gaudent, ita ut praebeant fundamentum ad hoc ut ius eas vero statui perfectionis aequiparare valeat quoad plurima, etsi sodales vere statum, nisi *iuridice tantum* intra ambitum aequiparationis, non assumant nec mutent.

In posterum praesumi potest Sanctam Sedem salutari rigore procedere futuram esse in novis approbandis Societatibus in communi viventibus sine votis.

2. *Vinculum* quo sodales ad perfectionis exercitium adiguntur, in aliquibus per vota privata (semi-publica) constituitur, in aliis per ipsam Societati incorporationem quarum Constitutiones et finis particularis ita requirunt.

3. Stabilitas maior vel minor in hac perfectionis professione ex vinculo procredit et diversimode obtinetur; in aliquibus ex votis, perpetuis vel temporariis; fere in omnibus

---

(89) Cfr. STANTON, *De Societatibus sive virorum sive mulierum in communi viventium sine votis,* n. 149.

per iuramentum vel promissionem perseverandi in Societate (90).

§ 2. *Societates sine votis quoad elementa iuridica generalia.*

Character iuridicus cuiuslibet societatis ecclesiasticae exigit characterem externum et iuridicum condicionis vitae, characterem externum et iuridicum vinculi et approbationem Ecclesiae.

1. *Societates in communi viventes sine votis,* qua societates characterem externum condicionis vitae possident (c. 673, § 1) vitam religiosorum imitantes, in communi, sub regimine Superiorum, tria consilia evangelica observantes (cfr. supra, art. III, § 2).

2. *Characterem externum et iuridicum causae stabilitatem* inducentis habent; quia saltem incorporatio Societati est externa, et vinculum cum Deo contractum non solum in conscientia effectum producit, sed etiam coram Societate: id est fit iuridicum ita ut non possint Societatem ad arbitrium relinquere (cfr. c. 681 ubi ipsis applicatur canon 645 de apostatis et fugitivis), nec Societas possit sodales ad arbitrium dimittere, sed servatis canonibus de dimissione religiosorum (c. 681). Cfr. supra dicta sub art. III, § 2. Ipsis applicatur etiam c. 642, § 2.

3. *Approbatione Ecclesiae* etiam donantur: « Circa erectionem et suppressionem Societatis eiusque provinciarum vel domorum, eadem valent quae de Congregationibus religiosis constituta sunt » (c. 674).

§ 3. *Societates sine votis quoad elementa iuridica peculiaria.*

Societates Tit. XVII per se non constituunt statum *canonicum publicum* perfectionis.

Hoc constat quia status publici in Ecclesia sunt *clericatus, laicatus* et *status religiosus* (c. 107); Societas autem sine votis « non est proprie Religio, nec eius sodales nomine religiosorum proprie designantur » (c. 673). Unde, per se et nisi contrarium probetur, Societates habendae sunt tanquam charactere iuridico quidem auctae, sed charactere tantum *iuridico-privato, seu semipublico.*

Per Const. tamen *Provida* edocemur Ecclesiam in tit. XVII libri II ad statum canonicum (publicum) perfectionis satis plene aequiparare statuisse has Societates (91). Aequiparatio de qua Constitutio loquitur non est procul dubio aequiparatio mere logica, sed vere legalis et iuridica, illa nempe quam Ecclesia voluit et decrevit. Ambitus huius aequiparationis constituitur a tit. XVII libri II.

Ex impraecisione huius tituli difficile est definire limites aequiparationis; aliqua tamen certa habentur. Itaque, in plurimis Societates vitae communis efformant statum *canonicum* perfectionis per aequiparationem cum statu religioso (92),

(90) Quomodo in singulis Societatibus vinculum perficiatur vel iuridicum fiat, hic explicare non possumus (Cfr. STANTON, *De Societatibus sive virorum sive mulierum in communi viventium sine votis,* p. 140 ss.); sed tantum elementa quae in Iure canonico communiter exiguntur. Applicatio theoriae generalis status perfectionis et status iuridici aliquibus Societatibus, difficultate non caret.

(91) Hoc ipsum quod Ecclesia statuit illas *ad statum canonicum aequiparare,* demonstrat ex se non constituere statum *canonicum,* sed solum per participationem.

(92) In hoc sensu, proprio quidem et stricto, sed limitato, sumitur titulus Constitutionis *Provida* « De statibus *canonicis...* », in quantum titulus ad Societates sine votis referri debeat. In hoc etiam sensu intelliguntur sequentia Constitutionis verba: « His omnibus sapienter prudenter ac peramanter (loquitur de Religionibus *et de Societatibus*) amplissime provisum fuerat animarum multitudini, quae relicto saeculo amplecti cuperent novum statum *canonicum stricte dictum...* ». De Societatibus verba stricte quidem intelliguntur, sed tantum intra ambitum « satis amplae aequiparationis », Ceterum cfr. supra not. 39, *bis.*

in aliquibus characterem *iuridicum-privatum (semipublicum) conservant.* Inde:

1. Societates per aequiparationem, et intra ambitum aequiparationis, sunt status canonicus publicus in Ecclesia (93).

Aequiparatio constat: a) Quoad facultatem habendi et recipiendi speciales Constitutiones (c. 673, § 1).

b) Quoad characterem iuris dioecesani vel pontificii, clericalem vel laicalem (c. 673, § 2), et de facto etiam quoad characterem exemptum vel minus.

c) Quoad erectionem et suppressionem Societatis eiusque provinciarum vel domorum. Applicatur ipsis ergo regimen centralizatum (c. 664).

o) Quoad regimen iuxta can. 499-530 (c. 675) (94).

e) Quoad regimen bonorum ad normam can. 676 §§ 1 et 3, 632-637 (Cfr. c. 676 § 2).

f) Quoad obligationes in can. 695-612 contentas, salvis propriis Constitutionibus (c. 679, § 1).

g) Quoad transitum ad aliam Societatem, immo vel Religionem ad normam can. 632-635, et quoad exitum e Societate per fugam vel apostasiam iuxta can. 645, vel per dimissionem iuxta can. 646-672 (c. 681).

Aequiparatio non conceditur: a) Quoad naturam actus consecrationis: sodalium nempe dedicatio est actus cultus et devotionis privatae, licet recognitus seu semipublicus; vota enim, ubi existunt, vel specialis vitae divino servitio consecratio, etsi a Superioribus ecclesiasticis recipiatur, non fit nomine Ecclesiae (c. 673, § 1.).

b) Quoad studia (c. 678).

c) Quoad privilegia (c. 680).

d) Quoad peculiares obligationes sodalium (679 § 1).

e) Quoad admissionem, nisi quoad can. 642 (c. 677).

f) Quoad clausuram (c. 679, § 2). Haec est quidem canonica, sed Constitutionibus regitur.

Iuxta ambitum aequiparationis, sodales mutant statum intra Ecclesiam. Cum autem aequiparatio tam ampla sit, praesertim in materia regiminis et relationum cum Superioribus, merito in Const. *Provida* « satis plena aequiparatio cum statu religioso » dici potuit.

Notandum insuper, aequiparationem etiam obtinere cum statu *clericali:* quoad studia et quoad ordinum susceptionem (c. 68), quoad privilegia et obligationes clericorum (c. 679, § 1).

2. Charactere sociali in Ecclesia donantur. Unde:

1) Necessario sunt societates.

2) Qua tales *incorporationem* membrorum necessario requirunt.

3) Vitam communem et quidem canonicam seu ad normam Codicis et Constitutionum servandam, colunt.

4) Secundum probatas Constitutiones vitam communem ducunt (673).

5) Earum forma exercendi apostolatum aequiparatur omnino formae a religiosis adhibitae. (Quoad haec omnia cfr. supra art. III, § 3, n. 2).

3. Votis publicis carent. Ubi vota emittantur haec non sunt publica seu ab Ecclesia formaliter *recepta* (c. 1308, § 1),

(93) Et intra ambitum aequiparationis quae « satis plena est ». Iurisprudentia S. Sedis in hoc tendit ut haec aequiparatio firmetur et amplior in dies reddatur; ita in materia studiorum (c. 678), in materia dimissoriarum litterarum ad sacros Ordines, quae hodie in Constitutionibus generatim conceduntur, applicando ultimam clausulam can. 641, etc. Cfr. N. GIL, CpR., vol. XXVIII (1949), p. 16-29.

(94) Superiores ergo habent potestatem *dominativam publicam,* et relationes Superiorum et subditorum, qua talium, inter se, sunt characteris publici. Similiter relationes Superiorum cum hierarchia ecclesiastica.

sed *privata recognita,* aut si velis *semipublica,* cum ab Ecclesia quin ignorentur potius recognoscuntur ad extruendum super ipsis statum vere iuridicum, in multis *vero* statui publico aequiparatum. Idemque dicendum de peculiaribus promissionibus quae in aliquibus Societatibus, loco votorum, pronuntiantur.

Art. V - INSTITUTA SAECULARIA

Hic labor facilior iam evadit, quia Constitutio *Provida Mater* omnia elementa ordinata nobis praebet, sive sub adspectu perfectionis evangelicae, sive sub adspectu iuridico in genere, sive etiam sub adspectu iuris peculiaris quo instituta saecularia reguntur.

§ 1. *Elementa theologica.*

Instituta saecularia statum perfectionis evangelicae completum et totalem profitentur (cfr. supra, art. I), sc. consecrationem vitae, morale coram Deo vinculum et stabilitatem.

1. A) *Consecratio vitae* ad perfectionem evangelicam consequendam: « Societates, clericales vel laicales, quarum membra, christianae perfectionis acquirendae atque apostolatum plene exercendi causa, in saeculo consilia evangelica profitentur... » (Const. *Provida Mater,* art. 1). « Quoad *vitae consecrationem* et christianae perfectionis professionem... » (ib., art. III, § 2).

B) *Consiliorum evangelicorum professio.* Singula consilia systematice in art. III, § 2 percurruntur. Membra stricto sensu sumpta (cfr. *P. Larraona,* ad art. III, § 2) amplecti debent: 1) *castitatem* perfectam voto, iuramento vel consecratione in conscientia obliganti; 2) *oboedientiam* voto vel promissione firmatam, in obsequium Dei et ad opera apostolatus exercenda; 3) *paupertatem* voto etiam vel promissione oblatam.

C) *Consiliorum evangelicorum particularium professio.* Implicite continentur in consiliorum generalium totali professione (cfr. supra, art. I, § 1); expresse tamen memorantur sive in art. I Constitutionis *Provida Mater* in quo *apostolatus* inter elementa ad naturam Institutorum pertinentia enuntiatur (cfr. etiam art. III, § 2, 2.o), sive in art. III, § 2, princ.: « Sodales, qui ut membra strictiore sensu sumpta, institutis adscribi cupiunt, praeter illa *pietatis* et *abnegationis* exercitia quibus omnes qui ad perfectionem vitae christianae adspirant... ».

Hinc Rom. Pontifex optime dicere potuit in Motu proprio *Primo feliciter* n. II: « Nihil ex plena christianae perfectionis professione, evangelicis consiliis solide fundata, et quoad substantiam vere religiosam, detrahendum erit... ».

2. *Vinculum morale coram Deo* quo obligantur ad praxim perfectionis exigitur in art. III, § 2, 1.o, 2.o, 3.o ubi praescribitur ut ad perfectionem efficaciter tendant sodales Institutorum: « Professione nempe *coram Deo* facta caelibatus et castitatis perfectae, quae voto, iuramento, consecratione *in conscientia obligant* firmetur (n. 1.o); « Oboedientiae voto vel promissione... » (n. 2.o); « Paupertatis voto vel promissione... » (n. 3.o).

Circa naturam et gradum obligationis horum vinculorum in Institutis saecularibus S. C. de Religiosis declarationem emanavit, authentice interpretando (cfr. *Provida Mater*, art. II, § 2, 2.o) articulum III Constitutionis. In ipsa edicitur, vincula Institutorum, ut fini atque naturae ipsorum respondeat, levia ex genere suo atque ex omni parte sese non posse (n. 1). E contra... ita in conscientia obligare censentur, ut obligationes quas inducunt *ex genere suo* graves dicendae sint (ib., n. 2. Cfr. textum integrum et commentarium in sectione « *Decreta, Rescripta, Formulae* », n. I, 5 (Cfr. *CpR*., 1949, p. 293).

Ex perfectionis evangelicae *totalis* professione, et ex *peculiari* ratione qua ad ipsam tendere *debent*, sc. ex speciali obligatione coram Deo contracta, Sodales Institutorum in illa *positionis differentia* respectu christianae perfectionis — *diversa a positione aliorum christianorum* — de qua S. Thomas in definitione status loquitur, constituuntur (Cfr. ad rem Motu pr., *Primo feliciter*, VI et Instr. S. C. Religiosis. *Cum Sanctissimus*, 10, *a*) et commentaria.

3. *Stabilitas* in hac professione, seu obligatio in ea perseverandi (cfr. art. I, § 2) duplici via in professis perpetuis obtinetur: 1.o per ipsa *vota* vel *promissiones* Deo facta; nam professio castitatis voto iuramento vel consecratione *firmari* debet (Const. *Provida Mater*, art. III, § 2, 1.o); oboedientia vero contrahitur voto vel promissione, ita ut *stabili vinculo* ligati totos... se dedicent (ib., n. 2.o). Firmitas in professione consiliorum obtinetur 2.o per vinculum quo inter se uniuntur membra et Institutum, quod in art. III, § 3, 1.o Constitutionis dicitur: « *Stabile* ad normam Constitutionum, sive perpetuum... ».

Ad rem etiam facit, ni fallimur, declaratio S. C. de Religiosis circa naturam vinculorum quae in Institutis saecularibus contrahuntur. Nam etsi *directe* resolutio prae oculis habeat vincula seu promissiones substantialia (obedientiae, castitatis, paupertatis), *indirecte* stabilitatem etiam vinculorum afficere videretur. Sane, hodie stabilitas non obtinetur speciali aliquo vinculo, sed ipsis vinculis seu promissionibus substantialibus emissis in perpetuum. Iam vero, ut modo diximus (sub n. 2) vota seu promissiones obligant graviter vel leviter iuxta materiam; cum vero stabilitas sit ipsis quid essentiale sine quo ipsa obligatio vinculorum substantialium esset quid illusorium, sitque proinde aliquid grave, consequitur stabilitatis vinculum sub gravi in Institutis etiam tenere.

In sodalibus qui vota vel promissiones perpetuas adhuc non emiserunt, stabilitas obtinetur: 1.o ex intentione seu proposito ea renovandi et in eisdem perseverandi; 2.o ex vinculo cum Instituto quod stabile esse debet: « perpetuum vel *temporarium elapso tempore renovandum* (c. 488, 1.o) » (Constitutio *Provida,* art. III, § 3, 1.o); 3.o ex vinculo morali quod tenere diximus sub imperfectione positiva. Circa haec omnia cfr. quae supra disputavimus agendo de statu religioso, sub art. III, § 1, III, quae, congrua congruis referendo, applicari possunt et debent Institutis saecularibus (95).

§ 2. Elementa iuridica generalia.

Instituta saecularia statum vere iuridicum perfectionis constituunt (cfr supra, art. II).

Id fuit totum obiectum Apostolicae Constitutionis *Provida Mater:* « ut illa Instituta, quae approbationem mereantur, talem obtineant peculiarem *iuridicam ordinationem...* » « atque ea omnia, quae sequuntur, Apostolica Auctoritate Nostra *declaramus, decernimus* ac *constituimus* » (In fine praeambuli).

Et revera in Institutis saecularibus, *qua statibus iuridicis in Ecclesia* datur:

1. *Character externus condicionis vitae* in perfectione evangelica prosequenda. Instituta saecularia enim sunt *societates visibiles;* et vita in paupertate, castitate et oboedientia ducta, certe est vita *externa,* etiamsi pro pluribus in humana societate occulta et ignota remanere debeat.

2. *Character externus et iuridicus causae stabilitatem inducentis.* Vinculum quo sodales Institutorum ad perfectionem tenentur et ad perseverandum in Instituto, non tantum externe contrahitur, sed est etiam iuridicum seu exigibile in societate. Stabilitas autem iuridica non minus constat in Institutis quam in Religionibus; nam si agatur de sodali *perpetuo* vota vel promissiones et vinculum cum Instituto est perpetuum, nec ad arbitrium dissolvi potest, sed ad normam Constitutionum (*Provida,* art. III, § 3, 1.o, 2.o); si vero agatur de sodalibus *temporariis,* ita admittuntur, *et non aliter,* ut vota vel promissiones et vinculum sint elapso tempore renovanda, eodem prorsus modo ac in Religionibus; quod deduci potest ex citatione can. 488, 1.o in textu Constitutionis facta.

Ea ergo quae supra diximus (art. III, § 2, II, 2) de *iuridica intentione perseverandi* et de natura iuridica votorum temporariorum, ad intentionem perseverandi et ad naturam votorum vel promissionum et vinculi in Institutis saecularibus applicari possunt.

(95) Praxis consiliorum evangelicorum exigi potest (et de facto exigitur) in aliquibus Institutis saecularibus maiore rigore quam in aliquibus Societatibus vitae communis (Cfr. I. CREUSEN, *Periodica*, 1948, p. 271, n. 13).

3. *Approbatio Ecclesiae.* Generalem approbationem Instituta adepta sunt in Constitutione Apostolica « *Provida Mater* ». Singularis tamen pro singulis etiam Institutis requiritur, et ad normam art. V-VI eiusdem Constitutionis, Motu pr. *Primo feliciter*, et Instr. S. C. de Religiosis *Cum Sanctissimus* conceditur.

§ 3. *Elementa iuridica peculiaria.*

1. *Instituta saecularia constituunt statum iuridicum privatum (semipublicum), non vero canonicum vel publicum in Ecclesia.*

Hoc abunde constat ex Const. *Provida.* Titulus Constitutionis est: « De statibus canonicis Institutisque saecularibus »; inde patet Instituta saecularia aliquid diversum ab statibus canonicis esse. In introductione eiusdem Constitutionis legitur: « Non tamen de omnibus consociationibus hic quaestio est... sed de iis tantum quae proprius quoad substantiam *accedunt* ad status canonicos perfectionis ». In art. II § 2, haec habentur: « Instituta saecularia: 1.o Iure, ex regula, nec sunt nec proprie loquendo dici possunt Religiones (c. 487, 488, 1.o) vel Societates vitae communis (can. 673, § 1). ».

Ergo statum canonicum vel publicum non constituunt; nec per se, ut Religiones, nec per aequiparationem ut Societates sine votis (96).

Quid vero secumferat character iuridicus *privatus* (semipublicus) vidimus supra (art. II, praenot. II) nec ibi dicta hic repetenda sunt.

Inde quae in art. II, § 1, 2.o statuuntur: « Religionum aut Societatum vitae communis proprio peculiarique iure non obligantur, neque ipso uti possunt, nisi quatenus aliquod huius iuris praescriptum, illius praecipue quo Societates absque votis publicis utuntur legitime ipsis, per exceptionem accomodatum fuerit atque applicatum ».

2. *Peculiaria ex peculiari charactere sociali derivantia.*

a) Instituta saecularia sunt: « *Societates,* clericales vel laicales, quarum membra... » (Art. I). Neque in infimo gradu

---

(96) Nihil tamen impedit quominus labentibus annis, talis character aliquibus Institutis saecularibus, partim saltem et per aequiparationem, tribuatur, ope specialis induti, quoad membra strictiore sensu sumpta; sicut et Congregationes religiosae seu Religiones votorum simplicium talem characterem tandem aliquando consecutae sunt. Ideo dicitur in art. II, § 2, 1.o Constitutionis « Iure, *ex regula*, nec sunt nec proprie loquendo dici possunt Religiones... ».

iuridico status perfectionis evangelicae, forma pure indivi-dualis et anachoretica hodie admittitur.

b) « *Regimen internum* Institutorum saecularium hierar-chice ad instar regiminis Religionum et Societatum vitae com-munis... ordinari potest » (Art. IX), ita nempe ut in provin-cias dividi possint, ab unico Superiore Generali dependentes, et cum charactere non locali sed universali (cfr. can. 492; 537; 674; 675). Potest etiam regimen ordinari forma non hie-rarchica ad instar Ordinis Benedictinorum, sive sub aliqua Confoederatione, sicut Benedictini nigri, sive absque Confoe-deratione veluti Benedictini albi.

Possunt tandem quamcumque formam regiminis induere, cum charactere etiam stricte locali et diocesano « pro ip-sorum natura, finibus et adiunctis » (97).

c) Societas indiget legibus quibus gubernetur, nec colle-gium admittitur irregulare, id est absque *lege collegii*. Instituta vero saecularia: 1) Non possunt neque debent uti peculiari iure religiosorum vel Societatum vitae communis (*Provida Ma-ter,* art. II, § 1, 2.o), quia iure (id est *sensu iuridico,* non *sensu theologico)* nec sunt, nec proprie loquendo dici possunt Religiones (can. 487, 488, 1.o) vel Societates vitae communis (c. 673, § 1) (ib., n. 1.o); nisi quatenus aliquod iuris prae-scriptum... legitime ipsis, per exceptionem, accommodatum fuerit atque applicatum (ib., n. 2.o).

2) Instituta reguntur communibus iuris canonici normis quae ipsa respiciunt (*Prov. Mater,* art. II, § 2), veluti normae de personis moralibus collegialibus (can. 99, 100, 102) earum-que actus (can. 101, 103-106), normae de Associationibus fi-delium *in genere* (can. 684-697). — Sodales, cum per incor-porationem Instituto saeculari, saeculares remaneant nec sta-tum mutent, si laici sint legibus laicorum subiecti pergunt, si clerici legibus et privilegiis clericorum saecularium. Cfr. P. Larraona, comment. ad art. II Const. *Provida Mater,* § 2, *a)* 4 et 5.

3) Peculiariter autem Instituta reguntur Constitutione Apostolica *Provida Mater,* normis quas pro ipsis ediderit vel R. Pontifex (e. gr. Motu proprio *Primo feliciter)* vel S. C. de Religiosis (cfr. Instr. *Cum Sanctissimus,* et art. II, § 2, 2.o Con-stitutionis Apost.), atque tandem particularibus Constitutioni-bus a S. Sede approbatis. Peculiaribus hisce normis frequenter iuri communi (supra, n. 1.o et 2.o) derogabitur, iuxta regu-lam iuris 34 in VI.o « generi per speciem derogatur ».

(97) Cfr. commentarium Rev.mi P. LARRAONA, ad art. IX Constitutionis *Provida Mater; CpR.,* 1949 p. 244 ss.

4) **Peculiaris character activitatis socialis sodalium in Institutis saecularibus** attente considerandus est quia ex ipso, una e praecipuis differentiis quibus distinguuntur ab aliis statibus perfectionis procedit.

Sane, e contra ac in Religionibus et in Societatibus vitae communis, activitatem socialem et religiosam Instituta exercent *ab intrinseco in mundum* operando, et vitam in ipso mundo, *saecularem* nempe, ducendo. Unde, ut plurimum, sodales institutorum:

a) statum socialem in mundo retinent et professiones saeculares, etiam publicas, sicut ceteri cives exercent;

b) opera et actuositas sodalium Institutorum, interne sunt specifice religiosa et apostolica, quia tota eorum vita consecrata est divino servitio et apostolatui; externe tamen nihil differt ab operibus aliorum saecularium:

c) opera sodalium Institutorum sunt praevalenter *singulorum* seu personalia, non vero collectiva; vel si collectiva sint et semper sub ductu Superiorum, generatim potius externe apparent tanquam a singulis exercita.

d) tandem, exceptis illis sodalibus qui *vitam* communem ducunt, vel ad normam Const. Apostolicae (art. III, § 4) vel ad normam propriarum Constitutionum, ceteri omnes in mundo vivunt, etiam apud propriam familiam, neque a relationibus socialibus abstinent, sed potius ipsas fovere curant, ut in omnibus Christi regnum diffundatur. Habitum denique saeculare induunt tamquam medium « penetrationis » uti aiunt, in locis et societatis ambitu ubi influxus clericorum vel religiosorum facile pervenire non potest.

Egregie hunc characterem *saecularem* Institutorum Pius XII in Motu pr. *Primo feliciter* enucleavit: « illud prae oculis semper habendum est, quod proprius et peculiaris institutorum character, *saecularis* scilicet, in quo ipsorum exsistentiae tota ratio consistit, in omnibus elucere debet. Nihil ex plena christianae perfectionis professione, evangelicis consiliis solide fundata et quoad substantiam vere religiosam, detrahendum erit, sed perfectio est in saeculo exercenda et profitenda; ac, proinde, cum vita saeculari in omnibus, quae licita sunt et quae cum eiusdem perfectionis officiis et operibus componi valent, accommodetur oportet.. Hic apostolatus Institutorum saecularium non tantum *in saeculo*, sed veluti *ex saeculo*, ac proinde professionibus, exercitiis, formis, locis, rerum adiunctis saeculari huic condicioni respondentibus, exercendus est fideliter » (n. II) (Cfr. commentarium ad n. II *Motu proprio);*

e) status socialis exigit *incorporationem* membrorum societati. « Vinculum autem quo Institutum saeculare et ipsius membra strictiori sensu sumpta inter se coniungi oportet, debet esse: 1.o *Stabile,* ad normam Constitutionum, sive perpetuum sive temporarium elapso tempore renovandum (c. 488, 1.o); 2.o *Mutuum* ac *plenum*, ita ut, ad normam Constitutionum, sodalis se totum Instituto tradat, et Institutum de sodali curam gerat atque respondeat » (Art. III, § 2, 1.o et 2.o);

f) Vita communis quatenus participatio eiusdem mensae et sub eodem tecto, Institutis nec imponitur nec prohibetur. Solummodo imponuntur una vel plures pro necessitate vel utilitate, domus, ad normam art. III, § 4. Ubi tamen vita communis habeatur, haec non est *canonica* (art. II, § 1 et III, § 4 princ.) nec legibus canonicis subiacet (604-607, 639 etc.), nec ideo Institutum fit Religio aut Societas vitae communis; sed normis constitutionalibus tantummodo ordinari potest et debet (98).

3. *Vota vel promissiones.*

Si quae vota in Institutis emittantur (cfr. Art. II, § 2) ea non sunt publica, seu nomine Ec-

---

(98) S. C. de Religiosis vitae communi favet quia est optimum et traditionale medium pro meliore observatione consiliorum tum generalium (paupertatis, castitatis, oboedientiae), tum particularium, veluti modestiae, mortificationis, abstractionis a mundo, spiritus recollectionis, etc.

clesiae recepta; indeque personae, etsi ad ea observanda teneantur ex virtute religionis non tamen fiunt sacrae in Ecclesia ad instar clericorum, nec privilegio canonis fruuntur, neque profanationem seu sacrilegium eorum infractio implicat.

Constat ex declarat. S. C. de Relig. in Congressu die 19-V-1949:
« 5. Etiam quando certa sit formalis ex virtute religionis obligatio, cum agatur de votis seu vinculis quae, etsi adaequate privata non sint, tamen ex regula nec sensu stricto atque specifico publica dici valeant nec publicam personae consecrationem inducant, ipsorum violationi sacrilegii malitia non est tribuenda » (Cfr. supra commentarium, *CpR.*, 1949, p. 292 seq.).

Non tamen sunt privata eodem sensu ac vota quae a S. Poenitentiaria dependent: haec sunt privata fori interni, illa e contra sunt privata sed fori externi et vere iuridica; ita nempe ut fundamentum praebeant constitutioni categoriae personarum quae specialibus normis iuridicis subiacent. Ideo *semipublica* merito dici possent vel *privata recognita* eo vel magis quod ex specialibus indultis publice ab Ecclesia recipi non repugnat, licet generatim et ex regula minus congruum videretur (99).

Art. VI - COMPARATIO INTER DIVERSOS GRADUS IURIDICOS PERFECTIONIS EVANGELICAE IN ECCLESIA.

Iam ergo deveniendum nobis est ad comparationem instituendam inter diversos gradus iuridicos perfectionis evangelicae. Ne vero fastidiosis repetitionibus incurramus, forma quasi schematica et per modum conclusionum procedemus, remittentes ad locos praesentis studii ubi assertionum seu conclusionum probationes inveniri poterunt.

§ 1. *In quo communiter convenit triplex gradus seu typus perfectionis: Religiones, Societates vitae communis, Instituta saecularia.*

I. *Quoad elementa theologica.*

Tam Religiones quam Societates et Instituta constituunt seu amplectuntur statum perfectionis evangelicae *totalis, theo-*

(99) Ex praxi S. C. de Religiosis publicitas votorum conservatur illis sodalibus qui professionem emiserunt in aliqua Congregatione religiosa quae in formam Instituti saecularis reducitur. Praeterea, *publica* etiam et *religiosa* conceduntur sodalibus *internis,* seu qui modo stabili ad vitam communem adstringuntur in Institutis saecularibus. Haec vota publica censenda sunt, ex speciali concessione, vere religiosa (non quidem quoad ambitum canonicum obligationum, sed quoad characterem ipsorum). Alia vota publica, praeter religiosa, nec concessa sunt neque, ut videtur, adhuc conceduntur. Haec concessio publicitatis, cum charactere religioso, iam praevisa est in Const. Apost. *Provida Mater*, art II, § 1, 2: « Instituta saecularia iure, *ex regula*, nec sunt nec dici possunt Religiones ». In declaratione S. C. de Religiosis ex Congressu pleno diei 19 maii 1949 legitur sub n. 1, 5: « Etiam quando certa sit formalis ex virtute religionis obligatio cum agatur de votis seu vinculis quae, etsi adaequate privata non sint tamen *ex regula* nec sensu stricto atque specifico publica dici valeant... ». Praevidentur ergo in ipsa .ege futurae exceptiones.

logice consideratae. (Cfr. quoad Religiones art. III, § 1; quoad Societates art. IV, § 1; quoad Instituta art. V, § 1). — Quoad differentiam in modo perfectionem evangelicam procurandi, quae magnam gignit differentiam in genere *vitae asceticae* inter *religiosos* et *saeculares,* cfr. notam 87.

II. *Quoad elementa iuridica generalia.*

Triplex typus seu gradus habet: 1) characterem externum condicionis vitae, in professione nempe externa et coram Ecclesia consiliorum evangelicorum; 2) characterem externum et iuridicum vinculi stabilitatem inducentis et 3) approbationem Ecclesiae. (Quoad vitae externam condicionem, cfr. pro Religionibus art. III, § 2, n. I; pro Societatibus vitae communis art. IV, § 2, n. 2; pro Institutis saecularibus art. V, § 2, n. 1. Quoad characterem externum et iuridicum vinculi, cfr. pro Religionibus, art. III, § 2, n. 2; pro Societatibus, art. IV, § 2, n. 2; pro Institutis, art. V, § 2, n. 2. Quoad approbationem Ecclesiae, cfr. pro Religionibus, art. III, § 2, n. 3; pro Societatibus, art. IV, § 2, n. 3; pro Institutis, art. V, § 2, n. 3).

III. Ex elementis iuridicis quae non ex ipsa exigentia iuridica seu charactere generali iuridico proveniunt sed *ex positiva iuris dispositione originem habent,* communia sunt sequentia:

a) *Character socialis:* status iuridicus perfectionis nonnisi *in aliqua societate* ab Ecclesia approbata suscipi potest. (Cfr. Quoad Religiones, sub art. III, § 3, 2; quoad Societates sub art. IV, § 3, 2; quoad Instituta sub art. III, § 3, 2).

Hic character socialis: 1) *incorporationem* cum consequenti *vinculo* postulat, quod in tribus categoriis debet esse *mutuum* et *stabile* (ib.) et insuper; 2) regulam et peculiares constitutiones (ib.).

b) *Character universalis,* character *iuris dioecesani* et *pontificii,* immo et *exemptionis* quam, non tantum plures Religiones et aliquae Societates obtinent, sed absolute non repugnat ut obtineant aliqua etiam Instituta saecularia.

§ 2. *Quomodo, in particulari, inter se conveniant vel differant Religiones et Societates vitae communis.*

I. *Quomodo conveniunt.*

Utraque categoria statum perfectionis totalem amplectitur (cfr. supra, art. VI, § 1, n. 1) et characteres iuridicos generales possidet (cfr. ib., n. II) necnon characterem socialem iuxta ibidem dicta (n. III, a).

Peculiariter inter se (non vero cum Institutis) conveniunt in forma activitatem religiosam socialiter exercendi, sc. quasi *ab extrinseco* in mundum operando, seu vitam omnino a saeculari alienam ducendo (Cfr. supra, art. III, § 2, n. 2, D pro Religionibus; art. IV, § 2, n. 2, 5 pro Societatibus vitae communis); clau-

suram, eamque canonicam, colunt (Quoad Religiosos cfr. art. III, § 3, B; quoad
Societates vitae communis, art. IV, § 3, sub n. 1, f) et habitum specialem generatim gestant, ut notum est.

II. *Quomodo differunt.* 1) Status religiosus est status publicus, cum omnibus quae inde procedunt consectariis (cfr.
art. III, § 3, 1); Societates vitae communis per se et ex regula
non sunt status publicus, amplam tamen aequiparationem statui publico in iure obtinent (cfr. art. IV, § 3).

2) Religiosi *vota publica* emittunt (cfr. art. III, § 3, n. 3);
sodales Societatum vel vota non emittunt, sed solummodo peculiares promissiones, vel si vota emittant ea non sunt publica
seu nomine Ecclesiae recepta, sed *semipublica* (art. IV, § 3,
n. 3).

3) Vita communis et clausura in utrisque est canonica;
in Societatibus vero vitae communis « clausuram servant ad
normam Constitutionum sub Ordinarii loci vigilantia » (c.
679, § 2).

4) Societates ex regula, iure religiosorum (obligationibus,
iuribus, privilegiis) non utuntur.

§ 3. *Quomodo Instituta saecularia cum Religionibus et
Societatibus vitae communis conveniant et ab ipsis
discrepent.*

I. a) *Quomodo Instituta conveniant cum Religionibus et
Societatibus* (Cfr. supra, sub hoc art. VI, § 1).

b) *Quomodo Instituta conveniant cum Societatibus peculiariter.* 1) Tum Societates tum Instituta, ex regula non constituunt statum *publicum* in Ecclesia;

2) Iure religiosorum ex regula uti non possunt, nec gaudent privilegiis.

3) Vel vota non emittunt, sed solummodo speciales promissiones, iuramenta, consecrationem, contractum, vel si vota
quidem, emittant, haec non sunt publica sed *semipublica* seu
privata recognita.

II. *In quo discrepent.*

A) *Instituta a Religionibus et Societatibus generatim.*

1) Religiones et Societates efformant statum *canonicum*
personarum, sodales Institutorum statum canonicum non mutant sed remanent personae saeculares.

2) Quoad formam et specificum characterem externum
actuositatis religiosae et socialis (Cfr. *Quoad Religiones,* art.

III, § 3, n. 2, D; quoad Societates, art. IV, § 3, n. 2, 5; quoad Instituta, art. V, § III, n. 2, c, 4.o);

3) Religiones et Societates clausurae canonicae tenentur (cfr. art. III; § 3, n. 2, B; art. IV, § 3, n. 1, f); sodales Institutorum more saecularium vivunt; si vero clausuram servent ea canonica minime habenda est (cfr. art. V, § 3, n. 4, f);

4) Vita communis canonica obligatoria est pro Religionibus et Societatibus (art. III, § 3, n. 2, B; art. IV, § 3, n. 2, 3); minime vero pro Institutis saecularibus. Neque canonica dicenda est si ipsam ex iure particulari observent (art. V, § 3, n. 2, c, 4, f); — Similiter sodales religiosi vel Societatum habitum ecclesiasticum speciale induunt, minime vero sodales Institutorum saecularium;

5) Vinculum iuridicum stabilitatis in professis temporariis Religionum et Societatum *sub onere* tenet iuxta ea quae explicavimus in art. III, § 2, II, 2, G), in Institutis saecularibus eiusmodi vinculi gradus et species non datur.

B) *In quo specialiter discrepent Instituta a Religionibus.*

1) Religiones constituunt statum canonicum publicum in Ecclesia (cfr. art. III, § 3, n. 1); Instituta statum tantummodo iuridicum (art. V, § 3, n. 1).

2) Religiosi vota emittunt (art. III, § 3, n. 3) sodales Institutorum non necessario vota, sed vel iuramentum, vel speciales promissiones vel consecrationem (art. VI, § 3, n. 3).

3) Iure religiosorum (obligationibus, iuribus, privilegiis), uti non possunt.

Hae non sunt *peculiares* differentiae inter Religiones et Instituta, quia etiam vigent inter Religiones et Societates vitae communis.

C) *In quo Instituta specialiter a Societatibus vitae communis discrepent.*

Societates in pluribus aequiparantur Religionibus, et intra ambitum aequiparationis statum publicum obtinent (art. IV, § 3).

Instituta e contra aequiparationem adhuc non obtinent.

CONCLUSIO.

An novae formae iuridicae perfectionis evangelicae admitti possint. Per plures annos, immo et per saecula, Instituta saecularia ad ianuas Ecclesiae pulsaverunt ut ad familiam Status perfectionis admitterentur. Ecclesia tandem respondit et ianuas aperuit per Const. *Provida Mater*. Sed aliquae societates foris remanserunt, ad ostium stant et pulsant; ad rigorem iuris, elementa Institutorum saecularium non habent; sed perfectionem evangelicam non minore fervore amplectuntur.

Adsunt sane aliquae societates in quibus sodales tria evangelica consilia de facto prosequuntur et fideliter observant, absque tamen conscientia obligationis sub peccato; nullum votum proprie tale, nullum iuramentum, nulla promissio quae sub gravi vel sub levi obligare censeatur. Societati adscribuntur post longum probationis experimentum; libertatem tamen retinent eam quocumque momento relinquendi, saltem eo sensu quod nullum peccatum per separationem committere arbitrentur.

Haec quidem quodammodo opponi videntur elementis quae in Institutis exiguntur: sc. obligatio vinculorum, obligatio stabilitatis.

Et his non obstantibus, in illis societatibus sodalium defectiones sunt rarae, observantia consiliorum Christi perfecta, vocatio divina valde persentita; ingratitudo erga Deum valde timetur, dimissio a Societate valde abhorretur, et quid vere indecorum aestimatur. Socialiter et externe nihil desideratur quod in aliis statibus perfectionis exigitur et ad quod illa omnia vincula tendunt; theologice totum fundamentum sistit in *simplici proposito* perfectionem perpetuo prosequendi; vinculum morale adest, sed non superare videtur vinculum quod sub *imperfectione positiva ligare diximus*.

Poteritne ex his, nova categoria Status perfectionis iuridici constitui? Adsuntne fundamenta ut saltem Institutis saecularibus aequiparari valeant? Res hodie doctrinae commissa est, sed etiam iurisprudentiae S. C. de Religiosis. Casus similes non desunt; nam similis naturae societates admissae sunt temporibus anteactis ad categoriam Societatum vitae communis.

Alia etiam quaestio S. Sedi solvenda exhibetur. Adsunt plures qui perfectionem sectari desiderant in saeculo; sed potius quam alicui Instituto saeculari, nomen dare exoptant alicui Religioni eique arcte vinciri. Annon erit possibile admittere membra lato sensu Religionis, sicut admittuntur membra lato sensu Institutorum saecularium? Solutio forsan iam aliquo modo adumbratur in Instr. *Cum Sanctissimus* 19 martii 1948 (*AAS.*, 1948, p.), n. 9: « Etsi nihil impediat quominus ad normam iuris (c. 492 § 1) Instituta saecularia Ordinibus aliisque etiam Religionibus, ex speciali concessione, aggregari et ab ipsis diversimode adiuvari, et etiam aliquo modo moraliter dirigi valeant, tamen aliae strictioris dependentiae formae, quae *Institutorum saecularium regiminis autonomiae dethrahere viderentur ipsamve tutelae plus minusve strictae subicere*, etiamsi ab Ipsis Institutis, mulierum praesertim, desiderentur et invocentur, *nonnisi difficulter*, bono Institutorum attente desiderato, atque spiritu et apostolatu cui incumbere debent natura ac ratione ponderatis, opportunisque adhibitis cautelis, *concedi poterunt* ». Textus non loquitur directo de nostro argumento; sed tandem aliquando admittit — etsi difficulter — associationes perfectionis quarum autonomiae aliquid detrahi poterit per dependentiam ab aliqua Religione (100).

> *Alii periti viri, ex munere a Sacra Congregatione de Religiosis commisso, circa idem argumentum scripserunt.*

117   Rev.mus P. HERCULES GALLONE, Superior Generalis, C. S. P., *scripsit*:

Più che una precisazione giuridica, teologica o ascetica sugli Istituti Secolari in genere, che lascio volentieri all'esimio oratore e agli scrittori più competenti di me in materia, mi pare di qualche interesse presentare una concreta realizzazione di quell'anelito interiore che la *Provida M. E.* definisce come l'anima degli Istituti Secolari, nella storia della Compagnia di S. Paolo, come si è andata organizzando, quasi senza che i suoi membri ne avessero coscienza, in quella forma che attualmente ha e che è stata approvata dalla Suprema Autorità, il 30 giugno u. s.

Sorse nel 1920, quasi col manifestarsi delle prime discussioni che portarono alla solenne promulgazione della P.M.E.

Sorse accanto al letto del morente Cardinal Ferrari, che aveva, nel Suo lungo pontificato milanese, risvegliato attraverso le organizzazioni giovanili, l'entusiasmo della vita cristiana e la coscienza del dovere di un apostolato personale e collettivo. Da quelle organizzazioni dalle quali si sviluppò poi il movimento di rinnovazione cristiana dell'Azione Cattolica. Sorse tra un gruppo di giovani propangandisti che, essendo cresciuti alla Scuola del Cardinale, particolarmente si era-

(100) Cfr. nostrum commentarium in CpR., 1949, p. 276-279 vel etiam in *De Institutis saecularibus*, vol. I, p. 166-169).

no resi sensibili contro le deformazioni del liberalismo che irretiva lo spirito in un clima di razionalismo, stroncava gli impulsi generosi della fede con la concezione edonistica della vita, tarpava le ali ad ogni ascesa virtuosa. Sorse in Lombardia, dove il socialismo divampante, predicava apertamente che il Paradiso va cercato su questa terra e sugli stessi banchi delle scuole, asservite ai Comuni rossi, imponeva il catechismo di Serrati che insegnava essere il Paradiso e l'inferno nient'altro che invenzione dei preti. Quei giovani avevano combattuto contro queste correnti anticristiane sotto l'impulso incessante del Card. Ferrari che ai suoi sacerdoti aveva dato come parola d'ordine: « Fuori di sagrestia! », che obbligava tutti i suoi parroci a creare quelle organizzazioni che prepararono i futuri dirigenti delle attività cattoliche, che andava continuamente ripetendo la necessità di una tempestiva attività, giacchè diceva: « Chi fa, qualche volta sbaglia, ma chi non fa sbaglia sempre ». « Il torto è sempre di chi è assente ». « Fare, fare, fare ».

Sorse come una necessità di vita, un bisogno di evasione da una apparenza di vita cristiana che non poteva soddisfare le vere esigenze dello spirito.

Fra i più ardenti di questi giovani, — alcuni dei quali si erano impegnati con giuramento nell'Avanguardia a dare il sangue per la difesa della libertà cristiana e lo avevano dato veramente nella difesa delle Chiese assaltate dai rossi (S. Luigi e S. Eustorgio a Milano), altri militavano nelle organizzazioni più combattute (Leghe Bianche, Gioventù Cattolica), — incominciò a sentirsi il bisogno di dedicare tutte le energie della propria vita alla difesa e alla diffusione del Regno di Cristo, poi, trovando nella stessa famiglia ostacolo continuo alla realizzazione del santo desiderio, incominciò a maturare l'idea di una consacrazione totale a Dio, in una vita comune, per poter dedicarsi con maggiore libertà e dedizione alle opere di apostolato sociale. Nacque così la comunità di S. Paolo, che fu approvata « in experimentum ad triennium » dal Cardinal Ferrari il 17 novembre 1920. Quei primi Paolini volevano, contro i « Massimalisti », la frazione più accesa del socialismo di quei tempi, fare del « Massimalismo cristiano »: volevano praticare il Vangelo nella sua accezione integrale, senza mezze misure, senza accomodamenti o compromessi di coscienza. Essi volevano abolire dalla loro vita ogni « frateria », cioè ogni abito esteriore, ogni forma di convento, per poter entrare più facilmente in contatto con il mondo lontano da Cristo. Non pensavano neppure ai voti religiosi, non perchè non volessero dare tutto al Signore, ma perchè sembrava loro di vedervi qualche cosa di formalistico; pretendevano però una forte volontà interiore di piena dedizione al Signore, un impegno formale di consacrare tutta la vita all'apostolato e ne facevano solenne promessa in una veglia Eucaristica, come gli antichi cavalieri della Crociata. Venendo alla comunità ciascuno dava tutto quello che possedeva: denaro, attività, tempo, energie personali, senza chiedere altro che di lavorare per Dio.

Le prime attività della Comunità furono rivolte ai poveri, ai bisognosi, agli operai, agli scarcerati, alle donne perdute, a tutti i più lontani dall'ovile di Cristo. Si occupavano di scuole professionali, di uffici di assistenza, della stampa, del cinema, del teatro, di tutto quello che potesse presentare al loro apostolato un campo da dissodare, anime pericolanti da salvare. Il Cardinal Ferrari affidò loro la « Casa del Popolo » che la Diocesi gli aveva regalato nel suo giubileo episcopale e che Lui avrebbe voluto fosse l'antidoto della « Umanitaria », la grande organizzazione dei socialisti, e come un porto di mare al quale potessero approdare tutti i naufraghi della vita.

Per conservare il calore dello spirito la piccola comunità aveva iniziato nelle sue Cappelle l'Esposizione Eucaristica quotidiana. Ognuno vi andava a turno a riposarsi delle fatiche apostoliche ed a rifornirsi degli aiuti del Signore. E anche la notte, una o più volte la settimana, la veglia si continuava, talvolta fino al mattino.

La vita della piccola comunità in quel tempo era caratterizzata da un grande fervore di attività. Era uno degli slogan comuni: « per tempi nuovi, uomini nuovi, idee nuove, mezzi nuovi ».

Il contatto con le masse operaie cristianizzate, negli stabilimenti, nei refettori, nelle scuole serali, nelle case popolari della periferia delle grandi città, manteneva vivo il tormento interiore delle parole di Cristo: « alias oves habeo...

illas oportet me adducere ». E il contatto Eucaristico lo faceva sempre più urgente, stimolandoli alla donazione sempre maggiore di se stessi, gustando la gioia paolina dell'« adimpleo ea quae desunt passioni Christi ».

In tale clima di generosità regnava il disinteresse ed era facile la mutua carità. Ognuno dava e si dava senza pretese, con semplicità, con sincerità trasparente. Nei rapporti vicendevoli regnava una grande schiettezza, talvolta anche rude, ma l'amore della verità e il desiderio sincero di santità ne faceva superare facilmente le asprezze.

C'era in ognuno un grande rispetto della personalità altrui, e un sincero desiderio di coltivare la propria perfezione personale, di migliorare e di rendere sempre più efficiente la propria attività. Altro slogan di quei tempi: « Ogni Paolino dev'essere un'opera », cioè un centro di attività concreta.

Ben presto tale attività non rimase unicamente nell'ambito delle opere e dell'apostolato collettivo della Compagnia, ma si esplicò altresì nell'ambiente della vita professionale, attraverso l'esercizio di un apostolato individuale e della specializzazione di questo o quel membro della Compagnia.

Fu così che quando la P.M.E. conferì esistenza giuridica agli *Istituti Secolari,* la Compagnia di S. Paolo, che nel 1926 era stata assimilata alle Congregazioni Religiose, sine votis, col voto unanime dei suoi membri chiese ed ottenne di essere riconosciuta come Istituto Secolare.

Infatti nello spirito della P.M.E. la Compagnia di S. Paolo trovava l'atmosfera più adatta alla esplicazione del programma di vita e di apostolato quale era venuto maturando nel suo seno: una totale consacrazione della propria vita al Signore, concepita come necessario potenziamento di un apostolato di penetrazione totale della vita cristiana: dottrina-vita interiore-opere, nella vita moderna individuale e principalmente collettiva, sotto tutti gli aspetti e in tutti i campi (famigliare, professionale, sociale, politico).

D'ora innanzi ai membri della Compagnia di S. Paolo riuscirà più agevole dare al mondo, e specialmente agli ambienti religiosamente più refrattari, quella testimonianza cristiana che deve saper adattarsi alla mentalità ed alle possibilità di comprensione dei moderni neopagani, e stare preparata a rendere alla Chiesa importanti servizi anche in tempi di eventuale persecuzione religiosa.

Attraverso la solidità della perfezione evangelica e sostanzialmente religiosa quale è richiesta dalla P.M.E. la possibilità di superamento di tutte le forme che possono in qualche maniera impedire od ostacolare l'apostolato di penetrazione, la Compagnia di S. Paolo ha trovato nella P.M.E. la dimostrazione pratica che la realtà della Consacrazione religiosa e la fecondità dell'azione apostolica, più che in una forma esteriore, consiste in una reale dedizione di mente, di cuore e di vita al Signore.

Les Instituts Séculiers considérés comme « états de perfection ».

Je pense que ma communication pourrait se résumer dans cette proposition: *la notion d'état de perfection, telle que l'a établie saint Thomas, doit être attribuée à la « situation extérieure » de l'homme.*

> Beaucoup d'auteurs spirituels, en effet, parlent aujourd'hui de l'état de perfection comme s'ils entendaient par là une qualité de l'âme, un état *intérieur*. Peut-être la pratique de certains voeux privés, la création de certaines associations secrètes, ont-elles fait penser ainsi, mais c'est une erreur.

Rappelons donc la définition que donne saint Thomas de l'état de perfection.

Saint Thomas montre d'abord (1) que le mot état (*status*) signifie par lui-même une position *stable* et que cette stabilité ne se vérifie que dans deux conditions humaines: la condition libre et la condition servile. Pauvreté ou richesse, chance ou malchance... ne sauraient constituer des états parce que ce ne sont pas des choses stables. Au contraire, liberté et servitude étaient — au moins au moyen âge — deux conditions stables. De même aujourd'hui le fait, par exemple, d'être *lié* dans l'état de mariage.

> Ceci dit, saint Thomas envisage deux états « de perfection »: un état *intérieur* que Dieu seul voit: l'état de grâce (qui nous rend libres en étant esclaves de Dieu), ou l'état de péché — et, un état *extérieur*, social, ecclésiastique et c'est celui-là uniquement qui est envisagé lorsque l'on parle d'état de perfection.

Quelles sont alors les conditions pour que se réalise extérieurement l'état de perfection? Saint Thomas les analyse dans un article capital:

> « Pour acquérir parmi les hommes un état de liberté ou de servitude, dit-il, il faut d'abord qu'intervienne un acte par où l'on se trouve soit obligé soit délié. Le seul service d'autrui ne fait pas l'esclave... Celui-là est vraiment serf qui est *obligé* à servir.
> Il faut ensuite que l'acte où l'on s'oblige revête une certaine *solennité*... L'on dira qu'un homme se trouve dans l'état de perfection non pas à raison de l'acte intérieur de charité qui en lui est parfait, mais parce qu'il s'est obligé pour toujours et par un acte solennel aux choses de la perfection » (2).

Voilà qui est net. L'état de perfection (épiscopal ou religieux) comportera toujours deux éléments: une obligation

---

(1) *Summa Theol.*, 2. 183, art. 1.
(2) *Ibid.*, 2. 184, art. 4.

perpétuelle, une obligation *extérieure* aux choses de la perfection.

Une remarque s'impose ici. Les conditions juridiques des états ont changé depuis saint Thomas. Au XIIIème siècle, l'Eglise ne dispensait jamais du voeu solennel. La notion d'état s'est donc assouplie aujourd'hui. Nous ne pouvons plus parler d'état de perfection qu'en un sens moins ferme et d'autant moins ferme que l'on s'éloigne davantage des deux conditions essentielles susdites. Ceci ne nous autorise cependant pas à parler d'état de perfection là où ne se vérifierait plus du tout l'une ou l'autre condition: obligation perpétuelle, obligation publique.

Cette théologie des états de perfection a été très méconnue par certains instituts séculiers au début de leur existence. Quelques-uns ne voulaient aucun engagement perpétuel même privé. D'autres redoutaient tout ce qui prenait un caractère public et qui faisait ressembler aux professions religieuses. Cependant, *si ces deux éléments ne se vérifient pas, les instituts séculiers n'ont pas droit au titre d'états de perfection.*

1. D'abord, *l'obligation perpétuelle.* Il faut une obligation (promesse, serment, engagement, voeu, etc.) et il faut qu'elle soit perpétuelle. Même si le droit de l'institut n'établissait que des voeux temporaires perpétuellement renouvelables, il faudrait que d'une façon ou d'une autre, psychologiquement au moins, *le fait d'entrer* dans l'institut manifeste tacitement que l'on entend s'y engager à vie.

Si implicite qu'elle soit, cette sorte d'engagement perpétuel permet de vérifier encore la notion d'état de perfection. Sinon, *première conclusion,* l'institut séculier considéré n'est pas un état de perfection.

2. *L'obligation extérieure.* Certains instituts ont un tel souci de demeurer dans le secret que l'on y évite tout ce qui peut donner de la publicité à l'engagement. Il faut cependant qu'il soit d'une certaine façon public pour que soit vérifiée la notion d'état de perfection.

a — Il faut que l'engagement lui-même soit public. Et cette publicité comporte trois degrés:
— On s'engage publiquement au vu et au su de tout le monde.
— On s'engage publiquement devant les membres de l'institut séculier seulement. Le monde extérieur ignore l'engagement. Ainsi font quelques instituts séculiers. Dans un institut que je connais, le secret est encore poussé plus loin puisque les membres mêmes n'ont pas le droit de se connaître s'ils ne sont pas de la même ville.
— On s'engage devant un public restreint (l'institut) et l'on prononce en public qu'une partie de ses promesses. Par exemple en certains Instituts, on fait le voeu de chasteté en privé devant son directeur, et l'on s'engage en public à suivre la Règle de l'Institut. Ceci à vrai dire n'a guère d'importance puisque le voeu de chasteté est demandé à tous.
Il semble qu'on ait beaucoup exagéré l'importance, dans la société actuelle, du secret. Les membres ainsi engagés dans le secret subissent un double dom-

mage: l'état de perfection qu'ils embrassent est moins ferme, moins « parfait ; c'est donc un moyen moins fort pour conduire à la perfection. Et d'autre part ils ne donnent pas le témoignage religieux qu'ils pourraient donner. L'Eglise, le Christ, ne se font pas reconnaître en eux comme cela pourrait être. Or, « aujourd'hui plus que jamais c'est surtout de témoins que l'Eglise a besoin; des témoins qui par leur vie fassent resplendir le vrai visage du Christ et de l'Eglise aux yeux du monde paganisé qui les entoure » (Message de S. S. Pie XII au Congrès Eucharistique de Nantes).

Donc, *deuxième conclusion*, pour qu'il y ait état de perfection, il faut que l'engagement soit public et qu'il le soit avec le moins de restrictions possibles. Sans aller jusqu'au port d'un habit — ce qui ne convient pas à des instituts séculiers — il semble que le port d'un insigne serait bien souvent à conseiller.

b — Il faut enfin que la matière de l'engagement soit *extérieure, publique*. Les voeux, en effet, ne portent pas sur des actes intérieurs (la contemplation, l'amour de Dieu et du prochain) mais sur des actes extérieurs. Les premiers sont la fin des voeux, les seconds la matière. Saint Thomas est très ferme sur ce point (cf. IIa IIae q. 186 a. 1 ad 1m). On ne fait pas voeu de charité, ni de pauvreté spirituelle, ni de *vertu* de chasteté, ni de *vertu* d'obéissance (la vertu est la fin des voeux). Mais on s'attache par voeu à tel régime concret de pauvreté qui peut d'ailleurs varier beaucoup ici et là, mais qui devrait comporter ceci de commun qu'on n'y possède rien en propre. On s'engage publiquement à garder le célibat pour le Seigneur. On se lie à telle institution déterminée, à tels supérieurs, sous telle règle de perfection.

Or on trouve ici la plus grande variété, disons même le plus grand imbroglio parmi les instituts séculiers.

1. Pour le voeu (ou la promesse) de continence, pas de difficulté. Il n'y a pas deux manières de l'envisager.
2. Pour le voeu de pauvreté au contraire, grande difficulté. Dès qu'il n'y a plus vie commune, il est impossible de ne rien posséder en propre. Le *régime de pauvreté* auquel on devrait se vouer n'a pas d'expression commune. Il varie dans le même institut d'un individu à un autre. Et l'on est alors tenté de réduire le voeu à n'être qu'un « voeu d'esprit de pauvreté »... ce qui ne signifie rigoureusement rien: le baptême doit suffire à donner cette intention.

On dit quelquefois: les membres doivent envoyer leurs comptes (ce n'est pas vrai dans *tous* les instituts), ce sera leur forme de pauvreté. Mais qui peut juger de la légitimité des dépenses d'un médecin par exemple, ou d'une petite ouvrière? La question est difficile. Mais il faut d'une façon ou d'une autre, — *troisième conclusion*, — pour que se vérifie l'état de perfection, que le régime de pauvreté auquel chacun doit s'attacher soit d'une certaine façon déterminé, visible, concret, même si ce régime doit être spécifié pour chaque individu.

3. Pour le voeu d'obéissance, plus grande difficulté encore. Les membres responsables d'un Institut séculier ont travaillé l'an dernier à cette question sans arriver à des résultats nettement satisfaisants.
Dans certains Instituts, par exemple les Auxiliaires de l'Apostolat, un membre peut être déplacé au nom de l'obéissance et changer de fonction. Mais en d'autres Instituts, on ignore ce que peut exiger l'obéissance. Elle n'obligerait

même pas à la présence aux réunions, chaque membre devant juger en certains cas si ses obligations profanes passent avant la réunion, ou non. Comment d'ailleurs réclamer l'obéissance là où chacun mène une vie intégralement privée, ayant ses responsabilités professionnelles propres, voire ses responsabilités familiales ou politiques? La Règle de l'Institut devient un directoire de vie intérieure et n'engage qu'une minuscule partie des « activités » extérieures. On en vient à exiger simplement certaines pratiques de prières et certains exercices (retraite annuelle) et encore d'une façon très souple, eu égard aux activités professionnelles si diverses des membres.

Il reste, *quatrième et dernière conclusion,* que là où l'obéissance ne peut plus exiger aucune activité extérieure des membres ni aucune orientation de vie, il ne peut plus être question de parler d'état de perfection.

119 R. P. Maria Eugenius a Iesu Infante, O. C. D., *scripsit:*

Les Instituts séculiers reconnus comme états de perfection par la Constitution Apostolique « Provida Mater Ecclesia », et décrits par cette Constitution apostolique, par le Motu proprio « Primo feliciter » et par l'instruction de la S. Congrégation des Religieux en date du 19 Mars 1948, comportent cinq éléments essentiels:

1. Consécration totale des membres à la pratique de la perfection chrétienne et à l'apostolat.

2. Consécration sanctionnée par des voeux privés ou une promesse de chasteté parfaite, de pauvreté et d'obéissance.

3. Liens permanents et mutuels entre les membres qui se donnent complètement et l'institut qui en prend la responsabilité.

4. Centres ou maisons, dans lesquels résident les Supérieurs, où peut se faire la formation et où sont recueillis les membres malades ou âgés.

5. L'Institut doit être séculier, c'est-à-dire que les membres ne doivent pas mener habituellement la vie commune, mais doivent vivre et exercer leur apostolat au milieu du monde.

La joie qui a accueilli ces documents pontificaux, la multiplicité et la diversité des Instituts séculiers approuvés ou fondés en vue d'une approbation, montrent combien la Constitution « Provida Mater Ecclesia » répondait aux voeux secrets de bien des âmes et aux besoins de notre temps.

La création de l'Action catholique avait associé le laïcat aux responsabilités de l'apostolat qui incombent à la hiérarchie; les Instituts séculiers font entrer les états de perfection dans les rangs du laïcat. Les deux mouvements se rejoignent pour se compléter et se perfectionner mutuellement pour le bien de l'Eglise et des âmes.

Cette efflorescence des Instituts séculiers montre la merveilleuse vitalité de l'Eglise et les désirs ardents de perfection qui se manifestent en notre époque en de nombreuses âmes. Il est normal qu'elle provoque aussi des réflexions, sinon des réserves, chez ceux qui observent ou qui y travaillent.

Pour répondre à la demande qui nous en a été faite, nous nous permettons nous-même de présenter quelques remarques sur la réalisation pratique de la perfection dans les Instituts séculiers; nous ferons suivre ces réflexions de quelques conclusions ou plutôt suggestions pratiques.

a) *Quelques remarques*

1. En établissant des états de perfection parmi les rangs du laïcat, l'Eglise ne dévalorise en rien la perfection chrétienne, ni les états de perfection.

Le concept de la perfection chrétienne ne saurait être modifié. Celui qui est présenté aux laïques, c'est celui qui est fixé par l'Evangile et par toute la tradition chrétienne.

Les Instituts séculiers gardent les éléments essentiels qui constituent les états de perfection reconnus par l'Eglise jusqu'à ce jour.

Il n'y a donc pas de diminution dans l'idéal et dans les exigences essentielles. Il y a seulement adaptation dans les modes de réalisation.

2. Ce principe étant posé et les documents pontificaux ne permettent aucun doute à son sujet, il apparaît que la réalisation de la perfection chrétienne dans les Instituts séculiers, se fera normalement en des conditions plus difficiles que dans l'état religieux proprement dit.

Le religieux se sépare du monde qui est mauvais, afin de se soustraire aux tentations que le monde présente aux sens et à l'esprit. Dans la vie commune qu'il mène en son couvent, il trouve normalement une Règle qui le guide à tout instant, une atmosphère qui le soutient, des frères qui lui donnent de bons exemples, des Supérieurs qui l'éclairent et le fortifient.

Le membre de l'Institut séculier n'a pas habituellement la vie commune et en perd par conséquent les secours. Il vit dans le monde qui est mauvais. Il est vrai que sa ferveur et son zèle peuvent trouver un aliment dans la vue du mal et de la misère des âmes; que comme tout bon chrétien, il évitera les occasions les plus dangereuses; qu'habitué au milieu où il vit, il s'habituera aussi aux dangers qui s'y trouvent et en subira moins l'influence; mais il faut reconnaître aussi que le démon ne chôme pas lorsqu'il a tant d'occasions faciles pour tenter, qu'esprit de perfection chrétienne et esprit du monde sont si profondément opposés que le monde jugera toujours folie toute tentative de vie chrétienne parfaite en son sein; qu'enfin l'isolement au milieu des dangers du monde et la pratique des conseils évangéliques en ces conditions, semblent requérir plus que le désir de la perfection, mais déjà une perfection réalisée et éprouvée.

3. La mission d'apostolat confiée aux Instituts séculiers est remarquablement belle. Elle sera efficace à n'en pas douter, et elle est nécessaire en notre civilisation qui se paganise et subit de si puissantes influences destructrices. Apostolat, dit le Motu proprio « Primo feliciter », qui doit s'exercer « non tantum in saeculo, sed veluti ex saeculo », comme une lumière « lux, quae inter ipsius tenebras lucet et non extinguitur; ac modicum sed efficax fermentum, quod semper et ubique o-

perans, omnibusque civium ordinibus, ab imis ad summos, permixtum, eosdem singulos universos verbo, exmplo cunctisque modis attingere ac permeare nititur, donec integram massam ita informet ut fermentata in Christo sit tota ».

La beauté de ce programme d'apostolat et l'urgence qu'il y a à le réaliser ne doivent pas nous en dissimuler les difficultés et les exigences.

Cet apostolat est essentiellement un apostolat de présence, d'exemple, d'action et de transformation par le contact continuel en tous les actes de la vie ordinaire. Pour que la lumière puisse éclairer dans les ténèbres, il faut que sa flamme soit vive et bien alimentée, car les ténèbres du monde sont agitées par la tempête et alimentées par l'erreur et la passion. Pour que le ferment agisse sur la pâte, il faut qu'il soit puissant, car la pâte du monde porte en elle d'autres ferments contraires. Cette conquête et transformation par contact, sous ses apparences pacifiques, sera une lutte entre éléments opposés radicalement. Pour ne pas être lui-même contaminé mais être victorieux, le ferment chrétien devra être de haute qualité surnaturelle.

Cet apostolat par le contact dans le milieu social ou familial a d'autres exigences imposées par les conditions dans lesquelles il se fait.

Le prêtre et le religieux n'ont habituellement que des contacts passagers avec les âmes qu'ils évangélisent: contacts du confessional, de la chaire, des réunions de groupes ou des visites particulières. Ces actes du ministère pastoral sont préparés ordinairement. Le prêtre et le religieux y paraissent comme les représentants de Dieu. Cette qualité dissimule assez notablement leur personnalité, d'autant plus que, le ministère accompli, ils se retirent dans leur vie privée habituellement inaccesible à l'ensemble des âmes qu'ils évangélisent.

Le membre de l'Institut séculier n'a pas habituellement de mission reconnue d'apostolat dans le milieu où il vit. Même si l'Eglise lui a confié cette mission, elle n'est pas acceptée de la masse qu'il doit atteindre et transformer. Il est dans le monde comme un « séculier » et doit le rester. On le voit vivre et agir; on connaît son caractère, ses qualités d'homme et ses vertus morales, son habileté technique dans son emploi ou son métier. Tout est à jour. C'est l'ensemble de tout cela qui marquera sa place d'homme et de travailleur parmi ses semblables, qui fixera l'estime dont il jouit auprès de chacun d'eux et l'influence qu'il peut exercer sur l'ensemble. D'où l'importance considérable des qualités humaines, morales et techniques, chez le membre de l'Institut séculier. Le succès de son apostolat est lié en grande partie à ces qualités. Il faudrait que sa valeur surnaturelle fût vraiment exceptionnelle pour qu'elle puisse parer à une déficience notable dans la valeur de l'homme et de l'ouvrier.

L'apostolat parfait dans un Institut séculier exige une valeur surnaturelle qui s'affirme par la prière et le sacrifice et qui rayonne efficacement au moyen d'une valeur humaine et technique authentique.

Ces considérations appellent quelques conclusions que nous énoncerons sous forme de suggestions pratiques.

b) *Quelques suggestions pratiques.*

1. — Les difficultés de réalisation de la perfection dans le monde imposent une certaine sévérité pour l'admission dans les Instituts séculiers. Il ne suffit pas pour y être admis de ne pas pouvoir entrer dans un Ordre religieux; des qualités particulières sont nécessaires. Bien des âmes au contraire pourront s'épanouir spirituellement avec les secours de la vie commune, qui végéteraient dans un Istitut séculier.

2. — La vie de perfection dans un Institut séculier exige une préparation et une formation.

La tradition ecclésiastique témoigne qu'à tous les siècles cette préparation et formation a été jugée nécessaire pour entrer dans les états de perfection. Parce qu'ils vivent dans le monde, cette formation semble encore nécessaire aux membres des Instituts séculiers. Les membres laïques de ces Instituts en ont besoin plus que tous autres. La générosité ardente et le dynamisme conquérant de la jeunesse ne sauraient en dispenser personne, car ces dons s'usent et disparaissent.

Il semble désirable que cette formation comporte la séparation du monde pendant un certain temps: Jésus sépara ses apôtres et les prit avec lui avant de leur confier la mission d'apostolat.

Cette formation faite pour la vie séculière, sera débarrassée des petites contraintes extérieures nécessaires à la vie régulière claustrale.

Elle sera orientée vers la pratique des vertus et l'union à Dieu, mais elle comportera une préparation professionnelle et technique pour assurer l'accomplissement parfait des devoirs de la profession.

3. Pour assumer la pratique de la perfection et l'accomplissement de la mission d'apostolat dans le monde, il est nécessaire que:

— la Règle soit simple, souple et forte; simple pour ne pas encombrer la vie dans le monde; souple pour laisser la liberté nécessaire à cette vie dans le monde; forte pour sauvegarder l'essentiel contre toutes les difficultés extérieures.

— des reprises ou retraites dans la solitude permettent au membre de l'Institut séculier, de reprendre une conscience claire de ses devoirs et de retrouver le contact avec ses Supérieurs.

4. — Dans l'exercice de l'apostolat, le membre de l'Institut ne cherchera pas à se signaler en allant aux formes les plus extraordinaires ou les plus périlleuses d'apostolat. Certes il les utilisera quand ce sera nécessaire, mais son rôle essentiel est de rester dans la masse commune et d'agir comme la lumière qui brille dans les ténèbres, comme le levain dans la pâte. Son apostolat doit donc être habituellement silencieux, caché pour être profond et efficace selon les désirs de l'Eglise.

120   *Orator* - R. Sac. ALVARUS DEL PORTILLO, Proc. Gen. Operis Dei.

1. Hoc in Congressu de statibus perfectionis, opus est mihi de illo loqui, qui noviter a Romano Pontifice, in Constitutione Apostolica « Provida Mater Ecclesia », recognitus ac iuridice ordinatus fuit, et in quo, revera, accommodata renovatio vel, melius, nova ratio vitae perfectionis adquirendae invenitur.

Necesse non est de momento vere historico praefatae Constitutionis Apostolicae fuse agere, cum omnes compertum habeant in novis Saecularibus Institutis inveniri magnum subsidium pro catholico apostolatu et viam apertam tot tantisque animabus, quae vocationem non habent ut saeculum derelinquant, sed in quibus divina ardet flamma sese omnino Deo consecrandi et, dum christianam perfectionem adipisci conantur, traditione perpetua ceteris animabus se mancipant, ut eas suaviter et efficaciter ad Ecclesiam trahant.

Agitur ergo de statu iuridico, qui vitam ordinat animarum in Deo absconditarum, quae Ipsi in perfecto holocausto se obtulerunt, quae imitari volunt fecundam Dei et Domini Nostri absconditam vitam, in hoc antiquo et novo penetrationis apostolatu: antiquo, prout antiquus est apostolatus christianorum primaevae Ecclesiae, et quia, in ipso, facile invenitur essentia et ratio agendi in SS. Evangeliis descripta; sed novo etiam, et quidem novis Ecclesiae et mundi necessitatibus apprime respondenti.

Sed, dum de magno momento Institutorum Saecularium agimus, necessario videtur obsequium et reverentiam praestare Ordinibus, religiosis Congregationibus Societatibusque vitae communis, in quibus tantum datur status *canonicus* perfectionis adquirendae, quae tanta proelia pro Dei gloria proeliata sunt et semper maiore vi proeliabuntur, quaeque pretiosas et fulgidas Ecclesiae gemmas constituunt. Instituta omnia Saecularia desiderant — licet hoc proprio peculiarique spiritu facere nitantur, et sane ad instar religiosorum minime degant vel operentur, — vestigia veneranda semperque laudanda religiosorum prosequi. Proprio quidem spiritu, cui novus et proprius ordo internus novaque agendi ratio respondent, quia sodales Institutorum Saecularium religiosi non sunt, sed, etsi Deo sacri, saeculares, communes saeculares, sive clerici sive laici, qui externe in omnibus uti saeculares sese exhibent, qui habitum religiosum non deferunt, qui vitam communem canonicam non ducunt, qui contemptum saeculi — hoc, ut patet, sensu non theologico dico — haud habent, quia *in ipso saeculo* et, prout Constitutio Apostolica « Provida Mater Ecclesia » dicit, *ex ipso saeculo* cum ceteris saecularibus laborare debent, propriam atque alienam prosequendo sanctitudinem. Et cum saeculares sint, saeculares diligunt: et quia Deo omnino consecrati et traditi, religiosos et venerantur et amant, sic quasi coetum medium constituentes inter unum et alterum coetum, religiosorum nempe et communium fidelium, ita ut cum membris Institutorum Saecularium magis compactus et harmonice completus appareat exercitus Ecclesiae viatorum.

Cum Institutis Saecularibus, igitur, clauditur cyclus statuum perfectionis, et exercitus Ecclesiae militantis sese exhibet, prout diximus, harmonice completus:

in eo necessarius est duplex militum coetus, a religiosis nempe et a fidelibus compositus; sed ille praeterea necessarius est, a sodalibus Institutorum Saecularium constitutus: sodales qui non sunt religiosi cum externis apparentiis saecularibus, nec saeculares qui religiosorum externam vitam imitantur, sed saeculares vero et stricto sensu verbi.

2. Valde opportunum est, cum res ita se habeant, ad maiorem uberioremque apostolatus penetrationis efficaciam, ut discretio quaedam in fere omnibus Institutis servetur, quoad sodales, quoad opera et relate ad domos in quibus sodales in communi commorentur.

Ad hanc servandam discretionem tenentur etiam, iuxta responsionem a S. C. de Religiosis die 24 iulii 1947 editam, Ordinarii locorum aliique Superiores ecclesiastici, erga illos omnes qui ius non habeant ad illa opera, illosque sodales, etc., noscendos. In praefata responsione praescribitur Ordinariis locorum aliisque ecclesiasticis Superioribus obligatio non solum discretionem, sed etiam secretum servandi circa ea omnia, de quibus supra.

Omnino necessarium etiam est ut Status civiles seu diversae nationes non videant, non respiciant membra Institutorum Saecularium quasi religiosi essent, quia, tunc, amplius de facto non exsisteret illa tertia pars, efficacia plena, exercitus Ecclesiae: nec desiderati fructus, quos Romanus Pontifex in laudata Constitutione Apostolica, Magna Institutorum Saecularium Charta, sibi proposuit, ad praxim reducerentur.

Sed ut Status civiles cum sodalibus novorum Institutorum sic agant, valde optandum est ut, in primis, haec omnia, cum omnibus suis consectaneis, ab ecclesiasticis viris et mulieribus bene intelligantur. Sic, verbi gratia, tituli quibus religiosi designantur numquam eis attribui debent, sed illi potius quae saecularibus loci, ubi commorentur, conveniant; idem generatim dicendum est de domorum, ubi membra Institutorum vitam communem ducunt, designatione, et ita porro.

Sodalium Institutorum Saecularium Deo consecratio, licet ab Ecclesia recognita et probata, nec publica est nec, coram fidelibus, publicos effectus obtinere debet: et hoc ab omnibus, potissimum vero ab ecclesiasticis, servandum est quando, quacumque ratione, cum membris vel operibus Institutorum Saecularium agunt, quia illorum Ecclesiae consecratio, prout diximus, non est canonica — licet sit iuridica — sed potius ascetica videtur atque, in ambitu uniuscuiusque Instituti, socialis. Sed haec agendi ratio — non tribuendi, nempe, publicos effectus consecrationi atque iuridicae condicioni sodalium Institutorum Saecularium — praecipue servari debet, quia, si servata non fuerit, fructus apostolatus non ita uberes erunt.

1. Discrimina inter Instituta Saecularia et Religiones, Societates vitae communis et communes fidelium Associationes.

1. Ut melius pateat necessitas, quae a novis Institutis Saecularibus persentitur, peculiarem propriamque iuridicam ordinationem habendi, discrimen accurate perpendendum est in-

ter ea et Religiones atque Societates vitae communis intercedens, congruoque examini subiiciendae sunt differentiae inter illa et communes fidelium Associationes exsistentes.

Instituta Saecularia nec Religiones sunt, nec religiosorum vel sodalium Societatum vitae communis vivendi rationem imitantur, licet etiam ex animabus Deo sacris Instituta Saecularia constent. Et hoc, ut omnibus patet, iam a primis articulis Constitutionis Apostolicae « Provida Mater Ecclesia », Romanus Pontifex statutum voluit, et in Litteris *Motu proprio* sub nomine « Primo feliciter » datis, ne ullum dubium remaneret, confirmavit.

Sane, Legislator, Articulo II.o Constitutionis Apostolicae « Provida Mater Ecclesia », decrevit: « Instituta Saecularia, cum nec tria publica religionis vota admittant, nec communem vitam seu commorationem sub eodem tecto suis membris, ad normam canonum, imponant, iure, ex regula, nec sunt nec proprie lo quendo dici queunt Religiones vel Societates vitae communis ». Ad hanc normam, quae negativo modo Instituta a Religionibus et Societatibus vitae communis bene distinguit aliam adiunxit, quae etiam negativa ratione eamdem differentiam statuit, nempe: « Instituta Saecularia Religionum aut Societatum vitae communis proprio peculiarique iure non obligantur, neque ipso uti possunt ». In paragrapho altera praefati Articuli, denique, Legislator positive definit quaenam esse debeat lex propria Institutorum Saecularium quatenus ipsa aliquid a Religionibus et Societatibus distinctum constituant.

2. Sed in Articulo I. Constitutionis Apostolicae « Provida Mater Ecclesia » dicitur: « Societates, clericales vel laicales, quarum membra, christianae perfectionis adquirendae atque apostolatum exercendi causa, in saeculo consilia evangelica profitentur, *ut ab aliis fidelium communibus Associationibus apte distinguantur...* ».

Notanda sunt verba a Legislatore usitata, nempe: « Ut ab *aliis* fidelium communibus Associationibus apte distinguantur ». Instituta Saecularia, igitur, inter fidelium communes Associationes poni debent, et merito quidem, quia non religiosa, sed saecularia sunt, et proinde aliquid commune cum ipsis fidelium Associationibus habent, uti est illorum character saecularis, in Motu proprio « Primo feliciter » fuse definitus.

Instituta Saecularia, proinde, speciem aliquam constituunt in genere Associationum saecularium: sed species ita qualificata ut fere a proprio genere recedat, iuxta antiquam regulam iuris: « generi per speciem derogatur »; et, hac ratione, ad Religiones et Societates vitae communis, quoad substantiam, proxime accedunt.

3. Ex his generalibus praemissis, statim deduci potest quod duplex cardo, supra quem solide et sapienter Statutum generale Institutorum Saecularium fundatur, secum fert *duos aspectus,* duplicem Institutorum quasi naturam demonstrantes: aspectus qui Institutorum *corpus* horumque *anima,* analogice, dici possunt:

a) Societates hae, *in quantum Instituta « saecularia »,* ad genus et « corpus » Associationum laicalium pertinent.

Ea de causa, Documenta pontificia ad Instituta Saecularia pertinentia colligunt, determinant et simul subnotant, prout mirum in modum faciunt, tractus illos, quos praefatis Institutis character eorum saecularis confert, ad ipsorum nempe physiognomiam, ut ita dicam, alto apteque figendam; et agunt praesertim de professione consiliorum evangelicorum *in saeculo*. Haec professio consiliorum evangelicorum in saeculo est nota characteristica, qua Instituta Saecularia a *statibus canonicis* perfectionis adquirendae, id est, a Religionibus et Societatibus vitae communis, differunt, et ex qua inter Societates fidelium generice computantur. Sane, status canonicus perfectionis, in quo tantum habetur publica et canonica professio perfectionis, supponit et requirit *separationem a saeculo*.

b) *Prout autem Societates hae Instituta sunt « perfectionis et apostolatus »*, ita totalitariae et organicae sunt, ut reapse constituant verum statum perfectionis iuridicum et completum, quamvis non canonicum, tractus habentem et necessitates quae, « ad animam » quod spectat, id est, ad formam internam consecrationis, similem statui canonico perfectionis illum efficiunt.

2. *Characteres consecrationis et rationis vitae in Institutis Saecularibus.*

1. His positis, iam accedendum est ad argumentum nobis propositum, et, primo loco, ad vinculum iuridicum quo membra Institutorum Saecularium se obligant ad perfectionem. In eo, prout in omnibus, quae ad huiusmodi Instituta competunt, duo congrue pleneque subnotanda sunt, nempe: sodalium Deo, aliorum animabus vitaeque perfectae, prout haec hominibus viatoribus est assequenda, deditio; et character saecularis qui, in ipsa deditione et in agendi ratione membrorum Institutorum Saecularium, omnibus praeest, et qui in omnibus elucere oportet.

Hinc, vincula iuridica existere debent, in quibus status adquirendae perfectionis consistat, et quae fundamentum constituant ordinis interni Institutorum: sed vincula haec esse nequeunt ad instar illorum, quibus membra Religionum inter se et cum ipsis Religionibus ligantur, ut vota publica et sub eodem tecto commoratio; nec esse valent ad illius normam, quod in Societatibus vitae communis habetur, nempe, obligatio vitae communis materialiter ductae ad instar religiosorum. Omnino enim nitendum est ut in Saecularibus Institutis praefata vincula iuridica clericis saecularibus et laicis non religiosis magis conveniant et aptentur.

2. De his omnibus sermo fit in tribus primis articulis Constitutionis Apostolicae « Provida Mater Ecclesia ». Vincula quae ad perfectionem adquirendam sese referunt, cum publica ad normam iuris esse non valeant, sunt vota privata — licet ab Ecclesia recognita et ordinata, — vel, pro oboedientia et paupertate, ius iurandum aut promissiones, quae in conscientia pro materiae gravitate obligent.

Haud pauca Instituta Saecularia habent vota, omnia tria

vota communia, sed haec vota non sunt publica, nempe ab Ecclesia recepta (c. 1308, 1), et ab ipsa in Codice ordinata, nec ita esse possent, nam, speciatim quoad votum paupertatis, praescripta quaedam canonica (cc. 569, 580, 583) nequeunt complete aptari, nec ulla adest ea his aptandi commodi ratio. Quae quidem canonica praescripta, possunt merito substitui aliis magis, ut ita dicam, elasticis, quae non minus ad sanctificationem conferant.

Ecclesia igitur vota Institutorum Saecularium non recipit, prout nec vota Societatum vitae communis recipit, quae in hoc cum Institutis Saecularibus conveniunt (c. 673, § 1). Ecclesia attamen non ignorat, nec in foro quidem externo, vota tum in Societatibus vitae communis, cum in Institutis Saecularibus nuncupata. Vota haec, etiamsi publica non sint sensu specifico votorum publicorum (i. e., quae ab Ecclesia recipiuntur et ab ipsa in iure publico et interno magis solemniter ordinantur), non sunt tamen vota stricte privata, quae ad forum tantum internum pertinent — ab Ecclesia in foro externo ignorata —, et quorum curam Sacra Paenitentiaria habeat. Possunt merito appellari vota *privata recognita* et quidem duplici sensu: quia Ecclesia ea approbat sicut accidit, analogia quadam, in matrimonio, et ponit ea ut fundamentum Societatum canonicarum ab Ecclesia in variis gradibus agnitarum; et, praeterea, quia ipsa Ecclesia ea vincula dirigit, tum iure communi, cum etiam iure particulari; denique, haec vota effectus producunt iuridicos, sive *relate ad Ecclesiam,* quia statum perfectionis completum emittentibus donant, sive *quoad Societatem vel Institutum* in quo emittuntur e. g., quoad incorporationem, quoad subiectionem Superioribus horumque potestati quoad monitiones et dimissiones, quoad iura in Societate vel Instituto habenda, magis vel minus participanda.

3. **Instituta pariter Saecularia nec sunt nec esse possunt sub iure communi, nec illis convenit ut qua Religiones aut Societates vitae communis perpendantur vel existimentur, propter vitam *communem materialiter sumptam* seu « commorationem sub eodem tecto », quae in diversis Institutis plus minusve impense ducitur. Etenim, Instituta huiusmodi non possunt habere vitam communem publicam et canonicam, id est generalem pro omnibus sodalibus, ad normam Codicis ordinatam, quin a sua specifica missione, sanctitatis nempe et apostolatus *in saeculo,* deficiant.**

Regulae clausurae, etenim, exitus, et omnes ceterae normae et condiciones, quas hunc in finem — ut vita communis canonica iure existat —, domus ad hanc vitam communem destinatae habere debent, illis obstaculo procul dubio essent. Possunt quidem Instituta Saecularia — prout de facto, sicut diximus, in pluribus ex ipsis accidit — domus habere, in quibus quidam vel etiam omnes sodales simul vivant, sed agitur semper de vita communi non canonica, scilicet non ex canonibus normisque iuris communis religiosi accipienda et interpretanda, sed unice ad normam propriarum Constitutionum et iuris particularis sumenda. Haec vita communis Institutorum Saecularium neque ligatur praescriptis Codicis neque ipsis respondet.

3. Professio perfectionis.

1. Accurate notanda sunt quae a Legislatore in Articulo III Legis peculiaris Institutorum Saecularium relate ad consilia evangelica praescribuntur.

Ut aliqua nempe pia fidelium Consociatio erectionem in Institutum Saeculare consequi valeat, haec quoad vitae consecrationem et christianae perfectionis professionem, praeter alia communia, habeat necesse est requisita:

Sodales, qui ut membra strictiore sensu sumpta Institutis adscribi cupiunt — postea de membris lato sensu nuncupatis agendum est, — praeter illa pietatis et abnegationis exercitia, quibus omnes qui ad perfectionem vitae christianae adspirant, incumbant necesse est, ad ipsam peculiaribus etiam rationibus, prout infra, efficaciter tendere debent:

a) Professione coram Deo facta coelibatus et castitatis perfectae, quae voto, iuramento, consecratione in conscientia obliganti, ad normam Constitutionem, firmatur;

b) Oboedientiae voto vel promissione, ita ut stabili vinculo ligati totos Deo et caritatis seu apostolatus operibus se dedicent, et in omnibus sub manu et ductu semper moraliter sint Superiorum, ad normam Constitutionum;

c) Paupertatis voto vel promissione, vi cuius bonorum temporalium usum non liberum habeant, sed definitum ac limitatum, ad normam Constitutionum.

2. Evidenter ex ipsis patet professionem perfectionis integram esse atque completam, quoad consilium evangelicum castitatis, quia praescribuntur coelibatus et perfecta castitas, et quidem voto vel iuramento aut consecratione in conscientia obligante, firmata: professio igitur castitatis, ad quam sodales cum promissione tantummodo se obligarent, omnino excluditur.

3. Idem dici potest de oboedientia, quia sodales se totos Deo et apostolatui consecrant, ita ut in omnibus sub manu et ductu Superiorum semper moraliter sint. Et dicitur *moraliter*, quia non semper Institutorum Saecularium membra proprios Superiores vicinos habent. Sed formatio ipsis sodalibus impertita, et cautelae seu industriae in Constitutionibus et Directoriis praescriptae tales esse debent, ut sodales omnes se ducere semper possint, et debeant, ac si Superiores apud se haberent, atque ad ipsorum propriique Instituti mentem constanter operentur. Non agitur nec agi potest de oboedientia iuxta modum, seu quomodolibet ad praxim deducta, sed de exercitio pleno constantique huius consilii evangelici, quia membra Institutorum Saecularium perfectionem evangelicam non iuxta modum, sed completam profitentur.

Aliquibus in Institutis, sodales propriam retinent actionem professionalem aut socialem, quae magnum occupat eorum vitae tempus. Hoc in casu, praxis oboedientiae peculiare et quidem haud parvum momentum habet relate ad ea omnia, quae ad ipsam professionalem actionem sodalium, sive privatam, sive praesertim publicis in muneribus exercendam, sese referunt. Difficultates enim non paucae oriri possunt, potissimum in casu in quo, ob perspicuas causas, sodales professionale secretum, etiam coram Superioribus, servare debent. Sed difficultates huiusmodi facile evanescunt iuxta normas, quas S. Congregatio de Religiosis in revisione et correctione Constitutionum Institutorum Saecularium imponit. Semper, praeterea, licet in exercitio professionis sodales gaudere debeant libertate — et idem dicam quoad eorum laborem in Actione Catholica, etc. —, exercitium ipsum professionis seu publici muneris prohiberi aut impediri valet sodalibus cum rerum adiuncta id suadeant ob plus minusve graves rationes, sive relate ad sodalis animam, sive utilitate Ecclesiae bene perspecta. In quod.·m Instituto, sodales, iuxta propriarum Constitutionum normas, servatoque secreto praevalenti, sese consulere debent cum Superioribus etiam in professionali actione: postea tamen libere semper, ex regula, agere possunt, quapropter nullo modo, ob petitum consilium, respondendi obligationem ad ipsos Superiores transferre umquam valeant.

4. Ad paupertatem quod attinet, Constitutio Apostolica limitat, ad normam uniuscuiusque Instituti Constitutionum, usum bonorum temporalium. Nec aliter esse posset, quia sodales saepe apud se commorari debent, omnibus in adiunctis semetipsos exhibentes ut saeculares. Sed in Institutis hucusque probatis, vel quibus venia concessa a Sancta Sede fuit ut ab Ordinariis locorum uti talia erigerentur, experientia compertum est non difficile, sed facilius quam quod videretur omnia ita ordinari posse ut sodales, licet privatim et seiuncti vitam degant, paupertatis virtutem colant atque in praxim deducant. Hac ratione, sodales possunt in quam maxime diversis rerum adiunctis, eodem tempore, vitam saecularem simul ducere et deliciis paupertatis, etiam strictae et austerissimae, gaudere.

Quoad bonorum autem proprietatem, nihil commune omnibus Institutis Saecularibus imponitur; neque de attributione bonorum, quae propria industria sodales acquirunt, agitur, cum de ipsis Constitutiones singulorum Institutorum normas diversas statuere valeant.

Ope severae prohibitionis rerum, quae supersint; sincerae redditionis rationum oeconomicarum, accepti nempe atque impensi; obligationis veniam actualem, vel, iuxta casus, habitualem petendi ad expensas faciendas; ordinatae dispositionis usus et ususfructus atque administrationis, consilium evangelicum paupertatis valet solide ac severe in praxim deduci, prout re vera deducitur, in Institutis Saecularibus.

Ut sodales facilius ac impensius semetipsos exercitare possint in praxi paupertatis, hanc virtutem semper in mente et in corde ferendo, multum confert bene et explicite in Institutis singulis determinare quid ob obligationem, paupertatis vinculo connexam, quid vero ob ipsius virtutis amorem servari debeat. Hoc utile videtur ut sodales non solum vinculum, quo cum Instituto ligantur sed etiam virtutem paupertatis perfecte colere valeant: atque hac ratione melius vitari possunt conscientiae anxietates quae, in exercitio paupertatis, facilius dari queunt inter sodales nondum congrue formatos Institutorum Saecularium, quam inter religiosos, cum illi saepe apud semetipsos degant, hi e contra paupertatem profiteantur a vita communi regulatam.

5. Tum pro oboedientia cum pro paupertate, ne de castitate loquar, vinculum obligat iuxta materiae gravitatem, ita

ut non detur vinculum, in Institutis Saecularibus, quod tantummodo sub levi obliget. Omnis transgressio est gravis in genere suo. Et non solum: iuxta responsionem a Sacra Congregatione de Religiosis die 19 maii anni 1949 editam, oboedientiae et paupertatis promissiones obligare possunt, ad normam Constitutionum, sed etiam vi virtutis religionis.

Praefata responsio sic sonat:

« 1. — Obligationes quae a membris stricto sensu sumptis (Art. III, 2 et 3) in Saecularibus Institutis ad statum iuridicum perfectionis completum amplectendum contrahuntur (Art. III, 2) ut fini atque naturae Institutorum respondeant, leves ex genere suo atque ex omni parte esse non possunt.

2. — E contra, vincula quibus hic perfectionis status innititur ita obligare in conscientia censentur, ut obligationes quas inducunt *ex genere suo* graves dicendae sint.

3. — In casibus singulis obligatio gravis tunc tantum habenda est, quando ipsius materia ad normam Constitutionum et circa paria vel similia vincula communi doctrina certo gravis reputari debebit. Et quia iuxta notam regulam iuris (Reg. 30 in VI) « *in obscuris minimum est sequendum* », gravis seu gravior obligatio — puta ex formali religionis virtute orta seu confirmata — in casu dubii affirmanda non est.

4. — Quaenam sit natura vinculorum quae in singulis Institutis assumuntur et definitio rationis qua ipsa obligant — an scilicet praeterquam ex iustitia atque ex fidelitate, etiam, et quomodo, ex religione teneant — eruendum est ex Constitutionibus, quae rem accurate describere debent, necnon ex formula consecrationis seu incorporationis in qua ipsa exprimuntur.

5. — Etiam quando certa sit formalis ex virtute religionis obligatio, cum agatur de votis seu vinculis quae, etsi adaequate privata non sint, tamen ex regula nec sensu stricto atque specifico publica dici valeant nec publicam personae consecrationem inducant, ipsorum violationi sacrilegii malitia non est tribuenda ».

6. Brevitatis causa, hic obiter tantum subnotare volumus Legem peculiarem Institutorum Saecularium illud *minimum* definire, quoad consiliorum evangelicorum exercitium, quod necessario inveniri debet in omnibus et singulis Institutis Saecularibus; et pariter, peculiarem agendi et essendi rationem, Legem hanc statuere. Lex peculiaris, proinde, in Articulo III definit normas cardinales, quae regulant vitam consecrationis; et praescribit formam vitae externae, cui sodales Institutorum satis facere debent. Haec forma vitae externae est, ut ita dicam, sicut corpus: normae illae, autem, pro vita consecrata ducenda, sicut anima. Vel, alio modo, forma vitae externae est ad modum recipientis, aurum, argentum vel aliud maioris aut minoris valoris continentis, scilicet, vitam plus minusve consecratam, sed semper, ut minimum, iuxta Legis peculiaris praescripta Deo traditam: nihil tamen prohibet quominus illo in corpore, vel illo in recipiente recipiantur normae vitae, leges peculiares, spiritus multaque alia, — anima: seu aurum, argentum, thesaurus, de quibus diximus — ita ut in Instituto Saeculari sic effecto *minimum* vitae consecrationis, de quo loquebamur, necnon ratio vitae a Lege peculiari descripta,

adsint quidem — et praeterea de Instituto Saeculari agitur —; sed in eo, minimo illo a longe superato, vita acquirendae perfectionis solidior ac profundior forsitan habeatur, quam illam quae in aliis religiosis institutionibus continetur.

4. Membrorum classes.

1. In praefato Articulo III Constitutionis Apostolicae « Provida Mater Ecclesia », sermo fit de sodalibus qui « ut membra strictiore sensu sumpta Institutis adscribi cupiunt ». Adsunt proinde membra *strictiore sensu sumpta:* quod clare innuit ad membra quae *stricto sensu* nuncupari nequeant, nec sint, sed tantum *lato vel latiore sensu* Institutis adscribuntur. Constitutio Apostolica agit solummodo de primis, scilicet, de membris stricto sensu sumptis. Illi omnes sodales qui condiciones omnes in laudata Constitutione recensitas non habent, in altera sodalium categoria adnumerantur, licet saepe ad primam proxime accedant.

Notandum tamen non esse hic verbum de membris illis, qui vitam materialiter communem non ducunt in Institutis, in quibus haec ratio vitae ad normam propriarum Constitutionum imponitur, sed de illis tantum qui, prout diximus, condiciones omnes a « Provida Mater Ecclesia » praescriptas ut status iuridicus completus perfectionis recognoscatur, non habent. Hoc in casu, vita communis iuridice nihil addit.

2. Et, quia in Apostolica Constitutione definitur *minimum* consecrationis et vinculi, evidens est singula Instituta libera esse imponendi alias peculiares minimas condiciones, severiores illis in « Provida Mater Ecclesia » recensitis, ut sodales effici valeant membra strictiore sensu sumpta. Et ita, possibile est, et revera in aliquo Instituto sic accidit, ut sodales, qui in aliis Institutis Saecularibus uti membra « stricto sensu » recipi possunt — ducunt enim vitam plene consecratam, ad normam C. A. « Provida Mater Ecclesia » —, in alio tamen Instituto hanc rationem, membrorum nempe stricto sensu, attingere nequeant, quin hac de causa in completo statu perfectionis considerari non valeant.

Nihil tamen vetat quominus membra ex una ad aliam sodalium rationem transire possint, sive ad severiorem vocationem prosequendam, sive etiam ad propriam vitam, iuxta diversa rerum adiuncta superveniatia, aliter aptandam.

Hac forma, Sancta Ecclesia, re vera « *Provida Mater Ecclesia* », provide offert possibilitatem vitam perfectionis assequendi tot tantisque animabus, aliam completiorem vocationem non habentibus, vel diversis de causis quominus hanc completiorem vocationem sequi valeant impeditis; sicque exsistunt plures viri et mulieres, quae uti membra lato sensu Institutorum Saecularium Deum fortiter prosequuntur, efficacem apostolatum in mundo exercent, et alias animas — in primis illas propriae familiae —, quotidiano contactu sanctificant.

5. Institutio.

1. Ut omnes sanctitatis et apostolatus fructus, quos a membris Institutorum Saecularium Ecclesia iure spectat, dari valeant, necesse est ut omnes et singuli sodales accuratam formationem recipiant, mundi propriique apostolatus adiunctis valde consonam et adaequatam. Nemo est qui non videat quomodo huiusmodi institutio, tum ascetica, ad assequendam nempe perfectionem, cum technica, ad peculiarem actionem apostolatus penetrationis exercendam, non ita facile impertiri queat ut illa alia, quae in domibus ad hoc praeparatis et destinatis, atque mediante congrua separatione a rebus omnibus saeculi religiosis instituendis datur. Saepe, ob logicas discretionis causas, adhuc difficilior illa evadit formatio.

Sed de hoc, ea omnia dici possunt quae de praxi consiliorum evangelicorum in medio mundo dicuntur. Erant, et quidem non pauci, qui, ante Constitutionis Apostolicae « Provida Mater Ecclesia » promulgationem assererent illam formationem atque hoc exercitium christianae perfectionis, si vera et materialis separatio a rebus huius saeculi non exsisteret, si habitus religiosus non deferretur, etc., ita difficilia evadere, ut reapse qua impossibilia consideranda essent, quasi utopia aliqua a mentibus omnino et solummodo theoreticis excogitata.

Sed qui ita dicebant, oblivioni dabant magisterium historiae Ecclesiae, et quasi ad nihilum reducebant potentiam infinitam divinae Providentiae.

Et dico « magisterium historiae Ecclesiae », quia a primis ipsius originibus extiterunt, et pro Dei gloria propriaque sanctificatione operabantur, ascetae illi ac virgines plurimae, Deo omnino consecrati ac consecratae, aliquando veras communitates animarum sacrarum, etsi in mundo commorantium, constituentes. Et, ex tunc, numquam in mundo, in saeculo, deerunt animae quae, totis viribus, christianam perfectionem professae sint. Qua de causa, ergo si plurimae animae a Deo vocatae singillatim, cum aliis proinde non coniunctae ut facilius earum propositum ad praxim deducerentur, ita sancta et apostolica ratione vixerunt, qua de causa esse non posset aliquid verum, immo et facile, ut animae illae a Deo quidem vocatae, cum subsidio communium regularum, intime sentita sanctorum communione, a fratribus etiam Deo sacris constanter adiutae, sanctitatem in mundo colant eamque adipiscantur?

Oblivioni nullo modo est tradenda denique veritas haec: si Deus promovet animas ut in mundo vivant, licet non sint de mundo, atque ut in ipso perfectionem assequantur et apostolatum optime mundi necessitatibus respondentem exerceant, evidens est Deum illas animas sic vocantem, illis ea omnia cum vocatione pariter reddere debere, quae necessaria sunt ut operarii digni et efficaces, iuxta Dei voluntatem, efficiantur.

Operarii qui « *de mundo non sunt, sicut et Ego non sum de mundo* » dixit Christus: et hoc verum est, quia tribus concupiscentiis, vinculo stabili et in conscientia obliganti, abrenuntiant: sed Iesus dixit etiam: « *sicut Tu me misisti in mundum, et Ego misi eos in mundum* ». Qua de causa, igitur, si Iesus misit eos in mundum, voluntas Dei, eorum nempe sanctificatio, incassum cedere deberet?

Propterea, animae illae, viri aut mulieres sint, a Iesu « missae in mundum », in quo nihil et neminem formidant, quia secum habent Iesum, qui eas sic mittere voluit, procul dubio sanctitatem assequi valent, quin obstacula mundi eis umquam divinam viam claudere possint.

Ubi Deus aliquem ad Ordinem quemlibet vel Congregationem religiosam vocat, dat illi gratiam ut in ipsa, non in alia Congregatione, sanctus evadat: quod etiam dici potest et debet, cum Deus aliquem vocat ut in Instituto quolibet Saeculari, et proinde, ad normam Constitutionis Apostolicae « Provida Mater Ecclesia », in saeculo, sanctificetur.

Et sic, his positis et ita contemplatis, amplius difficile non videtur sodales Institutorum Saecularium in saeculo institui ac formari posse, quia ut fundamentum solidum vitae omnis sodalium Institutorum Saecularium, super quod possibilitas formationis, sanctificationis, apostolatus consistit, est gratia *specifica* a Deo vocante concessa.

2. Sed praeter rationes theologicas hucusque dictas, plurimae aliae mere humanae exsistunt, cautelae, industriae, agendi modus in Constitutionibus uniuscuiusque Instituti Saecularis descriptae, quae faciliorem reddunt actum formationem impertiendi et, postea, possibilitatem vitam perfectionis colendi.

De iis, aliqua iam diximus cum loquebamur v. gr. de paupertate. Concrete, nunc, quoad rationem formationis, quae diversa apparet iuxta Institutorum circunstantias, hoc non est praetermittendum, scilicet: in § 4, Articuli III Constitutionis Apostolicae « Provida Mater Ecclesia » praescribuntur sedes communes, in quibus, praeter alia, « commorari vel ad quas convenire queant sodales ad institutionem accipiendam et complendam, ad exercitia spiritualia peragenda, et ad alia huiusmodi ».

His in domibus, igitur, commorari possunt et, in aliquibus casibus, ibi vitam ducere debent membra Institutorum Saeculiarium. Licet Instituta, iure communi, non obligentur quatenus vitam communem omnibus suis membris imponant — etiam si de sodalibus stricto sensu agatur —, tamen, *iure particulari* possunt in Constitutionibus praescribere ipsam vitam communem sive Superioribus omnibus; sive Superioribus tantum qui regimen generale Instituti habent, illisve etiam regiminis intermedii; sive denique valent eam communem vitam pro sodalibus universis vel pro aliquibus solummodo statuere, ratione ministeriorum apostolatus, institutionis causa, ob infirmam valetudinem, ad spiritualem salutem melius tuendam, etc. Iuxta iurisprudentiam Sacrae Congregationis de Religiosis, in genere Superioribus conceditur facultas ut ipsi possint sodales ad vitam communem ducendam vocare, ad normam Constitutionum, potissimum ut formationem impensiorem accipiant eamve iam acquisitam fortificent, aut servent.

3. In aliquibus Institutis duplex existit membrorum ratio seu classis, *internorum* nempe et *externorum*. Prima observat vitam communem, semper ad normam Constitutionum, et propterea numquam canonicam. In altera vero, sodales vitam communem non ducunt, etsi, prout diximus, Superiores, iuxta Constitutionum praescripta, valeant illos ad eam vocare ipsamve et concedere.

Et, hoc in casu, qui vocatus fuit ad vitam communem non transit, ipso facto, ad primam membrorum classem, seu classem internam. Quando tamen haec classis interna non habetur, in cuius domibus etiam ceteri sodales aliquando — in formationis periodis, v. gr. — vitam communem agere queant, tunc a Lege peculiari Institutorum Saecularium imponitur obligatio sedes seu communes domos habendi. Et ad eas, Superiores praecipue et sodales instituendi convenire possunt, atque in eis ipsi residere valent, prout suaviter in Constitutione Apostolica quasi imponitur. Sedes huiusmodi, sive classis internorum, sive regiminis et coadunationum, magnopere adiuvant ad formationem impertiendam pro qua necessariae considerandae sunt.

4. Ex regula, Instituta Saecularia hucusque a Sancta Sede probata, vel quibus venia pro erectione dioecesana concessa fuit, statuunt periodos in quibus, iuxta rerum adiuncta, sive singulis hebdomadibus, sive maiore vel minore frequentia, sodales omnes classis externae ad domos Instituti convenire debeant pro formatione accipienda et gradatim complenda. In aliis autem, formationem sodales accipere debent per integrum annum, vel per duos aut etiam tres annos, vitam communem eo tempore pariter ducendo in domibus Instituti. Alia, denique, imponunt obligationem frequenter dies spiritualis recessus faciendi, quibus sodales utuntur non solum ad recessus huiusmodi simpliciter peragendos, sed etiam ad formationem specificam, quam socii iam acceperint, facilius prosequendam altioremque reddendam.

Et in Institutis omnibus maximum momentum habet munus illius, cui cura est de formatione sodalium, praesertim eo quod formatio, potissimum in Institutis Saecularibus, est actio non collectiva sed personali ratione impertienda, prout singulorum rerum adiuncta, circumstantiae familiae seu laboris in quibus versentur, etc., suadere videantur: praesertim etiam quia, ut optime Rev.mus P. Gabriel a Sancta M. Magdalena hodie dixit, membra Institutorum Saecularium omnia vitam mixtam, contemplativam-activam, ducere deberent. Conditor Instituti, ad quod Dei gratia pertineo, asserere solitus est neminem in Instituto nostro perseverare posse, nisi animam vere contemplativam habeat.

6. Regimen.

1. Ex dictis iam patent discrimina inter Instituta Saecularia et Religiones atque communes fidelium Associationes intercedentia, et peculiaris ratio vinculi iuridici quod membra omnia uniuscuiusque Instituti Saecularis ligat, quodque necessario fundamentum solidum est ordinis interni singulorum Institutorum. Perspiciuntur pariter diversae vivendi rationes, praesertim quoad vitam communem vel ipsius carentiam: intelligi ergo potest Institutorum ordinationem iuridicam ita aptandam et construendam esse ut in ipsa non solum possibile, sed etiam facile christiana perfectio, ad quam praefatum vinculum tendit, sit adipiscenda.

2. Regimen internum Institutorum Saecularium, iuxta Articulum IX Constitutionis Apostolicae « Provida Mater Ecclesia », hierarchice ad instar regiminis Religionum et Societatum vitae communis ordinari potest.

Instituta, propterea, in eo longe distant a Piis Unionibus aliisque communium fidelium associationibus, quae habere tantum valent hierarchiam dioecesanam, Ordinario loci plene subiectam. In Institutis, e contra, existere potest hierarchia centralis extradioecesana, quae verum regimen constituat, atque de Institutis singulis corpus aliquod organicum efficiat. Hoc regimen ordinari potest ad instar regiminis communium Congregationum; vel ad modum Congregationum monasticarum, etc. Habere etiam valent Instituta Saecularia regimen locale, dioecesanum, dummodo ad normam praxis Sacrae Congregationis, Instituta similia perfecte in seipsis habeant characterem universalem Ecclesiae.

3. Speciali ratione subnotanda est forma regiminis illa, nuper recensita, Congregationum monasticarum, seu foederativa, a Motu proprio « Primo feliciter » contemplata. Peculiare momentum habet cum de Institutis pro sacerdotibus saecularibus dioecesanis agitur. Hac forma, vel aliis similibus, status iuridicus et completus perfectionis extendi potest etiam ad sacerdotes clero dioecesano adscriptos, quando ii sacerdotes, iuxta normas Constitutionis Apostolicae « Provida Mater Ecclesia », se consecrent ad hanc vitam perfectionis acquirendae in aliquo Instituto Saeculari, quin ea de causa eorum dioecesana condicio ullo modo afficiatur, sed diversis capitibus confirmetur.

7. *Institutorum varietas iuxta varietatem finis specialis.*

Magna opportunitas Constitutionis Apostolicae « Provida Mater Ecclesia », clarissime manifestatur ex incredibili numero petitionum ad Sanctam Sedem missarum, ad obtinendam approbationem pontificiam, aut praevium « nihil obstat » a Sacra Congregatione de Religiosis ut erectio in propria dioecesi originis fieri valeat.

Prout vobis certissime patet, iam quasi ab initio huius saeculi apparuerunt, eodem fere tempore in diversis nationibus, plures Associationes cum omnibus, aut quasi omnibus notis expositis in Constitutione Apostolica « Provida Mater Ecclesia », ita ut nullum dubium remanere potuerit, quod de phaenomeno vere novo simul ac forti ageretur. Hac ratione, id quod antea non erat nisi casus specialis (uti Associatio « Notre Dame du Travail » nuncupata), nunc fiebat, ex virtute Spiritus Sancti, res prorsus universalis. Ideo, haud difficile erit factum intelligere, quod nempe quando promulgata fuit Constitutio « Provida Mater Ecclesia », et in sinu Sacrae Congregationis de Religiosis constituta Commissio specialis pro applicatione ipsius Apostolicae Constitutionis et approbatione Institutorum Saecularium, plures Associationes a Sancta Sede petierunt ut ab ipsa agnoscerentur, et approbarentur qua Instituta Saecularia, ita ut immediate necesse fuerit intra Sacram Congregationem de Religiosis crearc specialem Sectionem, « Instituta Saecularia » nuncupatam.

Ad diem 2 Februarii 1948, primo elapso anno a promulgata Apostolica Constitutione « Provida Mater Ecclesia », iam 46 Associationes hunc in finem libellos suos Sacrae Congregationi porrexerant, a laudata speciali Sectione nunc iam examinatos. Numerus revera extraordinarius virorum ac mulierum his Associationibus nomen dederat: qui numerus, ob perspicuas rationes, patefieri non debet, sed qui pluries atque pluries est millenarius.

Anno autem sequenti numerus Associationum erat 83, ex quibus 19 viris compositae, quarum novem clericales.

Mense Octobris anni 1949, numerus petitionum pervenerat usque ad 97.

Nunc temporis, scilicet mense Novembri anni 1950, iam 113 Associationes huiusmodi numerantur.

Associationes istae — ex quibus solummodo 30 hucusque, qua Instituta Saecularia, approbata sunt —, apparuerunt in 18 diversis nationibus ex Europa et America, scilicet in Argentina (1 Associatio), Austria (6), Belgio (3), Canada (1), Columbia (2), Gallia (14), Germania (8), Helvetia (2), Hungaria (2), Hispania (17), Illyria (1), Italia (53), Mexico (4), Neerlandia (1), Polonia (1), Rumania (1), Statibus Foederatis Americae Septentrionalis (1), Uruguay (1). Postea, diversae ex praefatis Associationibus, ex quibus, prout diximus, 30 sunt iam Instituta Saecularia, per alias orbis partes propagatae sunt. Sic « Opus Dei », e. gr., membra habet in quattuor diversis continentibus.

Omnes 113 laudatae Associationes, praeter quinque, ortum habuerunt post primum decennium huius saeculi: 12 pendebant a Sacra Congregatione Concilii; aliae, a respectivis Ordinariis locorum uti *Piae Uniones* erectae fuerant, vel qua Associationes *de facto* propriam ducebant vitam.

Fines specifici ab ipsis intenti valde diversi sunt. Et non solum fines persequuntur proprios et « exclusivos », ut ita dicam, Institutorum Saecularium — eo quod Institutorum membra, ut in Constitutione Apostolica « Provida Mater Ecclesia » declaratur, exercere valent opera et adire possunt ad loca religiosis vetita vel impervia —, sed etiam omnes fines specificos et « classicos » Congregationum Religiosarum, veluti Assistentiam socialem, educationem, ministerium verbi, missiones, immo et Adorationem SS.mi Sacramenti, reparationem, etc. Hi omnes fines ab his Institutis recepti propriique facti, indesinenter ac strenua ratione in praxim feruntur.

Principales autem fines specifici sic distribui possunt:

1) *Apostolatus penetrationis* sive *socialis*, sive *intellectualis*, sive *ope amicitiae*, etc., in civili societate, ita ut spiritus Christi ingrediatur in publicas omnes actiones et in munera omnia, sive haec sint Statuum civilium, sive eorum non sint: sed, praesertim, in ministeria seu actiones aconfessionales, eo quod agitur de apostolatu penetrationis seu primae aciei (vulgo « avanguardia »); et, hoc sensu, clarum habetur exemplum in Instituto « Opus Dei », ut postea videbimus;

2) *Apostolatus* in societate civili, praesertim in *Associationibus catholicis iam existentibus*, quibus maior vigor infundendum est, aliquando etiam sub « spiritu » aliquo determinato, carmelitico, franciscano, etc., v. gr. in opere « Missionarie della Regalità di N.S.G.C. »;

3) *Apostolatus dioecesanus et paroecialis,* in Institutis etiam speciali vinculo unitis cum Ordinariis locorum relate ad ea omnia, quae apostolatum respiciunt externum, non autem quoad internum regimen (nisi agatur de Institutis typi foederativi, speciatim pro sacerdotibus clero dioecesano addictis), neque quoad sodalium formationem;

4) *Apostolatus sic dictus specializationis,* v. gr. a) educationis in scholis Status aut privatis, catechesis, foliis edendis, etc.; b) caritatis in nosocomiis, orphanatrophiis, assistentiae infirmorum, domorum maternitatis, etc.; c) diffusionis doctrinae catholicae per folia typis data (stampa), per sermonem et conferentias, per artem praecipue sacram, etc.; d) propagationis cultus SS.mi Sacramenti, Sacrorum Cordium Iesu et Mariae, etc.; e) missionalis operis vel f) socialis, sicut formatio operariorum christianorum, etc.

Instituta Saecularia hodie exsistentia sunt, prout diximus, 30. Ceterae Associationes, de quibus nuper sermo (numero 113), sunt adhuc Associationes tantum fidelium, eo quod necdum receperunt adprobationem pontificiam nec licentiam a Sancta Sede ad earum erectionem dioecesanam. Ex illis 30, unum tantum adprobationem definitivam obtinuit, nempe, « Opus Dei »; quinque sunt iuris pontificii, scilicet, praefatum « Opus Dei », « Missionarie della Regalità di N. S. G. C. », « Institutum de Notre Dame du Travail », « Compagnia di S. Paolo » et « Filiae Reginae Apostolorum »; reliqua vero sunt iuris dioecesani.

Vellem de Institutis Saecularibus hucusque probatis aliqua dicere: sed tempus iam deficit mihique finiendum est. Cogito tamen ex dictis plene patere tum momentum apostolatus Institutorum Saecularium, cum necessitatem enixas preces ad Deum fundendi ut hi sanctitatis et apostolatus fructus, quos Ecclesia ab eis iure meritoque exspectat, obtineri semper pergant, atque ut in dies magis magisque Saecularia Instituta, omnium orationibus, efficaciora reddi valeant.

Alii periti viri, ex munere a Sacra Congregatione de Religiosis commisso, circa idem argumentum scripserunt.

121   R. P. AGATHANGELUS A LANGASCO, O. F. M.
       Cap., Procurator Generalis, *scripsit*:

Tractationem completam de enuntiato « argumento » aliis scriptoribus ac praesertim eximio relatori reservans, in exponendis consistam quibusdam notitiis seu propositionibus circa quasdam *formas,* conditas vel condendas, Institutorum saecularium.

Diversitas seu varietas formarum dari potest, non quidem a notis essentialibus, sed a pluribus aliis capitibus, ut puta a constitutione interna vel externa. Huiusmodi tamen capita praeterimus, quia nostra magis interest aliud caput, omnino singulare, uti putamus, hoc est status iuridicus, praecedens vel etiam concomitans, sodalium Institutorum quorumdam saecularium, quae, uti innuimus, iam condita vel etiam approbata inveniuntur aut saltem condi posse videntur.

Ex hoc profecto distinctionis seu varietatis fundamento desumere licebit non solum notitias, forte haud plene divulgatas, sed etiam enuntiationes seu propositiones de iure Institutorum saecularium, condito vel condendo.

Duae tantum formae recensendae veniunt, nempe: Instituta saecularia clericalia dioecesana, Instituta saecularia Tertii Ordinis saecularis.

I. *Instituta saecularia clericalia dioecesana.*

1. *Notio.* — Agitur de Institutis saecularibus quorum sodales sunt clerici vel sacerdotes saeculares alicui dioecesi incardinati, qui proinde suo cuiusque Instituto incorporantur quin incardinationem suae cuiusque dioecesi amittant.

2. *Origo et evolutio.* — Inde a pluribus annis immo et saeculis, anhelitus maioris perfectionis, in Clero saeculari, quibusdam congregationibus seu societatibus seu associationibus originem dedit, in quibus sodales specialem formam oboedientiae Episcopo profitebantur et sub peculiaribus regulis vitam ducebant (1).

Ex his quaedam usque ad formam Societatum virorum in communi viventium sine votis publicis (2) evolutae sunt. Aliae ad praefatam vitae formam

_____

(1) Ex. gr. *Congr. Oblatorum SS. Ambrosii et Caroli,* a S. Carolo Borromaeo, Mediolani condita et a S. P. Gregorio XII canonice erecta, a. 1578; et plures aliae Congr. seu Soc. *Oblatorum,* Patavii, Bergomi, et alibi, decursu temporum erectae.

(2) Cfr. cc. 673 ss.

anhelabant quidem, sed numquam eam consecutae fuerant, ac ideo inter meras Associationes fidelium (3) propriam exsistentiam ducere perrexerunt, una cum Associationibus quae hac profecto forma conditae fuerant (4).

Recentius autem vera et propria Instituta saecularia condita sunt, ad quam formam sese conformare conatae sunt etiam plures ex praefatis antiquioribus Associationibus.

3. *Exempla.* — Inter antiquiores Societates seu Associationes, quae ad formam Institutorum saecularium sese conformare sategerunt, memorandae veniunt:

Pia Societas «Don Mazza», a Sacerdote Nicolao Mazza, Veronae, iam ab anno 1831 conditae, quae utpote propria exsistentia iuridica iam praedita, Decretum recognitionis (5) a S. Congregatione de Religiosis obtinuit, die 13 iunii 1949; *Societas Cordis Iesu,* a P. Petro de Clerivière, sacerdote ex-professo tunc extinctae Societatis Iesu, iam ab anno 1791 condita, ac serius a Sacerdote parisiensi Daniele Fontaine, anno 1918, restituta, quae, uti novimus, sese conformare contendit praescriptis Const. «Provida Mater».

Inter Saecularia Institua recens condita, memorandum venit Institutum «*Oblati diocesani di Verona*», quod «veniam pro erectione» obtinuit a S. Congregatione de Religiosis.

4. *Difficultates earumque solutio.* — Quaeri potest quanam ratione componi valeat character universalis quod per se competit Instituto Saeculari (7) cum charactere locali et circumscripto quod derivat ex sodalium incorporatione alicui dioecesi (8). Difficultas resolvitur per *confoederationem,* quae admittitur in constitutione Institutorum saecularium (9)·

Quaeri item potest quomodo componi valeat subiectio sodalium Episcopo simul et Superiori, quatenus haec derivat ex eo quod sodalis simul pertinet ad dioecesim et ad institutum (10). Difficultas resolvitur *duplici via,* quam pro lubitu sequi possunt constitutiones, nempe: vel sodalis, per votum privatum aut promissionem oboedientiae, strictius mancipatur Episcopo, cuius proinde Superior erit merus vicarius vel delegatus; vel, firma manente oboedientia erga Episcopum in iis omnibus quae ex lege canonica sub tali oboedientia cadunt, sodalis, per votum privatum oboedientiae vel per eiusdem promissionem, sese tradit Superiori in aliis omnibus quae non cadunt sub oboedientia Episcopi, iuxta constitutiones, uti patet (11).

---

(3) Cfr. cc. 684 ss.
(4) Ex. gr. *Unio Apostolica Sacerdotum,* iam a saec. XVII condita, et anno 1862 ad vitam revocata, a Pio X approbata et commendata, die 28 dec. 1903: cfr. *Acta Sanctae Sedis,* vol. XXXVI, p. 594 ss.
(5) Cfr. Instr. S. C. de Rel. 19 mart. 1948, n. 4, in AAS, vol. XL, p. 294.
(6) Cfr. Instr. S. C. de Rel. 19 mart. 1948, n. 3, l. c.
(7) Cfr. Const. Apost. *Provida Mater Ecclesia,* 2 febr. 1947, art. IX, in AAS, vol. XXXIX, p. 123.
(8) Cfr. can. 111 coll. cum can. 127.
(9) Cfr. Mot. Pr. *Primo feliciter,* 12 mart. 1948, IV, in AAS, vol. XL, p. 285.
(10) Vide superius, n. 1.
(11) Cfr. *Constitutiones.*

Item quaeri potest quanam ratione ordinetur proprietas et administratio bonorum, seu quanam ratione haec componi possit cum voto seu promissione paupertatis (12). Difficultas facilius quam praecedentes resolvitur, quia non desunt normae datae in similibus (13) et praeterea valet eadem distinctio supra memorata, quatenus, firmis legibus canonicis circa administrationem bonorum ex. gr. paroeciae vel ecclesiae, constitutiones determinant ambitum paupertatis circa alia bona quae cedunt personae (14).

5. *Utilitates.* — Praeter alias minoris momenti, haec recensenda veniunt: Clerici et sacerdotes saeculares, qui per se ad statum perfectionis stricte sumptum non pertinent (15), in huiusmodi statum ingrediuntur (16); - Hac ratione tractus strictioris unionis et collaborationis cum clero regulari seu religioso ipsis praebetur; - Strictiorem dependentiam ab Episcopo, et quidem sponte susceptam, consequuntur, qua bono animarum satius consulitur; - Adaequatius resolvitur condicio iuridica associationum clericalium, quatenus nova condicio creatur inter statum religiosum et statum mere laicalem (17).

II. *Instituta saecularia Tertii Ordinis saecularis.*

1. *Quaestio praeliminaris.* — Quaeri potest utrum iure dari possint Instituta saecularia, quae simul pertineant ad aliquem ex Tertiis Ordinibus. Respondendum est nihil obstare:

a) Nec ex natura rei, nam agitur in utroque casu de *coetu saecularium*, qui solummodo modo diverso seu diverso gradu ad perfectionem evangelicam tendunt (18);

b) Nec ex lege generali, quia evidenter non agitur de pertinentia simultanea ad Tertium Ordinem et ad Religionem (19) vel ad plures Tertios Ordines (20);

c) Nec ex lege particulari, quae immo videtur favere huiusmodi pertinentiae (21).

2. *Constitutio.* — De iure condito, Institutum saeculare Tertii Ordinis primo ordinari potest, ut videtur, ad modum

---

(12) Cfr. Const. Apost. *Provida Mater Ecclesia*, art. III, § 2, 3.o.
(13) Cfr. can. 630, §§ 3-4.
(14) Cfr. *Constitutiones.*
(15) Cfr. Alloc. Pii PP. XII ad Congr. de Statibus Perfectionis, 8 dec. 1950, II, in AAS, vol. XXXXIII, p. 29 ss. (adnot. addita post Congr.).
(16) Cfr. Const. Apost. *Provida Mater Ecclesia*, 1. c.
(17) Cfr. can. 487 coll. cum cc. 682 ss.
(18) Cfr. can. 702 § 1 coll. cum Const. Apost. *Provida Mater Ecclesia*, 1. c.
(19) Cfr. can. 704.
(20) Cfr. can. 705.
(21) Cfr. ex. gr. *Constitutiones Missionariarum Regalitatis D. N. Iesu Christi.*

specialis *sodalitatis tertiariorum* (22), servatis, ut patet, peculiaribus normis a competenti auctoritate (23) statutis.

De iure condendo, nihil impedire videtur quominus constitui possit, servatis servandis, peculiare Institutum saeculare autonomum. Ad hoc utiliter promulgari poterit quaedam *regula fundamentalis* pro omnibus Institutis saecularibus uniuscuiusque Tertii Ordinis (24), cui conformari deberent *constitutiones* uniuscuiusque Instituti ad ipsum pertinentis, servatis utique de iure servandis (25).

3. *Exempla.* — Plura iam dantur, quamvis hactenus haud plene conformata cum praefatis principiis.

En duo: Institutum saeculare « *Missionarie della Regalità di N. S. Gesù Cristo* », quod Decretum laudis obtinuit anno 1948; et Sodalitas T.O.F. « *Piccola Compagnia di S. Elisabetta* », quae erectionem canonicam et approbationem obtinuit per Decretum Em.mi Card. Archiepiscopi Florentini, die 31 maii 1943.

4. *Difficultates earumque solutio.* — Praeter difficultates quibus superius innuimus (26), quaeque resolvi poterunt iure condendo, alia difficultas oriri poterit ex eo quod Tertius Ordo sub dependentia seu moderatione Primi Ordinis est (27), quae excludi videretur pro Instituto saeculari (28). Resolutio adest in ipsa lege, quatenus huiusmodi dependentia seu moderatio penitus non excluditur, quinimmo, saltem ex analogia, requiri aliquo modo videtur (29).

5. *Utilitates.* — Praeter alias hae memorantur: Incrementum Tertii Ordinis, in ipso suo nativo fine, qui profecto « ad perfectionem christianam » ordinatur (30); - Maior efficacia socialis ipsius Tertii Ordinis, quatenus hoc modo augetur vis « penetrationis » in hodiernam societatem (31); - Augetur etiam spiritus unionis et practica collaboratio Tertii Ordinis cum Institutis saecularibus, in iis saltem quae, ex communi fine maioris perfectionis in saeculo obtinendae, communia aliquo modo fiunt.

(22) Cfr. can. 702 § 2.
(23) Cfr. Const. Apost. *Provida Mater Ecclesia*, art. VIII-X; una cum documentis pontificiis subsequentibus; ll. cc.
(24) Analogice cum Tertio Ordine Regulari S. Francisci: Cfr. eius Regulam in AAS, vol. XIX, p. 361 ss.
(25) Cfr. documenta pontificia superius citata, in nota 23.
(26) Vide superius, num. 2.
(27) Cfr. cc. 702 ss.
(28) Cfr. Instruct. S. C. de Rel. 19 mart. 1948, 9, l.c., p. 296.
(29) Cfr. Instr. cit. coll cum can 492 § 1.
(30) Cfr. can. 702 § 1.
(31) Epist. Encycl. Leonis XIII *Auspicato concessum*, 17 sept. 1882, in AAS, vol. XV, p. 145 ss.; necnon eiusdem Const. Apost. *Misericors Dei Filius*, III Kal. Iun. 1883, ibid., p. 513 ss.

1. La responsabilità dei laici.

« *Il buon seme sono i figli del Regno* » (Mt 13, 38).

Questa parola del Maestro è oggi — per ispirazione dello Spirito — più che mai viva nel cuore del laicato moderno. I laici sentono la realtà vitale del Corpo Mistico e la corresponsabilità personale nell'opera della Redenzione.

Assistiamo inoltre oggi a un rifiuto sempre più cosciente di ogni tipo di società « sacrale », in cui il laicato abbia — anche sul piano temporale — solo una funzione secondaria e subordinata. Ciò anche perchè di fronte alla Chiesa — società completa e perfetta — oggi sta un'altra società, quella statale, a struttura quasi ovunque democratica, nella quale il compito di lievitazione cristiana è — per natura sua — riservato in particolare al democratico inserimento dei laici cristiani.

Per essi la democrazia non ha, nè deve avere solo un senso politico od economico, ma il significato più profondo di un *metodo di educazione personale* e di integrale elevazione umana.

Nel nostro mondo infatti bisogna agire « dal di dentro », nel pieno rispetto della verità interna delle cose e delle strutture: agire come uomini e come cittadini lavoratori. Accettando, con piena coscienza e gioia, il rischio personale, il peso cioè della propria iniziativa e responsabilità per la corredenzione del nostro ambiente, del nostro tempo, della nostra società...

Tale tipo di azione apostolica dei laici esige delle personalità forti — umili e integrali — che sappiano agire con una metodologia che chiameremo « *di inserimento e di incarnazione* »: parole che ci ricordano subito il ritmo divino, il metodo che fu ed è di Cristo. Egli ci ha insegnato a farci seme, lievito, linfa segreta che *dal di dentro* vivifica i tralci: Egli si è fatto carne, lacrime, fatica, a fianco degli uomini del Suo tempo.

Questo ideale di vita cristiana, vissuta nella sua pienezza apostolica, attrae ed impegna oggi i laici, ed essi rivendicano una loro propria, specifica funzione nei riguardi delle strutture temporali e particolarmente là dove le soluzioni tecniche e metodologiche sono *opinabili, perchè problematiche e contingenti*.

Si riafferma così l'antica, sempre valida e saggia direttiva: « in dubiis libertas ».

Il laicato pensa che gioverebbe molto alla Chiesa chi in tali problemi — *a meno di una esplicita presa di posizione del Magistero Ecclesiastico anche su problemi contigenti e opinabili* — si abituasse ad esercitare continuamente la propria personale responsabilità di laico, impegnato nella storia a testimoniare la Resurrezione e la Redenzione di Cristo.

Perciò, quando una *specifica* azione apostolica — spontaneamente sorta da piccole comunità fermentanti — normalmente conclude nell'esigere una consacrazione totale, anche questa non appare solo *genericamente*, ma anzi *specificamente* congiunta con la particolare attività dei laici consacrati a « quel » determinato tipo di apostolato.

Una *specifica* attività apostolica, esige una *specifica* forma di consacrazione, così come pure, quasi sempre, esprime una tipica spiritualità.

Cardine spirituale ed essenziale di essa appare essere la *difficile sintesi* tra la disponibilità totale (anima, corpo, professione) dei laici consacrati e l'acuto personale senso di responsabilità apostolica, tra l'inserimento nella tradizione teologica e liturgica della Chiesa e la santa libertà dei figli di Dio — che si traduce oggi nell'istintivo abbandono di ogni formalismo — tra l'umiltà infine, cosciente della onnipotenza dell'apostolo che si fa docile strumento di Cristo, e la tensione continua dello slancio audace e generoso.

2. Mentalità dei giovani d'oggi.

La mentalità comune al laicato esige oggi una forma di consacrazione che potenzi e faciliti l'apostolato *di penetrazione* e lievitazione cristiana di tutta la vita *sociale* contemporanea.

Intellettualmente, i giovani di oggi sono sensibilizzati alla complessità e molteplicità di problemi: morali, sociali, filosofici, politici, ecc. anche se talora o spesso privi di principi base su questi stessi argomenti.

Inclinati a giudicare molto e tutto e a manifestarlo, essi amano la chiarezza, la lealtà. Vogliono rendersi conto di tutto, sapere il perchè delle cose. Risentono di un certo individualismo: ma hanno un sano desiderio di farsi da soli ed agire per convinzione propria cercando di non lasciarsi influenzare troppo dall'esterno.

Moralmente, in genere, hanno poco senso del dovere e poco spirito di disciplina. Si può notare anche una certa diffidenza verso quelle virtù che *sembra* possano loro apportare una mancanza di forza o una diminuzione del proprio essere: umiltà, mortificazione, ecc. Tendendo più facilmente verso aspetti esteriori, dinamici.

Sono però da sottolineare due qualità fondamentali che si ritrovano nella gioventù del nostro tempo, che vuole consacrarsi a Dio e all'apostolato: *la sincerità e la generosità*. La nostra gioventù è sincera fino alla crudezza.

Cerca la verità, vuole la verità, disprezza tutto quello che è convenzionale, formalistico. Vuole essere convinta prima di agire, si rifiuta di fare le cose senza comprenderle. Dice apertamente quello che pensa e quello che vuole, riconosce con sincerità i propri errori ed ha il senso del sacrificio e della dedizione agli altri.

Ha disgusto dell'abitudine, della vita « borghese ». Generosità qualche volta temeraria, ma aperta a tutti i bisogni, pronta a tutti i rischi.

E' comprensibile quindi come la nostra gioventù, così ricca di possibilità buone come di pericolosi difetti, molte volte di fronte alla vita di consacrazione, abbia delle forti reazioni e delle difficoltà reali che bisogna cercare di capire per aiutarla a correggersi, orientarsi, elevarsi, nella prospettiva di un ideale positivo di perfezione evangelico-apostolica.

Un'altra difficoltà della gioventù odierna per la vita di consacrazione è data dallo schema comune del periodo di formazione, in cui di solito si finisce per spezzare *totalmente* i rapporti con il settore sociale e professionale di propria competenza.

Siccome la vita di consacrazione è sentita in funzione all'azione apostolica specifica, bisogna evitare ai giovani l'impressione pericolosa che la consacrazione totale comporti per ciò stesso il sacrificio della propria competenza specifica e quindi il rapido decadere delle proprie capacità in confronto di quelle dei propri colleghi di lavoro, di professione, di studio, di insegnamento, ecc. che sono rimasti nel mondo.

Tutto questo anche per impedire che ci sia disaccordo fra il desiderio della perfezione apostolica, vissuta nello spirito degli Istituti Secolari, e i mezzi che sono stati dati da Dio per realizzarla.

L'Assemblea Generale della Compagnia di S. Paolo, nel 1946 affermava perciò che: « data l'attuale struttura della vita sociale, si ritiene che mezzo *comune e precipuo* e necessità psicologica per i membri laici per svolgere l'apostolato *sociale di penetrazione*, sia normalmente il possesso e l'uso di una specialità, competenza e professione... Questa deve intendersi non in arido senso tecnico, ma come il migliore e più efficace strumento di apostolato cristiano, animato sempre da un'alta ispirazione apostolica ed elevato a mezzo di ricostruzione sociale cristiana ».

Il laicato sa che, anche nello « stato di consacrazione totale, » la fedeltà e l'amore al proprio *lavoro* quotidiano deve restare sua caratteristica « propria »: il lavoro, infatti, innestandoci nella vita sociale, è il mezzo più efficace per lievitare cristianamente tutte le strutture.

Il metodo più adatto per la conquista di un ambiente in cui svolgono la loro attività personale è perciò per i laici quello di unire una vita cristiana integrale con la competenza, l'abilità, e la serietà professionale: solo tale concreta e continua testimonianza può faticosamente meritare la stima umana ed aprire poi le anime alla Vita della Grazia.

Vorremmo ora accennare ad alcuni aspetti del rinnovamento dello « *stato di consacrazione totale a Cristo* » così come è nelle attese del laicato contemporaneo.

La spiritualità del laicato.

Essa si definisce oggi quale: « spiritualità dell'azione », spiritualità cioè per una vita attiva. Non è malgrado l'azione, ma attraverso l'azione, le sue stesse difficoltà, impegni, responsabilità, contrasti, che il laico deve santificarsi. E' questo un elemento che deve essere approfondito, perchè diventi e sia sempre più un'alta e quotidiana « passione ».

Il Cristianesimo, dai secolari consacrati è sentito come formula di *vita* e non come una formula di pietà, legata a tradizionali abitudini stereotipe e borghesi.

Tutto così nell'azione apostolica dei laici aspira a divenire *cosciente atto di amore, virilmente sofferto*.

La formazione alla vita di perfezione evangelica nella consacrazione apostolica, centralizzata nell'Incarnazione Redentrice, per potersi realizzare deve quindi avere sempre dinnanzi, in luce di Fede, *l'ideale positivo* a cui deve tendere.

Per tendere a questo ideale dell'*uomo* apostolico, strumento congiunto con Cristo, è necessario formare allo spirito e alle attuazioni della *libertà evangelica*, che è condizione indispensabile per esercitare in ardore e perseveranza la carità verso Dio e la carità verso il prossimo.

(Non solo direttamente verso le anime singole, ma per raggiungerle anche attraverso i complessi, gli ambienti, le forme strutturali e tecniche, culturali, sindacali e sociali nelle quali oggi l'uomo necessariamente deve vivere).

I Santi e gli Apostoli sono i campioni, gli eroi della libertà evangelica.

L'esercizio della virtù teologale della carità è l'essenza, la radice, il principio e il fine della perfezione evangelica-apostolica, ma questo esercizio sarà impossibile senza la libertà evangelica.

In questa prospettiva positiva della libertà evangelica, necessaria perchè l'uomo apostolico in certo senso prolunghi l'Incarnazione Redentrice, emerge l'indispensabilità e l'importanza dello spirito di abnegazione, di distacco interno ed esterno, generoso e perseverante.

I laici devono essere aiutati perchè « *personalmente* » e intimamente si convincano, si preparino, si educhino, si esercitino gradualmente, progressivamente in questo spirito radicale, totale, di abnegazione per poter divenire i « veri uomini nuovi » in Cristo (« Vivo ego, iam non ego, vivit vero in me Christus »), i veri apostoli sociali, perchè il mondo delle anime e delle strutture umane ha bisogno di essere redento dalle molteplici passioni dell'egoismo individuale e collettivo che lo rendono schiavo del peccato.

Quindi anche la pratica della mortificazione interna ed esterna deve venire prospettata e realizzata non come qualche cosa di staccato, di artificiale, ma in senso unitario, totale, in ordine all'ideale della vocazione da incarnare, secondo il piano dell'ascetica cattolica, al cui servizio si devono mettere i risultati dell'esperienza della santità del laicato e di una psico-pedagogia dell'uomo completo.

Così le stesse pratiche della mortificazione devono essere quanto più è possibile collegate con la realtà della vita laicale, tenendo conto del temperamento dei singoli e delle loro condizioni psico-fisico-spirituali, mai dimenticando di porre bene in evidenza l'importanza e la necessità di quel complesso e genere di mortificazione che sono collegate con il fervoroso adempimento, in spirito di perfezione, del proprio dovere quotidiano. Senza di ciò tutto il resto sarebbe inutile, anzi nocivo, ostacolando o comunque mettendo in condizione di minorazione l'adempimento di questo dovere e generando stati di ansietà e di agitazione.

Ansietà ed agitazione facili ad essere suscitate soprattutto se si volesse ancora intendere la *vita comune* dei laici consacrati solo nel senso di una « maxima paenitentia ».

Sembra invece che il concetto di vita comune negli « Istituti Secolari » vada inteso nel senso che essa consista non tanto nel fare sempre tutto collettivamente: preghiera, lavoro, studio, passeggiate, ecc., quanto ad avere uno scambievole amore, vero, profondo, soprannaturale, e un profondo sincero attaccamento alla famiglia spirituale-apostolica, di cui si fa parte.

L'apostolato dei laici costringe a vivere con orari e situazioni molto diversi l'uno dall'altro. Anche guardando a questo, non bisogna fermarsi ad un concetto materialistico della vita comune, ma mirare più che è possibile a stabilire una comunione di anime che vivono lo stesso ideale, che mettono insieme le proprie esperienze, che pregano e lavorano, che studiano, soffrono e gioiscono *insieme* e discutono *insieme* i mezzi migliori per le conquiste apostoliche.

I laici devono quindi venire abituati a dare relazione del loro lavoro, a interessarsi del lavoro degli altri, insomma a sentirsi veramente e intimamente legati da un vincolo di fraternità, che non consiste solo nel vivere sotto lo stesso tetto e nel mangiare alla stessa tavola.

4. L'ubbidienza dei laici.

Va premesso che i laici devono venire educati a continuare non con plagio meccanico, automatico, standardizzato, ma in modo *personale e vitale* la realtà vivente, personale di Cristo povero, casto, ubbidiente.

Quindi formazione eminentemente « attiva » e « positiva », che ponga costantemente in risalto il collegamento intimo e la « funzionalità » dei voti e delle virtù in rapporto alla consacrazione apostolica.

Poichè ubbidire è identificare la propria volontà a quella di Dio e cioè amare Iddio, unirsi a Lui, realizzarsi pienamente secondo l'ordine soprannaturale; è evidente che ubbidire significa « agire »: agire con Dio, *secondo la Sua volontà*, è volere più fortemente che con la propria.

Ciò detto è chiaro che l'ubbidienza non può e non deve sopprimere l'umana natura, ma tende ad animarla ad una vita nuova e ad infonderle energie nuove.

La natura umana è chiamata, nella rettitudine di intenzione e nella generosità, a collaborare attivamente a questa ubbidienza con prontezza e totalità.

Le domande, le difficoltà esposte con deferenza ai « Superiori » sono un aspetto di cooperazione e un elemento dell'ubbidienza: poichè Iddio domanda di aprire tutti noi stessi e tutta la nostra iniziativa al Suo servizio ed alla Sua grazia. Tutto ciò nella luce di questa virtù, intesa come comunione e conformità alle operazioni di Dio e di Cristo, che richiedono anche generosi sacrifici e rinuncie e ricordano sempre che l'ultima parola è dell'ubbidienza, di una ubbidienza che investe l'uomo nella radice stessa della sua interiorità.

Va quindi riconfermato il posto eminente che l'ubbidienza ha nella concezione e nella prassi ascetica della perfezione cristiana apostolica, ma nello stesso tempo si deve insistere sul fatto che *l'essenza della perfezione è nella carità soprannaturale,* nel suo sviluppo, nella disponibilità piena di se stessi a Dio e all'apostolato, il cui esercizio è orientato però dall'ubbidienza.

Così i laici potranno comprendere che l'ubbidienza non

è qualche cosa che arresta o intralcia nel cammino apostolico, ma è l'atto animato dalla carità, che a tutta la vita dà il valore di un dono. Non sarà mai abbastanza lumeggiata la stretta connessione che esiste tra la ubbidienza e l'amore.

Oggi spesso i laici entrano negli Istituti secolari dopo essersi proposti il problema di un apostolato specifico, di categoria (attualmente è l'indirizzo prevalente) e quindi anche il problema di una relativa, seria preparazione e competenza specifica; anzi spesso dopo aver lavorato in vari settori del movimento cattolico ed averne esercitate le responsabilità. Bisogna quindi che possano entrare in un ambiente in cui sentano che si dà loro *fiducia* e si desidera vederli attivi e intraprendenti. Apostoli senza personalità non sono certo l'ideale del laico consacrato: bisogna quindi proporsi non di schiacciare le personalità, ma solo di eliminare quanto vi è in ciascuno di difettoso e di servire d'altra parte la realizzazione integrale di una « nuova » personalità apostolica. *Così si formeranno delle persone responsabili, aperte allo spirito di iniziativa, di decisione e contemporaneamente aperte ad una docilità illuminata, conquistata, attiva.* E' molto più comodo sopprimere e comprimere ogni cosa, invece che aiutare con pazienza, fermezza e comprensione a cogliere i difetti, sviluppando i doni naturali e soprannaturali di ogni persona.

Benchè sia ovvio che per ubbidire basta sapere che chi parla è il Superiore e non è per sè necessario sapere e comprendere perchè parla, tuttavia, considerando che il soggetto non è un automa, ma un essere spirituale « umano », è opportuno cercare di far conoscere nella luce della Fede il motivo dell'azione. E questo non per una interpretazione naturalistica dell'obbedienza — quasi che essa debba essere *sempre* sottoposta a controllo e discussione —, ma per tendere a far ubbidire in modo più perfetto, altrimenti l'ubbidienza potrà fermarsi facilmente ad un fatto esterno, puramente materiale.

5. La castità dei laici.

Tutto il Cristianesimo si riassume nell'amore: di Dio per se stesso e del prossimo per amore di Dio. Tendere alla perfezione evangelica è tendere alla perfezione dell'amore.

L'eccellenza della castità non sta quindi solo nella rinuncia al matrimonio, ma anche alla rinuncia, alla mediazione e alle restrizioni dell'amore coniugale, per tendere immediatamente alla perfezione dell'amore di Dio con la totalità del proprio essere e alla perfezione dell'amore del prossimo con massima libertà e universalità apostolica.

La castità perfetta ha la sua adeguata ragion d'essere e la sua totale spiegazione nella virtù teologale della carità, dalla quale procede, nella quale si alimenta e alla quale ritorna.

Questa realtà deve essere chiaramente ed efficacemente presentata in modo che ai laici realmente la castità risulti come una gioiosa conquista, se pur necessariamente condizionata da una indispensabile rinuncia. E rinuncia non già ad un male, ma ad un bene per un Bene migliore e superiore.

313

La castità perfetta, radicata nella carità, tende quindi ad una consacrazione più diretta, totale, immediata di tutto l'uomo a Dio e non solo per l'aspetto spirituale (facoltà superiori) ma anche sotto gli aspetti psico-fisici-sensoriali, in quanto tende alla loro spiritualizzazione, progressivamente trasferendoli ed elevandoli in una tendenza soprannaturale. Rende più divinizzati e quindi più umani.

La vita della castità apostolica è radicata nel tendere alla massima unione, comunione veramente e supernamente nuziale con Dio nella virtù teologale della carità e nel tendere alla paternità e maternità apostolica verso le anime singole, e verso le comunità umane delle famiglie e degli altri gruppi e settori sociali.

Tutto l'anelito, la ricchezza, la capacità, la forza, il dono, l'abbandono, l'intimità, la generosità dell'amore coniugale —, divinizzati attraverso la rinuncia al matrimonio umano e alle gioie sensibili dell'amore — vengono non già sminuiti, depauperati o isteriliti, ma sublimati, arricchiti ed elevati dalla castità perfetta: si stabilisce così un rapporto d'amore con Dio, che, dalla purificazione, all'illuminazione, all'unione, ascende nell'amore a Lui che sarà consumato nell'eternità.

In ordine alla castità, va considerata l'importanza di un giusto concetto e di una adeguata realizzazione della vita comune nel senso di una vita, di un clima, di uno stile e di un tono realmente *di famiglia,* ravvivato da un affetto umano non borghesemente gretto, ma aperto al generoso servizio, che si deve sostanziare in tutto quel complesso di indispensabili ausilii di indole spirituale, psicologica, culturale, fisica, economica, sociale, ecc.

In tale prospettiva la castità apostolica risulta non già come un espediente contro-natura dell'uomo, nella sua realtà ontologico-psicologica ricreata in Cristo, non già una amputazione e soffocazione delle capacità di amare; ma una valorizzazione ed espansione massima della potenza d'amore della creatura umana, la quale, rinunciando ai casti piaceri dell'unione coniugale e alle caste gioie dell'educazione spirituale di un numero pur sempre necessariamente limitato di figli, convoglia in Cristo e con Cristo *nella famiglia apostolica* tutte le possibilità dell'amore naturale — soprannaturalizzato dalla carità — e non conosce barriere all'amore apostolico per anime senza numero.

Onde evitare tardivi rimpianti, comprensibili nostalgie, squilibri psicologici e anche dolorose e tragiche deviazioni è assolutamente necessario prospettare ai laici la castità apostolica in tutta la sua positiva ineguagliabile luce teologico-sociale: ed evitare di usare effimere ed abusate retoriche e suscitare artificiosi entusiasmi dovuti a fasi improvvisate e passeggere di esaltazione religiosa. Ai laici perciò va sì prospettato il sacrificio che richiede la rinuncia al matrimonio da un punto di vista fisico-sessuale, ma anche dal punto di vista sentimentale, non nascondendo che lo stesso matrimonio — per chi vi è chiamato — ha una sua ascetica e una sua mistica che ne fanno un mezzo di santificazione.

Quanto brevemente accennato sopra, da un punto di vista teologico-sociale richiede il doveroso concorso di una seria valutazione dei fattori bio-fisico-psicologici nel quadro di una pedagogia della castità apostolica.

Pedagogia della castità apostolica che — è ovvio il richiamarlo — è fondata nei dati dogmatici e nella fedeltà all'insegnamento del Magistero della Chiesa e della tradizione ascetica cattolica per quanto riguarda la indispensabilità dei mezzi soprannaturali: preghiera, sacramenti, mortificazione.

La castità apostolica dunque deve essere cristocentrica, soprannaturale, serena, e virilmente cosciente.

Non deve perciò mancare, oltre ad una aggiornata ed igienica educazione, una conveniente, delicata, semplice e chiara informazione riguardo gli aspetti della vita sessuale, informazione ugualmente lontana da morbose crudezze e da puritanismi nocivi, tenendo sempre presente che si devono formare degli uomini e delle donne i quali devono portare il mistero della castità perfetta attraverso un *apostolato di penetrazione* tra esseri ordinariamente chiamati a formare una famiglia e in mezzo a molteplici deviazioni di ordine morale.

6. La povertà dei laici·

Per l'apostolo laico la povertà deve essere un atto di amore a Dio e una « testimonianza » di vita cristiana integrale.

La povertà è un atto di amore che *ci distacca e ci libera* per una dedizione senza limiti: non è quindi un disprezzo verso i beni temporali, ma anzi un amore e un rispetto che ci fa tutto elevare e tutto consacrare.

Davanti a Cristo la povertà è un atto di religione, davanti ai fratelli è un atto di carità: carità chiamata a testimoniare una trascendenza assoluta, un vero modo di possedere uno spirito di autentica fraternità e solidarietà con tutti i membri del Corpo Mistico.

Vanno considerati nella povertà due aspetti: l'atteggiamento interiore, spirituale, del distacco per amore di Cristo, e la sua realizzazione concreta, cioè la pratica della povertà.

La difficoltà sta nel saper conciliare l'uno e l'altra, perchè mentre l'aspirazione alla povertà deve essere assoluta e il distacco interiore profondo e totale, *la sua realizzazione deve essere limitata alle particolari esigenze della tipica vocazione e specifica attività personale dei laici.*

Essi devono venire abituati non tanto a non disporre di niente, quanto a saper disporre, a *saper usare tutte le cose con spirito di responsabilità e di dipendenza,* dando esatta relazione delle proprie spese.

Con questo metodo si potrà realizzare un autentico spirito di distacco interiore, di *povertà di spirito,* che genuinamente attui la beatitudine evangelica.

RELATIO IV: *Natura et gratia in statibus perfectionis; naturae purificatio et elevatio; criteria secura et completa quoad abnegationem, humilitatem, mortificationem.*

123 *Orator* - R. P. CAROLUS BOYER, S. I., in Pontificia Univ. Greg. Professor.

Thema quod mihi commissum est et quod magno honori duco tractare, scilicet *De natura et gratia in statibus perfectionis,* visum est mihi ad doctrinam spectare ac propterea potius esse speculativum. Sciunt autem omnes quantum recta principia valeant ad actus excitandos atque dirigendos. Spero igitur fore ut dissertatio mea suo fungatur munere in renovatione religiosorum quae agitur in hoc nobili Congressu.

1. Quaestiones solvendae.

Nomen *naturae* in theologia vitae spiritualis multiplici sensu sumitur. Aliquando opponitur simpliciter *supernaturali,* et tunc significat omnia quae ad essentiam hominis pertinent, sive quae eam constituant, sive quae ab eius operatione acquirantur, sive quae ab ea quomodocumque exigantur. Alias autem sub nomine naturae intelligitur principium quoddam oppositum bonis animae tendentiis vel gratiae inspirationibus, ita ut etiam nominetur *natura prava.* Quinam sit sensus electus, solet sufficienter dignosci ex contextu: ubi dubitandi locus sit, addatur verbum quo mens dicentis appareat. Si enim legimus: oportet contra naturam agere, intelligimus agi de natura altero sensu dicta. Si autem audimus a Tertulliano animam esse *naturaliter* christianam, hoc de natura priori sensu intellecta accipimus. Nobis etiam in hac relatione natura sumenda est hoc sensu, scilicet pro eo quod ad constitutionem vel exigentias naturae pertinet.

Gratia autem hic accipitur pro omni dono quo Deus hominem moveat ad suum supernaturalem finem.

Ratio nostrae relationis est ut definiatur et solvatur difficultas quae oritur ex habitudine naturae intellectualis ad gratiam, sive consideretur in genere, sive praesertim consideretur in casu nostro hominis lapsi, post peccatum originale. Quod problema duabus his quaestionibus proponi potest: cum finis hominis sit supernaturalis, utrum supernaturalia bona sint naturalibus simpliciter extranea, vel si sint aliquatenus connexa, quo modo et qua mensura possunt bona naturae iuvare ad finem supernaturalem?

2. De harmonia gratiam inter et naturam.

Certa est et clara responsio ad primam quaestionem. Relatio enim gratiae ad naturam exprimitur axiomate: *gratia perficit naturam*. Gratia indiget natura ut subiecto sicut omnis qualitas indiget substantia quae eam sustentet et ab ea actuetur. Scimus autem, saltem in doctrina S. Thomae, quod gratia habitualis, qua homines iustificantur atque sanctificantur, inhaeret immediate non in facultatibus, sed in ipsa essentia animae: unde iam satis manifestum est hoc donum infundi ut essentia nostra in melius actuetur. Sed res fit ipsa solis luce clarior, si attendatur ad quos actus ordinetur illa gratia, scilicet ad actus cognitionis et amoris Dei, qui quidem in hac vita sub umbra fidei eliciuntur, sed animam praeparant ad visionem beatam ipsius essentiae divinae. Iam age, cum natura humana suis viribus relicta suam naturalem perfectionem et felicitatem in optimis suorum actuum inveniret, id est, in dilectione Dei per creaturas cogniti, manifestum est cognitionem et dilectionem Dei supernaturalem, ac maxime intuitivam Dei visionem cum gaudio quo perfunditur, ad perfectionem naturae in immensum conferre. Ut ait S. Augustinus, « in hac quippe imagine, tum perfecta erit Dei similitudo quando Dei perfecta erit visio » (1).

Ea est enim altitudo naturae humanae ut sit capax huius gratuiti doni quod omnem sensum superat.

Porro in luce huius fundamentalis doctrinae non tantum facile apparet quam sincerus et nobilis sit « humanismus » christianus, sed etiam principia tenemus quibus conditiones et characteres huius humanismi definiantur.

Et primum quidem nulla doctrina spiritualis tam altum finem homini proposuit. Aristoteles nonnisi imperfectam et temporalem Dei cognitionem, nec omnibus bonis, sed tantum viris ad contemplationem ingenio et fortuna aptis, reservavit. Plato quidem animae purificatae promisit visionem Boni per essentiam, at non perpetuo habendam, et, si quodammodo patriam a longinquo aspexit, ut ait Augustinus, viam tamen ad illuc eundum prorsus ignoravit. Philosophi autem qui post Christum sine directione fidei de homine tractaverunt, de vita post mortem aut obscure loquuntur, aut nullam esse dicunt, aut, quod

(1) *De Trin.* lib. XIV. c. 23.

idem est, dicunt non personalem, sed in quadam una conscientia immersam. Unde, si humanismus dicitur doctrina quae hominis valorem optimum agnoscit, eique optimam destinat perfectionem, nos christiani sumus, qui humanismum omnium optimum profitemur.

Neque omittendum est nos differre in hoc puncto a christianis illis separatis qui Lutherum diversis suis modis secuti sunt. Quamquam enim plerique eorum vitam aeternam eamque beatam bonis reservatam agnoscunt, etiamsi de ea non raro obscurius loquuntur, atro tamen, quod hanc vitam attinet, laborant pessimismo, cum teneant hominem etiam iustificatum, nonnisi extrinsece iustum esse, nec internam renovationem accepisse, nec esse capacem actuum qui vitam aeternam vere mereantur. Nos autem catholici accepimus caritatem Dei diffundi in cordibus nostris per Spiritum Sanctum qui datus est nobis. Qua propter, agnoscimus actus hominis iusti in hac vita elicitos tanti iam esse pretii, in quantum a Spiritu Sancto principiantur et Deum per theologales virtutes attingunt, ut vere digni sint (« ex condigno ») aeterna mercede, cum qua proportionem quamdam retinent. Constat igitur doctrinam catholicam esse quae dignitatem hominis quam maxime exaltet.

3. De primatu caritatis.

Quo tamen posito, alterum sequitur. Actus quibus homo sublimatur sunt actus virtutum supernaturalium, cum moralium, tum praesertim theologalium, ad quarum exercitium perficiendum conferunt dona, ad motiones Spiritus Sancti recipiendas. Unde sequitur vitam hominis ita esse ordinandam ut actus illi quam plurimi et quam perfectissimi exsistant. Proinde principium iam habemus quod habitudinem actuum vel bonorum naturae ad actus vel bona supernaturalia definiat, scilicet: tantum actus et bona naturae sunt admittenda, quantum iuvant ad perfectionem actuum supernaturalium, atque tantum actus et bona naturae sunt vitanda, quantum perfectionem actuum supernaturalium impediunt. Immo, cum actus et bona supernaturalia ex gradu caritatis mensurentur, nam, ait Sanctus Thomas: « In spirituali vita perfectus est qui est in caritate perfectus » (2), dicendum est modo maxime determinato: tantum naturale admittendum est, quantum iuvat ad caritatem; tantum est vitandum, quantum perfectioni caritatis obstat.

Iam age, eo magis caritas proficit quo magis actualiter et perfecte cor hominis Deo se totum dat, eumque totis suis viribus diligit. In ipso Deo, caritas, seu dilectio Summi Boni infiniti idem est ac divina natura: ex quo Deus naturaliter absoluta sanctus est sanctitate. In angelis autem vita supernaturalis invenitur accidentaliter et gratuito inhaerens: unde abesse potuit quin bonum naturae proprium tolleretur. Potuit etiam respui, ut eam respuerunt angeli mali, et propter hoc mali. Natura enim creata, quantumvis in suo ordine perfecta, deficere potest, saltem relate ad ea quae ipsam superant. Quia autem decebat ut donum Dei supernaturale libera a rationali creatura acciperetur, requirebatur subiectio quaedam libere voluntatis creatae ad hoc ut supernaturaliter perficeretur: quae subiectio ex motivo superbiae denegata est a diabolo et angelis eius. Quod ad ho-

(2) S. Th., *De perfect.*, c. 7.

minem spectat ei pariter utendum erat suo libero arbitrio ut maneret in bono in quo creatus erat: cum tamen in natura integra exsisteret, scilicet immuni a concupiscientia seu pronitate ad deordinate agendum, motus eius ad Deum non retardabatur pondere sensibilium, attamen ipsa eius voluntas conformanda erat, ac proinde subiicienda divinae voluntati positivum praeceptum iubenti: quam pariter subiectionem ex superbia Adam renuit, male utens bono suo libero arbitrio.

4. De gradibus perfectionis.

Posteri Adae in concupiscentia nascuntur et permanent, ideoque eis non solum superbia voluntatis seu amor proprii velle vincendus est ut Deo ad supernaturalia dona moventi oboediant, sed etiam luctandum est ut resistentia naturae ad malum inclinatae superetur. Quod nisi fiat, aut homo peccatis consentit, aut saltem a perfectione assequenda, quae ei possibilis est, impeditur. Quapropter ut homo, in statu praesenti, se totum Dei servitio tradat, requiritur ut perfecte et a superbia mentis et a desideriis carnis sese liberet.

Perfectio tamen viae duplex est: altera quae est de necessitate salutis, altera quae est de consilio. Prior iam requirit ut in nobis nihil sit quod vel actu vel habitu ad Deum non referatur: exigit proinde ut habitus caritatis seu status gratiae servetur, vitando gravia peccata. Posterior modus perfectionis est quaedam imitatio perfectionis beatorum. Beati enim semper actu Deum diligunt, intellectum et voluntatem in eum continue ferentes: quod in hac terra solus Christus, ut comprehensor, potuit perficere. Cuius felicis status ea vita est quaedam aemulatio, ad quam per consilia invitamur, ut scilicet non nobis sufficiat vitare mortalia peccata, gratiam in qualicumque gradu conservare, eamque habendo vitam nostram finire; sed ut ad maiora tendamus Deumque diligamus, contemplemur, eique serviamus magis magisque in dies.

Oportet igitur ut cor nostrum non ad alia distendatur, sed liberum existat ab amore bonorum finitorum, sive sint extrinseca sive intrinseca. Extrinseca sunt divitiae commoditatesque huius vitae; intrinseca sunt affectus erga personas, et maxime affectus coniugales: « Qui enim, ut ait Apostolus, sine uxore est, sollicitus est quae Domini sunt, quomodo placeat Deo; qui autem cum uxore est, sollicitus est quae sunt mundi » (1 Cor. VII, 32); hi quidem affectus legitimi sunt, sed difficile est omnino, atque, testante experientia, rarum ut divinae caritatis fervorem non minuant nec retardent. Tandem, cum homo nihil magis diligat quam propriae voluntatis libertatem, convenit ut qui nullum obstaculum admiserit in faciendo divinam voluntatem, etiam propriae voluntatis affectum deponat. Ut igitur omnes isti affectus temporalium amoveantur, Christique audiantur consilia, tria vota religionis emittuntur: paupertatis, castitatis, oboedientiae, quibus mortificationis et abnegationis officia complentur.

Est forsan qui dicat: quod ad perfectionem pertinet, est motus cordis. Quid igitur cogit ut quis realiter exteriora bona et familiam relinquat suamque voluntatem alteri tradat? Nonne satis est ut affectu cordis istis bonis non adhaereat, sed se ab eorum servitute custodiat? Satis sane est, sanctosque novimus qui in throno regio et in coniugio et in exercitio supremae auctoritatis cor suum totum Deo voverunt. Quid non potest gratia Dei fidelisque cum ea cooperatio? At haec rara sunt specialique vocationi tribuenda. Si vero ordinariam legem agnoscamus, quae in pluribus applicatur, dicendum est realem separationem a creaturis vix non necessariam esse ad progrediendum magnis gressibus in via perfectionis.

Cuius rei duas praecipue intueor rationes. Prima est quia facile quis illudetur circa proprios affectus putabitque se indifferentem esse erga bona quibus forte multum tenetur et quorum subtractionem dolorose sentiret, si ei tollerentur. Altera enim ratio nos persuadet naturam nostram in re morali per peccatum originale vulneratam, in quantum concupiscentiam legi mentis repugnantem sentit, debilem esse si maneat constanter in periculis tentationum. Si enim, ut verbis Augustini utar, « adiacet amanti creaturae amata creatura », timendum est et valde timendum ne ei plus concedatur quam perfectio divinae dilectionis permittat. Ceterum exemplum Christi nos doceat, qui formam sanctitatis ostensurus, realem paupertatem a praesepio ad crucem sustinuit, amorem perfectae castitatis in electione matris virginis exhibuit, abnegationem suae voluntatis non solum perfectam exercuit erga Patris voluntatem, sed etiam erga Mariam et Joseph, cum eis in suo incolatu Nazarethano « subditus erat ». Consilia igitur, quae dicuntur, non solum explicitis verbis Christus commendavit, sed ipsa sua vita amabilia fecit. Filii quidem Dei adoptivi sumus et haeredes regni caelorum, sed nobis nonnisi per crucem, scilicet, per mortificationem et abnegationem eundem est in patriam.

5. De modo in excolendis donis naturae.

Quae omnia, cum sequantur ex ipsa natura ipsius perfectionis simul ac praesentis status nostrae naturae, immutabilia prorsus sunt neque in mentem venire potest, cum de vita religiosa actuali aetati nostrae aptanda agitur, vitam consiliorum, quae religiosorum gloria exsistit, abolere vel essentialiter mutare. Unde etiam resultat specialis notio humanismi christiani, qui, ex una parte, naturam supra modum elevat, et ex altera parte miserias morales naturae lapsae agnoscit easque mederi conatur.

Stare tamen videtur quaestio satis gravis. Certum quidem est bona naturalis ordinis etiam legitima relinquenda esse ubi hoc utile est ad perfectionem supernaturalium bonorum. At quomodo de hac utilitate erit iudicandum? Possuntne regulae quaedam statui, quae de usu vel derelictione naturalium bonorum nos doceant?

Ascendendum est iterum ad principium: gratia perficit naturam. Ut perficiatur, natura servanda est. Si igitur de individuo homine agatur, quo magis, ceteris paribus, facultates eius superiores, nempe intellectus et voluntas, erunt excultae, eo perfectiora erunt instrumenta quae, sub motione gratiae, perfectiores eliciant actus. Si deinde de apostolico munere sit sermo, manifestum est naturales dotes et dona acquisita, scientiae, eloquentiae, urbanitatis, firmitatis in propositis, maximae esse utilitati. Propterea conandum est ut vir quisque christianus, ac praesertim vir apostolicus ad culturam intellectus et ad formationem voluntatis multum attendat, nec ferendum est servos Christi ceteris inferiores esse, quod ad curam humanae excellentiae spectat. Simili modo instituta ita instruenda sunt ut viribus naturaliter communitatibus commissis utantur.

Quod tamen duobus monitis est moderandum. Et primum quidem, naturales dotes nonnisi secundum ordinariam legem requiri ad perfectionem vitae spiritualis. Ubi enim homines sine culpa eisdem privantur, virtus Spiritus Sancti moventis suppleri potest infirmitati instrumenti. Quod experientia comprobatur. Nam humiles aliquando viri vel mulieres, et scientia et ingenii acumine destituti, ad veram sanctitatem perveniunt, et supernaturali lumine in rebus divinis alios multos antecedunt. Praeterea dona naturae suam conditionem puri instrumenti in ordine supernaturali numquam superant, ita ut nihil iam operentur ubi supernaturalibus donis non aguntur, parumque valeant ubi virtutes infusae languescunt. Ergo, supernaturalia dona ea sunt quae semper maximi facienda sunt, etiam ab eis qui naturalibus cumulantur.

Haec est doctrina quam recoluit Leo XIII, gloriosae memoriae, sua epistola « *Testem benevolentiae* » ad Cardinalem Gibbons directam, die 22 Ianuarii 1899, de « americanismo », qui dicebatur: « Difficile quidem intellectu est, eos, qui christiana sapientia imbuantur, posse naturales virtutes supernaturalibus anteferre, maioremque illis efficacitatem ac fecunditatem tribuere. Ergone natura, accedente gratia, infirmior erit, quam si suis ipsa viribus permittatur? Num vero homines sanctissimi, quos Ecclesia observat palamque colit, imbecilles se atque ineptos in naturae ordine probavere quod christianis virtutibus excelluerunt »?

CONCLUSIO

Brevi, excolenda sunt dona naturae, accipiendae sunt modernae quaedam utilitates, non ut in his confidamus, nec ut propter ea supernaturalia negligamus, sed ut supernaturalibus serviant.

Quosdam aliquando audire est vel legere, qui censere videantur maioris perfectionis esse bonis vel solatiis naturae bene uti quam privari mortificationis causa. Fieri sane potest ut vir quidam sanctus, vel etiam alius minus sanctus sed in aliquo fervoris momento, meliorem quemdam actum caritatis eliciat bene utendo aliquo Dei dono, quam ab eodem abstinendo. Putarem tamen hanc non esse viam securiorem, si ordinarie frequentetur; nec esse viam sanctorum. Hic etiam eadem vigeat lex: utendum vel non utendum esse pro bono caritatis. Caritas autem in praesenti nostra condicione potius fovetur abstentione a terrenis bonis, quibus cor facile adhaeret, quam eorum fruitione. Consilium cum evangelicum tum traditionis est ut ad spiritualem abnegationem adiuvemur reali privatione bonorum, cum ratio quaedam sincera non aliud commendat. « Cogitet enim unusquisque tantum se profectum facturum esse in omnibus rebus spiritualibus, quantum exiverit a proprio suo amore, a propria voluntate et utilitate » (S. Ignatius).

Via lata ad perfectionem non datur, sed ardua, si desideria veteris hominis consulamus; at ipse progressus in perfectione dilatat spatia caritatis et spiritualis libertatis. Natura vulnerata amaro sanatur remedio; natura sancta sub sole gratiae perficitur et exsultat. Vetus homo moritur, novus florescit. Desideria inferiora vim suam amittunt, superiora suo gaudent alimento. Fatigamur quidem in agone christiano, sed venimus ad Dominum Iesum, et experimur iugum eius esse suave et onus eius leve.

Alii periti viri, ex munere a Sacra Congregatione de Religiosis commisso, circa idem argumentum scripserunt.

124 R Sac. Nazarenus Camilleri, S. D. B.,
     scripsit:

Praenotanda. — Adaequata tractatio et completa, revera, utpote quae implicans tractationem de *ordine naturali* et de *ordine supernaturali* et de *utriusque ordinis relatione mutua*, immo et quaestiones multas de *ascetica* et *mystica*, amplissima foret. Hic igitur tantum capita quaedam fundamentalia prorsus collegisse sufficiat.

1 — In primis liceat exprimere illud explicite, criteria et problemata *practica* determinari, sicut oportet, non posse ut plurimum et per se, nisi ipsa *principia* nobis, praesertim iis ad quos spectat rem practicam et communem moderari, *theoretice* etiam clare perspecta habeantur. Id generatim nonnisi singulare donum naturae aut gratiae donum speciale supplere potest.

2 — Item, rem ipsam quod attinet nec tantum methodum, hic, ubi de Natura et Gratia agendum est, revocanda esset doctrina catholica quam theologi

in tractatibus praesertim de Deo Creante et Elevante, itemque de Peccato Originali et de Gratia exponere solent, et in Theologia Spirituali. Synthetice et profunde de his multi scripserunt, antiqui et recentiores. Speciminis gratia nominetur POLLIEN, *La Vie Intérieure simplifiée et ramenée à son fondament,* Paris, 1894, trad. ital. Nivoli O.P., Marietti; idem, *La Pianta di Dio* (in sola ediz. ital. Firenze, 1949); etiam FABER, *Il Progresso dell'anima nella vita spirituale;* idem, *Conferenze Spirituali,* trad. ital. Albera, S.E.I.

Praecipue recolatur naturam humanam non iam inveniri in statu *puro* (etiam quoad ordinem mere naturalem spectatam), sed obnoxiam condicionibus et sequelis *lapsus originalis,* a quibus in primis *indiget purificari.* Recolatur nihilominus naturam humanam post lapsum nec esse *totaliter et essentialiter corruptam,* seu malam factam, sive sensu protestantico, sive sensu jansenistico. Recolatur tandem ac proinde naturam humanam non destrui, non substitui, non obtegi tantum, sed vere sanari, sed perfici per gratiam: sive in *constituenda* illa ut « nova creatura », sive in *cooperando* cum illa libera, « qua libertate Christus eam liberavit », et in *elevando* illa cum bonis operibus eius.

3 — Praeter *purificationem negativam* igitur — non modo a peccato, sive mortali, sive veniali, sed etiam a malis inclinationibus ad malum disponentibus naturam vulneratam, sive originali peccato, sive peccatis personalibus contractis — *purificationem positivam* quoque oportet considerare, qua omnes christiani pro suo statu communi, sed praesertim religiosi pro peculiari suo « statu perfectionis », vocantur ut et crescant in gratia Deique dilectione, et ad maiorem usque cum Deo — cum Dei Unius et Trini Vita Intima, cum Verbo Dei Incarnato — unionem contendant. Omnibus siquidem dictum est, antiquis et christianis: «Diliges Dominum Deum tuum *ex toto corde* tuo, ex tota anima tua, ex tota mente tua, et ex omnibus viribus tuis » (Luc. 10, 27; Deut. 6, 5). Item: « Estote perfecti sicut et Pater vester caelestis perfectus est » (Matth. 5, 48). Bene prae oculis igitur habendus est hic *totalitarismus* et *integralismus* perfectionis, ne quaedam principia exponenda falso ac leviter aestimentur exaggerata. Quae enim, eheu!, nimis saepe *moderatio* putatur, *mediocrizatio* est christianismi. Hinc christianismus ille aliquorum — multorum — sive laicorum, sive aliquando etiam religiosorum imo et sacerdotum, neque calidus neque frigidus, quem tum ipsi tum alii multi merito incipiunt evomere de ore suo... (Cfr. FABER, op. cit. *Il Progresso,* etc. totum cap. IV).

PARS PRIOR: DOCTRINA GENERALIS

1. Principia

4 — *Status quaestionis.* Acturi de natura et gratia in statibus perfectionis in ordine ad *purificationem et elevationem* per exercitium humilitatis, abnegationis et mortificationis, non tam immorabimur in analizando momento statico, ut ita dicam, sive naturae sive gratiae sanctificantis seu habitualis, quam in momento dynamico exercendae virtutis per diversas facultates seu potentias humanas circa bona creata in ordine ad Summum Bonum et increatum, id est Deum. Porro *finalismus debitus facultatum* humanarum, etiam in praesenti ordine naturae elevatae, lapsae et reparatae, valde illuminari potest ex consideratione naturae in ipso statu suae integritatis (etiam mere naturalis) *ante lapsum,* id est praescindendo a peccato originali, immo etiam ab ipsa originali elevatione supernaturali.

Quaestio sic reducitur, vel reincidit in finalismum *bonorum finitorum*, quae sunt obiectum facultatum humanarum. Horum autem supponimus exclusum *usum peccaminosum*, directe talem, sicut et usum indirecte culpabilem, scil. *usum periculosum* sine ratione sufficienti, et *usum scandalosum* sine causa excusante. Manet igitur sola quaestio de usu delectabili, ut mere delectabili. *Usum utilem* reducimus ad rationabiliter talem aut irrationabiliter, ideoque, respective, ad *usum honestum* aut ad *usum peccaminosum*. Quaerimus ergo: Finis satisfactionis ut talis qualis sit... Ad quid Deus, Bonum Infinitum, creavit et obtulit creaturae rationali bona finita delectabilia?... Advertas quamplurima consectaria practica exinde pendere tam pro vita privata, quam pro vita publica, pro vita individuali et pro vita sociali, pro simplici vita fidelium et pro vita religiosa.

5 — *De usu et fruitione boni creati.* — Ad quaestionem nuper positam sic respondemus: Finis talis est circa bona creata: ut homo scl. bonis quidem *finitis utatur,* sed solummodo Deo, idest Bono *infinito fruatur.* Aliis verbis: bonis creatis *utimur facto,* ita tamen ut Deo solo *fruamur affectu,* hoc est intentione suprema voluntatis, saltem habitu implicita.

Consonat «primum et maximum mandatum» Dei, tum in V. tum in N.T.; «Diliges Dominum, Deum tuum, ex toto!» (Cfr. supra). Consonat et Paulus: «Sive ergo manducatis, sive bibitis, sive aliud quid facitis, omnia in gloriam Dei facite» (I Cor. 10, 31). Bona finita, igitur, ideo creata sunt ut:

a) quatenus «bona» sunt, *excitent* appetitum sua appetibilitate, hoc est potentiam voluntatis, ut iis pro rationabili necessitate actu uti possit, atque utatur;

b) quatenus vero «finita» sunt bona, et inadaequata respectu indefinitae universalitatis appetitus rationalis, ad hoc creata sunt ut, salvo usu, *transcendantur* affectu cordis, et intentione voluntatis. Deus *usui* naturalium bonorum connexuit ut plurimum *satisfactionem.* Quam vero experiri, non idem est ac velle per se et intentionaliter *frui* nisi forte naturae sponte, h. e. sensu latiore et satis improprio, cum potius agatur de instinctiva quadam delectatione.

Hinc est quod *non tenemur ullo modo,* per se, illam concomitantem satisfactionem positive repellere; possumus etiam admittere, recipere, consentire illi, Deo grati, sed in ratione puri medii, et intentione adiutorii ad agenda ea quae sunt ad finem: qua una intentione, nempe, eam creavit et intendit Deus. *Tenemur* autem — propter obligatoriam perfectionem amoris Dei super omnia — dictam satisfactionem non intendere per se, eamdem scil. non quaerere ut finem; sed tantum, saltem implicite, *in ordine ad bonum honestum* aliquod, et sic, reductive, tandem aliquando, in ordine ad Deum ipsum: «omnia in gloriam Dei facite!» Quod si non fiat, quid?... Tunc, si ceteroquin in usu non praetermittantur, propter illam satisfactionem, mandata gravia Dei, vel Ecclesiae, non quidem impedietur salus aeterna absolute; sed quia, ceteris salvis obligationibus religiosis et moralibus, *haec una obligatio perfectionis,* nempe affectus et amoris Dei, praeteritur, purgationis opus omnino erit, ut aeterna Dei fruitio attingatur: «Nihil enim coinquinatum intrabit in eam» caelestem civitatem! (Apoc. 21, 27). Purificatio autem talis fit aut nunc, humilitate abnegatione mortificatione, aut post mortem, Purgatorii igne ac poenis.

6. — *Sanctitas communis et perfectio sanctitatis.* — In his dictis, ut vides, fundatur et radicatur ultimatim distinctio inter *sanctitatem communem* (i. e. non perfectam) christianorum, et sanctitatem perfectionis seu *perfectionem sanctitatis,* stricte intellectam. Est nempe Bonum Infinitum, Deus, et sunt bona finita, creata.

In hac vita, salva salute aeterna, permittit Deus omnibus usum, seu ut ita dicam fruitionem effectivam, dummodo ordinatam et subordinatam, bonorum finitorum, creatorum: *invitat* autem immo per se etiam iniungit omnibus ut *iam in terris* curent — quod necessarium erit in caelo — ut renuntiando liberentur, *purificentur* omni fruitione affectiva deordinata, hoc est utcumque *finalisante* bona creata in seipsis, aut etiam eorumdem *satisfactionem*, quamquam salvo ordine substantiali quoad usum.

7 — *Consilia evangelica et Status perfectionis.* — Haec est igitur, quam diximus, perfectio amoris Dei super omnia, sive naturalis sive supernaturalis, proportionaliter loquendo. In ordine praesenti correspondet huic dictae *perfectioni amoris* Dei, etiam status perfectionis, seu *status vitae perfectus.* Est status vitae conformis *consiliis evangelicis,* sive modo privato, sive modo officiali et publico, ut in Ordinibus vel Congregationibus religiosis habetur. Dicitur autem et est « status perfectionis » quia - quo facilius assequatur perfectionem amoris Dei et expoliationis ab omni *affectu* boni creati - *etiam in effectu* quis ultro privatur, seu expoliatur *tribus praecipuis* bonis finitis creatis, quorum posset teneri affectu, sicque, implicite et per se, ab omnibus aliis. Expoliatur nimirum: a) bonis *externis,* scil. quae oculis videntur, et « oculorum concupiscentiam » alunt; b) bonis *corporis* maxime delectabilibus, quae « carnis concupiscentiam » alunt; c) ac tandem bonis maxime personalibus, id est *proprio arbitrio,* seu independentia vitae ac propriae voluntatis, quae multum inclinant in « superbiam vitae ».

Quem *statum,* ut diximus, perfectionis conformem consiliis evangelicis potest, per se, quis etiam *privato voto* sequi quadantenus, et amplecti singulari proposito: puta, eligens in saeculo *perpetuam virginitatem,* statum paupertatis contentus labore aut modica substantia ad necessaria alimenta et ad ea quibus tegatur, ac tandem renuntians propriae voluntati amplissima humilitate et caritate quaerens non quae sua sunt, sed quae aliorum (cfr. I Cor 10, 24). *Status religiosus,* proprie dictus, addit formam *organizatam,* ideoque per se magis stabilem, ac praesertim officialem agnitionem et *adprobationem auctoritatis ecclesiasticae.* Status perfectionis, in utraque forma ista privata et publica, ut status perfectionis haec duo praestat: 1) perfecta seu potius *aptiora media,* per se, perfectae caritatis, sive erga Deum sive erga proximum; 2) perfecta seu *altiora bona* quae — obiective — sunt anticipatio quaedam terrena condicionis perfectionis caelestis.

8 — *Concludendo,* igitur, hanc partem dicimus: Ad *perfectionem caritatis* christianam omnes christiani divino praecepto tenentur, non solum ii qui peculiari voto « statum religiosum » amplexi sunt: qui, nimirum, *non alium finem* assequuntur, sed *aliam viam,* aliaque media secuti sunt. Vera siquidem caritatis christianae perfectio, ea est quae decidit de vera etiam uniuscuiusque sanctitate, de huiusque gradu. Unde etiam est quod, nonobstante « statu » perfectionis religioso, aut etiam « charactere » officii et ordinis sacerdotalis, potest simplex fidelis seu christianus *laicus,* etiam coniugatus,

« personaliter » esse *sanctior* quam *religiosus,* aut etiam *sacerdos!* Status, enim, religiosus, vel etiam Ordo sacerdotalis, respectu perfectionis vitae christianae, quae *essentialiter in caritate tantum* consistit, non sunt nisi medium, aut etiam campus exercendae caritatis. Nihilominus, ex altera parte, non est ullo modo mirum quod « sancti » oriantur, crescant, multiplicantur, ut plurimum, in ordine sacerdotali aut ex ordinibus et congregationibus religiosis: nam ubi revera *media aptiora,* et uberiora, per se uberiores expectandi sunt fructus, et altiores effectus sanctitatis. Ipsa autem electio status religiosi, vel etiam ordinis sacerdotalis, potest esse et est saepissime iam effectus ac signum caritatis altioris, ubi fuerit, sub Dei inspiratione vel providentia, respectiva *vocatio* vera, atque sincera ac fidelis correspondentia.

9 — *Confirmatio* praedictorum principiorum, in ordine ad elevationem naturae humanae per gratiam, ope purificationis seu *totalis exclusionis* et renuntiationis eius, quam diximus, *fruitionis affectivae intentionalis,* hoc est, deliberatae, satisfactionum creaturarum, haberi potest per reductionem ad quasdam considerationes superiores generales, sive Sacrae Scripturae sive Dogmatis. Recolamus breviter: a) **Beatitudines evangelicas; b) Dogma Purgatorii; c) Purgationem Mysticam; d) Purgationem Asceticam.**

A) *Beatitudines.* — In sermone montano Christus Dominus vitam perfectam christianam omnibus praedicavit. Videtur autem ibi, et generatim in tota sua doctrina, totalem expoliationem, affectivam, quam praecise exposuimus, ab omnibus commodis temporalibus, etiam per se non inhonestis, tamquam necessariam commendare propter regnum caelorum assequendum, quin peculiari saltem post mortem purificatione praevia opus sit. Cfr. Matth. cc. 5, 6, 7. Hoc est « non quaerere quae sua sunt, sed quae Iesu Cristi » (cfr. Philip. 2, 21). Hoc est quod idem Christus monuit: « Qui non renuntiat omnibus, quae possidet, non potest meus esse discipulus » (Luc. 14, 33); immo clarius et gravius: « Qui amat patrem, matrem, filium, filiam super me non est me dignus » (Matth. 10, 37): « Qui amat animam suam, perdet eam » (Jo. 12, 25). Idem etiam forma negativa urget: « Si quis venit ad me — et, notes, alloquebatur « turbas »! — et non odit patrem, matrem, uxorem, filios, fratres, sorores, adhuc autem et animam suam, non potest meus esse discipulus » (Luc. 14, 25). Immo Paulus audacius affirmat: « Caritas Christi urget nos... Itaque nos ex hoc neminem novimus secundum carnem. Et si cognovimus secundum carnem Christum, sed nunc iam non novimus » (II Cor. 5, 14, 16).

Hanc doctrinam — obligationis christianae transcendendi affectu et intentione mentis omne creatum delectabile ut delectabile, intuitu Boni Infiniti fruendi — maxime continetur in *Beatitudinibus,* magis explicite et generaliter in prima: « Beati pauperes spiritu, quoniam ipsorum est regnum caelorum » (= sunt iam in perfecta condicione possidendi illud, si iam sunt perfecte liberi affectu, i. e. spiritu, a bonis regni terreni). Isti affectus per se intenti ad bona finita, et ad satisfactiones creatas damnantur a Christo tamquam « thesauri in terra, ubi aerugo et tinea demolitur », ab eoque monemur « thesaurizare thesauros in caelo, ubi neque aerugo, neque tinea demolitur ». Vult autem ut, ubi est thesaurus — in caelestibus tantum — ibi sit totum cor, seu affectus, ut sit pura lucerna, oculus purus et intentio. Secus totum tenebrosum erit (Matth. 6, 19 ss). Ideo item Christus non tantum praedicat necessariam purgationem expiatoriam « usque ad novissimum quadrantem » (Matth. 5, 26) de veris peccatis venialibus, sed damnat in particulari affectiones per se intentas etiam sola ratione periculi: « si oculus, si manus, si pes tuus scandalizat te... » (Matth. 5, 29 s; 18, 8); immo etiam satisfactionem — semper per se intentam — in operibus bonis (« ne... ut videamini ab eis » Matth. 6, 1): sive, nota bene, satisfactionem laudis aliorum (« iam recepisti mercedem tuam »), sive propriae complacentiae personalis (« nesciat sinistra tua quid faciat dextera » Matth. 6, 3). Positive, sola intentio recti affectus docetur: « ut Pater, qui videt in abscondito, reddat tibi » (cfr. Ibid.).

B) *Purgatorium*. — Ignis et poena Purgatorii, sicut praeparat ad perfectam visionem Dei, ita et ad Dei caritatem seu amorem totaliter perfectum. Reliquiae expiandae non mera sunt residua peccatorum mortalium iam remissorum, neque tantum peccata venialia ex obiecto levi aut ex defectu actus circa materiam gravem; sed etiam imperfectiones positivae huius generis de quo diximus: defectus nempe dilectionis Dei « ex toto », prout praecipitur, propter delectationem seu affectum quemdam fruituum *delectabilis ut delectabilis* circa res creatas. Bona creata ut creata, finita ut finita, nobis a Deo dantur *utenda,* non *fruenda per se* et *directe* quasi *finis,* nisi forte ut finis proximi, hoc est intermedii, hoc est, ergo, tandem aliquando, in ratione medii. Ceterum, satisfactionem quod attinet in usu bonorum creatorum, aliud est *permittere spontaneam expansionem,* ut ita dicam, satisfactionis concomitantis ordinatum ac legitimum usum bonorum (quod non dicimus damnandum per se ullo modo), immo etiam grato in Deum animo eam suscipere, ut diximus, eadem qua Deus intentione, consolationis scl. et adiutorii; aliud est hanc *satisfactionem per seipsam quaerere,* eamque — qua delectabilem — per se, et directa ea fruendi deliberatione, intendere (quod dicimus positive imperfectum, sin minus peccatum veniale).

C) *Mystica purgatio*. — Plures animae mysticae suas poenas spirituales et statum purificationis comparant cum poenis Purgatorii. Non omnes completam purificationem naturae per gratiam hac via nanciscuntur, etsi forte ab eadem hac via, quoad substantiam, nemo excludatur. Unde etiam ait A. *Imitationis:* « Ideo enim pauci inveniuntur contemplativi, quia pauci sciunt se a perituris et creaturis ad plenum sequestrare ». Et rursus: « Plures reperiuntur contemplationem desiderare; sed quae ad eam requiruntur, non student exercere » (*Imit.* Chr., Lib. III, c. 31). Descriptionem, profundam et amplam, vere classicam, habes apud S. Ioannem a Cruce, praesertim in suo opere de *Nocte Obscura* sensus et spiritus. Sunt igitur animae huiusmodi fidelissimae, privilegiatae, pro quibus Deus *anticipat ante mortem Purgatorium,* sive ex parte sive ex toto, modo isto charismatico simul et meritorio. Est *contemplatio passiva,* sic dicta, per duplicem illam « noctem sensuum » et « noctem spiritus », in qua anima *purificatur* pro levissimis etiam, nostro humano iudicio, imperfectionibus, affectibus ad minima quaeque bona creata inordinatis. Quae maximae poenae spirituales non aliud probant, quam necessariam illam — nec pro animabus mysticis tantum, sed et pro omnibus aliis — purificationem totalem a quovis affectu ad res aut satisfactiones creatas. Principium igitur supra expositum nil iansenismi aut rigidismi cuiusvis labem prae se fert, sed mere exprimit principium generale a Christo in sermone montano prolatum: « Estote igitur perfecti, sicut et Pater vester caelestis perfectus est ». Hac enim sola plenitudine nuncupamur beati, ac digni qui Dei visionem facialem assequamur: « Beati mundo corde, quoniam ipsi Deum videbunt »!

D) *Ascetica purgatio seu purificatio*. — In descriptione purificationis per noctem sensuum notat S. Ioannes a Cruce, « non omnes qui ex proposito in via spiritus exercentur usque ad perfectam contemplationem perducuntur, cuius ratio soli Deo nota est » (cap. 9). Alii, de facto, neque noctem sensuum proprie dictam (passivam) ingrediuntur. Et tamen omnes ad purificationem naturae et spiritus, et ad plenam purgationem vocantur. Pro his qui correspondere volunt, ut debent, traditio christiana viam asceticam praebet. Est *purificatio activa* quam animae exercitio virtutis — orationis, poenitentiae, mortificationis quammaxime et abnegationis etiam intimioris — assidua cura peragere conantur. Hi quoque Purgatorium in terra perficere conantur, Deo providente non iam via extraordinaria et mystica, de qua littera praecedenti diximus, sed *via ordinaria:* in primis, ut liquet, ope ipsius laboris et ponderis officiorum vitae cotidianae, et proprii status; deinde contrarietatum cuiuscumque generis: infirmitatis, corporis vel spiritus, tentationum, paupertatis, hostilitatis domesticorum, extraneorum, superiorum severitatis, incomprehensionis, etc. Tandem materia esse possunt etiam naturales defectus proprii, corporis, ingenii, characteris seu temperamenti, defectus aliorum; errores proprii, consectaria etiam suorum peccatorum, omnia. Quorum omnium finis providentialis idem confirmat: necessitatem purgationis totalis et perfectissimae abnegationis, maxime cum talia, ut saepius vidimus, ipsae animae sanctae patiantur.

2. *Errores*

10 — In ordine ad quaestionem nostram, de natura scl. purificanda, de eaque elevanda per caritatem et gratiam, errores fundamentales, in utramque partem oppositi, sive antiqui sive moderni, ut liquet, ad Naturalismum et ad falsum Mysticismum reduci possunt.

Sub alio respectu ad Pelagianismum vel Semipelagianismum et ad Pessimismum vel ad rigidum quemdam Jansenismum; item Edonismum vitae, sub qualibet forma vel gradu, ad Egoismum, Individualismum; Indifferentismum multiplicem: intellectualem (defectus « sensus veritatis »), moralem (defectus « sensus peccati »), spiritualem (defectus «sensus aeternitatis »), religiosum (defectus « sensus Dei »), christianum (defectus « sensus Christi »), catholicum (defectus « sensus Ecclesiae »), etc. Omittamus errores per excessum pessimismi vel rigorismi exaggerati. Alii errores potius, naturalismi et indifferentismi, considerandi sunt quatenus seriae doctrinae de humilitate, abnegatione et mortificatione directe opponuntur. Sed quia generatim specie « humanismi » eos iustificare conantur multi, de hoc tantum pauca dicenda suscipimus.

Tres formas Humanismi considerabimus: a) radicalem; b) practicum seu vulgarem; c) sic dictum humanismum christianum. Ut patet, ad respectum moralem et religiosum attendemus, non aestheticum vel huiusmodi.

11 — *Humanismus atheus radicalis.* — Est theoreticus et dogmatisticus.

De eo agit De Lubac, in opere suo: *Il dramma dell'Umanesimo ateo,* Morcelliana, 1949. Est humanismus systematice et ex professo atheus, apud Feuerbach, Nietzche, Marx, alios. Innixi in reali quadam ac vere magna deficientia vitae practicae multorum qui se profitentur christianos et non sunt, sed multo magis et verius in radicalibus vel tragicis aequivocationibus sive philosophicis, sive theologicis respectu religionis in genere, et Christianismi in specie, devenerunt in absolutum atheismum, et in absolute atheisticum sic dictum Humanismum. Extollitur Homo-ut-Deus loco veri Dei. Talis est *Humanismus absolutus* modernus. Qui initium quidem sumpsit a reditu quodam ad humanismum classicum, ethnicum seu paganum, quem tamen in infinitum excessit. Contendit autem se esse *unice verum humanismum,* cuius respectu omnis sic dictus humanismus christianus habendus sit in derisum.

Formula explicita humanismi athei habetur in Marx Stirner: « Ego mihi deus »! Quod idem tenebat Feuerbach, non quidem pro homine individuo, sed humanitate seu communitate humana: « Homo homini Deus »! Transcendentia Dei respectu hominis pro his est mera *illusio* et *inversio:* homo scl. Deo (non existenti) falso tribuit suprema attributa quae denegat sibi, cui, econtra, competunt reapse! Communismus et Marxismus vero, ut iam a. 1843 dixit Bakunin, est unde applicatio in campo sociali huius humanismi absolute athei Feuerbachi: « Deus est Status »! Idem ipse Marx eodem anno affirmat. Qui etiam ait: « Religio operariorum est *athea*, quia *hominis divinitatem* instaurare praesumit ». Origo locutionis « sine Deo » est apud Nietzche. Martinus Heidegger, non contentus *negatione Dei*, ad cavendum vel periculum reditus ad solutionem affirmativam, prohibet *ne ipsum problema Dei ponatur!* Hinc potuit Max Scheler loqui de « atheismo postulatorio » tamquam characteristica nota essentiali hominis moderni. Unde tandem maxima audacia declarat Theodoricus Kerler: « Etiamsi Deum esse mathematice probaretur, *ego nolo eum esse: me enim limitando minueret!* » —

Ecce cur ad rem esse duximus loqui de historico sensu isto radicaliter atheistico humanismi moderni: Deum nempe negat, et negare vult, quia sua transcendentia hominem « *limitando minueret* »: obligaret, scl., ad humilitatem, ad abnegationem sui, et ad mortificationem. Porro intelligas, etsi a tanta exaggeratione sponte abhorreat sana mens, ex eadem occulta tandem radice aut ad eamdem logice ducere, mentalitatem quamlibet humilitati, abnegationi, mortificationi plus minus adversam.

Sed accipias extremas istas — ceteroquin principiis consonas — aberrationes. Ait Nietzche: « Iam nunc problema Christianismi contra Christianismum dirimit gustus noster, non argumenta »! Pro eo enim: « praeiudicium est credere veritatem valere plus quam apparentiam ». Et ideo statuit ac propugnat « voluntatem non-veritatis » (la volontà dell'assurdo). Inde eiusdem extrema et impiissima ac stultissima conclusio: « Deus mortuus est, vivat Super-homo! » Quae quidem *substitutio* est Hominis loco Dei. Sed insimul, est hominis *destructio*. Est auto-destructio Humanismi, ut dicit Berdiaev, quia et quatenus, ut hodie etiam experimento constat: « ubi non est Deus, nec Homo est »!

12 — *Humanismus atheus vulgaris, seu practicus:* — Hic, quando non etiam fructus directus sit humanismi absoluti et atheismi theoretici, formam induit alicuius moralismi areligiosi, seu *amoralismi atheistici practici*, immo et immoralismi. In idipsum reincidit saepissime, qui vocatur, *laicismus areligiosus*, vel *pseudo-religiosus*, idest cum vel sine aliqua *exterioristica* praxi religiosa, puta ex mera consuetudine, aut ex quodam instinctu sine genuina aestimatione de valore vero et transcendenti, sive morali sive religioso; itemque cum vel sine aliqua *conventionali norma* (non absoluta) directiva, aut cohibitiva in vita morali, privata, sociali et publica, politica, etc.

Talis humanismus atheus practicus, ut liquet, habetur reapse quoties mortale, immo et quodcumque *verum peccatum* committitur: etsi enim Deus non negetur fortasse verbo, tamen opere et mala voluntate efficaciter negatur Deus, ut iam infideles accusabat Paulus apostolus: « Confitentur se nosse Deum, factis autem negant » (Tit. 1, 16). In omni peccato, non tantum mortali, sed etiam veniali, etiam minimo, vivit homo ac si non esset Deus! Ac ne longe vagari videamur a nostra materia, ecce verba quaedam P. Faber, *op. cit.*, p. 30: « Noi dobbiamo evitare *come un sacrilegio* qualunque *negligenza* nei nostri rapporti con Dio... Con tutto quello che è negligenza, va sempre unito un certo disprezzo personale che rende addirittura orribile il solo atto di associarne l'idea con quella di Dio; è questo un *vero ateismo pratico*, assai più che molti peccati gravi in cui può farci cadere la violenza delle nostre passioni colpevoli ». Est, ut diximus, defectus sensus peccati propter defectum sensus Dei.

13 — *Humanismus christianus* — Humanismus religiosus et christianus, praescindendo ab interpretatione concreta

et a deductione eius ad praxim, intelligitur Humanismus integralis quidam, qui rationem habet simul cultus Naturae Humanae et Dei, atque etiam obligationum Christianae Religionis.

In tuto positis, ut putat, omnibus officiis seu obligationibus religiosis et moralibus, licitum esse contendit indulgere simul omnibus tendentiis et *satisfactionibus naturae*, eas satisfactiones — qua tales — per se intendere licitum existimans; quinimmo *perfectionem* etiam quamdam sibi debitam, aut saltem permissam, in illis constituens: sic putat haberi hamanae naturae evolutionem plenam atque integram. Hinc, sub specie progressus, anhelitus fere indefinitus ad commoditates exteriores (etiam divitias et luxus), satisfactiones facultatum (libertates sensuum externorum et internorum, libertatem et curiositatem indiscriminatae culturae et philosophiae), insubordinationem vitae (arbitrium plenum propriae voluntatis, activitatis, status vitae).

14 — *Animadversiones.* — Ad hanc tertiam formam schematice descriptam haec notanda videntur.

In primis, *humanismus integralis*, stricte talis, hisce in terris, est antihistoricus, ideoque falsus. Talem dicimus humanismum absolute integralem, qui — sive ratione *termini a quo*, sive saltem ratione *termini ad quem* — supponit hominis esse n a t u r a m   i n t e g r a m. Hoc autem est falsum. Falsum in ratione termini a quo, quia omnes christiani norunt n a t u r a m   v u l n e r a t a m   esse saltem originali peccato, et, eo etiam per baptismum ablato, eiusdem consectariis manere infectam et imperfectam. Falsum in ratione termini ad quem hisce in terris attingendi, quia — per se, idest salvo speciali privilegio — praedicta peccati originalis vulnera seu consectaria nunquam in praesenti absolute seu definitive certo constat esse suppressa. Et quia huiusmodi consectaria, quae communi nomine *fomitis* seu *concupiscentiae* praesertim complectimur, docente Tridentino, *ex* peccato sunt, et *ad* peccatum ducunt, i d e o   plena et infraena eorum satisfactio, etiamsi *non per se* peccaminosa, tamen ut plurimum *periculum peccati* facile sibi inducit, et aliis etiam *periculum scandali*, quod cavendum est, praebet. Hinc primae restrictiones et inhibitiones ad naturae purificationem necessariae.

Pro fontibus inducam exemplum Christi, qui — etsi peccatum non novit — tamen ieiunavit et esurivit. De quo etiam scriptum est: « Christus non sibi placuit » (Rom. 15,3), qui immo de seipso ait: « Non veni facere voluntatem meam » (Jo 6,31). Porro, ut ait Petrus: « Christus passus est pro nobis, vobis relinquens exemplum, ut sequamini vestigia eius » (1 Pet 2,21). Nec modo, nota bene, quatenus directe ipsum peccatum vitandum sit, de quo ait Paulus: « Nondum enim usque ad sanguinem restitistis, adversus peccatum repugnantes » (Hebr 12,4), sed etiam citra peccatum, ad imitationem Christi, prout urget Petrus: « Christo igitur passo in carne, et vos eadem cogitatione armamini » (1 Pet 4,1). Addas inhibitiones appetituum naturalium etiam ratione periculi personalis labendi in peccatum, prout iniungit idem Christus: « Si oculus tuus... si manus... si pes tuus scandalizat te, abscide eum et proice abs te » (Matth 5,29). Item ratione scandali aliorum, ut idem Christus explicat, dicens Petro: « Ergo liberi sunt filii. Ut autem n o n   s c a n d a l i z e m u s   eos, vade... invenies staterem; illum sumens da eis pro me et te » (Matth 17,26); et prout Paulus protestatur: « Ne ponatis fratri scandalum! » (Rom 14,13): « Si esca scandalizat fratrem, non manducabo carnem in aeternum! » (I Cor 8,13). Summum principium hac in re enuntiat Paulus: « Semper mortificationem IESU in corpore nostro circumferentes, ut et vita IESU manifestetur in corporibus nostris. Semper enim nos qui vivimus in mortem tradimur PROPTER IESUM, ut et vita IESU manifestetur in carne nostra mortalli » (Cfr. totum cap. 4 et 5, epist. II Cor).

Ex ratione hoc tantum adverto: Quando *cum periculo* et *sine ratione sufficienti* honesta quaeritur satisfactio, utpote quae *temerarie* quaeritur, iam non merum periculum manet, sed iam in se hoc erit peccatum contra virtutem cardinalem prudentiae. Instantia vero manet: Quid si, tamen, secluso periculo peccati, sive mortalis sive venialis, et etiam scandali, commoda et satisfactiones quaerantur... humanismi gratia?

Ad hoc practice iam initio respondimus, ubi de principiis egimus. Hic advertisse sufficiat aequivocationem satis latere in locutione currenti « humanismi integralis » sic dicti, quae haud efficaciter praecavetur in praxi simplici declaratione rectae acceptionis seu rectificationis. Aptius ergo loquamur de « christianismo integrali »: qui, cum evidenter non sit in detrimentum bonitatis naturae humanae — etiam prout haec nunc est — bene istam permittit locutionem seu denominationem « humanismi integraliter christiani ». Hoc enim significat, satis aperte: a) et *positivos valores superstites* omnes humanae naturae post lapsum in Christianismo salvari, integrari et elevari, idest plenam suam satisfactionem et praesertim supieriorem finalismum attingere; b) et simul *fragilitatis humanae naturae vulneratae* peccato originali, immo et culpis saepe innumeris personalibus, rationem haberi.

15 — Restat ut pauca dicamus ad puncta in themate nostro indicata: de Humilitate, de Abnegatione, de Mortificatione. Humilitas facile statum animi *fundamentalem* significare hic intelligitur. Abnegatio et Mortificatio intime cum Humilitate, quasi *corollaria, connectuntur*, cum illam quasi necessario supponant, nimirum si saltem de virtuosa abnegatione et mortificatione sit sermo.

Praeter opera citata, *P. Faber* et *P. Pollien*, ad particularia quod attinet liceat hic nobis remittere ad auctores plures et optimos, praesertim: a) BEAUDENOM, *Formation à l'Humilité*, (trad. ital. Marietti), utique pro humilitate; b) IOANNEM A CRUCE, opera, sive pro abnegatione, sive pro mortificatione; c) Mons. G. BARDI, *La mortificazione esterna* (L.I.C.E. Berruti, Torino). Nunc igitur satis sit, pro hac parte, quasi ad modum unius, notiones quasdam fundamentales et criteria generalia recolere.

1. De Humilitate

16 — *Humilitas,* sicut etymologice — ab *humo* — significat, seu connotat terram, quae pedibus calcatur et teritur, ita moraliter, sub respectu suo practico, in radice significat *spiritum submissionis,* unde Augustinus (?) ait: « Ubi inoboedientia, ibi superbia » (cfr. ML. 40, 1221, fragm. *De Oboedientia et Humilitate).* Sed inde quaestio: erga quem? qua ratione? ad quae usque praestanda submissio? In primis *Deo,* dein illis qui praesunt, *propter Deum,* quem repraesentant pro gradu auctoritatis quo pollent. Hinc prima vera humilitas est *Religio* et *Oboedientia.* Unde monet s. Iacobus: « Subditi ergo estote Deo, et resistite diabolo » (Iac. 4, 7). Et addit apostolus Petrus: « Subiecti igitur estote omni humanae creaturae, propter Deum: sive regi, sive ducibus tamquam ab Eo missis: quia sic est voluntas Dei » (I Pet. 2, 13 ss). Et Paulus theolo-

gice explicat: « Omnis anima potestatibus sublimioribus subdita sit: non est *enim* potestas nisi a Deo; quae autem sunt (a Deo), a Deo ordinatae sunt. *Itaque* qui resistit potestati, ordinationi Dei resistit; qui autem resistunt, ipsi sibi damnationem acquirunt » (Rom. 13, 1-2).

Haec prima atque fundamentalis concreta *subiectio Creatori* et *Potestatibus* supponit, ac secum fert, ut liquet, *subiectionem veritati* ac *subiectionem fidei:* hinc agnitionem erroris, paenitentiam peccatorum, impletionem officiorum, adorationem providentiae, acceptationem fidei ac mysteriorum, usum sacramentorum, dilectionem proximi, oboedientiam Ecclesiae, animum gratum in prosperis, patientiam in adversis, cetera: « haec omnia enim sponte effluunt ex veritate agnita meae « positionis ». Porro connexionem subiectionis cum humilitate praedicat Iacobus: « Deus superbis resistit, humilibus autem dat gratiam » (Iac 1): ex quo concludit: « Subditi ergo estote Deo, resistite autem diabolo ». Petrus quoque, eumdem textum repetens: « Deus superbis resistit, humilibus autem dat gratiam », sollemniter inclamat: « Humiliamini igitur sub potenti manu Dei ». Immo et addit: « Omnes autem invicem humilitatem insinuate, quia Deus superbis resistit » (1 Pet 5, 5-6).

17 — *Qua ratione?* Idest: qua ratione, seu cur debemus esse humiles, et subiecti? Brevi ut dicam, propter duo: a) Quia sumus *creaturae;* b) Quia sumus *peccatores.* Utpote siquidem creaturae, sumus facti *ex nihilo* a Deo. Ergo, ex nobis, sumus quasi nihil, et ideo... *infra omne ens.* Unde etiam Paulus observat: « Si quis existimat se *aliquid* esse, cum *nihil* sit, ipse se seducit » (Gal. 6, 3). Et urget contra tacitam instantiam, quod scl. Nunc tamen aliquid reapse sumus, dicens: « Quid habes quod non accepisti? si autem accepisti, quid gloriaris quasi non acceperis? » (I Cor. 4, 7). Et iterum, recolendo creationem hominis ex pulvere et humo terrae ad inculcandam humilitatem: « Quid superbis — ait Ecclesiasticus — pulvis et cinis? » (Eccli. 10, 9).

Sumus autem peccatores, quod nimis patet. Audiatur Ioannes: « Si dixerimus, quoniam peccatum non habemus, ipsi nos seducimus, et veritas in nobis non est » (1 Io I,8). Ex quo positive testatur Paulus: « Omnes enim peccaverunt, et egent gloria Dei » (Rom 3,23). Qua duplice radice, satis patet nos humiles esse debere, et subiacere quidem Deo. Sed quid de aliis, saltem quando evidentius patet iis nos esse meliores? Praeter periculum erroris, cavendam praesumptionem, etc., s. Thomas hanc adstruit considerationem: « In homine duo possunt considerari, scilicet id quod est Dei, et id quod est hominis. Humilitas autem proprie respicit reverentiam, qua homo Deo subiicitur: et ideo *quilibet homo secundum id quod suum est, debet se cuilibet proximo subiicere quantum ad id quod est Dei in ipso;* non autem hoc requirit humilitas ut aliquid id quod est Dei in seipso, subiiciat ei quod apparet esse Dei in altero... Potest tamen aliquis reputare aliquid boni esse in proximo quod ipse non habet, vel aliquid mali in se esse quod in alio non est, ex quo potest se ei subiicere per humilitatem » (Cfr. totum art. III in II-II, q. 161). Sic salvatur quod Augustinus dicit: « Humilitas collocanda est in parte veritatis, et non in parte falsitatis » (ibid. obiectio 2).

18 — *Quousque humilitate subiecti* esse debemus sub potenti manu Dei? et similiter omni humanae creaturae propter

Deum? Quoad dispositionem animi saltem, ut uno verbo respondeam, dico: *Sine limite!* Et revera:

a) Quia e x n i h i l o creatus est homo a Deo, paratus sit oportet i n n i h i l u m iterum redigi. Quodcumque ergo detrimentum patietur homo, sive ex directa Providentia Dei, sive sub eiusdem Providentia ex imbecillitate aut ex malitia hominum, semper minus patietur, quam quod paratus esse tenetur. Non quod de facto Deus in nihilum redacturus sit homines quos creavit inexterminabiles, sed sine limite humiliandi sunt homines sub potenti manu Dei, ut Deus illos exaltet in tempore visitationis, ait Petrus (I Pet 5,5s). Haec autem dispositio ea mentis intentione explicatur, et iustificatur, ut sit voluntaria quaedam quasi « restitutio integralis ex amore » — redamandi causa — Creatori facta saltem, sic, in dispositione et praeparatione animi. Qui nempe, ex amore, ex nihilo creatus est a Deo, pariter, ex amore et quasi instinctu naturae profundissimo, in nihilum redigi vel potius purior ad suum denuo venire principium, in Deum veluti reabsorberi cupiens, ardenter anhelat. Quod mirabiliter cecinisse videtur Paulus ad Romanos scribens: « *Nemo enim nostrum sibi vivit, et nemo sibi moritur.* Sive enim vivimus, Domino vivimus; sive morimur, Domino morimur. Sive enim vivimus, sive morimur, Domini sumus » (Rom 14,7-8) Vel etiam quando, enumeratis omnibus angustiis, et prospiciens ipsam mortem (« Propter te enim mortificamur tota die, aestimati sumus sicut oves occisionis »), inclamat: « Sed in his omnibus superamus propter Eum qui dilexit nos! » (videas fere totum caput 8 ad Rom.: pericopam vere dramatico-mysticam exsistentialismi sublimis supernaturalis). (Cfr. etiam Lebreton-Vinard S.J., *Cum clamore valido,* Paris, 1943, pp. 177ss: *Humilité:* ex diario animae mysticae). - b) Ad extensionem subiectionis humilitatis respectu aliorum hominum propter Deum, videantur quae habet Divus Thomas loco supra citato. Ad sentimentum internum quod attinet, ponit principium: « quod si nos praeferamus id quod est Dei in proximo, ei quod est proprium in nobis — et dixerat in corpore: « Hominis autem est quidquid pertinet ad defectum; sed Dei est quidquid pertinet ad salutem et perfectionem » — *non possumus incurrere falsitatem* ». Ad illud autem Pauli, ad Phil. II: « Superiores sibi invicem arbitrantes », adducit Glossam: « Non hoc ita debemus aestimare, ut nos aestimare *fingamus; sed vere aestimemus posse* esse aliquid *occultum* in alio, quo nobis superior sit, etiamsi bonum nostrum, quo illi *videmur superiores* esse, non sit occultum » (I4-II, q. 161, a. 3, ad 2.um). Et in corp.: « Similiter etiam non hoc requirit humilitas ut aliquis *id quod est suum* (bonum) in seipso, subiiciat *ei quod est hominis* in proximo: alioquin oporteret ut quilibet reputaret se magis peccatorem quolibet alio ». Ad exteriores vero humilitatis actus quod attinet, idem D. Thomas, in resp. ad 3.um, distinctiones dat et bona criteria practica et doctrinalia. In primis quod « humilitas — sicut et ceterae virtutes — *praecipue interius in anima consistit* ». Deinde, citando Augustinum in Regula pio superioribus: « Timore *coram Deo* (i. e. secundum interiorem actum) praelatus substratus sit pedibus vestris ». Tandem, quod tamen « in exterioribus humilitatis actibus — sicut et in actibus ceterarum virtutum — est *debita moderatio adhibenda* ». Quodsi quis tamen, puta praelatus, officium suum implet, seu « *quod debet faciat,* et alii ex hoc occasionem sumant peccati, *non imputatur humiliter agenti:* quia ille non scandalizat, quamvis alter scandalizetur ».

19 — Haec igitur dicta sint de Humilitate, et de spiritu verae humilitatis. Consectaria pratica ulteriora veri Chdistianismi et perfectionis religiosae — non imminutae ad mensuram miseriae humanae et stultae sapientiae saecularis — satis superque ex dictis patent, aut facile eruuntur. Paulus uno verbo veluti *programma* tradit dicens: « Caritas Christi urget nos... ut et qui vivunt, iam *non sibi vivant,* sed Ei (Christo) qui pro ipsis mortuus est et resurrexit » (II Cor. 5, 14 s). Et

explicat Petrus: « Vivant autem secundum Deum in spiritu » (I Pet. 4, 6).

2. De Abnegatione

20 — Abnegatio. — Vide quam immediate connectatui abnegatio sui cum humilitate: non secus ac humilitas connectitur, immo radicatur in veritate suae condicionis, et in caritate erga proprium Creatorem, et Redemptorem Christum Iesum. Similiter fere dicendum de mortificatione, de qua mox dicturi. Hic, claritatis gratia, sic accipiamus has duas voces: ut scl. *ab-negatio* sit in quacumque *abs-tinentia* a bonis externis, a propriis satisfactionibus, cum consequente sustinentia etiam laborum et malorum, quae tamen iam ad mortificationem accedunt; *morti-ficatio* vero sit in ipsa huiusmodi *sus-tinentia* malorum, laborum, tribulationum, poenarum in semetipso, sive in corpore sive in spiritu.

Rationes cur, pro Deo et propter Deum, debeamus haec sustinere, aut in multis abnegare nos, eaedem tandem sunt quae supra: Sumus enim creaturae, ex nihilo factae a Deo, nihil proinde a Deo praesumere valentes; sumus praeterea peccatores, omni bono et gratia indigni, immo reparationis et expiationis quodammodo infinitae debitores. Sistemus hic in prima ratione. Quae de altera mox sumus dicturi agentes de mortificatione, valebunt etiam pro abnegatione. Abnegatio est potius negativa, mortificatio magis afflictiva et positiva.

21 — Tota ratio existentiae creaturae, factae « ex nihilo », est in gloriam et laudem Dei: hoc autem pro creatura rationali fit per agnitionem, per amorem, per servitium Dei, modo per se perfecto et integro: « ex toto corde, ex tota anima, ex tota mente, ex omnibus viribus »· Hinc quasi mensura infinita illa humilitatis, de qua diximus, seu subiectionis usque ad exinanitionem, traducitur in praxim per *spiritum ab-negationis indefinitae,* et etiam heroicae si Providentia et Voluntas Dei id feret pro adiunctis.

Hoc etiam palam ostenditur supremo et ineffabili exemplo concreto Christi, qui, « cum in forma Dei esset, semetipsum exinanivit, formam servi accipiens, in similitudinem hominum factus; humiliavit semetipsum, factus oboediens, usque ad mortem, mortem autem crucis » (Philip 2,6ss). Idem spiritus tantae abnegationis sit oportet in corde non ficto discipulorum Christi, hoc est christianorum omnium, nedum religiosorum: « Qui vult venire post me, inquit, abneget semetipsum, tollat crucem suam et sequatur me » (Matth 16,24). Meditetur quisque, sub hoc respectu quasi negativo, scilicet ab-negationis sui, codicem vitae christianae quem Christus docuit enuntians *Beatitudines* (Matth 5); item multas condiciones abnegationis quas implicat sincerum christianae *caritatis exercitium,* quarum classicus extitit praedicator Paulus (I Cor 13).

22 — In particulari, omnes homines et omnes christiani tenentur, respective, ad talem ac tantam abnegationem ut omnia ac singula mandata Dei, et praecepta Evangelica fideliter observent.

Omnes religiosi ea abnegatione tenentur qua perfecte omnes Regulas et Constitutiones sui Ordinis vel Congregationis, necnon omnia praecepta Superiorum ex animo perficiant, aut saltem pro posse ac sincere perficere conentur.

Omnes sacerdotes omnes leges et praescriptiones sibi peculiares, praeter leges canonicas Ecclesiae aliasque omnibus communes, perfecta abnegatione, pro humana fragilitate, curent servare utpote in omnibus voluntas Dei significata aliquomodo ex legitima auctoritate habetur.

Omnes autem homines — sive christiani, sive religiosi, sive sacerdotes — praeter hanc voluntatem significatam, voluntatem Dei beneplaciti, quam vocant, quaeque independenter a nobis in eventibus naturalibus, socialibus, historicis, adiunctis a Providentia Dei dispositis vel permissis, non minori abnegatione et resignatione, immo et amore, cum perfecta adoratione, quantum ex ipsis est Dei gratia adiuvante, accipere tenentur.

Haec simul exempla sunt, et criteria, generalia et tamen satis concreta, quibus innumeri casus particulares facile illustrantur et solvuntur. Praxim immediate quod attinet, spectata complexiva multitudine, vix non innumera, praescriptionum particularium, recolas virtutem « praecipue interius in anima consistere » (S. Thomas), ideoque in « dispositione et praeparatione animi ». Hoc autem secum fert fidelitatem et abnegationem sui quoad ea quorum memoria habeatur, diligentiam seriam atque sinceram pro debita instructione et formatione propria sui status in tota periodo studiorum et praeparationis, itemque, pro posse, pro reparatione neglegentiae praeteritae, etc. Quodsi, tandem, praeter hanc abnegationem necessariam et quasi passivam seu receptivam, acceptativam respectu voluntatis divinae, alia quaedam exercitia abnegationis ultra strictum debitum sponte ac libere quaerantur, id nunquam erit per se nimium pro creatura, sed semper infra « reparationem integralem » praedictam, ex amore Deo oblatam, et infra « reparationem integralem » Deo per peccata offenso debitam. Unde erit per se semper laudabile, salvo recto iudicio rationis, et directoris conscientiae iudicio ac Dei inspiratione. Quatenus vero aliquid addatur positive afflictivum cum corporis tum spiritus, iam res ad positivam rationem mortificationis accedit, de qua statim.

3. De Mortificatione

23 — *Mortificatio*. — Saepe vulgo promiscue adhibetur haec vox mortificationis etiam pro abnegatione. Ut aliquam distinctionem determinemus, recolamus dicta: *Ab-negatione* quis sibi satisfactiones, in primis illicitas sed etiam licitas et per se intentas, *denegat*, itemque bona et commoda externa praeter necessitatem *usus* vel convenientiam, seu merae satisfactionis intuitu; *mortificatione* vero quis seipsum, hoc est potentias sive corporis sive spiritus, magis directe *afflictat*, causas positivas — sive necessarias, puta laborem, officia, sive occasionales, puta infirmitates, iniurias, contrarietates, sive sponte electas, puta ieiunia, vigilias, cilicium, similia — amando, quaerendo respective, debito ordine ac licentia.

24 — Mensura mortificationis quoque, per se et saltem secundum praeparationem animi, esse debet *sine limite*. Ratio est in primis ut supra: totam exsistentiam creaturae, ex nihilo factae, esse « ex toto » esse in servitium Dei usque ad holocaustum; ergo si id quoque de facto adiuncta exigerent, mortificatio etiam usque ad sanguinem et ad mortem ipsam subeundam urgenda esset.

Audivimus iam Paulum id postulantem ratione peccati: « Nondum enim, inquit, usque ad sanguinem restitistis, adversus peccatum repugnantes ». Audivimus Christum ipsum intimantem: « Si oculus, si manus, si pes tuus scandalizat te, erue, abscide, abiice abs te ». Addit etiam: « Nolite timere eos, qui occidunt corpus! » (Matth 10,28). Monet iterum Paulus: « Mortificate membra vestra quae sunt super terram » (Col 3,5). Immo: « Semper mortificationem Iesu in corpore nostro circumferentes » (II Cor 4,10). Iterum Christus urget voluntariam repressionem linguae usque ad simplex verbum otiose pro mera satisfactione prolatum: « De quocumque verbo otioso, quod locuti fuerint homines, reddent rationem de eo in die iudicii » (Matth 12,36).

25 — Rationes praecipuae, gravissimae, mortificationis rursus duae. Sumus enim, in primis, *peccatores*. Meruimus nimirum, saltem ex peccato *originali,* aeternam exclusionem a Paradiso: solidalitas autem etiam in « peccato naturae » fundat rationem solidalis reparationis Deo debitae. Meruimus etiam eamdem exclusionem aeternam, praeterea, quod bene notandum est, per unumquodque peccatum personale etiam *veniale*. Idem fere dixerim, iuxta superius dicta, pro positivis, deliberatis saltem, imperfectionibus, nisi iam sit verum veniale peccatum satisfactiones per se intendere iisque per se frui. Haec salva, ua patet, Dei misericordia et redemptione, et Purgatorio.

Stat enim verbum, quod « nihil coinquinatum intrabit in eam » civitatem sanctam, Ierusalem caelestem (Apoc 22,27). Sed et meruimus, forsan — esto semel — aeternas quoque poenas inferni, et oppressionem ac ludibrium daemoniorum. Hinc exigentia, vel pro uno tantum peccato *mortali*, expiationis et reparationis per se aeternae: ad quam creatura, pro infinita Dei maiestate offensa, nunquam sufficere potest adaequate. Hinc debitum mortificationis, seu spiritus saltem mortificationis sine limite. Quod saltem ad praxim deducendum est primo, in necessariis ad vitanda peccata; secundo, in necessariis poenis ex adiunctis a Providentia dispositis; tertio in perfecta subiectione et oboedientia; tandem in paenitentia quoque sponte, et debita licentia, suscepta. Haec nimirum semper minora erunt, per se, quam quae meruimus.

26 — Altera ratio est *imitatio Christi* ex grato amore, et ex solidarietate in Corpore eius Mystico. Hoc explicite iam nos docuit Petrus: « Christus *passus* est pro nobis, vobis relin-

quens *exemplum,* ut sequamini vestigia eius » (I Pet. 2, 21).

Unde Paulus ad Hebraeos ait: « Per patientiam curramus ad propositum nobis certamen: aspicientes in auctorem fidei et consummatorem, Iesum, qui, proposito sibi gaudio, sustinuit crucem (Hebr 12,1s). Nec solum intuitu personali suscipienda est mortificatio, sed et proximi, totiusque Ecclesiae: « Adimpleo ea quae desunt passionum Christi in carne mea, pro corpore eius, quod est Ecclesia » (Col 1,24). Quae non ut mera hortamenta sunt accipienda, sed, ut pertinentia ad legem caritatis christianae: « Alter alterius onera portate, et sic adimplebitis legem Christi » (Gal 6,2). Sicut, videlicet, « peccata nostra Ipse pertulit in corpore suo super lignum, ut peccatis mortui, iustitiae vivamus », ut ait Petrus (I Petr 2,24). Qui etiam, loquens de subiectione et oboedientia dominis seu superioribus debita, addit talem praestandam « non tantum bonis et modestis, sed etiam dyscolis ». Cuius explicationem profert, dicens: « Haec est enim gratia, si *propter Dei conscientiam* sustinet quis tristitias, patiens iniuste ». Et urget argumentationem suam sic: « Quae enim est gloria, si peccantes et colaphizati suffertis? Sed si benefacientes patienter sustinetis, haec est gratia apud Deum ». Et concludit efficaciter: « In hoc enim vocati estis, quia et Christus passus est pro nobis: Qui peccatum non fecit; qui tradebat iudicanti se iniuste ».

Conclusio: Adaptatio quaedam moderna?...

27 — Si adaptatio accipiatur pro quacumque « participatione » (compromesso) eius quae in mundo est et de mundo est « vita » et «cultura », aut « spiritus mundani », nulla adaptatio quaerenda. Audias Paulum passim: « Quae societas lucis ad tenebras? » « Vos non ita didicistis Christum ». Audias Ioannem: « Nolite diligere mundum, neque ea quae in mundo sunt ». Et Christus ipse: « Nescitis cuius spiritus estis ». « Ideo odit vos mundus, quia de mundo non estis. Si de mundo essetis, mundus, quod suum erat, diligeret ». « Nunc autem regnum meum non est de hoc mundo ». « Et vos quare transgredimini mandata Dei, propter traditiones hominum? » « Sapientia enim huius mundi, monet Paulus, stultitia est ». Et: « Quoniam sapientia carnis inimica est Deo ». « Non est enim — explicat Iacobus — ista sapientia desursum descendens, sed terrena, animalis, diabolica! » (Cfr. etiam pastorales Episcoporum, alia Documenta Ecclesiastica).

28 — Si adaptatio intelligitur aliquis rerum modernarum « usus honestus », non tam quatenus nobis magis gratus, magis commodus, quam potius quatenus fini honesto, spirituali, apostolico magis conveniens, aut proximo aptior, acceptior, efficacior spiritualiter, caritative utilior: tunc id fere dixerim: a) in genere, unusquisque, quantum ex se est, maxime autem subditus, *spiritum abnegationis* et *spiritum mortificationis ex spiritu humilitatis* integrum servet, neque attemperet; b) practice, in pluribus, poterit unusquisque, sive privatus sive subditus, pro adiunctis, nulla intentione propriae commoditatis ratione commoditatis sed solo intuitu gloriae Dei et

caritatis, ac salutis animarum, iudicare; c) in aliis vero, de quibus iis ad quos spectat visum fuerit, Superior, pariter non commoditatis aut satisfactionis intuitu per se, sed Dei gloriae et utilitatis animarum, cum discretione, prudentia et rectitudine disponat.

Spiritus, salva proportione temporum et adiunctorum, semper sit spiritus evangelicus Christi, de quo in superioribus plurima diximus. Exemplo sint v. g. haec dicta Pauli: « Habentes alimenta et quibus tegamur, his contenti simus » (I Tim. 6, 8). « Magnus quaestus, pietas cum sufficientia » (I Tim. 6, 6). Ubicumque aliqua disciplina servanda: « Omnia secundum ordinem fiant » (I Cor. 14, 40), in omnibus semper « subditi, non solum propter iram, sed etiam propter conscientiam » (Rom. 13, 5). Brevi: exuendus semper manet vetus homo (de terra terrenus), et induendus novus (de caelo caelestis), usque dum fiat « nova creatura », quae vere dicere possit: « vivo iam *non ego*, vivit vero *in me Christus!* »

125   R. P. EMMANUEL CUERVO, O. P., *scripsit:*

NOCION DE LA PERFECCION ESENCIAL

Naturaleza y gracia expresan realidades pertenecientes a órdenes esencialmente distintos. Por tanto, la naturaleza nunca podrá ser principio de ningún acto perteneciente a la vida de la gracia, ni en su totalidad, ni siquiera en su iniciación, sino en virtud y como efecto de la misma gracia. Es doctrina perteneciente a la fé contra el pelagianismo, semipelagianismo y naturalismo. La naturaleza es como el campo donde se desenvuelve toda la obra de la gracia, en la cual ésta encuentra obstáculos y resistencias, nunca fuerzas o virtudes que aumenten o vigoricen las mismas de la gracia, determinen sus virtualidades intrínsecas, ni siquiera tengan razón de disposición inmediata de la misma o de sus actos. Porque, en otro caso la distinción entre el orden sobrenatural y el natural desaparecería por sí sola, subordinándose aquél a éste, el cual tendría sometida a sí mismo la actividad de la gracia, sobre la cual ejercería un dominio y hegemonía completos.

Síguese de aquí que la vida cristiana, íntegramente, es en nosotros expansión de las actividades ocultas de la gracia, según las leyes de la economía divina en la distribución de aquélla, lo cual se ha de afirmar también con mayor motivo de su perfección, tanto dentro como fuera de los estados llamados de perfección.

Pero es respecto de la perfección espiritual donde tal vez existen más equívocos, no estando de acuerdo los autores si es una misma para todos, o si, por el contrario, se dan varias, tanto para los que viven en los estados de perfección, como para los que se encuentran fuera de ellos. Sobre este punto particular quisiéramos hacer algunas breves indicaciones, dejando su desarrollo para ocasión más oportuna.

Es evidente que la vida cristiana puede considerarse de dos maneras distintas: en sí misma absolutamente, y como existiendo en los individuos. En el primer caso, está sujeta solamente a las leyes ontológicas de la gracia en cuanto a su naturaleza, crecimiento y perfecto desarrollo. En el segundo, supuestas aquellas, está sometida, además, a las leyes generales de la Providencia y a las particulares de la Predestinación respecto de cada uno de nosotros, ya que la gracia tiene razón de medio respecto de un fin que nos está de antemano prefijado por Dios, no sólo en cuanto a su naturaleza o esencia, sino también en cuanto al grado de perfección del mismo. Y tan absurdo sería pensar que Dios prescinde de los principios supremos de su economía en la distribución de los dones de la gracia, como que nosotros podemos determinar a nuestro arbitrio, independientemente de Dios, las virtualidades intrínsecas de ésta. Lo primero equivaldría a introducir el confusionismo en el gobierno divino de las almas, y lo segundo supeditaría todo el orden sobrenatural al natural, negando así prácticamente la absoluta gratuidad y transcendencia del primero. O lo que es igual, un radical naturalismo.

A su vez, la vida cristiana como existiendo en los individuos, puede considerarse también en los distintos estados de perfección, o fuera de ellos, en la condición común, según que los individuos de la misma pertenezcan a aquéllos, o no. En el caso primero, la vida cristiana quedará también sometida a las leyes propias de cada estado para su existencia y perfeccionamiento, permaneciendo en el segundo en las condiciones comunes de los que no pertenecen a ningún estado de perfección.

La perfección de la vida cristiana debe seguir exactamente las mismas consideraciones. Y así, absolutamente considerada en sí misma, comprende todo lo que es formalmente santificador, o sea, todas las virtudes infusas y dones del Espíritu Santo, en la plenitud de su actuación o desarrollo de la manera que esto es posible en nosotros en la presente vida. Desde este punto de vista, la Ascética y la Mística no son más que aspectos distintos de una misma vida, la cual sólo puede encontrar su perfección última en la actuación suprema de los dones y de las virtudes. Una sola vida, una sola perfección y una sola vía.

Prototipo de esta perfección es Jesucristo, en cuanto viador, que tuvo la gracia en toda la plenitud absoluta de la misma gracia (1), y después su Madre Santísima que la tuvo relativamente a su dignidad altísima de Madre de Dios (2), y de Corredentora de los hombres (Super *Ave María*).

Pero en nosotros es preciso distinguir una perfección *común o esencial* para todos, otra también *común o esencial* del estado de perfección, y tantas *especiales* cuantos son los distintos grados de gloria a que Dios tiene destinados los individuos.

Santo Tomás llega a esta misma conclusión por un camino distinto, que no difiere esencialmente del nuestro, o sea, que la perfección consiste *esencialmente* en la caridad, en la que hay que distinguir el amante y el objeto amado. Y así, la caridad será perfecta por razón del objeto, cuando se ama a Dios cuanto Dios puede ser amado, puesto que la perfección denota totalidad, universalidad. « Et talis perfectio non est *possibilis* alicui creaturae, sed competit soli Deo, in quo bonum integraliter, et essentialiter invenitur ».

« *Alia* autem est perfectio, quae attenditur secundum totalitatem ex parte diligentis; prout scilicet affectus secundum totum suum posse, semper *actualiter* tendit in Deum: et talis perfectio non est possibilis *in via*, sed erit in patria ».

« *Tertia* autem est perfectio, quae neque attenditur secundum totalitatem ex parte diligentis, quantum ad hoc quod semper actu feratur in Deum, sed quantum ad hoc, quod excludantur ea, quae repugnant motui dilectionis in Deum. *Et talis perfectio potest in hac vita haberi* ».

« *Uno modo*, in quantum ab affectu hominis excluditur omne illud, quod contrariatur caritati, sicut est peccatum mortale; et sine tali perfectione caritas esse non potest, unde est de necessitate salutis ». (Perfección *esencial*).

« *Alio modo*, in quantum ab affectu hominis excluditur non solum illud, quod est caritati contrarium, sed etiam omne illud, quod impedit ne affectus mentis *totaliter* dirigatur ad Deum, sine qua perfectione caritas esse potest puta in *incipientibus*, et *proficientibus* (3).

O sea, la perfección *especial* según los grados de caridad, conforme a los cuales distingue Sto. Tomás en otra parte la caridad en *incipiente, aprovechada y perfecta*, según el empeño principal que se ponga, ya en remover los obstáculos de la caridad, ya en el progreso en la virtud, o bien en la unión con Dios (4).

Conforme a esto diremos que la perfección *esencial* de la vida cristiana, común a todos, consiste en la gracia y la caridad, que nos dan la posesión de Dios ya en esta vida, aunque sea de una manera imperfecta, y el derecho a la eterna bienaventuranza, haciéndonos conseguir el fin último a que estamos destinados. Esta perfección lleva aneja consigo la observancia de los preceptos de la caridad, sin los cuales ésta no puede permanecer en nosotros (5).

La perfección *esencial del estado de perfección* consiste también en la gracia y caridad, cuya existencia en los que pertenecen a él está vinculada, además de la observancia de los preceptos comunes de la caridad, a la fudamental de los consejos evangélicos, o al cumplimiento de las obligaciones esenciales y necesa-

(1) III P, q. 7 aa. 9, II.
(2) III P, q. 27 a. 5.
(3) 2-2, q. 184 a. 2; Cfr. 2-2, q. 24 a. 8.
(4) 2-2, q. 24 a. 9.
(5) 2-2, q. 24 a. 8; q. 184 aa. 2, 3; In D. Pauli Epist. *Ad Philip.* c. 3 lect. 2, et passim.

rias del estado en que se encuentran, sin lo cual la gracia y la caridad no pueden subsistir en ellos, por la obligación contraída al abrazar dicho estado (6).

La perfeción *especial* es la que corresponde a cada individuo, tanto dentro del estado de perfección, como fuera de él, según el grado de gloria a que ha sido destinado por Dios, para manifestación de su bondad y de sus perfecciones infinitas, la cual exige multiplicidad y diversidad en los grados de perfección que comunica a las creaturas. Y así Sto. Tomá: « Cum infinita efficacia requiratur ad Deum comprehendendum, creaturae vero efficacia in videndo non possit esse nisi finita, ab infinito autem finitum quodlibet infinitis gradibus distet, multis modis contingit creaturam rationalem intelligere Deum, ut clarius, et minus clare. Et sicut beatitudo consistit in ipsa visione, ita gradus beatitudinis in certo modo visionis. Sic igitur unaquaeque creatura rationalis a Deo perducitur ad finem beatitudinis, *ut etiam ad determinatum gradum beatitudinis perducatur ex praedestinatione Dei* » (7).

A cada grado diverso de gloria, responde en el individuo un grado distinto de gracia, por medio de la cual consigue el fin a que está destinado por Dios, puesto que « quidquid est in homine ordinans ipsum in salutem, comprehenditur totum sub effectu praedestinationis, etiam ipsa praeparatio ad gratiam » (8). No hay en esto distinción entre lo que es de libre albedrío y lo que pertenece a la gracia, porque todo lo que la voluntad realiza en el orden sobrenatural lo hace en virtud de la gracia. « Unde et id quod, est per liberum arbitrium, est ex praedestinatione » (l.c.). Por parte del sujeto « gratia non potest suscipere magis et minus, prout scilicet unus perfectius illustratur lumine gratiae, quam alius. Cuius diversitatis ratio quidem est *aliqua ex parte* praeparantis se ad gratiam, qui enim magis se ad gratiam praeparat, pleniorem gratiam accipit. Sed ex hac parte non potest accipi *prima ratio* huius diversitatis: quia praeparatio ad gratiam non est hominis, nisi in quantum liberum arbitrium eius praeparatur a Deo. Unde PRIMA CAUSA huius diversitatis accipienda est ex parte ipsius Dei, qui diversimode suae gratiae dona dispensat ad hoc, quod ex diversis gradibus pulchritudo, et perfectio Ecclesiae consurgat; sicut etiam diversos gradus rerum instituit, ut esset universum perfectum » (9).

El distinto grado de gracia de cada uno, según la predestinación al distinto grado de gloria, es lo que constituye, según Santo Tomás, la plenitud subjetiva de la gracia de cada individuo. « Ex parte vero subiecti dicitur gratiae plenitudo, quando quis habet plene gratiam secundum suam condicionem. Sive secundum intensionem, prout in eo est intensa gratia *usque ad terminum praefixum ei a Deo,* secundum illud Ephes. 4, 7, « unicuique nostrum data est gratia secundum mensuram donationis Christi », sive etiam secundum virtutem, in quantum scilicet habet facultatem gratiae ad omnia, quae pertinent ad suum officium, sive statum, sicut Apostolus dicebat Ephes. 3, 8: « Mihi omnium sanctorum minimo data est gratia haec, illuminare omnes » etc. (10). En la respuesta ad 1m. del mismo artículo, añade el Angélico Doctor que en esta plenitud subjetiva de la gracia hay multiplicidad de grados, según la condición o estado a que cada individuo es escogido por Dios, lo que con mayor motivo vale también de la predestinación a la gloria. « Harum tamen plenitudinum una est plenior altera, secundum quod aliquis est divinitus praeordinatus ad altiorem, vel inferiorem statum ». Y tiene buen cuidado en advertir, que nadie puede traspasar el grado de gracia, así como tampoco el de gloria, a que está destinado. « Unde, consecuto illo gradu, ad altiorem transire non potest » (11).

La hipótesis según la cual la *primera causa* de la predestinación a la gloria, así como de los frutos de la gracia, sería la libre determinación de la voluntad creada mediante

(6) 2-2, q. 186 aa. 2, 9.
(7) I P, q. 62 a. 9.
(8) I P, q. 23 a. 5.
(9) I-II, q. 112 a. 4.
(10) III P, q. 7 a. 10.
(11) I P, q. 62 a. 9.

el consentimiento a la gracia, por muy halagadora que se presente al orgullo humano, en el fondo es radicalmente *naturalista*, que mina por su base la transcendencia y gratuidad absoluta del orden sobrenatural, se opone diametralmente al dominio que tiene Dios sobre sus dones, y atribuye a la creatura *primero* que a Dios lo que hay de más grande en la creación, cual es la distinción o discernimiento entre los que se salvan y los que no se salvan. No otra era la actitud del semipelagianismo frente al problema de las relaciones entre la naturaleza y la gracia.

Siendo infinito el número de grados en la gracia, como lo es el de grados en la gloria, síguese que no se puede hablar de una sola perfección para todos individualmente, tanto más cuanto que nadie puede por sí mismo cambiar el grado de gloria a que ha sido destinado por Dios, ni aumentar el de gracia que le corresponde según la donación divina. Por eso Sto. Tomás, precisamente al hablar de los distintos grados de gracia correspondientes a cada uno según la predestinación a los distintos grados de gloria, explica de la siguiente manera la oración de San Pablo en la que pedía para los fieles de Efeso su plenitud en Dios, « ut impleamini in omnem plenitudinem Dei » (Ephes. 3, 19): « Apostolus ibi loquitur de illa plenitudine gratiae, quae accipitur ex parte subiecti, *in comparatione ad id ad quod est divinitus praeordinatus.* Quod quidem est vel aliquid *commune*, ad quod praeordinantur omnes sancti, vel aliquid *speciale*, quod pertinet ad excellentiam aliquorum. Et secundum hoc quaedam plenitudo gratiae est omnibus sanctis communis, ut scilicet habeant gratiam sufficientem ad merendam vitam aeternam, quae in plena Dei fruitione consistit. Et hanc plenitudinem optat Apostolus fidelibus quibus scribit » (12).

Diremos, por tanto, que existe una perfección *esencial o común* a todos, la cual comprende la observancia de los preceptos de la caridad; otra tambien *esencial y común* a los estados de perfección, que abarca, además, la observancia fundamental de las leyes y obligaciones propias de cada estado; y tantas *especiales* cuantos son los grados de gracia y de caridad.

Para las dos primeras, y aún para la perfección especial en sus manifestaciones más inferiores, no parece que sea necesaria la intervención habitual de los dones del Espíritu Santo, aunque sí la actual· En cambio, la perfección especial, en sus grados superiores, no puede concebirse sin la actuación de los dones de una manera permanente y predominante. He ahí por que no siendo, en realidad, la Ascética y la Mística más que manifestaciones distintas de una misma vida cristiana, en sí misma una y única objetivamente, sin embargo en los individuos se da multiplicidad de vías o caminos para llegar a su distinta perfección. Y tanto en la Ascética como en la Mística existen también grados distintos.

(12) III P, q. 7 a. 10 ad 2.

En sí misma la naturaleza es buena, pero después del pecado quedó viciada en sus inclinaciones, afectos y sentimientos. De aquí que, para que se realice en ella el gran misterio de nuestra deificación, sea necesario purificarla hondamente a fin de que pueda participar de la elevación de los sentimientos de la vida de la gracia.

Esta purificación es paralela al grado de perfección distinta. Y así en la perfección común a todos, o esencial, no se requiere más que la exención de toda mancha de pecado grave contra los preceptos de la caridad. Esta misma se requiere también en la común o esencial del estado de perfección respecto, además, de las obligaciones graves que éste encierra en orden a los consejos evangélicos, o a los deberes graves del estado de perfección respectivo.

En la perfección especial es mucho más honda y comprensiva, extendiéndose no solamente a la carencia de toda mancha de pecado grave, sino también a lo ilícito e imperfecto. Esta purificación es doble, activa y pasiva. La primera es acto de las virtudes, bajo la guía de la razón informada por la prudencia cristiana, y la segunda de los dones del Espíritu Santo según la dirección de la razón divina. En uno y otro caso ha de ser proporcional al grado de perfección de las virtudes y dones en nosotros, siendo totalmente necesaria la purificación pasiva del sentido y del espíritu en los grados superiores de la perfección especial. Esta purificación es toda obra de Dios en nosotros por medio de los dones. En los grados inferiores es suficiente la purificación activa de las virtudes, mediante la abstención gradual de lo ilícito e imperfecto en su ejercicio, con la intervención parcial de los dones del Espíritu Santo. Por eso mismo no sería fundado establecer para todos la necesidad de la purificación pasiva para conseguir la perfección, de la misma manera que de la vida mística.

Jesucristo y la Virgen Santísima no estuvieron sometidos a estas purificaciones pasivas del sentido y del espíritu, porque en Ellos la naturaleza humana nunca fué manchada por el pecado, y sin embargo vivieron de la manera más perfecta la vida de la gracia. El primero con una perfección absoluta, y después su Madre Santísima. Lo que prueba que la naturaleza humana en sí misma es buena, siendo malo solamente en lo que participa del pecado. Por eso no es necesario destruirla en sí misma, sino en lo que tiene del pecado, para recibir toda la sublimación y divinización que le comunica la vida de la gracia.

Esta elevación es de orden divino participado, de la misma manera que la gracia, cuya expansión en nosotros por medio de las virtudes y los dones constituye la perfección de la vida cristiana. Por tanto, la gracia, sin destruirla, eleva la naturaleza al orden sobrenatural, la perfecciona y deifica, revistiéndola de inclinaciones y sentimientos divinos, al mismo tiempo que le comunica un poder sobrenatural para realizar actos y operaciones del mismo orden. La elevación que la gracia comunica a la naturaleza es la misma de nuestra filiación adoptiva y del gran misterio de nuestra deificación.

Esta manera de considerar la perfección de la vida cristiana puede servir de puente de unión entre las diversas corrientes espiritualistas, acerca de la vida y perfección cristianas, pues, lo que unos afirman de la unidad y unicidad de vida y de vía, es cierto en los grados superiores de la perfección espiritual, los que no pueden concebirse sin la plena actuación de los dones del Espíritu Santo, y por tanto sin la vida mística, e igualmente de la vida y perfección cristianas absolutamente consideradas en sí mismas. Y lo que otros enseñan de la duplicidad de *vías* (ascética y mística), lo es también, atendidas las disposiciones de la Providencia y Predestinación divinas, respecto de la vida y perfección cristianas en los individuos. No así lo que dicen de la duplicidad de *vidas,* por no tener éstos en cuenta la consideración absoluta de la vida cristiana en sí misma, en la que principalmente insisten los primeros. O sea, que el mal de unos y otros está en el exclusivismo de sus diferentes puntos de vista, pues mientras los primeros no consideran más que la perfección absoluta de la vida cristiana en sí misma del modo que es posible en esta vida, los segundos se fijan, solamente en la perfección espiritual de los individuos según las disposiciones de la voluntad divina. In medio consistit virtus. Ambas consideraciones son a la vez necesarias, y de la conjugación de las dos con sus diferentes puntos de vista salen las diferentes clases de perfección cristiana, señaladas por Santo Tomás, y la armonía más perfecta entre las dos corrientes.

Al confusionismo reinante, respecto de este particular, en los tratadistas de espiritualidad, ha contribuido no poco la división de la vida espiritual en *principiantes, aprovechados* y *perfectos,* con la cual se da a entender que la perfección de la vida cristiana solamente se encuentra en los últimos grados de la caridad, en los que el hombre pone todo su empeño en unirse con Dios. Y como este grado de perfección de la caridad no es concebible sin la actuación predominante de los dones del Espíritu Santo, estando todos llamados a la perfección, ya que para todos es obligatoria, de la misma manera que el precepto de la caridad, en la que esencialmente consiste aquélla, de aquí la necesidad de la vida mística para llegar a su consecución.

Pero es manifiesto que aquélla división es de la perfección *especial,* o de los diferentes grados de caridad, y no de las distintas clases de perfección de la misma vida cristiana. Santo Tomás así lo enseña terminantemente al exponer esta división: « *Ita diversi gradus caritatis* distinguuntur secundum diversa studia, ad quae homo perducitur per caritatis augmentum » (II-II, q. 24 a 9). Por eso mismo siempre que trata de las distintas clases de perfección cristiana, como hace en el artículo anterior y lugares paralelos, al lado de la perfección *especial,* según los distintos grados de caridad, establece la *esencial,* consistente en la posesión de la gracia y de la caridad, sin la cual nadie puede salvarse, y que por eso mismo es *común* a todos (13). Nunca dijo Santo Tomás que la perfección especial fuera común a todos, ni que a ella estuviéramos todos obligados, ni que sin ella nadie pudiera salvarse, ni que la esencial fuera « supererogationis » como afirma de la especial con respecto a la primera. Lo que demuestra que el Santo Doctor tenía muy en cuenta estas dos clases de perfección cristiana (14).

Y que a la posesión de la gracia y caridad encaje perfectamente el concepto de perfección esencial de la vida cristiana, por razón del fin, salta a la vista desde el momento que se tiene en cuenta que de la gracia brotan todos los hábitos infusos de las virtudes sobrenaturales y de los dones del Espíritu Santo, la filiación adoptiva, la posesión imperfecta de Dios ya en esta vida por la inhabitación en nosotros de la Trinidad Beatísima, y el derecho a la eterna bienaventuranza.

Todos estamos obligados a la perfección *esencial,* común a todos, por lo mismo que a todos comprende el precepto de la caridad (15). Los constituidos en estado de perfección,

(13) 2-2, q. 24 a. 8; Cfr. 2-2, q. 44 a. 4 ad 2; q. 184 a. 2; in D. Pauli Epist., *ad Philip.* c. 3 lect. 2, et passim.
(14) Ad Philip. 1. c.
(15) 2-2, q. 24 a. 8; q. 44 a. 4; q. 184 a. 2.

están obligados, además, a la perfección *esencial propia* del estado a que pertenecen, y a *tender* a la especial (16). Y tanto dentro, como fuera del estado de perfección, cada uno debe esforzarse por realizar en sí mismo el grado especial de perfección a que está destinado por Dios. Porque la perfección, así como la tendencia natural hacia ella, es una ley inmanente de la vida, tanto en el orden natural como en el sobrenatural. Por otra parte, el orden de la creatura es siempre el de la causa segunda, en el que la preparación a la gracia por parte del sujeto tiene su influjo en la consecución de ésta, en mayor o menor grado. Y desconociendo nosotros el grado que Dios nos tiene prefijado, de aquí que siempre debamos esforzarnos por conseguir un grado superior al que tenemos. Lo contrario sería obrar insensatamente, haciéndonos traición a nosotros mismos. Lejos, por consiguiente, de fomentar esta doctrina el abandono espiritual, lo que hace es estimular nuestra voluntad en el progreso verdadero de la vida espiritual, en un profundo espíritu de humildad y total dependencia de Dios. Nunca deben olvidarse aquellas palabras de S. Agustín: «Dios que te creó sin ti, no te salvará sin ti». Y aquellas otras de Sto. Tomás: «Cuius diversitatis (gratiae) ratio quidem est *aliqua ex parte* praeparantis se ad gratiam, qui enim magis se ad gratiam praeparat, pleniorem gratiam accipit» (17). La gran obra de nuestra santificación no es *solamente* de Dios, sino de Dios *en* nosotros y *con* nosotros. La mejor manera de saber si Dios obra en nosotros es poniéndonos en acción y movimiento, no permaneciendo en quietud. Porque la causa segunda no obra sino en virtud de la moción recibida de la causa primera. No es otro el orden de la causa segunda, tanto en la vida natural, como en la sobrenatural. La vida del espíritu es toda vida de verdad, y una de las cosas peores que pueden suceder en ella es el engaño o la ilusión.

(16) 2-2, q. 186 aa. 5, 7.
(17) I-II, q. 112 a. 4.

R. P. Hieronymus Gassner, O. S. B., Procu-
rator Generalis Congr. Austriacae, *scripsit*:

1. De necessitate motivi supernaturalis.

In praesenti articulo non exponimus thema propositum
secundum totum suum ambitum, sed puncta particularia
tantum, quae in controversia quadam recenti attentionem
excitaverunt. Secundum mentem quorundam auctorum, ad
exclusionem cuiuscumque motivi naturalis, specialiter ad exclusionem complacentiae vel commodi agentis, nulla facta
distinctione inter obligationes de praecepto et obligationes
de consilio, pro omnibus actibus moraliter bonis intentio actualis supernaturalis postulatur. Propterea quaerimus: I. in
genere: de moralitate actus positi ex intentione alicuius finis
naturalis; de moralitate actus positi propter complacentiam
vel commodum agentis; de necessitate motivi supernaturalis.
II. in specie: de necessitate motivi supernaturalis pro religiosis.

2. Recens quaedam controversia

Vita spiritualis et religiosa in America septentrionali
nostris temporibus magnum impulsum recepit, praesertim per
apostolatum exercitiorum spiritualium. Occasione huius apostolatus magno fervore et vehementi zelo doctrina quaedam
vitae spiritualis proposita est, quae continet supernaturalismum exaggeratum.

Auctores huius doctrinae laudabiliter quidem inculcant necessitatem mortificationis, obligationem recedendi ab inordinato affectu versus creaturas, exaltant
principia supernaturalia vitae christianae. Specialis necessitas inculcandi haec
principia certo habetur in illis territoriis, ubi propter naturalismum late diffusum, propter abundantiam rerum temporalium, timendum est, ne modus vivendi
materialisticus inficiat et submergat etiam christianos. Propter nimiam curam
rerum terrenarum et propter commoda vitae facillime negligitur vita spiritualis,
non attenditur ad ordinem intentionis et mera externa impletio praeceptorum
sufficiens habetur. Non raro excessus committuntur non tantum ab acatholicis,
sed etiam a catholicis in actibus ex se indifferentibus, in usu delectabilium etiam
ab illis, qui in statu perfectionis vivunt aut per vota se obligaverunt ad tendendum ad perfectionem. Propter hoc periculum naturalismi quidam directores
exercitiorum spiritualium laudabiliter insistebant, ut supernaturalismus doctrinae
Christianae melius agnoscatur et in praxim deducatur. Isti directores tamen propter quosdam conceptus minus. claros et minus distinctos, propter defectum prae-
cisionis in terminologia sua, propter methodum suam allegandi et interpretandi
S. Scripturam, iustam criticam provocaverunt.

Discussio originem sumpsit cum exercitiis spiritualibus sub directione P. One-
simi Lacouture, S.J., habitis ab anno 1931 usque ad annum 1939 in Canada

et in Statibus Unitis — in Sault aux Recollets, in Quebec, in Washington, D.C. Sermones horum exercitiorum spiritualium publicati non sunt. Existunt quidem notulae privatim ab auditoribus exaratae, quae tamen non praebent evidentiam sufficientem pro critica obiectiva. Principia huius doctrinae vitae spiritualis primo publice proposita sunt opere ab Anselmo Longpré conscripto sub titulo: « La folie de la croix » (Saint Hyacinthe, 1938). Qui liber continet introductionem in studium exercitiorum spiritualium a P. Lacouture datorum. Contra doctrinam in « La folie de la croix » propositam scripsit Roland Fournier in periodico Canadensi « Le séminaire » (Aug. 1941). Nunc in defensionem libri ab A. Longpré publicati venerunt Dom Crenier, O.S.B. cum suo tractatu « Grace and nature » (Bulletin de Saint Benoit, Sept. 1941) et Canonicus Beaumier cum opere « Langage spirituel dans la prédication ».

Sobriam criticam novae doctrinae instituerunt in Statibus Unitis Pascal Parente, professor in Universitate catholica Washington.: « Nature and grace in ascetical theology » (The American Ecclesiastical Review. Washington, D. C. June 1943); in Canada Fernand Paradis, S.S., professor in Seminario de Montreal: « Synthèse théologique sur le renoncement chrétien » (Grand Seminaire de Montreal, 1945).

Systematicam Apologiam novae doctrinae vitae spiritualis suscepit in Statibus Unitis Sac. John J. Hugo cum opere: « Applied Christianity » (Privately printed. New York 1944.) Hoc opus multiplicem recensionem recepit. Francis J. Connel, C.SS.R. scripsit contra « Applied Christianity » in « The American Ecclesiastical Review » (July 1945). Sac. John J. Hugo respondit cum novo opere: « Nature and the Supernatural » (mimeographed 1946), quam defensionem continuavit in altera compendiosa apologia: « A sign of contradiction » (2. vol. Typed and Duplicated by the Author). — Contra « Nature and the Supernatural » scripsit J. C. Fenton, professor Universitatis catholicae Washington, in articulo « Nature and the supernatural life » (The American eccl. Review. Jan. 1946). — Sac. John J. Hugo respondit etiam huic novae criticae cum opere: « Nature and the Supernatural. A further reply to more criticism » (Typed and Duplicated by the Author). — Ulteriorem criticam contra « Applied Christianity » exposuit Gerald Vann, O.P.: « Nature and Grace » (Orate Fratres. Jan. 1947). — Sac. John J. Hugo vehementer respondit scripto: « Reply to a Criticism. A Reply to Orate Fratres » (Typed and Publicated by the Author).

Controversia haec considerabilem diffusionem habuit, quia Sac. John J. Hugo opera sua gratis misit ad plurimos superiores monasteriorum et conventuum, ad sacerdotes et laicos.

3. Propositiones erroneae, resp. exaggeratae.

In scriptis, quibus defenditur doctrina nova vitae spiritualis supra citata, series errorum continetur, qui constituunt Supernaturalismum exaggeratum. Propositiones erroneae principales ad tria capita revocari possunt: 1) circa rationem et motiva naturalia; 2) circa affectum versus res creatas; 3) circa motiva supernaturalia.

1) Circa rationem et motiva naturalia: Ratio in abstracto quidem non contradicit fidei; in concreto vero ratio semper contradicit fidei (« To those accustomed to the doctrine that grace completes nature and presupposes it, there may be something surprising in the idea that there is a conflict between nature and grace », Applied Christianity, p. 31. — « Reason, which does not contradict the faith is an abstraction which does not actually exist »). — p. 96. — Bona activitas naturalis possibilis tantum in ordine diverso a praesenti (« good natural activity only in an order different from the present », Applied Christianity, passim). — In praxi impossibilis est distinctio inter motiva naturalia bona et motiva naturalia nociva, ideo motiva naturalia omnia simpliciter vitanda sunt « It is impossible to distinguish good from selfish natural mo-

tives in practice; and it is therefore best to get rid of them all », Applied Chr., p. 39). — Motiva naturalia sunt offensa Dei (« Natural motives are an insult to God », Appl. Chr., p. 35).

Pro argumento citantur: Eph 2,3: « eramus natura filii irae »; motiva naturalia excluduntur a praecepto caritatis Mt 22,37: « Diliges Dominum Deum tuum ex toto corde tuo etc. »; Deus promisit purificationem nostram a motivis naturalibus 1 Pet 1,7: « In quo exsultabitis, modicum nunc si oportet contristari in variis tentationibus: ut probatio vestrae fidei multo pretiosior auro (quod per ignem probatur) inveniatur in laudem et gloriam, et honorem in revelatione Iesu Christi ». — Gal 6,8: « Quae enim seminaverit homo, haec et metet. Quoniam qui seminat in carne sua, de carne et metet corruptionem »; Col 3,9: « Nolite mentiri invicem, exspoliantes vos veterem hominem cum actibus suis, et induentes novum eum, qui renovatur in agnitionem secundum imaginem eius, qui creavit illum ». — Motiva naturalia pertinent ad « Legem carnis » de qua in Rom 8,5-14; Phil 3, 18-19; Jac 1,14; 4,4.

2) circa affectum versus res creatas: Nullus affectus ad res creatas licitus est (« we must give our whole affection to God, none of it to creatures », p. 21 et passim. — Omnia desideria mere naturalia destruenda sunt. Agere propter delectationem, facere aliquid quia placet, illicitum est (« ... never allowing pleasure to be our motive », App. Chr., p. 76; p. 119).

Pro argumento citantur: Deus promisit purificationem nostram ab affectibus naturalibus 1 Pet 1,7; Tit 2,11: « Apparuit enim gratia Dei Salvatoris nostri omnibus hominibus, erudiens nos, ut abnegantes impietatem, et saecularia desideria etc. » 1 Tim 5,6: « Nam quae in deliciis est, vivens mortua est ».

3) circa motiva supernaturalia: Christianus in omni actione intentionem supernaturalem habere debet. Tantum actio, quae procedit ex intentione actuali supernaturali, vere supernaturalis et meritoria est. — Tantum actio, quae procedit ex motivo caritatis, supernaturalis et meritoria est (« No action, no matter how good or grand, which does not proceed from charity can be considered either as supernatural or as meritorious », op. cit. p. 11. — « ... an action is made supernatural by a supernatural motive, being performed for the love of God », op. cit. p. 28).

Pro argumento citantur: Mat 22,27: « Diliges Dominum tuum ex toto corde tuo, etc. — 1 Cor 10,31: « Sive ergo manducatis, sive bibitis, sive aliud quid facitis: omnia in gloriam Dei facite ». — Rom 1,17: « Iustus ex fide vivit ». Gal 5,6: « Nam in Christo Iesu neque circumcisio aliquid valet, neque praeputium; sed fides, quae per caritatem operatur ». — 1 Cor 13: « Si... caritatem autem non habuero, nihil sum ». — 1 Io 4,16: « Deus caritas est; et qui manet in caritate, in Deo manet et Deus in eo ». — Col 3,1-3: « ... quae sursum sunt quaerite, ubi Christus est in dextera Dei sedens; quae sursum sunt sapite, non quae super terram ».

Nota: Auctores huius doctrinae non sunt sibi constantes. Quae uno loco affirmant, alio loco negant; et viceversa. Ita auctor operis « Applied Christianity » habet etiam haec: « activitas naturalis bona est, quia procedit a natura humana » (p. 26: « natural activity is good because it proceeds from human nature »); « non dicimus motiva naturalia esse mala, vel omnia motiva naturalia causare peccatum » (« we do not say that natural motives are sinful or that all natural motives result in sin », p. 33); « hic non postulamus intentionem actualem supernaturalem pro omni actione » (« we are not here requiring an actual supernatural intention for each action », p. 29, nota 5). Quia tamen hae retractationes incidenter tantum inveniuntur, non minuunt responsabilitatem auctoris quoad errores explicite propositos, quae pervadunt totum opus.

4. De moralitate actus ex motivo naturali.

Propositiones tales « in concreto ratio semper contradicit fidei... bona activitas naturalis possibilis tantum in ordine diverso a praesenti... motiva naturalia sunt offensa Dei » continentur in erroribus Lutheri, Baii, Jansenistarum, Quesnelii.

Ita Baius: « Omnia opera infidelium sunt peccata » (propositio damnata a Pio V. cf. DB n. 1025).

Ita Lutherus: « Liberum arbitrium post peccatum est res de solo titulo » (prop. damnata a Leone X. cf. DB n. 776).

Ita Jansenistae: « Necesse est, infidelem in omni opere peccare » (prop. damnata ab Alexandro VIII. cf. DB n. 1298).

Ita Quesnel: « Quid aliud remanet animae, quae Deum atque ipsius gratiam amisit, nisi peccatum et peccati consecutiones, superba paupertas et segnis indigentia, haec est generalis impotentia ad laborem, ad orationem et ad omne opus bonum. — Iesu Christi gratia, principium efficax boni cuiusque generis, necessaria est ad omne opus bonum; absque illa non solum nihil fit, sed nec fieri potest » (prop. damnata a Clemente XI. cf. DB n. 1351-2).

Actiones, quae procedunt ex motivo bono naturali, sunt naturaliter bonae: Rom 2, 14: « Cum enim gentes, quae legem non habent, naturaliter ea, quae legis sunt, faciunt, eiusmodi legem non habentes, ipsi sibi sunt lex; qui ostendunt opus legis scriptum in cordibus suis ». Actiones sunt quaedam moraliter bonae naturaliter, etsi non procedunt ex motivo supernaturali. Tales actiones, quae procedunt ex motivo naturali sec. rectam rationem, sunt etiam supernaturales et meritoriae, si sunt positae a subiecto, quod est in statu gratiae. Immo, non possumus implere praeceptum caritatis, nisi observamus legem naturalem, quae praecipit certas actiones et proponit certa motiva, quae sunt in ambitu ordinis naturalis (cf. Decalogum quoad effectus naturales caritatis). Impossibile est relinquere omnem activitatem naturalem et omnia motiva naturalia.

Principium tale « in concreto ratio semper contradicit fidei », non tantum destruit Ethicam naturalem, sed impossibilem reddit etiam Theologiam in quantum destruit principium « Fides quaerens intellectum ».

5. De moralitate actus positi propter delectationem vel commodum.

Sicut auctores supra citati, ita etiam quidam theologi (Augustiniani, quidam Thomistae) contendunt, omnes actus, qui pro motivo delectationem habent, moraliter malos esse: agere propter delectationem non convenit enti rationali, ideo omnis delectatio deliberate quaesita moraliter mala est. Citant pro argumento propositionem ab Innocentio XI damnatam (1): « Comedere et bibere usque ad satietatem ob solam voluptatem non est peccatum, modo non obsit valetudini; quia licite potest appetitus naturalis suis actibus frui ».

Iamvero sententia S. Thomae (2), quam Noldin dicit esse hodie inter theologos fere communem (3), haec est: Actiones sunt moraliter bonae, etsi voluntas explicite non bonum honestum, sed delectationem vel commodum naturae intendat, dummodo sint ordinatae iuxta praescripta rationis et qua tales apprehendantur et appetantur. E. g. qui comedit, bibit,

(1) cf. DB n. 1158-9.
(2) 2 dist. 40, q. I.
(3) cf. De principiis, n. 88 et 91

ludit, ad se recreandum et intelligit hanc actionem consideratis omnibus adiunctis (personae, loci, temporis, etc.) convenire cum praeceptis rationis, eamque qua talem intendit, bene agit.

Non licet ob solam voluptatem agere, si quis finem altiorem non solum non intendit, sed implicite etiam excludit et ita sine respectu ad praescripta rationis agit; licet vero agere ob delectationem eo sensu, si finis ulterior non impeditur, quatenus actio vere naturae inservire cognoscatur, modus a ratione praescriptus servetur, quamvis ad ulteriorem finem honestum non explicite dirigatur.

Actionibus, quae ad conservandam et perficiendam naturam conferunt, auctor naturae ideo commodum et delectationem coniunxit, ut homines ad eas ponendas allicerentur; ideo hoc commodum et hae delectationes appeti possunt (4). Si quidem in illis actionibus nihil aliud apprehenderet et quaereret, nisi commodum naturae et voluptatem, actio naturae animali quidem conveniret, at natura rationali digna non esset; per hoc autem, quod commodum et delectationem quaerit secundum modum et mensuram (quoad adiuncta temporis, loci, durationis, etc.) omni ex parte a recta ratione temperatam, ut ens rationale agit. Actio moraliter bona et hominis digna est. Hominis natura non est rationalis tantum, sed animalis et rationalis; ideo positive appetere potest, quae naturae suae animali conveniunt. Si talis actio exercetur sub directione et dominio rationis, etiam naturae rationali sufficienter convenit.

Omnes auctores catholici monent tamen, hanc bonitatem moralem infimam esse; bonitatem augeri et perfici posse per intentionem, qua actiones in altiorem finem honestum (e. g. restaurationem et conservationem salutis, utilitatem socialem, gloriam Dei) ordinantur. Insuper monent de necessitate mortificationis, secundum quam quandoque a rebus delectabilibus, etiam licitis, abstinendum est. Appetitus post lapsum in delectabilia fertur independenter a norma honestatis, scilicet in ea etiam, quae illicita sunt atque in licita inordinate; ideo in eorum usu regi debet a ratione. Ex duplici capite abstinentia a rebus delectabilibus, etiam licitis, commendanda est: ad firmandam voluntatem, ut eo facilius et certius se abstineat a delectatione illicita; ad exercendam virtutem iuxta exemplum Christi (5).

Auctores, qui universaliter respuunt delectationem quamcumque tamquam motivum moraliter bonum, respuere debent etiam doctrinam traditionalem de virtutibus, sec. quam pertinet ad proprietates virtutis: reddere opus facile et *delectabile*. Bonum honestum et bonum delectabile non semper se excludunt, sed conciliari possunt ut motiva eiusdem actionis, et se habent ad invicem sicut materia et forma.

(4) cf. NOLDIN, l. c.
(5) cf. NOLDIN, l. c. n. 91, I.

6. De necessitate motivi supernaturalis caritatis.

Doctrina, quae postulat, ut omnes actiones nostrae positiva intentione caritatis in Deum referantur, invenitur inter errores Jansenistarum et Quesnelii, damnatos ab Ecclesia.

Ita Jansenistae: « Omne, quod non est ex fide christiana supernaturali, quae per dilectionem operatur, peccatum est » (6). — « Quisquis etiam aeternae mercedis intuitu Deo famulatur, caritate si caruerit, vitio non caret, quoties intuitu licet beatitudinis operatur » (7). — « Attritio, quae gehennae et poenarum metu concipitur, sine dilectione benevolentiae Dei propter se, non est bonus motus ac supernaturalis » (8).

Ita Paschasius Quesnel: « Fides iustificat, quando operatur, sed ipsa non operatur nisi per caritatem » (9). — « Sola caritas christiano modo facit (actiones christianas) per relationem ad Deum et Iesu Christum » (10). — « Sola caritas est, quae Deo loquitur; eam solam Deus audit » (11). — « Deus non coronat nisi caritatem; qui currit ex alio impulsu et ex alio motivo, in vanum currit » (12). — « Deus non remunerat nisi caritatem; quoniam caritas sola Deum honorat » (13).

Non exsistit praeceptum divinum, quo obligamur omnes actiones nostras positiva intentione in Deum referre (cf. Noldin, De praeceptis, n. 59). Verba S. Pauli « Sive manducatis, sive bibitis, sive aliud quid facitis, omnia in gloriam Dei facite », sufficienter implentur, quatenus omnia opera *implicite et obiective* in Deum referuntur, quatenus sunt secundum rectam rationem (14). Haec est sententia S. Alfonsi, qui dicit ad rem (15): « ... adimpletur praeceptum Apostoli, *saltem intentione virtuali* omnia faciendi in gloriam Dei... unde quamvis aliquis accedens ad mensam, non cogitat de conservatione vitae, sed solum de cibi delectatione, non peccat; quia talem delectationem, saltem virtualiter vult propter conservationem vitae, sicque non inordinate eam appetit » (16).

His non commendamus neglectum intentionis actualis supernaturalis, specialiter caritatis. Qui implicite et obiective gloriam Dei quaerit, bene agit. Qui explicite, positive, ex intentione actuali gloriam Dei quaerit, melius agit. Qui ex motivo caritatis agit, optime agit. Multi sunt gradus bonitatis, quibus ad perfectionem acceditur. Bonitas actionis, quae ponitur propter delectationem et commodum agentis, augeri, perfici, elevari potest, et quandoque debet (distinctione et proportione servata, si agitur de praecepto, vel de consilio observando), per intentionem actualem supernaturalem. Caritas est vinculum perfectionis. Plenitudo legis est dilectio. Negamus tamen propositionem, quae

(6) DB, n. 1301.
(7) DB, n. 1303.
(8) DB, n. 1305.
(9) DB, n. 1401.
(10) DB, n. 1403.
(11) DB, n. 1404.
(12) DB, n. 1405.
(13) DB, n. 1406.
(14) cf. Noldin, *De principiis*, n. 87-88.
(15) l. 5. tr. praeamb. n. 44.
(16) cf. etiam Suarez, 1. 2. tr. 33, disp. 9, sect. 3, n. 9.

dicit omnem actionem esse malam, quae non procedat ex motivo caritatis. Si quis ex motivo naturali bono secundum rectam rationem agit, quin elevet actionem per altiorem finem honestum, non peccat; tamen se privat occasione proficiendi, altioris bonitatis, meriti, perfectionis.

Praeceptum diligendi Deum obligat: per se: postquam homo adeptus est usum rationis; saepius in vita; in tentatione peccandi contra caritatem per odium Dei, quod accidere potest in adversitatibus. Insuper per accidens urget praeceptum caritatis: quando quis indiget statu gratiae et non potest suscipere sacramentum; quando quis patitur gravem tentationem contra aliam virtutem, quae removeri non potest nisi actu caritatis. — Auctores probati docent praecepto caritatis satisfieri per actum caritatis virtualem. Qui christiane vivunt, frequenter eliciunt actus caritatis, etsi non advertant se illos elicere, e. g. dum servant praecepta et vitant peccata, ne Deo displiceant; dum desiderant, ut omnes Deum colant; dum orant, ut sanctificetur nomen Dei, adveniat regnum Dei, fiat voluntas Dei, etc.

COROLLARIUM

De necessitate motivi supernaturalis pro religiosis iuxta S. Benedictum.

Qui ad perfectionem tendunt, de consilio motiva naturalia magis ac magis eliminare debent. Ratione dependentiae vitae spiritualis a corporali, omnia motiva naturalia eliminari non debent neque possunt. Motiva naturalia necessaria omnia, praesertim delectabilia necessaria, elevari debent per ordinationem in ulteriorem finem supernaturalem non tantum per intentionem virtualem, sed saepe saepius etiam per intentionem actualem. In modo procedendi laici sequantur consilium confessarii, religiosi regulam sui ordinis et voluntatem superiorum. Regulae et Constitutiones Ordinum religiosorum et Congregationum ab Ecclesia approbatae praebent criteria secura et completa quoad selectionem et elevationem motivorum, quoad abnegationem, humilitatem, mortificationem; quoad naturae purificationem et elevationem. Necessitatem motivi supernaturalis in sequentibus illustramus ex Regula Monachorum S. Benedicti.

Regulae et Constitutiones ordinum religiosorum saepe explicite praemittunt: « Regulae praecepta ac Constitutiones sub peccato non obligant, nisi materiam votorum legesve S. Ecclesiae tangunt vel ex contemptu aut cum scandalo violantur ». Ratione approbationis sub peccato obligant.

S. Benedicti Regula Monachorum praecipit, ut omnes actiones fratrum procedant ex motivo supernaturali secundum verbum S. Petri (1 Pet 4,11): « Ut in omnibus glorificetur Deus ». Monasterium a S. Benedicto fundatum est: « Dominici schola servitii ». Eo ipso quod omnes actiones fratrum procedunt ex oboedientia erga Abbatem, qui « Christi enim agere vices in monasterio creditur », elevantur in ordinem supernaturalem. Si principium actionum consecratum est, omnes actiones in causa consecratae sunt. Propterea pro S. Benedicto fundamentum vitae religiosae, « primus humilitatis gradus est oboedientia sine mora ». Quae oboedientia etiam gradus perfectionis habet, « si quod iubetur, non trepide, non tarde, non tepide, aut cum murmurio, vel cum responso nolentis efficiatur ». Hoc motivum pervadit totam vitam monachi, saepe in memoriam revocatur decursu Regulae quoad diversa opera. Ita in capite « De infirmis fratribus » (c. 36): « Infirmorum cura ante omnia et super omnia adhibenda est, ut sicut revera Christo ita eis serviatur. Sed et ipsi infirmi considerent in honorem Dei sibi servire ». — Ita in capite « De hospitibus suscipiendis » (c. 53): « Omnes supervenientes hospites tamquam Christus suscipiantur ». Haec intentio multis modis renovatur, ter in anno legitur tota Regula per capitula de die in diem in oratorio et ad mensam, omni mandato superioris hoc motivum resuscitatur. Praecipue tamen in oratione, de qua S. Benedictus monet (De disciplina psallendi, c. 19): « Ut mens nostra concordet voci nostrae »; (De reverentia orationis, c. 20): « Domino Deo universorum cum omni humilitate et puritatis devotione supplicandum est. Et non in multiloquio, sed in puritate cordis et conpunctione lacrimarum nos exaudiri sciamus ».

Specialem attentionem S. Benedictus inculcat quoad usum delectabilium et mortificationem. Maxime insistit in purificatione voluntatis a malis desideriis (c. 7): « Cavendum ergo ideo malum desiderium, quia mors secus introitum delectationis posita est ». Ita in primo gradu humilitatis. Prosequitur in secundo gradu humilitatis: « ... desideria sua non delectetur implere ». Acriter vituperantur Sarabaiti (Prologus): « ... qui in plumbi natura molliti, adhuc operibus servantes saeculo fidem pro lege eis est desideriorum voluptas »; vituperantur adhuc acrius Gyrovagi: « ... qui propriis voluntatibus et gulae illecebris servientes, et per omnia deteriores Sarabaitis ».

Mortificationem multis in locis inculcat (Instrumenta bonorum operum, c. 4): « Corpus castigare, delicias non amplecti, ieiunium amare, non esse vinolentum, non multum edacem, non somnolentum, non pigrum... desideria carnis non efficere » (cf. Gal 5,16). Quae instrumenta bonorum operum applicanda sunt « die nocteque incessabiliter ». In capite 49 De Quadragesimae observatione: observationem habere... suademus diebus Quadragesimae omni puritate vitam suam custodire... « Praeter ea, quae communiter ab omnibus observari debent, « unusquisque super mensuram sibi indictam aliquid propria voluntate offerat Deo ». Sed neque in hoc individuali sacrificio sequetur monachus propriam voluntatem, sed consecret suam intentionem per oboedientiam: « Hoc ipsum tamen quod unusquisque offert, abbati suo suggerat, et cum eius fiat oratione et voluntate ». — Repetitis iisdem verbis inculcat temperantiam in capite « De mensura cibi » « ...remota prae omnibus crapula, et ut unquam subripiat monacho indigeries: quia nihil sic contrarium est omni Christiano quomodo crapula, sicut ait Dominus noster: Videte ne graventur corda vestra crapula » (Lc 21, 34).

Non excluditur omnis delectatio naturalis: S. Benedictus permittit vinum: (De mensura potus, c. 40): « Licet legamus vinum omnino monachorum non esse, sed quia nostris temporibus id monachis persuaderi non potest, saltem vel hoc consentiamus, ut non usque ad satietatem bibamus, sed parcius »... « considerans in omnibus ne subrepat satietas aut ebrietas ». — Temperatur usus delectabilium quoad tempus et locum (c. 43): « Et ne quis praesumat ante statutam horam vel postea quicquam cibi aut potus praesumere ». — « Frater... non praesumat foris manducare » (c. 51).

Tota Regula, omnia praecepta et consilia ordinantur ad caritatem. S. Benedictus concludit Prologum his verbis: « In qua institutione nihil asperum, nihil grave nos constituturos speramus. Sed et si quid paululum restrictius, dictante ratione aequitatis, propter emendationem vitiorum vel *conservationem caritatis* processerit, non illico pavore perterritus refugias viam salutis, quae non est nisi angusto initio incipienda. Processu vero conversationis et fidei, *dilatato corde inenarrabili dilectionis dulcedine* curritur via mandatorum Dei... » In capite « Instrumenta bonorum operum » primo loco ponitur: « In primis, Dominum Deum diligere ex toto corde, tota anima, tota virtute ». Prosequitur: « Nihil amori Christi praeponere... In Christi amore pro inimicis orare... Caritatem non derelinquere ». In capite 35: « Fratres sibi invicem serviant... quia exinde maior merces et caritas acquiritur ». « Ceteri sibi sub caritate serviant ». Decursu regulae saepe coniungit caritatem cum alia virtute; loquitur « de humilitate caritatis », « de oboedientia caritatis », « de confidentia caritatis », « de amore timoris Dei », « de sincera et humili caritate »: Consilium monachi peregrini audiatur, si cum humilitate caritatis profertur (c. 61); propter pacis caritatis- que custodiam in abbatis pendere arbitrio ordinationem monasterii sui; ostiarii monasterii agant cum fervore caritatis; si fratri impossibilia iniungantur... ex caritate confidens de adiutorio Dei oboediat (c. 68); omnes iuniores prioribus suis omni caritate et sollicitudine oboediant (c. 71); zelum bonum qui separat a vitiis et ducit ad Deum ferventissimo amore exerceant monachi; caritatem fraternitatis caste impendant; amore Deum timeant; abbatem suum sincera et humili caritate diligant; Christo omnino nihil praeponant (c. 72).

S. Benedictus distinguit initium conversationis et celsitudinem perfectionis; ipse vocat Regulam suam: « minimam inchoationis Regulam » et monet ul- timis verbis: « Hanc minimam inchoationis Regulam descriptam adiuvante Christo perfice; et tunc demum ad maiora, quae supra commemoravimus, doctrinae virtutumque culmina Deo protegente pervenies ».

Haec est vita in monasterio S. Benedicti: « In oratione monachi animum in Deum solum intendunt Angelorum augustissimum et gloriosum ministerium in terris perficientes; in labore non minus Deum quaerunt, cum fide laborantes, cum simplicitate, diligentia, constantia, hilaritate, spiritu paenitentiae puris- simaque *ducti intentione soli Deo placendi*. Orantes in labore, sanctam sem- per sequentes oboedientiam, atque sine intermissione efficientes *ut in omnibus glorificetur Deus* » (18).

(17) cf. NOLDIN, *De praeceptis*, n. 59.
(18) Decl. 71 in Regulam et Constitutiones Congregationis Austriacae O. S. B.

127   *Orator* - Rev.mus Sac. Ioseph Bozzetti, I. C., Superior Generalis.

1. **Personalità** è una parola oggi molto alla moda. Giova chiarirci sul suo significato che, come avviene di solito ai neologismi, è piuttosto fluttuante.

E' evidente anzitutto che « personalità » deriva da persona. E noi sappiamo che Dio creando l'uomo, lo crea individuo razionale e libero, cioè *persona*. La libertà che l'uomo così riceve importa un'iniziativa nello svolgere le proprie attività. L'uomo quindi è *fatto* da Dio, ma anche *fa* se stesso: gli si può attribuire un'auto-formazione, che è preceduta da un'auto-coscienza (altro neologismo non bello, ma utile qui per la chiarezza), e sono esse che danno all'uomo il suo maggior risalto. Ad esse si mira appunto quando si parla di personalità. Dicendo « persona » ci si riferisce all'uomo nel suo atto primo, sostanziale; dicendo « personalità » si guarda al suo sviluppo, al valore che la persona acquista (e può anche perdere) nell'attuare le sue potenzialità originarie, negli sviluppi della sua esperienza, caratterizzati dalla consapevolezza e dalla libertà.

2. Il parlare di personalità ci conduce quindi al problema: che cosa è che costituisce il valore della persona?

Ora questo valore si ha nella sintesi di due elementi, che potremo chiamare *soggettivo* l'uno, *oggettivo* l'altro. La « persona » implica una volontà, un soggetto intelligente e volitivo. Questo ha la sua affermazione piena nella libertà, onde il suo agire è così *suo*, da potergli essere imputato; spontaneità e responsabilità. Ma a che cosa è volta, secondo l'ordine stabilito da Dio, una tale attività; quale è il suo « naturale » oggetto? Il Vero e il Bene. La capacità del Vero e del Bene, capacità che ha una certa infinitudine, è, come tale, il massimo pregio della creatura intelligente. Nell'attuarla di continuo e in grado sempre maggiore si ha l'elevazione dell'uomo, s'accresce il valore della persona. Senza di ciò il puro uso della libertà per se stessa potrebbe dare all'uomo un compiacimento soggettivo, un senso piacevole della sua forza nel campo delle sue esperienze psicologiche, ma non fornirebbe al suo agire quel *valore morale,* che la coscienza universale degli uomini intuisce anche quando non lo sa definire.

Il non tener conto di questo fattore *oggettivo* della personalità, il concentrarci solo nel soggetto, per esaltarne le illimitate possibilità, per affermarne l'indipendenza assoluta, costituisce ciò che si potrebbe chiamare appunto il *personalismo*, traviamento e adulterazione della personalità. Il peccato che trasformò Lucifero in Satana fu caratterizzato appunto da un simile processo mentale; e il gusto di una affermazione di quel genere non cessa, dacchè il mondo esiste, di esercitare tra gli uomini, specialmente se dotati di vivace ingegno, il suo fascino fatale. Ricordiamo di passaggio, perchè si veda fin dove può arrivare un mondo senza Cristo, un caso dei nostri tempi: Michelstädter (il nome è tedesco, ma l'uomo era italiano, di Trieste). Intelligentissimo, coltissimo, una delle speranze del mondo della cultura all'inizio di questo secolo, animo aperto alla poesia non meno che alla scienza e alla filosofia, giovane bello, sano, ricco, avendo davanti a sè il più brillante avvenire, finì la sua vita a ventitre anni in questo modo. Giunto col suo pensiero all'estremo del personalismo suaccennato, persuaso di doverlo attuare in sè non solo parzialmente e poco alla volta, ma in un atto unico e totale, col celebrare una vittoria completa della sua volontà su tutto il mondo colpendo il suo corpo, che legandolo al mondo costituiva quindi un limite e una diminuzione alla sua perfetta autonomia, una mattina, tranquillamente, collo stesso animo con cui aveva fatto la sua solita gita in barca sul mare e la solita colazione, si tirò un colpo di rivoltella alle tempia.

Criterio dunque di valore della vera personalità è la misura con cui noi attuiamo quella infinita capacità di Bene, che Dio ci ha dato. Quanto più l'uomo si adegua, si immedesima colla Verità e col Bene, tanto più *vale*. La spontaneità, la libertà dell'operare è senza dubbio una condizione di quell'attuazione; ma la libertà se è priva del suo proprio oggetto, che è la Verità e il Bene, rimane *informe* e sterile, si risolve in gesti o folli o vani.

3. Il Vero e il Bene viene manifestato e dato all'uomo da Dio, Verità sussistente e Bene essenziale. Il valore quindi della persona umana non esiste fuori del rapporto dell'uomo con Dio. Proporsi l'eccellenza della propria persona come fine supremo è assurdo e immorale: è una raffinata forma di soggettivismo, che inquina e distrugge la moralità. Nel mantenere e cercare di accrescere la sua dignità personale, l'uomo deve ordinarla a Dio; solo nel culto di Dio « in spiritu et veritate » essa raggiunge la sua pienezza, comunicando con Lui, ch'è l'unico ultimo fine, perchè unico vero Bene *undequaque* assoluto.

La persona poi nel suo rapporto con la natura umana, ossia con tutte le varie e molteplici potenze dal cui complesso risulta l'uomo, conserva la sua dignità finchè esse sono tenute nell'ordine stabilito da Dio creatore; altrimenti rimane offesa e diminuita.

Il cercare fuori di quell'ordine la soddisfazione di questa o di quella potenza naturale (vista, udito, parola, sesso, ingegno artistico o scientifico, forza fisica ecc. ecc.) ci può fornire un bene, che si può considerare tale preso a sè, sotto un aspetto limitato, (e si potrebbe chiamare, per astrazione, *bene naturale*), ma che non è un bene per la persona, e quindi non è vero bene, perchè soltanto nella persona culmina il valore dell'uomo. Di qui la possibile distinzione tra beni *naturali* e beni *personali*. Tuttavia non si deve dimenticare che la completezza della natura umana e la sua perfezione si identificano di fatto con la dignità della persona. Perciò volendo sviluppare la sua personalità l'uomo terrà presente che il libero uso ch'egli ha delle sue potenze naturali deve essere tale che ciascuna contribuisca ad un aumento dell'unità e armonia di tutto il suo essere. Che una singola potenza trovi una soddisfazione in se medesima fuori di quell'unità non giova a *formare* la personalità, anzi la deforma. Onde il lasciare agli istinti un corso senza ordine e senza freno, con la scusa di arricchire il nostro io delle più varie esperienze, conduce, come si vide in D'Annunzio, a una folle esaltazione dell'individualità e insieme a una degradazione e a un disfacimento della personalità.

4. Tutto quel che si è detto vale già per l'ordine naturale dell'uomo, ma si applica con perfetta analogia all'ordine della Grazia. I nuovi doni che lo spirito dell'uomo riceve pongono le condizioni per la formazione di una *personalità cristiana*. L'incorporazione con Cristo è causa efficace di una nuova relazione dell'anima con la Divinità, e di nuove potenze. La capacità del Vero e del Bene, che già esiste in natura, riceve un aumento di energia attuale e la libertà per attuarla viene rafforzata: così la nuova comunicazione con Dio dà alla persona una nuova dignità e un nuovo valore, e S. Leone Magno proclama: *agnosce, o christiane, dignitatem tuam*. Più che mai appare che il valore della persona non sta tanto nell'auto-affermazione dell'io (il singolo) ma nell'ampiezza della sua comunione col Tutto, cioè con Dio, e più determinatamente con Cristo Dio-Uomo e col suo corpo mistico, che fa tutt'uno con Lui.

L'uomo è fatto per amare: o egli di questo amore farà centro se stesso, restringendosi nel proprio io, o dilaterà il cuore nella Carità *(dilatentur spatia caritatis)* cioè nell'essenza stessa di Dio ch'è Amore, sostanziale in se stesso e diffusivo verso gli esseri ch'Egli amando crea *(Deus caritas est)*. Dato il pregio infinito della Carità tutto l'uomo deve tendere ad essa, anche con le sue facoltà naturali; anzi queste ricevono nel cristiano una nuova condizione e un nuovo pregio quando sono usate a tal uopo. Se invece si rifiutano a cooperare in quel fine, con ciò recano danno e diminuzione alla personalità del cristiano. Il danno e la diminuzione può avvenire in due modi: l'uno, più diretto, nel peccato, ch'è un uso in sè disordinato delle naturali facoltà; l'altro indiretto che consiste nel non volere certe limitazioni o rinunce all'uso per sè legittimo di quelle facoltà, proprio quando tali limitazioni o rinunce giovano a una comunione più intima e più forte con Cristo. Il Vangelo ci presenta così un *ordine nuovo* nel complesso delle facoltà che appartengono alla persona divenuta cristiana. Per mantenerlo occorre una subordinazione di tutto ciò che è il vivere meramente naturale alle facoltà nuove create dalla Grazia. C'è una nuova finalità che supera la finalità della vita umana concepita secondo i criteri della ragione meramente naturale. Il valore della persona cristiana si attua con l'uniformarsi a quel nuovo ordine e a quella nuova finalità. Il non volervisi uniformare costituisce una diminuzione, una specie di morte. « Chi ama l'anima sua la perderà, e chi odia l'anima sua in questo mondo la preserva per la vita eterna » (Io 12, 25), ossia: chi è attaccato alle singole tendenze naturali perde l'interesse del suo valore in Cristo, e chi si libera da quell'attacco acquista per la sua persona valori eterni. E' nella consapevolezza del senso profondo di queste parole del Salvatore, apparentemente enigmatiche, che si fonda tutta la dottrina cristiana della mortificazione, dell'abnegazione, del distacco dal mondo,

357

della guerra alle concupiscenze, del disprezzo di sè, dell'umiliazione e uccisione dell'« uomo vecchio ».

Qui troviamo i fondamenti della vita religiosa, e ne vediamo i rapporti con la personalità. Quanto più noi possiamo attuare la nostra vita in Cristo tanto più si può dire che la nostra persona si valorizza. A quell'attuazione le virtù caratteristiche della vita religiosa offrono particolari possibilità. La castità rende più facile l'intimità con Dio e apre più libero il campo alla pratica di una carità universale, senza le restrizioni del matrimonio e della famiglia. La povertà rende più attuale l'abbandono nella Provvidenza del Padre celeste, libera l'uomo dai legami delle cose terrene e dall'egoismo che ne consegue, lo porta ad applicare alla gloria di Dio e alla carità del prossimo i beni materiali che passano per le sue mani. L'obbedienza, che per il credente è il segno più chiaro della Volontà di Dio, lo fa vivere in una continua immediata dipendenza da questa Volontà e diventa la direttrice dell'operante carità, che sarà tanto più sapiente ed efficace quanto più certamente derivata da quella Volontà divina, l'unica sorgente di ogni vero bene. Quanto guadagni la nostra personalità cristiana nel lavorare di continuo a formare se stessa per questa triplice via, scelta con un atto di alta libertà (trattandosi di meri consigli e non di precetti), non è possibile che non veda chi abbia un po' di conoscenza della vera dignità umana, secondo il lume della ragione e della fede.

5. I princìpi sopra esposti sono da applicarsi nell'educazione del religioso. Certamente, anche il religioso deve attendere a formare la sua personalità. Ma in questo suo lavoro gli è sommamente necessario guardarsi dai traviamenti a cui può attirarlo qualsiasi contagio del *personalismo* così diffuso nel mondo d'oggi.

Sarebbe forse più esatto chiamarlo *naturalismo* o *individualismo*, perchè di fatto tende a un'esaltazione disordinata di questa o quella facoltà della natura o a un apprezzamento esagerato dell'aspetto individuale, soggettivo, dell'attività umana; ma si spiega l'uso ora più largamente invalso della parola *personalismo* con la somiglianza di questa con la parola *personalità*. Il mondo d'oggi ha creato un ambiente, al cui influsso i religiosi non potevano sottrarsi nel tempo precedente alla loro entrata in religione: ogni uomo è in qualche modo figlio del suo tempo. E anche dopo entrato in religione e dopo aver ricevuto una « rieducazione » spirituale il religioso per poco che abbia contatto col mondo, per le opere di carità a cui attende, non potrà a meno di contrarne un qualche contagio. A forza di sentir ripetere che il valore supremo dell'uomo sta nell'affermazione del proprio io, nella difesa della propria autonomia, nella spontaneità della condotta, nella ricerca di una sempre più vasta e profonda libertà personale (intesa individualisticamente), è troppo naturale che, specialmente i giovani, siano indotti, magari senza accorgersene, ad assorbire chi più chi meno di quella mentalità.

Di qui la necessità di premunirli con un'educazione particolarmente attenta a formare coscienze agguerrite contro
la seduzione di dottrine troppo gradite a quel sottile e insi-
dioso nemico dell'anima umana che è l'amor proprio. Gioverà
dire qualche cosa sull'indirizzo di tale educazione. Le massime
da seguire sono sempre quelle, perchè ci vengono dall'eterna
Verità, che è Cristo, e ci sono impartite dalla sua Chiesa, da
Lui costituita colonna e baluardo di verità. Piuttosto è da
aver occhio a quell'elemento variabile che è la disposizione
d'animo, le tendenze e i gusti, le abitudini e le esigenze proprie del soggetto da educare.

Chi può negare che i giovani religiosi d'oggi, quando ci si presentano come
novizi, e poi anche in seguito, hanno certe caratteristiche, per cui si differen-
ziano abbastanza sensibilmente dai giovani del secolo scorso? E sarebbe un
errore farne loro colpa. Ma è pur certo che quelle caratteristiche rendono meno
facile il trattare con loro specialmente per ciò che si attiene appunto alla
questione della personalità. Intanto essi vengono su da bambini in un ambiente,
che non inculca più come una volta sin dall'infanzia il rispetto ai maggiori.
Essi *sentono* assai meno la riverenza e l'ossequio verso gli anziani e i superiori,
e tendono a dar minore importanza anche alle manifestazioni esterne del riguardo e dell'osservanza verso chi è sopra di loro per età e per grado. Di qui
a prendere una cert'aria di indipendenza e di noncuranza nel trattare è solo
un passo. Il peggio è che questa « aria » facilita un altro passo: quello all'indipendenza reale, col bel nome di « personalità », e toglie l'amore e la pratica
dell'ubbidienza religiosa. Anche se non si arriva a questo estremo, rimane il
fatto che è più arduo oggi educare i giovani all'ubbidienza di quel ch'era una
volta. Per il nesso strettissimo che c'è nell'uomo tra la sua condotta esteriore
e le sue disposizioni intime, la scarsa propensione verso l'ossequio ai maggiori
costituisce un ostacolo all'acquisto della ubbidienza interna. Ciò importa la
necessità per l'educatore di studiare mezzi più efficaci e penetranti per formare
il giovane religioso a quelle virtù così essenziali per la perfezione evangelica.
Possiamo però subito qui rilevare il rovescio, per dir così, della medaglia. I
giovani d'oggi hanno più forte una naturale ripugnanza alle virtù d'apparenza,
di superficie; abborrono dalla santità fittizia e dalla sottile ipocrisia che spesso
le si accompagna. Preferiscono essere giudicati sbarazzini piuttosto che comparire
migliori di quel che non sono. Non vogliono saperne di santocchieria, e in
questo sono severi contro di sè non meno che verso i compagni. E' questo un
tratto prezioso della loro psicologia. L'amore della schiettezza favorisce l'ogget-
tività degli apprezzamenti in generale, e l'educatore può far leva su questa
per condurre l'educando a un giusto concetto della personalità: abbiamo visto
quanto in essa conti l'elemento *oggettivo*.

L'amore della verità e della schiettezza coltivato profond-
damente è un fattore decisivo nel correggere e controbilan-
ciare la tendenza disordinatamente soggettiva a far solo conto
della propria libertà, della spontaneità nell'agire, della volon-
tarietà nella condotta in genere.

Se l'esercizio della volontà propria non si risolve che in egoismo, è facile
mostrare come il farsene belli come di una virtù, è una specie di ipocrisia
a rovescio: è contraddizione non volere essere « santarelli » e insieme pretendere
di essere stimati virtuosi per una qualità che è tutt'altro che una virtù. Il
richiamo a una più vera e sincera conoscenza di se stessi conduce il giovane
anche moderno a una maggiore cautela nel valutare la sua condotta « perso-

nale ». Indirizzarlo con sapienza a scoprir da sè la necessità di tale cautela è molto più efficace che gettargli in faccia il suo orgoglio, l'eccessiva stima di se stesso, la sua presunzione. Non si può negare che nella vita ascetica ricevere dai Superiori o da altri qualche umiliazione esterna, è cosa utile anch'essa (e desiderata di fatto da chiunque è spiritualmente illuminato); ma è anche vero che se si arriva a umiliarsi da sè di persuasione propria, gli effetti sono assai più profondi e duraturi. Certo, coi giovani d'oggi i mezzi che agiscono dall'esterno (e che sono i più facili da usare) fruttano molto meno di una volta. Bisogna che gli educatori abbiano la pazienza e la virtù di studiare gli altri mezzi, che si valgono delle molle interiori dell'animo, per servirsene a tempo e luogo.

Un'altra difficoltà coi giovani di adesso è di persuaderli di quella pur certissima verità che il mondo *totus in maligno positus est* (1 Io, 5, 19). La prendono come una pia iperbole. Più tardi impareranno dall'esperienza; ma a *priori* stentano a credere. Si dirà che in tutti i tempi i giovani hanno fatto poco calcolo dell'esperienza dei vecchi; ma circa il diffidare dei pericoli del mondo oggi la gioventù religiosa è più restia che non in passato a credere a quel che le si predica. Facilmente ella sospetta che si parli per pregiudizio inveterato e che si tenda a limitare in modo ingiustificato il suo desiderio di esperienza. Su questo punto è notevolmente più sensibile che in antico, e la sua reazione a divieti e a restrizioni è più vivace. Ci vuol particolare finezza e discernimento nel toccare, trattando con essi, la corda del timore e della fuga dall'occasione per indurla a praticare la mortificazione dei sensi e della curiosità, l'abnegazione di sè, l'astensione dal mondo, la guerra alle varie concupiscenze, il disprezzo di sè, l'umiliazione volontaria, l'uccisione dell'uomo vecchio. Questa parte imprescindibile dell'ascetica cristiana sarà più agevole fargliela accettare sotto un altro punto di vista, quello della magnanimità, per cui tutte quelle cose vengono apprezzate principalmente come mezzi verso un'ulteriore finalità, cioè la comunione sempre crescente con la vita di Cristo: *semper mortificationem Iesu in corpore nostro circumferentes, ut et vita Iesu manifestetur in corporibus nostris; ...in carne nostra mortali* (II Cor 4, 10 e 11). Presi da questo lato rispondono più prontamente e più spontaneamente.

Punto scabroso coi giovani d'oggi è pure quello dell'iniziativa. Una volta si poteva dai Superiori lasciarsi andare a dire, magari con tono secco: « lasciate pensare a chi tocca! » senza notevoli conseguenze. Oggi è una frase che converrà sempre evitare, anche se si è sicuri che nessuno ribatterà. Ma il silenzio con cui sarà accolta celerà un risentimento che stenterà a svanire, e che forse non cesserà mai del tutto. Il « personalismo » diffuso nell'aria innegabilmente attacca questo genere d'infezione a tutti i giovani d'oggi, e i religiosi non ne vanno esenti. Per curarlo non giova prenderlo di fronte: i Superiori devono persuadersi che è una malattia che non sopporta rimedii drastici. Ma bisogna pur cercare di curarla, anche se ciò importa non lieve studio e sacrificio per i curanti: padronanza dei proprii nervi, equilibrio di fortezza e di dolcezza, equabilità di umore, comprensione, nessuna gelosia della propria autorità, sapienza nel prevenire i bisogni altrui e le occasioni di far qualche bene, ragionevolezza nell'ascoltare le altrui proposte e nell'apprezzarne le ragioni, prontezza e abilità nel saper usare le capacità dei sudditi, senza lasciarle inerti. Per questa parte, se in tutti i tempi fu difficile fare il Superiore, oggi lo è più che mai. E tuttavia non vi ha imprudenza maggiore oggi che quella di troncar bruscamente la parola in bocca al suddito che propone qualche cosa o il mostrarsi irritato dalla eventuale sua presunzione nel farlo. Si potrà vincerlo con una dignitosa mansuetudine; non mai con una asciutta dichiarazione della propria autorità. A ogni modo non si può negare che questa smania di iniziativa è una piaga della vita religiosa d'oggi ed è sorgente di molti mali. Quanto è necessario un più profondo intuito della vera dottrina evangelica di preoccuparsi, nel fare il bene, anzitutto di ricevere missione da Dio, di essere strumenti docili e *sinceri* della Volontà di Dio, secondo il nostro Divino Modello: « *Descendi de caelo non ut faciam voluntatem meam, sed voluntatem eius qui misit me* (Io 6, 38) »! I giovani d'oggi sono piuttosto della razza di quei profeti di cui Dio disse: « *non mittebam, et ipsi currebant* » (Ier 23, 21). Ma anche qui consoliamoci col rilevare che meno frequente è oggi il caso dei giovani che si adattano supinamente a una vita inerte e comoda con la scusa di non aver superiori idonei a guidarli, e pretendono così di giustificare quella che è loro colpa di pigrizia e di amore delle comodità.

L'educatore sollecito di condurre i giovani religiosi per la via più giusta in cui formarsi la vera personalità cristiana non deve trascurare quelle virtù naturali che aiutano la formazione in genere della personalità: la costanza dei propositi, la tenacia nel bene intrapreso, la franchezza, la lealtà, la fedeltà alla parola, virtù che i giovani amano, e su cui si può puntare per aiutarli a farsi « uomini ». (Tra parentesi, il mondo esalta queste virtù, e ha ragione; ha torto invece nel ridurre tutta la vita morale a quelle. Ha poi ragione anche nel volerle sempre praticate non meno dai religiosi che dagli altri, e sarebbe non lieve colpa nei religiosi lasciarle desiderare nelle relazioni colla gente). I giovani hanno fiducia in quegli educatori che mostrano di dare importanza a quelle virtù, e di ciò gli educatori possono giovarsi per attirarli poi a una più profonda valutazione di quelle altre virtù soprannaturali, che danno la « forma », come abbiamo visto, alla vera personalità del religioso. Certo per alienare i giovani dalla lusinga del personalismo diffuso nell'aria niente è più efficace che il contatto, e possibilmente la convivenza con religiosi adulti che realmente hanno la personalità genuina di chi fa della comunione con Cristo il suo supremo valore vissuto. Il fascino benefico che emana da questi è il vero antidoto a quell'altro fascino malsano. Nel fare il paragone i giovani, che sono istintivamente generosi e aperti all'attrattiva della Verità, non tardano a scoprire il vuoto e il falso che si nasconde sotto le apparenze brillanti e lusinghiere del personalismo; sentono presto il putrido egoismo che ne è l'essenza. Viceversa nel religioso che realizza tutta la forza delle parole di Cristo: « chi odia l'anima sua la preserva per la vita eterna », vedono l'altezza e l'intimo valore dell'uomo, che mentre s'immedesima con Cristo, nei modi da Lui indicati, raggiunge una nobiltà di tutto il suo essere, che supera ogni altro pregio tra le cose create, e mentre lo fa essere *lui* in modo inconfondibile, lo fa essere insieme la più bella partecipazione della Divinità.

Certo, questo contatto e questa convivenza sono la più pratica soluzione del problema dell'educazione della personalità. Gli uomini in genere, e i giovani in specie (particolarmente quelli d'oggi) guardano più ai fatti vissuti che alle teorie sentite predicare a voce o nei libri. I grandi Vescovi dei primi secoli si formavano il loro clero appunto con l'immediata e continua convivenza con loro, e sappiamo quali frutti ne ricavavano. I tempi sono cambiati e certi usi non sono più possibili; ma il principio informatore di quegli usi mantiene tutto il suo valore intrinseco, e non conviene dimenticarlo.

Alii periti viri, ex munere a Sacra Congregatione de Religiosis commisso, circa idem argumentum scripserunt.

128 R. P. Cornelius Fabro, C. S. P., *scripsit:*

1. Il problema qui indicato non è esclusivo della vita religiosa ma si rapporta e coinvolge la concezione cristiana della vita di cui lo stato religioso si assume l'obbligo per una pratica giuridicamente definita. La constatazione che oggi emerge da tante sfere della vita moderna, di una crisi del concetto di « autorità », può anche dirsi una crisi del « concetto di personalità ». La personalità infatti, come atteggiamento spirituale, è un « problema di libertà » che presenta due poli, l'uno nella coscienza stessa del soggetto che sceglie un certo fine o ideale per mantenervisi fedele, l'altro nel rapporto ad una struttura giuridica o più ampiamente nella vita di comunicazione coi suoi simili. Questa comunicazione ha nella vita religiosa la forma della vita comune, nella soggezione ai propri superiori, come principio ordinatore, e nella conversazione (nel senso classico del termine) coi propri confratelli come sfera abituale delle proprie azioni e intraprese. E' in questo doppio rapporto, sembra, che va compreso e strutturato il problema della personalità nella vita religiosa.

Ammesso che il problema della personalità è un problema essenzialmente di libertà, la struttura della personalità nella vita religiosa non può essere diversa da quella ch'essa assume nella vita cristiana ed in generale nella vita umana: la differenza è nella maggior precisione da una parte dei rapporti fra autorità e sudditi e in un impegno più intenso — che il terzo voto consacra e urge — per il compimento degli obblighi assunti. E' tutto qui il preteso ostacolo fra vita religiosa e personalità: l'iniziativa individuale sembra bloccata sia nell'ambito dei principî come dei mezzi dell'azione.

Il disagio sorge quando i principî che hanno ispirato un certo tipo di vita associata perdono il contatto diretto con la realtà presente, con la « situazione » dicono gli « esistenzialisti »; quando la lettera della « legge » prevale sullo « spirito ». Il « personalismo » è il disordine dell'iniziativa individuale che turba l'equilibrio della vita sociale e la mette in crisi. E tale « personalismo » può verificarsi tanto da parte dell'autorità quanto da parte dei sudditi. Ogni decisione ed esecuzione di compiti attinge il suo scopo non solo se ha la sua forma giuridica indispensabile, ma soprattutto se sa interpretare ed esprimere una certa situazione spirituale in funzione della vita cristiana e di quella religiosa in particolare. Può mancare di personalità pertanto tanto un superiore debole, quanto un superiore autoritario: il primo per l'omissione di fronteggiare gli abusi, il secondo per la presunzione di appigliarsi al suo particolare giudizio. E mancano di personalità sia i sudditi ribelli e indisciplinati, incapaci di frenare il proprio arbitrio, sia i sudditi che trascurano di riflettere sul profondo vantaggio spirituale che presentano le ordinazioni superiori nella chiara coerenza dell'ideale di vita ch'essi hanno professato. Questi religiosi di solito trascurano una riflessione così proficua per pigrizia spirituale quando non sia per calcolo o solidarietà di mediocrità: la saggia legislazione ecclesiastica ha del resto disposto tali mezzi di controllo dell'autorità che ogni suddito può, se vuole, sentirsi sempre protetto nelle sue legittime aspirazioni. Quanto poi ai sudditi inquieti, essi se si dànno all'impazienza e alla stravaganza, si pongono da sè fuori della comunicazione spirituale del proprio Istituto, perchè la personalità autentica è nella fedeltà all'ideale accettato; la ricerca dell'avventura tradisce instabilità psichica e scarso senso morale.

Tuttavia ci sembra che maggior responsabilità per la formazione della personalità nella vita religiosa spetti direttamente ai superiori, una responsabilità che al mondo d'oggi quanto è urgente altrettanto sembra ardua nell'attuazione pratica.

2. Perchè i sudditi abbiano una personalità, occorre anzitutto ch'essi la sentano, la vedano in atto nel superiore. Devono sentirla nella chiarezza della sua concezione dell'ideale spirituale abbracciato che sa esprimere la giusta esigenza della legge senza cineserie e senza pericolose semplificazioni. La pratica dei voti e della vita comune non dipende dall'osservanza esteriore, che può nascondere ogni genere d'infedeltà, quanto dalla *fiducia* che il superiore deve saper ispirare al suddito.

Una « concezione pseudomistica » dell'autorità che autorizzasse qualsiasi intervento dell'autorità stessa avviando l'ideale religioso o la promulgazione e l'esecuzione di disposizioni che non godono, oltre il necessario fondamento giuridico, di una manifesta coerenza con lo spirito dell'Istituto o che siano in troppo evidente contrasto con una situazione concreta a tutti manifesta, mette l'organismo religioso in una improvvisa crisi di assestamento inattesa e pericolosa. Il mondo moderno tende a semplificare al massimo le situazioni dell'esistenza e a quest'esigenza non si sottraggono neppure i religiosi. Si vuol cioè veder parlare i fatti e nei fatti veder trasparente la legge e manifestarsi l'ideale della vita abbracciata. Il suddito ha offerta la sua libertà per realizzare un ideale di vita e non per vedersi sballottato continuamente sui flutti di un'obbedienza mal compresa e delle improvvisazioni più arrischiate e arbitrarie: l'obbedienza che il superiore deve alle leggi della società, la comprensione del loro senso autentico, umano e cristiano nella situazione concreta, è compito arduo ma indispensabile, ed è anche l'unico mezzo per infondere nei sudditi quel senso intimo di solidarietà spirituale che lo può spronare ad ogni sacrificio. Nel mondo d'oggi, ed in ogni epoca similare quando alle concezioni totalitarie succedono le concezioni individualiste, l'autorità si deve affermare in funzione del suo significato più alto, come *dedizione*, cioè senza riserva allo scopo della società. Il voto dell'obbedienza riesce difficile alla fragilità umana per l'egoismo innato che lo contrasta: tuttavia molte crisi e defezioni che anche al giorno d'oggi non mancano nella vita religiosa, dipendono da un'autorità che non sa farsi valere al momento giusto o per debolezza o facile condiscendenza, o che interviene drasticamente nel momento più inopportuno.

L'essenza del problema della personalità nella vita religiosa consiste in un atteggiamento di convergenza sia da parte dei sudditi come dei superiori verso l'ideale di vita abbracciato da realizzare di comune intesa nelle varie contigenze concrete. E' la trasparenza di quest'ideale nelle ordinazioni dei superiori che deve alimentare la comune fiducia e testimoniare nel superiore la dedizione incondizionata alla difesa del medesimo, e nel suddito la comprensione della sua preeminenza sopra qualsiasi iniziativa o gusto personale che nel caso sarebbe personalistico. I superiori si mostrano così i primi sudditi e i sudditi si mostrano superiori a se stessi in un senso di aristocratica solidarietà spirituale ch'è grande stimolo e conforto nel sacrificio.

3. La personalità perciò nella vita religiosa ha quasi una struttura dialettica in quanto è schietto valore spirituale: personalità ha quel superiore che sa trascinare al sacrificio dimenticando se stesso e vedendo nei sudditi non dei semplici « mezzi » ma delle coscienze che nella vita religiosa hanno da risolvere i problemi della propria libertà. Nella cultura contemporanea è il materialismo marxista che sostiene un concetto dogmatico dell'autorità che viene impersonato in un singolo come interprete esclusivo di un fine a cui tutti devono essere sacrificati. L'esistenzialismo al contrario esaspera il senso della personalità per via di una concezione pessimista dell'autorità o in quanto non crede possibile il rapporto all'assoluto (l'ateo) od in quanto afferma che il rapporto a Dio della coscienza singola non può ammettere intermediari. I grandi ordini religiosi hanno il vantaggio di una tradizione storica definita che di per sè si oppone agli arbitri: tuttavia la storia li mostra esposti o alla frantumazione delle iniziative particolari e individualiste o all'impiego di un regime di forza esteriore che può generare nel singolo un complesso di rassegnazione coatta o di esaltazione del proprio Istituto e di preferenze esclusive ingiuste e dannose.

La Chiesa fiorisce nel concerto delle molteplici forme di vita ch'essa approva e stimola in conformità delle leggi da essa sapientemente approvate: c'è una personalità propria a ogni Istituto religioso che glorifica la vita della Chiesa. Gli Istituti piccoli hanno il vantaggio di non essere esposti alla dispersione e alla presunzione, purchè si attengano a una ben precisa finalità; in essi la personalità, sia nei sudditi come nei superiori, è forse meno soggetta a crisi e la vita comune può essere più schietta. Ma il limitato spazio di possibilità ch'essi offrono, esige una maggior dedizione al sacrificio ed alla vita interiore che superi l'ostacolo della mancanza di quel prestigio immediato che nei grandi Istituti si ottiene con la larga possibilità di selezione dell'elemento dirigente.

129 R. P. Ferdinandus M. Palmés, S. I., Direct. Gen. « Balmesianae », Decanus et Prof. Psych. in Fac. Phil. Collegii Maximi Prov. Tarraconensis S. I., *scripsit*:

Hanc elocubrationem aggredimur non sine quodam timore praepostere interpretandi sensum thematis quod a S. C. de Religiosis explanandum proponitur, cum illud tantummodo duobus ieiunis verbis exprimatur, videlicet: Personalitas et Personalismus, quin quidquam de illis negetur vel asseratur. Ex tenore tamen Communicationis 1 ad Relationem IV pertinentis, quibus thema nostrum subiicitur, satis erui videtur nobis agendum esse de habitudine Personalitatis et Personalismi ad Status perfectionis.

Quid veniat nomine Statuum perfectionis ab Ecclesia recognitorum, facile intelligi potest nec a nobis declarandum censemus. Quaenam autem habitudo sit rerum quae nomine Personalitatis et Personalismi designantur, cum tot tamque diversae sint nostris temporibus harum vocum significationes, opportunum videtur praecipuas ex illis in mentem revocare, ut eas secernamus quae ad rem facere videntur, ne nostrae assertiones ambiguitate laborent.

Dicam ergo *primo* de multiplici significatione quam prae se fert vox Personalitas, de sensu quo hic accipitur et quaenam sit eius natura eiusque plasticitas. *Secundo*, de distinctis pariter acceptionibus possibilibus verbi Personalismi. *Tertio* demum exponam quatenus ratio habenda sit Personalitatis, seu de Personalismo legitimo fovendo et procurando, deque illegitimo penitus improbando et reiiciendo in persona Deo consecrata in statu aliquo perfectionis ab Ecclesia recognito.

PERSONALITATIS NOTIO, STRUCTURA ET PLASTICITAS

a) *Notio.* — Nomen abstractum Personalitas, licet grammatice substantivum, non semper substantiam significat, non enim raro adhibetur ad significandum complexum aliquem proprietatum accidentalium vel modificationum plus minusve stabilium personae.

Substantiam connotat cum vox abstracta personalitas sumitur pro voce concreta persona, qui quidem usus frequens est et *vulgaris*, praesertim quando agitur de personis eminentibus vel aliqua dignitate praeditis, quae saepe personalitates dicuntur.

Realitatem aliquam etiam ad ordinem substantialem pertinentem abs dubio nomen personalitas significat, dum in disquisitionibus *metaphysicis et theologicis* sumitur pro suppositalitate vel subsistentia, videlicet, pro illa realitate, sive positiva sive negativa, qua natura rationalis completa in esse naturae, formaliter constituitur in esse personae quae, ut ex fide novimus, nequit realiter identificari adaequate cum ipsa natura rationali quantumvis completa.

Sub adspectu autem Philosophiae naturalis vel strictius *Psychologiae philosophicae* quae immediate in experientia fundatur, duplex dari potest personalitatis definitio, quarum altera ad substantiam personae etiam refertur, altera vero tantummodo ad ipsius accidentales modificationes.

Primo modo, personalitas sumpta pro eo in quo persona seu suppositum rationale a supposito non rationali, puta ab animali, distinguitur, dici potest consistere in capacitate radicali seu exigentia, propria et exclusiva cuiusque naturae rationalis, qua quilibet homo normalis et sufficienter evolutus, saltem in aliquo stadio suae evolutionis potens naturaliter evadit reflectendi supra proprias activitates praesertim ordinis psychici, sibique attribuendi in sensu proprio non tropologico et vere seu non illusorie, diversas operationes propriae naturae. Cumque capacitas illa seu exigentia naturalis identificetur cum ipsa natura seu substantia rationali ipsius, personalitas sic definita in suo conceptu aliquid etiam substantiale importat.

Actum autem eiusmodi capacitatis quilibet homo normalis et sufficienter evolutus in semetipso immediate experitur et exprimit dum dicit ego intelligo, ego volo, ego sentio, dolore afficior, ambulo, membris meis laboro et defatigor. Propterea talis definitio psychologica dici potest, quippe quae ex experientia psychologica desumatur. Atque in ratione hanc experientiam exprimendi origo invenitur et quodammodo etiam iustificatio illius rationis loquendi apud psychologos modernos non parum usitatae qua persona humana dicitur etiam to ego; quae quidem ratio loquendi legitima est si homini tantummodo applicatur, non autem si de belluis dicitur, quae licet supposita sint, radicaliter incapaces sunt reflectendi supra proprias activitates, nedum hanc reflexionem exprimendi adhibentes pronomen ego.

Personalitas ergo in omnibus definitionibus de quibus hucusque mentionem fecimus refertur semper aliquomodo ad aliquid substantiale personae; atque in gradu abstractionis in quo in omnibus eiusmodi definitionibus describitur, aequo modo convenit omnibus individuis humanis.

Exstat autem et *alia notio* psychologica personalitatis orta etiam intra ambitum Psychologiae et frequens non modo apud psychologos experimentales, paedagogos et psychiatras, sed etiam apud vulgus; quae quidem ab omni respectu ad substantiam praescindens, respicit tantummodo modum essendi vel agendi accidentalem personae.

Atque haec praecipue est definitio personalitatis quae hic nostra maxime interest ad praesentem communicationem.

Definiri potest ut complexus unitarius, organizatus et totalis omnium adspectuum vel peculiaritatum individui humani cuiuslibet in sua ratione agendi et reagendi contra stimulos externos, quae quidem si ficta non est, ut evenit in mimis et actoribus, naturaliter respondet ipsius modo essendi peculiari.

Eiusmodi ergo definitio, et legitima est, modo tantum praescindat ab esse substantiali personae, non autem illud neget, identificans personam cum personalitate sic definita; et magnae utilitatis esse potest ipsius accurata cognitio.

Personalitas sic definita idem est ac id quod *character* personae passim dicitur, si vox character non sumitur in sensu partiali, ut nonnumquam evenit, ad significandum videlicet tantummodo vim, robur et constantiam in decisionibus voluntariis; sed accipitur pro complexu totali et unificato omnium adspectuum activitatis individualis ex quo eius veluti physiognomia peculiaris resultat.

Proinde personalitas hoc pacto intellecta, licet nullum sit individuum humanum quod ipsa careat, est tamen uniuscuiusque propria et exclusiva saltem de facto, et ratione illius omnes homines inter se distinguuntur; adeo ut vere dici possit non esse nec quidem duos homines qui quamvis, quantum ad aliquas peculiaritates plus minusve similes dici possint, tamen non admodum diversi sint si ratio habetur complexus unitarii et totali omnium peculiaritatum.

Ratione harum partialium similitudinum possibilium, possunt quidem humanae personae in distinctas classes distribui, quae *typi* personalitatis vocantur. Innumera exstant nostris praesertim temporibus *systemata typologica*, quorum licet aliqua quae immunia sunt a praeposteris doctrinis circa hominis naturam, ad praeviam aliquam explorationem personalitatis humanae utilia esse videantur, at nullum esse dixerim quod omnino satisfaciat, quod per se solum alicui sufficiat ad sibi efformandam ideam accuratam et completam personalitatis alicuius hominis particularis, personalitatis eius, inquam, in sua concreta unitate et totalitate. Siquidem inter individua iuxta quodlibet genus typologiae ad eumdem typum pertinentia ingentes adhuc cernuntur individuales diversitates.

b) *Structura personalitatis.* — Id autem nemini mirum videri potest, qui prae oculis habeat immensam complexitatem naturae humanae quae, licet una sit in unoquoque homine et unitario et totalitario modo operetur, triplici tamen genere activitatum vitalium admodum diversarum constanter conflatur; quarum aliae homini competunt tamquam enti corporeo et organico, ut operationes vitae vegetativae seu pure physiologicae quae communes ipsi sunt cum plantis, atque etiam operationes vitae sensitivae seu psychophysiologicae in quibus homo cum animalibus convenit; aliae vero spirituales seu pure psychicae quae in homine dantur quatenus anima spirituali praedito, quaeque licet in semetipsis independentes sint a corpore, independentia intrinseca, immediata et tamquam a causa, attamen non nisi cum vera et reali dependentia, licet tantum extrinseca mediata et tamquam a condicione, ab activitatibus corporis tum vegetativis tum sensitivis exercentur, quas perficiunt, complent, dirigunt et elevant, unam tantum vitam humanam individualem cum ipsis constituentes.

Diversitas igitur personalitatis cuiusque hominis respectu aliorum quorumcumque, in diversa proportione reponenda est, qua tum hic vitae humanae triplex generalis adspectus, tum intra unumquemque adspectum diversa ipsorum constitutiva seu elementa, inter se coadunantur et coaptantur ad unicam et totalem vitam uniusque individui humani, diversissimo et peculiari modo in unoquoque eorum exercendam, in quo, iuxta definitionem praeiactam, uniuscuiusque personalitas consistit.

Iam vero, quam multiplices sint quamque diversae rationes agendi et reagendi possibiles, totidem distinctis modis essendi respondentes, et ex distincta proportione profluentes qua in unoquoque individuo humano uniri et coagmentari possunt ob diversissimas causas sive internas sive externas, innumera et diversissima elementa ex quarum unione totalitaria personalitas cuiusque hominis efflorescit, patebit consideranti, licet tantummodo leviter et per summa capita, tum ea constitutiva personalitatis quae ex parte *vitae vegetativae-sensitivae* et corporalis se tenent, tum etiam et maxime illa multo numerosiora et diversa quae ex parte *vitae superioris spiritualis* concurrunt.

Quae *ex parte corporis organici* se tenent diversitates, *temperamentales* dici consueverunt, a voce *temperamento* quae in genere idem sonat ac mixtio, proportio et adaptatio diversarum partium alicuius compositi, et specialiter dicitur de structura organica corporis viventis.

Temperamento enim peculiari cuiusque hominis tribuenda sunt non modo ciusdem adspectus morphologicus externus et internus, verum etiam diversae eiusdem inclinationes instinctivae atque rationes diversae agendi et reagendi in ordine organico, tum vegetativo tum etiam sensitivo, quae quidem non possunt non magnopere influere in ratione agendi unitaria et totali quam personalitatem diximus.

Radix profunda et ultima talium diversitatum quaerenda enim est in ipsa structura biochemica molecularum substantiae viventis quae hereditate pysiologica a parentibus in filios transmittitur.

Proxime autem eiusmodi differentiae proveniunt ex distincta proportione qua diversa systemata anatomico-physiologica quae in corpore humano distingui solent, disposita inveniuntur in unoquoque individuo. Haec inter systemata, quae ex distinctis functionibus quas solidario modo in bonum individui et mira unitate exercent agnoscuntur, eminet systema nerveum simul cum systemate glandulari endocrino ex multiplicibus glandulis constituto; quae, substantias activas elaborantes et intra organismum vertentes diversas ipsius activitates, etiam illas quae ad ordinem psychicum organicum spectant, excitant, promovent, compescunt et regulant, sic efficaciter influendo non modo in morphogenesim organismi, sed etiam in omnes suas activitates, et consequenter etiam in complexum totius psychismi humani, superiori non excepto propter praefatam huius ab illo dependentiam.

Innumerae ergo sunt peculiaritates ex his quae in hominibus in concreto spectatis cernuntur, quae temperamento individuali proprie tali tribui abs dubio possunt; sed nec omnes sunt nec praecipuae. Plures enim sunt et maioris momenti illae quae *ab hominis rationalitate* dimanant; homo quippe non purum animal est sed animal rationale, praeditum videlicet intelligentia et voluntate.

Ope intellectualis cognitionis et ratiocinii, homini patet aditus in sphaeram infinitam realitatum spiritualium, easque valet activitates spirituales exercere quibus capax fit suam scientiam mirabiliter et sine fine augescendi, tum proprio labore et discursu, tum etiam per locutionem sive oralem sive scriptam illa addiscendo quae ab aliis hominibus praeteritis vel praesentibus inventa sunt, quo mirabili instrumento munitus et a se inventa et ab aliis recepta alios edocere valet tum praesentes, tum ad futuras hominum generationes pertinentes.

Per intellectum insuper homo capax est apprehendendi ea praesertim quae necessaria sunt ad suum supremum finem attingendum supremamque felicitatem obtinendam; suam videlicet a Deo summo conditore dependentiam suasque cum aliis hominibus relationes a Deo praescriptas, unde hominis cultura, vita socialis et religiosa efflorescit, quibus mirum in modum propriam personalitatem amplificare et elevare valet.

Demum ex hominis rationalitate profluit etiam naturaliter eius voluntatis capacitas sese determinandi in multis cum dominio propriae activitatis, quo capax fit meriti vel demeriti, iuris et officii, verbo, responsabilitatis propriarum actionum ex libero suo arbitrio provenientium, vi cuius homo in ordinem moralem, plane distinctum ab ordine physico et psychologico ingreditur.

Tandem his perfectionibus ordinis naturalis tum physici tum psychologici tum moralis, quae ex sua natura naturaliter profluunt, accedunt plures aliae perfectiones supernaturales provenientes in maxima diversitate, ex elevatione hominis ad ordinem supernaturalem gratiae divinae, maxime in homine christiano et praesertim in statu perfectionis constituto, qui divina gratia et donis Spiritus Sancti adiutus propriam personalitatem integralem, renovatis ascensionibus et continuo progressu in dies ditare et sine fine perficere valet.

c) *Plasticitas personalitatis.* — Considerata iam hucusque personalitate quasi statice seu in facto esse, restat ut nonnihil addamus de ipsa veluti dynamice et in suo fieri spectata.

Cum personalitas, prout supra definita est, nihil sit aliud quam unitarius et peculiaris modus agendi vel reagendi vitaliter, qui ex tot diversis causis tum internis tum externis dimanat, haud difficulter capitur eam esse non posse aliquid absolute immutabile veluti figuram sculptam in statua marmorea; sed esse potius veluti ipsam activitatem vitalem cuius est modus, aliquid obnoxium perpetuis mutationibus plus minusve profundis.

Eo vel maxime quod ex innumeris causis prius recensitis, quae ad personalitatem propriam cuiusque hominis constituendam concurrunt, non omnes nec efficaciores constanter et uniformiter applicantur; sed maxima et potissima pars ipsarum in sua actuatione subiacent tum pluribus circumstantiis medii ambientis in quo quisque evolvitur, tum methodis paedagogicis et asceticis quibus quisque instruitur et efformatur, tum maxime ipsis determinationibus liberi arbitrii quibus homo valet propriam activitatem dirigere, promovere vel compescere, ipsamque pluribus diversissimisque habitibus sive convenientibus sive noxiis perficere vel pervertere.

Personalitatem humanam permanere eandem et sibi identicam in duratione verissimum est, si vox personalitas intelligitur iuxta illas definitiones initio allatas quae ad hominis substantiam referuntur. Sumpta etiam personalitate iuxta definitionem quae a substantia praescindit, dici quoque potest personalitatem saltem hominis normalis aliquomodo perseverare, quatenus omni tempore prae se ferre videtur quosdam adspectus qui, sin minus iidem, saltem similes illis sunt per quos antea personalitas cognoscebatur.

Sed si personalitas sumitur, ut hic intelligitur, pro complexu unificato et totali omnium omnino peculiaritatum in ratione agendi et reagendi individui humani, evidens est personalitatem cuiusque hominis perpetuis mutationibus esse obnoxiam, quarum aliae periodicae sunt et necessitate a natura promanante impositae; aliae vero eventuales a diversis causis non necessario intervenientibus promotae.

Exemplo sint priorum, personalitas hominis dormientis et eiusdem evigilantis; personalitas pueri et eiusdem in adolescentia, in iuventute, in senilitate.

Ut exempla mutationum eventualium personalitatis quarum aliae acutae seu transitoriae, aliae chronicae seu habituales dici possunt, afferri potest personalitas hominis placide viventis et eiusdem irati vel passione aliqua vehementi correpti; hominis sani, et eiusdem aegroti; hominis cui prospere omnia eveniunt, et eiusdem ob calamitates irruentes, tristitia, angustia, amaritudine animi affecti. Nec raro eiusmodi alterationes personalitatis apud religiosos viros in statu perfectionis adquirendae constitutos inveniuntur. Alia enim est personalitas religiosi fervidi et suarum regularum et constitutionum fidelis observatoris; et alia eiusdem in statu languoris et tepiditatis constitui vel in hominum mundanum conversi.

Harum alterationum personalitatis causae multiplices esse possunt in quocumque homine. Perturbationes innumerae ordinis organici a causis pathogenis provenientibus, ut exempli gratia, alterationes aequilibrii activitatis systematis hormonici vel systematis neuro-vegetativi; morbi et aegritudines omnes ordinis physiologici; nec non infelices exitus in negotiis, contrarietates, adversi eventus, solitudo non desiderata nec libenter acceptata, secessio a locis consuetis, et a personis dilectis unice, mutatio muneris vel officii, labor difficilis et iniucundus, scrupuli conscientiae, labores frustrati, defectus morales atque peccata gravia habitualiter commissa et alia sexcenta quae faciliter adduci possent; totidem esse possunt causae quibus personalitas sana, robusta, perfecta et praeclaris dotis ornata, in aliam prorsus diversam convertatur. Et e contra, sublatis eiusmodi causis vel remediis convenientibus adhibitis, fieri potest ut personalitas quae pessumdata et sine remedio videbatur, in pristinum statum restituatur.

DISTINCTAE SIGNIFICATIONES POSSIBILES VOCIS PERSONALISMI

In determinanda multiplici significatione vocis personalitatis multum hucusque immorati sumus, quippe quae nobis fundamentalis videretur ad intelligendos diversos sensus possibiles vocis personalismi, quos nunc iam facilius et brevius declarare poterimus.

Generatim loquendo personalismi nomine donari potest quaelibet doctrina sive pure speculativa sive etiam practica, quae discrimen essentiale profitens inter entia quae sunt tantummodo res et ea quae insuper ut personae sunt habenda, tum in speculando tum in agendo personae primatum tribuit.

Non hic nobis disserendum esse putamus de doctrinis speculativis quae quodammodo nomine personalismi donari possunt; quae quidem multae numero sunt et diversae, plerumque crassissimis infectae erroribus, a quibus tantummodo verus personalismus christianus a philosophia scholastica promotus omnino liberatur. Eiusmodi enim disceptatio, licet non inutilis esset, siquidem quaelibet ratio agendi in ordine practico semper in aliqua doctrina theoretica fundatur; attamen ab illa abstinendum hic censemus, quia in themate nobis ad explanandum proposito non de personalismo in sensu technico apud philosophos usitato agi videtur, sed de personalismo in sensu extrascientifico et vulgari intellecto.

Hic autem multiplex esse potest. En quae nobis occurrunt significationes vocis personalismi, in locutione vulgari plus minusve usitatae, de quibus tantum nunc mentionem facimus, ut deinceps de legitimitate vel illegitimitate rei significatae iudicium feramus.

1. Personalismus sumi potest pro doctrina practica Psychologiae quae applicata dicitur, iuxta quam commendabile est imo et necessarium ad recte procedendum in ratione sese gerendi atque cum aliis personis quibuscumque recte et efficaciter tractandi, praesupponere ut fundamentum cognitionem vel notitiam aliquam veram et in quantum fieri possit accuratam, tum propriae personalitatis, tum maxime personalitatis illius quocum agendum est.

2. Personalismus significare quoque potest doctrinam sive paedagogicam sive asceticam qua inculcatur convenientia imo

et necessitas curam habendi peculiarem et personalem cuiuscumque alumni educandi vel in via perfectionis spiritualis adquirendae dirigendi ut unusquisque methodis ipsi convenientioribus efformetur.

3. Personalismus intelligi potest etiam tamquam specialis cultus propriae personalitatis secum ferens persistentem voluntatem et sollicitudinem propriae personalitatis perficiendae, roborandae, amplificandae et a personalitatibus vulgaribus distinguendae.

4. Personalismus significare quoque potest quandam animi dispositionem vel inclinationem ad iudicandum de omnibus iuxta criteria propria et personalia non certe in realitate fundata sed plerumque mere subiectiva, ita ut tamquam vera, vel bona vel aestimabilis valoris habeantur tantummodo ea quae a se fuerint inventa vel quae cum propria personalitate cohaereant vel ipsi arrideant, et parvi fiant omnia quae propriis ideis, adspirationibus vel sentimentis adversantur vel cum ipsis non cohaereant. Ut patet, personalismus hoc pacto acceptus, fere idem sonat ac quo vulgo dicitur egoismus in sensu peiorativo intellectus.

5. Demum aliud genus personalismi valde praecedenti affinis afferri posse videtur, qui consistit in sese gerendo non tantum iuxta criteria personalia subiectiva, quae licet saepe at non semper erronea dici possunt; sed etiam sub luce criteriorum et maximarum quae evidenter falsae sunt et omnino improbandae, quibus tamen ille qui hoc genere personalismi laborat conatur sub specie boni rationem sese gerendi manifeste malam vel imperfectam defendere et iustificare.

Talis esset exempli causa, casus illius qui sive cooptandus sive iam cooptatus in statum aliquem perfectionis adquirendae ex quibuslibet ab Ecclesia approbatis, ad suam inobservantiam regularum vel constitutionum proprii instituti defendendam et iustificandam, eas esse contenderet sin minus obsoletas, saltem nostris temporibus minus consonas; itemque casus illius qui existimaret aliquibus praescriptionibus sui instituti non obligari quippe quae, iuxta ipsum, propriae personalitati evolvendae non prodessent sed potius obessent; vel illius qui ea quae essentialia sunt statui religioso componi iam non posse cum moderno progressu crederet et dictitaret.

PERSONALISMI COMPATIBILITAS VEL INCOMPATIBILITAS CUM STATIBUS PERFECTIONIS AB ECCLESIA APPROBATIS VEL APPROBANDIS

Iam ex simplici inspectione diversarum acceptionum vocis personalismi quas praemisimus manifestum esse videtur:
a) Personalismum, iuxta primam et secundam acceptio-

nem omnino cohaerere posse cum statu perfectionis, imo intra illum omnino esse fovendum.

b) Personalismum in tertio sensu intellectum posse esse atque etiam non esse conciliabilem cum statu perfectionis, prout ille cultus propriae personalitatis per quem definitur eiusmodi personalismus intellegatur.

c) Personalismum autem in quarta et quinta acceptione propositum nequaquam cohaerere posse cum natura et fine essentiali status perfectionis cuiuscumque ab Ecclesia approbati vel approbandi; quamobrem a quacumque institutione religiosa, ut valde perniciosum et illegitimum esse habendum et ab illa penitus eradicandum.

At licet eiusmodi assertiones in semetipsis evidentes esse videantur; iuvabit tamen ulterius eas declarare ut vividius illarum evidentia fulgeat, quin opus sit de ipsis propriam demonstrationem philosophicam, theologicam et canonicam, quae hic supervacanea esset, instituere.

1. *Personalismus probandus.*

Prima assertio, ad personalismum *primi generis* quod attinet, vix declaratione indiget. Legitimitas et convenientia aliorum personalitatem cognoscendi quibuscum agendum aliquomodo est, practice saltem ab omnibus admittitur. Factum est enim experientiae, ab omnibus agnitum ut necessarium ad finem intrinsecum locutionis et commercii cum aliis personis apte et efficaciter obtinendum. Nemo siquidem est cum alio aliquomodo agens et sive coram sive scriptis cum illo se communicare intendens, qui sponte sua non conetur se suamque locutionem accomodare et quoad materiam et quoad modum eam exprimendi, peculiari indoli et intellectuali capacitati interlocutoris; quod quidem impossibile esset nisi praevia aliqua cognitione supposita personalitatis eius ad quem locutio dirigitur. Alio enim modo alloquimur puerum; et alio plane diverso hominem adultum. Aliter verba facimus cum homine rudi vel exiguae significationis socialis; et aliter cum homine quem ut cultum vel aliqua dignitate insignitum cognoscimus.

Nec ratio agendi et loquendi cum aliis influitur tantummodo a cognitione quam de ipsius personalitate adquisivimus; sed etiam a cognitione actuali quam, ex suo modo reagendi colligimus, illum de nobis habere.

Sequitur inde personalismum hoc pacto intellectum pro sollicitudine speciali propriam aliorumque personalitatem sagaciter cognoscendi, non modo non esse vitandum, sed potius esse excolendum et fovendum, praesertim apud religiosos vitae mixtae et activae, quorum specialiter est cum proximis agere, eosque instruere et educare in scientia et christianis moribus, atque in vita spirituali ad perfectionem dirigere.

Nec minus evidens est praefata assertio quoad personalismum *secundi generis,* qui quidem nihil aliud est quam specialis applicatio personalismi primo modo accepti in rebus ad Paedagogiam et Ascesim pertinentibus.

Etenim ad Paedagogiam quod attinet, principium est in scientia et arte recte educandi, antiquis non ignotum, a Sancto Ignatio in Constitutionibus et in ratione studiorum S. I. enixe commendatum et in moderna Paedagogia communiter ab omnibus admissum (etiam a multis systematibus educationis quae sub nomine communi Scholae novae vel activae novas methodos paedagogicas promovent non semper quoad omnia probandas), omnino necessarium esse ad educationis efficaciam ut peculiaris cura et sollicitudo individualis cuiusque alumni habeatur, ut cuique illa methodus et instructio applicetur quae melius ipsius personalitati congruit; quod quidem fieri nequit quin illa quo melius possibile sit cognoscatur.

Quod si rem sub adspectu ascetico consideramus, efformationis videlicet et directionis in vita spirituali supernaturali, sollemne est etiam apud auctores qui de rebus asceticis tractant, affirmare necessitatem prae oculis habendi temperamentum et characterem hominis dirigendi in vita perfectionis; adeo ut directio spiritualis quae individualis non sit nec in cognitione personalitatis hominis dirigendi fundetur, obnoxia sit funestissimis erroribus.

« Nullus error perniciosior esse potest in magistris rerum spiritualium — ait Sanctus Ignatius (Sententiae S. Ignatii a P. Rivadeneyra collectae) — quam velle alios gubernare per semetipsum, et credere illud bonum omnibus esse quod sibi bonum est ». Et similiter: « Res plena periculi est uno omnes calle cogere velle ad perfectionem: quam varia quamque multiplicia sint Spiritus Sancti dona talis non intelligit ».

Personalismus ergo tum in primo tum in secundo sensu intellectus, non modo nihil prae se fert quod statibus perfectionis quibuslibet aliquomodo adversetur, sed potius videtur commendandus et fovendus apud omnes qui illos profitentur.

2. *Personalismus probandus vel non probandus pro diversis modis possibilibus propriam personalitatem perficiendi.*

Ad recte iudicandum de legitimitate vel illegitimitate personalismi in *tertio sensu* accepto et in persona statum quemlibet perfectionis profitente, prae oculis habendum est utrum ille cultus illaque sollicitudo propriae personalitatis perficiendae et amplificandae in quibus personalismus quem nunc consideramus consistit, adversentur necne perfectioni vitae supernaturalis ad quam in statu perfectionis cuiuslibet generis essentialiter et ex ipsa sua natura ab eo qui illum profitetur tendendum est.

Si igitur propriae personalitatis perfectio, ad quam hoc personalismo contenditur, est perfectio harmonica et integra, propria hominis Deo dicati qua talis, vel si perfectio adquirenda licet partialis tantum sit et in se considerata sit ordinis pure humani et naturalis, qualis esset, exempli causa, specialis aliqua scientia vel ars vel habilitas, eius tamen adquisitio nec fini generali ipsius status perfectionis opponatur, nec a- liena sit a mediis praescriptis in regulis vel constitutionibus proprii Instituti ad perfectionem adquirendam, et insuper a superioribus legitimis praecipiatur vel saltem permittatur; ni- hil prorsus in hoc genere personalismi esset improbandum, imo omnes hortandi essent ad illum in semetipsis, recta et pura in- tentione servitii divini, non propter laudem et commoditatem propriam totis viribus fovendum.

Personalismus enim sic intellectus hisque praesidiis munitus admodum con- veniens est cuicumque personae statum perfectionis cuiuslibet generis profi- tenti et ipsi instituto in quod persona cooptanda vel cooptata iam est, necnon et ipsi Matri Ecclesiae cuius maxime interest ut inter perfectionis christianae sectatores plures sint homines eminentes in quolibet genere perfectionum na- turalium quae cum perfectione supernaturalis vitae harmonice componi possint et absque ipsius detrimento promoveri.

Nec aliud genus personalismi apud homines Deo dicatos admitti posse vi- detur, qui ad perfectionem integralem ipsorum propriam conducere possit; quae perfectio integralis, dotes naturales et supernaturales unitario modo et harmo- nice cohaerentes complectens, unica est quae vere et *simpliciter* perfectio ho- minis Deo consecrati dici potest.

Quod si personalismus in hac tertia acceptione acceptus non in hac inte- gritate et harmonica coniunctione cum vita supernaturali intelligeretur, et ille cultus et sollicitudo propriae personalitatis perficiendae, amplificandae et ab aliis distinguendae, respiceret tantummodo adquisitionem perfectionis ali- cuius partialis ordinis naturalis, et spretis praescriptionibus proprii instituti, persona hoc personalismo laborans, praeter oboedientiam vel contra oboedien- tiam superioribus debitam, nec intentione recta divini servitii, sed amore pro- priae famae vel laudis vel commoditatis moveretur ad illam perfectionem na- turalem assequendam; perfectio huiusmodi sic obtenta, nec *simpliciter* talis dici posset sed tantum *secundum quid*, nec sic personalitas hominis Deo dicati et statum perfectionis profitentis efformaretur et amplificaretur, sed potius per- sonalitas hominis mundani pluribus imperfectionibus scatens et multis etiam peccatis obnoxia. Qui personalismum sic intellectum profiteretur, vix fieri posset ut non incideret etiam in personalismum quarto et quinto loco definitum, de quo iam iudicium ferendum est.

3. *Personalismus absolute reiiciendus.*

Personalismus iuxta definitiones *quarto* et *quinto* loco praeiactas adeo oppositus est ipsi naturae cuiuscumque status perfectionis ab Ecclesia approbati, ut absque dubio et hac sola de causa asseri possit illum esse omnino vitandum et pe- nitus eradicandum quotiescumque in quacumque institutione quae nomen status perfectionis mereatur, per modum facti inveniatur.

Quilibet enim status perfectionis ex multiplicibus ab Ecclesia approbatis vel approbandis est essentialiter « quaedam vitae professio, seu quidam vivendi modus, firmus et stabilis, ad propriam perfectionem vitae christianae obtinen- dam vel exercendam institutus » (1). Nec ullus nunc exstat status perfectionis ab Ecclesia approbatus, qui id non intendat, institutibus saecularibus non exceptis ad

(1) SUÁREZ, *De Religione*, L. I, c. 5, n. 3.

normam Constitutionis Apostolicae *Provida Mater Ecclesia* fundatis, quorum membra saltem strictiori sensu accepta « praeter illa pietatis exercitia quibus omnes qui ad perfectionem vitae christianae adspirant incumbant necesse est, ad ipsam peculiaribus etiam rationibus, quae hic recensentur, efficaciter tendere debent » (2). Ut praecipuae rationes ad perfectionem tendendi, recensentur continuo tria vota castitatis nempe, oboedientiae et paupertatis omnibus religionibus proprie talibus communia, ad normam propriarum constitutionum observanda.

Et merito quidem, siquidem per eiusmodi vota, et firmitas illa obtinetur quae cuicumque statui perfectionis essentialis est, et illi qui ea emittunt Deo specialiter consecrantur, instituto ad quod pertinent vinculantur, eorum observantia ab innumeris impedimentis perfectionis liberantur et ad plurimas alias virtutes exercendas adiguntur iuxta proprii instituti constitutiones, sine quibus consiliorum evangelicorum observantia in quocumque statu perfectionis promovenda prorsus impossibilis evaderet.

Quae quidem omnia homini, in suo statu actuali naturae lapsae quamvis divina gratia regeneratae, impossibile esset in praxim deducere, nisi viriliter et constanter obsistendo, Dei adiuvante gratia, deordinatis tendentiis naturalibus, seu per abnegationem et Iesu Christi Servatoris nostri imitationem, iuxta Domini sententiam: « Si quis vult post me venire, abneget semetipsum, tollat crucem suam et sequatur me » (Matth. 16, 24). Abnegatio autem tendentiarum deordinatarum spiritualium, *oboedientia* praesertim et *humilitate*, perficitur; tendentiarum vero inferiorum et cupiditatum sensibilium quae rationi et perfectioni opponuntur non nisi *mortificatione*. Professio ergo vere humilitatis tum activae tum passivae, et mortificationis et austeritatis, sine quibus ne quidem praecepta evangelica omnibus christianis communia servari possunt, a fortiori omnino necessaria sunt cuicumque in statu perfectionis adquirendae constituto per observantiam consiliorum.

His igitur veritatibus ab omnibus admittendis in mentem breviter et synthetice revocatis, evidenter iam apparet quam alienus sit ab omni statu perfectionis, personalismus tum in quarta tum in quinta acceptione acceptus; quamque impossibile sit illum conciliare cum seria voluntate tendendi ad perfectionem vitae christianae ad quam prosequendam tenentur omnes qui statum aliquem perfectionis profitentur.

Qui enim fieri poterit ut ille qui hoc genere personalismi sit infectus et ipsi habitualiter indulgeat, humiliter se oboedientiae subiiciat vel sensibilibus cupiditatibus obsistat?

Videmus enim eos qui huius personalismi morbo laborant, ad *oboedientiam* quod attinet, superiorum praescripta, iudicum more, apud se excutere et eorum utilitates perspectas habere exigere, antequam ab illis opere compleantur.

Quod si proprio iudicio vel propriis commodis sint contraria superiorum praecepta, passim videmus eos difficultates innumeras praetexere et murmurationes palam contra superiores spargere; quo quidem nihil magis spirituali perfectioni et virtuti obedientiae contrarium fingi posse videtur.

Similiter et illi qui, neglecta vel spreta omni *mortificatione*, hoc personalismo tanquam supremo criterio ad iudicandum de rebus cogitandis vel agendis a semetipsis et ab aliis, reguntur, non possunt non esse multis obnoxii imperfectionibus atque forsitan etiam peccatis, non obstante non infrequenti ipsorum prorsus inutili conamine, propriam rationem sese gerendi sub specie boni et fucatis principiis invocatis, coram aliis iustificandi.

Talis esset, ut unum tantum afferamus exemplum, casus illius qui ad proprias imperfectiones in praxi virtutum solidarum iustificandas, falsi cuiusdam mysticismi principiis imbutus, non tanti faciendam esse observantiam regula-

(2) *Provida Mater Ecclesia*, AAS, t. 39 (1947), p. 121.

rum proprii instituti, nec praxim propriae abnegationis per oboedientiam et mortificationem dictitaret, eo quod, tandem aliquando, vera perfectio vitae christianae essentialiter in caritate vel amore Dei consistit, quo obtento iam inoffenso pede, libertati spiritus indulgere possibile est, iuxta illud Augustini dictum: « Ama et fac quod vis ».

Perperam tamen ab illis eiusmodi dictum intelligitur. Certe qui vere Deum amat facere poterit quidquid sibi libeat, quia si vere Deum amat, nihil prorsus sibi placebit quod amori Dei sit oppositum. Sed quo pacto dici potest vere Deum amare, ille qui Dei voluntatem non facit, qui superiorum oboedientiae non se subiicit, qui in omnibus ad agendum suis commoditatibus ducitur? « Si quis diligit me sermonem meum servabit », ait Dominus (Io 14, 23).

Nec sancti qui ad sublimiora cacumina perfectionis christianae et unionis mysticae pervenere, amorem Dei a propria suimetipsius immolatione seiungere ausi sunt.

Sic, ut unum tantummodo afferamus testimonium, Sancta Margarita Maria Alacoque, scribit (Vie et Oeuvres, II, p. 150), sibi Iesum apparuisse dicentem:

« Volo ut legas in libro vitae in quo scientia amoris continetur ».

Et aperto suo Sacro Corde, Iesus dedit ipsi in illo haec verba legere:

« Amor meus regnat in immolatione; triumphat in humilitate; et fruitur in unitate ».

130   R. P. Ioannes Roig Gironella, S. I., Dir. « Inst. Phil. Balmesiani » et Prof. Ontol. in Facultate Phil. Collegii Max. Prov. Tarraconensis S. I., *scripsit* :

I. PERSONALITAS ET PERSONALISMUS

1. Notiones philosophicae praeviae.

In rerum natura non omnia attingunt gradum perfectionis qui competit cuilibet substantiae primae seu singulari. Haec plene exsistit (accidentia e contrario, coexsistunt); haec plene fit, gignitur, perit (accidens vero tantum confit); substantia singularis ergo plene est subiectum nostrorum conceptuum et principiorum metaphysicorum (v. gr. non contradictionis) dum alia non nisi analogice sibi ea applicari permittunt; haec substantia plene finalistica est, in finem agens: locutiones omnes hae, cuius plenus et profundus sensus a metaphysica declarantur. Haec omnia pertinent ad medullam doctrinae Sancti Thomae, qui magnam partem ex Aristotele desumit.

Si ergo breviter recensemus proprietates quae fluunt ex hac natura (tali gradu perfectionis praedita, qui non competit accidentibus, nec substantiis incompletis, nec substantiae universali, nec parti physicae ut parti) dabimus eo ipso quasi enarrationem empiricam characterum, quibus in experientia nobis apparet ornata haec natura singularis completa.

1. *Subiectum ontologicum.* Imprimis enim perfectio ei competit ita ut omnia quae habet de ipsa praedicentur; illa vero natura, omnibus propriis subiacet, unitate propria; quare subiectum semper iudiciorum (nunquam praedicatum, si agatur de praedicatione directa) erit. Ideo vox *ὑπό-στασις* vel latine « suppositum » recte exprimit id quod philosophi scholastici connotant cum hanc naturam perfectiorem seu singularem definire voluerunt: « Id quod tantum potest esse subiectum in praedicatione directa »; nam « *hic homo* dicitur esse suppositum, quia scilicet supponitur his quae ad hominem pertinent, eorum praedicationem recipiens » ait Sanctus Thomas (1).

2. *Independentia.* Quare suppositum habet « perseitatem » seu quandam independentiam in exsistendo. Si cui enim competit, haec perfectio, utique substantiae singulari et completae competat necesse est.

3. *Totietas.* Quo etiam apparet quasi totum quid, ita ut non mero casu, vel consideratione nostra, vel quasi extrinsece, « totum » sit (sicut v. gr. mensa arte facta, totum aliquod dici potest) sed totum totietate naturali, substantiali, qua sibi omnia vinciens, haec naturalis totietas iure ex propria perfectione ei competat.

4. *Singularitas et incommunicabilitas.* Tandem natura substantialis (seu suppositum) quae sic subsistit, est (quatenus maneat suppositum) incommunicabilis. Per communicationem enim sui alteri, totietatem et independentiam amitteret, nexumque illum *ultimum* ontologicum, praedicationes omnes in se ferens.

Tota traditione scholasticae philosophiae medii aevii celebris fuit illa definitio qua Manlius Boëthius haec elementa antiquitatis colligens, personam definivit: « rationalis naturae individua substantia » (2), quibus verbis, voces « individua substantia » denotant, ut diximus, fontem metaphysicum hypostaseos; ceterae vero « rationalis naturae », talem hypostasim vocari *personam, si rationalis sit* (exclusione substantiae inorganicae, vegetalis et animalis) clare patefaciunt.

2. *Notiones philosophicae derivatae.*

Ex hoc fonte metaphysico, proprietates personae psychologice acceptae fluunt; ex his autem, proprietates personae ethice acceptae oriuntur; unde tandem ex his postremis, proprietates sensu practico et ascetico seu religioso (quem nunc intendimus) provenire necesse est.

Psychologice: eo enim quod substantia prima, ita perfecta sit, ut omnia propria, nexu arctissimo substantiali sibi devinciat, 1.o tam *una* erit, ut non solum unitate teleologica principii vitalis gaudeat, sed 2.o etiam per sensationem,

(1) III, q. 2, a. 3, c.
(2) *De persona et duabus naturis,* c. 3; M. L. 64, 1343 D.

vel potius per *conscientiam psychologicam* omnia sibi propria ut propria habeat, seu ut cuidam unico centro relata: non « pes » laeditur, sed, « ego ». Hinc etiam fit ut in supposito rationali, conscientia reflexa per unitatem multo perfectiorem unitate conscientiae animalis, characterem egregium personae prodat; 3.o tandem et *libertas* a necessitate, et a coactione ei competit: nam natura sui conscia si capax sit reditionis completae, potest eo ipso cognoscere se cognoscere, seu considerare aliquid *qua tale,* nempe, praecisive seu universaliter; posita autem perfectione hac cognitionis universalis seu conceptualis, ex hoc (ut notat S.tus Thomas) persona non cogitur sumere ullum certum medium ad proprium finem assequendum, cum multa eo ducentia (ex abstractione mentali), nec sibi plene satisfacientia (ex infinitudine cuius est capax) ei innotescant oportet.

Ethice: si ergo substantia rationalis libera est, ad suum finem proprium tendat congruit, *modo sibi proprio;* i. e. suae perfectioni liberae qua tali consono. Ergo 1.o finem non *faciet* sed *merebitur;* nam necessario, modo libero, fini Infinito sibi praestito, seu Deo appropinquare debebit; quo 2.o persona *responsabilis* erit seu capax reddendi rationem propriorum actuum; 3.o ita ut *nullo pacto ad alium finem quam ad Deum libere obtinedum* cogi possit, nempe, ita ut nunquam ut *purum medium* seu *instrumentum* ad quemcumque finem adhiberi liceat; 4.o sed tandem, *subiectum iurium et obligationum* sit oportet.

3. Notiones practicae derivatae.

Ex hoc fundamento philosophico prodeunt notae practicae multae, quibus nobis persona in praxi stipata apparet.

1. Si enim natura rationalis quasi *sui iuris* ex dictis apparet, gaudens fine proprio ad quem obtinendum iure et obligatione pollet, etiam apparebit in vita practica quasi praedita sit potestate *signandi sibi proprium iter,* i. e. *quo modo sese evolvere velit* ad hunc proprium finem assequendum.

2. Cum ergo potentiae, tum animae, tum corporis, sese pedetentim evolvant, partim iuxta virtutes acceptas, vel innatas vel congenitas, partim per influxum externum, id tandem semper *sub influxu proprii liberi arbitrii* fiet. Sed qui elegit A, eo ipso exclusit aliquo modo B, C, D. Puer vel iuvenis eligens futurum statum vitae, adhuc capax est adquirendi proprietates medici, vel advocati, vel opificis machinarum, vel architecti; si vero unum ex his elegit, v. gr. si medicum agere vult, eo ipso alia exclusit; cum vero iam medicus evaserit, et a longo tempore vires huic muneri exercendo accomodaverit, non erit sicut olim, capax exercendi alia munera.

3. Ergo persona per exercitium suae activitatis liberae et totalis, sese perficit: persona quasi *propria, prorsus propria et individualia lineamenta* vitae cuiusdam acquirit, quibus « character » uniuscuiusque, ut dicimus, efformatur; scilicet quaelibet persona habet *continentem rationem procedendi eodem vel simili modo* in iisdem vel similibus adiunctis.

Ad haec ergo maxime attendimus cum in vita consueta

de persona agimus; scilicet, 1.o non excludentes illud fundamentum radicale ontologicum et philosophicum prius expositum, 2.o tamen illud non expresse memoramus; sed *id quod est quasi fructus illius,* nempe hanc *configurationem propriam et unam pro singulis,* ut apparet in unoquoque nostrum.

Cum vero « personalismus » quasi « cultum personae » sonet, persona vero, ut diximus, per effectus nobis magis innotescat, saepe fiet ut dicamus eum habere « egregiam personalitatem » qui characteribus omnino propriis et valde evolutis praeditus apparet. Infantes, imbecilli mente a nativitate, utique personae sunt sensu radicali et formali (ontologico, psychologico, ethico) nam capacitate radicali donantur ad sese evolvendum positis ponendis; non vero dicemus eos habere « personalitatem » propriam, i. e. sensu pleno, seu perfectam, ad quam attendimus in sermone ordinario.

4. Brevis excursus de philosophis modernis.

Mihi liceat innuere, etsi breviter pro exiguitate huius loci, quam magnus sit valor totius traditionis scholasticae circa hanc doctrinam. In illa enim non modo *omnia lineamenta* personae sub diversis aspectibus apparent, verum etiam *synthesis cohaerens* illorum inter se, immo et *principia* aeterna et vera quibus haec fulcitur: quo haec doctrina apta est ad solvendum antinomias et obiectiones, sicut est haec quae nunc in ordine morali et ascetico nobis solvenda proponitur.

E contrario, philosophi postcartesiani et postkantiani, quam saepe tum uno, tum alio dumtaxat charactere totius doctrinae de persona contenti sunt!

Unum seligunt, nam oculos eorum maxime percellit; deinde illum tanquam unicum, omnibus aliis spretis, tanquam doctrinam completam erigunt.

Non solum hoc, sed multi his effectibus practicis personalitatis, qui non sunt nisi corollarium externum radicis metaphysicae personalitatis, ita incumbunt, ut fontem e quo hi characteres fluunt penitus ignorent. Sit exemplo Ad. Franck, qui in suo notissimo *Dictionnaire des Sciences philosophiques* (Paris 1885) sic scribit: « Un enfant, un idiot, ne sont pas des personnes ».

Multi personam tantum in libertate recondunt; alii in « electione authentica », ut dicunt, plene sibi praecipiente finem (decisión, Entscheidung, s'engager à fond) veluti exsistentialistae; ceteri in unitate proprii « ego » psychologici (tum in conscientia, tum in memoria identitatis subiecti, tum in praxi vitae), vel tandem in aliis characteribus huiusmodi.

Quo non solum mutilant hominem, sed hinc etiam saepe peccant eo quod tandem ducant personam (sicut Hegel) ad merum « momentum transitus evolutivi Ideae absolutae », quo *negantes verum individuum,* illud cum «Toto » pantheistico confundentes, ansam praebent his qui deinde e contrario omnino affirmant *illud ut Infinitum:* quo veniunt in putum individualismum sine lege, et sine morali stabili (sicut Nietzsche). Nimis extollunt hominem, independentem a Deo: quo tandem etiam hominem ipsum negant, nam nullam aestimationem individui ut talis faciunt cum eorum principiis obstat: exemplum luculentissimum habetur in marxismo (e doctrina Hegelii orto).

II. PERSONALITAS ET ABNEGATIO

Ex dictis apparet quid intelligamus nomine *personae* in sermone vulgari, scilicet, illum *complexum facultatum ita exercitarum et informatarum habitibus propriis ut homini tribuant rationem quodammodo constantem et propriam* in modo procedendi, eligendi, intelligendi, amandi, ita ut *individuum humanum sic excultum modum proprium sese evolvendi ad finem vitae humanae habeat.*

Itaque *personalitas* hoc sensu vulgari etiam sonabit: id quo haec persona efformatur et innotescit ut talis, seu ipse complexus dispositionum, ut talis. *Personalismus* vero, sonabit: cultum propriae personae, vel personalitatis, illo sensu vulgari intellectae.

Sed animadvertendum in hac definitione, hoc: nempe, nostro sensu, hunc complexum etsi *preascindit* a fundamentis ontologicis, psychologicis, ethicis, ei subiacentibus, *ea tamen fundamenta non respuere,* immo ea expresse habere tanquam fundamentum remotum seu ultimum totius doctrinae, e quo cetera fluunt. Minime nos seiungimus a notione personalitatis sic acceptae v. gr. notionem *substantiae* quatenus haec est causa huius personalitatis acquisitae. Si vero negaremus hoc substratum, tunc consideraremus personalitatem modo mere dynamico et actualistico, sicut v. gr. Janet, vel Renouvier, qui utique philosophiae heterodoxae appropinquant, a nobis tamen prorsus reiectae.

Exsurgit ergo problema a nobis solvendum ex ipsa definitione personalitatis quam nuper dedimus. Problema est hoc: videtur aliquid valde optandum esse personalismum seu cultum propriae personae, nam evolutio propriae personalitatis seu « decisio » ut hodie dicunt, qua homo non ut « puer centum annorum » sed ut plene sui conscius, manum porrigit, ad ignem vel ad aquam (Eccli, 15, 17), haec evolutio et haec decisio, inquam, omnino singulares pro unaquaque persona, sunt ergo aliquid valde optandum. Ad hoc enim homo a Deo positus in terra, ut sibi finem proprium et *in quo sit reponendus* propria libertate eligat. Immo, et magni viri Historiae, prorsus viri egregiae personalitatis apparent.

Sed ex altero capite « status perfectionis » videtur huic personalismo obviam ire. « Status » enim aliquid omnino « fixum » sonat, quo homo non amplius extra illum sese evolvere potest. Sit exemplum de statu religioso: si homo ratione votorum coactus est per callem angustum procedere, quid sciet de aliis viis? Si per oboedientiam, tenetur ad semper attendendum nutibus praelati, quid fiet de illis magnis lineamentis propriis quibus personalitas insignitur, cum ex hypothesi nullum proprium lineamentum in suo spiritu habere possit, nec modum constantem agendi, sed semper iuxta ordinem regularum et iussionis praelatorum ei sit incedendum? Haec est obiectio; et hinc problema quod solvi debet.

Iam ab initio animadvertamus oportet, problema hoc (quod forte nostra aetate acrius apparet) non esse novum, sed a multis saeculis et propositum et solutum.

Immo, nec tantum sese prodere occasione conflictus inter personalismum et vitam religiosam, sed generalius, et in aliis quaestionibus, v. gr. inter libertatem (ut haec est bonum a Deo datum) et vitam religiosam (auferentem per votum obedientiae hanc libertatem).

Sanctus Thomas problema valde simile nostro ita sibi proponit: « Illa servitia sunt Deo maxime accepta, quae liberaliter, et non ex necessitate fiunt [...]; sed illa quae fiunt ex oboedientia, fiunt ex necessitate praecepti; ergo laudabilius fiunt bona opera, quae quis propria sponte facit; votum erga oboedientiae non competit religioni, per quam homines quaerunt ad meliora pervenire » (3).

Cui obiectioni (nostris etiam diebus saepe auditae!) sic respondet: « necessitas coactionis facit involuntarium; et ideo excludit rationem laudis, et meriti: sed necessitas consequens oboedientiam non est necessitas coactionis, sed liberae voluntatis; inquantum homo vult oboedire, licet forte non vult id quod mandatur, secundum se consideratum implere; et ideo quia necessitati aliqua faciendi quae secundum se non placent, per votum oboedientiae homo se subicit propter Deum, ex hoc ipso ea quae facit, sunt Deo magis accepta, etiamsi sint minora: quia nihil maius potest homo Deo dare, quam quod propriam voluntatem propter ipsum voluntati alterius subiciat » (4).

Obiectio ergo tota oritur ex eo quod *supponatur ut finis, id quod est medium* (quod tamen sponte accidit, si illud primum fundamentum philosophicum aufertur, nec adest aliud a theologia pro illo positum: nam tunc purus actualismus est *tota* realitas, ergo quasi finis ultimus sibi).

Finis hominis non est esse liberum; sed *mediante libertate,* ad Deum, verum bonum, attingere. Ideo perfectius est esse liberum sine potestate eligendi malum (sicut Deo competit) quam cum illa. Utique perfectius est gaudere *nostra humana libertate* (quamvis valde imperfecta), quam nullam habere, sicut animalia; sed illud prius adhuc perfectius est, scilicet, habere libertatem ad bonum faciendum, non vero ad malum.

Effrenata ergo libertas, absoluta libertas ad sumendum sibi omnia, etiam pravissima, si libuerit, minime perfectio summa est, ad quam tendere debemus. Ideo lex iuvat hominem, ut ad suam perfectionem tendat, restringens tamen eius libertatem moralem; et hoc quidem quamvis mundus noster modernus aures non habeat ad talem doctrinam audiendam, a qua prorsus abhorret. Audiant tamen oportet verba sapientissima Sancti Thomae: « Necessitas autem, quae ex obligatione voti requiritur, non est necessitas absoluta, sed necessitas ex fine: quia scilicet post votum, non potest aliquis finem salutis consequi, nisi impleat votum: talis autem necessitas non est vitanda: quinimmo, ut Augustinus dicit [...] *felix est necessitas, quae in meliora compellit* » (5).

Breviter ergo doctrinam ad nostrum casum pertinentem, in compendium redigamus:

(3) 2-2., q. 186, a. 5, 5.o.
(4) Ibid., ad 5.
(5) 2-2., q. 189, a. 2, ad 3.

1. utique perfectio hominis est se esse praeditum personalitate qua carent entia eo inferiora: nam homo est capax « structurandi » (sit venia verbo) se ipsum, per habitus contractos ex plena libertate, seu ex dispositione habituali, qua iter omnino singulare sibi praestitit in suo cursu ad Deum;

2. immo, ceteris paribus, illi homines qui quasi perpetuo infantes manent, etiam quia parum homines sunt, parum hac propria personalitate optanda gaudent;

3. Sed e contrario, sancti plerumque egregia personalitate pollebant; suam « decisionem » plenissime et funditus statuerant qua omnia prorsus sua, Deo serviendo oppignoraverant.

4. Ergo status religiosus non opponitur omni personalismo, scilicet bono; opponitur utique personalismo pravo, nempe vel minus recto, vel personalismo « in genere » sumpto, nempe illi qui tum bonum tum malum sub se includit, ex praecisione declarationis. Ex hoc ultimo, male expresso oritur totus fucus difficultatis.

Opponitur ergo abnegatio sui propriae personalitati? Utique personalitati male intellectae, ad modum effrenatae libertatis. Utique etiam « omni » « cuicumque » personalitati (etiam in vita civili accidet continenter ut v. gr. iuvenis postquam elegerit se habiturum personalitatem medici, renuntiaverit eo ipso induere in posterum aliam personalitatem v. gr. advocati). Minime vero opponitur abnegatio religiosa excellenti personalitati, illi nempe quae hominem apprime iuvat, ut simul et perfectus eximiusque homo sit, et plene tendens in finem maxime eum perficientem, seu Deum.

III. PERSONALITAS ET MORTIFICATIO

Religiosus eo solo quod statum perfectionis sibi elegerit, scilicet obligationem contraxerit tendendi modo stabili ad quaerendam propriam perfectionem, aliquam personalitatem induat necesse est.

Utique intra illam adhuc spatium magnum aperitur ad singulas species et modos personalitatis religiosae, ut compertum est v. gr. ex magna varietate sanctorum, qui tamen in aliquibus, scilicet in sanctitate, et in personalitate propria viri sancti ut sic dicam, omnino conveniebant. Sic etiam inter diversas scholas ascetico-mysticas, et inter diversos ordines religiosos et instituta, amplus locus patet in quo omnes specificam personalitatem viri religiosi vel in statu perfectionis quomodocumque positi induentes, tamen aliam quasi individuam personalitatem intra illam nanciscantur.

Sed quoad essentialia, ut diximus, seu in modo stabili tendendi ad perfectionem propriam, omnes induent quandam personalitatem similem; quo fit ut eo ipso repulerint a pro pria vita alias personalitates oppositas, vel diversas, nempe propias virorum saecularium. Cum vero mortificatio, illi personalitati viri religiosi prorsus necessaria sit, mortificatio minime *veram personalitatem* laedet, e contrario fovebit.

Quidam gradus mortificationis omnibus prorsus christianis necessarius est: eo enim quod christianus non sicut ethnicus se ipsum ut finem sui ultimum proponere possit, sed Deum, tenetur eatenus sibi *mortem facere*, seu mortificare, quatenus vita prorsus libera, huic fini graviter opponitur.

Sicut ergo mortificatio illa necessaria cuicumque christiano, minime personalitatem christifidelis propriam laedit (sed tantum eam effrenatam libertatem, seu miseram personalitatem ethnicorum, qua sibi valent praestituere se ipsos ut proprium ultimum finem) sic etiam minime laedit verum conceptum personalitatis, sed personalitatem « liberaliter » seu ex « liberalismo » acceptam, mortificatio strictior viri positi in statu perfectionis lucrandae.

Christifidelis ibi mortificationem admittit ubi omnimoda « vivificatio », ut sic dicam, impediret graviter vel leviter quominus tenderet in Deum per observantiam praeceptorum. Modo prorsus simili, sed strictiori, possumus dicere: cum religiosus praeter hunc finem communem, alii strictiori se devinciat (v. gr. non modo obligationi non peccandi in venereis, sed ab eis prorsus abstinendi) pari modo, inquam, alia strictior mortificatio ei necessaria erit, ita ut suum propositum finem obtinere possit.

Nostra aetas etiam abhorret ab hoc verbo « mortificatio », quod suis auribus male sonat. Nec mirum. Crescens in dies studium « commodorum » proprii corporis non modo actum est a progressu vere miro artium et scientiarum, sed profundiores radices habet: est enim quidam casus particularis illius totalis libertatis, tamquam finis (non meri medii) collocatae a tempore liberalismi. Postquam tempore Renascentiae homo Dei, qui centrum vitae occupaverat, se ut centrum superbe extollere voluit, pronum erat ut saeculis labentibus etiam libertatem non ut « medium ad Deum », sed ut « finem in se » ad propriam personalitatem extollendam foveret; pari ergo modo volventibus annis, studium commodi proprii corporis, non iam ut medium ad finem quaeritur, sed ut res sine termino quaesita, veluti finis esset. Sed cum natura humana prorsus eadem maneat, eiusque relationes ad Deum, doctrina a Christo Domino tradita de necessitate mortificationis prorsus eadem manebit.

IV. PERSONALITAS ET VIRTUS PASSIVA HUMILITATIS.

Quae nuper diximus huic etiam paragrapho tanquam ulteriori consequentiae eiusdem doctrinae applicare oportet, scilicet tum aspectum criticum mentalitatis aetatis nostrae, nimis faventis effrenatae activitati liberae personalitatis, tum aspectum positivum solutionis: nempe, virtus passiva humilitatis certe obversabitur multis typis vel speciebus personalitatis, vel personalitati in genere sumptae quatenus includenti sub se tum bonam, tum inordinatam personalitatem. Minime vero humilitas passiva adversatur personalitati quae propria est viri religiosi, vel in statu perfectionis adquirendae positi; nullo pacto adversabitur illi gradui personalitatis humilis, qui omnibus fidelibus ad salutem est necessaria, qua homo perficitur etiam ut homo est.

Quamvis vir religiosus per humilitatem ut virtutem passivam multa positiva non exerceat, tamen semper ei competit ut sic dicam usus *radicalis* suimetipsius, a quo tamen *actualiter* privatur per oblationem hanc sui qua Deo gratior evasit. « Per votum oboedientiae » ait Sanctus Thomas (sed modo prorsus simili de virtute humilitatis in hoc voto maxime contenta diceretur) « aliquid maius homo offert Deo, scilicet ipsam voluntatem; quae est potior, quam corpus proprium, quod offert homo Deo per votum paupertatis; unde illud, quod fit ex oboedientia, est magis Deo acceptum, quam id quod fit per propriam voluntatem » (6).

Utique per virtutem passivam humilitatis homo multos actus non exercebit quos vir saecularis sui disponens exercebit; sed mediante hac virtute, *alios multos actus positivos novae personalitatis faciet* (v. gr. actus altioris orationis et virtutum), quos vir saecularis non faciet ex defectu dispositionis.

Virtus ergo passiva humilitatis verae personalitati nullo modo nocet.

V. ASPECTUS POSITIVI PERSONALITATIS.

Multi sunt, et quidem optimi, hi aspectus positivi personalitatis, dummodo haec recte intelligatur, sicut diximus: nam medium validissimum haec est quo homo plenius Deo se submittere potest.

Quis enim, ut exemplo utar, plenius offert sacrificium Deo, utrum puer nondum puber, qui Deo castitatem vovet, an vir qui plenius cognoscens quid per eam Deo offerat, illam tamen Deo dicat?

Immo, ut quis colens v. gr. propriam mentem per studia, pari gressu ac augetur in se amplior visio rerum (quae propria est mentis excultae) pedetentim procedat in visione « supernaturali » ut sic dicam, rerum, necessarium ei est continenter et plenius ad Deum toto corde tendere, et plerumque etiam simul scientiam religiosam excolere. Cultus propriae personalitatis in studiis (ubi haec humilis traditio sui Deo desit) potest ducere sapientem virum in ruinam moralem; sed si non desit etiam potest gignere egregias personalitates christianas, sicut fuit v. gr. Sanctus Augustinus.

Studium propriae personalitatis ex condicionibus mundi moderni in quo vivimus scaturiens, potest, si recte accipiamus hoc studium, non illud penitus auferentes, nec illud sine delectu temere amplectentes, sed recte personalitatem *ut medium* intelligentes, potest facere hoc studium personalitatis, ut diximus, optimos fructus in Dei servitio et in vita christiana.

In Hispania eximium exemplar habemus personalitatis valde evolutae, sed sensu plene catholico, in philosopho Iacobo Balmes. Ut fert historia, quando is scripsit illud magnum opus *Filosofía Fundamental*, humilime se submisit Sanctae Sedis iudicio et auctoritati, ipso momento quo falsi rumores sparsi sunt de possibili damnatione ab Ecclesia, cuiusdam doctrinae in eo contentae. Rumorem hunc falsum prorsus fuisse, postea apparuit, sed apparuit etiam hac occasione, quid esset haec egregia personalitas philosophi christiani.

(6) 2-2., q. 186, a. 8, c.

Disseruit etiam de Protestantismo in altero opere *El protestantismo com-parado con el catolicismo;* sed clauditur opus in illa humili et simul gloriosa oblatione omnium assertorum, iudicio Sedis Apostolicae. Immo in hoc ipso 'opere (7), abunde ostendit Ecclesiam catholicam minime obversari evolutioni intellectuali, seu cultui personalitatis fidelium, dummodo haec recte intelligatur. Haec evolutio intellectualis, hodie necessaria magis est, ut Balmes asserit (8).

Quid vero dicemus, si de personalitatis cultu agatur sub aspectu morali et ascetico? Innuere nobis nunc liceat, cultum rectum personalitatis magnos apostolos, magnosque sanctos gignere valere. Optemus ut eorum numerus in dies crescat, in gloriam Dei et decus Ecclesiae, per studium ordinatum, rectum, ut medium ad finem, circa propriam personalitatem non ethnice acceptam, sed sensu plene christiano.

131   R. P. VANZIN, S. X. *scripsit:*

Penso che ci sia un contrasto patente tra la nozione di « personalità » e quella di « personalismo », e che non valga la pena di dimostrarlo.

E' chiaro che nelle comunità religiose deve essere bandito ogni personalismo, perchè in opposizione alla possibilità di vita comune. E', invece, necessario che non sia in alcun modo ridotta la possibilità di sviluppare la personalità dei singoli membri.

Ma, come ciò sarà possibile, se la base di qualsiasi accentuazione della personalità è sempre la libertà? Sembra che la regola comune livelli gli individui, che l'obbedienza quotidiana soffochi ogni preminenza dei singoli membri. Tanto è vero che ogni qualvolta una « personalità » è presente in una comunità, la sua evasione dallo schema regolare è accettata da tutti come una necessità, sia pure deprecata.

Ma si tratta, evidentemente, di un errore di valutazione e di prospettiva. La personalità di qualsiasi individuo, anche di proporzioni eccezionali, ha bisogno di definirsi in uno schema e di agire entro i limiti di un'azione costante. Solo così può potenziarsi ed evitare le dispersioni che la demoliscono.

Perchè, dunque, lo schema e i limiti non possono essere quelli della regola di vita religiosa, che tende appunto a salvaguardare la concentrazione dello spirito e a dosare l'attività esteriore in maniera che non ne derivi un danno alla vita

---

(7) Tom. IV, cap. 69; ed. Balmes, vol. VIII, p. 243.
(8) *Polemica religiosa,* « La Sociedad » 1-III- 1843; *Obras Completas,* ed. Balmes, vol. IX, p. 198.

morale? Non è forse provato storicamente che molti religiosi, che hanno avuto la consacrazione della santità, hanno potuto essere, nello stesso tempo, fedeli osservanti della regola e insigni cultori della scienza e dell'arte? Non è, anzi, vero che la maggior parte dei luminari della Chiesa appartengono al clero regolare?

Ritengo, pertanto, che la vita religiosa non sia un ostacolo per lo sviluppo della personalità, se non in quegli individui che di fatto non hanno la possibilità o la volontà di acquistarla.

132   R. P. ALEXANDER SCHWIENTEK, C. M. F.,
scripsit:

DE PERSONA RELIGIOSA IN COMMUNITATE

Servare et elevare hominem! Hic est cardo totius vitae religiosae in mundo christiano: seipsum ad debitam ducere perfectionem, salvare proximum. « Quid prodest homini, si mundum universum lucretur, animae vero suae detrimentum patiatur? » (Matth 16, 26). Vita religiosa nihil aliud est quam tutiorem invenire viam ad proprium finem obtinendum.

Iam vero saeculo XVI philosophia quaedam invecta est *individualista* — religio christiana in *communitate* fundatur — quae spiritum personae religiosae in communitate destruere aggressa est.

Saeculo autem XVIII initium habuit philosophia socialista, quae societatem humanam resolvit in mechanicam individuorum unionem contractu sociali conditam, qua etiam haud paucae institutiones religiosae in discrimen vitae deductae sunt.

Et saeculo XIX sociologismus exortus est in philosophia, qui et ipse naturam societatis venenavit, eo quod personam humanam ad merum numerum reduxit atque in societate tamquam guttam aquae in flumine historiae resolvit.

His tribus theoriis, quae ideologiam saeculi nostri adhuc infestant, *spiritus humanus* quasi penitus ignoratur, atque ita *persona humana* dignitate sua praecipua orbata est. Inde in mentibus exorta est magna confusio, quae scientias quoque theologicas tangit. In theologia enim morali et ascetica, individualismo invecto, de *persona humana in communitate* modo insufficienti agitur, et individuum numericum — abstractione mentis — personam proprio spiritu dotatam supplevit. Hinc confusio in scientiis de homine tractantibus et turbatio damnosa in vita religiosa (cfr. Encycl. « Humani generis »).

Opus est igitur dilucide acclarare naturam personae religiosae in communitate, viamque demonstrare qua servari potest ipsa persona religiosa in sua dignitate, ut ruina communitatis vitetur.

Imprimis rite distinguenda est persona ab individuo. *Individuum* in societate humana est ultima unitas physica autonoma — incommunicabilis — in associatione hominum: centum milites in centuria, trecenti alumni in schola, quinquaginta millia habitantes urbis, sunt individua in societate. Individuum humanum est quidem rationale sed ratio parum significat in ordine individuorum: est modus peculiaris essendi.

Persona in communitate autem est dividua, quia indoles eius a natura communitatis pendet: gignitur et nascitur in communitate; ad perfectionem et auctoritatem pervenire nequit nisi in communitate; a communitate recipit mores, religionem, scientiam, artes; communitati tribuit aliquid ex propriis valoribus: efficitur et perficitur dividualitate.

Dignitas personae praesertim a spiritu eius venit, quo una persona ab alia distinguitur. Spiritus autem personalis individuatur a spiritu obiectivo vel historico humanitatis. Quod homines ab initio temporum usque ad nostra tempora magno labore et ingenti patientia et sacrificio per millennia historiae perfecerunt, — etiam cultura materialis spirituali energia effecta est — haec omnia personae obveniunt hereditate et in ipsa bona personalia efficiuntur. Quae autem persona perficit in communitate, communitati tribuit.

Persona humana constat corpore et anima spirituali, sed spiritus primatum tenet. Non distinguitur ab aliis personis solis notis corporalibus — sicut individuum — verum propria personalitate, id est, stabilibus notis spiritualibus, quibus affirmat proprium suum esse personale. Omnis persona est unica in universo mundo; alius homo est alia persona.

Ut naturam personae accuratius dignoscere possimus, necesse est igitur primum exponere quid sit spiritus in mundo a nobis cognito.

Vox « spiritus » in philosophia habet complures sensus, cum de spiritu Dei et hominis, de spiritu temporis et mundi, de spiritu iustitiae, veritatis, odii, caritatis, de spiritu morali, religioso, philosophico... loquimur, semper alio et alio sensu. Et non agitur de metaphoris poeticis.

Ne divagemur, agere nolumus de spiritu subsistenti, eo quod mysterium est pro pura philosophia, etsi exsistentia eius certo demonstrata sit. Quaerendum nobis est de *natura spiritus humani transcendentis*, quo vita humanitatis perpetuo movetur et quo mundi historia semper ultra progreditur. Agimus de spiritu ad quem experientia philosophica aditum invenit.

Spiritus transcendentalis in mundo exsistenti tres habet essendi modos: est spiritus personalis, obiectivus et idealis.

Spiritus personalis est singularis, vitalis, realis, a persona humana circumscriptus, quo ipsa persona agit aliarumque personarum manifestationes spirituales apprehendit.

Spiritu personali intellegimus, valorem apprehendimus boni et mali, libere agimus, rationem rerum instituimus, spiritualia saeculorum transactorum perspicimus. Spiritus personalis differt ab anima vegetativa et sensitiva, quae seipsam transcendere nequit, dum ille propria virtute tempus et spatium transcendit.

Spiritus obiectivus in spiritu personali multorum hominum fundamentum habet, superat tamen limites spiritus personalis.

Est superpersonalis, simulque vitalis et realis, proprius communitatum, populorum, insitutionum. Spiritus obiectivus historiam regit populorum eamque dirigit ultra intentionem singulorum hominum. Singuli homines, etiam magni ut Alexander aut Caesar, historiam determinare nequeunt ad propriam voluntatem. Multa accidunt in historia quae nullus homo praevidere potuit, quia sunt effectus spiritus obiectivi. Nemo ex. gr. bello transacto ea intendit quae re vera acciderunt. Spiritus obiectivus, (Providentia divina), hominum cupiditates confundit.

Spiritus idealis neque vitalis est, neque realis, et tamen exsistit in hominibus spiritu praeditis.

Ad hunc modum essendi spiritualis pertinent fructus spiritualium operum, ut sunt scientiae, artes, mores; virtutes spirituales in libris, operibus artis, monumentis ad posteros transmissae; opera sanctorum hominum quae post saecula adhuc virtutem spirant; valores obiectivi mundi spiritualis ut iustitia, pax, caritas; spiritus idealis opere hominum realis effici potest. Ita vita sancta personalis effici nequit nisi munita spiritu ideali, qui diligentia, sacrificio et labore ad esse reale reducitur.

His praemissis nunc strenue aggredi possumus magnam quaestionem de natura personae religiosae in communitate. Est enim problema spiritualis maximi momenti.

Sunt namque haud paucae communitates, praesertim vitae civilis, quae iam non sunt verae communitates, sed aggregationes individuorum autonomorum, quorum socii ut iura individua servent, communitati nihil tribuunt nisi proprium numerum individualem et incommoda.

In aliis autem communitatibus, personae ipsas constituentes, a communitate absumuntur, et destruendo pretiosos valores personales, praetextu vitae communis ipsae communitates inutiles efficiuntur vel etiam damnosae.

In utroque casu vel individualismi pestis vel sociologismi venenum spiritum obiectivum, personalem et idealem destruxit. Veritas consistit in iusto medio. Et integritas personarum servanda est, et communitatis natura.

Ergo et spiritus obiectivus maxime excolendus est in communitate religiosa, et spiritus personalis omnium membrorum communitatis servandus et diligenti cura fovendus est. Quia vigor spiritus communitatis omnino a vigore spiritus personarum eam constituentium pendet.

Persona digna in communitate *semper plus valet* quam individuum in associatione, eo quod persona in communitate non modo proprio spiritu agit et vivit, verum etiam spiritu et virtute communitatis. Sic valores multiplicantur et fructus laborum magis magisque augentur.

Individuum autem in aggregatione hominum numerum adponit suum, aut aggregationi incommoda creat, quod idem est ac eius spiritum diminuere.

Individuum dyscolum semper minus valet in sua associatione, quam numero suo valere deberet.

Ergo neque *personae dignitas* diminuenda est in communitate, neque *communitatis spiritus* diminuendus est a personis eam constituentibus.

Non dicimus simpliciter « quid sit persona », eo quod in vita reali interrogatio haec inepta esset. Non est persona nisi in communitate, vel a communitate, et sine communitate persona exsistere nequit. Etiam solitarius in eremo a communione hominum seggregatus omnia quae habet bona a communitate accepit.

Simili modo omnia bona quae habet communitas, a personis ea accepit.

Ergo supprimere personas aut personalitates ad augendam gloriam ipsius communitatis, idem est ac seipsam occidere.

(Definitio abstracta personae Boëthii nihil nobis prodest, eo quod hic de concreta persona in vita religiosa agitur, non de idea personae).

Persona est subiectum actionum suarum; est aliquid incommunicabile et communicabile simul; revelatur in propria conscientia, in conscientia mundi, actionum, intentionum, finium; transcendit tempus et spatium; apprehendit scientiam et valores temporum transactorum; participat valorum humanitatis aut communitatis generis humani.

Bona quae habet persona, ab aliis ea accepit: vitam a parentibus, educationem a familia, culturam spiritualem ab humanitate, scientiam a magistris, commoda vitae a communitate. Omnia hereditavit a spiritu obiectivo (divina Providentia), quo historia humana effecta est.

Verum est personam diligentia sua et constantia adeptam esse quod aliae personae agere non potuerunt — est fructus spiritus personalis — personam sibi efficere propriam personalitatem, id est, peculiarem in communitate dignitatem essendi; attamen etiam haec assequi non posset nisi prius thesaurus exsisteret valorum spiritualium humanitatis, ex quo personae omnia bona hauriunt.

Personalitas est stabilis et incommunicabilis essendi modus personae singularis, quo modo spiritualiter ab aliis personis distinguitur. *Personalitas est id unum quo persona est in communitate.* Dicitur « in communitate », ut autonomia vitetur personae, quae et veram suam personalitatem, et communitatem destrueret. Nam persona autonoma, vel potius individuum autonomum — nam persona autonoma est contradictio in adiecto, *cum persona necessariam coordinationem supponat cum communitate* — modo innaturali auxilio bonorum communitatis ab ea se seiungit et rebellis fit. Autonomia personae est aliquid monstruosum. Dicitur « id unum », quia personalitas una sola est in universo mundo, quae iterari nequit.

Conscientia autem personae fundatur in natura propriae personalitatis, non quidem « conscientia ut iudicium rationis », verum conscientia « quae iudicium profert rationis », id est, spiritus personalis virtutibus moralibus formatus.

Hinc est quod personalitas est aliquid sacrum; est totus spiritus personalis, fundamentum virtusque vitalis communitatis, modo tamen servetur aequa coordinatio inter personas et communitatem. Ab hac iusta coordinatione pendet et prosperitas communitatis et felicitas personarum in communitate. Ergo communitas omni cura possibili excolere debet personalitatem omnium suorum membrorum, ut ipsa prosperam robustamque habeat vitam.

Communitas non est unio individuorum in unum finem conventorum ut est ex.gr. centuria militum, aut societas piscatorum eiusdem naviculae, sed vera communitas est « totale consortium hominum diversae condicionis in eodem spiritu, ad eundem finem coniunctorum, ad excolendam propriam exsistentiam personalem in ordine eiusdem legis communis ».

Est *consortium totale* vel unio perpetua ad vitam, qua personae integrae se tradunt communitati, — non partem tantum actionis, ut faciunt ex. gr. milite, et piscatores uniti in turma, — ut in communitate efficacius excolere queant propriam personalitatem et communitati tradant omnes virtutes personales, immo et integram vitam.

Diversae condicionis, quia bonum communitatis exigit diversitatem personarum ad diversa munera explenda. In matrimonio et familia unio fit inter personas diversi sexus; in communitate religiosa consortium perficitur cum personis diversae culturae, diversarum condicionum naturalium, diversae virtutis, ut omnes efficacius explere possint diversa munera in bonum communitatis, sicut diversa membra in eodem corpore humano.

In eodem spiritu: non sufficit constitutio iuridica ut firma instituatur communitas, quia anima totius communitatis a spiritu ipsius procedit. Est autem spiritus obiectivus qui « esse » communitatis in vita conservat et auget: spiritus *religiosus* in communitate religiosa, et spiritus *moralis* ad valores religiosos communitatis servandos.

Ad eundem finem, quia finis est communis ratio omnis communitatis. Quod individuum per se agere nequit eo quod valores personales inepti sunt ad finem sibi definitum obtinendum, hoc persona in communitate efficit, valoribus scilicet communibus. Hinc est quod *persona in communitate* — quia valoribus communibus operatur, — semper plus valet quam individuum, et iusta communitas semper plus perficere potest quam numerus personarum singularium, cum praeter spiritum suum obiectivum praesto ei sint virtutes personalitatum diversae condicionis: spiritus personalis, cum spiritu obiectivo, iuvante spiritu ideali. Sic virtutes humanitatis quam maxime eidem fini sacrantur.

Ad excolendam propriam exsistentiam. Exsistentia singularis hominis semper incerta est et contingens, periculis plena. In iusta autem communitate exsistentia singularum personarum firmari potest, in tuto collocatur, quia valoribus nutritur humanitatis, spirituque obiectivo custoditur.

In ordine eiusdem legis communis. Ad veram communitatem constituendam requiritur lex communis iuridica, et lex moralis: *iuridica,* ut unitas servetur publica et tuto consistat in vicissitudinibus temporum. Unitate tantum actionis communitas assequi nequiret quod debet. At non sufficit lex iuridica. Ut servari possit communitas necesse est firmetur lege et virtute *morali.* Communitas servatur in suo integro « esse » lege morali potius quam lege iuridica. Ubi virtus moralis deest, ibi leges iuridicae non observantur.

Communitas et persona: Iam ex dictis evidentissime patet personas et communitatem correlationem constituere necessariam. Non est communitas sine ordinata unione personarum; et personae vivere non possunt ut digni homines nisi in ordinata communitate.

Ex hac necessaria correlatione gravissimae exsurgunt obligationes pro utraque parte: et religiosi cultus omnium personalitatum communitatem constituentium — quia communitas virtute et spiritu personarum vivit — quo communitas omnibus suum tribuere tenetur cum christiana caritate; et stricta disciplina et virtus moralis omnium personarum ad unitatem robustumque spiritum communitatis servandum et ultra explicandum.

Institutio moralis communitatum: Iam diu communitates religiosae in magno versantur periculo, quia individualismi spiritus aut sociologismi etiam in ipsis inscienter irrepere conatur. Individualismo autonomia excolitur individuorum, quo communitatis spiritus infirmatur vel et destruitur. Sociologismus autem supprimere conatur necessarium spiritum personalem suorum membrorum, sine quo communitas exsistere et vivere nequit.

Urget ergo ex communitatibus religiosis et individualismum et sociologismum prudenti consilio excidere, ut iusta restituatur correlatio inter communitatem et personas, vel inter spiritum obiectivum et spiritum personalem. Uterque necessarius est.

Communitas religiosa constat personis spiritu religioso imbutis, ut regnum Christi in terra efficacius condere integrumque servare curet. Personae corpus constituunt communitatis. Spiritus autem religiosus anima est quae vitam praebet communitati propriam, robustam aut languidam, prout ipse spiritus robustus sit aut infirmus. Spiritus autem religiosus non est idea abstracta, sed vivit in personis et in communitate unumque modum essendi eius constituit, qui adaequato victu spirituali tantum servari potest. Hic victus adaequatus autem deest in aliquibus communitatibus religiosis, cum magno periculo infirmitatis aut mortis, quia individualismo aut sociologismo infectae sunt.

Sub individualismi influxu theologia moralis et ascetica separatae sunt: scientia ascetica creditur continuatio scientiae moralis. Quod si theoretice et methodologice probari potest, in vita concreta re vera exitiosum constituit errorem, quia ascesis et vita moralis unum sunt et separari non possunt in vita christiana. Sine ascesi iusta vita moralis consistere nequit.

Ergo theologia moralis sicut in scholis traditur, potius diceretur *disciplina* moralis: insufficienter enim apparet vitale fundamentum theologicum et anima *vitae* religiosae realis, eo quod difficiles conflictus vitae moralis abstractis principiis resolvere conatur, quibus vitam concretam saepe attingere non potest.

Quamdiu fides religiosa robusta erat in populis christianis, haec traditio disciplinae moralis sufficiens erat, cum populi christiani fide firmabantur. Nunc vero, cum fides populorum infirmata est, minime sufficit expositio abstracta vitae concretae: necesse est denuo suscitare et excolere *spiritum christianum*, priusquam praecepta moralia proponantur; id est: nostris diebus magis *vita moralis est excolenda*, quam *disciplina* moralis, quia haec exsistere nequit nisi in sana vita morali. Personis christianis et communitatibus individualismo aut sociologismo infestis nova et robustior vita moralis praebeatur, ut regnum Christi in terris efficacius affirmari possit.

Exemplum: Omnes tractatus theologiae moralis incipiunt expositione naturae actuum humanorum, perinde ac si vita humana physice componeretur actibus, ut individualistae erronee docent. Re vera actus humani omnes a vita procedunt — sunt effectus, non causa vitae — et *natura vitae moralis* prius cognoscenda est quam natura actuum, cum actus a vita modum essendi mutuentur. «Non potest arbor mala bonos fructus facere». A vita morali, vitiis infecta — individualismi aut sociologismi — actus sanctitatis oriri nequeunt. Ergo *vita* moralis sananda est, ut actus bonos producere possit. Quod nequidem principiis reflexis aut doctrina theorica efficitur, verum ipsa ordinata vita, spiritu vitali, ascesi. Ascesis a vita morali separari nequit.

Omnis vita in terra ab alia procedit vita, haec autem ab alia vita, et sic deinceps usque ad primam vitam quae a Deo vivo incepit. Deus autem est caritas. Ergo omnis vita originem sumit a caritate. Haec conclusio non est rhetorica, sed obiectiva.

Considera, quaeso, mirabilem processum vitae in ordine rerum, mirificamque correlationem vitae et mortis, ortum occasumque vitae, et facile perspicies mysterium quoddam inscrutabile, quod accurate appellari nequit nisi « spiritus caritatis » Divinae Providentiae.

Hominis vita sine quadam caritate exsistere nequit: omnis vita hominum est magnum caritatis donum. Etiam vita religiosa nonnisi a caritate gignitur: a caritate Dei, a caritate hominum. Palmites a vite vitam recipiunt, homines autem christiani a virtute Iesu Christi (Io 15, 1 ss; 3, 16) a quo vitam accipiunt aeternam.

His praemissis tandem documenta proferre possumus practica maximi momenti, quibus vita religiosa instituenda sit a personis religiosis in communitate. Principia philosophica aut normae iuridicae fundamentum equidem constituere possunt *ordinationis* vitae religiosae; tamen ipsa *vita* religiosa a vita Dei — ab essentiali correlatione Dei et hominis — originem sumit et virtutem. Ubi caritas et amor, Deus ibi est; ubi vera caritas, ibi pax et ordo et gaudium in Domino et perfectio vitae. *Vita moralis et ascetica* est anima vitae religiosae.

Caritas personarum religiosarum in communitate « non in sublimitate sermonis, sed in ostensione spiritus et virtutis » consistit. « Quid habes quod non accepisti? Si autem accepisti, quid gloriaris quasi non accceperis? » - Omnia quae habemus, a caritate accepimus; ergo bona nostra caritate aliis tribuere debemus.

Caritas genuina est sacrificium autonomiae et individualitatis. Sicut diversa corporis membra unum corpus humanum efficiunt perfectum (Rom 12,4), ita personae religiosae unum efformant corpus communitatis, bonumque igitur proprium et communitatis creare nequeunt nisi ut organa modo perfecto in communitate agentia. Ergo virtus religiosa consistit in perfecta correlatione ordinis singulorum in bonum totius, et in ordinatione totius ad singula organa. Fructus autem perfectae vitae religiosae est pax in Domino. Sicut autem in corpore pulmones a iecore substitui non possunt, simili modo in communitate diversa munera non arbitrarie, sed iuxta condiciones personales tantum rite exsolvi possunt. « Suum cuique » est etiam norma ordinis in communitate. « Caritas non est ambitiosa, non quaerit quae sua sunt, non irritatur, non cogitat malum; omnia suffert, omnia credit, omnia sperat, omnia sustinet ». Hic est ordo moralis personarum in communitate.

Vita religiosa est magnum mysterium caritatis vitae personalis singulorum hominum in communitate, ad regnum Dei in cordibus nostris firmandum.

Hoc mysterium caritatis fide fundatur divina, quae mater est virtutis religiosae. Virtus autem religiosa singulorum hominum in communitate est virtus personalis, inviolabilis, sacra. Habet quidem vestem externam aequalitatis et uniformitatis iuxta Statuta; spiritus vero totius vitae religiosae virtute fidei fundata, est personalis. Nisi virtute religiosa singularum personarum, virtus religiosa communitatis exsistere non potest. Ergo virtus *personalis* est enixe excolenda in bonum communitatis: modus cogitandi et agendi personalis, genus peculiare orandi, ratio specialis perficiendi munera, modo ordinem communitatis non perturbent, a Rectore communitatis omnino probanda sunt, quia communitati robustiorem tribuunt vitam.

Omnis igitur suppressio spiritus personalis esset debilitatio communitatis. Hinc conscientia personalis magni aestimanda est et observanda, modo normis christianis firmiter fundetur, quia a recta conscientia singulorum hominum oritur virtus religiosa in communitate. Sed conscientia recta nequaquam subtilibus argumentis aut normis iuridicis, verum fide religiosa et caritate christiana rite excolitur. Institutio iuridica equidem necessaria est ad *disciplinam* firmandam; conscientia autem moralis spiritum religiosum informat, vimque tribuit etiam normis iuridicis in ordinatione disciplinae.

Communitas non constituitur individuis automatariis, sed personis spiritu religioso animatis, servatis personalibus condicionibus. Vigor solidae vitae religiosae in communitate profluit a varietate spiritus singularum personarum in unitate disciplinae communitatis. Disciplina ipsa spiritum personarum venerari debet, nam spiritus Domini ubi vult spirat, et omnis persona proprio tantum spiritu communitati coniungitur — secus mortua esset — eique vitam tribuit robustam, sicut sanum organum proprio corpori.

Si virtus religiosa — fidei et caritatis — omnia perfundit membra communitatis, tunc et communitas religiosa perfecta erit, et personae religiosae validam infundent communitati vitam.

Verum est animam perfectionis religiosae esse vitam ascetico-moralem et religiosam. Attamen spiritus ascetico-moralis et religiosus in communitate consistere nequit sine convenienti vita administrativa.

Vita administrativa in communitate religiosa comprehendit omnes externas dispositiones, correlationes, rationesque personarum in perfecta unitate cum Rectore communitatis, ita ut omnes personae communitatem constituentes unum perfectum corpus, sanum, robustum, activum efficere possint.

Quo id assequi queant absolute requiritur:

a) Ut spiritus individualis, autonomus, independens ab omnibus — et a Rectore et a subditis — prorsus reiciatur.

b) Ut opera communitatis ad regnum Dei in terra firmandum continua sint, neque mutatis personis opera vel fines laborum mutentur; perfici possunt et debent meliora instrumenta laboris et media ad finem constitutum, opus autem religiosum et finis obtinendus mutari nequeunt.

c) Ut correlatio et cooperatio omnium personarum in communitate organicae et vivae sint atque in iustitia, caritate vivida et spiritu religioso fundentur; numquam vero praeferentia personali aut amicitia personali.

d) Ut munera omnia communitatis unice iuxta virtutem moralem et aptitudinem psychicam, nequaquam spiritu partis aut finibus politicis, idoneis religiosis assignentur, cum vita religiosa religioso tantum spiritu rite evolvi possit.

e) Ut virtutes et valores personales omnium aequo animo in vita administrativa ad proprium finem ordinentur.

Haec pauca schematice tantum dicta sunt, eo quod natura huius commentarioli aliud non permittit. Aliquae affirmationes solidius comprobari deberent, sed circumstantiae hoc non concedunt. Id unum adhuc animadvertendum: doctrina exposita desumpta est omnino ab integris principiis Sancti Thomae Aquinatis, non tamen sic ut doctrinam eius transcribamus — hoc alii feliciter fecerunt — verum ut S. Thomae principiis innixi atque scientia saeculi nostri fulti, naturam vitae moralis exponamus quomodo ipse Doctor Angelicus, si hodie viveret, idem argumentum tractaret.

Nostra tempora difficillima sunt. Labor religiosorum ingens. Ministerium sacrum responsabilitate plenum. Opus est nos omnes esse dignos ministros Christi, cum nomine eius in vinea Domini laborare debeamus. Difficillimum est contendere cum adversario ad pugnam bene parato, si nos parati non sumus. Multi christifideles autem infirmi sunt in fide et caritate, quia nemo est qui praesto sit ut virtute caritatis eos sanet.

Necesse est ergo exsurgant homines in religiosis familiis capaces, qui etiam materialistas, individualistas et sociologistas ad ovile Christi reducere queant. Quod vero facere non possunt nisi viri pleni spiritu Christi, personae scilicet funditus religiosae qui totum spiritum personalem Christo dicarunt atque iam non proprio, verum spiritu Christi vivant. Hoc spiritu Christi pleni, arma acquirere debent apta ad regnum Christi etiam in campum adversariorum extendendum.

Personalitas viri religiosi imitatione Christi firmatur. Et solus Iesus Christus est via, veritas et vita.

COMMUNICATIO 2: *Conceptus genuinus oboedientiae religiosae.*

133   *Orator* - R. P. IOANNES MARIA A SACRA FAMI-
         LIA, C. P.

VOTUM, VIRTUS, GRADUS OBOEDIENTIAE

1. Oboedientia generaliori sensu accepta est factum quoddam universale et necessarium consistens in hoc quod agentia
inferiora moderantur a superioribus, ita ut in creatis servetur
ordo.

Sic Dei respectu esse et non esse, et relate ad causas secundas res creatae
omnes, sive animatae sive inanimatae, aliquam necessario praeseferunt oboedientiam in recta mundi gubernatione. Hominum societates vero, quaecumque sint,
sive natura constitutae, ut societas domestica, sive pactione, ut societas herilis
et aliae perplures, conditae habentur sub oboedientiae ratione, ut finem sibi
proprium assequantur. Et sic dicatur de ceteris.

Antonomastice autem vocabulum *oboedientia,* si Iuris Canonici et Theologiae ambitus conspiciatur, significare con-
suevit obtemperationem illam quae Superioribus in regimine
Ecclesiae et Religionum Praepositis debetur, et praesertim maximum status religiosi seu perfectionis vinculum.

Subiectum praesentis communicationis, sc., « Conceptus genuinus oboedientiae
religiosae », tripartitam nobis praebet materiam, eamque, duce Angelico et aliis
notis scriptoribus, exponere breviter conamur. Apprime autem in re de oboedientiae materia, virtutem et votum inter se sedulo distinguere necesse est, ne confu-
siones oriantur. Agitur enim de animabus Deo dicatis, quae ad perfectionem
scite dirigi debent. Hac de causa notae virtutis et voti oboedientiae propriae
perpenduntur prius, et deinde exponere aggredimur virtutis oboedientiae gradus.

2. *Oboedientiae virtus, prout generalis et specialis, eius
obiectum formale et motivum quo nititur, potentia in qua completur, materia circa quam.*

« Oboedientia dupliciter dicitur - ait Angelicus; quandoque enim importat inclinationem voluntatis ad implendum
divina mandata; et sic non est specialis virtus, sed generaliter
includitur in omni virtute; quia omnes actus virtutum cadunt
sub praeceptis legis divinae. Et hoc modo ad finem requiritur
oboedientia. Alio modo potest accipi oboedientia, secundum

quod importat inclinationem quantum ad implendum mandata, secundum quod habent rationem debiti; et sic oboedientia est specialis virtus, et pars iustitiae; reddit enim superiori debitum, oboediendo sibi; et hoc modo oboedientia sequitur fidem, per quam manifestatur homini quod Deus sit superior, cui debeat oboedire » (1).

Oboedientia, quae est actus omnium virtutum, vocatur oboedientia generalis seu *materialis* respectu legis, quia intendit tantum naturam honestatis actus in lege praescripti, ut quando virtutum theologicarum et moralium adimplentur praescriptiones. Oboedientia vero *formalis* actum respicit sub ratione debiti erga superiorem, i. e., quatenus praeceptum est, et sic praebet oboedientiae virtuti propriam speciem. Hic animadvertendum est pro superiori intelligi debere, non tantum personam quae praeest alicui communitati, sed etiam Regulas et Constitutiones in quantum aliquid praescribunt, nam ad illarum observantiam religiosus debitum contraxit die suae professionis.

Ut ex dictis eruitur, obiectum oboedientiae religiosae, quatenus est specialis virtus, est superioris praeceptum « tacitum vel expressum » (2); voluntas enim superioris quocumque modo innotescat — ait Angelicus — est quoddam tacitum praeceptum » (3). Ideo Regulae et Constitutiones etiam in iis quae non praecipiuntur, sed suadentur, si prompta habeatur voluntas sese subiiciendi praecipienti, meritum inducunt oboedientiae religiosae, quia « virtus oboedientiae proprie in voluntate consistit » modo dicto. Igitur externa actus exsecutio est tantum quid consequens ad proprie dictum oboedientiae actum, qui interior est (4).

Hinc patet meram praecepti exsecutionem, si deest interna voluntatis subiectio, ut accidere poterit in voti observantia, nihil conferre ad virtutem oboedientiae, quae tunc plane exsulat. Ratio vero cur voluntas submittitur ordinationibus superioris non est alia nisi excellentia personae ipsius superioris, quae semper est una, licet oboedientia ex diversis specie causis procedat (5). Exinde causatur reverentia erga superiorem, quae ad observantiae virtutem pertinet (6).

Ad oboedientiae materiam quod attinet, ea distinguitur: una sufficiens ad salutem qua sc. quis oboedit in his ad quae obligatur; alia perfecta, qua oboedit in omnibus etiam tantummodo licitis; alia indiscreta, qua etiam in illicitis oboedit (7). In dubio de liceitate, nisi res imperata sit contra legem Dei; aut contra praeceptum maioris potestatis, superiori oboediendum est. Haec oboedientiae divisio, fatemur candide, potius ad votum quam ad virtutem oboedientiae pertinere, praesertim ubi agitur de oboedientia indiscreta, nam numquam vel perquam raro indiscreta esse poterit oboedientia praestita Regulis et Constitutionibus.

(1) 2-2, q. 4 ad 3.
(2) 2-2, q. 104, 2.
(3) Ib.
(4) 2-2, q. 2, 5 ad 3.
(5) cfr. 2-2, q. 104, 2 ad 4.
(6) Ib.
(7) 2-2, q. 104, 5 ad 3.

3. Voti notio et finis, eius extensio et obligandi vis, materia proxima et remota, reatus in transgressione.

Votum oboedientiae religiosae, quae est libera et publica promissio Deo facta eiusque et Ecclesiae nomine ab auctoritate legitima acceptata, obtemperandi superiori competenti et debito modo praecipienti in omnibus quae secundum Regulas et Constitutiones praescribit, est excellentissimum inter religionum vota. Illo enim mediante, maximum Deo offertur holocaustum, eo quod proprium, eius gratia, mactatur arbitrium. Votum oboedientiae, periculosiore propriae voluntatis remoto impedimento, dispositionem praebet « in finem, ad perfectionem caritatis — ut ait Angelicus — ad quam pertinent omnes interiores actus virtutum, quarum mater est caritas » (8).

Licet voti extensio et obligandi vis a voluntate dependeat voventis, quando est sermo de voto in genere, tamen in votis publicis, ut est oboedientiae religiosae votum, utriusque rei efficacia modo in religione usitato aestimanda est, nisi ex professo contrarium intendatur a vovente. Etiam hoc in casu, vovens cogeretur in foro externo ad actum oboedientiae, sicut et ceteri, et in interno foro teneretur iniuriam voto illatam reparare, defectum supplendo non praebitae intentionis.

Praecepto superioris constituitur materia proxima voti. Materiae vero remotae extensio tantum patet, quantum Regulae et Constitutiones; attamen Regulis et Constitutionibus obligandi vis ex voto per se deest, nisi clare in ipsis aliud exprimatur. Regulae et Constitutiones praebent tantum materiam quae capax sit suscipiendi superioris praeceptum.

Recte enim ait Suárez: « votum non obligat ad servandam regulam, sed ad oboediendum secundum regulam » (9). Nec aliud eruitur ex usitatis formulis in emittendo professionem apud religiones adhibitis, quibus, non solum Deo, sed eius nomine superiori vel simpliciter superiori promittitur oboedientia praestanda « secundum regulas et constitutiones vel ad earum normas ». Huic doctrinae favet omnino Ecclesiae praxis in approbandis novis Constitutionibus, prout videri est in norma 133 ab H. S. C. data. Immo exclusum habetur a voti obligatione quidquid est contra, supra, infra regulam, vel in ea contentum implicite et indirecte; necesse est ut legitimus superior praecipiat « expresse virtute sanctae oboedientiae, vel sub formali praecepto aut verbis aequivalentibus, iuxta proprias Constitutiones », ut requirit norma 135. Ceteris dispositionibus vero, sive Constitutionum sive Superiorum, parere tenetur religiosus ex virtute oboedientiae (n. 134), in quantum est virtus specialis, quia supponit *debiti* rationem in subiecto (erga Constitutiones et Superiores) vi professionis, ideoque ex iustitia. Actus vero interni, si aliquem excipias casum, probabiliter non cadunt sub voto. Quid autem sentiendum de expletione voti et de eius obligandi vi? Operis exsecutione habetur in foro externo expletio voti; obligationis autem gravitas,

(8) 2-2, q. 186, 7 ad 1.
(9) *De Religione*, Trac. 8, L., c. 2, n. 7.

orta e voto, pluribus ex adiunctis mutuanda est, nempe ex materia, fine, poena renuentibus comminata, ex contemptu, ex aestimatione communi, etc. Quantum ad peccati reatum, saltem duplex oritur ex transgressione culpabilitas, contra religionem, sc. et iustitiam; et si praeceptum impositum fuerit vi iurisdictionis, non improbabiliter offenditur illa virtus in cuius materia praeceptum est.

4. Virtutis oboedientiae praecipui gradus in ordine ad oboedientiam perfectam iuxta communiora placita; de oboedientia integra, prompta, hilari, simplici seu caeca, et huius genuinus sensus.

Nemo ignorat S. Thomam quamdam oboedientiae distinctionem innuere in materialem et formalem. Aliamque tradit, ut supra memoratum est, oboedientiae divisionem, ratione extensionis et liceitatis in *necessariam, perfectam* et *indiscretam.* Virtutis oboedientiae gradus, ad oboedientiam perfectam pertinent, quaeque talis vocatur tam ratione materiae quam ratione adiunctorum loci, temporis, modi, etc., quae illam vere undique reddunt perfectam.

In huiusmodi oboedientia plures antiquitus recensiti sunt gradus, ut videre licet passim, v. gr., in regula benedictina « oboedientia sine mora, hilaris, humilis »; in operibus S. Bernardi enumerantur septem; in B. Humberti, Magistri Gen. O. P., epistula usque novem; a S. Ignatio vocatur perfecta ea quae completur intellectu, voluntate, executione; S. Paulus a Cruce eam quaerit in regulis et constitutionibus, humilem, contemptus cupidam, caecam. Oboedientiae caecae dotes sic contrahit: « iussi oboediant prompte, simpliciter, libenter » (n. 86). S. Alfonsus quatuor exigit, nempe, ut oboedientia completur prompte, integre, libenter, simpliciter. Sine difficultate intelligitur quid talia verba significent. Tria priora enim voluntatem respiciunt, ultima vero, simplicitas iudicii, intellectum. Haec novissima condicio seu oboedientiae gradus, revera confunditur cum oboedientia *caeca,* de qua longe lateque olim favorabiliter scriptum est, hisce autem temporibus tamquam si quid substantiale humanae dignitati detraheret, sed immerito. Haec iudicii submissio non est adeo absoluta ut indiscreta evadat, nam tunc solum se abstinet ab inquirendis causis et rationibus praecepti, conformitatem proprii iudicii statuendo cum iudicio superioris, quando iam perspectam habet iussionis honestatem et praecipientis legitimitatem. Meritum talis oboedientiae nemo est qui non videat magni esse praetii eamque expeditam reddens et supernaturalem docilium infantium dignam, quorum simplicitas, teste divino Magistro, necessaria est ut quis in regnum ingrediatur caelorum.

OBOEDIENTIAE SUBIECTUM ACTIVUM: AUCTORITAS
POTESTAS IURISDICTIONIS ET DOMINATIVA

5. Innuitur auctoritatis notio; Superiores ipsius religionis membra et Superiores externi religioni; quibus competat iubendi auctoritas.

Communitas religiosa duobus constat: fine communi et auctoritate, quae exigit oboedientiam circa media ad finem. Non enim perducuntur subditi per media apta in finem, nisi

399

mediante auctoritate, quam inesse necesse est aliquibus. Inde in religione habentur superiores, iique hierarchice constituti, quibus demandatur munus regendi cuiusque Instituti sodales. Quidam vero ex illis dicuntur et sunt religioni externi, alii vero ipsius religionis membra.

Inter primos principem locum tenet Summus Pontifex, deinde S. Congr. de Religiosis, et Ordinarii locorum in iis in quibus iure subduntur ipsis religiosi, et alii qui a praecedentibus legitimam habuerint delegationem. Subaudiuntur etiam Conc. Oecumenicum quoad omnia et Conc. Plenarium et Provinciale circa ea quorum competentia est ipsis ab iure recognita.

Superiores, religionis membra, auctoritate pollentes, recensentur: Capitulum Generale et Superiores Generales; Capitulum Provinciale et Superiores Provinciales; Superiores locales, et omnium memoratorum delegati vel eorum vices agentes. Quae dicuntur de viris, valent etiam, pari iure, de mulieribus, nisi ex rei natura aliud constet, ut facile intelligitur.

Quo vero iure innitatur Superiorum auctoritas et cuius generis sit illa, statim aggredimur perpendere.

6. *Potestas dominativa quid sit, eius divisio iuxta titulorum diversitatem, usus, quomodo ex professione et quomodo ex voto obliget; potestatis iurisdictionis notio, eius usus sive cumulative cum potestate dominativa sive separatim, obligatio ex ea orta.*

Omnibus notum est duplici auctoritate vel una tantum pollere posse supra memoratos superiores, nempe, ea quae nuncupatur potestas dominativa et alia quae potestatis iurisdictionis nomine potitur. Potestas autem dominativa exsurgere quit ex diversis titulis, nam ius dominandi in alterius voluntatem, plures patitur modalitates.

Sic herus dominat in servos, paterfamilias in filios, magister noviciorum in novicios, superior in subditos professionis et voti vinculo sibi devinctos. Quamvis huiusmodi potestas nomine sit unica, tituli autem quibus nititur eius exercitium sunt distincti. Herus enim communiter sub expressa pactione laboris pretio conducti et idcirco limitate eam exercet; paterfamilias, e contra, iure naturae; magister noviciorum pactione implicita inter novicium et ipsum; votis tandem per professionem devincti, ex publica promissione Deo et superioribus legitimis facta et acceptata. Consequenter obligatio parendi mandatis etiam diversa dicenda est. Sic in religiosis, praeter liberam traditionem itemque liberam a superiore acceptationem, contractu explicito, quaeque ex iustitia obligat, invenitur insuper votum quod ex virtute religionis obligationem inducit. Vi talis potestatis superiores omnes praecepta imponere possunt; attamen superiorissae monentur ut raro, caute et prudenter « praecipiant in virtute sanctae oboedientiae, et nonnisi ex gravi causa » (norma 136). Immo superiorissae locales, praesertim parvarum domorum, ab imponendis formalibus spraeceptis se abstineant » (norma 137). Sic statuunt normae ab H. S. C. sapienti consilio datae. Tandem cuius momenti sit obligatio exsurgens ex potestate dominativa, decernendum manet ex dictis supra de voto et oboedientiae virtute.

Iurisdictionis potestas, cum publica sit et regiminis, nonnisi ad societatem perfectam, qualis est Ecclesia, pertinet. In religionibus clericalibus exemptis ea competit, ratione communicationis ab Ecclesia factae, Capitulis et Superioribus pro utroque foro (can. 501).

Tales Superiores in iure praelati nomine veniunt (can. 110). Potestatis iurisdictionis ecclesiasticae est moderare actus qui bonum publicum spirituale afficiunt, qua de causa, superior per se capax est vel fit ferendi leges, eas congruis muniendi poenis, et ius dicendi in litibus inter partes. Non vero omnes superiores, e. gr. superiores locales, plenum habent talium iurium exercitium. Quare perpendere necesse est quid ius commune vel particulare et usitatus agendi modus, cuique praelato concedat vel interdicat, ut eius ambitus circumscribatur Non aliter ac in potestate dominativa, et adhuc, si ita fas est loqui, potiori modo, in potestate iurisdictionis distinguendi sunt superiores, qui externi habentur religioni, et superiores religionis proprii. Immo, exceptione facta religionum clericalium iure vel privilegio exemptarum, omnium aliarum religionum superiores, laicarum exemptarum minime exclusis, si iurisdictione polleant, necessario externi sunt ipsi religioni. Interdum tamen, in casibus in iure expressis, concedit Codex Ordinariis locorum iurisdictionem etiam in religionibus exemptis. Tales casus continentur, praesertim, in canonibus 512, 616, 617, 619, 874, 1338, 1382. Meminisse autem iuvat aliud esse in religionibus non exemptis et in exemptis laicalibus superiores proprios carere iurisdictione, et aliud Odinarios locorum posse se ingerere pro lubitu in earum negotiis, exercendo iurisdictionem. Canon 618 huic limitationi providet.

Cum autem religionum clericalium exemptarum superiores uti possint potestate dominativa et potestate iurisdictionis simul, pluris est discernere quali auctoritate iubere in singulis casibus intendant. Rite praesumitur, nisi contrarium certe constet, eos non intendere aliam adhibere potestatem nisi eam, quae, inspecta rei praeceptae natura, conveniens atque sufficiens sit ad effectus consecutionem. Igitur ordinarie potestati dominativae tantum adscribenda erunt superioris praecepta seu iussiones, interdum vero potestati iurisdictionis, quando materia hanc solam patitur exigentiam, e. gr. si legem statuat, poenas canonicas irroget.

Si superior usus sit potestate iurisdictionali, qualem pariet obligationem? Cum duplici ex titulo, ait Suárez, praelati possint praescribere subditis vi voti, per potestatem dominativam et ratione iurisdictionis, duplex oriri potest obligatio: una religionis, altera illius virtutis cuius actus praescribitur, et hoc, ait Doctor Eximius, « si Praelatus tota sua potestate utatur, et materia sit capax utriusque obligationis » (10). Ita si vi voti superior imponeret ieiunium et vi iurisdictionis illud imperaret, transgressio erit contra religionem et temperantiam. Doctor Eximius vero tenet non oportere tres malitias distinguere in tali transgressione, ut quidam volunt, nam « obligatio quae oritur ex professione ac voto oboedientiae, per modum unius reputatur, eo quod tam votum quam traditio principaliter Deo fiat » (11). Alii vero tertiam distinguunt malitiam ex professione ortam, ratione iustitiae, quae opinio minime videtur spernenda. Ut eruitur ex doctrina suareziana, potestas dominativa et iurisdictionis ad invicem se adiuvant, quin utraque ex plenitudine superior utatur. Ideo, ait Vermeersch (12), eo quod Praelatus praecipiat sub censura, non continuo colligi potest eum in praecipiendo usum esse iurisdictione. Valet enim praecipere ex dominativa potestate et iurisdictione uti ad addendam sanctionem censurae ».

(10) *De Religione*, Trac. X, 1. IV, c. 12, n. 4.
(11) ib.
(12) *De Religione*, n. 299, 4.

*7. Superior in iubendo se manifestare debet fidelem Dei
administrum, autocratiam devitando; subditus in obtempe-
rando tenetur se praebere spiritu humilitatis submissum, au-
fugiendo democratiam.*

Numquam superiores satis perpendent eorum auctoritatis
naturam, originem, usum adhibendum. Superiorum est exquirere bonum subditi et omne id quod confert ad Religionis et
Ecclesiae bonum. Cum omnis auctoritas sit a Deo per Christum, eius usum, qui hierarchice communicatur Ecclesiae mi-
nistris, tenentur superiores considerare tamquam reddendae
rationi obnoxium. Etenim superior, dispensator auctoritatis
Christi, « quaeritur ut fidelis inveniatur » (I Cor 3, 2), et
non arbitrarie se gerat. Non est dominus, est minister; rite ea
uti, non abuti, ei demandatur. Superior est vox humana quae
divinam imitari debet, sive rem iubendo, sive rectum iubendi
modum servando.

Nihil evadit odiosius Deo et hominibus quam quod quis sibi arroget quod proprium non est, vel modo imperet indebito subditis, quos urgere debet ad Dei
amorem, affectu et sollicitudine vere paternis. Longe, certo certius, est superior ille
a spiritu humilitatis, quo superiores debent seipsos servos servorum Dei praebere,
si aliter se gerat. Si politicarum rerum rectores facile odium in seipsos provocant
propriam modo dictatoriali voluntatem civibus imponendo, spiritus Christi, qui
suave immittit iugum sequentibus se, penitus abhorret a praeceptis modo et spiritu
autocratico impositis. Oporteret in superiorum mentem, ut merito Van Vyns-
berghe memorat (13), saepius revocare quam magna et periculis gravida sit eorum responsabilitas. Recensentur autem eorum defectus: incomprehensio, visio
rerum nimis angusta, demissio animi, offensioni nimia proclivitas, superbia, timor ne superentur a subditis, incapacitas praevidendi ea quae bonum exigit
commune et circa ea providendi, indebita auctoritatis applicatio ad ea quae bono
communitatis sunt extranea, saecularibus viris vel optimatibus arridendi studium
ad conciliandum sibi eorum aestimationem vel commoda materialia, systematica
oppositio contra iuniores, identificatio vel confusio, plus minusve scienter facta,
boni communitatis cum propria eorum commoditate. Defectus sunt isti quibus
superiores nocere possunt et revera nocent bono communi, quod totis viribus
tenentur promovere.

Animadvertitur autocratiae defectu forte facilius laborare mulieres quam
viros; iuniores experientiae expertes, quam qui humani cordis debilitates
agnoscunt; illos qui perpetuo vel pene iugiter ab iuventute renuntiati fuere superiores quam illos qui ipsi fuere diu sub alterius oboedientia. Verum non
sufficit quod superioris religiosi gubernium procul sit ab arbitrarietatibus, et
iussio, e contra, sapiat paternam benevolentiam, sed tenetur quoque superior
Dei voluntatem in Ecclesiae voluntate rite interpretari, abiicere longe considerationes mere humanas, respicere seipsum et subditos in Christo, ut iussio
utique dignitate plena ac simul absque animi elatione detur. Nemo ignorat
quomodo Ecclesia compescat hac in materia passiones quae irrumpere possunt
in superioris cor. Ecclesia ipsa idcirco superiores constituit, efformat, instruit;

---

(13) *La Vie Spirituelle*, Nov. 1946, p. 534.

pro eis normas dat, approbat vel imponit observandas; sedulo curat rectam earum observantiam; concedit subditis recursus ad superiores hierarchicos et interdum eos deponit. Nitantur igitur superiores ne talia umquam ab eorum mente excidant.

E contra, e regione opponuntur subditorum pericula in materia de oboedientia. Oboedientia enim religiosa quae, natura sua, est humilis subordinatio, immo et ultronea propriae voluntatis abnegatio et renuntiatio, quaerit voluntatem subditi cum superioris, qui Christi gerit personam, voluntate identificari. Attamen iura personae naturalia, quae spiritu fidei, perfectionis adquirendae causa, renuntiata fuere non semel speciosis argumentis practice rursum vindicantur. Aestimatur enim, secus ac olim, humanam dignitatem in discrimine positam esse per oboedientiam. Facile ita quis sibi illudit oboedire, dum quaerit superioris iussiones sibi accommodare. Subtilis hic dicatur error qui serpit sub titulo servandae personalitatis et democratiae nomine, cuius spiritu, plus aequo, imbutae habentur novae generationes. Oportet meminisse Ecclesiae regimen, quae Dei activitatem imitatur, numquam fuisse tali spiritu imbutum et pervasum, nam huiusmodi spiritus formas potius politicas induit nostrorum temporum gustibus accommodatas, quam ostendit evangelica Deum serviendi media. Iugis autem oboedientiae religiosae interpretatio, in S. Scriptura et Traditione fundata, non senescit, e contra, continuo virescit, ita ut iugiter conservari debeat.

Quousque vero liceat subdito cooperari cum superiore, ut hic rite iubeat, deinde dicemus; nunc satis est animadvertere superiorem numquam amittere suam capitis condicionem, et subditum, e contra, semper conservare condicionem membri in universo communitatis corpore. Dummodo haec duo suas rite exerceant partes, quod omnino necesse est, procul erit democratiae periculum. Undenam nisi ex defectu humilitatis exsurgit hostilitas contra oboedientiam? Attamen oboedientia absque humilitate nec concipitur nec subsistere quit, explere enim alterius praeceptum necessario animi demissionem importat. Verba Summi Pontificis in novissima adhortatione ad Clerum Universum « Menti Nostrae », ad rem faciunt: « Sacerdos — ait — non suis viribus confidat, non suis dotibus immodice delectetur, sed Christum imitetur, qui « non venit ministrari, sed ministrare » (Matth 20, 28), ac semetipsum ad Evangelii normam abneget (Matth 16, 24), ut facilius atque expeditius divinum sequatur Magistrum ». « Humilitatis studium, quae fidei luce collustretur, hominem ad quamdam voluntatis immolationem per debitam oboedientiam compellit ». « Aetate nostra — prosequitur — cum auctoritatis fundamentum temerario ausu concutiatur, opus omnino est ut sacerdos hanc eamdem auctoritatem agnoscat riteque observet, veluti necessarium non modo religiosarum ac socialium rerum tutamentum, sed suae etiam ipsius procurandae sanctitatis principium » (pp. 8-9). Haec de sacerdotibus dicta, a fortiori, illis qui perfectionis professionem emittunt, applicantur.

8. Subdito propriam personalitatem conservare interdum licet, sub quibusdam condicionibus, in quantum confert ad servitium superioris qui constituitur pro bono communi. Non tenetur superior praecipiendi rationes subditis manifestare, immo nec oporteat eas nimis frequenter patefacere, ne oboedientiae meritum pessumdetur. Quaedam concessiones in subiecta materia, a quibusdam factae, videntur periculosae.

Certissimum est in perfectionis religiosae dicione oboedientiam hominem non destruere, sed potius eum perficere, quasi manuducendo et elevando ab humanis usque ad divina. Superiores tamen, ut facile comprehenditur, non sunt infallibiles, nec necessario inspirati, aliquando nec ingenio praediti et virtutibus ornati. Ideo, cum arbitrarie non possint uti auctoritate, qua pollent, regulis prudentiae subest eorum gubernandi modus. Hac de causa superioris praecepta interdum illustrari a subditis, qui scientia experientiaque excellunt in subiecta materia, servitium prudentiae merito vocatur. Licet igitur non solum consiliis superioris mentem illuminare, etiam tunc quando ille proprio marte suarum rerum satagit, verum quoque non semel superioris activitatem prudenter excitare, non enim omnia solertiae superioris, cuius est de bono communi curam habere, facile occurrunt.

Caveatur tamen ne nimis insistatur in consilio praebendo, praesertim si illud non exquiritur a superiore, et a fortiori si res non pertinet ad officium illius qui consilium dat. Personalitas enim subditi in re de oboedientia est auxiliaris tantum personalitatis superioris et cessare debet statim ac bono communitatis vel cuiusque subditi suasum fuerit. Amplius insistere nec necessarium nec conveniens est. Nonne superiori qui aliter se gerit quam a subditis consiliatus est, erunt in promptu alia iudicii elementa illis etiam validiora ad iubendum? Nonne ex altiori et tutiori loco superior conspicit res et perpendit eventuum adiuncta? Si adhuc evenire contingerit quod subditus certo putet superiorem errare, quid facere debet? Dummodo agatur de re momentosa, conceditur rursus, interdum autem imponitur, subdito facultas utendi utique sua personalitate per recursum ad maiorem superiorem hierarchicum. Ultra id personalitas subditi evanescit, quando superior legitimus in re realiter vel existimate legitima iubet. Iam tunc advenit hora quando dicere necesse est: « Fiat voluntas tua ». Tunc oboedientia evadit vere ascesis, i. e. sacrificium et abnegatio, quamvis praeceptum non satis prudenter videatur impositum, quia non oboeditur prudentiae superioris, sed eius auctoritati. Deest utique evidentia rationum, sed non deest evidentia motivi oboediendi, quod sufficit.

Tandem aliud elementum in oboedientia consideretur, elementum mysticum, quod confert identificationem cum Christo « qui factus est oboediens usque ad mortem crucis » (ad Phil, 2, 8), qua propria personalitas radicaliter, sensu mystico, evanescit. Pater de Bovis, S.I., apud « Nouvelle Revue Théologique », an. 1948, p. 40, perpulchre illud describit: « Necesse est igitur — ait — scire quod in ipso martyrio tandem ponatur oboedientiae terminus. Hoc christifideles quoque sciunt, nam in universa noscitur Ecclesia illud: « eamus et nos, ut moriamur cum eo » (Io, 11, 16), quod dixerat Didymus, unus ex duodecim Apostolis. Frequentius tamen quam martyrium sanguinis martyrium spiritus exigitur, nempe, sacrificium proprii iudicii, et hoc, consequenter ad nostras mysticas relationes assimilationis cum Christo, nullatenus recusare intendit: « eamus et nos, ut moriamur cum eo » totaliter, intellectu et voluntate. Hoc dictum sit de maxima oboedientiae perfectione quae omnem praecludit aditum personalitati subditi.

* * *

Quid vero sentiendum de illa sententia, praesentibus temporibus a quibusdam agitata, iuxta quam ut personalitatis humanae conceptus in tuto ponatur, suadentur superiores explicare subditis, praesertim si in adulta aetate vitam ingrediantur religiosam, mandati rationes? A nemine, puto, vertetur in dubium quod ad hoc nullo pacto teneatur superior. Quoad opportunitatem vel minus in illud indulgendi, nunc examinatur casus. Facile id concedi posse aestimo, sc. in initio vitae religiosae praebere rationes iis qui eam amplectuntur aetate adulta, si tali auxilio morali indigeant. Est accommodatio transitoria, facta iustis de causis, ad modum stili Christi, de quo scriptum est: « arundinem quassatam non confringet, et linum fumigans non extinguet » (Matth, 12, 20). Ceteris in casibus omnino prudentiae superioris relinquatur rationes mandati patefacere vel non.

Satius conciliatur personalitas cum oboedientia, a subditis servitium oboedientiae accipiendo, et si casus ferat, prudenter ab eis illud exquirendo, potius quam praebendo eis rationes, licet et hoc interdum, ut dictum est, fieri non aedeceat. Videtur tamen satis periculosum hoc innuere tamquam ordinariam normam, sub praetextu quod sic, cooperationis causa, subditus oboediet perfectius et efficacius, internam superioris mentem penetrans. Ipse P. Chevignard fatere tenetur non parum imminere periculi naturalismi in praxi (14). Pater Omez, optima intentione ductus, abs dubio, scribens de oboedientia caeca apud Instituta religiosa feminina, exigit, ni fallor, tamquam necessarium quod subditae cognoscant tam rationes quam spiritum iussionis ut sic informetur et eiformetur inferiorum iudicium ad animi convinctionem; ita tamen ut eis explicetur quod motivum praecepti nequit esse motivum oboedientiae. Si clarus Auctor hoc circumscribat ad initium vitae religiosae, ut tyrones rite instituantur, transeat; aliter nescio qualis sors erit oboedientiae religiosae. Sine personarum delectu et absque perpensis adiunctis, quae in singulis casibus diversa esse possunt, quod ideo relinquendum est prudentiae superioris, explicare subditis, ut norma, praecepti rationes, videtur periculis plenum: I.o, quia discussiones suscitare posset subditum inter et superiorem; 2.o, licet motivum praecepti non sit motivum oboedientiae, potius, interdum saltem, moveretur quis ad oboedientiam ex motivo pracepti quam ex motivo oboedientiae, quod evacuat oboedientiae meritum; 3.o, tandem,

(14) *La Vie Spirituelle,* Aug.-Sept. 1947, pag. 212.

haberetur totalis eversionis oboedientiae periculum, et sacrificium vel holocaustum, quod per oboedientiam contenditur Deo offerre, revera non fieret Deo, sed tantum praestaretur obsequium prudentiae humanae. Ne dicatur personalitatis diminutionem vel amissionem, quam causare videtur oboedientia, iniuriam inferre voluntatis et iudicii autonomiae, ut quidam censent, tamquam si oboedientia hominem constitueret automatum in agendo; nam, ut optime animadvertit Dr. Angelicus, « necessitas consequens oboedientiam non est necessitas coactionis, sed liberae voluntatis » (15), eamque ideo perficit, Dei voluntatem sequendo in superioris voluntate. Quid simile dicendum erit de iudicii submissione iudicio superioris. Ita personalitas religiosi potius augetur et perficitur in fidei conspectu, cuius motivo agere censetur religiosus. E contra, ut rite declarat Van Wynsberghe, cum oboedientia non sit passive se habere erga superioris mandata, sed praecepta superioris propria facere, conatus qui fiunt mentem superioris penetrandi gratia, ut meliori quo possit modo iussionis momentum rite percipiat ad perfectius illud adimplendum (16), est optima subditi cooperatio ad superioris auctoritatem, quin in pericula supra memorata incidat.

9. Accommodata renovatio hodiedum censetur necessaria in materia oboedientiae quoad candidatorum institutionem, praesertim si adulti sint, eam tradendo alumnis valde accuratam, iuxta Ecclesiae spiritum, tempore Noviciatus et votorum temporariorum. Noviciorum Magistri et Superiores prudenter conentur aestimationem, quam candidati de propria personalitate hauserunt, transformare in aestimationem personalitatis religiosae.

Oboedientia, quae est fundamentum totius vitae religiosae, proprie accommodatam renovationem, meo humili iudicio, non patitur. Potius religiosi ad oboedientiam quam oboedientia ad religiosos accommodari debent. Olim quadam vivida imagine ex ipso ordine Corporis Mystici desumpta idipsum innuebant exhibentes subditum tamquam capite ablatum, in eius autem loco suffectum esse ipsum Christum, cuius vices in munere Capitis, uti scimus, Superior gerit. Iamvero capitis est iudicare et regere; operationes ordinarie per membra, quae ei subsunt, exercentur. Unde ecce quaesitus: si membra aegritudine vel torpore aguntur, estne modificandum caput an potius sananda membra? Abs dubio sananda membra. Sane membra, seu subiectum passivum oboedientiae, sc. subditi, infirmitate quadam affecta, difficultates capiti seu superiori movent, huic expeditam impediendo in re de oboedientia actionem. Huiusmodi difficultates, ut innuimus supra, partim nascuntur ex ideis quae praesentibus temporibus invalescunt de democratia; partim ex educatione qua candidati, praesertim adulti, habentur instructi apud societates vel associationes tam laicales quam religiosas, quarum membra,

(15) 2-2, q. 186, 5 ad 5.
(16) *La Vie Spirituelle*, Nov. 1946, p. 530.

immo dirigentes forte fuere antequam in religionem ingre derentur. Horum dispositiones morales, in subiecta materia, corrigere non parvam interdum praeoccupationem parit. Assuefacti cum sint in reddendo simul et exigendo rationes ad invicem, sive qui praesunt, sive qui subsunt, plenam conservantes personalitatem, vitam religiosam non aliter concipiunt ac instar illarum societatum. Attamen talis difficultas, meo iudicio, evanescit duplici remedio. Si in candidatis ad religionem detegatur influxus idearum tantum, e. gr. de democratia, praebeatur eis a Magistris Noviciorum et a Superioribus, prudenter ac patienter, solida atque valde accurata *educatio*, tempore Noviciatus et votorum temporariorum; si vero difficultas est ordinis practici, quia assueti sunt taliter se gerere, fiat eorum *reeducatio*, modo accuratiori et maiori prudentia et patientia, si possibile sit, per tempus quod necessarium aestimetur, quin zelo indiscreto quaeratur ab eis statim perfectionis apex. Non erit supervacaneum tamen meminisse superiorem in auctoritatis exercitio teneri modos distinctos servare, prout agatur de adultis virtutem callentibus vel de iunioribus nondum rite formatis. Certo certius candidati adulti, et etiam superadulti, vocati a Deo ad statum perfectionis, optima dispositione faciendi quidquid necessarium est, vitam petunt religiosam. Talis dispositio se habet instar boni fermenti quod totam prioris personalitatis massam efficaciter transformare valet, curantibus superioribus, in aestimationem personalitatis religiosae. Non est igitur ratio quare periculosae concessiones indulgeantur in doctrina traditionali Ecclesiae circa oboedientiam, ne quid mali eius fundamentum effodere possit. Etenim oboedientia, in sensu evangelico, stare potest et debet, dum volvitur orbis.

Alii periti viri, ex munere a Sacra Congregatione de Religiosis commisso, circa idem argumentum scripserunt.

134   R. P. Anastasius a SS. Rosario, O. C. D., *scripsit*:

Ritengo che in questa relazione mi si domandi un modesto contributo di idee sul tema indicato, soltanto in rapporto alla « Accommodata renovatio » che interessa la settimana di studio indetta dalla Sacra Congregazione dei Religiosi; perciò penso superfluo ripetere i principii ormai acquisiti in subiecta materia.

Mi limito a schematiche osservazioni suggerite solo dal desiderio del rinnovamento vivo e vivificante dell'obbedienza religiosa.

1. Conceptus genuinus oboedientiae.

a) L'obbedienza è considerata nella tradizione classica, sia storica che dogmatica, sia giuridica che morale e spirituale della vita religiosa come il fondamento dello stato di perfezione, professante pubblicamente i consigli evangelici.

Questo fondamento è tale soprattutto per la *efficacia santificante* che l'obbedienza possiede, sia per le garanzie che offre d'un sicuro compimento della Volontà di Dio, sia per il costante esercizio di abnegazione evangelica che richiede.

b) Questo concetto classico dev'essere riportato in primo piano nella vita di perfezione, perchè il *valore spirituale santificante dell'obbedienza* non si veda preceduto nella stima e consapevolezza delle anime consacrate dal valore giuridico della stessa.

Sembra che un eccessivo giuridicismo abbia di fatto minimizzato la funzione fondamentale dell'obbedienza, specialmente considerata come voto. La distinzione tra voto e virtù ha reso *l'esercizio attuale del voto* quasi inesistente nella vita consueta del religioso e la stessa materia della virtù, problematica con la dottrina delle leggi obbliganti ad poenam et non ad culpam.

c) Per questo si può forse pensare che una pratica rivalutazione della obbedienza come valore dogmatico ed ascetico sarebbe un vero e salutare rinnovamento, che gioverebbe oltre tutto anche alla chiarificazione giuridica della stessa.

A questo scopo il *valore consacrante* del voto, *l'analogia colla fede* dell'obbedienza, la sua *connessione con lo stato sovrannaturale di vita perfetta*, sono gli aspetti più determinanti nel trasfigurare l'obbedienza religiosa da esigenza sociale in *personale vita* di perfezione e cioè di carità.

2. Subiectum activum oboedientiae.

a) Il rinnovamento del concetto di autorità in rapporto all'obbedienza religiosa sembra esigere una più chiara ed esatta valutazione della stessa *come fatto essenzialmente gerarchico*, determinato nella Chiesa e dalla Chiesa per diritti ed esigenza sostanzialmente sovrannaturali; sicchè l'autorità religiosa non ha nulla a vedere con le *autorità democratiche* come specialmente oggi s'intendono ed ha come *fine fonda-*

mentale il bene sovrannaturale delle anime, cioè la santificazione delle stesse.

b) Ciò importa a mio modesto parere, che l'autorità correlativa all'obbedienza degli stati di perfezione riguardi le anime consacrate non soltanto come membri di una società, ma anche (e almeno sotto certi aspetti soprattutto) come persone singole *aventi diritto* ad essere individualmente guidate alla santità.

A questo proposito la distinzione dell'autorità in dominativa e giurisdizionale è particolarmente feconda di conseguenze, ma lo sarebbe anche più se per quanto riguarda la potestà dominativa, il concetto fosse ulteriormente e, come penso, in modo più esplicito, riferito ad una *paternitas* spirituale che leghi individualmente il suddito, come figlio, al superiore come padre: il tutto sul piano sovrannaturale.

c) Su questo piano la divina rappresentanza che compete all'autorità religiosa pone il soggetto attivo della stessa di fronte alla responsabilità di una rappresentanza degna, in timore et tremore; rappresentanza che non sarà tale se non avrà come suprema legge il « regimen animarum » in specifico rapporto alla specifica perfezione ch'è vocazione delle stesse.

Per questo si può forse pensare ad un rinnovamento di estrema opportunità consistente nel rendere sempre più consapevoli i superiori del dovere che hanno, in forza dell'autorità che rivestono, di essere i padri delle anime nel nutrirne, difenderne, illuminarne e *caratterizzarne* la santità.

Il Superiore « mere custos disciplinae et externae Legis » avvilisce la sua autorità e può anche tradire le sue responsabilità, provocando l'impoverimento dell'obbedienza dei sudditi, fatti servi più che figli. Ciò purtroppo non sembra infrequente e può avere una causa nell'eccessivo giuridicismo che di fatto ha pervaso tanta vita religiosa.

d) La funzione *paterna* e *santificante* dell'autorità religiosa verso ogni suo singolo suddito-figlio impone anche l'aderenza della stessa autorità alla realtà viva e personale d'ogni singola anima. Ciò significa che nel promuovere in ogni religioso il comune ed inderogabile conseguimento della specifica santità dell'Istituto, il superiore-padre deve, per grave obbligo di coscienza, armonizzare con tale fine sublime i doni di natura e di grazia che ogni anima presenta, non esigendone il sacrificio se non quando la santità del singolo o dell'Istituto lo imponga.

Naturalmente il *giudice di questa armonizzazione è solo e sempre l'autorità,* ma questo importa anche che l'autorità stessa sia responsabile innanzi a Dio di ogni inutile o non necessario sciupìo di qualità nei sudditi.

Sarà quindi un rinnovamento felice l'eliminare dall'esercizio dell'autorità quella specie di collettivismo standardizzante che purtroppo spesso si applica senza vere ragioni di santità.

3. Subiectum passivum oboedientiae.

a) Il soggetto passivo dell'autorità religiosa se si considerano le leggi proprie di ogni stato di perfezione, è costituito tanto dai superiori quanto dai sudditi. I superiori pertanto sono soggetto passivo della legge per duplice titolo e cioè perchè *debbono osservarla* e perchè *debbono farla osservare;* solo così la legge diventa per essi obbedienza santificante.

Ribadire il concetto che i Superiori debbono obbedire alla legge, può essere un rinnovamento forse più urgente di quanto non si pensi in tempi nei quali le tendenze dittatoriali o democratiche sembrano trasferirsi in ogni campo.

Ma forse è anche più attuale il bisogno di rinnovamento nell'*esigere l'osservanza della legge*, ciò che fa parte del dovere di obbedienza di ogni superiore. Ommettendo tale dovere, l'autorità nelle mani del superiore diventa sterile, e il superiore stesso diventa responsabile della « relaxata disciplina » che è la via al decadimento dello spirito.

b) In particolare, il rinnovamento nell'esigere l'osservanza della Legge dovrebbe tener conto anche dell'autorità penale che, nelle debite forme e misure, compete al Superiore e che specialmente negli Istituti più antichi ha un'applicazione concreta in una parte « de poenis » inserita nella Legislazione particolare.

Non mi sembra che la « poena medicinalis » così ricca di valore santificante sotto il punto di vista ascetico e così efficace dal punto di vista disciplinare debba lasciarsi cadere in disuso, come purtroppo avviene. Inoltre a che cosa si riduce la conclamata « obligatio ad poenam et non ad culpam » delle disposizioni costituzionali quando in pratica le pene si applicano solo per delitti o quasi-delitti?

D'altra parte perchè la « praxis » ormai consueta di escludere dalle costituzioni moderne le norme penali?

c) L'Osservanza delle leggi ne suppone la conoscenza e il dovere di obbedienza suppone il *dovere di conoscere le proprie leggi* e il loro valore giuridico, ascetico e caratteristico ai fini della propria specifica vocazione.

Su questo punto una necessaria « renovatio » s'impone ed è lo studio più sistematico della propria legislazione, sia in rapporto al diritto comune, sia in rapporto ai fini caratteristici della propria vocazione.

Questo aspetto dell'obbedienza religiosa in superiori e sudditi non è forse sufficientemente vissuto, cosicchè la ignorantia legis sive canonicae sive propriae, è spesso invocata come un'attenuante, mentre in realtà è essa stessa una colpa!

Lo studio comparato del diritto proprio dovrebbe essere obbligatorio nel corso teologico dei religiosi come materia scolastica e così pure il valore ascetico e spirituale e specifico delle proprie leggi dovrebbe essere illustrato sistematicamente nei periodi di formazione e nelle periodiche conferenze spirituali dei superiori.

d) Il suddito che è tale verso le leggi e verso i superiori, ha nell'obbedienza non tanto la norma della disciplina, quanto *la norma della sua santità.*

Bisogna rinnovare questo concetto e non c'è mezzo di rinnovamento se non nella rivalutazione pratica dello spirito di fede e del culto dell'abnegazione nella vita del religioso come singolo, e inoltre rivalutazione pratica del «sensus familiae supernaturalis» nella vita del religioso come membro della comunità. Il «virus» del naturalismo e del collettivismo minacciano ciascuno a modo proprio la vitalità soprannaturale dell'obbedienza assimilandola troppo a concetti quali: disciplina, regolamento, intesi come valori esteriori.

4. Oboedientia et personalitas.

a) E' invalsa l'abitudine di opporre questi due concetti e ciò solo basta a denunziare senz'altro lo spirito naturalistico con cui purtroppo si considerano i due elementi. L'obbedienza, vissuta soprannaturalmente è tra i mezzi più efficacemente costruttivi della personalità cristiana e religiosa dell'uomo, proprio perchè ne garantisce in modo speciale la comunione con Dio, bene infinito. E fuor di dubbio la comunione in «veritate et caritate» con Dio è la suprema nobiltà e dignità dell'uomo, che così veramente trasfigura la sua personalità.

b) Si oppongono a questo concetto d'ordine metafisico e teologico le esigenze *psicologiche* della persona, ma bisogna tener presente che sul piano psicologico e di esperienza, il senso della personalità è connotato dal fatto del peccato originale, le cui conseguenze sono aberranti.

Ne segue che troppe volte il «gratia non destruit naturam» può assumere un senso equivoco e credo che ciò avvenga anche a proposito di obbedienza e personalità, ogni qual volta si vede nella prima un limite *innaturale* alla seconda. E' necessario in questo un rinnovamento non solo pedagogico nel formare all'obbedienza, ma anche un ritorno vissuto alla teologia della grazia che deve trasformare l'obbedienza anche sul piano psicologico in un consapevole arricchimento di valore e maturità personale.

c) Il tendere a Dio con la libera e consapevole adesione della vita alla sua divina volontà, manifestata da Lui con i mezzi da Lui preferiti ha tutta *la dignità di un gesto filiale* che se accetta il primato della paternità di Dio, ha anche in questa accettazione il titolo della sua trasfigurante grandezza da servo in figlio di Dio: un vertice cui nessuna aspirazione di orgoglio personalistico può giungere.

d) Inoltre è fuor di dubbio che l'obbedienza religiosa, vissuta sovrannaturalmente ha un'efficacia speciale nel purificare le tendenze personalistiche dell'individuo dall'egoismo e dall'orgoglio che per il peccato originale intorbidano la nostra personalità; e anche questo è un argomento positivo a favore dell'obbedienza intesa come perfezionamento purificante della dignità personale.

e) Da ultimo è opportuno osservare che il voto di obbedienza colla sua efficacia *consacrante* della vita, nobilita gli atti della stessa con il valore religioso che loro conferisce, aggiungendo alla dignità della virtù quello di una caratteristica *consacrazione,* nella quale veramente la perfezione personale può raggiungere la vera pienezza.

f) In conseguenza di queste osservazioni sovrannaturalmente oggettive, l'opportuno aggiornamento dell'obbedienza religiosa dei tempi nostri non sta tanto nel trovare un più o meno problematico equilibrio fra le esigenze della stessa obbedienza e della personalità, ritenuti valori antitetici, ma piuttosto e soprattutto nel rendere presenti ed operanti nella formazione e nella pratica della obbedienza, i grandi principi interiori che la vivificano ed insieme la giustificano come elemento di *individuale* perfezione cristiana dell'uomo. Senza dubbio i *metodi* nell'insegnare e nell'esigere l'obbedienza debbono tener conto degli individui, cui tali insegnamenti ed esigenze *oggi* si rivolgono, ma sarebbe doloroso che le *tecniche psicologiche e pedagogiche* finissero col minimizzare o compromettere la sostanza interiore e viva dell'obbedienza che deve rimanere immutabilmente la libera e totale adesione della nostra vita religiosa alla divina volontà, autoritativamente manifestata.

CONCLUDENDO

1. Rinnovarsi con una pratica e vissuta rivalutazione del valore spirituale santificante dell'obbedienza religiosa affinchè, essa non sia un culto della disciplina, ma un esercizio della fede e della carità che pervade tutta la vita degli stati di perfezione.

2. Precisamente perchè i tempi presenti portano alle anime consacrate l'urgenza dell'azione, vedere nell'obbedienza un mezzo dei più sicuri perchè l'azione e lo zelo non degenerino e una difesa tra le più valide dagli accresciuti pericoli che l'azione divorante porta con sè.

A questo proposito, i tempi nostri hanno bisogno della perfezione intensiva ed estensiva della nostra obbedienza come non mai.

« Vir oboediens loquetur victorias! »

1. Visione generica dell'obbedienza.

Il concetto specifico di obbedienza religiosa comincia a pigliare contorno e poi risulta chiaro, per via di contrasto e differenza, dal concetto generale di obbedienza, la quale « è quella virtù per cui la volontà dell'uomo è resa pronta ad adempiere la volontà del superiore che comanda » o anche consiglia, secondo alcuni.

E' una virtù dunque che scaturisce direttamente dalla giustizia.

Quando questa virtù è messa direttamente ed esplicitamente sul piano giuridico, per mezzo del voto, essa diventa « promessa fatta a Dio di obbedire ai legittimi superiori in ciò che comandano, secondo le regole e le costituzioni ».

E restiamo ancora, senza riferimento ad altri fatti spirituali, nel clima della giustizia, perchè il voto è uno di quegli obblighi di stati particolari, che emanano dalla giustizia come conseguenza e corollario.

Di qui tutte quelle distinzioni, divisioni, suddivisioni, tutta quella casistica di carattere giuridico, la quale, se è necessaria alla chiarezza delle idee ed alla pace delle coscienze, conferisce all'atto umano una tal quale freddezza contrattuale ed impersonale.

Fin dove arrivino la virtù ed il voto di obbedienza e quali pretese possano avere o non avere, su questo piano di diritto e di dovere, di dare ed avere, direi quasi, si trova nei più chiaro nei più modesti manuali di teologia morale e non è nostro intento di entrare in questo campo già così precisato.

Noi vogliamo studiare invece l'obbedienza, virtù o voto che sia (ci sono Istituti, come la Congregazione dell'Oratorio, che non hanno voto o promessa di nessun genere e tuttavia praticano la virtù dell'obbedienza) in quegli altri elementi ascetici, potenziali o germinali, costitutivi, di una perfettibilità progressiva, i quali rendono l'obbedienza più completa, più efficiente, più sacra e, vorremmo dire, più religiosa, in quanto propria cioè dello stato religioso.

E' chiaro che una tale visione dell'autorità che comanda, annulla nella radice quelle resistenze, quelle obiezioni, quelle tentazioni, che possono più o meno ferire, mortificare, lacerare e distruggere l'obbedienza religiosa.

2. L'obbedienza riflesso di fede.

Quando gli elementi dei quali abbiamo fatto cenno e dei quali ora tratteremo brevemente e specificamente, convengono insieme in bella euritmia, come note diverse di una stessa musica, avremo quell'obbedienza « genuina » che si ricerca, nella quale cioè non entrano altri ingredienti estranei, umani, che, se anche non cattivi, contaminano, in certo modo,

la genuinità e religiosità dell'obbedienza e le tolgono l'aspetto di obbedienza di stato di perfezione.

E il primo elemento è la fede. Come la fede ci induce a
credere che Gesù, pur in vario modo, è nell'ostia consacrata,
sotto gli stracci di un povero e di un sofferente, di un qualsiasi cristiano, figlio di Dio e fratello perciò di Gesù stesso,
mentre i sensi nulla rilevano; così quella stessa fede ci deve
far ritenere che una data persona, il superiore, pur con la
sua fisionomia personale, coi suoi connotati, con le sue virtù
ed i suoi difetti, ha un potere che viene da Dio, come liquore
prezioso che anche se messo in recipienti di varia forma e
di vario pregio, è pur sempre lo stesso liquore della stessa
preziosità. Talvolta potrebbe darsi che il liquore sia in un
recipiente meno bello, meno degno, e la fede deve allora aiutare e risolvere la situazione.

L'obbedienza è grande in misura della fede ed ha le capacità operative
della fede, come in Abramo, per esempio.

L'obbedienza, già cosa divina in questo mondo, nella fede in Gesù, diviene
ancora più dolce ed umana.

Gesù, Dio e figlio di Dio certamente, è anche uomo, nostro fratello primogenito, capo della Chiesa, di questa società divino-umana.

Noi dunque obbediamo a Lui, proprio a Lui, come quando Egli in terra
trasmetteva un ordine ad un apostolo, per esempio, per mezzo di un altro
apostolo.

Oggi è la stessa cosa: noi sappiamo infatti che il Pontefice Romano è il
suo vicario e che ha un potere delegato in tutta la Chiesa, pieno, supremo,
immediato ed ordinario: anche i singoli vescovi, nelle loro diocesi però, e solo
in quelle, hanno un potere completo, ma subordinato, ordinario tuttavia.

Alcuni dicono che questo potere sia immediato da Dio; altri che sia mediato da Dio ed immediato dal Sommo Pontefice: ma questa mediatezza o immediatezza non conta ai nostri fini.

Il Pontefice Romano ed i Vescovi, uomini come sono e limitati, non possono compiere tutto da se stessi ed allora hanno bisogno di collaboratori ai
quali delegano parte della loro autorità circoscritta nel tempo, nel luogo, nella
sostanza, secondo certe norme che, per lo più, sono stabilite nel Codice di
Diritto Canonico ed in altre disposizioni conciliari, sinodali.

Come l'autorità di un comandante supremo di esercito scende sempre più
limitata, divisa, suddivisa nei generali di diverso grado, nei colonnelli, ecc.,
fino al caporaletto quasi analfabeta, ma è sempre, anche in questo ultimo,
l'unica autorità del capo supremo: come l'energia elettrica di una centrale, sia
che alimenti grosse lampade di mille candele, sia che alimenti lampadine
di tre candele, è pur sempre la stessa unica energia, così nella Chiesa Cattolica
l'autorità ecclesiastica, ovunque, comunque arrivi, è sempre del suo capo, di
Gesù Cristo.

Si può dire perciò che ogni superiore è vicario di Cristo,
se pure limitatamente, se pure molte volte mediatamente per
deleghe successive.

Questa espressione di ogni superiore « vicario di Cristo »,
nel senso detto innanzi, e che oggi potrebbe magari fare impressione, in quanto siamo abituati a vedere solo nel Papa il
Vicario di Cristo, come quello che ha la pienezza del vica-

riato, questa espressione la disse, per primo, che io sappia, con genialità ispirata, S. Benedetto in quel punto della regola (c. 2) dove l'abate è chiamato vicario di Cristo: « Abbas... Christi agere vices creditur ».

Questa concezione dell'obbedienza nella Chiesa individua nel superiore Cristo che parla per le labbra del superiore stesso, come Cristo parla per le labbra del sacerdote che consacra, pur con le diversità evidenti.

Questa obbedienza è, in un certo senso, una vera professione di fede cattolica, che ci differenzia dal protestante, anche se costui dice o crede di obbedire nel nome di Cristo ed a Cristo: il protestante infatti, nel suo libero esame, giudica se uno sia o non sia superiore, se debba o non debba obbedire in quale modo, indipendentemente dalla Chiesa: in fondo egli obbedisce a se stesso: domani, come ieri, egli non riconoscerà il superiore e si ribellerà. Lutero!

3. Obbedienza-pratica di umiltà.

L'obbedienza ha un altro elemento generativo e costitutivo nell'umiltà, virtù tanto tipicamente cristiana in quanto essa era sconosciuta anche alla più sana e profonda sapienza pagana, che pure tante altre virtù aveva visto o intravisto: il termine « humilitas » esiste sì, nel latino classico e profano, ma significa tutto altro che virtù.

La dimostrazione pratica e storica di questo procedere dell'ubbidienza dall'umiltà si trova nel peccato di Adamo. Nel colloquio di Eva col diavolo, come probabilmente in quello di Eva con Adamo, l'idea che determinò al compimento del peccato stesso fu la creduta possibilità di essere simili a Dio, di essere ciò che non potevano, non dovevano, un'idea di orgoglio e quindi la mancanza assoluta di umiltà.

L'umiltà infatti « reprimendo il disordinato appetito della propria eccellenza ed inclinandoci al riconoscimento della propria miseria, nella realtà, ci colloca al nostro posto, e nel creato e di fronte a Dio e di fronte agli altri uomini ».

Per questo essa è virtù annessa alla temperanza la quale conferisce ordine, misura, proporzioni ad ogni nostro atto o pensiero.

Si capisce pertanto che, quando noi abbiamo l'umiltà e restiamo nella cornice modesta della nostra personalità, è impossibile quell'evadere fuori di noi stessi, quel tumefarci, quel sottrarci ai doveri verso Dio e verso gli uomini; è impossibile ambire posti che non ci toccano, onori che non meritiamo e quel farci innanzi a furia di gomiti, quel criticare e svalutare il comando, quel resistere esterno o interno all'ordine, e perfino quel vilipendere, screditare la figura e la persona stessa del superiore.

Con l'umiltà nel cuore non si corre pericolo di svuotare l'ubbidienza, facendola per calcolo ed ambizione; per timore come uno schiavo o un asino; facendola con durezza, da stoici, per necessità o senza grazia come un mercenario.

Nessuna virtù infatti è più vulnerabile dell'obbedienza in quanto si può lasciare intatta l'apparenza ed il fatto materiale e toglierle, nello stesso tempo, ogni valore non solo soprannaturale, ma anche semplicemente umano, per le pretese di quell'egoismo, ch'è orgoglio, ed ha sempre da reclamare!

La mancanza di umiltà perciò ci pone in uno stato di ribellione potenziale, per cui siamo sempre pronti a scattare e restiamo gli avversari cronici di ogni ordine, di ogni gerarchia.

Quanto sia necessaria l'obbedienza si rileva dalle rovine sociali della disobbedienza, che sono sotto i nostri occhi.

La crisi della società moderna, se sul piano economico deriva in parte dall'avidità dei piaceri, sul piano morale deriva dal fatto che questa società moderna ha perduto il concetto ed il senso di autorità, di dipendenza.

L'Huizinga, pur così lontano da noi, ma grande pensatore ed oggi famoso, ha creduto di fare una grande scoperta del mondo morale quando è arrivato alla conclusione che la rovina della società moderna è venuta dal fatto che essa ha perduto la nozione della parola « servire », nel senso più umano e cristiano di vicendevole collaborazione: eppure noi sapevamo tutto ciò da almeno venti secoli, senza tenere conto del Decalogo, del Vecchio Testamento.

Da Kant in poi, il veleno dell'*autonomia* da Dio e dagli uomini, ed in politica la stupidità dell'autarchia, ci ha portato la ribellione, la rivoluzione, che oggi imperversa in tutte le forme e in tutti gli strati sociali.

Naturalmente s'è perduto anche il senso di libertà ed essere libero oggi vuol dire fare ciò che si vuole, anche ammazzare, se ciò torna conto.

L'obbedienza così, ch'è la difesa della libertà, n'è diventata la nemica!

Se dunque la disobbedienza ha potuto scardinare la vasta società umana, la nostra « famiglia esterna » quanto più essa non manda in rovina, polverizza addirittura la piccola famiglia religiosa, che ha bisogno, per vivere e resistere, di un fitto compaginamento?

S. Benedetto, maestro sommo di disciplina religiosa, ha una frase scultoria che fissa la realtà dell'obbedienza e la chiama « bonum oboedientiae », il bene dell'obbedienza e che potremmo tradurre anche meglio « la ricchezza dell'obbedienza ».

Non impoverimento dunque, non diminuzione, ma accrescimento, ricchezza in quanto l'obbedienza potenzia e guida l'uomo nel bene.

4. *L'obbedienza emanazione di povertà.*

L'obbedienza, come tutte le virtù, nell'unità della persona umana, non si presenta mai isolata come il pezzo di una macchina, ch'è collegato sì con gli altri pezzi, ma pure ha una sua figura precisa, tagliata a parte: essa è un risultato di insieme e, alla sua volta, causa e coefficiente di altre virtù. Così, per esempio, l'obbedienza, l'umiltà stessa di cui abbiamo fatto cenno, e le altre virtù hanno un rapporto eminente con la carità, la quale tutto e precede e segue e cementa.

Tanto diciamo perchè nella nostra divisione non si veda nulla di meccanico e tanto meno di *esclusivo*, senza negare tuttavia quella maggiore o minore influenza che una virtù ha sull'altra, com'è del nostro caso.

Ed in questo senso troviamo che la povertà è anche essa radice e condizione, nello stesso tempo, dell'obbedienza religiosa.

La povertà come voto, cioè come fatto giuridico, per non dare luogo ad ansietà ed errori, deve per forza essere definita in termini ristretti e perciò essa è circoscritta come « la promessa fatta a Dio di rinuncia stabile ai beni temporali ».

Sembrerebbe da tale definizione che la povertà sia una virtù quasi materiale... in quanto, nel voto, ha per oggetto beni materiali: tuttavia, guardando bene, si vede che essa, come ogni virtù, non solo è eminentemente spirituale, ma va al di là dei beni materiali e molto.

Essa è distacco del cuore infatti, non solo da quelle infime cose, che sono i beni materiali, ma da ogni creatura, da ogni egoismo, da ogni personalismo, da ogni gusto, da ogni giudizio e pregiudizio, da tutti quei creduti beni che vanno sotto il nome di « natura » quale essa è magnificamente svelata al capo LIV del III libro de « L'Imitazione di Cristo ».

S. Filippo Neri metteva anche l'onore tra quei beni non materiali ai quali possiamo essere attaccati e diceva che chi non è disposto a perdere l'onore stesso per amore di Gesù Cristo non riesce nella via della santità.

Le parole di Gesù: « Beati i poveri di spirito » hanno una portata che include tutte queste cose e molte altre.

E S. Pietro quando dice al Signore: « Ecco noi abbiamo lasciato tutto per seguirti » getta una luce potente sulla « povertà di spirito », perchè nella parola « tutto » ci sono ben altri valori che quelli delle cose materiali.

Seguire il Signore, lasciando tutto, vuol dire sacrificare la famiglia e le sue dolcezze e tante altre cose che non sono in nessun modo materiali.

Lo stesso Gesù a chi si offriva di seguirlo, a chi egli invitava a seguirlo, a chi proponeva la perfezione, diceva preliminarmente: « Se vuoi essere perfetto, va, vendi quello che hai e dallo ai poveri »: era solamente il preludio!

Quando se ne dava l'occasione, egli mostrava tutta la lunga scala che bisognava salire e tutto lo sviluppo della povertà.

Quel tale dei suoi discepoli che gli disse: « Signore, dammi prima licenza di andare a seppellire mio padre » sentì rispondere: « Lascia che i morti seppelliscano i morti ».

Eppure si trattava di un atto di pietà, di un'esigenza di amore filiale!

La povertà, la spoliazione, ha compimento in quel rinnegamento di se stesso, nel distacco di sè da sè, per inserirsi nella persona di Cristo.

Ora una tale povertà recide, prima di tutto, gli interessi materiali e quindi gli impedimenti più grossolani, ma recide ancora le nostre opinioni che ci insinuano la non adesione al comando del superiore; recide i nostri gusti che invocano di non essere sacrificati all'obbedienza; recide la nostra speranza ed i nostri disegni del futuro; recide perfino i nostri propositi di bene per un bene voluto dall'obbedienza.

Quando un religioso è diventato così povero di ogni forma di possesso, egli non trova più una causa, una forza qualsiasi che possa, non diciamo determinarlo a seguire un indirizzo diverso da quello del superiore, ma farlo soffrire nel compimento dell'obbedienza stessa: egli è come un convoglio che non ha resistenze nei suoi ingranaggi, non ha resistenze nella via e procede dolcemente senza attriti e senza reazioni.

L'obbediente pertanto diviene un uomo « ricco » di movimento per andare al fine; « ricco » di libertà interiore ed esteriore; « ricco » di pace, e si trova già in lui come un lontano sentore dell'uomo risorto, divenuto impassibile!

Distrutta o sottomessa quella che abbiamo individuata co-

417

me la « natura » sottentra la grazia, la quale, come vento soave e propizio, gonfia e spinge le vele della nostra navicella nel mare tempestoso della vita, in rotta verso l'eternità.

Sì magnifica obbedienza ha il suo modello perfetto in Gesù che seppe sacrificàre anche i suoi bisogni fisiologici, come quello della fame, quando disse ai suoi discepoli, a proposito della Samaritana: « Mio cibo è fare la volontà di chi mi ha mandato »: che arrivò a sacrificare le più vitali esigenze della natura, come la ripugnanza alla sofferenza, la ribellione alla morte!

La sua obbedienza culmina nelle parole dette nell'orto: « Padre mio, se è possibile, passi da me questo calice; per altro non come io voglio, ma come vuoi tu ».

La Chiesa, per tre giorni, in quella che giustamente è detta la « Settimana Maggiore » pare che non sappia trovare innanzi al Padre altra parola di elogio di Gesù che questa: « Cristo s'è fatto obbediente per noi fino alla morte ed alla morte di croce ».

136   R. P. Maurus a Grizzana, O. F. M. Cap.,
S. Congregationis de Religiosis Consultor,
scripsit:

Il concetto dell'obbedienza religiosa non può differire sostanzialmente da quello dell'obbedienza comune; anch'esso deve contenere la sottomissione della volontà umana alla Volontà di Dio, nella persona del legittimo Superiore che lo rappresenta. E' la stessa obbedienza comune sublimata e divenuta pura nella sua intenzione, universale nella sua estensione, totale nella sua sottomissione nel modo che si dirà.

Nel concetto genuino dell'obbedienza vi entra essenzialmente — e forse non è fatto risaltare mai abbastanza — un elemento fornito dalla fede in Dio; anzi senza di questo elemento ogni obbedienza non è possibile e, quel che è peggio, non ha nessun valore e nessun merito davanti a Dio.

Ognuno sa che la vita cristiana ha le sue basi sulle tre virtù teologali, infuse nel Battesimo: fede, speranza e carità; senza di queste, almeno in una misura minima, la vita cristiana non è possibile. E che cosa è la vita religiosa se non la perfezione della vita cristiana? Il Vangelo è proposto a tutti e tutto, cioè tanto nei suoi precetti, quanto nei suoi consigli. L'atteggiamento dei cristiani può limitarsi al puro necessario per conservare la grazia; può invece generosamente abbracciare o in tutto o in parte anche quello che è destinato alla elevazione dell'uomo e ad una maggiore e perfetta rassomiglianza a Gesù Cristo, specie nella pratica dei consigli evangelici.

La vita religiosa non potrà dunque da parte sua avere un diverso fondamento e ciò che costituisce la base della vita religiosa si deve in qualche modo riallacciare alle stesse basi della vita cristiana per non edificare inutilmente.

Non sarà quindi errato il dire che i tre voti religiosi realizzano ognuno qualche elemento delle tre virtù teologali. Molto più che nei voti forse si accentua troppo la parte negativa, ossia della rinuncia e del sacrificio, mentre non si avverte che la parte positiva ossia il compenso al sacrificio è la sola che li rende possibili ed onesti: i vuoti lasciati dal sacrificio dei beni, del corpo, della volontà debbono pur essere colmati; sarà in un altro ordine di cose, certamente più sublime, ma un compenso ci vuole.

In rapporto ad una tale esigenza si potrà dire che l'obbedienza si risolve in un atto di fede, la povertà ha ragione di essere dalla speranza nella divina Provvidenza, la castità realizza un atto di puro amore. In altre parole: sono possibili ed oneste, la povertà se significa abbandono totale tra le braccia della divina Provvidenza, la obbedienza se significa attuazione perfetta della divina volontà, la castità se il sacrificio dell'amore umano è compensato e sostenuto dall'amore divino. Così intesi i Santi Voti, non solo sono possibili, ma appetibili al sommo; diversamente sono pesi e catene che si trascinano dolorosamente e senza alcun merito davanti a Dio.

Limitando le nostre considerazioni alla virtù dell'obbedienza religiosa, diciamo subito che nel suo concetto genuino vi entra innanzi tutto un atto di fede in Dio: solo questo la alimenta, solo questo la sostiene in ogni occasione.

L'obbedienza è abdicazione della propria volontà, ossia sostituzione di essa con la volontà di un altro. Questa volontà che si elegge da sostituire alla propria non può essere la volontà umana considerata in se stessa, poiché il suo valore e la sua dignità non è prevalente: tutti gli uomini nelle loro facoltà essenziali sono uguali tra di loro, ed i valori accidentali che in essi si riscontrano non sono tali da concedere loro un predominio. Una volontà che giustifichi una tale elezione è soltanto quella di Dio. Pur tuttavia l'obbedienza viene prestata ad un Superiore che è persona umana. Dovrà dunque considerarsi in lui la rappresentanza di Dio, l'intermediario di Dio, il canale pel quale si trasmette a noi la volontà di Dio e come il deposito di essa a cui possiamo attingere a piacimento, sicuri che Iddio ratificherà sempre quanto facciamo come fosse da Lui direttamente comandato, qualora il Superiore resti nei limiti del suo potere legittimo. Si accetta quindi l'intermediario e con un atto di fede si crede che il Superiore è il rappresentante di Dio, l'intermediario di Dio, il depositario della sua divina volontà. D'altra parte l'obbedienza non può essere onesta che in questo rapporto, poiché solo di Dio ci possiamo fidare in ordine ai nostri eterni destini; gli uomini ci potrebbero ingannare o si potrebbero essi stessi ingannare, essendo fallibili e agitati da passioni che spesso nascondono il vero. Nessuno quindi mi potrà obbligare ad avventurarmi per una via segnata dagli uomini ed io stesso agirei imprudentemente affidando le mie sorti eterne ad un uomo.

Con questo atto di fede si riconosce nella persona umana del Superiore la persona di Dio e ciò rende soprannaturale l'atto di obbedienza. Si ubbidisce per fare la divina volontà; la persona umana scompare per non vedervi con la fede che Iddio. Non è quindi l'interesse o il timore o la stima per le qualità fisiche, intellettuali o morali del Superiore che mi inducono ad obbedire: tutte queste cose possono mancare o venir meno o nascondersi ai miei occhi, mentre io abbisogno che non venga mai meno il fulcro che sostiene l'atto di obbedienza.

Lo spirito di fede che accompagna l'atto di obbedienza fa sì che si possa e si debba obbedire ad ogni persona che legittimamente comandi, ossia nella quale si riscontri una partecipazione dell'autorità o per l'ufficio che le è affidato o per la delegazione ricevuta: ognuno di questi in modo immediato o mediato partecipa dell'autorità di Dio e costituisce un parziale deposito della sua divina volontà. Il Papa rappresenta Iddio sulla terra per l'esercizio di tutta l'autorità necessaria alla salute delle anime: in lui vi è il deposito pieno ed assoluto di essa, di modo che, chiunque la esercita, non lo può fare legittimamente se non la deriva da lui. Ma l'autorità derivata è della stessa natura e dello stesso valore di quella che è nella fonte. Non è quindi di diversa natura l'obbedienza che si presta al Papa da quella che si presta a qualsiasi altro legittimo Superiore nei limiti della mansione ricevuta. Ma ciò può intendersi solo nell'atto di fede che accompagna l'obbedienza.

Il medesimo atto di fede estende l'obbedienza a qualsiasi genere di precetti.

E' sempre Iddio che comanda ed Egli ha diritto di imporci qualsiasi cosa. Il maggiore o minore sacrificio non fa parte della sostanza del precetto, molto più che vi è sempre il corrispettivo premio. Il Superiore per essere fedele interprete della volontà di Dio non ha che da tener presente l'ambito preciso della sua mansione, quanto gli è permesso dalle Regole, quanto le circostanze sociali o individuali esigono; ma sempre che resti entro tali limiti, i suoi precetti, anche se comportano gravi sacrifici, sono legittimi e sono precetti di Dio, al Quale l'uomo nulla può negare di ciò che giustamente gli chiede, fosse anche il sacrificio della vita.

L'atto di fede rende totale la sottomissione nel senso che, non solo il corpo, ma anche la volontà e la stessa intelligenza rendono ossequio al Superiore per rendere ossequio a Dio.

La pronta e perfetta esecuzione dell'opera per parte del corpo non sarebbe di alcun valore se la volontà restasse refrattaria; non vi sarebbe l'accettazione della volontà di Dio nella quale solamente è la vera obbedienza; ed una tale accettazione deve essere vera, reale e sincera, non soltanto apparente. La volontà di Dio e la volontà dell'uomo debbono camminare parallelamente. Quando nel « Pater » si dice: « Fiat voluntas tua sicut in caelo et in terra », si vuole appunto indicare la perfetta fusione della nostra volontà con quella di Dio, la quale fusione è perfetta in cielo fra Dio ed i Beati Comprensori; tale si vuole che sia anche sulla terra, emulando la mirabile armonia di pensiero e di volontà che ivi regna. Non si intende di identificare le due volontà, ma di costringere la volontà umana a camminare parallela alla volontà di Dio. Il paragone delle rotaie del binario che si allungano all'indefinito senza scostarsi nemmeno di un millimetro per assicurare la via al convoglio, dice qualche cosa di quello che dovrebbe essere la volontà umana nei confronti di Dio.

Più difficile forse si presenta la sottomissione dell'intelletto alla volontà di Dio manifestata per mezzo del Superiore. Il comando, pur in nome di Dio, è sempre un atto del Superiore e rispecchia la di lui personalità nelle sue qualità intellettuali, morali e fisiche. Nella scelta dei mezzi vi possono essere divergenze di vedute e nella pratica dell'obbedienza si rende necessario abbandonare le proprie per accogliere le vedute del Superiore. L'atto di fede provvede e ci aiuta anche in questo lavoro. Non si tratta di chiudere gli occhi su quelle che sono le proprie convinzioni, ma di lasciarle nell'atto pratico riflettendo sulla migliore bontà che certamente è insita in ciò che il Signore dispone per mezzo del Superiore in quel momento; in senso assoluto le nostre convinzioni possono essere migliori e non è il caso di misconoscerlo; in senso relativo, cioè in rapporto al nostro profitto spirituale — ed è questo che importa sopra tutto — è certamente meglio per noi l'aderire a ciò che vuole il Signore. Questa convinzione, che solo una fede viva può formare, fa sì che le nostre viste personali, senza rinnegarle, nell'atto pratico cedono il posto a quelle del Superiore. Non è necessario accettare il punto di vista del Superiore per farlo proprio; basta persuadersi che in quel momento non vi è cosa per noi più giusta e più santa di quella comandata dal Superiore, perchè provvede al maggiore avanzamento nello spirito.

Concludendo: l'atto di fede di cui deve essere permeata l'obbedienza, fa sì che possiamo veramente dimostrare un'obbedienza cieca che non vede altro che Iddio, sorda che non attende che alla voce di Dio, muta che non spende parole sui comandi di Dio.

137   R. P. MICHAEL NICOLAU, S. I., Prof. Fac. Theol. Granatensis, *scripsit*:

1. Oboedientia: votum et virtus, eiusque gradus.

1. *Votum oboedientiae* est promissio facta *Deo,* ut omnia vota; sed adimplendi voluntatem *hominis,* qui sit proprius et legitimus superior et legitime praecipiat, secundum Constitutiones.

Hoc votum est *praecipuum* inter tria vota religiosa: quia per votum oboedientiae aliquid maius homo offert Deo, scilicet ipsam voluntatem, quae est potior quam corpus proprium, quod offert homo Deo per continentiam; et quam res exteriores, quas offert homo Deo per votum paupertatis... Est etiam praecipuum, quia votum oboedientiae continet sub se alia vota: sed non convertitur... (1). Hoc igitur voto subicitur voluntas propria, id quod homo plus aestimat, iugo alienae; adeo ut religiosus dicatur non habere *velle* aut *nolle.*

Quaenam obligatio ex voto oriatur. — Propter votum et *vi voti* religiosi religionis clericalis tenentur oboedire propriis superioribus *pollentibus potestate iurisdictionis,* tanquam Praelatis earum. Ergo etiam Romano Pontifici, pollenti suprema hac potestate (c. 499 §1).

Etiam *vi voti* tenentur oboedire propriis superioribus pollentibus *potestate dominativa.* Ergo Romano Pontifici (c. 499 §1) et superioribus religionis praecipientibus secundum Constitutiones.

Non ergo tenentur oboedire in his quae sunt *contra* regulam (nisi accedat licita dispensatio), aut *supra* regulam (actus heroici qui non continentur in fine Instituti), aut *infra* regulam (v. gr. res omnino vanae et inutiles).

Vi voti et propter potestatem dominativam, de qua infra, superiores religiosi etiam *actus* internos praecipere possunt, si in fine Instituti sic oboedientia intelligitur.

« Per votum oboedientiae (religiosus) assumit obligationem oboediendi praecepto legitimi superioris in iis quae pertinent directe ad viam Instituti, hoc est ad observantiam votorum et Constitutionum » (2).

Haec obligatio erit *gravis* aut *levis,* tum ex re praecepta tum ex fine intento tum ex circumstantiis. — Requiritur autem ad gravem obligationem, ut superior praecipiat « *in virtute sanctae oboedientiae* » seu « in nomine Domini nostri Iesu Christi », scilicet, *sub formali praecepto,* ea formula qua constet dari *strictum praeceptum* et obligatorium in conscientia.

(1) S. THOMAS, 2-2, q. 186, a. 8 corp.
(2) *Normae,* art. 132.

2. *Oboedientia, ut virtus,* est *pars iustitiae* quae inclinat voluntatem hominis ut sese subiciat voluntati *superioris,* scilicet, voluntati illius qui *praecipere* potest.

Praeceptum potest esse *strictum,* si adest in superiore voluntas obligandi subditum, sub culpa aut sub poena, ad aliquid faciendum aut omittendum.

Et potest esse *latum,* si mere significatur voluntas superioris ut aliquid fiat aut omittatur, v. gr. consilio, manifestatione beneplaciti, etc.

In utroque casu potest exerceri virtus oboedientiae, quia « voluntas superioris, quocumque modo innotescat, est quoddam tacitum praeceptum: et tanto videtur oboedientia promptior quanto praeceptum expressum oboediendo praevenit, voluntate superioris intellecta » (3). Sed in primo casu, praecepti stricti, adest oboedientia *obligatoria;* in altero, quo voluntas superioris manifestatur consilio, beneplacito..., adest *perfectio oboedientiae;* quia, etiamsi aliqui negent, videtur quod *perfectio virtutis* oboedientiae postulat ut voluntas superioris adimpleatur ex quo cognoscitur voluntas superioris et pro priori ad expressum praeceptum sub culpa.

In oboedientia autem obligatoria obligatio erit *gravis* aut *levis,* pro gravitate rei praeceptae, finis intenti et adiunctorum.

Obiectum materiale huius virtutis est actus praeceptus a superiore, vel consilio aut ostensione beneplaciti desideratus.

Obiectum formale seu motivum eiusdem virtutis non est Deus (secus esset virtus theologica), sed est illa honestas quae adest in subiectione voluntati superioris habentis *ius praecipiendi.*

Ergo *ut vera sit oboedientia,* non mere materialis, necesse est ut ratione formali huius virtutis quis procedat, scilicet, ex obiecto formali illius, propter honestatem quae est in subiectione voluntati superioris. Potest autem *imperari* a virtute superiori, ut est caritas.

Sed virtus oboedientiae, formaliter considerata, non est virtus theologica, sed moralis; pertinens ad iustitiam; et, post virtutem religionis, prima.

3. *Relationes inter votum et virtutem oboedientiae.* — Non identificantur adaequate ambitus voti oboedientiae et ambitus virtutis oboedientiae. *Virtus enim latius patet* quam votum: quia virtus *a)* extendit se non tantum ad meram exsecutionem, sed etiam ad internam dispositionem; et *b)* attendit non tantum ad praecepta stricta, sed etiam ad alias manifestationes voluntatis superioris.

Sed *votum firmat virtutem* et propositum oboediendi. Etenim votum (praeterquam quod est actus virtutis religionis, et honorificat Deum, ut cultus Dei) praebet proposito oboediendi *a)* maiorem firmitatem, ex virtute religionis; *b)* maiorem facilitatem et securitatem, ex gratia Dei quae merito tunc exspectatur; *c)* maiorem perpetuitatem. Sic uno momento per votum, tradit homo id quod est de se successivum, vitam suam, et offert holocaustum.

(3) S. Thomas, 2-2, q. 104, a. 2 corp.

4. *Gradus oboedientiae*. — 1) Est in primis duplex genus oboedientiae: alia enim est « *oboedientia sufficiens ad salutem* » — ut loquitur S. Thomas — quam religiosi « profitentur quantum ad regularem conversationem, secundum quam suis praelatis subduntur. Et ideo quantum ad illa sola oboedire tenentur quae possunt ad regularem conversationem pertinere »; et est alia oboedientia quae — iuxta eundem Doctorem — « *pertinebit ad cumulum perfectionis* », « si... etiam in aliis oboedire voluerint... dum tamen illa non sint contra Deum aut contra professionem regulae... » (4).

2) Oboedientia postulat quidem *primario et immediate* adimpletionem ipsam praecepti vel voluntatis superioris; sed *consequenter* postulat etiam illam dispositionem internam, quae reddat facilem et promptam externam adimpletionem rei praeceptae. Hinc diversi gradus oboedientiae distingui solent:

a) Oboedientia exsecutionis, qua exsequimur id quod praecipitur, plerumque rem externam. — Qualitates huius exsecutionis sunt in eo quod sit integra - prompta - fortis - sine excusatione aut murmuratione - humilis - hilaris, nisi res sit magnae difficultatis, - perseverans.

b) Oboedientia voluntatis, qua interne volumus id quod praecipitur. — Resignamus igitur cum abnegatione propriam voluntatem, conformando eam cum illa superioris - in spiritu amoris - sine perturbatione timoris - intendendo et amando Dei beneplacitum.

c) Oboedientia intellectus, qua interne iudicamus bonum esse pro nobis id quod praecipitur (est enim voluntas Dei pro nobis); atque etiam, in quantum voluntas inclinare potest intellectum, iudicamus bonum esse in se atque conveniens id quod superior praecipit (est enim in eo potior gratia status, quam vocant; atque pro superiore et intimiore rectum notitia quam habet, opportunius providere potest). — Sic perfecca oboedientia non cogitat rationes negativas quae possent retardare alacritatem voluntatis; sed potest rationes cogitare quae positive favent. Est igitur oboedientia *caeca* quantum ad illas rationes retardantes, accipiendo iudicium superioris pro regula proprii iudicii, omnia iusta esse sibi persuadendo (nisi in contrariis evidentibus). Sic pervenitur ad *oboedientiam caecam*, adeo laudatam a sanctis.

2. *Subiectum activum oboedientiae - auctoritas - potestas iurisdictionis et potestas dominativa.*

1. *Subiectum activum oboedientiae* est homo (mulier) pollens *auctoritate* sive iure aut potestate ad praecipiendum.

Haec potestas potest intelligi potestas *iurisdictionis* et potestas *dominativa*.

Potestas iurisdictionis ea intelligitur quae est in societate perfecta et ordinatur immediate ad bonum commune totius societatis. Hac potestate (quae inest in subiecto clericali) pollent superiores clericalis religionis exemptae relate ad suos subditos, tam pro foro interno quam pro foro externo (c. 501 §1); et

(4) 2-2, q. 104, a. 5 ad 3.

patet hanc potestatem ex communibus normis iuris adesse non posse si superiores sunt laici vel mulieres.

Potestas dominativa ea intelligitur quae ordinatur immediate ad bonum privatum particularis communitatis vel individui; et oritur ex libera traditione subditi ad religionem per votum oboedientiae. Hac potestate pollent superiores et capitula religionum, relate ad suos subditos, ad normam Constitutionum et iuris communis (c. 510 § 1); et hac potestate praesumuntur uti, etiamsi polleant potestate iurisdictionis, nisi cum iurisdictio necessario requiritur, v. gr. pro dispensatione in legibus ecclesiasticis, in ferendis censuris, etc.

2. Exercitium auctoritatis sive gubernatio. — Inter problemata recentius posita, quae spectant ad exercitium auctoritatis, quaeritur *qualis debeat esse gubernatio* ne praeiudicium aut nocumentum inferatur rectae atque optatae perfectioni subditorum quoad *personalitatem*, quam vocant.

Cui responderi potest hoc modo: Gubernatio superiorum talis esse debet quae *imitetur divinam gubernationem in hoc mundo*. Haec autem gubernatio est:

1) *Simul fortis (efficax) et generatim suavis* (non violenta): attingens scilicet a fine usque ad finem fortiter, suaviterque disponens omnia (Sap 8, 1).

2) Et cum Deus omnia sciat quae ad creaturas pertinent, omnia enim nuda et aperta sunt oculis eius (Heb 4,13), — et immediate infinita sua virtute omnia possit solus agere, agit tamen ut plurimum per causas secundas, utendo creaturis ut instrumentis sic et superiores, quo facilius rectas dispositiones ferre valeant, oportet ut *cognoscant omnia*, et si fieri posset usque ad minima quae ad subditos spectant; sed *non oportet ut ipsi omnia faciant* (etsi interdum possent), sed agant per alios superiores aut officiales subordinatos, aut subditis res committatur.

3) Et sicut Deus utitur creaturis ita ut causalitas creaturae non reducatur ad meram occasionem ut Deus agat (occasionalismus), sed ipsae creaturae veram ac propriam causalitatem evolvunt atque influunt: sic superiores relate ad alios superiores subordinatos et subditos, non debent occasione eorum praestare ipsi omnia per se, sed *facere ut subditi ipsi vere agant et influxum exerceant suum*.

4) Quin et decet, sicuti Deus libertatem hominis quasi reveretur in agendo, ut superiores, *quantum fieri potest, plene subditis fidant* in munere commisso: sic maiore cum pace atque fiducia et alacritate munus obibunt.

5) Est autem in lege divina qua gubernamur, si in Deo consideratur, *imperium*, in quo lex active considerata formaliter consistit. Sed imperii duplex est vis: alia est vis *motiva*, alia est vis *directiva*; illa pro voluntate, haec pro intellectu est. Sic et actio superioris relate ad subditos: debet quidem *ex una parte movere et impellere voluntatem, ex alia parte dirigere et illustrare intellectum subditi*, idque praesertim motivis et gubernatione spiritualibus, quibus et vita spiritualis subditi atque adeo vis apostolica maxime confoventur.

6) Superioris non est ad libitum suum imponere propriam voluntatem subditis, sed *quaerere divinam voluntatem pro subditis eamque praecipere;* non minus quam pro se ipso in dubiis illam quaereret. Sic et tendentiae naturales subditorum, nimirum qualitates a Deo inditae, et praesertim divinae inspirationes et motiones eaque omnia quae vocationem divinam prodere possint, prae oculis haberi debent in dispositionibus superiorum.

Hae conditiones si observentur, non erit periculum ut destruatur aut non evolvatur recta « personalitas » subditorum.

3. Subiectum passivum oboedientiae: oboedientia et personalitas.

1. *Oboedientia et personalitas.* — Patet subiectum passivum oboedientiae esse subditos; qui, utpote entia rationalia, habent suas facultates intellectus, voluntatis et sentimenti, atque etiam suam « personalitatem » seu notam excellentem. Neque enim subditos sine personalitate optant superiores.

« *Personalitatem* » intelligimus nunc *vim potentem* in facultatibus hominis sive intellectus sive voluntatis sive sentimenti, adeo *ut inde nota quaedam rectae originalitatis* atque vis oriatur. Non ergo nota absurdae aut ridiculae aut egoisticae originalitatis (personalismus...).

« Personalitas » latius patet quam « character », in quantum hac voce plerumque notae praecipue et constantes voluntatis tantum et tendentiarum designari solent, non vero simul et intellectus aut sentimenti, sicut voce « personalitatis » innuitur.

Quaeritur *utrum oboedientia seu inclinatio ad exsequendam voluntatem superioris destruat propriam personalitatem aut impediat eius evolutionem et perfectionem.*

Resp. 1) *theoretice* id fieri nequit: Etenim recta evolutio et perfectio personalitatis hominis ex eo habetur quod natura hominis evolvatur secundum leges suas internas et internas exigentias; *interna autem et radicalis lex in natura hominis est in eo quod subiciatur Deo creatori* eiusque divinam voluntatem adimpleat; *subicitur vero maxime per oboedientiam,* praestitam etiam homini propter Deum. Ergo et oboedientia, si fit non ex servitute mere humana, sed ex vero motivo huius virtutis, nequit impedire, quin et fovet, rectam evolutionem personalitatis (servire Deo regnare est).

2) Per oboedientiam tradit se quis Deo et committit divinae providentiae per superiores gubernandum. Atqui *Deus providens, cui gratissima est oboedientia,* si habet providentiam omnium creaturarum suarum etiam minimarum, multo magis *illam habebit de viro oboediente, qui se credidit Deo...* Ergo et diligenti Deum omnia cooperabuntur in bonum (Rom. 8, 28); et vir oboediens loquetur victorias (Prov. 21, 28). Atque per oboedientiam evolvent propriam personalitatem (« Non deerit fidelissima caritas Dei ad dirigendum vos per medium quod vobis dedit [superiorem] » S. Ignatius, in epist. de oboedientia).

3) Oboedientia, propter commoda et valores supernaturalia quae in ea constant, fovet et obtinet propriam abnegationem amoris inordinati atque etiam holocaustum Deo; in quo sane est meritum supernaturale et augmentum gratiae et donorum Spiritus Sancti. Atqui in his maxime habetur « personalitas » seu recta vis atque principium superius in intellectu, voluntate et corde.

4) *Practice,* si gubernatio fiat iuxta *illa quae supra exposuimus de exercitio auctoritatis,* oboedientia non destruet personalitatem subditorum, sed potius evolvet.

5) *Neque oboedientia caeca minuit de se visionem intellectualem* rerum aut negotiorum; nam cogitatio quae est ei propria « hoc esse mihi bonum et optimum, quia est Dei voluntas pro me, id quod praescribitur », haec cogitatio certissima est nec inducit ad ullum errorem, sed e contra firmat hominem in via a Deo ei stabilita. Pari modo, etiam inclinatio intellectus ad defendendum et aestimandum bonum id quod superiori videtur praescribendum, est inclinatio de se prudentissima, quia sunt efficaces rationes ad id faciendum; fovet vero spiritum circumspectionis et considerationis erga personas et erga res, nec sinit hominem duci levitate quadam in iudicando, quasi ipse esset iudex omnium quae fiunt aut fieri debent.

6) Adsunt praeterea *omnia commoda et valores oboedientiae,* quae infra

exponuntur. Quod si ex necessitatibus urgentibus diversis, aut ex negligentia sive ex imperitia superioris, huiusmodi commoda non semper videantur integra obtineri, sed e contrario manere facultates humanas subditorum in obscuro aut vitam terere in alienis, etc. ...: subditus haberet tunc occasionem maxime favorabilem offerendi Deo holocaustum et merendi... *sicque evolvendi internam personalitatem hominis interioris*, et agendi ad exemplum Christi, qui per annos 30 delituit « subditus illis », scilicet parentibus, et semetipsum exinanivit factus oboediens usque ad mortem, mortem autem crucis..., propter quod et Deus exaltavit illum... (Lc 2,51; Phil 2,7-9). — Sic et *assimilabitur sanctis*, in quibus personalitas profecto est maxime evoluta et splendet pulchra et nobilis; per quos et regnum Dei maxime dilatatur.

2. Commoda et valores oboedientiae.

— 1) Per oboedientiam habetur *acies bene ordinata,* quae potest esse terribilis inimicis et implere fines suos ac triumphos reportare. Et quoniam ordo postulat ut caput dirigat, membra vero subiciantur, sic habentur per oboedientiam « ingentes ordinis utilitates » (5).

2) Per oboedientiam membra alicuius corporis socialis participant influxum capitis, atque adeo *influxum gratiae Dei,* quae datur in primis capiti, ad convenientem directionem et perfectionem totius corporis, et ad labores totius societatis et per societatem exsolvendos.

3) Per oboedientiam datur *maior abnegatio nostrarum voluntatum,* cum sit mors voluntatis propriae inordinatae, et ideo *sacrificium Deo gratissimum* et illud maximum quod homo in hac vita Deo reddere potest. Atque in oboedientia est illud « numquam satis laudatum *humilitatis assiduum exercitium* » (7).

4) Per oboedientiam datur *perfectior imitatio Iesu Christi,* qui ab ingressu in mundum, in omnibus quaerebat divinum beneplacitum, ut cibum: oboediens usque ad mortem (Phil 2, 8); sed et per illius oboeditionem iusti constituentur multi (Rom 5, 19).

5) Per oboedientiam adimplet quis hominis sane voluntatem, sed quam Deus vult adimplendam; ideo mediate, at realiter adimplet quis voluntatem Dei, in quo (recta intentione supposita) est *caritas effectiva.*

6) Hinc nihil mirum si per maiorem influxum gratiae quae est in capite, scilicet in superiore, ac per augmentum caritatis in subdito, i. e. augmentum gratiae et donorum Spiri-

(5) *Formula Instituti S. I.,* n. 6.
(6) *Formula Instituti S. I.,* n. 6.
(7) *Formula Instituti S. I.,* n. 3.

tus Sancti, nihil mirum quod oboedientes sibi promittant « *certiorem Spiritus Sancti directionem* » (8).

7) **Ideo et oboedientia** *perficit libertatem hominis,* quia inclinat hominem ut utatur libero arbitrio iuxta beneplacitum divinum, in qua quidem re perfectio eius libertatis consistit; quare et similem eum facit comprehensori qui in patria non potest velle nisi voluntatem Dei.

3. Conclusio. — Ergo statuum perfectionis renovatio accommodata praesentibus temporibus non postulat relaxationem nervorum oboedientiae, ut inde evolvatur *personalitas* subditorum; sed e contra postulat illustrationem atque amorem horum vinculorum.

Sic efficietur et *in ordine sociali et apostolico* acies bene ordinata, terribilis inimicis, et *in ordine individuali* augebitur personalitas subditorum ex oboedientia supernaturali.

138   R. P. REGINALDUS OMEZ, O. P., Doctor Phil. et Lector Theol., *scripsit*:

1. Obéissance et personnalité.

Dieu a fait de l'homme une personne, intelligente et libre, pleinement maîtresse d'elle-même et ne dépendant que de Lui: l'homme doit garder intacte cette personnalité, et n'aliéner son indépendance qu'à l'égard de Dieu.

Mais chaque personne humaine n'est pas seule de son espèce: elle est entourée de nombreuses personnes semblables à elle, qui toutes cherchent à garder et accroître leur vitalité et leurs biens propres dans tous les domaines: de là naissent des occasions de conflits entre les personnes humaines.

De plus, l'homme ne peut vivre qu'en société. Or la société n'est pas seulement un groupement d'individus dont chacun cherche son bien propre: la société comme telle a aussi des besoins communs, des biens communs à sauvegarder, des lois générales qui peuvent être en opposition avec le bien individuel de tel ou tel de ses membres.

Pour que l'ordre tel qu'il a été conçu par Dieu soit respecté entre les personnes humaines et à l'intérieur de la société humaine, il est indispensable qu'il y ait des personnes qui soient chargées de découvrir, de déterminer, d'indiquer

(8) *Formula Instituti S. I.,* n. 3.

et au besoin d'imposer cet ordre. Les supérieurs qui ont cette mission tiennent donc leur autorité non d'eu-mêmes, mais de Dieu qui a voulu la société humaine avec ses supérieurs résultant de la nature même de cette société. Dans la mesure où ils sont vraiment au service du bien commun et délégués de Dieu et de l'Eglise, les supérieurs ont donc autorité sur les autres personnes: celles-ci leur doivent obéissance non comme à des personnes humaines plus ou moins douées, mais en tant que supérieurs agissant au nom de Dieu pour faire accomplir les vouloirs de Dieu.

Telle est la conception chrétienne de l'obéissance: avec sa grandeur qui respecte parfaitement la personnalité humaine: c'est à Dieu seul que le religieux se soumet quand il obéit au supérieur légitime.

Par le voeu d'obéissance, la personne religieuse s'engage à se soumettre, non seulement aux autorités naturelles et surnaturelles légitimes, mais en outre à une Régle de vie particulière et aux Supérieurs chargés d'interpréter et de faire appliquer cette Règle de vie.

Cette obéissance religieuse demeure respectueuse des droits de la personne humaine:

1) Parce qu'elle est la conséquence d'un contrat accepté en pleine connaissance et liberté.

2) Parce que l'objet du voeu et l'étendue de l'obéissance sont très nettement limités par les Lois de Dieu et de l'Eglise, le Droit Canon et les Constitutions, mettant ainsi la personne à l'abri de tout abus.

3) Parce qu'aucune violence ne peut s'exercer pour forcer la volonté libre du religieux à accomplir sa promesse: son obéissance demeure libre et personnelle.

Cette obéissance inspirée par le caractère divin de l'autorité laisse intacte la personnalité humaine. Le religieux ne connaît pas d'autre maître que Dieu: quand il s'incline devant un supérieur il peut toujours dire, comme Jésus à Pilate: « Tu n'aurais sur moi aucun pouvoir s'il ne t'avait été donné d'En-haut » (S. Jean, 19, 11).

Nul n'est plus libre que le religieux, qui ne se courbe que devant Dieu ou ceux qui lui parlent authentiquement en son nom.

2. Limites de l'obéissance.

L'obéissance n'a d'autres limites que celles de l'autorité à l'égard de laquelle elle s'exerce. Toute autorité n'étant qu'une délégation de Dieu ne peut être absolue. Même légitime, elle demeure limitée au domaine qui lui est confié. Tout supérieur est obligé de respecter les droits de Dieu et des autres autorités légitimes. L'obéissance religieuse devra tenir compte de ces limites.

Un religieux ne pourrait donc accomplir un ordre qui serait manifestement contraire à la loi naturelle, ou à la charité, ou aux préceptes des supérieurs majeurs.

3. Déviations de l'obéissance qui lèsent la personnalité humaine.

C'est le cas de l'obéissance indiscrète ou servilité.

Elle consiste à considérer le supérieur d'une manière humaine, et à se soumettre en tout à sa volonté, même en des choses illicites ou qui n'entrent pas dans son domaine:

— Soit à cause d'une sorte de suggestion exercée par le supérieur, qui étouffe la personnalité du sujet (surtout féminin), paralysant son jugement et sa volonté, et produisant une sorte d'envoûtement psychique.

— Soit par intérêt ou ambition ou par flatterie, afin d'obtenir du supérieur certains avantages.

— Soit par affection trop naturelle.

COMMUNICATIO 3: *Usus rationalis et practicus in statibus perfectionis mediorum quae hodiernus progressus suppeditat sive ad laboris facilitatem ac perfectionem sive ad vitae commoditatem.*

139   *Orator* - Rev.mus P. HERIBERTUS KRAMER
C. PP. S. Superior Generalis.

1. Introductio.

Quaestio tractanda valde est opportuna; et ad conservandam vitam religiosam in sua puritate essentiali, solutio hodiernis condicionibus accommodata magnopere desideratur. Olim magni momenti erat disputare num habere duo indumenta, vel parvam summam pecuniae retinere contra paupertatem offendat. Hodie vero, ne beneficia progressu moderno a Divina Providentia elargita, hostibus tantum Ecclesiae Christi prosint, maximi momenti est decernere num et qua ratione ad opera Dei promovenda etiam religiosi his elementis, e. g. « radio », « aeroplane », « automobile », « refrigerator », « typewriter », « movies », « inner-spring mattresses », etc. uti possint sine damno paupertatis religiosae. Principia generalia, quae semper immutata manent, praesto sunt. Oportet vero illa provide scrutari ,indeque regulas aliquas practicas hodiernis condicionibus accommodatas educere, quae viam tutam sternant solvendi casus particulares orituros.

Paupertas, uti bonorum temporalium renuntiatio intellecta, aliter ac oboedientia vel castitas, non est in se, sed tantum relative bonum. (1) Res enim materiales quibus renuntiatur etiam bona sunt; et omnibus quidem minima saltem quantitate necessaria ad vitam sustinendam, etiam ad vitam summae virtutis. Impossibile est ergo eis omnino et totaliter renuntiare. Earum usus secundum rationem non tantum licitus, sed etiam bonus et necessarius est. « Divitias et paupertatem ne dederis mihi, sed tantum victui meo tribue necessaria ». (2) Rerum

---

(1) *Contra Gentiles*, III, 133.
(2) *Breviarium Romanum*, 2 Dom. Augusti; cf. etiam Proverb. 30:8.

materialium usus moderatus, quamquam licitus, aliquando repugnat perfectioni status religionis. Paupertas ergo religiosa ut finem non habet res materiales in se absolute oppugnare vel prohibere, sed earum usum ita moderari ut secundum circumstantias virtutes optime foveantur et floreant. *Qua mensura* et *qua ratione* res materiales perfectioni religiosae sint consonae est quaestio resolvenda.

Magister noster, Iesus Christus res materiales non prorsus improbavit; neque magnas quidem divitias. Verbo et exemplo vero clare et valide divitiarum pericula denuntiavit. Spinae enim sunt quae suffocant verbum et sine fructu efficitur (3). Postquam divitem adulescentem invitavit ut paupertatem voluntariam amplecteretur, discipulos suos admonuit quam difficile dives regnum caelorum ingrederetur: « Amen dico vobis, quia dives difficile intrabit in regnum caelorum. ...Facilius est camelum per foramen acus transire, quam divitem intrare in regnum caelorum » (4). Et ex Actibus Apostolorum erui potest quomodo primi Christiani haec consilia intellexerint et in praxim reduxerint: « Omnes etiam, qui credebant, erant pariter et habebant omnia communia. Possessiones et substantias vendebant et dividebant illa omnibus, prout cuique opus erat » (5).

2. Principia generalia paupertatis religiosae.

Principia generalia paupertatis religiosae a Sancto Thoma Aquinate clare delineantur.

a) *Affectus impediendus; bona moderanda.* Status religionis est quoddam exercitium et disciplina, per quam pervenitur ad perfectionem caritatis. Ad quod quidem necessarium est quod aliquis affectum suum totaliter abstrahat a rebus mundanis. Ex hoc autem quod aliquis res mundanas possidet, allicitur animus eius ad earum amorem. Et inde est quod ad perfectionem caritatis acquirendam primum fundamentum est voluntaria paupertas, ut aliquis absque proprio vivat. (6)

Paupertas vero « est perfectionis instrumentum, inquantum per remotionem divitiarum tolluntur quaedam caritatis impedimenta; quae sunt praecipue tria: sollicitudo superflua et nociva; divitiarum amor; inanis gloria vel elatio » (7). « Non enim paupertas secundum se bona est: sed inquantum liberat ab illis quibus homo impeditur quominus spiritualibus intendat. Unde secundum modum quo homo per eam liberatur ab impedimentis, est mensura bonitatis ipsius » (8).

b) *Bona propria, non communia perfectioni religionis repugnat.* Distinguendum vero est inter bona propria et communia. Quia sollicitudo, quae circa proprias divitias adhibetur, pertinet ad amorem privatum, quo quis se temporaliter amat; et quia religio ad perfectionem caritatis ordinatur; habere a-

(3) *Matt.* 13:22.
(4) *Matt.* 19:24.
(5) *Acta Ap.* 2:44.
(6) *Summa Theologica*, II-II, 186, 3.
(7) *Summa Theologica*, II-II, 188, 7.
(8) *Contra Gentiles*, III, 133.

liquid proprium perfectioni repugnat religionis. Sollicitudo vero quae adhibetur circa res communes pertinet ad amorem caritatis. Ergo, habere de rebus exterioribus in communi quantum sufficit ad simplicem victum, perfectionem religionis non impedit, pertinere enim potest ad caritatem (9).

c) *Gradus paupertatis ad perfectionem religionis necessarius.* In decernendo gradu paupertatis unicuique religioni proprio, considerandus est finis specialis illius religionis.

« Quia instrumentum non propter se quaeritur, sed propter finem, non tanto aliquid fit melius quanto maius est instrumentum, sed quanto magis fini proportionatum » (10). « Tanto erit unaquaeque religio secundum paupertatem perfectior, quanto habet paupertatem magis proportionatam suo fini... Sic ergo patet quod religio quae ordinatur ad actiones corporales activae vitae, puta ad militandum vel ad hospitalitatem sectandam, imperfecta esset, si communibus careret divitiis; religiones autem quae ad contemplativam vitam ordinantur, tanto perfectiores sunt, quanto earum paupertas minorem ei sollicitudinem temporalium ingerit » (11). In iudicando ergo de conformitate alicuius rei cum perfectione religionis, per se non est recurrendum ad pretium vel naturam rei, sed magis ad utilitatem eiusdem ad finem Instituti prosequendum.

3. Normae practicae.

Quibus perspectis, progredi possumus ad normas practicas formandas de elementis quae hodiernus progressus suppeditat sive ad laboris facilitatem ac perfectionem, sive ad vitae commoditates.

1. In iudicando convenientiam alicuius boni materialis cum perfectione alicuius religionis spectanda est utilitas huius boni ad finem integrum Instituti promovendum. Religiones quae in vita activa participant finem duplicem semper habent: sanctificationem personalem sodalium, et opera apostolatus. Quorum primo maxime interest tollere omnem affectum rerum materialium, et hunc in finem bona materialia ad minima restringere. Alteri vero interest bona quaecumque utilia adaptare ad laborandum efficacius in Ecclesia Dei.

Qui duos fines cum quodammodo sibi invicem opponantur, eosdem componere seu coordinare necesse est, et viam quandam mediam exquirere, qua uterque concorditer attingi possit. Res materiales, quae ad apostolatum necessariae sunt, prioritate iuris potiuntur tamquam media ad finem; ex his enim non necessario provenit sollicitudo vel immodicus amor, sed eius periculum tantum, quod, spectata fragilitate humana, grave quidem est, sed aptis adhibitis mediis plerumque contineri potest.

Necessitas relativa apostolatus et propriae sanctificationis, non libra rigida et mathematica perpenduntur, sed magis morali vel secundum iudicium hominum prudentium.

Secundum naturam operis suscepti, ergo, media diversa adhibentur. Religio

(9) *Summa Theologica*, II-II, 188, 7.
(10) *Summa Theologica*, II-II, 188, 7 ad 1.
(11) *Summa Theologica*, II-II, 188, 7.

quae collegium vel hospitale dirigit, plures et diversas res adhibet quam alia quae pauperes curat vel missiones apud infideles habet.

2. Ad aptam proportionem mediorum ad finem conservandam necesse est diversos gradus necessitatis et periculi aestimare.

Relative ad apostolatum diversa media esse possunt simpliciter necessaria, relative necessaria vel utilia, aut prorsus inutilia.

Quod re vera simpliciter est necessarium, omnino retinendum est. Illud reprobare virtutis non esset, sed peccati. (12)

Altera ex parte quod prorsus inutile est, vel nihil omnino fini religionis contribuit, statui religionis adversatur, quia solummodo sollicitudini vel divitiarum amori inservit.

Maioris momenti et amplioris tractationis indigentia sunt illa media quae utilia vel relative necessaria dicuntur. Subsidium quod operibus ecclesiae conferunt accurate comparandum est cum periculo sollicitudinis secuturo. Res novae, uti « telephone », « telegraph », «typewriter », e. g. multum conferunt ad facilitandum et ampliandum laborem ministerii, et sine periculo proximo sollicitudinis vel amoris nocivi, ideoque facile in religione admittuntur. Altera ex parte, « innerspring mattresses » vel « air-conditioning » tantum remote vel parvum ad ministerium contribuunt, et propter delectationem personalem quam secum ferunt valde periculosa sunt pro vita religiosa, et ideo in genere reicienda sunt. Quasi in via media collocare possumus res uti « automobile », « refrigerator », quarum contributio et periculum quasi sibi invicem aequivalent, et iudicium ergo magis secundum circumstantias particulares vel locales reddendum est.

Notatu dignum est quod non oportet « vitae commoditates » plane uti bona superflua abrenuntiare, possunt enim aliquod servitium utile praestare. Illis adhibitis labori longius aut diligentius incumbere quis potest, vel ad iterum laborandum vires citius restaurare. Cum vero remote tantum apostolatui contribuant et periculum ne propter se vel amore immodico appetantur sit proximum, non facile permittuntur, et semper aptis adhibitis cautelis.

Luxus vero omnino est excludendus. In praxi haec norma reducitur ad illam de apta proportione medii ad finem. Res enim luxuriosae vel excessivae fiunt inquantum medium excedunt necessarium vel utile ad opera religionis. Etiam magnae divitiae ergo in se non excluduntur, quamdiu proportio mediorum ad finem conservatur. Si haec proportio deest, finis religioni extraneus inservitur. Praeterea, animadvertendum est quod magnae divitiae saepe admirationem populi excitant, quo alio modo religioni damnum inferre possunt.

Si media diversa adsunt, comparatis inter se respectivis beneficiis et periculis, illud praeferendum est cuius beneficia magis superant pericula. In domo religiosa calefacienda, e. g. apparatus centralis individuali est praeferendus, quia beneficia aequalia praestat cum periculo minore, quia minus dependet a voluntate propria. Similiter, quando pro itinere inter media publica et privata datur electio, ceteris paribus, publica sunt praeferenda. Si vero privata magnum commodum conferunt, casus mutatur.

(12) *Contra Gentiles,* III, 133: « Inquantum vero paupertas aufert bonum quod ex divitiis provenit, scilicet subventionem aliorum et sustentationem propriam, simpliciter malum est: nisi inquantum subventio qua in temporalibus proximis subvenitur, per maius bonum potest recompensari, scilicet per hoc quod homo, divitiis carens, liberius potest divinis et spiritualibus vacare. Bonum autem sustentationis propriae adeo necessarium est quod nullo alio bono recompensari potest: nullius enim boni obtentu debet homo sibi sustentationem vitae subtrahere ».

433

3. Secundum circumstantias, idem bonum diverso modo admittitur.

a) Condiciones oeconomicae diversae facile efficiunt ut utilitas alicuius boni secundum locum valde diversa fiat.

Ubi tota oeconomia ad usum « automobile » ordinatur, difficile esset laborem sine eodem expedite perficere, quia generatim media publica faciendi itinera desunt. In regionibus axis terrestris, semper nive et glacie coopertis, missionarius solummodo « aeroplane » proprio multis fidelibus ministrare potest. Similiter, si quis alicubi cibum non de die in diem comparare potest, et ideo longius in domo conservare debet, usus « refrigerator » ibi necessarius evadit.

b) Usus vel mores populi etiam considerandi sunt. Quod commune est vel ordinarium facilius admittitur quam extraordinarium vel solis divitibus aptum reputatum.

E. g. religiosae iter facientes haud « sleeping cars » uti possunt ubi haec praxis admirationem vel offensionem contra vitam religiosam commovet; secus ubi praxis est communis et in moribus iam recepta, hae vitae commoditates facilius admittuntur.

c) Norma vel modus vivendi « standard of living » in religione aequalitatem aliquam vel similitudinem cum modo vivendi populi generatim illius loci retinere debet. Ad novos sodales lucrandos modus vivendi in religione, eorum voluntati et exspectationi aliquo modo conformari debet, quod haud evenit si valde diversus est a modo vivendi communi in loco. Qua de causa cibi meliores, domus commodiores, necnon feriae, etiam pro religiosis mulieribus, media necessaria fieri possunt ut religio in exsistentia perduret.

4. Sollicitudo vel amor divitiarum perfectioni religiosae plane contrarius est, et remedia apta ad hoc vitium prorsus tollendum, necnon ad eius periculum diminuendum adhibere oportet. Sicut enim concupiscentia carnis exercitio validior fit et domitu difficilis evadit, ita etiam concupiscentia oculorum impellit ad amandas et retinendas eas res quibus quis occupatur (13). Quamquam periculum in se non necessario ducit ad rem vel sollicitudinem divitiarum, perspecta tamen fragilitate humana, necesse est omne periculum ad minimum coercere; et si tale est quod plerumque sollicitudinem excitare soleat, illud de medio penitus tollere.

a) Res quae commodo personali servire possint, sicut « radio », « automobile », domus commodiores, maius periculum amoris vel adhaesionis praestant quam illae quae potius instrumenta laborandi sunt, sicut, « typewriter », « bicycle ». In genere res quae ab uno solo secundum liberam voluntatem adhibetur periculum maius secum fert quam alia quae aliis etiam inservit, quia in hoc casu usus aliquo modo ab aliorum voluntatibus moderatur — quod ad caritatem quae est finis religionis referri potest.

(13) *Summa Theologica*, II-II, 186, 3: « Ex hoc autem quod aliquis res mundanas possidet, allicitur animus eius ad eius amorem ».

434

b) **Ad periculum efficacius pellendum, diversa media utilia comparanda sunt,** et ceteris paribus, minus periculosum est praeferendum. Si quis officium suum aequo cursu cum « automobile » vel « bicycle » implere potest, hoc magis quam illud favet paupertati religiosae.

c) **Cum periculum sollicitudinis minus efficax evadat** contra religiosos virtutibus bene ornatos, etiam secundum dotes personarum res materiales aliis permittuntur aliis vero non. Superiores ergo subiectis bene formatis curam bonorum comittere possunt quae debilioribus e contra non licet.

d) **Praesidium fortissimum contra periculum est submissio plena et perfecta** superiori per oboedientiam. Qui iudicio proprio ducitur, etiamsi proposito et conatu integerrimo pergitur, in rebus concupiscentiae tam arcte ligatis, facile in amorem vel sollicitudinem, etiam inscius et invitus irretitur. Altera ex parte, qui oboedientia expertus est, directe in rebus oboedientia determinatis custoditur; et in propria voluntate regenda bene exercitus, securius progreditur in rebus suo iudicio decernendis.

Hodie, propter nostrum cultum complicatum et mutantem, semper augescunt quantitas et varietas rerum materialium a religiosis tractandae. Quaestiones novae, ab auctoritate nondum resolutae, saepe a religiosis ipsis decernendae relinquuntur, si officia sua expedite et fructuose explere volunt. Qui de scientia physica lectiones in collegio praelegit, instrumentum « radio » (short-wave) habere debet eoque uti secundum necessitatem ipsi soli bene cognitam. Quanto tenetur omnia primum superiori decernenda proponere, tanto sua diligentia et efficientia diminuuntur. Neque difficile est existimare quod usu libero et frequente « radio » faciliter aliquis ad usum inordinatum ducatur. Superiores religiosi non sine dolore agnoscunt molestias et damnum vitae religiosae rebus sicut « automobile » vel « radio » inflicta, necnon difficultatem normas opportunas et aptas formulandi quae beneficia retinere sinunt sine damno gravi paupertatis.

5. Neque decet considerationes supernaturales omnino praeterire. Incrementum virtutis enim primo et praecipue gratia divina efficitur, quod aequo iure de virtute paupertatis est affirmandum. Quamquam gratia supernaturalis a Deo gratis omnino conceditur, eam mensura efficaci ad sollicitudinem vel amorem nocivum impediendum confidenter exspectare licet, si usus rerum materialium secundum normas rationis sollicite ordinatur.

4. Conclusio.

Ad conclusionem denique pervenitur quod bona materialia progressu hodierno suppeditata non in se vel a priori reiicienda sunt uti perfectioni religiosae contraria. Res materiales, etiamsi non sine periculo, in se bonae sunt; et multum quidem contribuere possunt bono Ecclesiae et religionis; quod conservare oportet. Abusus tollere et usus perite regulare ut paupertas religiosa in sua puritate bene conservetur facile non evadit. Securius et expeditius esset eas prorsus tollere. Hac via vero bonum magis quam malum aboletur, et opera apostolatus damnum immensum sustinere debet. Maximi momenti est ergo viam difficiliorem et periculosiorem explorare et construere, atque modum invenire res materiales mensura maxima cum paupertate religiosa consentanea adhibendi. Magis animadvertendum est *quo modo,* quam *quid* possidetur.

435

« Qui emunt sint tamquam non possidentes; et qui utuntur hoc mundo tamquam non utantur » (14).

« Beati pauperes spiritu, quoniam ipsorum est regnum caelorum » (15).

Alii periti viri, ex munere a Sacra Congregatione de Religiosis commisso, circa idem argumentum scripserunt.

140   R. P. ALOYSIUS AB IMMACULATA, O. C. D., *scripsit*:

Gesù, non solo causa efficiente ma anche esemplare della nostra santificazione, resterà sempre il modello supremo da imitarsi da chiunque voglia tendere risolutamente alla perfezione. Perciò stesso alla base della vita religiosa, presa in senso stretto come stato di perfezione, staranno sempre i voti o le promesse di obbedienza, castità e povertà quali capisaldi pratici di quella vita di amore e di mortificazione che, modellandosi su Gesù, forma l'essenza della perfezione cristiana.

Tutto ciò, quindi, che di per sè seriamente ostacolasse o mettesse in pericolo l'esercizio dei voti o delle promesse di religione sarà senz'altro da evitarsi; ciò, viceversa, che non già di per sè ma solo casomai per accidens costituisse un pericolo all'integrità della vita religiosa intesa come sopra si è detto, non sarà da scartarsi a priori, ma piuttosto da riguardarsi e da usarsi con vagliata circospezione.

Sta il fatto che molti elementi offerti dall'odierno progresso tendono sia a rendere la vita molto più comoda e piacevole, sia a facilitare e perfezionare il lavoro; quindi sembrerebbe che una gran parte almeno dei mezzi moderni urtasse contro quello spirito di spogliamento, di rinuncia, di sacrificio, di abnegazione proprio di un'anima consacrata a Dio in uno stato di perfezione, o per lo meno il loro uso costituisse un più o meno serio pericolo al conseguimento di ciò.

Di qui tre parti:

1) Dei mezzi moderni ordinati al comodo personale.

2) Dei mezzi moderni atti a rendere il lavoro più facile e più perfetto.

3) Conclusioni circa l'uso ragionevole e pratico dei mezzi moderni (particolarmente nel settore archivi, amministrazioni ecc...).

(14) *I Cor.* 7:30-31.
(15) *Matt.* 5:3.

1. Dei mezzi moderni ordinati al comodo personale.

Gesù stesso ha tracciato con una parola inequivocabile il programma di vita per coloro che vogliono seguirlo. Mettersi al seguito di Gesù, farsi suoi apostoli, tendere alla perfezione vuol dire — così nel Vangelo — lasciar tutto, disprezzare ogni bene terreno, rinnegare anche se stessi, in una parola sola, calcare di fatto le orme sanguinose di Gesù, disposti come Lui, a tutto soffrire.

« Si vis perfectus esse vade, vende quae habes... et veni sequere me... » (Mt 19, 21 sqq.) — « Si quis vult post me venire, abneget semetipsum, et tollat crucem suam et sequatur me (Mt 16, 24). — « Relictis retibus secuti sunt eum » (Mt 4, 20).

Chiaro quindi che gli agi, i comodi, le proprietà, i lussi non sono per coloro che vogliono seguire Gesù in uno stato di perfezione.

E la Tradizione — a rifarsi da S. Pietro che a nome dei suoi compagni protestava il « reliquimus omnia » (Mt 9, 27) — è stata sempre concorde nell'affermare che non nei piaceri del mondo, nei comodi e nelle ricchezze si trova, si ama, si imita, si segue Gesù, ma solo in una vita veramente povera e mortificata.

Se gli antichi anacoreti fossero rimasti a casa loro, è certo che nè la Chiesa li avrebbe riconosciuti maestri di santità, nè essi col loro esempio avrebbero tanto scosso e stupito i contemporanei. Se Francesco di Assisi non fosse divenuto *realmente* il poverello di Cristo e non avesse affrontato per Suo amore tante umiliazioni, nè avrebbe rinnovato il suo secolo, nè si sarebbe probabilmente meritato la quasi identificazione col Divino Stigmatizzato. Se S. Giovanni della Croce non avesse scelto la via del nulla, non avrebbe potuto certamente istruirci nelle vie che portano al conseguimento del Tutto.

Il prevaricare di Lutero si concluderà in apostasia, mentre la severa riforma degli Ordini già mitigati e le rigide discipline di alcuni Istituti fioriti nella contro riforma daranno alla Chiesa, in mirabile opposizione al disfacimento morale protestantico, una pleiade di Santi.

Non nelle vie comode, larghe e facili si sviluppa e cresce la santità, ma in quelle anguste. Il Paradiso è dei violenti.

E la ragione conferma quanto scrittura, tradizione e storia insegnano.

Vita religiosa è totale e perfetta imitazione della vita di Gesù, non di un qualche aspetto della sua vita o di una parte soltanto.

Gesù fu operaio. Non basta però far l'operaio per tutta la vita, e soltanto l'operaio per essere « un altro Gesù ». Così Gesù fu maestro. Ma l'apostolato solo non è sufficiente a farci prosecutori dell'opera di Cristo. Perchè Gesù, più che operaio e più che maestro, fu sacerdote e vittima. Anzi se il mondo fu redento fu per la sua azione sacrificale. Perciò il religioso non potrà in coscienza pronunziare il « secuti sumus te » se prima di tutto non vivrà uno stato di vera consacrazione a Dio e insieme e quindi di vera vittima.

Ora come conciliare le esigenze di un simile stato di vittima con l'uso di elementi che tendano unicamente o quasi al comodo personale, senza perciò stesso produrre una incrinatura nello stato di perfezione cui il religioso si è votato?

Perciò ci sembra di poter sicuramente concludere di non dover immettere nella vita del religioso elementi che tendano « per se » solo o prevalentemente al comodo o al piacere. Dico « per se », perchè può benissimo darsi che « per accidens » uno strumento ordinato soprattutto a facilitare il lavoro, porti con sè anche un qualche comodo. Ma ciò è cosa ben diversa.

Può far paura e sembrare esagerato il programma tracciato dalla mano di una delicata giovanetta chiamata da Dio alla vita religiosa: « Stare in ogni tempo ed occasione in qualche atto di patire o di pena corporale... non soddisfare mai o nel modo o nella sostanza alcun benchè minimo ed innocente... appetito e desiderio... e trovar maniera di rendere penose e moleste al corpo le pure ed inevitabili necessità » (1). Un tale programma è in verità molto rigido, ma, praticato, portò chi lo scrisse agli onori dell'altare appena ventitreenne. Non così, forse, se Teresa Margherita avesse cercato una via di maggior larghezza usando — magari non per passar da retrograda o da rinunciataria — tutte quelle comodità, sia pur lecite, che anche la vita del suo tempo poteva offrirle.

2. Dell'uso dei mezzi odierni negli stati di perfezione intesi come aiuti a facilitare il lavoro.

Gesù, dopo aver imposto ai suoi di lasciar barche e reti per seguirlo, permette loro, e anche in suo personale vantaggio, di riprendere reti e barche, usandone come necessità esigeva (Giov 21, 5). Anzi si potrà osservare che anche per sola convenienza Gesù accetta di cavalcare, così ad es. quando si tratta di entrare solennemente in Gerusalemme (Mr 11).

E la S. M. Chiesa, fedele interprete degli insegnamenti di Gesù, non ha mai effettivamente dissentito nemmeno in questo. S. Paolo non pone tempo in mezzo nel lasciar tutto per la sua nuova missione, ma non disdegna per le necessità del suo apostolato di usare quei mezzi — navi, carri, cavalcature — che i suoi tempi offrivano ad agevolare i viaggi.

Alla vita eremitica è giocoforza succeda la cenobitica, ove il religioso, pur nulla possedendo, trovi quei mezzi che gli sono necessari per studiare e difendere la fede e anche per offrire a Dio un culto più solenne e più degno. E quando qualche voce si leverà esagerando sullo stato di povertà del « mendicante volontario », non mancherà chi con virtù, scienza e autorità (ricorda S. Bonaventura) difenderà egregiamente l'uso — non certo la proprietà — anche per il religioso, dei libri e di quanto può essere strumento di bene.

Nè ci consta che la Chiesa abbia mai interdetto ai religiosi l'uso di quanto poteva favorire un più fecondo apostolato; al contrario essa ha sempre approvato anche in seno alle famiglie religiose la creazione di centri di studio, di attività cattoliche, di informazioni ecc..., anche modernamente attrezzati ove gli scopi di bene fossero raggiunti nel modo più facile e conveniente.

(1) La spiritualità di S. Teresa Margherita Redi, del P. Gabriele di S. M. M., O.C.D., pag. 131.

Del resto la ragione stessa ci dice che l'uso di nuovi elementi nell'apostolato o anche nella comune vita religiosa non dice nè può dire di per sè immortificazione, imperfezione, rilassamento. *Bisogna vedere la natura di questo elemento, il fine per cui si usa, e magari anche il modo di usarlo e l'ambiente nel quale si usa.*

Una macchina da scrivere, come un'auto, come se si vuole qualunque altra cosa, in certe determinate circostanze possono anche costituire un lusso da non introdursi, ma in tante altre possono diventare una vera necessità, e l'usarne può anche costituire una croce ben più pesante che non il contrario.

Credo poter affermar con certezza che è più riposante scrivere un'ora a mano che un'ora a macchina, perchè la rapidità dello strumento richiede un maggior assorbimento di energia. E così può esser più comodo, almeno sotto un certo aspetto, passeggiare un'ora a piedi che condurre per un'ora di seguito un'auto, stante l'attenzione che ciò richiede.

Normalmente l'introduzione delle macchine nell'industria non ha tanto contribuito al comodo personale dell'operaio quanto ad una maggiore produzione con una minima spesa. Tant'è vero che l'artigianato e anche l'agricoltura sono rimasti i lavori fisicamente più sani e meno opprimenti allo spirito di quelli del campo strettamente meccanico.

Riteniamo perciò che molti elementi offerti dal progresso odierno per la stessa organizzazione e svolgimento della vita familiare e civile non siano tanto ordinati al comodo di chi li usa, quanto a rendere effettivamente possibile e migliore con lo stesso tempo e con lo stesso impiego di mezzi un lavoro molto più vasto.

Interdire al religioso l'uso di mezzi prefezionati dalla tecnica moderna non porterebbe perciò — almeno in molti casi — tanto ad un suo maggior esercizio di mortificazione e di povertà, quanto a rendere effettivamente difficile e talora impossibile molto suo lavoro a scapito, forse unico, del bene.

Sono ben convinto che, presi a sè, siano più comodi il telefono del colloquio auricolare, il treno dell'antica diligenza. Tutto questo però se anch'oggi io avessi da sbrigare solo quel lavoro che poteva farsi ieri a viva voce o con una carrozza a cavalli. Se invece, arrivato a sera, io constato che il telefono, e non con poco affaticamento, mi ha permesso di trattare non dieci questioni bensì cento, ed in capo ad una settimana non ho, percorso solo duecento chilometri, ma due o tre mila, mi rendo presto conto che l'utile non è effettivamente più tanto del soggetto che ha usato di tali mezzi, quanto del lavoro, e in questo caso dell'apostolato.

Anzi a riprova sta il fatto — e tutti ne saranno convinti — che per l'individuo la giornata più tranquilla sarà proprio quella in cui non sia possibile usar del telefono o non vi sia da mettersi in viaggio. Così asseriamo che (a riferimento della questione particolare cui è fatto cenno nello schema propostoci) anche per il religioso non è più comodo nè offre adito maggiore all'ozio l'essere addetto ad es. ad un archivio, o ad una biblioteca, o ad un ufficio amministrativo siano pur attrezzati con tutti i sistemi moderni di schedari, macchine calcolatrici ecc... che si voglia, di quello che non possa accadere standosene in una cella o in un ambiente tranquillo sia pur senza comodo alcuno.

L'umanità nostra è purtroppo così fatta che alla scarsità dei mezzi è più facile risponda uno scarso rendimento e un senso di scoraggiamento che non un esercizio di virtù eroica.

Sia perciò il religioso veramente amante della povertà e della mortificazione, e si lasci in tutto guidare umilmente e docilmente dall'obbedienza, senza mai cercare il proprio comodo o tornaconto: a queste condizioni credo che l'uso della più gran parte dei mezzi moderni ordinati a facilitare il lavoro sia più da raccomandarsi che da evitarsi.

3. Conclusioni pratiche circa l'uso ragionevole dei mezzi moderni.

La Chiesa — e quindi la vita religiosa che sta al centro della Chiesa e della cui perenne vitalità è l'espressione più tangibile — ha due grandi compiti: condurre a santificazione i propri membri; condurre per i propri membri il messaggio di salvezza a tutte le genti.

A raggiungere il primo scopo la Chiesa esorterà il religioso a non allontanarsi per nessun pretesto dall'imitare N. S. G. C. soprattutto nella pratica dei consigli evangelici; e perciò vigilerà affinchè nessuna novità venga ad intaccare o a mettere in pericolo il suo spirito di obbedienza, la santità dei suoi costumi, il distacco da ogni e qualsiasi bene temporale, ma resti il religioso ligio ad una vita di vera rinuncia, di costante mortificazione e di totale abnegazione di sè. Perciò stesso sarà da interdirsi qualunque cosa o sistema di vita che tenda a collocare il religioso in un ambiente non consono al suo grave obbligo di tendere alla perfezione.

All'attuazione del secondo fine: condurre la buona novella a tutte le genti, è certo che la Chiesa e anche i suoi figli religiosi possono e devono valersi di ogni mezzo lecito ed opportuno.

Se, ad es., la buona memoria di un parroco e un semplice libro «stato d'anime» erano più che sufficienti, quando le parrocchie erano di pochi fedeli e i parrocchiani raramente emigravano o immigravano, a ricordare i casi e la condizione di ciascuna famiglia; oggi, con le vicende di una vita che impone continui mutamenti, con il fatto di grandi agglomerazioni, col complicarsi di tante vicende familiari, risulta quasi indispensabile un impianto d'archivio moderno e razionale.

Anche gli Istituti religiosi hanno, in genere, moltiplicato le loro attività, aumentato i loro impegni, allargato il numero e il raggio delle loro Opere. Perciò un'organizzazione interna ben attrezzata è indispensabile.

Archivi e biblioteche ben ordinati nei loro lucidi inserti, nei loro esatti cataloghi e pratici schedari come la tecnica odierna insegna, non sono ordinariamente un lusso nè un di più, ma un semplice e benefico risparmio di tempo a molti studiosi ed una utilizzazione preziosa di un materiale diversamente forse inaccessibile, a tutto scapito, si capisce, della scienza e vita ecclesiastica.

In nome di che cosa potremo, ad es., condannare l'attrezzatura intelligente e modernissima con tutti quegli ausilii che la tecnica di oggi è in grado di offrire così come la scienza, dell'ufficio informazioni della Città del Vaticano che nella recente guerra ha esercitato tanta preziosa carità a vantaggio, potremmo dire, del mondo intero?

E a meglio diagnosticare tanti mali — che la Chiesa poi dovrà curare — è nota ormai l'efficacia degli istituti di statistica e ci sembra fuor di luogo indugiarsi a difenderli.

Quello casomai che sarà bene tener presente anche per ciò che riguarda il settore: archivi, amministrazioni ecc..., riguarda tre punti.

a) *I locali*. Anche se gli uffici da impiantarsi hanno notevole importanza, i locali destinati ad accoglierli siano veramente modesti. Al buon lavoro non è necessario il lusso. Non solo ha da esser povero il religioso individualmente preso: anche le case religiose è bene che rispecchino questo spirito di povertà. Con ciò non si condanna il bello, il pratico, l'igienico. Tutt'altro! Il bello soprattutto si può raggiungere anche con mezzi modestissimi, quando vi sia buon gusto in chi costruisce e ordina.

b) *L'arredamento*. L'arredamento moderno ordinariamente è semplice nelle linee; non di rado però è ricercato e diventa lussuoso nella scelta dei materiali e nelle rifiniture.

Un arredamento moderno per gli uffici delle case religiose può essere anche raccomandabile, purchè alla semplicità delle linee si accompagni una certa modestia nei materiali usati e nel modo di trattarli, evitando ogni inutile lusso e ricercatezza. Quello che può disturbare, entrando in un ambiente religioso, non sarà certamente il fatto di vedere tutto ben disposto, con ordine, con decoro, con praticità, con gusto, ma quanto vi fosse solo come un abbellimento non necessario, uno sfarzo inutile, un lusso che sapesse di mondo.

Ciò può addirittura indisporre coloro che giustamente si aspettano di vedere chi ha calpestato le vanità del mondo e fa aperta professione di penitenza e di povertà, veramente alieno da quanto il secolo ama.

c) *L'attrezzatura*. L'odierna tecnica confortata dall'industria moderna è, specie per i giovani, affascinante. Nè si può negare che sbrigliare il lavoro, vederlo correre speditamente ed ordinatamente non sia bello. E siccome a questo scopo sembrano indispensabili ed ottimi tanti mezzi razionali e meccanici offerti dal nostro secolo si direbbe che giustamente fossero da ricercarsi.

Credo che anche in questo campo occorra non dimenticarsi che siamo poveri, ed usiamo per lo più di elemosine erogateci solo a fin di bene e non di lusso.

Perciò se un impianto è un po' più perfetto di quello che abbiamo ma anche col primo il lavoro cammina bene, pensiamoci due volte prima di fare una spesa che non appare necessaria.

Se nella scelta di una macchina vi fosse una forte variazione di prezzo per il semplice fatto estetico, decidiamo per il tipo più modesto. Ciò mi sembra un vero obbligo di coscienza.

E se anche un impianto più moderno richiedesse effettivamente uno scomodo minore, ma fosse assai più costoso, io consiglierei qui pure l'economia.

Evitare di proposito la fatica, la noia, lo scomodo nel lavoro non è certamente di chi ha spirito di mortificazione, e di espiazione. Il non badare a spese pur di avere l'impianto più bello e più perfetto, specie se non richiesto da particolari contingenze, non è certo secondo lo spirito di povertà.

Quello che in definitiva vale, lo sappiamo, sono le disposizioni interne, ma è spesso l'esterno che aiuta o disturba la mente e il cuore, che allontana o avvicina le anime alla Chiesa. Se dunque sotto tutti gli aspetti un sistema, un ordinamento, un locale, uno strumento qualsivoglia coopera al bene nella luce degli insegnamenti evangelici, sia pur accettato; al contrario si rifiuti.

Prima la perfezione, poi il resto. Gesù vinse il mondo con la Sua virtù, e alla Chiesa — lo sappiamo — vale molto più un solo atto di amore che mille opere senza di quello (2).

141   R. P. Iordanus Bonduelle, O. P., *scripsit*:

Toute saine évolution des structures de l'état religieux semble commandée par le principe de finalité. La doctrine traditionnelle de Saint Thomas ne saurait être trop vigoureusement rappelée; l'état religieux a comme fin première la perfection de la vie chrétienne selon toute l'amplitude du premier commandement et du second semblable au premier; les Ordres communément appelés contemplatifs n'ont pas d'autre finalité. Toutes les autres familles religieuses ajoutent à cette fin première, conjuguée avec elle et tributaire de sa mouvance propre, une fin seconde qui est toujours une oeuvre de miséricorde, spirituelle ou corporelle. La spécialité de l'Ordre contemplatif est de n'en avoir pas d'autre que la fin commune aux autres Instituts.

(2) *S. Giovanni della Croce.*

Il est important de voir qu'il s'agit bien de finalité. L'équilibre d'un état religieux particulier est essentiellement tributaire de la façon dont éventuellement sa fin seconde se situe au sein de la fin première, sans rien lui soustraire de sa force. Il faut que, en cela que commande la fin seconde, la fin première demeure absolument première: l'hospitalière qui fait des pansements doit, dans le geste même de sa miséricorde, tendre vers l'amour de Dieu avec le même absolu et le même sans-partage que la moniale en ses heures d'oraison. Il s'agit pourtant d'une fin réelle: l'oeuvre de miséricorde finalise en second tout l'état religieux du Prêcheur, de l'Enseignant ou de l'Hospitalier, et minimiser la place de l'oeuvre de miséricorde serait détruire toute l'originalité d'un Ordre en briser l'équilibre. Si une question devait être posée, ce serait moins la vertu finalisante du premier et du second commandement d'une part, ou celle de l'oeuvre de miséricorde de l'autre (et la réalité de celle-ci ou de celle-là), mais plutôt la distinction de celle-ci d'avec celle-là. Dans un état religieux déterminé, où l'analyse situe les deux fins conjointes hiérarchisées, c'est toujours en synthèse qu'opère la mouvance des deux finalités. Elles agissent comme s'il n'en était qu'une. La première n'agit que moulée dans l'axe de la seconde. Et celle-ci n'agit que dans et par sa conjonction avec la première.

Pour éloignés que paraissent ces grands principes directeurs, ils n'en sont pas moins « pratiques ». C'est dans leur immédiate lumière que peut être envisagé « l'usage raisonnable et pratique des éléments que suppose le progrès contemporain, tant pour la facilité et la perfection du travail que pour les commodités de la vie », dont parle le titre du présent rapport. Autre sera par conséquent le monde de nos réflexion selon qu'il s'agit d'un Institut religieux à finalité unique (perfection de la vie chrétienne: typiquement l'Ordre Monastique). Autre s'il s'agit d'un Institut à finalité composite.

1. Institut religieux à finalité unique.

Finalité unique, c'est-à-dire la perfection de la vie chrétienne par la poursuite de la charité. Habituellement ce genre d'Institut pratique un très strict retrait du monde. C'est typiquement la cas de l'Ordre Monastique. En un sens c'est encore celui des Seconds-Ordres des Mendiants (Carmélites, Clarisses, etc...).

On a souvent dit que c'était l'état religieux le plus pur. En un sens c'est vrai. Nulle part on ne sentira autant le « relatif » des biens de la terre et de l'usage qu'on en fait. La pauvreté religieuse qui est une pauvreté volontaire est une affirmation violente de l'absolu de Dieu avec Qui on refuse de mettre en parallèle quelque bien créé que ce soit: on sacrifie tout cela pour Dieu. Mais cet absolu dans le don de la pauvreté doit se marier avec un relatif dans l'inévitable usage de quelques biens sans lesquels il est impossible de mener une vie humaine (ceci à la différence de la chasteté qui pour le religieux ne comporte que de l'absolu; et même de l'obéissance qui, devant le précepte, ne connaît pas de demi-mesure non plus). C'est le paradoxe propre à la pauvreté chrétienne, accusée de façon aiguë dans la pauvreté religieuse: elle est absolue dans son caractère religieux; elle est toute en nuance dans l'usage des biens indispensables selon les traditions propres à chaque famille religieuse et les appels du moment.

De soi l'évolution des techniques n'atteint pas l'Ordre Monastique ni les familles religieuses à finalité unique.

Peu leur importe en quel horizon économique ou social se cherche pour les populations la nourriture terrestre. Il leur est normalement indifférent de cuire leur pain dans un four au feu de bois après l'avoir pétri de leurs mains, ou que toute cette besogne soit confiée à l'énergie électrique. Sans doute même, quoique d'un point de vue extrinsèque à la finalité propre de ce genre d'Instituts, est-il opportun que, dans l'Eglise, il en soit quelques-uns qui, par leurs façons de faire attardées dans les choses temporelles, prêchent le caractère intemporel du Royaume de Dieu. Les Cisterciens Réformés qui ont gardé des horaires moyenageux, et parfois un outillage assez dépassé, remplissent encore une fonction d'Eglise. Peut-être peut-on dire qu'ils en remplissent une par leur retard même. Leurs visiteurs sont émus des valeurs éternelles que symbolise leur indifférence aux choses qui passent. Que leurs bibliothèques demeurent dans des installations vétustes, qu'ils n'aient pas de fichier dernier-modèle les met en retard dans leur travail intellectuel, mais cela peut ne pas entraver leur recherche avide de la perfection évangélique. Quant à la mesure de leur vie mortifiée, si cet attardement lui ajoute une sorte de surcroît, il appartient aux Supérieurs de veiller à ce qu'il ne dépasse pas les forces humaines ni les limites de la prudence surnaturelle.

Mais rien ne s'oppose non plus à ce que les mêmes Instituts évoluent, ou à ce que d'autres, également à finalité unique, naissent aujourd'hui et adoptent en face du progrès technique une attitude très franche d'acceptation.

Des bibliothèques de monastères ou de maisons contemplatives seront installées selon les plus récents modèles de mobilier métallique, la main-d'œuvre domestique sera mécanisée au maximum (machine à laver la vaisselle, aspirateur électrique, etc...) et cela aura même le double avantage de rendre possible au sein de la même maison religieuse une certaine (ou même totale) unification des états religieux (rapprochement des moines et des convers qu'ignorait la règle de Saint Benoît); et de libérer des plus gros travaux une part d'énergie susceptible d'un emploi de qualité plus spirituelle. C'est une autre répartition des énergies qui est rendue possible: jadis des convers étaient uniquement appliqués à des besognes manuelles; désormais tous ayant accès à un meilleur équilibre de vie, le travail manuel et celui de l'esprit peuvent être mieux répartis selon les aptitudes de chacun ou selon le principe prôné par les meilleurs sociologues contemporains de l'alternance des activités. Seule sera réadaptée la manière d'organiser les services communs du monastère. Mais une pareille évolution ne compromet-elle pas la pauvreté et la mortification sans laquelle il n'y a pas de vie religieuse?

Au point de vue de la pauvreté, on ne voit pas pourquoi des abbayes auxquelles l'Eglise a permis jadis de posséder des domaines considérables, ne pourraient, en un autre régime économique, posséder tout le matériel utile pour vivre dans un siècle de grande technique. Le Saint-Siège qui se montre constamment à l'avant-garde dans l'utilisation des découvertes scientifiques (radio, télévision) montre ici le chemin.

Rien dans la nature de l'état religieux ne s'oppose à la propriété collective d'un outillage même complexe et coûteux (un matériel d'imprimerie avec monotypie, lithographie, etc...) ou de quelque laboratoire de recherche avec le matériel complexe requis par la science contemporaine. Si la science s'était développée six ou sept siècles plus tôt, les abbayes au lieu d'être des monastères de culture par la transcription et la conservation des manuscrits, l'auraient été par la mise sur pied de laboratoires de chimie ou de biologie. Il est vrai que ce genre de travail demande aujourd'hui des capitaux considérables et qu'il est au moins douteux qu'une science de plus en plus collectivisée et dont les milieux de recherche supposent de plus en plus la disposition de crédits officiels puisés dans les deniers des Etats contemporains puisse confier à des abbayes ou monastères des travaux importants de cet ordre. Du moins faut-il dire que cela n'est pas contraire aux perspectives de l'état religieux. Dans cette affaire de la propriété collective par les abbayes ou monastères, il faut surtout veiller à éviter le scandale des populations, lui-même tributaire de tel état de civilisation, de tel régime social ou économique, de telle législation civile, et de ce que cet ensemble a pu imprimer dans la mentalité d'un peuple. Il faudra surtout veiller à éviter le scandale des pauvres gens. Dans un régime de propriété en perpétuel mouvement n'y aurait-il pas une faveur des gens d'Eglise pour ceux qui possèdent moins et qui semblent en meilleure condition pour vivre le mystère de la première béatitude? Aussi bien l'actuelle situation des Ordres religieux qui voudraient d'une part être à l'avant-garde de la recherche scientifique et de la technique contemporaine et d'autre part mener leur vie évangelique en pleine communication de vie pauvre avec les plus pauvres de nos contemporains, serait une tension entre deux aspects que seuls uniraient une grande ferveur spirituelle et un usage d'autant plus pauvre qu'il y aurait à manier de plus importants capitaux et des outillages plus considérables. Quant à la place de chaque religieux au-dedans d'un Institut supposé doté de riche outillage moderne, il doit continuellement vérifier qu'il y est le moins propriétaire des hommes. L'usage qu'il est amené à faire de biens de valeur peut et doit demeurer un usage de pauvre et un usage pauvre, toujours référé à l'unique finalité de la perfection chrétienne, au regard de quoi tout bien concédé par le Seigneur à tel Ordre particulier apparaîtra toujours comme le surcroît évangélique, et le religieux, dépendant de ses Supérieurs et du Seigneur maître de tout bien sera prêt à bénir le Seigneur comme le saint homme Job le jour où quelque accident de l'histoire viendra bouleverser la belle ordonnance de l'équilibre réalisé.

Au point de vue de la mortification, indispensable à la qualité de toute vie religieuse, on ne peut nier que le développement actuel de toutes les techniques, un certain standard de vie et une marche vers plus de confort posent des questions très délicates. La vieille et traditionnelle ascèse, à base de jeûnes et d'abstinences, de veilles et de travail, va-t-elle disparaître? Il faut ici beaucoup de discernement, car, les bases de la vie morale demeurant identiques, et identiques les fondements de la pénitence chrétienne, leurs pratiques concrètes ne peuvent pas ne pas évoluer.

L'équilibre alimentaire de type rural qui fut jadis universel et selon lequel ont pris corps les grandes observances monastiques médiévales a disparu en beaucoup de régions pour faire place à une alimentation peut-être plus artificielle mais aussi plus stimulante. La constitution physique des populations contemporaines s'en trouve très marquée. Il faudrait sans doute de bonnes études d'hygiène médicale sur la question pour orienter prudemment une ascèse corporelle contemporaine urbaine. Y a-t-il une marge d'austérités volontaires qui, corporelles jadis, se réfugieront plutôt demain dans les ascèses de vie commune plus détaillées ou d'obéissance plus attentive? L'expérience des vrais spirituels, sous le contrôle de l'Eglise, sera ici le véritable élément de jugement.

Dans quel sens se présenteront les institutions religieuses de la deuxième moitié du XXe siècle? L'Eglise sans doute regardera avant toute chose la qualité spirituelle des fondateurs, la valeur d'édification de leurs initiatives, les réactions du peuple chrétien, et jugera de la fidélité évangélique en fonction de sa propre lumière. Il semble nécessaire qu'au sein des disciplines d'Eglise, il y ait à la fois beaucoup de prudence dans l'acceptation de cette évolution de l'ascèse, et beaucoup de largeur devant les initiatives des vrais spirituels. Mais on ne saurait trop le redire: les Instituts à finalité unique ne requièrent par eux-mêmes aucune forme particulière d'ascèse. C'est le génie de tel fondateur, la tradition particulière de tel Ordre qui ont parlé. La doctrine de l'état religieux laisse place à bien des langages divers.

Une initiative comme celle des Petits Frères de Jésus (fils du P. de Foucauld) est de ce point de vue très significative. Leur finalité propre est de vivre l'Evangile de Nazareth sans but apostolique, mais avec le seul souci d'une vie contemplative menée au sein des populations et en partageant leur vie. L'ascèse traditionnelle de la clôture, des jeûnes et des veilles tombe d'elle-même devant une école de moralité bien plus proche de celle des simples chrétiens (en un sens c'est plus exigeant encore!). Ils usent de machines comme en usent les ouvriers; mais elles appartiennent aux entreprises qui louent leur travail. Ils n'ont guère chez eux de grandes bibliothèques mais ils utilisent celles des communautés naturelles (municipales ou autres) où ils demeurent. Il n'y a pas de raison que les conseils évangéliques ne puissent être vécus en plénitude selon ces normes très neuves, mais qui peuvent être une des clés de l'avenir de l'état religieux.

Pauvreté et mortification des religieux subissent donc, dans l'actuelle évolution de la civilisation, de sérieux réajustements. Non dans leurs principes, mais dans leurs applications. Ne peut-on souhaiter qu'en face de cet ajustement des coutumes, les principes engagés soient d'autant mieux affirmés avec toute leur urgence, leur esprit, leur absolu même? Beaucoup de constitutions, sur le chapître par exemple de la pauvreté, semblent d'une rédaction un peu inadéquate. Souvent elles alignent quelques paragraphes trop rapides sous le titre: « Vœu et vertu de pauvreté »; c'est habituellement court et pas assez pensé en profondeur; la pauvreté des religieux, telle qu'elle tombe sous le vœu, est une certaine condition de dénuement ou d'usage limité et dépendant qui est un témoignage à l'absolu de Dieu, un sacrifice choisi, et, ensuite, le lieu de beaucoup de vertus diverses, depuis les morales jusqu'aux théologales. Il y a un esprit de la pauvreté du religieux qu'il faut sans doute travailler à animer en beaucoup d'Instituts pour qu'ils puissent envisager sans danger la nécessaire évolution contemporaine.

2. Institut à finalité composite.

La plupart des réflexions ci-dessus sont encore valables à l'intérieur de celles qui vont suivre, comme le but premier, commun à tout état religieux, meut par le dedans des buts seconds éventuels. L'absolu du sacrifice de pauvreté est identique ici et là. Identique la volonté fondamentale de travailler à la perfection de la vie chrétienne avec un statut de nécessaire mortification. Mais l'adjonction de buts seconds peut bouleverser l'ordonnance des moyens. Ni la mesure de l'usage des biens de la terre ni les disciplines de l'ascèse ne seront identiques. La finalité première de l'état religieux laisse une marge considérable d'indétermination pour un régime concret d'observances pauvres et mortifiées. Aux finalités secondes (oeuvres de miséricorde) d'orienter les déterminations pratiques. Elles seront nécessairement différentes suivant que ces finalités concerneront une oeuvre de prédication ou d'enseignement doctrinal, d'éducation ou rééducation, d'hospitalisation ou de réhabilitation, de visites à domicile, d'enquêtes sociales ou d'oeuvres paroissiales. Toujours identique en sa valeur absolue, la pauvreté des religieux trouvera des réalisations très différentes pour un exercice prudentiel adapté à des fins diverses.

Pourquoi l'école d'agriculture de quelque Institut n'utiliserait-elle pas des machines agricoles (moissonneuses - lieuses - batteuses...), une basse-cour avec couveuses électriques, etc.... On peut même penser que c'est *une absolue exigence* de toute oeuvre scolaire (d'enseignement à tous les degrés) que de posséder le matériel correspondant au niveau actuel des techniques scolaires, qu'il s'agisse d'enseignement professionnel ou autre. Un Institut n'a pas le droit d'être en retard sur l'évolution des savoir-faire. Le retard serait même ici une faute, et sans doute une faute morale chez les responsables, en tous cas un facteur de baisse dans le recrutement, dans l'estime à valoir dans l'entourage de l'Institut, voire dans la confiance de l'Eglise. C'est un des points par où vieillissent les Instituts. Ce qui, dans les Instituts à finalité unique, est chose contingente (qu'ils soient moyenageux ou qu'ils soient bien de leur siècle, peu importe à leur finalité!) est ici une nécessité imposée par l'oeuvre spécifique et sa situation dans un monde qui marche. Avoir des bibliothèques aptes aux meilleurs travaux de recherche et construction théologique ou philosophique, donner à ces bibliothèques les fichiers les plus pratiques, les meubles les mieux utilisables, etc... est un devoir pour les Istituts à but doctrinal. Et c'est ce but qui commande la mesure de l'exercice de la pauvreté. Il restera mille manières d'utiliser en pauvres des instruments même bien riches en eux-mêmes. Dans tous les cas, le problème n'est pas pour l'Institut le fait de posséder le meilleur outillage possible pour sa fin, mais de maintenir intégral chez les religieux l'authentique esprit de pauvreté par respect de cet outillage qui n'est pas leur bien personnel, mais, à travers leur Institut, celui de l'Eglise elle-même. Le standard de vie de chacun peut être très pauvre dans un Institut qui, dans la ligne de sa vocation, s'accorde tout l'utile. Aux Supérieurs d'y veiller de près et d'assurer dans la réalité de la vie quotidienne et de ses détails que la marge de manque (inopia) dans le mobilier et les menus objets personnels demeure conforme à un statut de vraie pauvreté.

A vrai dire, c'est ici précisément que commencent les vraies difficultés, soit parce que le travail confié à tel religieux peut exiger qu'il ait à son usage des biens qui ne seront pas d'abord à l'usage des communautés, mais de l'usager et travailleur; soit parce que l'outillage mécanique de la communauté facilite un certain confort apparemment ruineux pour la vie religieuse.

Uu religieux, pour une enquête démographique, peut avoir besoin non seulement d'une machine à écrire, mais de tout un ensemble de fichiers, voire d'un outillage de mécanographie, qui représente aujourd'hui un gros capital. Il peut avoir besoin de locaux, voire d'un personnel séculier qualifié qui travaillera plus ou moin sous ses ordres. Il peut avoir besoin d'une vraie bibliothèque particulière, si, travaillant un secteur auquel la bibliothèque de sa communauté demeure étrangère, c'est pour lui une condition d'efficacité. Ce peut être tout bureau d'information, avec des services adjoints... On ne peut donner de solution toute faite à des perspectives qui restent aussi particulières et tributaires des personnes, de leurs qualités et de leurs dispositions (il faut le souhaiter) foncièrement pauvres. Aux Supérieurs d'avoir toujours en mains le contrôle, d'assurer, s'il y a des capitaux engagés, que les responsabilités civiles sont exactement couvertes (peut-être par des sociétés de laïcs à susciter...), et surtout que le religieux travailleur ne s'illusionne pas sur la portée de son travail et les conditions qu'il y croit nécessaires. Affaire d'esprit. L'usage de grands biens peut et doit demeurer un usage pauvre et dépendant. Dépendant du jugement des Supérieurs. Pauvre par les mille façons de se considérer comme n'ayant rien et dépendant de Dieu seul. Ici encore c'est la qualité spirituelle des religieux qui est en cause beaucoup plus que le fait d'utiliser un outillage nombreux et de prix.

Il faut dire la même chose de la nécessaire mortification. C'est encore la finalité qui permettra les discernements indispensables. Dois-je m'accorder un fauteuil de bureau alors qu'une chaise de paille suffirait? Dois-je m'accorder un rasoir électrique alors que la lame à main peut suffire? Dois-je être raccordé sur mon bureau à une centrale téléphonique?... On pourrait multiplier les points d'interrogation. Il ne peut y être répondu par de simples oui ou non, mais par tous les discernements prudentiels qui entrent dans le jugement d'un religieux et où l'obéissance a toujours le dernier mot. Un élément de jugement: est-ce uniquement pour le confort, la facilité, le plaisir? En ce cas la pente de l'esprit religieux sera de dire non. Ou bien telle facilité entraînera-t-elle une meilleure utilisation de mes forces en vue du but second de mon Institut religieux? Alors la pente de mon état religieux particulier sera de dire oui. La ligne de mes réponses va-t-elle se situer dans le prolongement de mes grands engagements religieux? Oui, si j'en ai le souci, si j'en réfère à mes Supérieurs, si je ne sacrifie pas à la facilité pour la facilité, au confort pour le confort, au bien-être pour le bien-être. La limite prudentielle tiendra toujours compte que dans les cas incertains deux points de vue sont en conflit: celui d'une certaine efficacité pour la finalité seconde de l'ordre religieux, et celui d'une nécessaire mortification. La ligne droite selon la profession religieuse tiendra les deux bouts de la chaîne qui sont deux poussées en sens différents, deux tensions dont la vie fera la synthèse dans la fidélité aux dons de l'Esprit. Aussi longtemps que demeurent les deux poussées il n'y a pas à craindre, la vie religieuse est intacte et la fidélité demeure malgré les inévitables à peu-près. Il faudrait redouter beaucoup le jour où l'une des deux poussées ne joueraient plus: alors la fidélité est compromise.

Faut-il ajouter une dernière remarque? L'outillage requis par l'oeuvre spécifique de tel Institut religieux peut ne pas lui appartenir, mais à quelque administration privée ou publique au service de laquelle oeuvrent les religieux. Les hôpitaux, avec leurs salles d'analyses et d'opérations et les soins spécialisés réclamés par la médecine contemporaine, peuvent, même gérés par d'importantes administrations séculières, privées ou publiques, être servis par des infirmiers ou des infirmières religieux ou religieuses. Peut-être même cet emploi des activités de religieuses est-il appelé à se développer dans les sociétés contemporaines, portées à nationaliser, ou du moins à grouper à de vastes échelons toutes sortes d'entreprises ou d'institutions et à ne plus traiter les affaires que par catégories de grands ensembles. Peut-être est-ce une condition heureuse pour une saine utilisation pauvre d'instruments très coûteux puisque cela rend l'usage deux fois dépendant, de la dépendance de l'ouvrier qui ne possède pas son outil et de celle du religieux qui réfère tout à son Supérieur. De ce point de vue la situation des Instituts religieux varie considérablement d'un pays à un autre. La France possède aujourd'hui, sous le contrôle et l'autorité de l'Episcopat, des fédérations de congrégations religieuses par grands ensembles (ensemble hospitalier, ensemble enseignant, ensemble paroissial). S'il y avait ici ou là des adaptations importantes à apporter à la rédaction des constitutions particulières en raison de cette situation, on peut penser qu'une telle confrontation aidera à faire bien des mises au point.

CONCLUSION.

Aussi bien est-ce une des conclusions que peut suggérer le présent rapport: les situations concrètes au point de vue des adaptations opportunes de l'état religieux, peuvent varier considérablement, notamment par grandes régions, géographiques ou sociologiques. Des autorités locales peuvent parfois mieux juger du détail qu'un pouvoir central chargé de pourvoir à un bien commun extrêmement large: faut-il que l'état religieux soit identique partout? Il a été au IXe ou au XIIIe siècle si différent de ce qu'il est devenu. Le voici en travail d'adaptation à un monde qui n'avance pas d'un pas égal sous toutes les latitudes. Sans doute en maintenant très fermes les fondements essentiels de tout état religieux, le pouvoir central aimera laisser de la souplesse soit pour les adaptations de chaque Institut, soit pour celles que préconiseraient des fédérations de congrégations locales, régionales ou nationales. Ce qu'il importe avant tout de restaurer, c'est l'esprit. Or, dans chaque Congrégation, la qualité de l'esprit est extrêmement tributaire des cadres chargés de la formation des jeunes. Veiller à la qualité des instructeurs de l'état religieux paraît le premier devoir des Supérieurs majeurs. Leur assurer par des sessions de formation de larges contacts humains et une haute culture spirituelle conditionne tout le travail d'adaptation des états religieux contemporains.

142   R. Sac. ALOYSIUS CASTANO, S. D. B., *scripsit*:

Tutto il problema, reale e delicato, si risolve teoricamente in un quesito: come conciliare la perfezione evangelica, — abbracciata e professata nello stato religioso — con il progresso della vita moderna.

Per non cadere in pericolo di equivoci occorre precisare il significato dei termini in discussione.

a) *Perfezione evangelica:* il termine e il concetto dipendono dall'episodio nel quale Gesù Cristo invita il giovane ricco a spogliarsi di quanto possiede ed a seguirlo. E' innegabile che anche allora la vita aveva i suoi incanti ed offriva le sue comodità; e facendo questa osservazione non si intende esorbitare dal campo del lecito, secondo il dettame della retta ragione. Invitando alla *perfezione* Gesù indica la doppia strada: il distacco volontario dalle comodità e agiatezze della vita e la sua sequela; e l'essere il chiamato persona facoltosa, mette in luce l'esigenza primaria e il carattere fondamentale della perfezione, la quale non può raggiungersi che attraverso la rinuncia. Dato poi il principio, questa si polarizzò non solo intorno ai beni di fortuna, ma anche intorno ai beni del corpo e dell'anima. Ora tale principio è certamente immutabile, e se pose un contrasto con la vita antica, non lo può sopprimere con la vita moderna; anzi lo deve forse rinsaldare e rinforzare per l'accresciuta tendenza umanista e naturalista dei nostri tempi.

b) Per *progresso moderno* infatti solitamente si intende il tenore della vita moderna in quanto coi ritrovati moderni appaga maggiormente le inclinazioni della natura al godimento e al piacere, escluso anche qui l'illecito. E' doveroso però rilevare subito che all'aspetto edonistico del progresso moderno si deve aggiungere quello *tecnico-scientifico-sociale* che più e meglio va sotto il nome di progresso, e che veramente e inconfondibilmente caratterizza il nostro secolo, mettendolo in un piano superiore ai secoli trascorsi, specie a quelli più lontani.

Da questi concetti non è difficile trarre una conclusione che può avere mille applicazioni pratiche: sotto la sua luce edonistica e sensuale il progresso moderno è in antitesi con il concetto evangelico di perfezione, anzi costituisce un pericolo in quanto asseconda ed esalta la natura, favorendo la concupiscenza, della quale il Concilio di Trento afferma che « relinquitur ad agonem »; preso invece nel suo aspetto *tecnico-scientifico-sociale,* se pure con le debite cautele, il progresso moderno può accordarsi con lo stato di perfezione ed accrescerne l'efficienza.

Occorre nondimeno trovare la formula di equilibrio nei vari settori della vita religiosa che più si risentono del progresso moderno. Tocchiamo alcuni casi concreti:

1. Vita religiosa e povertà.

Il progresso edilizio con tutti i miglioramenti e le comodità che importa, non sono in contrasto con la vita di perfezione e con la povertà evangelica, purché si eviti il fasto e si conservi una certa austerità e contenutezza, per cui sia visibile la differenza tra l'appartamento moderno e la casa religiosa. Non immettere questi progressi nella vita delle comunità sarebbe un rifiutare ciò che di buono offre il tempo in cui la Provvidenza ci fa vivere; basta sorvegliare perchè non si cada nel lusso e nello spirito borghese e di indiscriminata comodità tanto riprovato dall'Abate Chautard. Questo criterio tuttavia non può applicarsi con analoga larghezza alla vita individuale dei singoli, i quali pur godendo del progresso dei tempi, soprattutto in ciò che li mette a contatto con la vita e le esigenze della società moderna, debbono sempre informare la loro condotta al principio della rinuncia, che non è rinnegamento dell'indispensabile ed anche del conveniente, ma volontaria limitazione almeno del di più.

2. Vita religiosa e mortificazione.

Nessun vantato progresso nè presente nè futuro potrà mai esonerare dalla mortificazionte indispensabile alla vita cristiana ed inseparabile dalla vita di perfezione. Si potrà se mai concludere che certe forme di mortificazione corporale e certe austerità proprie di tempi lontani sono meno confacenti alla psicologia ed anche alla resistenza fisica dell'uomo moderno, ma non si potrà mai scalfire il principio della mortificazione dei sensi e delle penitenze corporali in nome del progresso. Nessun progresso, tanto meno quello naturalista ed umanistico dei nostri tempi, muterà intrinsecamente la natura dell'uomo che non può tendere al bene e alla perfezione senza lo spirito di mortificazione. Giustamente ha detto lo Chautard che lo spirito di rinuncia è il pernio della vita spirituale.

3. Vita religiosa e comodità personali.

E' forse l'aspetto che andrebbe più approfondito ed applicato a molti casi pratici, perchè è in questo campo che la vita moderna può recar vantaggio alla vita religiosa. Si pensi al progresso dell'igiene personale e collettiva e della medicina. La vita di chi abbraccia lo stato di perfezione non è certo meno preziosa della vita di chi rimane nel mondo; sotto taluni aspetti sociali può considerarsi perfino più preziosa. Non si vede quindi perchè, allo scopo di conservare ed irrobustire le forze, non si debba usufruire del progresso moderno, fermo restando quel che si è detto intorno alla povertà e allo spirito di mortificazione. Basterà evitare taluni estremi che mal si accordano con lo stato di perfezione, come ad esempio il così detto *salutismo, l'atletismo, l'escursionismo estivo* e simili. In altri termini: favorire la vita fisica con i comodi — alcuni almeno — della vita moderna non è incompatibile con la professione dei consigli evangelici e la ricerca della perfezione.

4. Vita religiosa e facilitazioni moderne al lavoro.

Anche qui la tecnica moderna ha fatto dei progressi ai quali non può restar indifferente la vita di perfezione, specialmente quella che coltiva simultaneamente l'apostolato. Non si vede perchè il religioso debba rifiutare i ritrovati moderni che facilitano ed intensificano la sua azione, perchè ad esempio non debba usare dei sussidi che si hanno ai nostri giorni per lo studio, l'amministrazione, gli archivi, le statistiche, le comunicazioni sia terrestri che aeree ed eteree, ecc. Indubbiamente un criterio fondamentale deve regolare l'immissione di questo progresso nella vita religiosa di perfezione: non il progresso per il progresso o per la maggiore agiatezza personale ma il progresso per una maggiore consistenza, efficacia e potenziamento di lavoro compiuto alla gloria di Dio e al vantaggio delle anime.

E venendo al particolare delle macchine si può dire che rispondono al loro fine anche nello stato di perfezione se non si tramutano in feudo personale e in sorgente di abusi al di fuori delle necessità collettive o di ufficio.

In conclusione: la vita religiosa e lo stato di perfezione non si risentiranno dell'adozione del progreso tecnico-scientifico-sociale moderno se, contenuto nei giusti limiti individuali e collettivi, non soppianterà l'*abneget semetipsum* che sta alla base della perfezione evangelica.

143   R. P. Godofridus Groessl, S. V. D., *scripsit:*

Illud profecto minime est dubium, quin nos oporteat adhibere « media, quae hodiernus progressus suppeditat ad laboris facilitatem ac perfectionem ». Beatissimus quidem Pater in litteris ad Em.mum D.num Cardinalem Micara die 12 Novembris 1950 datis: « artium profectum ad religionis incrementum, quoad fieri possit, convertant ». Tamen eadem Sanctitas Sua in Adhortatione ad Clerum die 23 Septembris 1950: « ... novitas — inquit — ... una ea est condicione laudanda, ut... simul probitati ac virtuti conducat ».

Tamquam religiosi voto nos ligavimus paupertatis neque possumus sine mortificatione viam tenere virtutis. Proinde ille usus « mediorum, quae hodiernus progressus suppeditat » quibusdam paupertatis et mortificationis limitibus circumscribitur.

Igitur ista « adiumenta hodierna »

a) usurpari non possunt, quoties unice commodo personali serviunt: ad declinandam mortificationem, ad evitanda sacrificia ac vitam mollius transigendam;

b) usurpari possunt cum debitis cautelis, quoties serviunt « ad vitam faciliorem reddendam ». Vita hic est: vivendi modus, vitae tenor, qui dicitur, ille « tenor vitae » quem observant homines mediocris condicionis in unaquaque regione incolentes; unde fieri potest, ut aliae eiusdem religionis provinciae ab aliis provinciis tenore vitae multum differant;

c) usurpari possunt, quoties serviunt ad laboris perfectionem et facilitatem; laboris, etiam manualis; perfectionem, quia, ut religiosi, debemus exhibere opus nostrum, quoad fieri possit, perfectissimum, ergo etiam illis, quibus hoc obtinetur, mediis; facilitatem, quae efficitur illis mediis quibus obtinetur compendium operae et temporis, quod compendium ad alios labores impendi potest.

In eligendis autem hodiernis mediis (v. g. machinis, formulis, systematis numerariis) hae fere valeant rationes:

1) regnet simplicitas et perspicuitas, qua fiat ut Superior debitam faciens inspectionem tametsi in eo genere non habeat cognitionem specialem, facile omnia introspiciat et ut, qui in munere succedent, facile et intra breve tempus omnia ediscant;

2) sint illa media qualitatis probatae, iam spectata, non ephemerica;

3) consulantur alia instituta religiosa et petantur exempla ab eorum experientia, praesertim cum quid moliendum gravioris momenti est, instruendum archivum, bibliotheca, systema nummarium.

Ceterum iam S. Ignatius in fundamento primae hebdomadae Exercitiorum spiritualium clarissima dedit praecepta eligendorum mediorum, quae hodiernus progressus suppeditat: « Homini tantum utendum illis (creaturis) esse, quantum ipsum iuvent ad finem suum, et tantum debere se expedire ab illis, quantum ipsum ad eum impediant ». Et P. Roothaan in adnotationibus suis sic dicit: « Tantum — quantum, nec plus — nec minus, eiusmodi est, ut perfectionem altissimam comprehendat ».

144   R. P. PHILIPPUS SOCCORSI, S. I., *scripsit*:

USO DI APPARECCHI FONICI A SUSSIDIO DI OPERE DI APOSTOLATO

Sembra potersi dire in generale che apparecchi del genere, che permettono di assolvere vari compiti con maggior facilità e rendimento possono essere positivamente raccomandati come strumenti di lavoro a gloria di Dio e a maggior vantaggio delle anime.

L'uso di tali mezzi può anche comportare attività più

calma e più gradita e quindi una certa comodità di vita; ma non sarebbe a proposito una particolare mortificazione a detrimento dello scopo principale; nè v'è d'altra parte grande pericolo di sregolate affezioni a strumenti di lavoro.

Peraltro lo spirito di perfezione evangelica nè valuta principalmente le opere dalla ricchezza e perfezione di mezzi tecnici, nè rifugge da un lavoro che, per necessità di circostanze o mancanza di risorse, non può godere di tali sussidi e comodi.

Gli apparecchi in questione possono essere:

1. Registratori magnetici e su dischi speciali.

a) *A sussidio di opere editoriali.* Il loro uso può consentire un metodo di lavoro più celere e più redditizio.

L'autore di uno scritto resta esonerato da lunghe scritture a mano o a macchina, e potrebbe stendere il suo lavoro, tanto per un primo abbozzo quanto per le successive revisioni, semplicemente riflettendo e parlando; un dattilografo gli presenterebbe in ordinato dattiloscritto la parola registrata.

Non è da escludersi che un tal metodo di lavoro, assuefacendo l'autore a una composizione più rapida e più viva, valga a dare in definitiva uno scritto di maggior pregio per naturalezza, chiarezza, efficacia comunicativa.

b) *A sussidio della oratoria.* Per una completa previa redazione del discorso, valendosi della registrazione della parola come sopra si è indicato a sussidio delle opere editoriali: il metodo può essere tanto più appropriato in quanto si tratta di preparare non già uno scritto ma un discorso.

Per aiuto mnemonico dell'oratore, che può prepararsi al discorso sentendo sè stesso.

Per una rapida annotazione di uno schema o di un sommario del discorso.

Per la completa ed esatta riproduzione di un discorso pronunciato senza essere stato previamente steso per iscritto.

Per addestramento dell'oratore, che sentendo sè stesso può più facilmente cogliere e correggere i difetti o notare le buone qualità.

c) *A sussidio di scuola di canto.* Mediante la registrazione la cantoria può risentire sè stessa nel suo insieme. A tale scopo e affinchè la registrazione possa meglio servire a raffinare il canto occorrono apparecchi (microfoni — registratori — amplificatori — altoparlanti) di alta qualità, atti a riprodurre fedelmente non solo la parola ma anche la musica.

d) *A sussidio di un apostolato attraverso la radio.* Il problema della radio (come già quello della stampa e del cinema) rientra oramai tra i problemi dell'apostolato.

Stazioni trasmittenti private costituiscono validissimi strumenti di apostolato, dei quali anche religiosi e missionari possono essere chiamati a valersi; ma esse non sono comunemente consentite dalla legge dei vari paesi e, più generalmente, non possono godere che di una limitata sfera di azione. Una democratica e sana organizzazione della radio, svincolata da un eccessivo monopolio di stato e da influssi non desiderabili, può essere più agevolmente raggiunta grazie ad una attiva partecipazione delle forze cattoliche ai programmi di radiodiffusione dei vari paesi.

Omesse qui altre notizie e considerazioni circa la desiderabile organizzazione dei cattolici per influire sui programmi radio (notizie non prive certo di interesse e importanza, ma che non rientrano nel presente tema) ci limitiamo a rilevare come mediante registrazioni (di alta qualità) possano fornirsi programmi a stazioni radio in forma pratica ed atta ad una larga diffusione. Con tale espediente, ad esempio, il « Programma Radio del S. Cuore » ha raggiunto una assai larga e assidua diffusione attraverso più di 250 stazioni, variamente sparse negli Stati Uniti di America (dove ha sede l'opera), nel Canadà, nella Repubblica del Panamà, in Alaska, in Giappone, nelle Isole Okinawa, Guam, Hawaii, Bermude, in Spagna, a Venezia, nella Città del Vaticano, a Malta.

Per più completi e pratici orientamenti intorno alla radio e alla televisione, intese come strumenti di apostolato, si rinvia agli atti della riunione internazionale (Madrid, 26 - 29 aprile 1951) degli « Specialisti cattolici di radio e televisione » e alle attività e pubblicazioni di « Unda », Associazione Cattolica Internazionale per la Radiodiffusione e Televisione, fondata fin dal 19 maggio 1928 all'occasione della « Settimana Cattolica della Stampa » a Colonia e recentemente autorevolmente confermata con la designazione di S. Ecc.za Mons. Francesco Charrière, Vescovo di Losanna, Ginevra e Friburgo, come « Prelato delegato della S. Sede presso Unda ». « Unda » ha tenuto una importante assemblea generale a Madrid (30 aprile - 1 maggio - 1951); l'associazione ha sede a Friburgo.

2. *Impianti* (microfoni - amplificatori - altoparlanti) *di sonorizzazione* di Chiese, aule, nonchè di piazze e vie e anche di intere città.

I preziosi sussidi che la tecnica offre in questo campo sono talmente noti e di tanto vasto e sempre più crescente uso che è superfluo dilungarsi in proposito. Ci limitiamo ad alcune non inutili osservazioni e notizie.

Anche gravi esigenze artistiche di chiese, che si opporrebbero alla installazione di altoparlanti, sempre più cedono di fronte ad esigenze non già della tecnica, ma della grazia che è unita alla efficace diffusione della parola di Dio.

Grazie al sussidio di vaste e potenti sonorizzazioni, grandi manifestazioni religiose possono oggi essere organizzate su base diversa che nel passato, con vantaggio anche della pietà dei singoli fedeli. La recente esperienza dell'Anno Santo lo attesta nel modo più convincente: solo la risorsa degli altoparlanti (nella Basilica di S. Pietro e nella Piazza) ha permesso la partecipazione immediata dei singoli fedeli — gocce d'acqua nel mare della folla — alle funzioni, alle udienze, alle manifestazioni romane, divenendo anche parte attiva delle ceremonie, con la fusione delle loro preghiere e canti, in un unico corale, in un comune palpito di cattolicità, in unione intima col Vicario di Cristo e quasi a colloquio con Lui.

3. Ricevitori radio.

Se ne considera qui l'uso non per l'ascolto di comuni programmi di radiodiffusione, ma solo per una più puntuale ricezione di particolari notizie delle quali occorra essere al corrente per ragione di ufficio. Lo spirito di perfezione non contrasta con tale uso della radio.

MEZZI CELERI E COMODI DI VIAGGIO

Sembra potersi in generale rilevare che il notevolissimo miglior rendimento del tempo che permettono i più celeri mezzi di trasporto (dai treni rapidi agli aeroplani) può essere motivo sufficiente per consentirne l'uso, non ostante il loro più elevato prezzo e la maggior comodità che offrono, quando con tali risorse meglio si provvede a un bene spirituale superiore.

Prescindendo dalla comodità unita alla grande rapidità del mezzo di trasporto, altre comodità di viaggio (prima classe, vagone letto, vagone ristorante ecc.) non convengono in linea di massima con lo spirito di povertà religiosa, anche perchè non edificherebbero quanti, per necessaria economia, viaggiano modestamente e non senza disagi. Tuttavia tali comodità possono essere ragionevolmente ammesse, in certe circostanze, possono anche rendersi necessarie o per motivi di salute o per necessità di immediato intenso lavoro al termine del viaggio o durante il viaggio stesso. Ciò può tanto più facilmente verificarsi quanto più i viaggi sono lunghi o assidui. Anche in queste circostanze tuttavia, è bene, per fomentare lo spirito di povertà e di mortificazione, che, almeno a volte, i viaggi vengano effettuati come usano persone di modesta condizione.

L'ambiente dei viaggiatori può in certi casi sconsigliare al religioso di viaggiare in terza classe. In certi paesi la terza classe è molto decorosa sotto ogni riguardo e già la seconda classe costituirebbe un lusso per un religioso. Altrove non vi è distinzione di classe e solo le vetture « pullmann » sono di lusso. In Europa moderne vetture di terza classe, riservate per treni internazionali, sono più confortevoli e facilitano l'uso di tale classe anche per lunghi viaggi.

Valgano questi rilievi per mostrare che norme troppo concrete non potrebbero essere definite in generale, dovendosi considerare le condizioni di viaggio nei vari paesi e le relative consuetudini; può peraltro dirsi in generale che, così nei viaggi come nelle altre circostanze, deve esservi ed apparire un tenore di vita mortificato.

COMMUNICATIO 4: *Hodierna inventa: ephemerides, radiophonia, cinematographia, telephonium, televisio, etc., ut subsidia aut pericula vitae perfectionis.*

145   *Orator* - R. P. SOLANUS A ZURICH, O. F. M. Cap., Minister Provincialis.

Accommodata renovatio statuum perfectionis in respectu ad huiusmodi hodierna inventa forsan apud aliquos quasdam renitentias inveniet. A compluribus religionibus ista inventa ad summum ut mala necessaria, immo aliquando ad scandalum aut ad peccatum appropinquantia iudicantur. De facto, nisi obiectum annuntiatum nostri Congressus nos fallit, renovatio quaedam tamen fiet, sed nos difficultates intimidi mente retinentes, ut puncta disponentia pro nostra communicatione sumamus elementa, utique non formalia, tamen materialia ex definitione scandali aut potius peccati: Facta, dicta, concupita.

1. Facta.

Ut facta conspectum brevissimum, mihi ex 30 domibus principibus diversarum Religionum comparatum, praxeos et usuum Religiosorum in Helvetia vobis propono, cum praecise Helvetia pro istis modernis inventis inter primas fere nationes semper aliquomodo exstiterit.

1. Pro *ephemeridibus diariis* sequentem ferme praxim in Religionibus Helvetiae observamus: Nullibi paene prostant normae scriptae, sed consuetudines oriebantur ita, ut Ordines potius contemplativi diaria ut mala necessaria habentes uni vel alteri subscribant, sed ad manus tantum Superiorum, qui in diversis Religionibus etiam diverse i. e. plus minusve aut saepius vel rarius inferioribus in refectorio aut in recreatione praelegant. In Religionibus praeprimis activis complura, aliquando immo et numerosa, utique catholica, diaria tenent qua media instructiva et utilia, et quidem ad dispositionem omnium, plerumque in uno loco recreationis seu parvulae bibliothecae collecta. Ubi, sane rarissime, circulantur, id tantum inter Patres sacerdotes fit, minime inter fratres laicos, studentes aut sorores. Ultima quaedam evolutio tamen in eo est, ut iam non solum conventus seu domus, sed et singuli et singulae possint diariis subscribere, immo iam hic vel illic, etsi rarissime, diaria sic dicta neutralia sese catholicis intromisceant.

2. Relate ad *ephemerides periodicas* maior iam ubique conceditur libertas sive pro subscriptione sive pro lectione, ita ut istos periodicos utique maxime

458

religiosos, asceticos et missionarios etiam in cellulis perlegere, immo et ex peculio seu donatione per subnotationem sibi singulatim possint aliquando procurare. Periodici scientiae seu artis cuiusdam profanae et specialis plerumque et tantum pro specialistis tenentur ita tamen, ut istis studere queant etiam tempore laboris.

3. Contra *radiophonia* multo maiorem reluctantiam quam contra ephemerides experiuntur Ordines contemplativi, qui pro magna parte renuunt admittere radiophonica instrumenta in Conventibus aut id ad summum in cubiculo Cappellani. Activae econtra congregationes facilius portas aperiunt istis inventis marconianis, cum quadam tamen restrictione eo sensu, quod radiophonia collocant aut tantum in ipsarum scholis vel institutis vel aedibus hospitalibus *cum* aut *sine* apparatu annexo in Conventu, ut ipsi religiosi emissiones religiosas vel specialiter instructivas interdum valeant audire. Radiophonia tamen privata in singulis cellulis omnes fere prohibent exceptis perpaucis Conventibus, qui quidem apparatus in communi interdicunt, privatos autem concedunt, sed pro specialibus tantum officiis, praesertim pro artis musicae peritis.

4. Ex *rebus cinematographicis* Ordines contemplativi fere nulla spectacula nisi filmos seu potius proiectiones religiosas de Sanctis scilicet et missionibus admittunt. Activae et mixtae Religiones praeter repraesentationes intra muros pleraeque etiam extra domum religiosam incipiunt adire cinemas publicas, non paroeciales quidem tantum, sed et ipsius civitatis utique eum solum in finem, ut scaenas videant tantum religiosas aut saltem valoris eminentioris instructivi. Haud paucae tamen Congregationes praesertim sic dictae activae Cinemas publicas spectandas nihilominus restringunt aut ad solum comitandos discipulos aut prohibent adire saltem spectacula nocturna aut adhuc omnes omnino scaenas extra domum religiosam vetant, attamen paucae semperque pauciores prasertim in oppidis catholicis, ubi paulatim paulatimque, post frequentationes praecise sic lucrosiores, cinematographiorum Directores filmos meliores magisque probos important.

5. *Telephonium*, ut quid fere inevitabile, ab omnibus paene est introductum, exceptis tantum perpaucis monialium conventibus, qui nullum prorsus admittunt apparatum, paucioribus adhuc aliis, qui quidem telephonium instituerunt, sed extra clausuram, aut ad unicum usum Superiorissae vel Oeconomae. Praeter rarissimas Congregationes, virorum dumtaxat, quae saltem sacerdotibus concedunt plenam libertatem utendi telephonio, ferme omnes permissionem specialem pro subditis exquirunt, adhibita insuper ab aliquibus invigilantia sive per Sororem concomitantem sive per Superiorem qui apparatum annexum posset aperire.

2. Dicta.

Quibus factis expositis audiamus et breviter dicta. Qui nimirum faciunt difficilia vel periculosa immo vel minus recta, multum et dicunt, ad usus suos nervose confirmandos ex subsidiis aut candide infirmandos ex periculis. Nostra exclusive interest, qualia prostent subsidia et pericula pro vita perfectionis.

1. Ex lectione *diariorum subsidia* vident in eo, quod aestimatio, dilectio et laetitia ipsius *vocationis* revivificari potest, quae medio in mundo quondam nata ac nutrita, et in sexcentis rebus pàrvulis minutisque vitae claustralis aliquomodo obrigescebat. Praeterea *tota habitudo animae,* in seclusione a mundo forsan inflexibilis nimisque stabilis seu immobilis, ex contactu motus continui in mundo, ad continuam accommodatam status perfectionis renovationem potentiam oboedientialem et adaptationis obtinet. Tota insuper *praxis virtutum* ex rebus concretis concretum etiam haurit impulsum, persaepe efficacius quam

ex optimo libro theoretico, praesertim in mulieribus, cum varia vitia deterrenda vivide ad virtutes oppositas incitent exercendas. *Spiritus quoque reparationis et orationis*, ab egoismo quodam ascetico recedens, ex cognitione mundi malitiae et Ecclesiae passionis universalitatem verae caritatis acquirit et multa perpulchra particularia conficit.

Attamen *pericula* minime possunt occultari. Si praetermittamus nocumenta indiscutibilia ex diariis malis, immo vel ex neutralibus, saltem pro maiore parte, primum quoddam periculum ex lectione etiam catholicarum ephemeridum videtur esse in aliqua *superficialitate et commoditate spiritus*, quae ex lege bene nota gravitatis viam faciliorem minusque laboriosam eligens multum tempus et orationi et labori pretiosissimum conterit, libros effugit et bibliothecas et ipsa diaria paulatim non iam ex scientiae cupiditate, sed ex curiositate ut ita dicam devorat. Sic magis magisque ab « uno necessario » recedens mens in mundanis sibi placens mundana sequetur sive in colloquiis sive in ipsis exercitiis spiritualibus. Alterum periculum forsan sistit in quadam *confusione idearum*, praesertim in mulieribus, quae multa vocabula linguae vernaculae aliena multaque alia implicite tantum dicta male interpretantes ex numerosis impressionibus turbulentis maiores anxietates rumoresque falsos in communitate divulgant.

2. *Ephemerides periodicae* praeter illa ex diariis collecta afferunt *subsidia* ultro sequentia: *Periodici religiosi* ascesim tempori accommodatam exponunt et quidem in evolutione linguistica et artistica lectori hodierno arridente crebroque studium missionum et zelum apostolicum commovent. *Periodici autem arti speciali dediti* activitatem atque laetitiam laboris agitant, non raro quoque oboedientiam facilitant, cum subditi lectores Superiorum benevolentiam et adiuvandi liberalitatem grati percipiant.

Pericula item fere eadem obstant ut in lectione diariorum. Fieri tamen potest, ut *periodici religiosi* facile foveant quandam rerum novarum exaggerationem ac sensationum cupiditatem, *periodici artis profanae* autem appetitum res ultra statum ac paupertatem postulandi.

3. Pro *radiophonio* ab omnibus fere *utilitas*, nostro sub respectu, perparva et exigua aestimatur, cum propemodum omnia aethere emissa postea commode perfectiusque ex ephemeridibus possint comperiri. Intra claustra praesertim monialium tamen addunt, ipsis aedificationi cuidam et instructioni esse, si possint sequi missas solemnes et liturgias, sermones varios piosque celeberrimorum praedicatorum, immo et allocutiones Summi Pontificis, qui omnes certo alloquatur. Quidam rari musicam praesertim audientes et res recreatorias et similia audent et dicere animum bene relaxatum etiam bene esse dispositum ad laborandum immo vel orandum.

Inter *pericula* iuvat forsan adnotare cupiditatem passionemque audiendi omnia et quidem novius ac citius quam diaria possint ea suppeditare; temporis iacturam audientibus ea, quae postea possunt legere et revera legunt; caritatis difficultatem et discidium inter audientes diversis omnino ex gustibus; sonorum strepitum et clamorem in domo, quae animae quieti et recollectioni intendit providere; periculum pro candiditate fidei pioque catholico assensu, i. e. periculum idem ac ex diariis neutralibus, cum fere nulla emissionis statio sit catholica; scandalum forsan piarum aurium fidelium ac benefactorum, qui domos nostras supponunt esse loca tranquillitatis, silentii, solitudinis, simplicitatis atque paupertatis. Fortasse autem cum tempore radiophonia aliquomodo ex taedio obmutescunt sicuti experientia haud exigua nos edocet, quod vero minime salvat paupertatem, quae proinde pretio magno sibi comparat superflua.

4. In *usu cinematographii* cum per se pateat agi tantum de filmis seu spectaculis exclusive bonis, *subsidium* praecise in eo est, quod etiam bonum morale per duplicem sensum, et quidem per sensum efficacissimum visus, intrat in cor hominis ibique ut monitor vividus vel stimulus concretus animun ad bonum profunde commonet. In foro autem publico frequentatio scaenarum bonarum a parte religiosorum etiam bonos fideles incitat ad talia spectacula adeunda, quod, sicuti iam diximus, multo fovet creationem, importationem,

prolongationem et propagationem filmorum etiam bonorum, idque tali amplitudine, ut et in civitatibus mixtis immo vel praeponderanter heterodoxis catholicae commissiones publice agnitae fundentur ad promovenda praecise bona cinematographia.

Attamen nemo non videt *pericula* cinematographii ex eius virtute maxime suggestiva, quae spectatores in continuo tenens sensu delectationis cupiditatem etiam continuae novitatis ac sensationis valde excitat. Quae passio insuper mentem potest pedetentim a cogitando et ratiocinando tantopere abaliernare, ut sane nullum sit firmamentum fidei, quae obsequium sit oportet rationabile. De cetero spectacula cinematographica vitam plerumque non ostendunt realem, sed romanticam et theatralem, proinde facile inducunt in deceptionem et errorem, quae vix profecto subsidio sunt vitae perfectionis. Infeste autem scaenae cinematographiae possunt aliquomodo assuefacere vitae duplici morali, cum actores omnibus bene noti haud raro in practica oppositione vivunt ad id, quod in repraesentatione cinematographica ludebant, aut in una scaena partes debent assumere Sancti, in alia autem hominis libidinosi.

5. Ex *telephonio*, Religionibus in externa activitate laborantibus inevitabili, Ordines contemplativi tenue *subsidium* vident pro vita perfectionis. Maximum forsan edicunt consistere in eo, quod parcat tempori, studio et orationi tam pretiosissimo, restringens nempe religiosorum egressus ac numerum epistolarum scribendarum. Praeterea respectu gravium morborum et subitorum decessuum telephonium potest tranquillare; respectu laboris cuiusdam autem lucrosi, pharmaciae v. g., vel artis acu pingendi etc. haud raro emptores numerosiores allicit, qua quies animae et diminuta sollicitudo materialis indirecte possunt favere et vitae spiritali.

Inter *pericula* saepissime percipiunt continuas interceptiones et interpellationes inter cenas et sacra officia. Facile etiam auget contactum cum mundo verbosum et loquacem, cum oralia longiora soleant protrahi quam scripta. Pro religiosis spiritaliter iam periclitantibus periculum adhuc maxime increscit et iuxta experientiam plus minusve relate ad omnia tria vota.

3. Concupita.

Quod faciunt et quod dicunt, i. e. facta et dicta de hodiernis inventis iuxta subsidia et pericula, ex mandato et experientia obiective atque impartialiter exposui. Non est meum iudicare et normas edicere, sed eorum, qui materias hebdomadae studii totas colligunt. Proinde nec erit meum, iudicium particulare apponere ad tertium, i. e. ad *concupita, scil. accommodatam renovationem,* nisi sensu omnino universali.

Procul dubio nos omnes vivimus tempore indolis extremae, et temporibus extremis homines extremas solent invenire solutiones excepta Ecclesia perenni, quae media in extremis harmoniam tenet ex gratia et natura. Nostrum est disponere naturam, et sic Deus non denegabit gratiam. Natura autem concupiti constat ex duplici elemento: 1° renovatione, 2° accommodatione.   ,

1. *Necessitas renovationis* omnibus in aperto est. Congregationes praeponderanter *activae* in hodierno mundo destructo consequenter multas constructiones omnis generis

461

suscipiendas reperient et quidem ita, ut sese multo parum formatas, praeparatas, accommodatas sentiant. Ordines autem praecipue *contemplativi* ex inquiete tumultuque nostrorum temporum et ipsi inquiete et aliquomodo perturbati maxime periclitantur deflectere a prima caritate. Ergo utrisque renovatio necessaria sese insinuat.

2. Remanet *problema perlaboriosum accommodationis* et quidem nostro ex aspectu ad hodierna inventa sufficienter enumerata. Pro *Congregationibus activis* fiet modo obiectivo et harmonico iuxta earum subsidia atque pericula. Iuxta subsidia, quia moderna inventa in se procul dubio sunt bona; iuxta pericula, quia evadunt mala, si homo in suo statu peccati originalis eis utitur absque formatione et maturitate particulari et sine limitatione, vigilantia, temperantia prudenter imposita. *Ordines vero contemplativi* in mundo hodierno agitato, inquieto, exteriorizato non sese accommodabunt huiusmodi miseriis, sed praecise exigentiis ad opposita.

Ergo *consequentia finalis* relate ad inventa hodierna erit forsan in eo, ut Religiones activae apertius, sed et maturius vigilantiusque sese accommodent, ut prosint earum activitati, sed cum proportionata semper spiritali compensatione, ne noceant sibimetipsis. Contemplativae vero religiones potius rigidiores vigilantioresque eveniant, multa hodierna inventa utilia restringentes ad necessaria, quia multa antiqua utiliora prae multis modernis utilibus optime eliguntur. Sic vel ipsi activi a contemplativis indirecte roborantur sicuti et mariti in mundo a virginibus, et « unum necessarium » salvatur, et multi tamen optimam partem eligunt.

> *Alii periti viri, ex munere a Sacra Congregatione de Religiosis commisso, circa idem argumentum scripserunt.*

146   Rev.mus D. GHERARDUS FORNAROLI, Abbas O. S. B., *scripsit*:

Liceat mihi aliqua disserere circa pericula vel subsidia inventorum sed in vita tum monachorum, tum monialium dumtaxat.

1. Ephemerides.

Quod spectat Ephemerides sive quotidianas sive periodicas, distinguendum inter Ordines Virorum et Moniales.

1. Quoad viros. — Si agatur de Ordinibus clericalibus, praesertim si Sacro Ministerio, vel instituendae iuventuti incumbant, non videtur denegandus usus ephemeridis quotidianae, praesertim ex eo quod, ob consuetudinem iam inveteratam, difficile admodum videtur suadere ut religiosi abstineant a tali lectione.

Ceterum nemo negabit non parum utilitatis ex cognitione eorum quae eveniunt vel publicantur haberi posse pro sacro ministerio vel magisterio exercendo vel negotiis agendis.

Verum limitationes quaedam intercedant, necessarium omnino. Scilicet:

a) Vitandae ephemerides quae non sint a catholicis redactae. Lectio indiscriminata quarumcumque ephemeridum exponit animam erroribus et mundanis rebus hauriendis: quae certe vitae interiori fovendae non favent. Monachus qui suae perfectionis sollicitudinem habet, recollectioni continuae intendere debet, si nimium quotidianis novitatibus imbuitur, praesertim si e fonte inquinata hauriantur habitualiter, dissipationi spiritus exponitur, et sensim sine sensu a sancto proposito perfectionis elongatur.

b) Lectio ephemeridum non sit *cum temporis iactura.* Optandum quod non sit nisi quaedam rapida delibatio, per titulos capitalibus litteris impressos, paucis horae momentis absolvenda.

Plurima monachis inutilia in ephemeridibus inveniri constat. Monachus et Sacerdos aliis et quidem gravioribus intendat necesse est: sive studiis sacris, sive occupationibus necessariis, et praesertim animae suae perfectioni in dies augendae: cui certe non favet nimia de mundanis eventibus notitia; immo obest plurimum.

c) *Excludenda omnino* periodica *humoristica,* ut aiunt, quae per singulas hebdomadas venalia prostant, et illa periodicorum colluvies, figuris et scurrilitatibus deturpata, quae tot inutilia et saepe damnosa legentibus ac videntibus exhibent. Nullum exinde lucrum, ingens damnum pro monacho qui soli Deo stabiliter intendere professus est.

2. Quoad Moniales. — Loquor de Monialibus ad normam can. 488, 7°, de religiosis scilicet quae clausura earum propria, omnimode a consortio mundano seiungi professae sunt, quaeque quodlibet consortium cum saeculo abnegarunt.

a) Pro iis non video cur *toleranda* sit lectio *Ephemeridis quotidianae.*

Quid ex hac lectione nisi iactura temporis, dissipatio spiritus, curiositatis augmentum? E contra quae utilitas inde pariatur non video.

Si quae utiliter vel necessario cognoscenda aliquando eveniant, puto ad hoc sufficere illas ephemerides hebdomadarias quae fere in omnibus dioecesibus, sub auctoritatis Ecclesiasticae auspicio laudabiliter prodeunt.

— Dolendum tamen quod iam inceptus est usus huc illuc induci apud moniales subscribendi ephemeridibus (giornali). Initio lectio Antistitae reservata, ut posset *necessarias* notitias pro bono communitatis attingere; at bene citius lectio non denegata ceteris monialibus, utpote difficulter denegabilis, ut patet.

b) Laudanda et promovenda lectio periodicorum quae pro religiosis feminis publicari coepta sunt, quaeque ignorantiae quae passim in monasteriis grassatur circa spiritualia et canonica, laudabiliter satagunt obviare.

2. De radiophonia.

Apparatus radiophonici mihi videntur absolute excludendi a monasteriis sive virorum, sive mulierum. Non video utilitates: cognosco damna.

Monachi ac Moniales *separationem omnimodam a saeculo* professi sunt, ut soli Deo placere, Eique incumbere totis viribus, ac continuatim intendere possent.

Iam vero radiophonicus apparatus introducit vel introducere potest in monasteria saeculum et mundum illum qui « *totus in maligno positus est* ». Per radiophoniam omnes vitae mundanae aspectus auribus obiciuntur, cogitationibus vivide inseruntur. Nemo est qui ignoret quot ludicra et iocosa, immo scurrilia et amatoria cuiuscumque generis a mane ad mediam noctem ex omnibus orbis partibus praesto sint: quae omnia claustrales absolute excludere a propria vita solemniter professi sunt.

Novi quae afferuntur motiva pietatis ad radiophoniam introducendam. Utilitas, verbi gr., audiendi Verba exhortationis sive Summi Pontificis, sive concionatoris cuiuscumque; utilitas percipiendi interdum benedictionem, immo et indulgentiam plenariam; assistendo quodammodo celebrationibus religiosis etc. etc.

Omitto quod etiam his omnibus implicite valedictum est per professionem monasticam. Non mihi videtur magna iactura si claustrales careant quibusdam benedictionibus et indulgentiis cum supplere facillimum sit ex quibusdam exercitiorum piorum quibus indulgentia plenaria adnexa, quaeque interdum et communiter negliguntur.

Quod spectat contiones spirituales vel cuiuscumque generis conferentias, ut aiunt, puto melius esse pro monachis et monialibus si sacris lectionibus vel studiis magis eorum condicioni conformibus tempus et vires impendant.

Nec adest maior necessitas audiendi — *fideliter* bis vel ter in die hoc quod dicitur « giornale-radio »! Quod damnum si notitiae ex ephemeride hauriantur paucis postpositis horis?

Nihil igitur damni si monasteria radiophonia careant, e contra multa damna extimenda si semel introducatur. Iactura temporis in audiendis rebus ex maxima parte inutilibus. Aliquando horas, etiam intempestae noctis, transactas fuisse et esse in audiendis concentibus musicalibus vel quae dicuntur « operibus » theatralibus, vel comoediis et tragaediis mihi compertum est.

Nec aliquando sufficit oppositio et vigilantia superiorum. Scio, ceterum casus in quibus accessit consensus Superioris. Hisce omnibus obviatur si denegetur facultas habendi huiusmodi apparatus in monasteriis claustralium... — « Sed hoc facile persuaderi non potest » (S. Ben. in Regula ubi de potu).

Si alicui monasterio sit adnexum collegium aut schola, patet, relate ad tale monasterium, normas esse adoptandas quae forte admittendae sint pro Institutis Religiosis qui iuventutis educationi intendant. Sed etiam in his casibus claustrales illi quibus alumnorum cura non est personaliter concredita abstinere absolute convenit.

3. *Telephonium.*

Telephonium est instrumentum perutile, immo interdum necessarium.

Necessitas exeundi pro negotiis minuitur, negotia facilius et citius pertractantur etc. Hinc nulla ratio cur interdicatur claustralibus usus huius practicissimi inventi.

Cavendum tamen superioribus ne abusus irrepant. Abusus praecipue contrahendi et conservandi relationes et instaurandi otiosa colloquia cum saecularibus. Hinc instrumentum vel claudatur vel vigiletur. Artis electro-technicae periti poterunt suggerere et suppeditare media quibus Superior, etiam in cella constitutus, facile colloquia telephonica suorum captare possit.

Nihil aliud mihi superest dicendum. Ceterum ea ipsa quae dixi meliori relinquo iudicio.

147   Rev.mus Ioannes Mix, Superior Gen. C. R., *scripsit*:

To evaluate the benefits and show the dangers of our modern means of communication, — the daily papers and magazines, the radio, the cinema, the telephone, television, etc., — and the influence these means of education and recreation have on the spiritual life of the Religious, would of necessity take more than just a few pages were I to cover the subject adequately. I will attempt to give but a cursory estimate as gathered from my experience among my fellow-Religious in the Community's Seminary, in the high school, and in parish life.

I believe a general principle could be enunciated upon which we might rest our case or evaluation: All those means of information and recreation (mentioned above) are good if permitted in moderation and under strict and unterstanding supervision of a prudent and fatherly Superior. Considering the weakness of human nature there is bound to be some divergence from the right path and abuses are bound to creep in, but if corresponding measures to eradicate them are taken immediately, and the guilty ones disciplined, there is no doubt but that good results will be obtained in the end.

1. Daily Papers and Magazines.

At the very outset I might deplore the fact that there is but one Catholic daily (and that of most recent date) in the English language for more than thirty million Catholics in the United States. It would be ideal if the Catholics had Catholic *dailies* rather than *weeklies* in every diocese or archdiocese; unfortunately they are not to be had.

As far as the reading of secular, non-Catholic daily papers in the seminary is concerned, that is prohibited by order of the Sacred Congregation of Studies and Seminaries, and the Rector is bound in conscience to see that that order is carried out. Undoubtedly the secular dailies would afford the students too much news of the world, at a time when they should dedicate themselves to the formation of the future priestly characters, and it is a well-known fact that some papers are notorious for their sensationalism. The same can be said of many magazines, the entry of which is also forbidden in the seminarian's recreation hall.

During my seventeen years in the seminary no conflict existed between the prohibition and the students' desire for news of the world. Whatever was found in the daily papers to be of interest to the students was promptly cut out and posted on the bulletin board for their information.

The student should be encouraged rather to read good books. There is no better way of acquiring a cultural attitude. If the seminarian can be educated during his seminary days to appreciate the value of a good book, he will not be interested to too great an extent in secular papers and magazines, though that is not necessarily always the case in his busy life of teacher or parish priest.

The reading of daily papers by priests in parishes and high schools presents a different picture. There is great danger of spending (and wasting) too much time in the reading of daily papers and popular magazines under the pretext of seeking information for the Sunday sermon or their class. One need not read every single column of a daily paper to find out the policy of the publisher; the editorial page usually gives you that. And a cursory glance through the rest of the paper will not take up too much of the priest's time. Perhaps a greater loss of time is suffered in the reading of magazines. There are many excellent secular magazines which give a rather balanced outlook on world affairs and to read two or three of those a week would certainly not deprive the priest of his time. In fact it could be considered time well spent.

2. Radio.

The radio within the last twenty years has developed into one of the most powerful factors in the formation of public opinion, and one of the most widely advertised means of recreation and information. If supervised, the radio, can be utilized for much good. The Catholic Church has taken advantage of the facilities of the radio to such extent that to deprive the Religious of the (common) use of the radio in convents and religious houses, even in seminaries, would be considered a lack of foresight. It is always presupposed that the use of the radio is supervised and that the discipline of the house respected.

Within the past fifteen years because of the increased number of religion programs, the radio has become a potent propaganda factor for the Catholic Church. It has not only become an instrument through which Catholic doctrine is presented to millions who otherwise would remain ignorant of the tenets of the Catholic Church, but it has through its ever-increasing religious programs, also become a source of consolation for the shut-ins, the sick, and the aged, and for those who have forfeited their right to all social contact because of their crimes. The Catholic programs (The Sacred Heart Hour, The Hour of St. Francis, The Rosary, The Catholic Hour, The Hour of Faith, and others for local consumption), have brought millions of people closer to God and have been instrumental in breaking down Protestant prejudice and bigotry.

How important a part the radio (broadcasting) plays in the Missions, in the work of the apostolate, is demonstrated by the following example. Licensed amateur radio operators are quite numerous in the United States; they are numerous in other parts of the world as well. At times these "ham" operators are in position to do great service to humanity. It is not usual for Religious to dabble in « ham » operations because of the time and money involved. However, there are cases when such « ham » stations in far-off Missions become a blessing to those Missions.

To cite one instance, Brother Patrick King, of the Christian Brothers' College San Jose in Bluefields, Nicaragua, a "ham" operator, had several (if not frequent) conversations over the radiophone with another "ham" operator and friend in the city of Wichita, Kansas, U.S.A. During one of these conversations Brother Patrick asked his friend to extend his personal greetings to Bishop Carroll of that city, whom he knew when he was a boy in the city of St. Louis, Mo. The friend in Wichita refused to extend the greetings saying he would have the Brother extend them to the Bishop personally, and promptly got Bishop Carroll on the telephone by means of a phone-patch which put the Bishop in direct communication with Brother Patrick. They talked for ten minutes and the unusual telephone connection and the conversation which followed brought Brother Patrick the fine sum of $ 150 which the Bishop sent him immediately by air mail. The sum enabled the Brother to buy clothes for fifty children whom he was preparing for First Holy Communion.

As far as the use of the radio is concerned in the seminary, there is no difficulty. Private radios are absolutely forbidden to the students. A radio was placed in the recreation room, which was played during recreation or on some special occasions outside of recreation, and the program was always supervised by a student whose duty it was to see that no broadcast of an unwholesome nature was ever presented.

Should a Religious, working in a parish or teaching in a school, be permitted the private use of the radio? Would that be in conformity with poverty and Common Life? I

467

should like to pose these questions in view of a difference of opinion which might exist between us, who live in entirely different circumstances and environment in the United States, and our Brethren Religious in Europe where tradition is so strong and living conditions, at times, very primitive.

To permit the individual Religious working in a parish or teaching in a school the private use of a radio, to my mind, would be a saving of time and would not militate against the vow of poverty or Common Life. It is to be understood that the radio would be a small one, such that the Community could provide for each individual, if he felt the need of one, and that the discipline of the house, especially with regard to silence, be strictly observed. Such supervision would be very effective and would definitely develop in the Religious an appreciation of spiritual values. It would develop in him the virtue of obedience and the spirit of mortification at the same time. In order to keep abreast of current events today, a radio is indispensable.

3. The Cinema.

The « movie » can be considered a very wholesome means of recreation, of education, and at times a very efficacious means in winning vocations for the priesthood and missionary work. The « movies » or films because they vary greatly in their moral content, can also be an occasion of sin as Pope Pius XI in his Encyclical « Vigilanti Cura », stated, « bad films become an occasion of sin ».

In the United States in 1934, the "Legion of Decency" was established by the Hierarchy, charged with the examination and classification of all films put into circulation, particularly in respect to their moral values. Under the auspices of the National Catholic Welfare Conference it further decreed that all Catholics of the country should on the second Sunday of December, at every Mass, take the pledge of the Legion of Decency.

The classification of films is threefold: ." A " - for family recreation; " B " - for adults; " C " - condemned films. There is a sufficient number of good, clean and moral films that may be seen, and so for a Religious to patronize films other than the first class, is to give bad example and be a scandal to others. Neither could the excuse of mental relaxation be sufficient for his viewing such films.

No one, however, can deny that a good, moral film, is wholesome recreation; and that the Religious, seminarian or priest, and even the Nun, have need of such relaxation is evident too. If the film has unusual spiritual appeal, special showing of the films is arranged in one of the theatres of the city, to which the Religious of that city are invited free of charge, as was the case with the film « The Song of Bernadette ».

In recent years there has been a number of educational films supplied by visiting Missionaries which served as a wonderful propaganda both for needy Missions and for laborers for those Missions.

4. The Telephone.

One would think that the telephone being such a common means of communication should hardly be placed among modern inventions; neither should its influence on the spiritual life of the Religious be at all considered. And yet, the telephone, can and at times does play a very important part in the vocation and the spiritual development of the Religious. One can easily abuse this wonderful means of communication. The Religious can easily sin against the spirit, and even the vow of poverty, by excessive use and abuse of the telephone. Many times distance calls are made without the least consideration of the expense involved. There are occasions when it becomes a necessity to make them, but that does not happen often. If supervision is lacking there is danger of unnecessary and long conversations, and the consequent loss of religious reserve; there is also danger of using the telephone for illicit and sinful purposes.

It would be considered excessive to have many telephones installed in a religious house where fewer could serve the purpose as well; and it would also be false economy not to have any telephone in an institution at all. Where a switchboard is not necessary, it would be prudent to have the main telephone in the room of the Superior or Bursar, with extensions on each corridor of a large institution.

The use of the telephone by the students in the seminary was controlled by the Rector. Indiscriminate use of the telephone by the student was never permitted. Before any telephone call was made by the student, permission of the Rector was necessary. The Rector was also notified of any and all calls for the students; having been granted permission, the student answered the call.

5. Television.

Television is the newest of the modern inventions and its use is not by any means universal. With the exception of England (France and Italy of only very recent date) television in Europe is quite an unknown entity. Though in its infancy in the United States where it was introduced but two years ago, it has already revolutionized the entire field of radio and the cinema. Today films are taken of certain events and later projected on television, thus making it possible to have your cinema right in your own parlor. In the larger cities the action is projected on the television screen immediately from the spot where it is actually happening. That it is a very potent propaganda factor cannot be denied. However, just like the cinema more so than the radio, television can very easily become an occasion of sin, and for that reason, if introduced into religious houses there is greater need for vigilance on the part of the Superior.

How are the Religious in the United States reacting to television? Besides the recreational feature which is undoubtedly there in a more vivid manner than in the radio, the Religious are taking advantage of its potentialities as a powerful means of spreading the Gospel of Christ. The Paulist Fathers (in New York) are perhaps the leaders in this propaganda. Mass is televised from their church every Sunday and as many as nine million invisible spectators enjoy the religious program; and many non-Catholics are becoming acquainted with the Holy Sacrifice without their stepping into a Catholic church.

On March 7, 1949, three priests of the Archdiocese of Chicago were being elevated to the episcopate in the Holy Name Cathedral of that city. And for the first time in the history of the Church, the entire liturgical ceremony (for four hours) was televised. The feature of this unusual spectacle was the fact that the television company (I do not remember the name) loaned, free of charge, a television set to every Catholic school in Chicago, thus enabling the children and the Sisters to witness the ceremony in the school auditorium.

When the Holy Father, Pope Pius XII, broadcast his message to the Catholic School children on the anniversary of his birth, March 2, 1950; and again when he proclaimed the dogma of the Bodily Assumption of the Blessed Virgin Mary, November 1, the program was televised.

To what extent should the Religious permit the entry of television into the sanctum of the seminary, the parish house, the convent? Since it is not only a question of discipline but also one of poverty, it is my personal opinion, that for the present, a television set could be permitted only in parish houses and convents (of active and not contemplative Communities) for common use. To permit private sets, at least for the present, would be against poverty, if not the vow then certainly against the spirit (of poverty). There is one saving feature of having a television set in the common recreation room of a parish house (so the Superiors tell me): it keeps the Religious indoors more. There may be the question of discipline even in this form of recreation, namely, the danger of sitting up too late at night at the television set. But here again the vigilance of a prudent Superior will bring all to order.

If we are to adapt ourselves, as Religious, in parishes
and schools, to the times and to the needs of the people
whom we serve, we cannot restrict too much the use of the
means which are ever on the increase in number, means of
education, of recreation, and useful for the apostolate,
without defeating the purpose of that adaptation. All these
modern inventions can be used to good and even spiritual
advantage if used in moderation. The danger lies in the
abuse of these means. To forestall any and all abuse of
these God-given instruments requires the vigilance of prudent and understanding Superiors and the sincere and
wholehearted cooperation of the subjects

148 R. P. Adam Ellis, S. I., Sacrae Congregationis de Religiosis Consultor, *scripsit*:

Introduction

Fifty years ago magazines, telephones, radios and movies
were unknown in religious houses. Today, every novice who
enters has been raised on them. They are a means to an
end — creatures of God — and St. Ignatius' rule should be
applied to their use: "tantum, quantum".

Every reasonable person will admit that these things
have their uses, even for religious, but they should be regulated, lest they bring harm to the religious spirit. Such
regulation, however, should come from within, that is, each
religious institute and society should be allowed to make its
own rules and regulations — through its general chapter
or through the superior general and his council, until the
general chapter meets again. This regulation should be uniform
for all, and not left to the caprice of local superiors.

If the Sacred Congregation thinks well of it, they might
issue some general directives, particularly ascetical, calling
attention to the ordinary dangers, and suggesting some limitations. But ultimately the regulations should come from the
religious institutes and societies themselves, since they differ
so greatly, in size, numbers, work and customs.

1. Newspapers, magazines, and the like: their use and abuse.

A distinction should be made between Catholic newspapers and magazines, and secular newspapers and magazines. A good Catholic weekly newspaper should be allowed to every religious community, even to one of contemplatives, so that they may keep in touch with the Catholic world — its progress, its needs, its persecutions, and the like, and then include all these intentions in their prayers.

As to other Catholic magazines, they may be subscribed to according to the needs and the means of the individual community. A larger community will normally make use of more than will a small community. As to professional magazines, both Catholic and non-Catholic, they should be made use of to keep the religious community in touch with the progress which is being made in the field of endeavor in which the religious are engaged — teaching, hospital work, and the like.

As to daily papers, one Catholic daily should be allowed to each community engaged in the active apostolate. Where there is no Catholic daily, a respectable secular daily may be allowed, so that the members of the community may know what is going on in the world.

With regard to secular magazines, two dangers are to be avoided: the first is a waste of time: the reader does not realize how the time slips by when reading secular magazines with their interesting pictures and articles; the second is this: many, too many, secular magazines are impregnated with the pagan philosophy of life which permeates the world today, and religious as well as other Catholics can unconsciously imbibe this spirit by unguarded reading of these magazines.

2. The telephone: necessary limitations and vigilance.

The telephone is a modern necessity, and there should be one in every religious house. Preferably this should not be in a private room — for instance, that of the superior — but in a common place accessible to all, where one can be seen but not heard. Perhaps the greatest common danger for religious is the great waste of time which can be spent in useless and idle conversation over the telephone.

3. Radio: norms for use and vigilance.

The radio has its uses, even in a religious house — such as religious broadcasts, and news broadcasts, classical musical programs, and the like. Its use, however, should be regulated, and the community radio should be kept preferably in a separate though common room so as not to disturb the members of the community who do not care to listen to it. The use of the radio in any religious community should be limited both as to time (when and how long), and as to programs. Not only educational but also recreational programs should be allowed, at least occasionally. There is a lot of trash on the radio, just as there is in the secular magazines.

4. Movies: recreation - visual education - apostolate.

Good clean movies may provide excellent recreation and necessary relaxation for religious, especially for those engaged in the arduous duties of the active life. In countries where there are Catholic cinema companies, there will be no dearth of good movies to choose from. In other countries care should be exercised to have movies censored before showing them to the religious community.

Movies as a means of teaching and learning are an excellent medium which has been developed in the past ten or fifteen years, and our Catholic teaching and hospital communities should not hesitate to use them in order to keep abreast of the progress which is being made in their own fields of endeavor. In many countries educational movies are loaned free of charge by government and other agencies. Visual education should be considered as a normal means of advancement today. The above applies still more to *television* by means of which doctors and nurses can watch a delicate operation, teachers can see modern methods of sight teaching employed, and the like.

In the apostolate as well the movies have their place, and have been brought to great perfection by Catholic companies. There is no reason in the world why religious should not use them to teach the Catholic faith to the many thousands who wish to know more about it.

149   R. P. Iulianus Munarriz, C. F. M., *scripsit*:

Cumpliendo reverentemente el honroso encargo, que se me hizo, he aquí algunas brevísimas observaciones sobre dicho Tema verdaderamente importante.

1. Materia.

1. Los inventos modernos de prensa diaria o periódica, radiofonía, cinematografía, telefonía, etc. son un verdadero progreso de la Humanidad y un beneficio de Dios. De suyo pues son un bien positivo.

2. Pero la malicia o debilidad de los hombres puede convertirlos en instrumentos de daño a las almas. Con acierto pues nuestro Congreso ha puesto éste entre sus temas de estudio.

3. Adviértase ahora, ya desde el principio, que lo limita a la relación o influencia, que ellos puedan tener o ejercer en la vida espiritual de las almas, o mejor, en la vida de los que profesan estado de perfección espiritual.

4. No se trata por lo mismo aquí de definir *directamente* lo que *se refiere a la moralidad* de tales inventos, esto es del empleo de ellos en sí. Sólo se considera el uso de ellos en su aspecto ascético-místico.

Además, tampoco entra en el presente Tema la relación, que puedan tener aquellos con el *ejercicio del apostolado*; de lo cual se tratará determinadamente en otra Sección del Congreso.

2. Cuestiones.

Concretada así la materia, inmediatamente se ofrecen a nuestro estudio y consideración las siguientes *Cuestiones*, a las que precisa dar justa respuesta:

a) ¿ Puede ser, y cuándo, de positivo daño a la disciplina y a la vida de la Profesión religiosa el uso de la prensa periódica, de la radio, del cine, del teléfono, etc.?

b) ¿ Puede por el contrario ser de utilidad y provecho servirse de tales inventos, aun para los altos fines de la vida religiosa?

c) ¿ Cuáles son las diligencias, que conviene adoptar para prevenir y evitar los perjuicios a la perfección religiosa, y para obtener un conveniente y necesario aprovechamiento en nuestro caso?

La respuesta a la primera pregunta es evidente; es como primer principio en la doctrina y práctica de la vida religiosa y de perfección la indispensable necesidad de separarse del mundo, o sea, de los halagos y entretenimientos vanos de la vida secular o mundana.

Nada más justo; la primera palabra de aquel consejo celestial, dado a un ilustre personaje, luego gran Santo, al abrazar la vida de perfección, fué esta: FUGE, *apártate del mundo.* (Vita S. Arsenii). Y lo mismo se puede decir que evidencia la severa disciplina de la Iglesia sobre la clausura religiosa (can. 597 a 600).

Ello con sobradísima razón; la vida mundana está llena de lazos y peligros para la verdadera virtud; y el que ama el peligro, *in illo peribit* (Eccli., 3, 27). Pues bien; con esos medios, de que aquí se trata, el mundo no solo puede entrar, sino que de asiento se establece dentro de los muros religiosos en muchos casos.

Porque ya tristemente, juntamente con la razón, la misma experiencia diaria enseña cuán grave y extenso mal causan en muchos religiosos y en comunidades de ellos: como la disipación del buen espíritu, excitación de pasiones, falta de muchas virtudes, principalmente en la oración, recogimiento, aplicación al trabajo, aprovechamiento del tiempo, etc., etc.

Pues no tan sólo en conjunto, sino cada uno de los dichos inventos en particular ofrece serios inconvenientes, aunque en distinto grado; así, la lectura del periódico o revista, la auscultación de la radio, la conversación por el teléfono, las vistas en el cinematógrafo, en la televisión pueden ser fácil y eficaz medio de comunicación e infiltración del espíritu secular, contrario al del santo Evangelio de nuestro Señor Jesucristo.

1. *Periódicos.* — Fijémonos solamente per vía de ejemplo, en los efectos que pueden seguirse de la lectura de la prensa periódica: de tantos diarios, que, pareciendo serios y sensatos, son demasiado libres en la presentación de grabados en verdad bien poco morales y en artículos poco respectuosos con la doctrina católica, amén de la amplísima información de cada día sobre diversiones vanas, a las que se aficionan ciertos religiosos. — Y nada digamos de ciertas Revistas, en las que se sostienen ideas menos conformes a la pureza de la fe, que es necesariamente la base de toda vida religiosa.

Por causa de brevedad, omitimos la aplicación al uso de otros inventos, a que se refiere el Tema de esta Comunicación. — Y así, pasemos a dar respuesta a la segunda pregunta antes propuesta, que es complemento de la primera.

No obstante todo lo dicho hasta aquí, hay que reconocer que el uso de los referidos inventos es, aunque en diferente grado, no sólo útil y de provecho, sino en muchos casos hasta necesario en nuestros días.

2. *Prensa.* — ¿ Quién puede dudarlo, hablando de Revistas buenas y acomodadas en todo género de conocimientos, que debe procurar tener el alma religiosa, aun para su propio aprovechamiento espiritual? — Y aun para el mero trato, discreto y decoroso con los fieles y en general con los hombres, para conocer el campo en que se vive y trabaja, es utilísimo leer, siquiera sea rápidamente, el periódico diario.

3. *Radio.* — Asimismo, cuánto puede servir el uso de la Radio para el propio estudio e instrucción, para saber y

sentir instrucciones y acontecimientos religiosos de grande, de extraordinario interés, aun para los que viven en casas destinadas al estado de cristiana perfección.

4. *Teléfono*. — Y el teléfono da la posibilidad de dar y recibir tantos avisos necesarios y de una saludable conversación.

De todo lo dicho fluye naturalmente esta *Conclusión*, que hay que aceptar y tener presente en sus dos partes, a saber:

a) No se puede prescindir en la vida religiosa del uso de estos modernos inventos; *b*) debe este regularse convenientemente.

¿ Cuáles diligencias deben emplearse para este efecto? — Fué esta la tercera pregunta, propuesta arriba (II); y al contestarla, hay que exponer, a lo menos en líneas generales, la *práctica*, que hay que seguir en esta materia.

3. Normas Prácticas.

a) Sea la primera: Recomendar con empeño a los religiosos el deber de privarse de lectura de cosas frívolas, y sobre todo de las poco morales en diarios y revistas; y de tenerla únicamente en cuanto sea necesario o positivamente útil.

b) Igualmente que observen con fidelidad las disposiciones dadas en la propia Religión acerca de la radio, del teléfono, del cine, etc.

c) Los Superiores, ya Mayores, ya Locales cumplan el grave deber de proveer en todo esto, y de vigilar su cumplimiento. Atiendan diligentemente a la admisión de periódicos, al uso de radio y teléfono, del cine, etc., al tiempo que pueda gastarse en ello. En cuanto al cine, bien es recordar lo prescrito para todos aun en el Código de Derecho Canónico sobre espectáculos (can. 140).

d) Hay que tener mayor cautela en lo que se refiere a los Estudiantes, que están en período de formación, no permitiéndoles en absoluto la lectura de periódico diario.

Sería muy oportuno y conveniente que ya en las Constituciones ya en las Ordenaciones de la propia Religión se pusieran algunas Disposiciones sobre el caso, como ya lo han hecho prudentemente algunas de ellas.

150 R. D. EUGENIUS VALENTINI, S. D. B., Rector Magnificus in Pont. Athenaeo Sales., *scripsit*:

I. - Anzitutto bisogna porre ben chiaramente la distinzione tra vita religiosa contemplativa e vita religiosa attiva.

Fatto questo si possono stabilire due *regole generali*, suscettibili in qualche caso di eccezioni.

1. I religiosi dediti esclusivamente alla vita contemplativa, soprattutto se di clausura, possono e debbono fare a meno sia dei giornali che del telefono, e, a fortiori, della radio, del cinema e dello sport.

2. I religiosi dediti alla vita attiva *non possono* in via generale prescindere da tutti questi mezzi della tecnica moderna, ma *devono* usarli in armonia col fine proprio del loro istituto.

II. - Per i religiosi di vita attiva, si possono presentare due casi:

1. Ordini o Congregazioni *antiche,* che non hanno nulla di tutto questo nelle loro regole o costituzioni.

In tal caso:

a) Se la consuetudine ha già introdotto nella loro vita tali innovazioni, con discernimento e criterio, non c'è che da approvare ufficialmente il già fatto.

b) Se detta consuetudine ha introdotto senza discriminazione tali mezzi favorendo troppo la comodità dei religiosi, allora dovrà essere stabilita una norma che regoli dette cose, in armonia con il fine e lo spirito dell'istituto.

c) Se non si è fatto ancora nulla di tutto questo allora ci pare doveroso introdurre quelle innovazioni che, non turbando lo spirito dell'istituto, possono armonizzare meglio la vita dei religiosi con le esigenze sane del mondo moderno.

2. Congregazioni *moderne* che già nelle loro costituzioni o regolamenti hanno introdotto tali ritrovati della moderna tecnica.

In tal caso tutto ciò deve essere perfezionato secondo le esigenze e i progressi dei tempi affinchè tali mezzi abbiano ad essere strumenti atti al raggiungimento del fine apostolico dell'istituto.

III. - Principio generale da aversi presente da coloro

che possono usare detti mezzi, si è: Nella vita religiosa si debbono scegliere i mezzi solo e in quanto servono al raggiungimento del fine dell'istituto, e non a comodità dei religiosi stessi, avendo ogni religioso adottato una vita di rinuncia ad imitazione di N. S. G. C.

IV. - I religiosi di vita attiva possono avere come fine caratteristico, oltre al fine generale e principale di tendere alla perfezione: 1) la predicazione e il S. Ministero; 2) un apostolato specializzato di categoria tra gli adulti; 3) la cura degli infermi; 4) l'educazione e l'istruzione della gioventù.

1. *Per gli addetti alla predicazione e al sacro Ministero:*

a) Trovo non solo conveniente ma in certo senso necessaria la lettura dei giornali e dei periodici, molte volte anche di quelli di parte avversa.

b) E' opportuno e necessario che siano in una casa provvista di telefono, di cui possano usare con libertà e discrezione.

c) Sarà talvolta molto conveniente, non oserei dire necessario allo stato attuale delle cose, l'uso della radio.

d) Limiterei invece l'assistenza al cinematografo a coloro che hanno uno speciale incarico, e agli altri lo permetterei solo in casi eccezionali per pellicole d'eccezione.

2. *Per quelli che sono incaricati di un apostolato specializzato di categoria,* darei le stesse norme del caso precedente, usando però maggior larghezza in quanto alla radio e al cinema, e ciò in relazione al loro stesso apostolato di specializzazione.

3. *Per gli addetti agli infermi:* E' evidentemente necessario il telefono. Riguardo alla lettura dei giornali, all'uso della radio, si dovrebbe concedere solo quel tanto che serve a tenerli al corrente degli avvenimenti per poter intrattenersi con gli infermi e rettificare loro eventuali giudizi su uomini o cose. All'infuori del caso in cui per gli infermi convalescenti vi sia a disposizione una sala cinematografica, e anche in tal caso solo per la debita revisione o assistenza, riterrei al tutto sconveniente che detti religiosi andassero ad assistere a proiezioni cinematografiche.

4. *Per gli addetti all'educazione della gioventù:*

a) La lettura dei giornali politici dovrebbe essere convenientemente limitata, dando invece largo campo, servata tamen ratione temporis, ai giornali e ai periodici per la gioventù, e alle riviste specializzate di sana pedagogia, in modo da mettere i religiosi al corrente di tutto ciò che di buono ha prodotto la tecnica moderna soprattutto nel campo della didattica e della psicologia sperimentale.

b) Il telefono è ormai un mezzo indispensabile di comunicazione con l'esterno. Deve però essere sottomesso a regole analoghe a quelle che in ciascun istituto sono stabilite per le relazioni degli insegnanti coi parenti degli alunni.

c) Per l'uso della radio bisogna fare una distinzione fondamentale tra i paesi che hanno una radio trasmittente cattolica e gli altri che non posseggono tale stazione radio trasmittente.

Nei primi, soprattutto se vi saranno trasmissioni per ragazzi, sarà opportuno approfittare della radio per programmi speciali di istruzione e di svago; nei secondi invece bisognerà per necessità interdirsi ogni programma di cui non *consti con certezza* prima della trasmissione l'assoluta ortodossia e moralità.

d) Il cinema e il teatro sono invece una necessità concreta per i religiosi educatori in quanto tali. Con questa differenza però, che il teatro ha in teoria e in pratica un appoggio incondizionato, dato che la scelta del lavoro drammatico e la messa in scena è di completa spettanza dell'educatore e quindi non dà luogo a sorprese; mentre invece il cinematografo, dato che la pellicola può essere scelta solo nel repertorio esistente e non sempre si presta a tagli convenienti che ne rendano possibile la visione, ha un appoggio condizionato alla moralità e alla qualità di detta produzione adatta per giovani.

Quali sono le ragioni che provano detta necessità del cinema e del teatro per il religioso educatore?

Cominciamo con lo stabilire il principio che il religioso in quanto tale non ha necessità alcuna di tal genere di spettacoli, perchè ben raramente e in via del tutto eccezionale sono strumenti atti ad una elevazione spirituale, e mai tale mezzo può essere considerato necessario per l'acquisto della perfezione. Tale necessità viene quindi asserita per il religioso solo in quanto educatore, affinchè possa raggiungere più facilmente il fine del proprio apostolato, e questo ancora non come un mezzo diretto che santifichi immediatamente le anime, ma come un mezzo indiretto che gli permette di avvicinare e di attirare i giovani in ordine alla santificazione delle loro anime.

Dette ragioni sono le seguenti:

1) Per formare il gusto e mettere in grado l'educatore di allestire trattenimenti secondo i bisogni e le esigenze dei tempi, i quali perciò abbiano presa sull'animo dei giovani. Il cinema infatti e il teatro possono essere scuola di vizio e di virtù nell'animo giovanile.

2) Perchè l'educatore non divenga indifferente riguardo ai gusti dei giovani, e si renda perciò incapace di comprenderli con tutta la sequela di conseguenze fatali derivanti da un tale stato.

3) Per conoscere un po' la vita, dato che il religioso vive sempre un po' appartato dal mondo e d'altra parte ha bisogno di un po' di conoscenza del mondo al fine di poterlo abbordare e convertire.

4) Il cinema e il teatro rappresentano la vita nei lati buoni e cattivi. Ora tali rappresentazioni mettono in grado di esercitare il giudizio morale più e meglio dei casi che vengono proposti dalla teologia morale; dato che la rappresentazione teatrale o cinematografica si avvicina molto più alla vita reale degli uomini, che non la semplice proposizione teorica di un caso di coscienza.

5) Uno dei mezzi più efficaci di educazione è la conoscenza del giovane. Ora detta conoscenza è facilitata assai dalle reazioni che il giovane ha di fronte a una pellicola, e che l'educatore esperto può controllare direttamente o indirettamente nelle conversazioni che seguono lo spettacolo.

6) Con tutto ciò non si nega affatto che molti pericoli possono esistere soprattutto per il cinematografo, ed è perciò che nessuna pellicola deve essere mai proiettata senza prima essere stata revisionata per intero.

7) Affinchè lo spettacolo abbia a produrre tutti i vantaggi sopraenumerati è bene che dopo le principali rappresentazioni si faccia un « cine forum » nel quale si discuteranno i problemi educativo-morali che ha suscitato.

8) Molte di queste ragioni valgono anche per i religiosi educatori che sono nel periodo della loro formazione (scolasticati di filosofia e di teologia) e quindi anche per essi è conveniente l'assistenza a tali rappresentazioni, purchè vi sia un sano criterio nella scelta e nella frequenza.

V. - Non credo fuor di luogo dire anche una parola sullo sport. Bisogna anzitutto stabilire *un canone fondamentale:* Il gioco è una *necessità* per il giovane, non una semplice convenienza. In un senso un po' ampio, lo stesso deve dirsi del divertimento. Eccetto però casi eccezionali, non si può dire la stessa cosa dello sport. Anzi in molti casi lo sport è controproducente.

Questo però è vero se si considerano le cose piuttosto in astratto, perchè in concreto quando i gusti di un paese hanno fatto dello sport quasi una esigenza, allora ogni considerazione astratta rimane priva di valore e se non si prendono i giovani come sono, con i loro gusti, non si prendono affatto, e allora ci si pone nell'impossibilità di far loro del bene.

Le ragioni quindi che inducono l'educatore ad occuparsi dello sport e a praticarlo in maniera moderata sono analoghe a quelle poste sopra per il teatro e il cinematografo. E precisamente:

1) Per non diventare indifferenti e non comprendere più i gusti dei tempi anche in ciò che hanno di sano.

2) Per iniziare e intrattenere le conversazioni coi giovani che non vedono altro che questo.

3) Per acquistare stima e ascendente su di essi. D. Bosco fanciullo per questo imparò tutti i giochi dei prestigiatori e dei saltimbanchi.

4) Come legittima distensione dei muscoli e dei nervi dopo parecchie ore di studio intenso.

5) Per acquistare anche nel gioco e nello sport quel dominio di sè che è tanto importante e che deve essere inculcato al giovane insieme col senso di cavalleria e di arrendevolezza.

6) Per poter condividere pienamente la vita dei giovani e così essere nell'occasione migliore per studiarli, correggerli e guidarli al bene.

D. Bosco diceva che in tutte queste cose egli voleva essere sempre all'avanguardia, e S. Filippo Neri diceva ai suoi giovani: Fate tutto quello che volete, purchè non facciate peccati.

Con queste due massime si può concludere che ogni aggiornamento non solo è possibile ma doveroso, al fine di poter salvare un maggior numero di anime.

151   R. P. VICTORINUS CALLISTUS VANZIN, S. X., *scripsit*:

Sembra una battaglia perduta in partenza, quella che si propone di far partecipare il Clero agli spettacoli cinematografici. Proprio perchè è uno spettacolo pubblico, il cinematografo rientra in quelle manifestazioni che, per loro natura, sono interdette al clero in genere ed ai Religiosi in particolare. La loro presenza nelle Sale è in assoluto contrasto, non solo con il concetto corrente della vita religiosa, ma anche con la mentalità dei religiosi stessi, e genera scandalo e disagio vicendevole.

Ma è soprattutto per ragioni di carattere interiore che un Religioso si sente estromesso dagli spettacoli cinematografici. I primi piani di certe scene di vita intima, che qualsiasi Religioso non si permetterebbe mai di osservare nella realtà, la deformazione abituale dei valori cristiani così come sono prospettati nello schermo, la prevalenza della fantasia nella costruzione della « verità » cinematografica, tutto questo opera profondi sconvolgimenti psicologici, determina paurose frane nella struttura morale, rifrange la mondanità nei quadri della vita regolare. La legittimità delle proibizioni più drastiche, convalidate da sanzioni perentorie, appare pertanto ovvia ed indiscutibile.

Contro tale situazione, si pongono alcuni fatti che possono illuminare altri aspetti della severa questione.

E' noto, anzitutto, che in vari paesi di Europa e d'America sacerdoti e religiosi cattolici frequentano normalmente gli spettacoli cinematografici non soltanto nei locali cosidetti parrocchiali, ma anche in quelli pubblici, e non

481

pare che esistano limitazioni se non di carattere personale. In genere, si può constatare che il fatto si verifica nelle regioni in cui il clero diocesano e regolare non porta l'abito ecclesiastico o religioso, per cui la sua presenza tra gli spettatori non è segnalata clamorosamente. Certo, le proibizioni che riguardano i fedeli sono pure valide anche per le loro guide, e non sono pensabili eccezioni in proposito. Comunque, il fatto è ormai scontato.

Inoltre, è ormai accolta la presunzione che sacerdoti e religiosi possano partecipare alla produzione cinematografica, almeno nelle fasi della preparazione del soggetto, per la sceneggiatura e nell'assistenza alle riprese di carattere religioso e liturgico, allo scopo di condizionare i fini sani e morali. Tutto questo comporta, naturalmente, una conoscenza della materia che non può essere soltanto teorica e libresca, ma deve risultare dalla visione metodica e continuativa dei prodotti più cospicui. Almeno, dunque, per tale categoria di specialisti, l'eccezione dovrebbe sussistere.

Tra proibizioni, eccezioni e diritti acquisiti, s'inserisce, però un discorso più profondo, più ampio, più universale. Si tratta di rivedere addirittura la posizione del Sacerdote e del Religioso di fronte alla società che lo esprime e che egli deve fermentare. Di chiedersi, cioè, se, pur non essendo *del* mondo, egli non debba vivere *nel* mondo, come ha detto Cristo dei Suoi Apostoli. Di vedere, insomma, se egli può compiere la sua missione e portare il messaggio cristiano agli uomini rimanendo da essi separato dietro molteplici diaframmi, che, se lo preservano da possibili contaminazioni, lo deformano davanti agli occhi di molti. La tragica secessione del proletariato dalla casa del Padre, l'insurrezione furibonda della materia contro lo spirito, sono già temi di dolorosa meditazione per chi guarda al di là degli schemi tradizionali per cogliere l'invito della storia e della realtà. Se la Chiesa non ha esitato davanti alla tremenda esperienza dei sacerdoti-operai, dei sacerdoti-minatori, dei sacerdoti-facchini, e non ha ritenuto di compromettere così la loro dignità, di offuscare e sminuire il loro ministero, di sacrificarli senza speranza per il trionfo della causa, è lecito concludere che il problema si impone in termini tali che non è più possibile baloccarsi con i commi delle leggi disciplinari e con le glosse dei costumieri.

Si tratta, in definitiva, di qualificare o, meglio, di riqualificare la condizione dei rappresentanti della Religione in mezzo agli uomini, di determinare la loro collocazione nella trama di una società che da molto tempo ha lasciato gli ormeggi della tradizione cristiana. Esiste indubbiamente la problematica della loro formazione interiore e della loro cultura professionale, ma tutto ciò rimane allo stato potenziale se non sopravviene una modellazione esterna che permetta loro di applicare le forze alla struttura della Società. Non è più necessario dimostrare che gli uomini hanno bisogno degli uomini per andare a Dio, perchè l'unione autentica con la Divinità avviene attraverso l'umanità di un Dio, ma è forse necessario ricordare che il tramite tra gli uomini e Dio deve essere unito non solo con Dio ma anche con gli uomini. L'inefficienza del lavoro apostolico è dovuta non solo alla separazione dal termine supremo, ma anche da quello iniziale, con effetti identici. Troppo spesso chi dovrebbe essere considerato un amico è invece riguardato come un poliziotto spirituale, che fa bestemmiare i nemici e rabbrividire gli altri.

Ora, non è temerario affermare che la questione della partecipazione dei sacerdoti e religiosi allo spettacolo comune del nostro tempo, ha una particolare insistenza nella risoluzione del problema generale. Le folle gremiscono le sale cinematografiche perchè lo schermo rispecchia la loro vita, i loro affanni, i loro desideri, i loro vizi e le loro virtù. Sedere in mezzo ad esse in quelle ore in cui, libere dalle preoccupazioni contingenti, spogliate dall'identità personale, si manifestano nelle reazioni più genuine e denunciano le istanze naturali delle loro passioni, significa penetrare in profondità nel loro animo e procurarsi pertanto la conoscenza indispensabile per aggredirle efficacemente con i mezzi dell'apostolato. Siccome la condizione umana del sacerdote e soprattutto del Religioso li isola dalla vita familiare e dalla comunità professionale, lo spettacolo cinematografico può colmare un divario che difficilmente potrebbe essere superato altrimenti.

I rilievi dei Farisei alla presenza di Gesù in certi ambienti e con certe persone, e le sue repliche immediate e definitive, sono forse un'indicazione anche per la frequenza dei Religiosi al cinematografo.

ARGUMENTUM 1: *Formae aggregationis, unionis, sub-*
iectionis inter diversas Religiones,
Societates et Instituta saecularia.

152 *Orator* - R. P. ELMAR WAGNER, O. F. M.

Attenta diversitate iuridicae condicionis singularum religionum, societatum et institutorum, iam ex iure communi resultanti, cum sint aut iuris pontificii aut iuris dioecesani, exemptae aut non exemptae, clericales aut laicales, virorum aut mulierum; attenta diversitate iuris proprii uniuscuiusque religionis, societatis et instituti ratione statutorum vel constitutionum particularium, privilegiorum et indultorum — haud possibile erit diversissimas formas relationum iuridicarum, quae inter ipsas ad invicem intercedere possunt, brevi dissertatione congerere et nitide delineare.

Quare limitandum est argumentum omnino ad illam relationem, quae prae ceteris maioris momenti est, scilicet dependentiam, sive spiritualem tantum sive auctoritativam, religionum mulierum ab illis virorum.

Duae enim formae resultant dependentiae radicales et diversi gradus: dependentia nempe spiritualis, ratione curae et directionis specialis; dependentiae porro auctoritativae ratione potestatis dominativae aut iurisdictionalis. A dependentia spirituali, quae importat curam et directionem, distingui tamen debet mera aggregatio seu unio mere spiritualis, quae verificari potest et de facto verificatur etiam sine ulla directione seu cura speciali. Aggregatio enim seu unio mere spiritualis nullam dependentiam secumfert, attamen dependentiae gradibus subsistere et eosdem comitari potest. Quae ut clarius eluceant praevie de ipsa aggregatione verbo conciso loqui debemus.

Tripliciter proinde dividimus argumentum nostrum:

I. De aggregatione seu unione mere spirituali.
II. De cura et directione speciali.
III. De auctoritate dominativa aut iurisdictionali.

Observamus tamen quod in concreta relatione inter duas religiones vel societates istae formae cumulari possunt et saepissime de facto se compenetrant, ita ut altior gradus inferiorem comprehendat, primus ergo coexistere valeat secundo et tertio, et secundus etiam tertium comitari possit.

I. - AGGREGATIO SEU UNIO MERE SPIRITUALIS

Aggregatio est actus auctoritatis competentis quo religio, societas vel institutum agnoscitur et admittitur ut membrum morale religionis cui aggregatur, ut exinde participet indulgentias et gratias spirituales illius religionis.

Cum hac tamen religione de cetero aliquam in spiritu et vivendi ratione similitudinem praeseferre debet; quae generatim etiam quodam modo externe manifestatur (1). Cum autem aggregatio nullo modo dependentiam inferat corpori aggregato, nec aggregans ullam sibi vindicare valeat curam et directionem nec minus potestatem dominativam aut iurisdictionem, independens remanet aggregatus ab aggregante et Ordinario loci subditus sicut antea.

Codex Iuris Canonici de aggregatione Congregationum Religiosarum loquitur solummodo relate ad Congregationes tertiariorum seu tertiariarum in communi viventium, et hoc in canone 492 §1, ubi postulat ut antequam Congregationes religiosae tertiariorum ab Ordinario loci condantur, a Supremo Moderatore primi Ordinis suae religioni aggregentur. Moderator Supremus ergo hac aggregatione propria auctoritate declarat, illam Congregationem ad Tertium Ordinem pertinere ideoque membrum morale constituere primi sui Ordinis, et proinde etiam participare indulgentias et gratias spirituales, quae personis et locis primi, immo et secundi Ordinis sunt concessae (2).

Hic casus a Codice consideratus ordinarius est et verificatur in ipsa fundatione alicuius Congregationis Tertiariorum. Nihil tamen prohibet, quominus huiusmodi aggregationes fiant etiamsi non agatur de Tertiariis, sed de aliis Institutis, et fiant post huiusmodi Instituti fundationem, ex. gr. aggregationes inter alium Ordinem et Congregationem, inter ipsas Congregationes, inter Congregationem et Societatem vel Institutum saeculare, dummodo quaedam similitudo appareat ut condicio naturalis in spiritu et vivendi ratione, et agatur de mera communicatione indulgentiarum et gratiarum spiritualium.

Exsulant ab aggregatione omnino, uti liquet, communicationes privilegiorum iuridicorum, uti ex gr. exemptionis. Insuper haec aggregatio perfici valet solummodo vi Apostolici Rescripti, dum illa a can. 492 §1 praescripta a Supremo Moderatore propria auctoritate a iure concessa, potestate ergo ordinaria, peragitur.

Quapropter etiam aggregatio alicuius Congregationis seu Religionis non tertiariae iam institutae ad Primum aut Tertium aliquem Ordinem a Supremo Moderatore respectivi primi Ordinis perfici non valet sine indulto apostolico (3).

(1) Cfr. LARRAONA, *Commentarium pro Religiosis*, V (1924), 84.
(2) ASS, XXXVI (1903), 377.
(3) Exempla cum citatione resp. documentorum v. *Acta Ordinis Fratrum Minorum*, LII (1933), 151 ad II.

Hac aggregatione huiusmodi Congregationes aut Instituta naturam suam nativam non mutant, neque sodales eorum tertiarii fiunt, immo quoad indulgentiam toties-quoties Portiunculae S. Paenitentiaria Congregationes non tertiarias O.F.M. non aggregatas speciali indulto indigere edixit (4).

Historiam aggregationis quod attinet haec forma relationis inter diversas Religiones non resultat ante annum 1901. Antea enim Tertiarii ex. gr. in communi viventes non uti corpus morale qua tale aggregati sunt, sed singulae tantummodo personae (5).

Haec de aggregatione dicta sufficiant, ut aliae formae relationum, verae nempe dependentiae, clarius eluceant.

II. - DE CURA ET DIRECTIONE SPECIALI

1. Congregationum, societatum et institutorum saecularium mulierum.

a) Congregationum mulierum.

Can. 500 §3 expresse prohibet: « Nulla virorum religio sine speciali apostolico indulto potest... religiosarum (sc. Congregationis mulierum) curam et directionem retinere sibi specialiter commendatam ».

Omittendo commentaria huiusmodi canonis cum optima exstent in tractatibus de iure Religiosorum Codicis, nobis maioris momenti erit eiusdem praescripti historicam evolutionem, saltem ultimis ante Codicem temporibus, in lucem referre. Praescindendo hic a vera subiectione seu dependentia auctoritativa, de qua postea, variae semper erant rationes, curnam aliqua Congregatio vel Institutum aliquod mulierum petiisset curam et directionem seu dependentiam spiritualem a determinato Ordine seu determinata Congregatione virorum.

E. g. communis Fundator, eadem Regula, conservatio unitatis in eodem spiritu, maior cognitio et comprehensio Instituti necnon assistentia in circumstantiis gravioribus, a viris Religiosis Instituti affinis exspectanda; magna utilitas habendi curatorem affinem, qui tractet negotia cum auctoritatibus religiosis et civilibus; praedicatores et confessarios, qui speciali Instituti spiritu et fine magis compenetrati, immo in eodem educati sint, et sic porro.

Cum autem in Constitutionibus Congregationum mulierum aut in huiusmodi petitionibus mera directio, cura et assistentia seu dependentia spiritualis non semper clare separatae essent a dependentia auctoritativa in regimine, in administratione et in disciplina, et ita iura episcoporum qua

---

(4) cf. S. Poen. 16 et 28 iulii 1949; v. *Acta Ordinis Fratrum Minorum*, LXIX (1950), 123.

(5) LARRAONA l.c.; ibid. cit. MOTHON, O.P., *Traité sur l'Etat Religieux*, 1923, art. 82, p. 110, not. 1.

Ordinariorum locorum, a quibus Congregationes votorum simplicium per se non exemptae sint, offenderentur, S. Sedes praeter motiva indolis moralis praesertim ob haec motiva iuridica difficilem se habebat huiusmodi dependentiam concedendi.

Iam terminorum usitatorum valor iuridicus clarus non apparebat. Loquebantur de affiliatione, unione, aggregatione, subiectione, directione, dependentia etc. quin momentum iuridicum, iura et obligationes his terminis limitarentur; aut, si taxative exhibebantur, iam iura Ordinariorum laedebant.

Ideo Sacra Congregatio Episcoporum et Regularium negavit, quod sorores Sancti Thomae a Villanova *dependeant* a Superiore Generali (6) expresse « ob praeiudicium quod iurisdictioni episcoporum infertur ». Anno 1837 eadem S. Congregatio sese opposuit *unioni canonicae* Sororum Praesentationis cum Ordine Praedicatorum (7). Anno 1843 respondit: non expedire *affiliationem* Sororum SS.mi Nominis Iesu ad Congregationem Presbyterorum a doctrina christiana (8); anno 1853 negavit *affiliationem* Sororum S. Ioseph a Cluny ad quoddam Institutum Missionariorum. Et S. Congregatio de Prop. Fide separationem imposuit Instituto Sacerdotum a Sororibus eidem Instituto *aggregatis* (9).

Huiusmodi experientia et praxi ducta, S. Congregatio Episcoporum et Regularium anno 1862 in forma generali declaravit, *illicitam* esse affiliationem Congregationis mulierum Congregationi vel Societati religiosae virorum, nec ipsos Episcopos consensum dare posse. Quae declaratio approbata fuit a Pio IX die 11 aprilis 1862 (10). Ideo tribus annis postea decretum annullavit alicuius Episcopi, quo ipse communitatem Tertiariorum Fratribus Minoribus subiecerat; et declaravit S. Congregatio: Novum esse pium Sororum Institutum votorum simplicium subesse iurisdictioni s e u d i r e c t i o n i Regularium (11).

Et in alio casu similem dependentiam solvit rescribendo: « Neque superior generalis neque socii pii instituti assumere ac retinere possunt *directivam* superioritatem seu ordinariam *directionem* nec officium confessarii exercere pro... piis sororum domibus sine speciali Apostolicae Sedis licentia ».

Ideo in Normis diei 28 iunii 1901, secundum quas S. Congregatio Episcoporum et Regularium procedere solebat in approbandis novis Institutis votorum simplicium, statutum fuit: « Non approbabuntur in posterum Instituta sororum a similibus Institutis virorum votorum simplicium dependentia, nec Instituta virorum huiusmodi Instituta sororum sibi aggregata et a *se directa* habentia » (n. 17); et iterum in iisdem Normis: « Nullum Institutum religiosorum votorum simplicium potest sibi aggregare simile Institutum Sororum, quod ab ipso dependeat vel ab eo dirigatur » (n. 52).

Uti tamen ex verbis antea citatis clare apparet directio mere spiritualis nondum clare secernebatur a iurisdictione.
Attamen haec distincto praeparabatur.
Iam *ante* « Normas » enim directio spiritualis qua talis concedebatur.

Ita die 16 maii 1856, qua concessione Ministro G.li Ord. Minorum directio spiritualis attributa fuit Superiorissae Gen.lis Paup. Filiarum SS. Stigmatum

(6) BIZZARRI, *Collectanea*, p. 788.
(7) *Analecta Eccl.* 5 (1897), 484.
(8) *Analecta Iuris Pont.* 9, 595-596.
(9) *Analecta Iuris Pont.* 9, 595-596; 11, 154.
(10) BIZZARRI, *Collect.* p. 152-153.
(11) *Analecta Iuris Fontificii*, 8, 2171.

S. Francisci (12). Die 12 aug. 1885 similiter S. Congr. de Prop. Fide Sororibus Franciscanis Missionariis Mariae dependentiam a directione Min. G.lis Ord. Minorum concessit; et 17 nov. 1897 idem fecit in favorem Sororum Franciscanarum Missionariarum Aegypti. Recurrente anno 1893 quodam episcopo ad S. Congr. Ep. et Reg. contra dependentiam Filiarum Sapientiae a Sup. G.li Patrum Societatis Mariae, S. Congr. sua decisione Superiori facultatem reliquit praesidendi Capitulo Generali dictatum Sororum et invigilandi necnon promovendi in singulis domibus Constitutionum observantiam, et deinde expresse subiunxit: « sub debita Ordinariorum dependentia ponendi illos actus qui ad Congregationis bonum et incrementum conducere possunt (13).

Post « Normas » anni 1901 supra citatas, ex aversione S. Congr. a dependentia Congregationis vel Instituti mulierum a religione virorum ex una parte, ex magna autem utilitate spirituali ex altera parte, distinctio directionis spiritualis a iurisdictione paulatim perficitur.

Dum quoad easdem Sorores e.g. anno 1898 adhuc decernebatur: « Expungantur (a Constitutionibus) omnia quae ordinariam iurisdictionem Ministri G.lis supra totum Institutum exprimere videntur », anno 1910 dicebatur: Quoad directionem nullam e x o f f i c i o directionem erga institutum exerceant; et denique anno 1911 S. Congr. rescripsit, quod subiectio sit solummodo in illis quae directionem spiritualem sororum respiciunt « salva semper iurisdictione Ordinariorum locorum » (14).

Ipse Summus Pontifex Benedictus XV in altero casu commendando ut precibus Sororum faveatur in quantum fieri possit, mentem suam aperuit proponendo dependentiam Sororum ab illo Ordine in omnibus quoad spiritualia tantum (15). Et de facto die 20 iulii 1915 dependentia reducta fuit ad solam directionem, servatis in omnibus Ordinariorum locorum iuribus.

Melius adhuc die 19 iunii 1917 dependentia alicuius Congregationis mulierum a Religione virorum ordinata fuit his expressis terminis: Salva autonomia et independentia administrationis domuum, salva pariter iurisdictione Ordinariorum locorum, Superior maior religionis virorum visitare potest quoquo biennio singulas domus religiosarum « eum dumtaxat in finem ut paterno suo c o n - s i l i o spiritum fovere, spiritualem, moralem atque scientificum profectum curare, ac quin administrationi manum apponeret, rectum capitalium investimentum ac Sororum doti securitati tueretur » (16).

Considerata hac evolutione qua S. Sedes summa Sua prudentia et circumspicientia inconvenientiis mederi pariterque animarum utilitatem fovere contendit, et ita claram distinctionem elaboravit inter directionem spiritualem et dependentiam auctoritativam, iam magnum progressum notare debemus inter « Normas » anni 1901 et Codicem Iuris Canonici. Dum in illis Normis modo absoluto omnis dependentia et expresse etiam directio prohibita fuit, can. 500 § 3 mutationem praxeos potius significat, hanc dependentiam in posterum admittendo, praevio tamen speciali indulto apostolico. Quod iterum sanciebatur Normis S.C. de Rel. 1921, cap. II, n. 18: « animadvertendum est, nullam virorum Religionem, ad normam can. 500 § 3, sine speciali privilegio, posse sibi subditas habere religiosas Congregationes mulierum, aut earum curam et directionem retinere sibi specialiter commendatam ».

(12) Bizzarri, *Collect.* 142-143.
(13) Arch. S. C. Rel. Sess. Plen. 2 iunii 1893.
(14) Arch. S. Congr. 4111/18 A. 31.
(15) Arch. S. Congr. B. 1524/VI/1915; B. 70.
(16) Arch. S. Congr. 2414/17 T. 41; cf. Decr. 26 iunii 1928.

Uti liquet necessitate indulti S. Congregatio sibi facultatem secure reservat iudicandi, an in casu eiusdem concessio opportuna sit, seu adsint motiva necessaria.

Quae motiva distingui valent in communia et particularia. Certo omnes mulierum religiones diversis in negotiis explendis auxilio indigent virorum, in specie relate ad auctoritates ecclesiasticas et civiles, et ad graviores decisiones ferendas, cui operi adiutrici Codex non plene providebat. Quod auxilium autem sufficienter iam in consilio seu mera directione consistere potest. Praeter hanc assistentiam autem omnibus communis est necessitas efficaciter providendi formationi spirituali et religiosae, conservationi spiritus originalis et unitati spirituali.

Particularia autem motiva sunt: origo communis seu idem fundator, identitas spiritus et identitas finis seu idem apostolatus exercendus in forma communi. Quae motiva particularia a fortiori communem directionem spiritualem iustificant.

Haec directio autem iuxta praxim quasi exclusivam S. Congregationis committitur respectivae religioni virorum non in integrum, sed eo tantum in sensu, quod ipse Superior generalis per se vel per alium, exclusis Capitulis, consiliis et etiam Superioribus inferioribus, nisi a Sup. G.li delegatis, directionem exerceat cum functionibus plus minus limitatis. Salvis semper et integris iuribus Ordinarii loci seu exclusa auctoritate dominativa et iurisdictione, haec directio mere spiritualis a Superiore generali generatim expleri potest, si Constitutiones hoc permittant, visitatione paterna domuum religiosarum, asistentia in Capitulo Gen.li et quandoque consiliis generalibus, interventu in negotiis gravioibus iuxta Constitutiones, interventu in nominatione praedicatorum, cappellanorum et confessariorum.

Cura autem et directio Superiori Generali non concedunt interventum immediatum circa singulas personas, circa bona et domus nec actus gubernativos, administrativos et disciplinares permittunt, sed verificantur consiliis et propositis Superiorissae generali datis, quae tamen nullimode amittit suam auctoritatem suamque liberam actionem.

Pericula autem quaecumque ex tali forma relationis inter religionem virorum et religionem mulierum forsan metuenda, certo iustificare valent opportunas cautelas iuxta casum a S. Congregatione apponendas, sed rationes non sunt sufficentes ad impediendam ipsam spiritualem curam et directionem, quibus oriri summas Institutorum et animarum utilitates usque hodiedum compertum est.

b) *Societatum mulierum in communi viventium sine votis.*

Cum ex can. 675 leges canonicae de Superioribus et Capitulis necnon illae de confessariis et cappellanis (cann. 499-530) in omnibus serventur, congrua congruis referendo, etiam de societatibus in communi viventibus sine votis, can. 500 § 3 applicari debet etiam respectivis societatibus mulierum. Duplicem applicationem proinde eruere debemus: sc. omnia hucusque dicta de cura et directione speciali Congregationum mulierum ex parte virorum religionis, respiciunt etiam curam et directionem specialem societatum mulierum, ita ut pro iisdem requiratur pariter speciale indultum apostolicum. Prohibentur porro societates virorum sine speciali indulto apostolico curam et directionem specialem habere societatum mulierum, et a fortiori, uti patet, Congregationum mulierum (17), eo magis quo pro Societatibus eaedem urgeant rationes legis in can. 500 § 3 latae.

c) *Institutorum saecularium.*

Instituta saecularia ex eorundem natura et expressis verbis legis peculiaris Const. Apost. « Provida Mater Ecclesia » (Art. II § 1) et Motu Proprio « Primo feliciter » (ad III) certo religionum aut societatum vitae communis iure non obligantur.

Attamen Instructio S. Congreg. de Rel. diei 19 martii 1948 in n. 9 de iisdem, nostrum argumentum quod attinet, prudenter admonet: « Etsi praescripta can. 500 § 3, stricte Instituta saecularia non respiciant, nec prout iacent eisdem applicare necesse sit, tamen, ex eis solidum criterium et clara directio pro approbandis et ordinandis Institutis Saecularibus deduci consulto potest. Etsi nihil impediat quominus, ad normam iuris (can. 492 § 1), Instituta Saecularia Ordinibus aliisque etiam Religionibus, ex speciali concessione, aggregari et ab ipsis diversimode adiuvari et etiam aliquo modo moraliter dirigi, valeant tamen aliae strictioris dependentiae formae, quae Institutorum Saecularium regiminis autonomiae detrahere viderentur ipsamve tutelae plus minus strictae subiicere, etiamsi ab ipsis Institutis, mulierum speciatim, desiderentur et invocentur non nisi difficulter, bono Institutorum attente considerato, atque spiritu et apostolatus cui incumbere debent natura ac ratione ponderatis, opportunisque adhibitis cautelis, concedi poterunt » (n. 9).

(17) Cf. *Comm. pro Rel.* VI (1925) 293 notam 109; ubi tamen applicatio can. 500 § 3 fit quoad subiectionem tantum.

2. *Monialium.*

Prohibitione can. 500 § 3 certo non tanguntur moniales sive votorum sollemnium sive simplicium cum de his agatur § 2 huius canonis quae cum subiectione plane etiam comprehendit curam et directionem spiritualem; in § 3 autem prohibitio fertur tantummodo quoad religiosas *Congregationum* mulierum.

An pro cura et directione spirituali quae desiderantur pro monialibus a *Congregatione virorum,* e. g. eiusdem Instituti, et similiter pro relativa subiectione, de qua postea, requiratur speciale indultum Apostolicum, a canonistis affirmatur, quia, etsi non expresse vetitum in § 3, nec expresse provisum uti in § 2 pro regularibus, nullum fundamentum habet neque in iure neque in principiis iuris, quae enim curam, directionem, necnon regimen monialium semper Episcopis, tradunt, quoties regularibus non subsunt (18).

III. - DE AUCTORITATE DOMINATIVA ET IURISDICTIONE

1. *In Congregationes, Societates et Instituta saecularia.*

a) *In Congregationes*

Can. 500 § 3 praeter dependentiam directivam loquitur de dependentia auctoritativa seu subiectione, et ita sonat: « Nulla virorum religio sine speciali apostolico indulto potest sibi *subditas* habere religiosas Congregationum mulierum ».

Quoad talem subiectionem et dependentiam auctoritativam a fortiori valent ea, quae ex historia collegimus de aversione S. Sedis concedendi virorum religionibus specialem directionem, etsi mere spiritualem, sororum Congregationum, data in casu immediata limitatione et proinde offensione iurium Ordinariorum locorum.

Pauca tamen ex historia etiam huiusmodi formae utiliter hic recenseantur.

Saeculo XIX durante in variis Constitutionibus Congregationum mulierum ubicumque tunc orientium, auctoritas suprema non Superiorissae sed Superiori Gen.li tribuebatur: qui iuxta casum aut erat ipse Episcopus aut sacerdos praeeminens saecularis, aut etiam Superior Gen.lis alicuius religionis virorum. Ratio erat ex parte praeiudicium contra mulierum aptitudinem recte sese gubernandi, administrandi bona et conservandi disciplinam. A fortiori autem superior gen.lis religionis virorum indicabatur utpote Superior generalis etiam mulierum, ubicumque institutum duplicem habebat ramum, sc. masculinum et femineum, quibus

(18) LARRAONA, *Commentarium pro Religiosis,* VI (1925), 293.

proinde communis opportune praesidebat Superior; vel institutum mulierum ad Tertium pertinebat Ordinem, et proinde Superior G.lis I Ordinis utpote Superior Gen.lis etiam tertiariarum desiderabatur.

Quod virtute huiusmodi subiectionis seu dependentiae auctoritativae, etiamsi potestates iuxta casum diversae esse possunt, Superiores G.les efficaciter et sensibiliter reg'mini sororum intervenire possunt planum est.

Ita e. g. praecepta dare valent sub voto oboedentiae, approbare Sorores in muneribus maioris momenti, intervenire dimissioni, licentiam concedere pro actibus gravioribus administrationis bonorum, praesidere capitulis et consiliis generalibus; si autem Superior habeat potestatem iurisdictionalem, ad eundem spectarent ea omnia, quae alias Superiori regulari competunt relate ad moniales sibi subiectas, et in eodem ambitu, quo hic locum teneat Ordinarii loci.

Nonobstante quod S. Sedes relig'ones votorum simplicium *excessivae* ingerentiae Episcoporum subtrahere studebat, nullo autem modo *laesionem* eorundem Ordinariorum auctoritatis et iurium a Concilio Tridentino et Apostolicis Constitutionibus, praesertim a Const. « Conditae a Christo » Leonis XIII dici 8 dec. 1900, eisdem concessorum, admittere poterat.

Quare S. Congregatio quasi constanter huiusmodi Superiores Gen.les ex religionibus virorum non admisit, ita ut « ob periculum ne praeiudicium iurisdictioni episcoporum inferatur » omnes formas dependentiae, immo etiam non auctoritativas, uti antea vidimus, reiecerit, et anno 1865 in casu Regularibus rescripsit: « Novum est pium sororum Institutum vota simplicia emittentium subesse iurisdictioni Regularium » (19), et anno 1886: « Nunquam permitti solet ab Apostolica Sede ut Sororum Congregatio Superiorem generalem aliquem etiam presbyterum habeat » (20). Anno 1898 in quodam casu iam citato rescripsit: « Expungantur omnia quae ordinariam iurisdictionem Ministri G.neralis supra totum institutum (mulierum) exprimere videntur » (21). Supracitatae « Normae » autem S. Congr. Ep. et Reg. anni 1901 praeter dependentiam directivam etiam dependentiam auctoritativam Institutorum sororum ab Institutis virorum votorum simplicium modo absoluto excludunt. (22).

Nihilominus inveniuntur casus sive ante, sive post Normas anni 1901 quibus S. Sedes regimen Congregationum mulierum Superiori G.li Religionis virorum denuo confirmavit aut novos casus admisit, per modum exceptionis a regula.

Ita verificatur potestas dominativa et respectiva dependentia pro sororibus Ordinis teutonici a Magno Magistro dicti Ordinis, cui maxima ingerentia tributa fuit in regimen sororum, ita ut hae sorores ne superiorissam quidem generalem habeant; ideoque et Capitulum et Consilium generale Ordinis teutonici competentiam habet relate ad dictas sorores (23). Pariter sorores SS. Cordium Iesu et Mariae et Adorationis Perpetuae auctoritati subsunt Superioris G.lis Congregationis

(19) *Analecta Iuris Pont.* 8, 2171.
(20) *Analecta Iuris Pont.* 9, 507.
(21) Arch. S. Congr. 4111/18 A. 31.
(22) Normae ... nn. 17, 52.
(23) *Analecta eccl.* 1 (1893) 460.

virorum eiusdem nominis cum interventu quodam etiam Capituli et Consilii G.lis dictae Congregationis virorum (24). Puellae Caritatis regimini Superioris Congregationis Missionis subsunt, cum exclusione tamen eiusdem Capituli et Consilii Generalis. Limitatam aliquantulum auctoritatem exercet etiam Superior G.lis Societatis Mariae (Montfortanorum) et ipse solus in filias Sapientiae (25). Post Normas, die 16 ian. 1911 Sorores Franciscanae Missionariae « del Giglio » subiectae fuerunt exclusivae iurisdictioni Ministri G.lis Ord. Minorum Conventualium. Aliae autem concessiones auctoritatis sive dominativae sive iurisdictionalis antea factae postea revocatae et sorores iurisdictioni Ordinariorum subiectae sunt (26).

De cetero post Normas aversio a dependentia auctoritativa Instituti mulierum ab Instituto virorum praesertim in Commissione pro novis Institutis condendis, die 24 martii 1914 restituta semper evidentior apparuit. Ipsa clausula consueta in approbatione novae congregationis sc. « ad normam sacrorum canonum et apostolicarum Constitutionum » iurisdictionem et auctoritatem Orinariorum locorum salvavit, cum nullum locum cedat existentiae et ingerentiae alicuius Superioris generalis, cuius officium in contradictione esset et incompatibile cum iuribus Ordinarii. Si in via generali talis relatio iuridica seu forma dependentiae admitteretur, inter Congregationes « iuris pontificii » et « iuris dioecesani » tertia crearetur species seu « iuris religiosorum », a iure ordinario aliena, praescindendo ab aliis inconvenientiis, quae faciliter intercedere possunt inter religiosas et religiosos sive sint regiminis, sive ratione morum honestatis.

Certo in tot rerum adiunctorum diversitate, consideratis tot circumstantiis et rationibus diversis innumerarum Congregationum mulierum, aliquando reapse magna utilitas regiminis et auctoritatis ex parte religiosorum virorum negari non potest. Sed iudicium de re ex sua natura tam gravi et Ordinariorum iuribus odiosa omnino ad S. Sedem pertinet. Quare C.I.C. non omnino hanc dependentiam auctoritativam religiosarum a viris religiosis reiecit, sed viam aperit, indicando et requirendo speciale indultum apostolicum.

Praxis dein post Codicem quoad hanc dependentiam evoluta quandam mitigationem manifestat eo in sensu quod subiectio Ordinariis locorum debita, conciliatur cum dependentia a Superiore Generali religiosorum, quae cum quibusdam limitationibus exinde conceditur. Haec mitigatio aversionis anterioris resultat ex diversis studiis Canonistarum Consultorum annis 1918-1920 peractis de dependentia Congregationum votorum simplicium ab Ordinibus regularibus. In his praesertim maior utilitas huiusmodi dependentiae demonstrabatur et opportuna iudicabatur eiusdem indulti concessio.

(24) *Analecta Iuris Pont.* 13, 568-569.
(25) Arch S. C. Rel. 2 iunii 1893.
(26) Arch. S. C. Rel. B. 119.

Ideo iuxta casum, considerando utilitatem et fructum, S. Congr. e. g. anno 1922 amplissimam dependentiam iterum concessit, derogando Ordinarii loci iuribus; immo exclusivam iurisdictionem in Sororum congregationem alicui Min. G.li anno 1934 denuo confirmavit, ex alia autem parte in approbatione Constitutionum quarundam Sororum anno 1925 peracta, dependentiam auctoritativam ad meram directionem spiritualem reduxit, anno 1938 in alio casu dependentiam iurisdictionalem per plus quam 200 annos in usu abstulit (27).

Concludendo ergo dicendum est quod tempore Codicis S. Congr. favorabilius se habet ad concedendam dependentiam auctoritativam Sororum a Superioribus Generalibus religiosorum quam tempore Normarum tantum; indultum tamen non conceditur nisi post accuratum studium et maturam ponderationem inconvenientiarum et utilitatum in singulo casu, immo potius indultum curae tantum et directionis spiritualis datur quam indultum subiectionis, si illud sufficiens apparet ad fines assequendos.

b) *In Societates mulierum in communi viventium sine votis*

Omnia quae antea, ubi de cura tantum et directione speciali, diximus de duplici applicatione can. 500 § 3 etiam ad Societates vitae communis absque votis, ratione can. 675, a fortiori valent etiam de subiectione.

c) *Instituta saecularia*

Pro Institutis saecularibus verba Instructionis S. Congregationis die 19 martii 1948 supra citata expresse mentionem faciunt de aliis strictioris dependentiae formis, quae dependentia non nisi difficulter concedi poterit (cf. supra 1. c.).

2. *In moniales.*

Moniales iuxta ius vigens aut immediate S. Sedi subsunt (28), aut loci Ordinario (29), aut regularibus (30). Ex tribus his speciebus ultimae tantum seu moniales regularibus subiectae vere exemptae dici possunt, cum ceterae i. e. S. Sedi aut Ordinario loci subiectae hodie practice aequiparatae sunt et omnes Ordinariorum iurisdictioni obnoxiae (31).

---

(27) Arch. S. Congr. de Rel. 3174/37 F. 41.

(28) Can. 512 § 1, n. 1; can. 525; cf. PH. HOFMEISTER, *Von den Nonnenklöstern*, in: Archiv. für Kath. Kirchenrecht, 114 (1934) 385; A. SCHEUERMANN, Die Exemption, Paderborn 1938, p. 101.

(29) l.c.

(30) Can. 500 § 2, 512 § 2; 615.

(31) Can. 615

O m n e s tamen moniales ceteris privilegiis gaudent, quae competunt regularibus eiusdem Ordinis, quatenus eorum sint capaces (32). In concessione privigiorum exemptio quandoque directe eximitur; iuxta praxim S. Sedis exemptio non datur sine consensu Episcopi competentis, cuius iura exemptione limitantur. Exemptionis privilegium expresse nominari debet, et valet Regula iuris: « In generali concessione non veniunt ea, quae quis non esset verisimiliter in specie concessurus » (33). Quare, dum apud regulares viros exemptio in possessione est, apud moniales, quae actu habent vota solemnia, exemptio tunc tantum possidet, si ex Constitutionum praescripto sub iurisdictione Superiorum Regularium sunt (34); apud ceteras praesumptio stat pro Ordinarii loci plena competentia, et exemptio est probanda.

a) *Per formam subiectionis simpliciter, seu a Codice consideratam.*

Regulares et praesertim Mendicantes frequenter in moniales quae eandem Regulam profitentur et eiusdem Ordinis secundum vel Tertium Ordinem regularem constituunt ex Constitutionibus, privilegiis apostolicis firmatis, iurisdictionem exercent, seu rectius potestatem habent tum dominativam cum iurisdictionalem, similen illi potestati internae et externae quam in proprios subditos exercent, et ita sunt monialium veri Superiores et Ordinarii, quibus illae ex voto subiiciuntur (35). Ordinario loci autem subduntur tantum in casibus a iure expressis (36).

De facto tamen monasteriorum monialium hodie minor tantum pars exempta est, et haec exemptio insuper valde limitata.

Ultra enim iura Ordinario loci etiam relate ad regulares viros competentia, quae de cetero in Codice adhuc augebantur (37), ipsi etiam quoad moniales per se regularibus subiectas plurima a Codice conceduntur iura; ita quoad electionem antistitae (38), approbationem (39), et amotionem confessariorum (40), nominationem sacerdotis a sacris (41), facultatem contionandi (42), admissionem ad noviciatum et professionem (43); quoad clausuram (44), visitationem (45),

(32) Can. 613 § 2; cf. SCHÄFER. l. c. n. 1241 p. 741 ss.
(33) Reg. 81 in VI; cf. HOFMEISTER l. c. p. 423.
(34) Can. 500 § 2.
(35) Cf. LARRAONA VI (1925) 185.
(36) Can. 500 § 2.
(37) Cf. LARRAONA VI (1925) 184.
(38) Can. 506 § 2.
(39) Can. 225.
(40) Can. 527.
(41) Can. 529.
(42) Can. 1338 § § 2, 3.
(43) Can. 552; 2412, 2.
(44) Can. 597, §3, 600, nn. 1, 4; 601 §2, 603 § 1, 607.
(44) Can. 597, § 3, 600, nn. 1, 4; 601 § 2, 603 § 1, 607.
(45) Can. 512 § 2 n. 1.

bonorum administrationem (46); quoad moniales fugitivas et apostatas (47); quoad dimissionem (48).

Etsi haec Ordinariorum locorum iura magna ex parte cumulativa sunt cum iisdem iuribus Superiorum regularium, aut suppletiva in casu negligentiae Superioris regularis, attamen clare ostendunt aversionem iuris vigentis a totali exemptione monialium ab ordinaria Episcoporum iurisdictione; immo Praelati regulares exclusivum ius fere nunquam possident, nisi in via principii (49).

Et haec aversio fundatur in ipsa evolutione historica subiectionis monialium sub regularium iurisdictione.

Per se iam ab antiquissimis temporibus omnia monasteria sub iurisdictione Episcoporum erant. Ast ratione conservationis spiritus et disciplinae monialium eandem Regulam profitentium, et sub iisdem Statutis viventium, et ratione praeservationis ab influxu alieno, regulares viri eiusdem Ordinis iam mox curam earundem in spiritualibus et temporalibus susceperunt (50), immo voluntate Fundatoris Ordinis aut pii donatoris vel patroni monasterii exclusiva iurisdictio in moniales regularibus concessa fuit, quod testantur exempla iam saec. VII (51). In diplomate regali ex anno 853 legitur expresse: « Iuxta consuetudinem qua ancillarum Dei congregationibus procurari solent praepositi ex ecclesiastico ordine, iamdicto abbati commendavimus, ut tam in disciplina abbatissam loci iuvaret, quam in cunctis negotiis, quae famulae Christi pro sexu et professione sua exequi non possunt, ipsarum provisor et patronus existeret » (52). Ab initio saeculi XII, et praesertim a tempore Ordinum Mendicantium usque ad Tridentinum subiectio monialium sub iurisdictione eiusdem Ordinis ita frequens evasit, et apud omnes Ordines, uti Benedictinos, Camaldulenses, Praemonstratenses, Cistercienses, Cartusianos, Dominicanos, Franciscanos, Carmelitas et sic porro, vigebat, ut Ordines saepius pertaesi erant tot negotiorum quibus moniales eosdem implicabant, et subiectio a Capitulis prohibita fuit aut consensus in scriptis Episcopi requirebatur (53). Plures Constitutiones Apostolicae rem melius ordinabant, iura et obligationes regularium in moniales subiectas accurate determinando et limitando; sic Const. Clementis IV « Affectu sincero » diei 6 febr. 1267, Benedicti XI « Sacra Vestra religio » 6 febr. 1504, Pii V « Etsi mendicantium » 16 maii 1567 (54).

Conc. Tridentinum autem iura Sup. regularium limitavit amplificatione iurium Episcoporum qua Delegatorum Apostolicorum (55). Hanc tendentiam legislatio S. Sedis subsequens prosequebatur et subiectio monialium sub regularium iurisdictionem magis limitata fuit. Vicissitudines politicae exeunte saeculo XVIII et ineunte saec. XIX, Nationalismus et Caesaropapismus Principum, praesertim autem suppressiones Ordinum in Gallia et Hispania plenam iurisdictionem in monialium monasteria Episcopis reddebant (56). Etsi haec situatio tamquam temporaria considerata fuerit etiam post Codicem illa monasteria in Gallia et

(46) Can. 533 § 1, n. 1, § 2; 534 § 1; 535 § 1, n. 1; 535   1, n.   )
550 § 2; 2412 n. 1, 580 § 3.
(47) Can. 645 § 2, 2385.
(48) Can. 647 § 1; 652 § 2; 653; 643 § 2.
(49) Cf. HOFMEISTER p. 388 s.
(50) HOFMEISTER l. c. p. 93.
(51) HOFMEISTER l. c. p. 96.
(52) HOFMEISTER l. c. p. 353 s.
(53) HOFMEISTER 361 ss. 372 s.
(54) HOFMEISTER l. c. p. 371/372.
(55) Trid. sess. 25, can. 5, 9, 17, 18; HOFMEISTER 377 s.
(56) HOFMEISTER 382 ss.

Belgio sub exclusiva iurisdictione Episcoporum remanere a S. Sede declaratum fuit (57).

Codex I. C. condicionem iuridicam monasteriorum monialium adhuc exemptarum et proinde Regularibus subiectarum accurate determinavit, Episcopis tamen in omnibus fere negotiis externis ius cumulativum, in quibusdam saltem suppletivum et vigilantiam superiorem tribuendo.

Subiectionem autem Regularibus Codex exprimit verbis subiicere, subdi, subesse, esse sub iurisdictione Superiorum regularium, esse obnoxium regularibus, dependere a Superiore regulari, esse exemptum (58).

In usu est in diversis documentis, etiam recentioribus post Codicem terminus « aggregare » loco et valore termini « subiicere sub Regularium iurisdictionem », qui tamen terminus « aggregare » minus felix apparet, data eiusdem significatione prorsus diversa in lingua Codicis, uti antea vidimus. Etiam terminus « unire », qui strictiorem adhuc relationem per se significat quam subicere, et ante Codicem in documentis invenitur, caute iudicandus est, et per se non iam unionem canonicam pleno iure significat, nisi in duobus forsan casibus historicé probatis (59).

b) *Per formas subiectionis praeter Codicem evolutas.*

Attamen praeter formam in Codice praevisam relationis iuridicae monialium ad Ordines regulares, recenter duae species evolvuntur, quarum una maiorem iurisdictionem regularibus confert, et characterizatur termino « incorporare »; altera autem formam significat minus strictam et exprimitur termino « pertinere ».

1) *Incorporari.* — Si « incorporatur » monasterium Ordini regulari tota iurisdictio in manu est praelati regularis, excepta unice approbatione confessariorum (60) et competentia circa clausuram (61), quae Ordinario loci remanent. Cetera iure Codicis Ordinario concessa quoad electionem Antistitae, nominationem et missionem canonicam sacerdotis a sacris, missionem canonicam praedicatoris, admissionem ad noviciatum et professionem, dimissionem, bonorum administrationem et visitationem, hoc in casu incorporationis unice et exclusive Superiori regulari competunt, nec in casu eiusdem negligentiae visitationis, Episcopus ius habet supplendi (62).

(57) AAS XI (1919) 240; XV (1923) 357.
(58) Hofmeister, p. 387.
(59) Hofmeister, p. 388 in nota.
(60) Can. 525.
(61) Can. 597 § 3; 600 n. 4; 601 § 2; 603 § 1; cf. Hofmeister 393 cum nota 1; aliter Scheuermann, l. c. p. 184 in nota, ubi can. 600 n. 4 et 601 § 2 Praelato Regulari etiam tribuit.
(62) Casus huiusmodi incorporationis hucusque pauci sunt. In Ord. S. Benedicti quinque enumerantur; cf. Hofmeister, l. c. p. 393.

2) *Pertinere*. — Si autem moniales ad Ordinem virorum solummodo « pertinent » non sunt exemptae a iurisdictione Ordinari loci, sed Superiori regulari competit per delegationem habitualem potestas dominativa quoad disciplinam
et observantiam regularem; et etiam cura et directio spiritualis, iuxta statuta, regularibus committi potest. Haec
forma solius « pertinentiae » verificatur apud plura monasteria monialium Trappensium, Cisterciensium et Benedictinarum (63).

Certo hae duae formae « incorporationis » et solius « pertinentiae » *praeter*
ius commune existunt et Statutis particularibus regulantur. Attamen in evolutionem iuris religiosi non sine influxu remanent et varios gradus relationis
iuridicae monialium ad regulares determinant. Quapropter etiam in lingua
canonistica terminologia in usu ad designandam huiusmodi relationem perpo-
lienda et firma reddenda erit, evitando terminos aggregare et unire, et clare
circumscribendo verba subesse, incorporari et pertinere, ad clarius et perspectius
reddendum totum monialium ius, quod historica evolutione valde complicatur
et diversum evasit.

CONCLUSIO

Expositis hucusque formis relationum inter diversas Religiones et Instituta in triplici suo gradu et aspectu iuridico,
historia tantummodo et vita singuli Instituti nobis manifestare possent et deberent immensos fructus profectusque
exinde exortos. Quaerendum tamen est, nonne hae relationes
interreligiosae magis adhuc excoli et ampliari valerent eo
praesertim in sensu, ut *maior* unio et *collaboratio* in apostolatus et caritatis operibus vires confirmaret ad fines communes efficaciter et secure obtinendos; nonne ex alia parte
assistentia etiam *materialis* ad invicem porrecta praesertim
nunc in temporis postbellici angustiis tot instituta in oeconomicis difficultatibus periclitantia ab interitu vel saltem
labore inefficaci salvare posset. Maior collaboratio ubique,
et assistentia materialis ubi oportet, certo accomodatam temporibus renovationem pariter significarent formarum mere
iuridicarum, ita ut communi huiusmodi auxilio ab unoquoque Instituto melius in dies serviatur animarum saluti ac
maiori Dei gloriae.

(63) Cf. HOFMEISTER, p. 394-396.

Ex munere a Sacra Congregatione de Religiosis commisso, circa idem argumentum, scripsit:

153   R. P. Guidus Cocchi, C. M.

Argumentum huiusmodi aggredientes, ante omnia tradendae sunt notiones, respicientes aggregationem, unionem, subiectionem inter diversas religiones, societates, instituta quorum finis est perfectionem vitae evangelicae in praxim deducere.

I. *Aggregatio* est actus quo Religio, Societas, Institutum, auctoritative admittitur et agnoscitur ut membrum alterius Religionis, Societatis, vi can. 492, § 1, qui admittit aggregationem Tertiariorum in communi viventium primo Ordini, factam a Supremo Moderatore istius Ordinis.

1. In casu requiritur quaedam similitudo in spiritu et vivendi ratione cum Ordine cui fit aggregatio.

Ex huiusmodi aggregatione Ordo aggregans nec iurisdictionem obtinet in Congregationem aggregatam, nec Congregatio aggregata acquirit exemptionem ab Ordinario loci, sed oritur communicatio indulgentiarum et gratiarum spiritualium, non autem privilegiorum iuridicorum, v.gr. exemptionis ad norman can. 500, § 3; 613, § 2; 615.

Agitur in casu de Tertiariis in communi viventibus, prout relatus canon declarat, non de Tertiariis Regularibus qui ad Ordinem pertinent, quique sunt verae religiones, ut ex. gr. Ordo Patrum de Paenitentia.

Aggregatio concedi potest etiam aliis Congregationibus praeter Congregationes Tertii Ordinis, attamen dumtaxat cum interventu Apostolicae Sedis.

2. Distinguendae sunt autem plures formae aggregationis; alia est passiva, alia activa; passiva alia est non stricte iuridica, alia stricte iuridica; activa autem alia est mere spiritualis, alia non mere spiritualis.

a) *Aggregatio passiva* non stricte iuridica est potius moralis et spiritualis, et applicari potest eodem modo tum Congregationibus, Societatibus, Institutis saecularibus; de qua in can. 492, & 1, ut vidimus.

b) *Aggregatio passiva iuridica* seu cum dependentia Congregationis, Societatis, Instituti ab aliqua Religione, aut Societate, accipit figuram seu formam subiectionis de qua agitur in can. 500, § 1.

c) *Aggregatio activa mere spiritualis* ea est quae generice vocatur *affiliatio*, et secumfert tantummodo participationem meritorum, orationum, bonorum operum, suffragiorum; quaeque obtineri potest a Supremo Moderatore, nec requirit interventum Apostolicae Sedis.

d) *Aggregatio activa non mere spiritualis* est quae obtinet in aggregatam ommunitatem aut Institutum comparticipationem in indulgentiis et gratiis spiritualibus quaeque requirit, ut patet, concessionem factam ab Apostolica Sede.

3. Olim, ante Codicem Canonicum, aggregationes faciliter obtinebantur, praesertim a Congregationibus et Societatibus Sororum quae aggregabantur Ordinibus aut Congregationibus Religiosis ac Societatibus virorum, et quidem vel vi Constitutionum, vel simplici auctoritate episcopali, in forma aggregationis non tantum passivae et non stricte iuridicae sed etiam stricte iuridicae, seu cum dependentia ab aliquo Ordine, Congregatione, Societate virorum, vel saltem a Supremo Moderatore earum.

Huiusmodi aggregationes oriebantur ad procurandam adsistentiam, directionem alicuius Superioris Religiosi in tractandis negotiis Congregationis Sororum, vel ad obtinendam maiorem constantiam in regimine Congregationis, et ad servandam unitatem spiritus ac traditionum; saepius procedebant ex facto communis Fundatoris, ex professione eiusdem Regulae, ex communione eiusdem finis sive proximi sive remoti.

4. At pervenit aetas qua Episcopi aegre tolerabant ingerentiam alius Superioris clero saeculari extranei.

Hinc factum est ut Apostolica Sedes Episcoporum susceptibilitatem audiens, nolens eis contradicere difficilius ac rarius concedere perrexit huiusmodi aggregationes iuridicas seu cum subiectione seu dependentia ab aliqua Congregatione vel ab eius Superiore Generali, ne praeiudicium iurisdictioni Episcoporum inferretur; quare S. Cong. EE. et RR. respuit Superiorem Generalem Instituti — delle Piccole Suore dei Poveri —, Sororum S. Thomae a Villanova, — anno 1837 se opposuit dependentiae Sororum a Praesentatione ab Ordine Praedicatorum — item Sorores SS. Nominis ab Instituto Doctrinariorum (1843); — subtraxit Sorores S. Crucis ab aggregatione iuridica cum Sacerdotibus S. Crucis (1854); tandem eadem Congregatio a. 1862 decrevit haud licere Congregationibus mulierum aggregari Congregationi aut Societati virorum; declaravit Episcopum non posse huiusmodi concessionem facere, et ius habere irritandi aggregationem iam concessam; quod decretum a Pio IX adprobatum fuit die 11 Aprilis 1862. Hinc eadem S. Congregatio haud concessit Instituto Sororum Maristarum dependentiam a Superiori Generali Societatis Mariae; pro alio vero Sororum Instituto rescripsit: Neque Superior Generalis, neque socii pii instituti assumere ac retinere possunt directivam superioritatem seu ordinariam directionem... sine speciali Apostolicae Sedis licentia; et anno 1866 decreverat: « Nunquam permitti solet ab Apostolica Sede ut Sororum Congregatio Superiorem Generalem aliquem etiam praesbyterum habeat » (1).

5. Tandem in n. 52 Normarum editarum a S. Congregatione a. 1901 principium statuitur: « Nullum Institutum Re-

(1) *Analecta Iuris Pontificii,* 9, 507.

ligiosorum votorum simplicium potest sibi aggregare simile Institutum Sororum quod ab ipso dependeat vel ab eo dirigatur ».

Vi huius principii, forma aggregationis passivae ac iuridicae, Instituti Sororum cum Instituto etiam *simili* virorum religiosorum naufragio peribat. Attamen cum aliquando adsint graves rationes quae urgent aggregation m iuridicam seu auctoritativam aut saltem directivam Instituti Sororum Congregationi, Societati virorum aut eius Supremo Moderatori, S. Congregatio quae, dum ius Episcoporum tutari intendit, bonum Religiosarum aeque curat, aliquando a principio statuto discedit in singularibus casibus et per modum exceptionis, quod normam firmat, concedens eiusdem aggregationem iuridica forma.

Leo XIII quoad subiectionem et iuridicam dependentiam Puellarum a Caritate, a S. Vincentio a Paulo fundatarum, rescripserat nihil esse innovandum quoad regimen associationis Puellarum Caritatis quod per pontificia indulta Superiori Generali Congregationis Missionis pertinet (8 Iun. 1882); item S. Sedes firmavit dependentiam Filiarum Sapientiae a Superiore Generali Societatis Mariae, non obstantibus reclamationibus iteratis Episcopi Dioecesis Luconiensis; idem dicendum de Sororibus SS. Cordium Iesu et Mariae; de Sororibus Ordini Teutonico adhaerentibus, et aliis Sororum Congregationibus.

Anno 1910, die 5 februarii, in Decreto laudis latum pro Congregatione *Terziarie Francescane del Bambino Gesù*, Assisii, legitur: quoad directionem ab Ordine Minorum nullam ex officio directionem erga institutum exerceant, idque oretenus communicetur Rev. Proc. Gen.li; tamen die 20 Aprilis eiusdem anni eaedem Sorores Rescriptum obtinuerunt quod eas subicebat iurisdictioni Ministri Generalis Minorum in iis quae respiciunt directionem spiritualem, salva iurisdictione Ordinariorum; idem obtinuerunt Sorores Tertiariae loci Buenos Aires, sub die 9 Iulii 1909. Ex quibus patet in huiusmodi aggregationum varietate, concessa fuit huc illuc aggregatio cum dependentia ab aliqua Religione sub forma directionis spiritualis tantum.

6. Valde ergo agitata fuit quaestio circa aggregationes cum dependentia ab aliqua Religione vel Societate.

Die 29 Novembris a. 1918, S.R.E. Cardinales decreverunt: fiat studium super aggregationes et dependentiam Congregationum votorum simplicium ab Ordinibus regularibus et proponatur in plenaria: quam decisionem Papa adprobavit in audientia 1 Decembris.

Quatuor fuerunt Consultores delecti pro huiusmodi studio: ex his tres concluserunt pro opportunitate concedendi indultum de quo in can. 500, § 3, quia Religiones mulierum indigent virorum auxilio circa plura negotia et circa ea quae agenda sunt cum auctoritate tam ecclesiastica quam civili; aliam quoque rationem Consultores adduxerunt, scilicet necessitatem providendi formationis spirituali et servandi spiritum Instituti praesertim quoad Congregationes Tertii Ordinis: unus ex Consultoribus retulit inopportunitatem inducendi normam generalem, utpote Codici Can. contrariam, vi cuius Superiores primi Ordinis exercere possent auctoritatem super Tertii Ordinis Congregationes et conclusit pro opportunitate concedendi speciale indultum in casibus particularibus.

7. Ab anno ergo 1920 aliqua mitigatione usa fuit S. Congregatio, et apparet in eius praxi studium concil:andi submissionem Ordinariis ad quam Sorores tenentur, cum subiectione earum alicui Superiori Generali; et apparet norma concedendi indultum de quo in can. 500, § 3, aggregationis Congregationis Sororum non alicui virorum Reli-

gioni aut Societati, sed tantum Superiori Generali illius Religionis aut Societatis, scilicet eo sensu quod nec Capitulum Religionis aut Societatis, neque Definitores participent in auctoritatem dominativam vel iurisdictionis concessam Superiori Generali, ita ut ille solus et per suos delegatos gubernet et dirigat Congregationem aggregatam Sororum.

II. Ex hactenus dictis habetur interpretatio can. 500, § 3.

1. In primis notandum quod apparet in huiusmodi canonis praescripto sapientia Ecclesiae et cura qua Ecclesia studet et operam navat ad fovendum in Sorores spiritum Fundatorum et finem Instituti.

Duo autem in huiusmodi canone continentur: a) subiectio Sororum subditarum vi potestatis dominativae aut iurisdicionis iuxta formam a S. Sede concessam; b) cura ac directio Sororum, commendata cuidam Superiori Generali Congregationis virorum, aut Religioni virorum.

2. Ante omnia statim apparet Ecclesiam per hunc canonem velle ex una parte ut salvetur principium dependentiae Congregationum Sororum ab Ordinariis locorum; ex altera autem parte consulere Sororum necessitati aut magnae utilitati, iuxta singulares casus, directionis, curae, et etiam dependentiae iuridicae ab aliquo Superiore Generali aut ab aliqua Religione aut Societate virorum.

Quare in praefato canone statuitur simul cum prohibitione, possibilitas subiectionis Sororum cuidam Instituto Religioso virorum et relinquitur possibilitas diversarum formarum illius subiectionis scilicet: aut sub forma moralis directionis, aut sub forma unius curae spiritualis, aut sub forma verae dependentiae iuridicae quoad regimen. Statuitur praeterea subiectionem huiusmodi non concedi nisi per indultum latum ab Apostolica Sede seu a Suprema Ecclesiae potestate quae excedit potestatem Episcoporum et Superiorum Generalium scilicet Ordinariorum tum loci tum personarum; et quidem optime.

3. Si indultum concedat Sororibus subiectionem vi cuius Institutum virorum aut eius Supremus Moderator in eas gaudeat potestate dominativa aut iurisdictionis, tunc eiusmodi Superior:

Praecipere potest vi voti oboedientae, paternam visitationem agere — et si Sorores exemptae sint — visitationem quoque canonicam quolibet quinquennio peragere, sive per semetipsum, sive per alios suae Religionis aut Societatis — adsistere potest Capitulo Generali et Consiliis — intervenit in iis negotiis quae indigent consultatione Superioris Generalis — ei competit executio Rescriptorum, nominatio praedicatorum, praesentatio Confessariorum et Capellanorum, concessio permissionum in iis quae respiciunt bonorum administrationem et votum paupertatis.

Si subiectio concedatur sub forma curae spiritualis directionis moralis tantum, tunc Superiori competit tantum nominatio Directoris Instituti, Capellani, praesentatio confessariorum, conferentiae spirituales et consilia.

4. Utraque forma adhibetur ab Apostolica Sede iuxta singulos casus, facilius autem indulgentur pro subiectione sub forma solius moralis directionis aut curae spiritualis, rarius sub forma iuridicae dependentiae; actualiter et sapienter S. Sedes praefert concessionem indulti sub forma subiectionis Sororum cuidam Superiori Generali Religionis aut Societatis virorum, potius quam cuidam virorum Religioni vel Societati; huiusmodi subiectionis forma multa inconvenientia impedit.

Exemplum, ut ita dicam, classicum huiusmodi subiectionis formae et eius optimorum fructuum habes in subiectione Societatis Filiarum a Caritate S. Vincentii a Paulo, Superiori Generali Congregationis Missionis: huiusmodi subiectio importat Sororum dependentiam iuridicam a Superiore, cui pertinet potestas regendi simul cum Antistita Generali Filiarum a Caritate huiusmodi Societatem; cuique Superiori Generali et quidem unice cum exclusione Capituli et Definitorum Congregationis Missionis, demandatur potestas dominativa vi voti oboedientiae, regimen, cura et directio Societatis et etiam iurisdictio cum Societas huiusmodi gaudeat quoque privilegio exemptionis confirmato a Regnante Summo Pontifice sub die 12 Augusto 1945; huiusmodi subiectio plena fovet a saeculo spiritum familiae inter membra istius Societatis, fervorem in spiritu vocationis, observantiam strictissimam Regulae S. Vincentii, uniformitatem vitae in singulis et sanctitatem, necnon in arduum, praesertim temporibus nostris, exercitium caritatis ubique: ubicumque apparent Sodales Filiarum a Caritate, ets ubique aequales invenies in spiritu, in vitae regula, in exercitiis pietatis, in accommodatione vitae earum ad servitium Christi et pauperum. In eius initio, huiusmodi Institutum subiiciebatur Archiepiscopo Parisiensi, dein cum domus et opera earum extendi coeperunt extra Dioecesim Parisiensem, ipsa S. Ludovica Marillac earum cum S. Vincentio confundatrix persensit necessitatem subiectionis uni tantum Superiori et quidem Superiori Generali Congregationis Missionis ad unitatem tutandam, ad primissimum spiritum Fundatoris servandum. Evidenter per huiusmodi subiectionem potestas Antistitae Generalis roboratur consiliis, adiumento, cura, directione et oboedientia Superiori Generali; et experientia demonstrat mulieres in genere et Soreres in specie desiderare in suo gubernio constantem mentem et manum virorum praesertim illorum qui eundem Patem, spiritum et finem habent et fovent, ut in casu.

Aliquando Instituta quae gaudent dependentia ab aliqua virorum Religione aut Societate participes fiunt gratiarum et privilegiorum spiritualium Religioni aut Societati cui aggregata sunt in quantum Sorores capaces sunt, iuxta diversam aggregationis aut subiectionis formam concessam.

5. *Quoad Instituto saecularia,* expresse declaratur: nihil impedire quominus Instituta Saecularia ad norman c. 492, § 1, ex speciali concessione Ordinibus aliisque etiam Religionibus aggregentur aut Societatibus.

Notatu dignum hic S. Congregationem admittere possibilitatem imo et facilitatem aggregationis Institutorum saecularium non solum Ordinibus qui iam privilegio gaudent sibi tertiarios saeculares aggregandi ex can. 702, sed etiam Congregationibus aliisque Religionibus; nec obstat prohibitio can 703 qui applicari nequit Institutis saecularibus iuxta principium saepe repetitum in Pontificiis documentis (*Provida Mater,* art. II, § 1, 2; *Motu Pr.* II; *Iust.* n. 8): pro huiusmodi autem aggregatione competens est S. C. de Religiosis.

Moralis directio Instituti saecularis faciliter admittitur et valde optanda est in bonum praesertim Institutorum saecularium laicalium, a Religionibus enim sincerum spiritum evangelicum haurire poterunt et praxim evangelicae perfectionis discere valebunt.

6. Forma quoque dependentiae iuridicae et regiminis applicari potest, ex mente S. Congregationis, Institutis saecularibus.

Hoc autem *sive* forma moderatae dependentiae quae regiminis autonomiam vix tangit, quaeque sine speciali difficultate a S. C. permittitur (ut scribit P. Larraona in Comm. pro Relig. 1949 fasc. III-IV, p. 278 3) a)) utputa: officium adsistentis, participatio consultiva in Consessibus generalibus; similitudinem enim praesefert cum morali directione; *sive* forma strictiori quae autonomiae Instituti detrahit et tutelam eidem plus minusve strictam imponit; haec tamen difficulter conceditur (l. c. p. 279, b) ne in re leviter procedatur, scilicet ne Institutum deformetur et eius providentialis efficacia impediatur; ideo S. Congregatio huic periculo obveniens, « etiamsi ab ipsis Institutis, mulierum speciatim, desiderentur et invocentur, nonnisi difficulter, bono Institutorum attente considerato, atque spiritu et apostolatu », cui incumbere debent... concedi po terunt (l. c.). Exceptiones tamen admitti poterunt in favorem Religionum quae vere capaces demonstrentur Institutum proprium efformandi atque gubernandi ad normam et mentem Const. *Provida Mater,* servato praesertim semper chractere saeculari (l. c.).

7. Adsunt auctores qui putant can. 500, § 3, tangere tantum Religiones seu Congregationes, non Ordines et Societates; at, quomodo huiusmodi sententia componi possit cum Can. 675 praescribente canones 499-536 respicere quoque Societates, non intelligo; secus enim dicendum esset Ordines et Societates licite et valide posse pro lubitu sibi aggregare quamcumque Communitatem quae id desideret atque invocet; hoc tamen nemo admittet.

III. *Quid dicendum, in materia aggregationis et subiectionis, de valore can. 613, § 2 ?*

Taxative enim canon agit de privilegiis Ordinis Regularis et statuitur eadem competere quoque Monialibus eiusdem Ordinis quatenus eorum sint capaces. Porro, per aggregationem quaecumque sit eius forma (activa, passiva, spiritualis, iuridica, cum moderata dependentia, vel cum strictiori dependentia) privilegia Religionis aggregantis non competunt, de se, Congregationi aggregatae; ut diximus in casu aggregationis activae non mere spiritualis, Congregatio aggregata aut Institutum saeculare aggregatum obtinet comparticipationem quoad indulgentias et gratias spirituales, non autem privilegiorum iuridicorum: aliquando autem S. Sedes in casibus aggregationis iuridicae cum subiectione concedit comparticipationem privilegiorum quorundam in quantum Sorores sint capaces.

E contra in casu unionis seu fusionis alicuius Congregationis vel Religionis aut Societatis cum alia praesertim eiusdem finis, Congregatio unita, cum fiat unum cum uniente seu suscipiente, obtinet omnia privilegia etiam iuridica Congregationis cui illa fuit unita; quod si Congregatio uniens sit exempta Congregatio quae cum illa funditur, per pleno jure unionem evidenter fit exempta vi unionis seu fusionis cum exempta, non autem vicissim si exempta uniatur non exemptae.

IV. Deveniamus nunc ad formas unionis inter diversas Religiones, Societates, Instituta.

Intelligimus uniones aut pleno iure seu fusionem duarum Religionum aut Societatum, aut Institutorum, — et uniones per modum Confoederationis aut ita dictae centralizationis.

1. Uniones faciliter obtineri possunt si agatur de duobus aut pluribus Institutis Religionis aut de pluribus Societatibus habentibus eundem finem et fere eamdem Regulam, praesertim si agatur de unione pleno iure seu fusione. Exemplum inter plura habemus in unione Sororum a Caritate in Emmitsburg quae habuerunt fundatricem D. Elisabetham Baglery Seton conversam ad Catholicam Ecclesiam a secta Episcopaliana die 14 martii 1805, quaeque instituit in Emmitsburg Congregationem, melius Societatem mulierum, quae post mortem fundatricis die 25 martii 1850 unionem consummarunt cum Societate Filiarum a Caritate S. Vincentii a Paulo, vovendo oboedientiam Superiori Generali Congregationis Missionis; earum numerus fuit 300.

2. Unio peracta fuit de consensu Episcopi Baltimorensis et Rectoris Seminarii S. Sulpitii, et simul cum consensu Superioris Generalis Congr. Missionis; peracta autem fuit sequentibus condicionibus: 1) quod illae Sorores vellent huismodi unionem; 2) adoptatio integralis regulae S. Vincentii et usuum Communitatis Filiarum a Caritate; 3) quod Episcopi in quorum Dioecesibus operam navabant consensum praestarent; 4) administrationem bonorum temporalium transferretur ad Communitatem Filiarum Caritatis; 5) adoptatio integralis Constitutionum.

Consilium autem Filiarum a Caritate, his clausulis, ratam habuit unionem, statuit Antistitam Generalem earum, fieri ex tunc Visitatricem; quae omnia consummata sunt die 15 nov. 1850. Tempore unionis 4 tantum Sorores de Emmitsburg ad saeculum redierunt, et quatuor annis ante unionem 31 quae operam navabant in New York voluerunt fieri Sorores Diocesanae sub directione R.R. D.D. Hughes.

3. Recentius habuimus alia exempla unionis per modum Confoederationis quae a Pp. Leone XIII feliciter inducta fuit qua omnes Congregationes Monasticas Benedictorum complectitur, ut « fraterna fieret consociatio quasi icto foedere, quae familias omnes quibus idem ordo constat, nexu suavi caritatis mutuae contineret »; quae confoederatio, omnes Congregationes Benedictinorum, quos nigros vocant, veram fraternam Cohfoederationem ineunt, quae tamen Confoederatio nullam Congregationem alteri subiicit; quare omnes Congregationes Benedictorum nigrorum manent quod erant sed confoederatae et unitae ita vinculo caritatis sub Abbate Primate qui Romae degere debet pro negotiis totius Ordinis bonum directe respicientibus, qui assumi debet ex universo corpore Congregationum Benedictinarum. Huiusmodi Abbas Primas licet in ipsum Ordinem non habeat potestatem iurisdictionis, tamen ipsius auctoritas non est parvi ponderis; pro Curia Romana repraesentat totum Ordinem; ipsi quandoque committitur executio rescriptorum et Litterarum Apostolicarum; in rebus gravioribus et intricatis Abbatiae et Congregationes possunt directe eum adire; gaudet iure visitationis in Abbatias et Congregationes; gaudet prae ceteris in actu visitationis omnibus praeminentiis et honoribus; relationem quinquennalem omnes Abbates Generales ei remittere debent, qui ipse relationem ad S. Sedem mittat; primus est inter Superiores Maiores.

4. Iam a saec. X unio viguit inter diversa Monasteria qui se univerunt sub potestate Abbatis Cluniacensis et Congregationem Cluniacensem efformaverunt; praeter istam unionem oriebantur aliae liberae Congregationes v. gr. S. Gerardi et maior minorve numerus monasteriorum se subiecit uni capiti; magnum momentum obtinuit Congregatio S. Iustinae fundata a. 1419 numerans 190 monasteria quae tantos fructus collegit per dictam unionem, ut Pontifices cum agebatur de fundandis Congregationibus rescribebant « ad instar Congregationis S. Iustinae ».

Ex exemplari S. Iustinae duplex typus Congregationis ortus est: typus centralizationis, et typus Confoederationis.

5. Post Codicem habemus exempla unionis pleno iure Congregationis Camaldulensium cum Congregatione Eremitarum Camaldulensium de Etruria, peracta die 2 iulii a. 1935 per Constitutionem Apostolicam « Iuxta religiosos coetus » Pii Pp. XI; cum autem huiusmodi unio peragebatur a minus stricta vivendi ratione ad austeriorem, cautum fuit ut cum nemini imponendum sit onus, quod ipse sponte non susceperit, singulis qui Congregationem Eremitarum nomen dare voluerint, fas erit, servatis de iure servandis, ad alium transire coetum religiosum qui eos recipiat, vel si in sacris ordinatus et ad alium Institutum transire noluerit Episcopum benevolum receptorem inveniat; statuitu translatio omnium bonorum ad Congregationem Eremitarum.

Evidenter ad unionem diversarum Religionum aut Societatum hodie requiritur beneplacitum apostolicum, nam huiusmodi unio continet duo quae S. Sedi reservata sunt, scilicet suppressio Religionis ad aliam se unientis, et translatio bonorum ab una in aliam quod continet alienationem bonorum.

V. Porro in dies crescit desiderium immo et necessitas unitatis, ergo unionis, vel per Confoederationem vel per centralizationem, tum inter Congregationes Monasticas, tum quoque inter Monasteria Monalium, quae praesertim ex praxi hucusque recepta non solum non sunt centralizatae sed insuper non hierarchicae.

1. Religiones seu Societates hierarchicae duas profunde inter se diversas figuras induunt; aliae centralizatae aliae non centralizatae; hierarchicae eae sunt quae constant partibus inter se subordinatis (provinciae, domus) quae corpus Religionis vel Societatis constituunt sub Supremo Moderatore; non hierarchicae quae huiusmodi partibus carent et uno absolvuntur, vel si habent partes non sunt inter se subordinatae; hierarchicae autem distinguuntur in centralizatas et non centralizatas; dicuntur centralizatae illae quae tres regiminis gradus habent — supremum — intermedium seu provinciale — infimum seu locale — perfecte inter se distinctos ac plene subordinatos; non centralizatae seu monasticae eae sunt quae duos tantum gradus regiminis habent, supremum et locale et hi duo non ad normam can. 501, § 3, sed subordinati iuxta ius proprium particulare. In centralizatis cum tribus regiminis gradibus, Superior Maior et Moderator Supremus omnia habent quae Superioribus Maioribus et Supremis Codex tribuit (C. 502); e contra in centralizatis cum duobus tantum regiminis gradibus licet Superior Confoederationis, Congregationis Monasticae, Prior Generalis, etsi dicatur Superior Maior et in quibusdam casibus Supremus, non gaudent omni potestate et iurisdictione quae ius Codicis tribuit Superioribus Supremis et Maioribus, sed tota potestas mensuratur ex Constitutionibus et peculiaribus decretis S. Sedis.

2. Religiones Monialium omnes ex praxi nunc recepta non solum non sunt centralizatae sed insuper non hierarchicae; ordo collectivus unitatem tantum retinet in subiectione ad primum Ordinem et participatione gratiarum et privilegiorum in professione eiusdem regulae; nullam tamen habent regiminis unitatem inter se, sunt enim absolute separata et autonoma, ita ut singulae

Antistitae locales sint verae superiorissae maiores (c. 488, 8o) et clausura papali vel rigida episcopali ligata.

3. *At hodie plura videntur conspirare* ut pedetentim et caute ne, damnum vitae contemplativae inferatur, interna Monialium constitutio ex parte modificetur et compleatur, v. gr. per Foederationem monasteriorum Monialium sub certis et prudentibus condicionibus cui foederationi S. Congregatio aperte et absolute favet. Huiusmodi monialium foederationes integram relinquunt clausuram, intactam servant monateriorum autonomiam et illesum characterem Antistitae maioris in Abbatissa monasterii, nec ius Codicis aut Ordinariorum sive locorum sive regularium ullo modo tangunt.

4. Hae satis blandae foederationes monasticae hodie ita ordinantur ut gravioribus necessitatibus monasteriorum occurri possit; huiusmodi foederationes experientia comprobatae viam sternent ad conversionem earum in veras Congregationes monasticas. Quoad illa autem monasteria quae praeter vitam contemplativam simul variis ministeriis educationis, instructionis iuventutis dicantur, quaeque vix componi possunt cum rigida clausurae lege, foederationes praedictae non sufficient, et melius eis applicari potest regimen moderate centralizatum, *sive* regimen fere simile Ordinum Monasticorum eis conferendo, servata plus minusve ampla monasteriorum autonomia, *sive* procedendo ad admissionem regiminis proprie centralis tribus gradibus pollentis (generali, provinciali, locali), conservando rationem antiquae autonomiae.

5. *Exemplum huiusmodi unionis inter Monialium* monasteria habemus iam ab anno 1900, in Unione Romana Ursulinarum, vivae vocis oraculo a Leone XIII prius approbata et postea decreto S. Congr., E.E. et R.R. 17 iulii 1903 confirmata; porro inter Unionem Romanam et domos autonomas relationes ita fraterne ordinantur ut feliciter vincula communia referant quibus in eodem corpore, in iisdem fundationibus, disciplina, privilegiis omnes sanctae Ursulae filiae uniuntur; salva votorum solemnitate, et salvis nomine Monialium ac Monialium privilegiis.

Post experientiam 27 annorum strictior facta est unitas Ordinis S. Ursulae.

Aliud exemplum habes in unione quoad Ordinem D. Nostrae S. Ioannae Lestonnac; peracta fuit unio domorum sub una Antistita Generali, iisdem criteriis ac pro Unione Romana Ursulinarum; unitas Ordinis intacta remansit, omnes religiosae ad eundem Ordinem pertinent, Fundatricis filiae omnes habendae sunt et unum idemque titulum profitentur; quod decretum fuit die 12 martii 1921.

Quoad Religiones virorum: hodie non admittuntur nec Monasteria Ordinum independentia quae sint iuris dioecesani — nec, ex regula, Monasteria iuris Pontificii quae unita non sint alicui Ordini vel Congregationi Monasticae. Nec admittuntur Congregationes Religiosae iuris pontificii aut dioecesani quae constent domibus autonomis. Sensim sine sensu in hoc hodie tenditur ut typus Congregationis Monasticae hierarchicae sed non centralizatae etiam ad Congregationes religiosas extendi valeat ad illas praesertim quae constituuntur ex unione Monasteriorum Monialium.

Quoad societates S. Congregatio declaravit admitti posse Societates vitae communis *non centralizatas,* imo, *non hierarchicas sed* prorsus autonomas et dioecesanas et diversis modis ac gradibus foederatas.

Quoad Instituta Saecularia: possunt induere formam hierarchicam et centralizatam et quidem, meo iudicio, magna cum utilitate; possunt ordinari ad modum Congregationis Monasticae plus minusve strictae; possunt domus independentes foederatione uniri sine hierarchia: possunt Instituta sive clericalia sive saecularia characterem dioecesanum praeferre, dummodo regimen sit sensu Ecclesiae permeatum.

6. Sub fine huius dissertationis audeo, quamvis timide, postulare ut procedatur ad foederationem tot Congregationum, Societatum sororum et mulierum

in communi viventium quae *eundem finem, eandem regulam, eadem vota habent* (cum unica distinctione eorum perpetuitatis aut temporaneitatis), quae fere non differunt nisi per habitus diversitatem; item ut caute procedatur ad unionem seu fusionem Religionum et Societatum Sororum quarum numerus ita parvus est, et defectus vocationum tam notabilis, ut finis earum difficulter obtineatur: imo habentur Congregationes Sororum cum minimo numero sodalium et simul temporalibus bonis valde divites; per earum unionem cum aliis similaribus Congregationibus quam melius provideretur fini Instituti et bono pauperum et iuventutis.

7. Concludendo hymnum in honorem Ecclesiae canere licet ob evidentem praesentiam Spiritus Sancti qui eam dirigit et illuminat ut sapientibus legibus ordinet et coordinet omnia in aedificationem animarum ad sanctitatem et unitatem fovendam.

ARGUMENTUM 2: *Diversae formae et gradus interventus S. Congregationis de Religiosis in vita singularum Religionum, Societatum, Institutorum.*

154   *Orator* - R. P. IULIUS MANDELLI, I. M. C.

1. Premessa necessaria.

I. Il punto di partenza della presente relazione non è e non può essere posto in discussione. E' difatti troppo esplicito il Canone 499: « Tutti i religiosi sono soggetti come a loro superiore supremo al Romano Pontefice, al quale sono tenuti obbedire anche in virtù del voto di obbedienza ».

L'interpretazione comune odierna definisce che al Romano Pontefice — ed in tale denominazione va compresa anche la S. Congregazione dei Religiosi — compete non solo il potere di comandare sotto precetto di obbedienza in forza del potere di giurisdizione, ma anche il diritto di comandare in forza del potere dominativo. In altre parole — fuori dalle discussioni giuridiche terminologiche — il Romano Pontefice e la S. Congregazione dei Religiosi diventano superiori religiosi interni di ogni religione, società e istituto secolare.

La ragione di tale affermazione scaturisce dal principio teologico giuridico dell'universalità assoluta del primato del Romano Pontefice. Nell'ordine soprannaturale — nel quale esiste la Chiesa — uno stato con carattere esterno di perfezione evangelica non può nascere e sostenersi se non per autorità del Vicario di Gesù Cristo.

II. Dall'esposto principio risulta chiara la natura dell'obbedienza che ogni religione, società ed istituto, anche semplicemente di diritto diocesano, deve al Romano Pontefice.

Logicamente tale obbedienza non può essere qualificata che con l'aggettivo « universale » e ciò in rapporto:

a) Al soggetto, in quanto il Romano Pontefice ha il diritto di comandare a colui che viva in una delle forme degli stati di perfezione, qualunque comportamento, attività e situazione esterna.

b) All'oggetto, in quanto il Romano Pontefice ha il potere di determinare l'essere e l'operare di ogni antica e nuova forma di stato di perfezione.

Nè tale universalità radicale del Romano Pontefice può essere coartata, in linea di principio, dal diritto o grazia di fondazione che avviene sotto l'impulso dello Spirito Santo. Nel campo sociale del Regno di Gesù Cristo unico Vicario con assoluti poteri è il Romano Pontefice e sarebbe eretico supporre contraddizione...

III. L'esercizio di tale potere universale può essere fatto dal Romano Pontefice personalmente, ma ordinariamente è demandato con potestà vicaria alla S. Congregazione dei Religiosi.

Dice infatti il canone 251, § 1: « La S. Congregazione dei Religiosi ha il diritto, in modo esclusivo, di occuparsi del governo, disciplina, studi, beni, privilegi dei religiosi di tutti e due i sessi, sia che abbiano voti solenni come voti semplici, e di coloro i quali vivono in comune alla maniera dei religiosi, pur non avendo i voti pubblici, e dei terzi ordini secolari, salvo i diritti della Congregazione di Propaganda Fide ».

Non è il caso di fare una disamina del Canone: però va rilevato che i religiosi sono soggetti al Romano Pontefice ed alla S. Congregazione dei Religiosi, sia come singoli, sia come persone morali.

Alla luce di questi principi possiamo affrontare quello che è il tema specifico della questione in discussione, ossia la giurisprudenza dell'intervento della S. Congregazione dei Religiosi nella vita delle singole religioni, società e istituti.

2. Giurisprudenza della S. C. dei Religiosi circa gli interventi nella vita delle singole religioni, società e istituti.

I. Da quando, su schemi di Congregazioni erette dai Papi anteriormente, Sisto V con il motu proprio « Romanus Pontifex », del 27 maggio 1586, creava l'organo centrale della S. Sede per la direzione dei religiosi nel mondo, la S. C. dei Religiosi — sotto le sue differenti denominazioni — ha sempre esercitato di fatto il suo intervento nella vita degli stati di perfezione. Basta scorrere il bollario romano e quello delle singole religioni.

E' però facile rilevare che la S. C. nel corso dei secoli è intervenuta principalmente in tre sensi:

a) Nella erezione e approvazione di nuove forme o comunità di stati di perfezione. Sono note le costituzioni di Innocenzo III, Paolo III, Pio V, Benedetto XIV, Leone XIII, ecc.

b) Nella soluzione di questioni sorte o con gli Ordinari o nell'interno delle religioni.

c) Nella concessione di dispense, di privilegi, ecc.

Soltanto sporadicamente si denota l'intervento della S. C. per una direzione effettiva su piani più universali quali i problemi di apostolato, degli studi, dell'amministrazione ecc.

Ma dal secolo XIX, soprattutto per opera del Card. Bizzarri, noi osserviamo il progressivo intervento della S. C. in una forma più vasta, più profonda, più aderente ai bisogni ed alle finalità delle religioni moltiplicatesi ormai dopo l'accettazione nel diritto canonico delle Congregazioni a voti semplici. Ne rende testimonianza sia la Collectanea stessa del Card. Bizzarri del 1893 e sia la Collezione edita ultimamente dalla S. C. dei Religiosi con il titolo « Enchiridion de Statibus perfectionis ». Di fatti:

dal 1500 al 1800 i decreti di carattere universale occupano appena una ventina di pagine;

dal 1800 al 1900 abbiamo più di 50 pagine;

dal 1900 ad oggi quasi tutti i decreti, per un totale complessivo di 200 pagine, sono di carattere universale. Solo dal 1917 ad oggi la S. C. ha emanato ben 60 decreti di carattere universale.

Risulta quindi che la S. C. non intende d'ora in avanti intervenire solo a fondare, a correggere, a concedere dispense e tanto meno ad essere un qualunque ufficio burocratico, ma vuole essere un organo direttivo, segnare le mete da raggiungere, spronare all'attività, indirizzare ad opere nuove di apostolato, ecc., naturalmente senza sopprimere l'autonomia e la iniziativa dei singoli istituti religiosi.

II. Ma la periferia è lontana... Quale il metodo migliore perchè la linfa giunga a vivificare tutto l'albero?

Ad esame oggettivo i mezzi sembrano essere:

a) Anzitutto i *Superiori generali,* con i quali la S. C. dovrebbe avere più contatti.

b) Le *relazioni quinquennali,* che nella nuova formula sono un severo esame dello stato disciplinare e morale di tutte le religioni.

c) La creazione presso la S. C. di *organi e uffici centrali* per determinate finalità ed esigenze universali di tutti gli istituti religiosi.

Mi piace accennare in tal senso a quello che già è stato fatto, ossia alla Commissione per l'approvazione dei nuovi istituti, alla F.I.R.O. e alla F.I.R.E., mentre vorrei auspicare ad una Commissione amministrativa, alla quale si potrebbe anche attribuire il compito della creazione di una Cassa Mutua fra i religiosi, ad una Commissione degli studi dei religiosi, ad una consulenza artistica e tecnica per la fabbricazione delle Chiese e delle case, ecc. Frutto del presente Congresso potrebbe essere senz'altro l'erezione di uno Studio presso la Congregazione circa il diritto dei religiosi. Queste Commissioni, consulenze, studi ecc. dovrebbero a mio parere avere una sola nota caratteristica: essere efficienti e pur facendo capo alla S. C., essere formati da persone religiose scelte fra tutte le famiglie religiose.

d) Infine le *visite apostoliche* le quali possono essere un mezzo utilissimo allo scopo indicato e delle quali ci interessiamo direttamente.

3. Le visite apostoliche o dei visitatori apostolici.

I. La necessità e l'utilità di queste visite sono dimostrate dalla storia e dalla giurisprudenza della S. C. dei Religiosi in una maniera ampia ed abbondante.

Alessandro VII nel 1666 scriveva nella sua costituzione « Cupientes »: « Essendo desiderosi di promuovere la salute delle anime, il culto divino, in tutte le Isole del Mare Egeo, non abbiamo trovato mezzo migliore che ordinare una visita apostolica fatta con la nostra autorità... ». Clemente VIII nel 1667 diceva nella costituzione « Cum felicis recordationis » « E' per questo che noi considerando con studio pastorale quanto la visita sia necessaria e utile a togliere gli abusi o a prevenirli... ». Lo stesso ripetono Alessandro VIII, Innocenzo XII, Clemente XI, ecc. Bastino come ultima testimonianza le parole di Innocenzo XII « Agrum Universalis » dell'11 gennaio 1693: « Niente di più salubre pensiamo possa essere tentato, come già fu fatto dai primi secoli della Chiesa, ed imposto dal Concilio Tridentino, che una visita apostolica... ». Lo stesso Pontefice si dice dolente di non poter fare personalmente la visita...

II. La storia rende questa testimonianza che tale forma di intervento è stata sempre usata: Non si tratta perciò di novità o di creazione di un nuovo istituto canonico. Naturalmente nel corso dei secoli la S. C. ha codificato la prassi, le formule e i poteri dei diversi tipi dei visitatori apostolici.

III. Frutto del lungo procedimento può essere considerata la classificazione seguente che attualmente forma la giurisprudenza della S. C. dei Religiosi:

a) *Visitatore superiore,* o semplicemente superiore, che, come tipo, è recente.

Si nomina quando si vuole eliminare il governo autonomo dell'Istituto e mettere tutto il regime direttamente nelle mani dell'unico e vero superiore che sarebbe il Visitatore. Tutti i superiori e regimi, in quanto restano di fatto, sono ad nutum revocabili e diventano vicari o delegati, secondo i casi, del Superiore-Visitatore.

b) Il *Visitatore apostolico normale,* che, senza sospendere il regime ordinario della religione, è messo a capo della intera religione o della parte visitata, come vero Superiore maggiore e supremo, con potestà di giurisdizione e dominativa, di carattere apostolico.

Questa potestà deve considerarsi ordinaria perchè annessa all'Ufficio e può essere completata ed aumentata con delle speciali facoltà delegate. La potestà ordinaria è necessariamente vicaria e perfettamente soggetta nel suo esercizio alla potestà propria relativa.

c) Il *Delegato apostolico.* La S. C. dà alle volte delle Commissioni di carattere particolare che non costituiscono il delegato come vero Superiore e neanche visitatore propriamente detto.

Non può conseguentemente questo delegato fare quello che il diritto concede ai superiori, ma deve limitarsi a ciò che riguarda la questione per la quale è stato delegato. Può e suole avere in questa questione vera facoltà e potestà apostolica che distinguono tale Delegato dal cosidetto visitatore ad referendum e dall'assistente religioso. Si possono avere questi delegati per esempio in questioni concrete come le amministrative, le divisioni di provincia, le presidenze autoritative di capitoli, ecc.

d) Visitatore ad referendum. Veramente, per non confondere la terminologia, sarebbe meglio chiamarlo delegato apostolico ad referendum o ad inquirendum et referendum.

In ogni caso il suo compito è chiaro: egli deve limitarsi con autorità apostolica ad investigare in coscienza e riferire sulla situazione o i provvedimenti da prendere. Naturalmente gli si devono dare con l'incarico quelle facoltà che occorrono perchè lo possa efficacemente adempiere.

e) Assistente religioso. La figura dell'Assistente ecclesiastico che, oltre il moderatore e cappellano delle Associazioni laicali, ha tante altre applicazioni nell'A. C. e in Associazioni a tipo più libero, si può applicare e si è applicata anche alle religioni, naturalmente adattandola e con compiti specificamente religiosi. L'Assistente religioso può essere di due tipi: ossia, di tipo giuridico che vigila sulla religione, ed al quale è necessario ricorrere per conferma o per consiglio in alcuni atti più gravi; o di tipo morale che assiste e consiglia il regime dell'istituto religioso.

f) L'Assistente religioso monastico. Nelle federazioni dei conventi di monache la S. C. dei Religiosi può esercitare una immediata vigilanza ed autorità secondo i casi, con la nomina di un Assistente religioso, il cui ufficio sarà non solo di rappresentare la S. Sede, ma anche di aiutare con i suoi consigli e la sua opera il regime delle Superiore per la conservazione dello spirito del proprio Ordine.

4. Carattere delle visite apostoliche e proposte da discutersi.

I. Chiunque scorra il Bollario Romano oppure ricerchi nell'Archivio della S. Congregazione dei Religiosi le pratiche delle visite apostoliche, nota necessariamente un carattere comune a tutte le visite e cioè il carattere di straordinarietà che esse hanno avuto.

Ora alla luce delle necessità e dell'utilità estrema da parte della S. C. dei Religiosi di dirigere gli stati di perfezione per rendere sempre più efficace la loro azione di santificazione individuale e di opera sociale, possiamo chiederci: è bene che tale carattere di straordinarietà perduri, oppure è meglio che venga mitigato? In altre parole ci si può chiedere anche se è bene che il concetto di visita sia ristretto a quelle forme straordinarie di intervento della S. Sede come finora sono state intese oppure è meglio che tale concetto venga allargato fino a comprendere nella sua significazione tutte quelle forme di intervento diretto ed immediato della S. C., che, senza per nulla incidere o perturbare il regime ordinario, siano tuttavia capaci di dare il senso della presenza efficiente della congregazione stessa romana?

II. Per rispondere adequatamente alle domande occorre, a mio giudizio, portare la discussione sui punti seguenti:

a) E' necessario che le visite apostoliche, anche nel loro senso più largo, non inciampino l'opera delle singole istituzioni e dei rispettivi regimi religiosi. Si renderà perciò improrogabile una distinzione ed una equa valutazione delle istituzioni religiose che possono aver bisogno di un aiuto più diretto e immediato a nome della S. Sede per la propria vitalità.

b) Esistono oggi giorno sintomi che sembrano invocare l'attuazione di tali visite o interventi della S. Congregazione dei Religiosi.

All'inizio di questo stesso Congresso, quando furono convocati tutti i superiori generali, qualcuno domandò alla presidenza che effettivamente la S. Congregazione intervenga in alcune questioni di carattere vasto che possono agitare gli ordini e le congregazioni maschili. Nei riflessi poi delle congregazioni femminili, penso che anche molti dei presenti sottoscriverebbero ad una attuazione dei principi suesposti. Ho, per esempio, sotto gli occhi una lettera del Segretario Generale de l'Union Nationale des A.P.E.L. (Associations des Parents d'élèves de l'enseignement libre) il quale invoca, quale provvedimento unico atto a sostenere in Francia il prestigio delle scuole libere (per il 90% ancora cattoliche), un visitatore che abbia autorità superiore per sorvegliare e consigliare le scuole tenute specialmente dalle religiose o dalle religioni, società e istituti insegnanti. Tuttavia non è da nascondersi che anche molte istituzioni maschili beneficierebbero certamente di questo intervento periodico e più immediato della S. Congregazione.

c) Ammessa tale utilità, la visita apostolica o l'arrivo di un visitatore o assistente religioso, non deve essere considerata quale un castigo o un intervento della S. C. talmente straordinario che presupponga abusi estremi nelle istituzioni visitate.

d) Scendendo sul terreno pratico dell'attuazione dei principi esposti pare logico augurarsi che un nucleo di visitatori e assistenti religiosi venga creato in ogni parte del mondo perchè ad essi la S. Sede possa impartire le proprie istruzioni e ricorrere nei casi di bisogno.

5. *Intervento della S. Sede negli Istituti Diocesani.*

L'istituto diocesano è a norma del diritto canonico soggetto al Romano Pontefice come l'istituto di diritto pontificio. Difatti il can. 499 non distingue: quindi i principi suesposti si devono adattare anche agli istituti di diritto diocesano. Tuttavia il carattere peculiare di un istituto diocesano, per cui esso dipende dall'Ordinario del Luogo in una forma così rimarchevole, renderà nella pratica meno necessario l'intervento della S. Congregazione e dei visitatori apostolici. Tale necessità affiorirà invece maggiormente quando con l'allargarsi nelle varie diocesi l'istituto incontrerà maggiori difficoltà e nuovi problemi. Allora il ricorso alla S. Congregazione presterà la soluzione attraverso quella appositio manuum, i cui effetti pratici sono quelli di rendere sotto molti aspetti l'istituto pluridiocesano simile a quello di diritto pontificio.

Conclusione: a conclusione della mia relazione non mi resta che invitare la nobile assemblea a formulare un voto da depositare nelle mani dell'Em.mo Cardinale Prefetto e dell'Ecc.mo Segretario qui presenti. Un voto che è un auspicio anzi una domanda di attuazione pratica da parte della S. C. dei Religiosi, di tutte le diverse forme di intervento che si presenteranno utili al maggior potenziamento delle religioni, società e istituti secolari.

Alii periti viri, ex munere a Sacra Congregatione de Religiosis commisso, circa idem argumentum scripserunt.

155   Rev.mus D. HUBERTUS NOOTS, Abbas Gen. O. Praem., *scripsit*:

Antequam sermo fiat de ipsis modis quibus S. Congregatio de Religiosis intervenit in vita singularum societatum statum perfectionis profitentium, in memoriam revocare iuvat indolem competentiae ipsius S. Congregationis de Religiosis.

Imprimis, undenam habet ius interveniendi in vita interna Religionum, Societatum et Institutorum?

S. Congregatio de Religiosis, uti organum auctoritatis pontificalis, tractat, secundum normas tum generales, tum particulares, quas ipsi Romanus Pontifex praestitit, quaestiones circa regimen, disciplinam, studia,, bona et privilegia religiosorum. Ad eamdem insuper spectat concessio dispensationum pro Sodalibus religiosis, firmo praescripto can. 247, 5 (vide cann. 243, I; 251, I et 3), et executio negotiorum ab ipso Summo Pontifice eidem directe concreditorum.

Valetne S. Congregatio de Religiosis obligare religiosos vi voti oboedientiae, dum circa illas materias auctoritative disponit?

Constat S. Congregationem decreta sua urgere posse vi voti oboedientiae si Summus Pontifex, uti supremus religiosorum Superior, suam potestatem S. Congregationi delegare voluerit. Dubitatur autem utrum necne S. Congregatio, propria ordinaria potestate agens, ordinationes suas urgere valeat in virtute voti oboedientiae (1).

Quaenam debet esse indoles interventus S. Congregationis?

Praesertim quia regimen *ordinarium* Religionum ab ipso iure concreditum est Superioribus e gremio Religionis assumptis, nobis videtur interventus S. Congregationis, praeter casus commissionis particularis ex parte Summi Pontificis, non egredi sphaeram *vigilantiae*. Ipsa enim S. Congregatio curam habet, nomine Summi Pontificis, de fervore quo religiosi duci debent in prosecutione finis vitae suae, de disciplina interna, de apostolatu, etc., sed curam illam exerceat in superiores et mediantibus superioribus in ipso religiosos. Propterea directe et ipsa S. Congregatio non interveniat in vita Religionum nisi ipsi Superiores abusibus indulgeant.

Hisce praedictis de interventus indole, nunc de variis formis quibus S. Congregatio utiliter interveniat in vita Religiosorum.

A) *Consuetudo cum Superioribus generalibus,* qui plerumque Romae commorantur. Ipsos S. Congregatio pro lubitu advocare et interrogare valet.

Hac via fideles notitias obtinere potest circa normas Constitutionum earumdemve mutationem aut accommodationem, necnon circa vitam regularem. Et hoc quidem sive propria informatione sive ad tradendas instructiones aut facienda monita circa observantiam aut personas praesertim quando contra aliquod membrum Religionis accusationes fiunt apud S. Congregationem.

Valde utilis esse potest pro S. Congregatione experientia Superiorum generalium quando agitur de instructione praeparanda aut de congressu organizando.

B) *Relationes quinquennales* quas S. Congregatio accipere debet. Sane pro tali relatione non tantum respicienda est littera Codicis Iuris Canonici, neque quaedam formula generalis Constitutionum — normae fixae — quia varietas internae structurae variorum Institutorum, quae a S. Sede fuerunt approbata, ornamentum est pro Ecclesia et cedit in bonum animarum.

Ideoque elenchus quaestionum non deberet esse unicus, sed adaptatus naturae et structurae Religionum (i. e. monasticorum, mendicantium etc.), ut facilius responderi possit, nec Superior terreatur nimio cumulo quaestionum. Oportet evitare exaggeratam centralizationem et chartae molem, quia tunc exsurgit periculum quod exhauriatur necessaria attentio ad substantialia ponderanda uti oportet. Ne imitemur defectum guberniorum civilium praesentis temporis quae tempus et opes inutiliter impendunt cum detrimento populorum.

Si ex una parte sincera relatio esse debet, ex altera non debet esse vexatio aut odiosa inquisitio.

C) Valde efficaci modo S. Congregatio intervenit in vita religiosa per *Visitationem Apostolicam.*

1. Visitatio *informativa* tantum quae notitias potius generales colligere debet circa disciplinam religiosorum, pietatem, activitatem, fervorem Religionis.

Haec fieri potest sive pro quodam monasterio, sive pro toto Instituto aut eius domibus in determinata regione aut natione, sive pro omnibus domibus religiosis in quadam natione existentibus. Ex tali visitatione elucebit utrum ulterior gressus sit faciendus vel sufficiant quaedam dispositiones generales edendae.

2. Visitatio peculiaris quae potest appellari *correctiva* cuiusdam Instituti aut domus, contra quae seriae querelae apud S. Congregationem prostant.

In his casibus S. Congregatio deputat quqemdam virum prudentem, expertum et debitis facultatibus ornatum qui visitationem peragat, in urgentioribus provideat et de reliquis referat. Tales visitationes aliquando suadentur et valde utiles evadere possunt. Acceptam relationem Visitatoris S. Congregatio prudenter examinari curet atque, dato casu, decretum conclusivum emittat vel etiam Visitatorem per ulteriorem lapsum temporis in munere confirmet.

3. Visitatio quam vocare possumus *reformatoriam,* peculiarem vel etiam generalem, uti v.g. a S. Sede ordinata fuit post

primum bellum europeum in nationibus Europae centralis.

Hic enim in omnibus Religionibus tam magni et inveterati abusus existe-
bant ut vix species genuinae vitae religiosae superesset. Tales visitationes sunt
valde difficiles, eo vel magis quod saepe Religiones in aliqua dependentia aut
unione cum guberniis vivebant et haec gubernia, a malis religiosis excitata,
reformationem regularem oppugnare conabantur. Ait quidam difficilius esse
Ordinem reformare quam novum condere. In his casibus suppressio esset
remedium opportunum et suadendum, sed forsan nimis radicale et in praxi vix
possibile. Tales visitationes paulatim procedere debent et per multum tempus
continuari ut certus fructus sperari possit. Visitator ergo — sub hoc nomine vel
alio forsan minus odioso sed cum eisdem facultatibus — patienter procurare
debet executionem normarum quas S. Sedes in casu decrevit. Magnum enim
est periculum, et quasi certitudo, quod discedente Visitatore, Superiores vel
dispositiones parum exsequuntur vel etiam mala subditorum voluntate impediuntur.

Quaestio ponitur utrum in hac ultima specie non praeferendum sit ipsos Superiores generales deputare cum peculiaribus facultatibus quibus optatam illam renovationem certius
et velocius efficere possunt et pro qua propriae Constitutiones
aut ius commune non sufficientem darent auctoritatem. Superior generalis, qui in casu nomine S. Sedis agit et fideliter
exsequi mandatum debet, informando S. Congregationem,
videtur minus odiose et simul securius circa proprios subditos
secundum proprias Constitutiones praescripta S. Sedis
exsequi posse.

Si ex una parte Visitationes Apostolicae saepe utiles, immo
necessariae aestimari possunt, sunt tamen cum moderamine
adhibendae. Ceteroquin sunt medium extraordinarium et
earum frequentior adhibitio nocere posset earum momento et
efficacitati. Sunt de quibus cum iudicio uti, non abuti licet.

Visitatores autem sint viri prudentes, maturae aetatis,
gubernii experientia edocti, non creduli nec timorati, auctoritatem Superiorum in quantum possibile est tuentes.

Necesse est sufficienter cognoscant naturam ac structuram
Instituti visitandi, necnon spiritum et mores regionis aut na-
tionis ubi Institutum existit. Propterea magni momenti videtur
quod Visitator religiosorum sit et ipse Religiosus, quod
insuper pertineat ad Ordinem aut Congregationem similis
naturae aut classis ac Institutum visitandum. Ita rectius co-
gnoscet conditiones easque diiudicare securius poterit.

Aliquando audiuntur Visitatores conquerentes quod
S. Congregatio non sufficienter attendat ad relationes conclu-
sionesque faciendas aut Visitatori petenti desideratas instructiones non impertiat.

156   R. P. Cosmas Sartori, D. F. M., Sacrae Congregationis de Religiosis Consultor, *scripsit*:

Placet mihi hic aliquid dicere *de Visitatoribus Apostolicis* eorumque necessitate. Occasionem enim habui frequentem examinando relationes quinquennales, sive tempore statuto, sive occasione petitionis approbationis alicuius novi Instituti, ad S. Congr. de Religiosis missas, et fateor me eas saepe saepius invenisse ridiculas.

Facile dicitur « omnia esse bene ordinata, semper rigorosam servari disciplinam, nullam adesse difficultatem inter Religiosas (de Religionibus mulierum praesertim loquor), uno verbo omnia esse in pace ». Rara erit avis, si aliquod invenitur inconveniens; et in casu id erit verbis tam blandis expressum, ut oculos examinatoris seu Consultoris facile effugere possit.

Si autem loqui possumus cum particularibus Religiosis, vel aliquam Instituti domum iusta de causa visitare debemus, facile erit invenire rem omnino diverso modo se habere. At obiicies: adest subsignatio Ordinarii loci! Utique, quando adest; at quid refert? quid relationi adiicit haec subsignatio? confirmationem veritatis? Nullo modo. Ad hoc enim Ordinarius necessario deberet visitationem instituere ut ei constaret de rerum affirmatarum veritate; et insuper visitationem facere et inquisitionem instituere de re in qua non potest seu ius non habet, v.gr. de re oeconomica. Ergo eius subsignatio nil aliud est nisi authenticatio (ut ita dicam) praecedentium subsignationum. Quid vero dicendum, si quaestionibus respondetur per simplex monosyllabum « sì-no, yes-no, ja-nein » etc. ut frequentissime fit? vel ex tribus membris quaestionis, uni tantum respondetur, aliis silentio reticitis?

Quomodo ergo S. Congregatio exactam habere potest notionem rerum obiective consideratarum? Non aliter, nisi per visitatores a se missos. Mea idea modesta quidem, sed fixa, haec semper fuit: S. Congregationem coetum habere debere Sacerdotum ad hoc munus exercendum; imprimis ad inquirendum et referendum, et dein, si necessitas apparuerit, etiam aliquantulum permanendo apud aliquod Institutum. Hi Sacerdotes non tantum in Urbe esse deberent, sed et in aliis civitatibus et in aliis etiam nationibus, quando occasio occurret semper erunt parati ad munus exercendum.

Imprimis visitare frequenter oportet, etsi non detur occasio incitans, domus generalicias et bonorum in eis administrationem; item domus noviciatus; visitare oportet aliquam domum si ad S. Congregationem ex ea pervenit aliquis recursus, etiamsi a particulari religioso vel relig'osa procedat; et visitationes facere nullo praemisso monitu, ut S. Congregationi pateat quomodo Religiones procedant et vivant. O quanta maior diligentia apud Religiones in propriis obeundis muneribus, si sic fieret!

Hoc videtur adhuc magis necessarium, si agitur de Monasteriis Monialium. Nam Moniales semper sunt simul, quin possibilitas adsit aliquam separationem vel mutationem instituendi vel sperandi.

Fere possumus dicere quod sunt « vasa carnis quae faciunt sibi invicem angustias ». Considerandum est, Abbatissas aliasque Antistitas maiore gaudere libertate prae aliis, cum subditae fere nullam habeant possibilitatem ne cum externis quidem loquendi; saepe agitur de mulieribus parva et coarctata mente praeditis, quae aliquando gaudent se habere occasionem alias crucifigendi, si sic dictam antipathiam erga eas conceperint.

Aliquando talis Visitator erit necessarius etiam ad abusus ex parte Ordinariorum praeveniendos vel coërcendos. Do exemplum inter multa possibilia.

Si Episcopus aliquis praecipit ut aliquod Monasterium Monialium habitationem et victum praebeat Sacerdoti imposito ut Cappellano Monasterii, et si Moniales id renuunt facere propter loci defectum et tristes Monasterii oeconomicas condiciones (cum aliunde facile et minoribus expensis habeant alium Sacerdotem ab iis invitatum ad Missam celebrandam), minatur eis (nisi imperata faciant) prohibitionem quominus alius Sacerdos inibi Missam celebret, et revocationem confessarii; quis, quaeso, poterit in casu iudicare et remedium afferre nisi Visitator a S. Sede missus?

Utique, si agitur de Monasteriis Foederatis hoc munus inquisitoris seu Visitatoris committi poterit Assistenti a S. Sede deputato (de quo alibi sermo fit), cum sit persona fiducia S. Sedis praedita. Sit tamen ex eodem Ordine ac Monasterio, cum sic facilius sperari possit ipsum curare ex corde omne bonum Monasterii; et cum prope Monasterium frequentius sit, facilius executionem suorum praeceptorum verificare et urgere potest.

Dicet aliquis me in hoc esse pessimistam! Forsan verum erit; at ex parva mea experientia coactus sum talis fieri.

Quoad interventum S. Congregationis *in Instituta iuris dioecesani*, talis usus Visitatorum Apostolicorum, saltem ad inquirendum tantum, rarior esse poterit, cum aliter minui posse videtur ipsius Ordinarii loci aestimatio apud subditos eius; et aliunde cum agatur de Instituto suae dioecesis, magis censetur cordi esse ipsi Ordinario profectus spiritualis et materialis sui Instituti. At nec in istis est omnino excludendus usus Visitatoris Apostolici, praesertim ubi agitur de recursibus ad S. Sedem delatis, vel de casibus dimissionis, quae pacifice peragi non potuit. Sic et veritas rei magis elucebit, et iustitia melius salvabitur: erit opus iustitiae pax! Insuper (quod non est certe spernendum) Ordinarii loci vigilantiores erunt quoad propria Instituta, eorumque bonum magis promovebunt.

157 . R. D. Aurelius Augustinús Vila, Monachus
Montisserrati, *scripsit*:

OBSERVATIONES NONNULLAE
CIRCA VISITATIONES APOSTOLICAS

Romanus Pontifex est sine dubio supremus omnium religiosorum Superior. Quamobrem iura omnia illi debentur,
quae cuipiam superiori competunt, tum quoad singulos sodales, tum quoad Religiones. Ii autem omnes, vi voti oboedientiae, parere illi debent, iuxta can. 499. Iam vero, Pontifex superioris munere fungitur per Sacram Congregationem
de Religiosis. Ergo, quod dictum est de habitudine inter
Pontificem et religiosos, valet etiam pro necessitudine inter
eos et Sacram Congregationem.

Modus autem communis huius necessitudinis inter Sacram Congregationem,
ut vicem gerentem Pontificis, et Communitates vel sodales, ut subditos
illius, hic est:
Sacra Congregatio generaliter suam exprimit voluntatem approbando vel
corrigendo, si usus fuerit, Regulas, Constitutiones vel Declarationes. Sic consequenter eveniet, ut Superiores, iuxta easdem Regulas et Constitutiones, subditos
regant atque gubernent. Religiosi autem, tum singillatim, tum universim
sumpti, sua in Sacram Congregationem officia praestabunt, si easdem Regulas
et Constitutiones fideliter exequuntur, ac praesertim si proprio superiori oboedientes se praebent. Credimus autem, in exercitio huius iurisdictionis Sacrae
Congregationis super religiosos, quasdam adesse facultates, quas Sacra Congregatio sibi reservavit; quae quidem facultates non omnes sodales semper
afficiunt. Huiusmodi sunt, exempli gratia, dispensatio dotis monialium, licentia
manendi per plures menses extra domos religiosas, etc.
Exercitium vero extraordinarium Sacrae Congregationis de Religiosis, bifa-
riam evolvi potest:
— Primo, cum Sacra Congregatio, ut bonum universale Ecclesiae consequatur, vel etiam cuiusdam Religionis, vel simpliciter alicuius sodalis, obligationem iisdem imponit, verbi gratia, fundationem novi monasterii vel provinciae; collationem alicuius muneris vel officii cuidam religionis sodali; obligationem deinde opem ferendi alii religioni, etc.
— Alia ratio extraordinaria superioris auctoritatem exercendi, est pro
Sacra Congregatione indictio Visitationis Apostolicae, quae tantum in casibus
particularibus locum habet. Quum communitas vel religiosus sodalis a communi oboedientiae via abhorret, eamque praebere non vult propter abusus et
gravem inobservantiam in Regulam vel Constitutiones, si hanc inobservantiam
superior regularis coercere non potest, tunc Sacra Congregatio communiter
Visitationem Apostolicam indicit.

Ergo, cum eiusmodi Visitatio nihil aliud sit nisi modus
extraordinarius procedendi Sacrae Congregationis, praxis

Visitationis concordare debet cum illo exercitio ordinario auctoritatis, quae tanquam superiori illi competit. Et haec est ratio cur Visitatio nullo unquam tempore in detrimentum cedere debebit Regularum aeque ac Constitutionum et legitimae auctoritatis proprii superioris.

His prae oculis habitis, operae pretium est sequentia notare, ut aliquo modo praxim Visitationis Apostolicae iuvare videamur:

Antequam Visitatio decernatur, rationes vel causas huius decreti sedulo perpendere oportebit. Etenim, considerandum est, Visitationem Apost. onus semper materiale itemque spirituale pro Communitate visitata constituere. Visitatio namque per se ipsa quicumque sit eius exitus sive successus magnopere famae nominique illius Commutatis vel superioris nocere potest, nam diffidentiae ansam praebebit superiorem inter et subditos. Id autem funestissimum foret, praesertim familiae monasticae benedictinae, ubi paternalis auctoritas Abbatis per totam eius vitam perdurat. Si ergo Visitatio non satis ponderata huiusmodi diffidentiam provocat, fieri non poterit ut Abbas cum debito fructu suam auctoritatem exerceat atque Coenobium regat; idque non solum per aliquot annos, verum etiam per totum vitae cursum eveniat necesse est.

Idcirco, cum insimulationes vel accusationes in aliquam Religionem vel etiam in sodales oriuntur, in primis oportet incumbere ut hic rerum status pacificari possit mediis quidem ordinariis, verbi causa ope Visitationis Canonicae. Si revera Visitatio Apostolica omnino necessaria videtur, maxima cum cura denuntiationis causa examinanda erit, sicuti etiam probitas denuntiantis, insimulationis verisimilitudo et alia huiusmodi. Ceterum, anonyma denuntiatio tanquam nullius momenti aestimari, eique supersedere debetur. His adiunctis rite ponderatis, si vere Visitatio peragenda videatur, prius necesse erit occasionem praebere superiori regulari, cuius Communitas visitanda est, ut se possit libere purgare vel excusationem afferre. Siquidem, cum Visitatio semper indicet directe vel indirecte culpam plus minusve Superioris, vel certe aliquam culpae suspicionem, quae publici iuris fit ratione eiusdem Visitationis, ideo iure merito Superior prius audiatur oportet.

Si vero, postea, omnibus rite consideratis, Visitatio facienda videtur tunc, quoad praxim spectat, Visitator cogitate debebit suum munus non esse superioris ordinarii alicuius religionis seu Communitatis; sed suas partes esse in examinando, discutiendo et etiam ordinando, si necessitas adsit, ut religio visitata, vel saltem nonnulli ex suis sodalibus Regulam sanctius perfectiusque observent; quem ad finem maximi ponderis est exercitium legitimum auctoritatis proprii superioris.

Visitatione peracta, si necesse fuerit aliquid retractare vel decernere, fiat iuxta Regulam et Constitutiones, quippe cum finis Visitationis Apostolicae hic revera sit: pro viribus incumbere ut relationes inter Sacram Congregationem et Communitates optime se habeant: quod unice assequi poterit, si Regula et Constitutiones a sodalibus fideliter observentur.

STATUUM PERFECTIONIS ACCOMMODATA RENOVATIO QUOAD INSTITUTIONEM ET FORMATIONEM

Relatio V: *Alumnorum institutio et formatio integra, harmonica et adaequata in statibus perfectionis:*

158 *Orator* - R. D. Aloisius Corallo, S. D. B.,

Il tema assegnatomi per questa Settimana di studio, vuole che io parli delle qualità e delle condizioni che deve soprattutto possedere e a cui deve conformarsi una formazione, o educazione, degna veramente di tal nome, quale è richiesta dai candidati che si sentono chiamati da Dio alla vita religiosa, in uno dei tre stati di perfezione riconosciuti nella Chiesa sotto i nomi di *Religiones, Societates, Instituta.* Mio compito è pertanto dichiarare, nella misura che me lo consentono le mie impari forze, come tale educazione debba essere *integrale, armonica* e *adeguata*: compito che, tuttavia, mi è di non poco facilitato dai numerosi e perspicui documenti del supremo Magistero ecclesiastico, a Voi tutti noti, che han trattato autorevolmente e splendidamente la questione in tutte le sue parti.

1. Il concetto di educazione.

E' cosa evidente che la trattazione di qualunque tema educativo specifico suppone la conoscenza di quello che l'educazione sia in se stessa, come un'essenza di cui bisogna avere ben presenti dinanzi agli occhi i naturali costitutivi, prima che si possa, in qualunque modo, aggettivarla e adattarla alle singole circostanze di uomini e di tempi, senza correre il rischio di scambiare un « adeguamento » con un vero e proprio *snaturamento*.

Come, infatti, la grazia suppone la natura e non la rinnega in ciò che essa ha di positivo e di perfettibile, e che può pertanto venir quasi riassunto nella sua superiore formalità, pur senza nulla perdere di quanto le è proprio, così la formazione, o educazione specializzata deve fondarsi sull'educazione o formazione essenziale ad ogni essere umano.

Occorre quindi assicurarsi in partenza un chiaro concetto di che cosa l'educazione *essenzialmente* sia, per non correre il grosso rischio di confondere, nelle applicazioni pratiche, l'attività propriamente educativa con altre attività che pur le siano affini, o subordinate, o magari indispensabili, ma che da essa formalmente si distinguono e non possono quindi aver diritto di chiamarsi — *da sole* — attività educative. Nel far ciò dovremo, naturalmente, accontentarci qui di accenni piuttosto sommari, badando tuttavia a dir le cose in modo chiaro e sostanzialmente completo (1).

Il punto di partenza per la presente ricerca ce lo offre una luminosa pagina di Pio XI (2), che definisce in modo inequivocabile l'essenza dell'educazione: « Egli è dunque di suprema importanza non errare nell'educazione, come il non errare nella direzione verso il fine ultimo, con il quale è *intimamente e necessariamente* connessa tutta l'opera dell'educazione. Infatti, poichè l'educazione consiste essenzialmente nella formazione dell'uomo, quale egli deve essere e come deve comportarsi in questa vita terrena per conseguire il fine sublime pel quale fu creato, è chiaro che, come *non può darsi vera educazione che non sia tutta ordinata al fine ultimo,* così, nell'ordine presente di Provvidenza, dopo cioè che Dio ci si è rivelato nel Figlio suo Unigenito, che solo è "via e verità e vita", non può darsi adeguata e perfetta educazione se non l'educazione cristiana ».

Il concetto fondamentale espresso in queste parole del grande Pontefice è adunque quello che bisogna mettere l'educazione *essenzialmente* in relazione con l'ultimo fine dell'uomo: la *considerazione* di un'azione o di un fatto sarà adunque una considerazione propriamente « educativa » *soltanto* se di quell'azione o di quel fatto tenderà a rilevare la relazione (positiva o negativa) con l'ultimo fine dell'uomo. Ugualmente un'*azione*, che potremmo dire genericamente *for-*

(1) Per una trattazione più ampia di questo argomento, si possono consultare i nostri studi *Educazione e libertà* e *La pedagogia della libertà*, Torino, Soc. Editr. Internazionale, 1951.
(2) Dall'Enciclica *Divini illius* citiamo la traduzione dell'edizione italiana curata da L. STEFANINI, Roma, « Studium », 1930.
Dei documenti pontifici su questo argomento, si può utilmente vedere, fra l'altro: *Ubi primum* di Pio IX, del 17, VI, 1847; la Lettera *Cum primum* di Pio X, del 4, VIII, 1913; la Lett. Apost. *Unigenitus Dei Filius* di Pio XI, del 19, III, 1924; l'Istruzione della S. C. dei Religiosi *Quantum Religiones*, del 1, XII, 1931; l'Enciclica *Ad Catholici Sacerdotii* di Pio XI, del 20, XII, 1935; la Lettera *Quandoquidem qui sacris* di Pio XII, del 7, III, 1942; il Decreto della S. C. dei Relig. *Quo efficacius*, del 23, I, 1944; l'Esortazione al Clero *Sul modo di promuovere la santità sacerdotale* di Pio XII, del 23, IX, 1950; *l'Enchiridion Clericorum*.

mativa dell'uomo, sarà un'azione propriamente « educativa » *soltanto* se tenderà a indurre o a aumentare nell'uomo la sua capacità di dirigersi verso l'ultimo fine. Non si può quindi definire l'educazione, genericamente, come « formazione dell'uomo », ma bisogna *specificare* tale definizione soggiungendo (come fa Pio XI nel testo citato) che essa è « formazione dell'uomo, quale egli *deve* essere e come *deve* comportarsi in questa vita terrena per conseguire il il fine sublime pel quale fu creato » (3).

Posto ciò bene in chiaro, resta tuttavia aperta una doppia via, dal punto di vista metodologico, per la costruzione teorica di una scienza dell'educazione. La relazione dell'uomo verso il suo fine ultimo può infatti esser considerata o dal puro punto di vista razionale che prescinde (senza naturalmente ignorarli!) dai dati positivi e storici della Rivelazione, oppure tenendo esplicitamente in considerazione tali dati. Nel primo caso l'azione educativa (quella, cioè, che mira *a dare all'uomo la capacità di raggiungere il suo ultimo fine*) dovrà definirsi come un'azione *moralmente onesta*, mentre, nel secondo caso, essa dovrà anche qualificarsi come un'azione *soprannaturale e salvifica*. Tuttavia il primo metodo, che prescinde dai dati rivelati, è soltanto possibile nel momento teorico della costruzione della scienza dell'educazione, e non già in quello dell'applicazione pratica: questa infatti, volgendosi a una realtà concreta, non può prescindere da nessuno dei fattori oggettivi che tale realtà costituiscono, e non può quindi nè ignorare nè trascurare i dati rivelati, che ci presentano l'uomo come creatura decaduta e insieme destinata al raggiungimento di un fine soprannaturale con mezzi soprannaturali: come dice Pio XI, quindi, in concreto « non può darsi adeguata e perfetta educazione se non l'educazione cristiana », pur notando che la stessa considerazione puramente razionale dell'educazione contiene — implicitamente — i valori cristiani.

Cercando quindi, non solo di non perdere di vista, ma anzi di tener sempre presente e *operante* questo concetto di educazione così acquisito, vediamo di esplitarlo e di approfondirlo maggiormente.

Ai nostri giorni si sente molto spesso parlare di molte educazioni: di educazione morale, intellettuale, fisica, sociale, religiosa; di educazione della volontà, del cuore, della memoria, dell'immaginazione, ecc. Ora è evidente che tali maniere di esprimersi pongono un'equivalenza tra l'educazione e la formazione: equivalenza che è — a nostro modo di vedere — indebita, e che potrebbe essere accettata solo in senso molto largo, intendendola come quella forma parziale di identità che si avvera tra il genere e una sua specie. L'educazione, infatti, che ha un suo compito e una sua fisionomia perfettamente definiti, non si può confondere con tutte le altre specie di *formazioni*, quali, ad esempio, la formazione intellettuale e fisica, le quali, viste *esclusivamente* per sè e nella loro natura, nulla hanno di comune con l'educazione propriamente detta e, *sempre se prese in senso esclusivo*, abusivamente si fregierebbero del suo nome.

Nel vasto dominio del « genere » *formazione* cui appartengono tutti i possibili sviluppi dell'uomo concreto e tutto il moto progrediente del suo divenire, l'*educazione* rappresenta una provincia a sè, ben distinta dalle altre dalla « differenza specifica » che le è esclusivamente propria.

Per evitare, quindi, degli equivoci molto facili a sorgere, non sarebbe inopportuno smettere l'usanza, oggi tanto comune, di chiamare educazione intellettuale o educazione fisica, ecc., quelle che più propriamente devono dirsi *formazione* intellettuale, *formazione* fisica ecc. Si avrebbe così il non lieve

(3) Tale è la definizione di educazione data da S. Tommaso, che la dice *promotio prolis usque ad perfectum statum hominis, in quantum homo est; qui est virtutis status* (Suppl., 3, 41, 1, c.).

vantaggio di rendere evidente l'errore, pur tanto comune, di quelli che sempre più tendono a immiserire il fatto educativo riducendo all'istruzione, cioè alla formazione intellettuale, e non vedendo altro possibile rapporto educativo se non quello che passa tra il maestro (inteso come distributore di scienza) e lo scolaro.

Naturalmente non è questa la posizione dei pedagogisti cattolici, e anche di molti non cattolici, i quali vedono nella formazione *morale* il *principale aspetto* dell'educazione, e a questa vogliono riferite e subordinate tutte le altre specie di formazione.

Ci si consenta tuttavia di dire che, formalmente parlando, la *formazione morale* è *l'unica* che, come abbiamo visto, possa propriamente indicarsi col nome di « educazione », e che il dirla soltanto la *principale forma*, tra altre molte possibili forme di educazione, è una maniera di dire impropria e, a nostro modesto giudizio, non esatta, quasi che potesse dirsi veramente (anche se solo parzialmente) « educato » chi, avendo raggiunto un insigne grado di formazione intellettuale, mancasse poi del tutto della formazione e della pratica della vita morale.

A conforto della quale asserzione vogliamo recare anche l'autorevolissima parola di Pio XII desunta dalla Sua recente e preziosa *Esortazione al Clero sul modo di promuovere la santità sacerdotale:* « Se Noi — ci avverte il Supremo Pastore — con tanta sollecitudine, per il Nostro ufficio apostolico, abbiamo raccomandato fin qui una buona cultura intellettuale del Clero, è facile comprendere perchè nulla Ci stia più a cuore della formazione spirituale e morale dei giovani chierici: *in caso contrario, anche una scienza quanto mai eminente potrà esser causa delle più grandi rovine, per la superbia e l'orgoglio che può insinuare nel cuore*». Dalle quali parole è cosa facile dedurre che se la cultura intellettuale può provocare — da sola — dei guasti così miserevoli, essa non attua per se stessa il concetto di educazione, giacchè l'educazione è chiamata, per sua natura, a guidare l'uomo attraverso i contrasti della vita, *verso il pieno raggiungimento del suo ultimo fine.* Se la scienza pertanto ha (come ha di fatto) un'efficacia e un valore educativi di cui difficilmente si potrebbe esagerare l'importanza, ciò non dipende direttamente dal perfezionamento che essa porta all'intelligenza, ma dal suo farsi potente strumento della vita morale, in cui tutta si conclude la vera educazione ».

Quanto si è detto fin qui ci permette di formulare una prima definizione, intendendo l'*educazione* come il *processo intenzionale* (4) *che mira a formare nell'educando degli abiti ordinati di vita morale.* Questa definizione potrà e dovrà essere maggiormente determinata (specialmente dal punto di vista del suo divenire, e perciò in campo più strettamente

(4) Che l'educazione sia un processo *intenzionale,* è cosa che rientra nella sua essenza: ma qui ci dispensiamo dal farne la dimostrazione che ci porterebbe troppo lontano dal nostro tema. Si possono per questo vedere i nostri già citati lavori sull'argomento.

psicologico), *ma essa non potrà più venire sostanzialmente mutata* (5).

L'atto educativo, pertanto, consiste *essenzialmente* in un atto libero di volontà con cui l'educando aderisce al bene co nosciuto e *si rende capace di compiere abitualmente e speditamente la scelta preferenziale del bene.*

In altre parole, potrebbe anche dirsi che è educato soltanto colui che ha l'uso retto e spedito della sua libertà, giacchè noi siamo convinti che non c'è per l'uomo, in concreto, altra libertà se non quella che gli deriva dall'esercizio della vita morale. La libera autodeterminazione della volontà, con cui l'uomo afferma e celebra, nel senso più nobile, i suoi valori più altamente umani, non ha luogo se non quando egli sceglie il suo soggetto alla luce della coscienza morale, alla luce, cioè, di un giudizio di bene e di male: solo allora egli opera una *vera scelta* tra i due contrastanti elementi che hanno entrambi efficacia, positiva o negativa che sia, sul raggiungimento del suo ultimo fine, per cui tutto e solo l'uomo è stato fatto.

Un atto che fosse guidato *soltanto* dalla estimazione dell'intelligenza, senza nessuna attuale considerazione del suo valore morale, non sarebbe, a nostro giudizio, un atto libero, e, in ogni caso, non avrebbe nessuna relazione col fine ultimo dell'uomo e non potrebbe perciò, per nessun titolo, entrare a far parte *formale* dell'educazione. Questa, adunque, può con ogni ragione definirsi, come abbiamo fatto, la *capacità di vivere abitualmente una vita morale ordinata,* oppure — ed è esattamente lo stesso — *la capacità di servirsi rettamente della propria libertà.* L'uomo perciò non è veramente e pienamente uomo per la sua sola intelligenza, ma per la sua coscienza morale, di cui l'intelligenza rappresenta soltanto (come meglio si dirà) la *necessaria* condizione.

Che l'atto educativo non si compia *formalmente* dall'uomo se non con un atto della sua volontà, è un'asserzione che non va interpretata superficialmente, e quindi male intesa.

Come, — mi sia consentito di servirmi di questa immagine, — come è bensì vero, che è la mano che prende ed afferra, ma essa non potrebbe compiere l'atto, che le è proprio, se non ci fosse un braccio a sostenerla e tutto un complicato sistema di muscoli e di nervi che ne permettessero e ne regolassero il movimento; — così dietro la punta della volontà che si protende alla conquista del suo oggetto formale, c'è *tutto* l'uomo, corpo e anima, sensi e intelletto, cuore e ragione, che, nell'unità mirabile della sua personalità, è tutto impegnato al raggiungimento del suo fine.

Non è necessario che io Vi ricordi l'intimo nesso che la vita sensibile, e la stessa vita vegetativa, hanno con le supe-

(5) Non sarà forse inutile notare, prevenendo qualche incomprensione, che tale definizione *non esclude* dal dominio dell'educazione le varie formazioni umane (quella fisica, intellettuale, ecc.), limitandosi alla formazione della volontà, — ma assegna a tali formazioni il giusto posto, come di *elemento materiale* rispetto a quello *formale,* che è costituito dal profilo *etico* (e perciò anche religioso e soprannaturale) della personalità.

riori funzioni spirituali su cui possono, in un senso o nell'altro, far sentire il loro peso. Le funzioni spirituali, poi, l'intelligenza o la volizione, pur avendo un diverso e irreducibile campo su cui esplicare le diverse formalità della loro attività, sono tuttavia intimamente legate e connesse tra di loro nel loro stesso esercizio, tanto da potersi definire anche come due aspetti della stessa attività fondamentale dell'io.

Se pertanto non è inutile, anzi è fecondissima per la teoria e per la pratica pedagogica, la determinazione formale dell'atto educativo come un atto di libertà, non bisogna però dimenticare come tale atto non soltanto non può compiersi senza un previo e concomitante intervento dell'intelletto, ma che la libertà stessa, e perciò l'educazione, attendono il loro arricchimento e quasi la loro espansione dimensionale unicamente dal potenziamento e dall'estensione dell'attività intellettuale. L'educazione che, come essenza, non può evidentemente crescere, è però suscettibile di un arricchimento indefinito coll'accrescersi degli oggetti che entrino man mano sotto il suo dominio: e tale arricchimento essa lo attende dall'intelletto con l'acquisizione di sempre nuove verità.

Mentre, adunque, occorre guardarsi dal pensare l'attività intellettuale come qualcosa che abbia — per sè — un valore educativo, sotto pena di cadere in una concezione *quantitativa* e non *qualitativa*, dell'educazione, e di dover poi accettare logicamente talune assurde conseguenze; — bisogna anche non obliterare la funzione della formazione intellettuale che è quella di apprestare all'educazione le *condizioni indispensabili* perchè essa possa attuarsi con la maggior ricchezza e profondità che sono per ciascun individuo possibili e richieste dalle sue condizioni.

Il fatto che la formazione intellettuale non è, per essenza, l'educazione stessa, e che perciò ci può essere educazione anche con notevoli decurtamenti di quella, ci permette, fra le altre cose, di poter pensare a un'educazione che — *rimanendo sempre sostanzialmente se stessa* — sia tuttavia suscettibile di adattamento alle condizioni, sempre diverse, offerte dalle singole individualità degli educandi e dalle circostanze di tempi, di luoghi, di civiltà, di ambiente, di possibilità: varierà allora l'estensione del campo educativo, varierà anche, in larga misura, la natura e la qualità degli oggetti di questo campo, ma l'educazione, come atteggiamento fondamentale dello spirito, resterà sempre se stessa, essendo cosa naturale e umana e, come tale, riferentesi immutata a tutti gli uomini di tutti i tempi e di tutti i luoghi.

2. La formazione dei religiosi.

Queste considerazioni generali, tutt'altro che inutili per il nostro scopo, ci permetteranno ora di affrontare con maggior chiarezza i singoli problemi dell'educazione integrale, armonica e adeguata dei candidati alla vita di perfezione: la vastità e complessità degli aspetti della loro formazione ci si presenteranno come la *materia* del lavoro educativo in senso stretto, materia che troverà la sua unità, e perciò la sua vera integralità, nella *forma* da cui deve venire sussunta per non restare una *indigesta moles* delle più disparate materie: e tale forma, già lo sappiamo, è data dall'innesto vitale e funzionale, nella personalità viva dell'individuo, di tutti codesti aspetti formativi per mezzo dei due indispensabili elementi di ogni vera educazione, che sono la vigile *coscienza morale* e *l'uso sereno e retto della libertà:* a questi due elementi intenderemo d'ora in poi riferirci tutte le volte che parleremo di « educazione ».

Nel candidato alla vita di perfezione, l'educazione deve far sentire innanzi tutto il suo influsso sul fatto stesso della sua vocazione. Egli deve essere non solo « istruito » in proposito, ma anche « educato », affinchè la sua accettazione della divina chiamata sia un atto veramente vitale e *di sua natura* (non solo per certi rapporti giuridici) *definitivo.*

E' noto infatti come i più recenti documenti ecclesiastici abbiano oramai tolto la benchè minima probabilità alla tesi, che si collega da alcuni decenni al nome del Can. Lahitton, di una vocazione che si pretenderebbe tutta esteriore e esclusivamente gerarchica. Non vi *può* essere più dubbio oramai (il che non toglie tuttavia che ci siano ancora delle discussioni), sul fatto che la vocazione alla vita più perfetta si deve riferire a un invito *particolare e speciale* del Signore rivolto alle singole anime privilegiate (6).

Se ciò è vero, come è vero di fatto, la vocazione non può consistere essenzialmente soltanto nel possesso dell'idoneità canonica e in una corrispondenza *disciplinare* alla chiamata giuridica, ma investe in pieno tutta la vita morale dell'individuo. La mozione della grazia divina nelle anime non si sostituisce, infatti, mai alla libera collaborazione della creatura, che anzi tende a suscitare e a potenziare. Di qui l'imprescindibile necessità che il vocato allo stato di perfezione, non solo si assicuri della divina chiamata (e non è qui nostro compito il dire quali siano i mezzi che a ciò possano condurre) (7), ma si *educhi* nella volontà alla sua piena e libera accettazione e in tal senso orienti tutta la sua vita: la corrispondenza alla sua vocazione è il primo atto, essenzialmente

(6) Si vedano, fra l'altro, la Lett. Apost. *Maximum illud* di Bened. XV, del 30, IX, 1919; il *C.I.C.* al Can. 1353; i seguenti documenti di Pio XI: Lett. Ap. *Officiorum omnium* del I, VIII, 1922; Encicl. *Rerum Ecclesiae* del 28, II, 1926; Istruz. del 27, XII, 1930 che impone il giuramento ai candidati agli Ordini maggiori; Encicl. *Mens nostra* del 20, XII, 1929; Encicl. *Ad Catholici Sacerdotii* del 20, II, 1935; la Cost. Ap. *Provida Mater* di Pio XII, dell'11, II, 1947.

(7) Si veda in proposito il nostro studio *Libertà e dovere nel problema della vocazione,* Torino, Soc. Editr. Intern., 1949.

educativo, che il religioso, come tale, deve compiere. Ed essendo tale atto, per la sua stessa definizione, un atto di libertà, si comprende come il Codice di Diritto Canonico (si ricordi il Can. 971) tuteli gelosamente tale libertà del candidato, vietando qualsiasi influsso, di qualunque genere, che possa turbarla o sminuirla: ogni menomazione della libertà significherebbe, infatti, nè più nè meno che la *distruzione* della vocazione stessa, alla cui radice divina verrebbe a sostituirsi una motivazione umana, qualunque essa potesse essere.

Ora, una volta che il giovane si sia veramente e decisamente orientato verso questa meta di « rendere certa la sua vocazione ed elezione » (8), (meta il cui completo raggiungimento potrà bene essere opera degli ultimi anni della sua formazione), gli incombe il dovere di orientare e conformare *integralmente*, all'ideale che egli vuole far suo, la sua vita interna ed esterna, « per mezzo delle buone opere », cioè con l'acquisto di tutte quelle qualità che sono richieste dalla professione religiosa in generale, e in particolare dallo spirito e dalla specifica attività di quella famiglia religiosa a cui egli intende di iscriversi.

Questo compito grandioso, a cui il candidato ha una insostituibile partecipazione, incombe tuttavia anche ai suoi Superiori, e ciò per l'essenza stessa *dialogica* dell'atto educativo che non può essere se non un'azione in due. Ma si noti bene come l'azione formativa del Superiore, che potrà essere massima nei primi anni nei quali conserva un carattere prevalentemente direttivo, esterno e sociale, debba tendere gradualmente ma costantemente, per non snaturare il concetto stesso della sua finalità educativa, a dare a ogni *singolo* alunno il possesso sempre più pieno della sua libertà e il senso sempre più vivo, che le è concomitante, della sua responsabilità: si ricordi, infatti, come non si può parlare di educazione compiuta e perfetta se non quando l'educando abbia assunta piena ed intera la responsabilità delle sue azioni, che non può essere sostituita dalla volontà di un altro, per quanto retta e autorevole questa possa essere o sembrare.

E qui non sapremmo esprimere meglio il nostro pensiero che citando le auguste parole del S. Padre ricavate dalla già ricordata *Esortazione al Clero*. Dice adunque Pio XII: « In generale si deve mettere la massima cura nella retta for-

(8) 2 *Petr.*, 1, 10.

mazione del carattere di ciascun ragazzo, sviluppando sempre più in esso il senso di responsabilità circa i pericoli che gli possono provenire dalla sua attività, circa la capacità di giudizio sugli uomini e sulle cose, e circa lo spirito di iniziativa dell'azione. Perciò coloro che dirigono i Seminari, si modereranno prudentemente nell'uso dei mezzi coercitivi, alleggerendo, man mano che i giovani crescono di età, il sistema della rigorosa sorveglianza e delle restrizioni d'ogni genere, per giungere *ad ogni costo* a che i giovani stessi si guidino da sè e sentano la responsabilità dei propri atti. Inoltre in certe iniziative non solo concedano agli alunni una lecita libertà di azione, ma li avvezzino ancora alla riflessione, affinchè riesca loro più facile assimilare le verità speculative e pratiche ».

Sulla base di questi principi è più che lecito sperare che le molteplici formazioni, che concorrono all'educazione del perfetto religioso, non rimangano soltanto dei *disiecta membra,* coi gravissimi pericoli denunziati dal Sommo Pontefice, ma si compongano integralmente in solida ed efficace unità.

La *scienza* allora, questo « ottavo sacramento » del sacerdote, diventerà un bisogno e starei per dire una passione, nobilissima passione, perchè essa sarà ricercata, quasi *gladius utraque parte acutus* (9) come lo strumento più duttile ed efficace di apostolato, per gli altri, e per se stessi come mezzo di continua elevazione, che ci preserva dal piatto imborghesimento di una vita spiritualmente mediocre e incolora e ci dà modo di espandere e di affinare la nostra stessa vita di carità, avvicinandoci a Dio nella verità. Che questa scienza debba poi essere assimilata come cultura e non ingerita come pura informazione farraginosa, è logica conseguenza della sua stessa funzione educativa, fuori della quale essa perde ogni valore e diventa quella scienza che è solo buona a « *inflare* » delle vuote vesciche, e non a « *aedificare* » (10) nella carità.

Solo così il religioso non si abbandonerà a uno sterile egoismo, che miri *esclusivamente* al proprio benessere, sia pur esso morale e spirituale, ma troverà in questo a sua volta il mezzo per compiere la *missione sociale* che, in un modo o nell'altro, è implicita nella sua vocazione, per cui a lui più che a tutti gli altri il Signore *mandavit ... de proximo suo* (11). Missione sociale che deve giungere, già lo si intende, a tutte le varie forme di apostolato per la conquista del mondo a Cristo, ma che non deve disdegnare, specialmente quando i tempi e le circostanze maggiormente lo richiedano, le forme più esterne di carità materiale e direi tangibile. In una parola, la formazione religiosa — e, *a fortiori*, quella religioso-sacerdotale — deve essere già di sua natura potenzialmente relata a tutte le forme sociali di apostolato previste dalle regole di ciascuna famiglia religiosa o imposta dalle circostanze. In tal modo essa sarà *funzionalmente unitaria*, comprendente, cioè, tutti gli aspetti sotto il segno dell'educazione, che comporta la prontezza della libera adesione al bene in tutti i suoi aspetti a ciascuno possibili e convenienti. Non si separi una formazione personale (intellettuale, morale, religiosa e ascetica)

(9) *Apocal.*, I, 16.
(10) Cfr. 1 *Cor.*, 8, 1.
(11) *Eccli.*, 17, 12.

dalla formazione sociale e apostolica, quasi che il religioso debba rivestirsi di una nuova armatura per entrare nell'arringo dell'apostolato sociale. I tristi frutti di questa separazione (e non i peggiori, purtroppo) maturano in quella caratteristica *forma mentis* di colui che è pago di « fare il proprio dovere » pensando solo a se stesso e rifiutandosi o rendendosi incapace di stendere la sua mano soccorritrice al prossimo che ne ha bisogno. Chi così pensasse o facesse, non compirebbe affatto « il proprio dovere », e mostrerebbe delle lacune tali nella sua formazione che questa, mancando di alcuni requisiti essenziali, potrebbe ben a ragione dirsi inesistente. Un tale religioso potrebbe opportunamente fare il paio con quei cristianelli annacquati che non trovano nulla da rimproverarsi per il buon motivo che non hanno mai « rubato e ammazzato ».

Viceversa poi, un'attività esterna di carattere sociale e anche apostolico sarebbe un vacuo e *dannoso* frastuono di cembali (12), ove non fosse lo spontaneo riverbero di una vita spirituale personale e intensa: questa è sterile, se non porta a quella: — e quella è vuota, se non è animata da questa; in entrambi i casi il lavoro educativo dovrebbe considerarsi fallito.

Non è mio compito ricordare qui i particolari requisiti indispensabili per una formazione religiosa sotto l'aspetto *disciplinare, ascetico, sacerdotale*: noterò soltanto come nessuno di questi aspetti possa venir meno senza che sia compromesso il loro insieme, tanto stretta è la loro interdipendenza. Una disciplina tutta esteriore che non affondi le radici in abiti ascetici di pensiero e di vita, a mala pena si può distinguere da un ipocrito tornacontismo, mentre un ardore ascetico indisciplinato sarà (nel migliore dei casi) uno zelo indiscreto buono più a distruggere che a edificare. Su entrambi poi, sulla disciplina e sullo zelo, deve spandersi il profumo dello spirito profondamente sacerdotale, che è coscienza della dignità e della paternità derivanti dalla « legazione di Cristo » (13) e insieme fondamento primo dell'umiltà nella verità.

Abbiamo visto così come il concetto adeguato, ma nello stesso tempo proprio e specifico, di educazione, sia l'unico che possa veramente stringere in solida unità tutti gli elementi essenziali della formazione religiosa che altrimenti sarebbero di per sè disparati e talora anche contrastanti.

Come elementi essenziali essi devono fare parte dell'educazione del religioso, qualunque sia la famiglia a cui egli appartenga: ma se questo è vero, è altrettanto vero che sono infiniti i modi e i metodi con cui tale educazione deve in concreto articolarsi e avverarsi in ciascuna delle Religioni, delle Società e degli Istituti, in perfetta consonanza con lo spirito proprio a ciascuno di essi e relativamente alla specifica mansione che ciascuno è chiamato a esplicare nel vasto campo della Chiesa. La quale considerazione è valida non solo per il lato della metodologia della formazione, ma anche per gli innumeri fini particolari, o, diremo meglio, per le diverse maniere di raggiungere i fini essenziali che sono richieste e attuate nelle varie famiglie religiose. Questa pressochè infinita possibilità di variazioni, offre il campo in cui si potrà trovare sempre nuova materia su cui esercitarsi, nuovi

(12) 1 *Cor.* 13, 1.
(13) 2 *Cor.*, 5, 20.

progressi e perfezionamenti da raggiungere e nuove mete da prefiggersi. Ma non si dimentichi che in questo lavoro ci si potrà muovere con agio e senza pericolo di traviamenti solo quando si tengano ben chiari nella mente ed efficienti nell'azione i supremi e immutabili principi dettati dalla ragione e chiariti dall'infallibile Magistero della Chiesa. A questa fedeltà è legata la vera fecondità delle opere.

Scendiamo ora ad accennare qualcuna delle più notevoli conseguenze pratiche dei principi esposti, senza giungere tuttavia ad applicazioni particolari; restando invece nei limiti del nostro tema, cercheremo di dichiarare il senso in cui la formazione dei candidati allo stato di perfezione debba essere « armonica » e « adeguata », oltre che integrale e unitaria.

L'*armonia* infatti vede nel loro aspetto tensionale e dinamico gli elementi dell'educazione che l'unità e l'integralità considerano piuttosto da un punto di vista statico. Si tratta quindi di rendere evidenti le relazioni *attive* dei vari elementi fra di loro, nel loro comporsi in unità architettonica, e di specificarne le mansioni e la relativa subordinazione, salvi i diritti di ciascuno: armonizzare, infatti, non può voler dire sopprimere uno dei contendenti! — Si intende perciò che il limite a cui ciascuno di essi deve essere portato è segnato dalla sua compossibilità e dalla sua armonizzazione con gli altri. L'*armonia* ci si presenta allora come una forza *positiva* nella formazione del carattere e non soltanto come un concetto regolatore negativo: essa è la misura della forza della personalità, del dominio di sè, e, in una parola, dell'educazione stessa.
Se poi ricordiamo come l'educazione si riduce sostanzialmente a un atto della libera volontà dell'educando (non però, evidentemente, a un singolo atto momentaneo e separato) non ci sarà difficile ravvisare questa forza armonizzante della formazione educativa — da parte dell'educando — nella vigile coscienza di *tutte* le sue possibilità, di *tutti* i suoi impegni morali e nella operosa accettazione di *tutti* i doveri che ne conseguono. Rispetto all'educatore tutto questo rappresenta piuttosto un fine che un mezzo potendo egli dire di aver compiuto la sua opera soltanto quando abbia portato l'educando a questo livello di sensibilità morale e di buona volontà.

1. Innanzi tutto egli deve partire da una *profonda conoscenza* del suo educando, dei *singoli* educandi, di cui ciascuno rappresenta come un mondo diverso e irreducibile, al fine di produrre in *questo* mondo singolare quell'armonia di cui *esso* è bisognoso e soprattutto capace.

Questo lavoro di penetrazione non può oramai essere lasciato al genio, all'istinto, o, come si dice, al « colpo d'occhio » dell'educatore, ma deve compiersi servendoci di tutti i mezzi che le scienze moderne, dalla medicina alla psicologia sperimentale, ci mettono in mano, facendo anche ricorso, quando occorresse, con prudenza e con intelligenza ai vari « tests » ed esami, non escluso quello grafologico. Si hanno così in mano, con ragionevole sicurezza, i *dati* del problema che si vuole risolvere.

534

2. Impossessatici così del nostro educando, l'atteggiamento fondamentale che dobbiamo assumere di fronte a lui è quello di *un grande rispetto verso la sua personalità.*

Questa esigenza promana dall'essenza stessa dell'atto educativo, che significa *liberazione* nella verità e nell'amore del bene, ed a esso talmente congiunta da arrivare quasi a identificarsi: — se si tratta, infatti, di formare *questa* personalità, il primo passo non potrà essere cuello di *deformarla,* ignorando in essa o sopprimendo quanto vi è di positivo. Riguardo invece ai suoi difetti o alle sue parti viziose, sappiamo tutti come lì più che di soppressione si tratti di integrazione: e ciò non soltanto per il principio metafisico, che il male è essenzialmente una privazione, ma anche per il motivo psicologico che, al fondo di ogni difetto, soggiace una forza positiva che occorre *dirigere* meglio, non sopprimere o inibire, se non si vuole compromettere in partenza tutta l'opera educativa. Si eviti pertanto ogni conato che tende a un piatto livellamento o alla rifusione di tutti in uno stampo uguale per tutti o alla riduzione di tutti a un comune denominatore, contando nella persona soltanto il suo valore numerico, come si fa per i mattoni di una casa.

Quello spirito proprio, poi, quell'impronta tipica che ogni buon religioso deve portare, e che è come il sigillo della famiglia a cui appartiene, deve essere non una causa o un mezzo di formazione, ma un effetto della sua cordiale adesione spontanea a quella società e allo spirito del suo Fondatore: essa deve essere perciò non come un letto di Procruste, a cui ciascuno, bene o male, deve adattarsi, ma come un tema, sia pure obbligato, che ciascuno debba e possa svolgere a suo modo, secondo le sue forze, così come ogni uomo, ricevendo da Dio la sua natura umana sempre in sè identica, la attua in infiniti e mai ripetuti modi diversi. Ci potranno essere — e ci sono — i casi in cui è richiesta e doverosa una conformità non solo formale, ma anche materiale, ma allora questa, se il religioso è veramente « formato », dove germogliare in lui come un effetto *spontaneo e virtuoso* della sua stessa formazione.

3. Al terzo posto, nell'opera educativa, si impone all'educatore il *rispetto e l'accettazione agile della realtà concreta*: dei tempi, delle cose, delle circostanze, del grado di sviluppo somatico e psichico dell'allievo.

Anche qui (non c'è bisogno di ripeterlo!) non si tratta di adeguarsi *cedendo* alla marea irrompente dell'egoismo, dell'indifferentismo, dell'autonomismo, del mal costume e di qualunque altro si voglia difetto del nostro secolo, ma si tratta di non trincerarsi con intransigenza (e invero con poca intelligenza!) dietro modi di vedere in sè, magari, santissimi, ma che hanno per le circostanze perduto molto della loro efficacia e del loro mordente. Non si creda pertanto che il *summum bonum* dell'educazione dei nostri alunni sia di preservare in essi una incolora e ignara « innocenza » che, del resto, *appunto perchè tale,* essi non tarderanno a perdere al contatto e al contagio della cruda realtà che irromperà sempre prepotente anche se a tutti i costi la si vuole ignorare e che essi incontreranno sprovveduti, ignari e indifesi: si tenda piuttosto ad avvezzarli all'arduo esercizio della virtuosa conquista di sè e del mondo. Il mondo bisogna *vincerlo,* e per vincerlo bisogna anzitutto conoscerlo e — *in certo modo* — avvicinarlo.

Non avrei osato pronunziare queste parole se non avessi potuto confortarle con quelle scritte da Pio XII nella *Esortazione* già citata:
« Non temano i Superiori » — sono le parole del S. Padre — « di tenere informati i giovani a loro affidati sugli avvenimenti del giorno, che anzi, oltre a fornire loro gli elementi necessari perchè possano formarsene un giudizio maturo, non sfuggano le discussioni su tali problemi per educare l'animo dei giovani a giudicare con equilibrio gli eventi e le loro ragioni... Se invece i

giovani — specialmente quelli che sono entrati in Seminario in tenera età — sono formati in un ambiente troppo avulso dal mondo, quando poi usciranno dal Seminario potranno trovare serie difficoltà nelle relazioni sia con il popolo minuto, sia con il laico colto, e succederà quindi per lo più a loro o che prendano un atteggiamento errato e falso verso i fedeli, o che considerino sfavorevolmente la formazione ricevuta. Per questo motivo bisogna curare che gli alunni gradatamente e con prudenza si rendano conto degli intimi sentimenti e delle propensioni del popolo, affinchè una volta insigniti del Sacerdozio e immessi nel sacro ministero, non si trovino disorientati nella loro attività ciò che non soltanto sarebbe dannoso al loro spirito, ma sminuirebbe anche la loro opera sacerdotale ».

E tutto questo, se vale per i Seminari, vale anche certo per le Case di formazione dei Religiosi.

Si ricordi poi ancora che le coercizioni inibitive *irragionevoli*, il « no » detto per principio e senza una *visibile* giustificazione, sono *diametralmente all'opposto* dell'educazione e sono buoni solo a far sorgere dei ribelli o a produrre dei caratteri ottusi e inerti, buoni a niente, che sono poi il tipo favorito contro il quale i maligni si divertono a scagliare le frecce delle loro beffe.

4. Su questa base realistica e concreta si potrà poi con fiducia edificare per mezzo dell'azione correttiva e direttiva, rispettivamente rivolta a ciò che deve essere eliminato e a ciò che può (e perciò anche deve) essere valorizzato.

Indispensabile fattore di un'educazione armonica sarà quindi la formazione di un *carattere serio ed equilibrato*, che sappia man mano sbandire *ogni leggerezza*, cessare, come dice S. Paolo, da ogni infantilità (14), e non lasciarsi travolgere, come frasca al vento, da ogni impulso e da ogni fantasia. Tutti gli sforzi devono convergere a ciò, che *si estingua* il tipo del religioso irrequieto e smanioso che, quasi *clericus vagus*, non riesce ad aderire vitalmente a *un suo* programma di vita e di lavoro e non finisce mai di cercarsi la sua pace voltandosi e rivoltandosi da tutte le parti.

La «febbre del lavoro» che deve essere come lo splendore della pura fiamma dello zelo sacerdotale e religioso, non deve degenerare in quella « eresia dell'azione » già ripetutamente condannata da Pio XII, la quale indica fondamentalmente una paurosa carenza di serietà, di comprensione dei profondi problemi dello spirito e, in definitiva, di educazione.

E' perciò indispensabile che il giovane religioso venga *educato* all'azione ancora durante il suo periodo formativo, che si conclude, teoricamente, con i voti perpetui o solenni e con l'ordinazione sacerdotale.

(14) 1 *Cor.*, 13, 11.

Se egli giunge all'apostolato attivo e al ministero senza un previo conveniente periodo di tirocinio in cui sia vigilato e sorretto, sarà un puro miracolo se non ne resterà travolto. Tirocinio, ho detto, durante il quale egli sia vigilato e sorretto, se pure a questo tirocinio vuol darsi un valore educativo. E mi si permetta di soggiungere come i benefici di questa prova pratica saranno moltiplicati a dismisura ove essa non sia fatta tutta d'un fiato e in una sola ripresa per il periodo stabilito, variabile dai due ai quattro anni, ma ove sia convenientemente spezzata in due periodi. Dopo il primo anno del suo tirocinio pratico, il giovane religioso (chierico o laico) si troverà assalito da mille dubbi e difficoltà: le nuove esperienze, la maggiore libertà, i molti pericoli, i giovani anni, il ridestarsi delle passioni sopite ma non spente, lo portano, normalmente parlando, sul ciglio di una sdrucciolevole china. Riportarlo allora nella tranquilla dimora della Casa di formazione, ove potrà completare i suoi studi, e intanto tirare quasi il fiato e avere tempo di riflettere sulle esperienze vissute, di medicare qualche ferita, di corroborare le sue forze, potrà significare, per molti, la salvezza. Dopo un anno di pratica esperienza non cadranno più nel vago e nel vuoto le ammonizioni e gli avvisi: « Sappiate che poi... »; « Attenti dopo, quando... »: ma il giovane saprà bene che cosa essi significhino e potrà concretamente e vitalmente annodarli con l'esperienza vissuta. Non vi nascondo quanto siano numerose le difficoltà che si possono incontrare nell'attuare praticamente questo programma: ma crediamo forse che sia facile formare integralmente un religioso? E non ci deve attirare la certezza di trovare così una base molto più solida su cui fondare le speranze della buona riuscita?

Anche finito il periodo della formazione ufficiale, il giovane religioso, e specialmente il novello sacerdote, devono essere immessi gradatamente nell'esercizio del sacro ministero e sempre scortati da una guida sapiente e vigilante. Anche il chierico meglio formato, giunto al sacerdozio, si troverà davanti a un'esperienza ignota e il sacerdozio, con le sue delicatissime mansioni della predicazione e della confessione, non è cosa che possa esercitarsi *in promptu* o estemporaneamente! Non ci si fidi — *a questo riguardo* — di ingegni precoci o di provate virtù: ogni anno che si sottrae al periodo formativo è una incolmabile lacuna che si scava nel ministero futuro.

5. Alla serietà e alla maturità della formazione è legato *lo spirito di sacrificio e il senso di responsabilità* del religioso, sì che questi possono dirsi le due facce di un medesimo prisma.

Rinunzia a ogni egoismo e a ogni comodismo (che è cosa ben diversa dalla comodità cercata non per sè, ma come mezzo che può facilitare il lavoro e l'apostolato); accettazione dell'ubbidienza con spirito di fede, valutandola per quello che essa vale davanti a Dio, e non rispetto al nostro gusto o alla nostra vanità; sereno, ma timoroso rispetto della nostra altissima missione di portatori e ambasciatori di Cristo; ecco gli aspetti che bisogna soprattutto coltivare nella formazione religiosa perchè essa sia veramente tale. E su di essi non mi dilungo, sia perchè sono cose notissime, sia perchè qui stesso ne abbiamo sentito e ne sentiremo ancora eloquentemente parlare.

Un'educazione che subordini opportunamente tutti i suoi elementi a questi principali aspetti che io ora ho sommariamente ricordato, sarà certo un'educazione *armonica* e nello stesso tempo *adeguata*, giacchè sarà così duttile e agile da trovarsi potenzialmente pronta a tutto e adattabile alle più svariate circostanze, così come S. Paolo diceva della carità, che « *omnia suffert, omnia credit, omnia sperat, omnia sustinet* » (15). E veramente, potrebbe forse dirsi, nel vero senso, « formato » il religioso così irrigidito e quasi fossilizzato nello spirito, per cui nessun posto e nessuna mansione sono adatti, se non quelli che egli si crea o che bisogna creargli su misura? Di esso si potrebbe dire che non è lui che fa il religioso, ma che costringe, in certo modo, la religione a farsi lui!

Tuttavia due parole vogliamo dire ancora che illuminino direttamente il concetto di *adeguatezza* rispetto alla formazione religiosa.

E prima di tutto, *rispetto alle esigenze dei tempi*. Nella formazione intellettuale e nel tirocinio pratico si tengano presenti in modo speciale i problemi teorici e pratici dei tempi moderni, e alla loro soluzione si prepari il giovane religioso.

Si distingua bene a questo proposito tra due cose che sono diversissime: una è il *metodo* della formazione intellettuale, che deve essere severo e formativo, e avvezzare a vedere con chiarezza in ogni questione i suoi ultimi fondamenti: e tutti sappiamo come per questo la sostanza del vecchio e glorioso metodo scolastico conservi ancora intatta tutta la sua efficacia fondata sulla natura stessa della nostra razionalità. Altra cosa è invece il *contenuto* di tale formazione, che può e deve, in ragionevole e larga misura, adeguarsi alle esigenze mutevoli dei tempi. Un errore, anche antico, per esempio, deve essere combattuto nelle forme che *ora* ha rivestito, e quasi inseguito sul suo stesso terreno se si vuole averne una efficace vittoria. Rientrano ancora in questo punto tutte le moderni questioni sociali che sono una materia in continua e feconda evoluzione (si pensi, per esempio, al concetto di « proprietà ») e tutti i mezzi moderni dell'apostolato in dipendenza dei progressi tecnici e della mentalità e dei gusti del popolo che sono tanto mutati...

In secondo luogo, *riguardo alle singole persone*. Adeguatezza qui significa impiego oculato e — nel senso buono — sfruttamento, delle capacità individuali, in modo che ogni religioso, anche ai fini della sua formazione, sia chiamato a fare ciò che sa, ciò che può e ciò che fa volentieri (il che non vuol dire affatto che bisogna adattarsi ai suoi capricci!).

So bene che anche il mettere uno a tirar l'acqua dal pozzo con un paniere sfondato può avere un valore educativo, ma questa non può essere la norma!

(15) 1 *Cor.*, 3, 17.

E in ogni caso, esso è un effetto non un mezzo dell'educazione la quale deve essenzialmente tendere a ottenere lo *spontaneo consenso* della libera volontà. E' ovvio che il religioso *formato* deve essere ugualmente pronto a fare il portinaio o il rettore, e se non arriva a questa elasticità non è fatto per la vita religiosa, ma è anche cosa certa, (e ben diversa da questa) che bisogna far fare il rettore a chi lo sa fare e il portinaio a chi ha le doti di portinaio. Si osservà che queste asserzioni sono dei luoghi comuni: è vero. Ma è proprio rarissimo il caso in cui, per una mancata conoscenza del soggetto, si crede — almeno con la pratica — che l'ubbidienza debba anche conferire miracolosamente e automaticamente la capacità richiesta per compierla bene?

Avviandomi ora a concludere le mie parole, non so trovare di meglio che riprendere un pensiero, già accennato, su cui però non si insisterà mai abbastanza, e che risponde a un'esigenza generale che viene a porre quasi il suggello all'educazione e che anzi rende l'educazione veramente degna di tal nome: esso è la *spontaneità vitale* che è *essenziale* all'atto educativo. L'educatore che riesca a evocare (quasi *e-ducere*) questa nel suo educando, veramente, come dice il poeta, *omne tulit punctum*, e può avere la maggiore sicurezza morale della sua riuscita futura; al contrario, se questa non è raggiunta, è ben infelice quel candidato che si inginocchia all'altare a pronunziare i suoi voti o a farsi ungere le mani, e non ha neppure da rallegrarsene la famiglia che l'accoglie.

« Spontaneità vitale » significa qui abito di predilezione per il bene, amore della propria vocazione, accettazione gioiosa della volontà di Dio in *tutte* le Sue manifestazioni: significa quindi l'imperniarsi di tutta la personalità e di tutta l'attività dell'individuo sopra i motivi di fede e sulla vita abituale di carità soprannaturale: questa conclusione, che non fa parte del nostro tema, si presenta però come logica conseguenza di quanto abbiamo detto riponendo l'educazione essenzialmente in un atto di libera e buona volontà.

A questo punto ci si potrà finalmente chiedere: se questa volontà di bene deve essere libera, come sarà possibile indurla, pur rispettandone la libertà, a volere spontaneamente ciò che essa moralmente *deve volere?* La questione non è facile e neppure secondaria, giacchè da essa dipende tutta l'efficacia del lavoro educativo.

Per quel che riguarda la formazione intellettúale, è comune dottrina dei pedagogisti che la verità non può brillare alla mente dell'allievo senza il concorso della mente del maestro. Questi, che già possiede la verità che vuole comunicare, provoca nell'alunno l'attuazione della sua potenza conoscitiva: l'imparare pertanto è concepito come un passaggio di potenza ad atto, reso possibile da chi sia già in attuale possesso della verità.

Si potrà dire altrettanto per l'atto formale dell'educazione, che si conclude per sè tutto nell'ambito della volontà? Sarebbe grave errore il farlo. Mentre, infatti, l'intelletto si comporta deterministicamente rispetto al suo oggetto formale, sì che non può non vedere la verità che gli brilla dinanzi, la volontà, invece, è sempre libera e arbitra di sè di fronte all'accettazione del bene morale. Nessun determinismo e nessuna coazione, quindi, nell'atto formale dell'educazione.

Diremo allora che è inutile la presenza dell'educatore, *in quanto tale*, e che egli deve limitarsi ad essere un distributore di scienza, senza nessun influsso diretto sulla volontà? Anche questo sarebbe un grave errore.

Se la volontà si sottrae alla efficacia diretta della causalità efficiente, resta invece sensibile agli stimoli della *causalità esemplare*, che non menoma la libertà e la capacità autodeterminativa. Il bene *conosciuto* parla deterministicamente all'intelletto, ma il bene *operato e vissuto* è uno stimolo suasivo e pressante per la volontà, su cui esercita la stessa urgenza che S. Paolo attribuisce alla carità (16).

L'educatore pertanto deve considerare come particolarmente rivolta a sè l'esortazione di S. Paolo a Tito: *In omnibus teipsum praebe exemplum bonorum operum, in doctrina, in integritate, in gravitate* (17), convinto che per questa via, è soltanto per essa, potrà giungere al cuore del suo educando e piegarne la volontà al bene. In caso diverso, una condotta che smentisse la dottrina, potrebbe forse giungere a formare l'intelletto, ma nulla darebbe alla formazione della coscienza, fallendo così in pieno la sua missione educativa.

Non vi rincresca di ascoltare anche su questo punto la chiara dottrina di Pio XII. Parlando dell'impegno particolare che tutti i sacerdoti devono mettere nel coltivare le

---

(16) *Charitas enim Christi urget nos*: 2 *Cor.*, 5, 14.
Per evitare delle incomprensioni, converrà qui notare come nel concetto di « causalità esemplare » è implicito quello di « autorità morale », che è l'autorità propriamente *educativa*. Si noti poi anche che le relazioni tra l'educatore e l'educando non si limitano soltanto alle relazioni puramente educative: esiste fra quelli *sempre*, in un modo o in un altro, un *vincolo giuridico*, a nome del quale l'educatore potrà imporre delle azioni da compiere al suo educando; ma tali azioni saranno éducative solo se il *modo* con cui esse si ottengono risponde al concetto centrale dell'educazione: in caso contrario esse saranno estranee all'educazione e a questa riferibili solo indirettamente (ove non le siano positivamente contrarie). Ci si guardi dal pensare che l'educazione esaurisce tutte le realtà della vita!
(17) *Tit.*, 2, 7.

vocazioni sacerdotali, Egli dice: « Per riuscire più efficacemente in questo scopo, si facciano con l'esempio della loro vita modelli degni d'imitazione, specialmente per quei giovani che avvicinano nell'intimità, e nei quali scorgono i segni della vocazione divina » (18).

In tal modo l'educatore, imitandoLo nei limiti a lui concessi, sarà veramente il delegato e il continuatore dell'opera dell'unico Maestro che è il Cristo (19), il Quale, nel misterioso e divino lavoro che compie sulle anime, mentre ne rispetta il prezioso dono della libertà da Lui stesso concesso, vuole attrarle a Sè con la forza dell'amore e con la dolce, ma onnipotente persuasione dell'esempio (20).

Alii periti viri, ex munere a Sacra Congregatione de Religiosis commisso, circa idem argumentum scripserunt.

159   R. P. RENATUS ARNOU, S. I., in Pontificia Universitate Gregoriana Professor, *scripsit*:

1. Formation complète.

1) La formation complète est celle qui répond pleinement au but poursuivi par chaque Institut, fait prendre dès ses jeunes années au religieux des habitudes de vie conformes à cet esprit, et le rend capable de remplir, quand il y sera appelé, les fonctions et les ministères de sa vocation. Il est clair que, pour être complète, cette formation devra, autant que possible, atteindre et transformer peu à peu l'homme tout entier.

2) Précisément parce qu'elle doit atteindre le sujet tout entier, comme homme, (souvent) comme futur prêtre, comme religieux, comme religieux de tel institut, et parce que de plus elle doit, selon la condition de tout ce qui vit en ce

(18) Dalla *Esortazione al Clero* già citata.
(19) *Matt.*, 23, 10.
(20) *Io.*, 13, 15.

monde, s'adapter, tout en gardant ses caractères essentiels, aux circonstances changeantes de temps et de lieu, cette formation est nécessairement complexe et réclame de celui qui a charge de la donner, en même temps qu'un profond attachement aux principes et aux traditions de sa famille religieuse, beaucoup de tact, la connaissance des hommes, une certaine connaissance du monde aussi et des nécessités et possibilités actuelles.

3) Entre les divers aspects de la formation religieuse, j'insisterai ici sur un point seulement, qui peut paraître secondaire et dont sans doute il ne faut pas exagérer l'importance, qui ne peut pourtant être négligé sans que soit compromis le rayonnement normal du religieux et la valeur de la vie religieuse elle-même: à savoir, la formation de l'homme dans le religieux, une formation qui, pour n'être pas à strictement parler religieuse, n'en est pas moins nécessaire à tout religieux.

N'est-il pas en effet hautement convenable que le religieux formé soit un homme de principes, un homme de caractère, qui n'ait pas constamment besoin d'être encadré, soutenu de l'extérieur, porté, mais qui trouve en lui-même les lumières nécessaires et la force pour agir, au moins dans les circonstances normales; un homme capable de prévoir, de vouloir, même d'organiser, capable de porter une responsabilité; un homme qui sache garder un secret, fidèle à la parole donnée dans les grandes et le petites choses, bref un homme, et non pas toujours un enfant?

Quand il s'agit de prendre en main ou de relever une oeuvre importante, on entend des Supérieurs se plaindre: Il n'y a pas d'hommes! Et sans doute il peut y avoir diverses raisons d'une telle pénurie. Mais, si certains religieux restent des enfants perpétuels, on peut se demander si cela n'est pas dû, en partie du moins, à la formation qu'ils ont reçue, notamment à une certaine conception de la discipline, chez le Supérieur comme chez les inférieurs. L'obéissance n'est pas seulement l'exécution matérielle des ordres; elle est aussi l'effort intelligent pour entrer dans un esprit. Elle devrait être une école de vie, où l'on apprend à agir de façon dépendante, oui, mais à agir; à agir selon des directives reçues, oui, mais que l'on a faites siennes, et qui sont devenues dans le religieux vraiment obéissant un principe intérieur d'action.

C'est comme cela que l'on s'habitue à prendre des responsabilités: à agir comme quelqu'un qui sait qu'il aura des comptes à rendre, mais en qui cette conviction n'étouffe pas l'élan et la spontanéité.

4) *Formation à la politesse.* — Il faut que le religieux soit détaché du monde, très éloigné de l'esprit du monde; et pourtant, dans la plupart des cas, il devra rester en relation avec les gens du monde et, pour leur faire du bien, il devra savoir traiter avec eux. Tout en évitant ce qui sentirait la recherche ou l'affectation, ce qui serait éloigné de la simplicité, de la franchise et de l'humilité qui conviennent à son état, il devra se garder de confondre l'affectation avec la po-

litesse, et trouver le moyen de rester simple sans manquer au savoir-vivre.

Or, pour diverses raisons, dont la principale est, dans l'éducation première, un défaut qui n'a pas été compensé pendant les premières années de la vie religieuse, il reste à cet égard chez un certain nombre, dans la manière de se présenter, de s'exprimer, de manger, une rusticité qui peut être un obstacle à la fécondité de leur apostolat et qui n'édifie pas. La bonne tenue dans les relations de communauté comme dans les relations avec les personnes du monde exige en effet que souvent on se gêne pour ne pas gêner les autres; avec la droite intention, il y a là une manière modeste, mais estimable, de pratiquer la charité. Or, ce qui apparaît plutôt parfois, c'est le sans-gêne. Même en public.

A cet égard, un petit fait récent: plusieurs fois au cours de l'Année Sainte, à l'issue de splendides cérémonies, j'ai entendu des étrangers exprimer leur admiration et leur émotion, tout en regrettant l'attitude de certains religieux, de certaines religieuses, qui, par leur allure peu modeste, leur empressement à s'emparer avidement des meilleures places, ressemblaient plus à des pensionnaires échappés qu'à des personnes faisant profession de tendre à la perfection.

2. Formation une et harmonieuse.

1) La formation du religieux, pour être complète, ne doit négliger aucun de ses aspects essentiels. Comme il a été dit déjà, elle doit le détacher du monde et de l'esprit du monde, sans le rendre impuissant à traiter avec les gens du monde. Elle lui enseigne à vivre dans la dépendance, sans paralyser les sources de son activité. Pendant de longues années elle requiert, pour la formation intellectuelle et scientifique, la plus grande part de son temps et de ses énergies disponibles, tout en maintenant le primat de la vie intérieure et des moyens surnaturels. Comme il est légitime, elle lui inspire une affection spéciale pour sa famille religieuse, mais sans exclusivisme, et de sorte que cette préférence s'harmonise avec une juste estime pour toutes les autres dans le grand amour universel pour l'Eglise qui est le Corps de Jésus-Christ.

Et pourtant, malgré cette diversité, dans cette diversité même et dans cette complexité, la formation doit rester organiquement une et harmonieuse, comme le sujet qu'elle a pour but d'introduire dans la voie de la perfection.

2) Cette unité dans la diversité, en toute vie religieuse mixte, et simplement en toute vie religieuse, n'est possible

qu'en vertu d'un puissant principe d'unité intérieure, toujours agissant. Et ce principe intérieur d'action, c'est l'idéal même de son institut que le religieux, au cours de sa formation, s'est approprié, et qui est devenu en lui comme une seconde nature. C'est lui qui est, chez les Supérieurs, l'âme du gouvernement, ce qui les guide dans l'interprétation de la règle et dans l'orientation à donner aux oeuvres, dans le choix de candidats qui se présentent et dans l'élimination de ceux qui ne sont pas aptes. C'est lui qui donne à tous la lumière et la force pour persévérer allégrement, malgré les sacrifices, dans la voie où ils sont entrés.

3) Le désordre fait son apparition lorsque le moyen devient une fin et que la fin est réduite à n'être plus qu'un moyen. La fin, c'est l'union à Dieu, c'est le service de Dieu, avec la note particulière propre à chaque institut. Les moyens, c'est tout le reste. S'il apparaît que ce que l'on estime surtout, c'est ce qui brille, ce qui attire l'estime du monde, si l'on préfère le nombre à la valeur vraie, le résultat sera que, pour les âmes en quête de perfection, cet institut ne sera plus un idéal attirant. Et il perdra... même le nombre. Il n'est pas sans exemple que des jeunes gens, des jeunes filles qui semblent faits pour la vie religieuse, en restent éloignés, pour cette raison qu'ils ont connu de trop près certains religieux.

4) Dans l'institut lui-même, un phénomène semblable peut se produire chez de jeunes religieux, qui sont d'ailleurs de bons religieux: un malaise qui va parfois jusqu'à la désaffection. Et pourquoi? parce qu'ils remarquent une grande différence entre l'esprit des constitutions (c'est cela qui les attirait) et la réalité dans laquelle il leur est donné de vivre; parce qu'on s'est écarté du but primitif et des grandes voies qui y conduisaient, ou (ce qui revient à peu près au même) parce que le véritable esprit s'est perdu et qu'on est resté figé dans des oeuvres qui à l'origine avaient leur raison d'être et vivaient, alors que maintenant ce ne sont plus guère que des souvenirs. En somme, le malaise de ces jeunes religieux vient de ce qu'ils ne trouvent pas ce qu'ils attendaient, ce qu'ils étaient, semble-t-il, en droit d'attendre.

5) A tout cela il y a un remède: le retour à l'esprit des origines; car c'est cet esprit que, pour être fidèle à lui-même,

l'institut doit incarner et faire vivre dans les conditions
d'aujourd'hui.

C'est le conseil du Pape Pie XI, qui voit là le gage des bénédictions de Dieu:
« Primum omnium religiosos viros cohortamur, ut suum quisque Conditorem
Patremque legiferum in exemplum intueantur, si velint gratiarum, quae e sua
ipsorum vocatione proficiscuntur, certo esse copioseque participes. Praestantis-
simos enim eiusmodi viros, cum sua excitarunt Instituta, quid aliud fecisse
constat, nisi divino afflatui paruisse? Quam igitur ii notam in sua cuiusque
Sodalitate impressam voluerunt, eam quicumque ex suis in se exhibent, ab
incepto sane non aberrant (1).

Garder cet esprit, le même esprit toujours vivant, dans
des conditions de vie diverses et donc en des manifestations
souvent nouvelles, c'est une opération délicate. Cela demande
de la part des Supérieurs, comme il a été dit déjà, une
connaissance pénétrante de l'esprit de leur Institut et la
fidélité aux traditions qu'ils ont reçues en dépôt et qu'ils
doivent transmettre, mais en même temps une grande sensibilité pour les besoins et les possibilités actuels. La tâche
des Supérieurs sans doute n'a jamais été facile. Aujourd'hui,
elle l'est moins que jamais.

160   R. P. Renatus Carpentier, S. I., Professor
Theologiae Moralis, *scripsit*:

DE QUIBUSDAM PERICULIS GENERALIBUS IN INSTITUTIONE ALUMNORUM VITAE RELIGIOSAE PRAECAVENDIS

Potiusquam totum programma propositae relationis com-
plectar, liceat ad quaedam pericula institutionis alumnorum
— et quidem institutionis *spiritualis* in *vita religiosa* stricte
dicta — attentionem movere.

CAUSAE PERICULORUM PROPONUNTUR

1) Primum quidem pericula habentur propria ubi tota
institutio atque formatio a societate particulari assumitur
et alumni propter professionem religiosam plene per omnia
suis superioribus se committunt ab eisque unice pendent.

(1) Epist. Ap. *Unigenitus Dei Filius* (Ench. de statibus perf., pag. 402).

Nonne in istum, inter alios, finem nonnulla hac aetate instituta saecularia nata sunt, ut institutio alumnorum, licet sufficienter a superioribus assecurata, liberius tamen et in multis singulis sociis relinqueretur, quo facilius attemperaretur tum maximae varietati vitae apostolicae, tum personali naturae?

In hoc mihi, generatim loquendo, videntur differre Instituta religiosa ab Institutis saecularibus perfectionis acquirendae quoad alumnorum institutionem, quod priora possunt et volunt omnes suos socios in bonum congregationis dirigere et ad communem conformationem adducere, immo ad omnimodam disponibilitatem, dum altera ad spiritualia et personalia fere exclusive attenta, magnam in suis alumnis initiativam, ut saepius conicere licet, supponunt et intendunt.

2) Alia causa proponi potest cur institutio alumnorum in societate religiosa periculo exponatur.

Ante quosdam menses, auctor praesentis dissertationis aderat cum nonnullis sacerdotibus ex clero saeculari et religioso coetui cuidam laicorum, cuius intentum sic describi potest. Laici 6 aut 7 congregati singulis quindenis per duas circiter horas, circa aliquem textum revelatum colloquuntur et examen quoddam instituunt de « regula vitae » quam sibi observandam proposuerunt. Colloquium autem habet hoc proprium quod singuli intendunt, magna simplicitate et in praesentia Domini, communitariam christianam vitam agere, fere ut in eucharisticis « agapais » primaevae Ecclesiae et aperte simul ac modeste difficultates suas et problemata suae laicalis vitae gratiasque a Deo acceptas proponere, dum adest sacerdos qui et ipse partes Christi Iesu agit solvitque dubia sincereque omnes adiuvat suo fervore. Ita tota quindena cum Ecclesia adunati, in meditatione et oratione et operosa caritate perseverant, donec in sequenti congressu iterum fructus et obstacula mutuo communicent. Itaque hac vice omnes sacerdotes qui hos coetus laicorum adiuvant, congregabantur ipsi cum quibusdam tantum laicis, ut colloquium eiusdem generis, sincerum, apertum et modestum agerent, coram Domino et in mutua caritate, et quidem de hac quaestione: Quem fructum ego sacerdos ex congressu periodico cum laicis meae turmae aestimo reportavisse? — Iamvero tum saeculares, tum etiam religiosi confitebantur se, in parvis illis communitatibus christianis, fructum spiritualem collegisse, ad sancte nempe vivendum in suo statu clericali aut religioso, fructum inquam quem non colligebant a suis sociis e clero vel e communitate religiosa, scilicet (ita religiosi dicebant) ut amoris personalis Christi magis conscii fierent, ut ad fraternitatem concrete in sua communitate exercendam aptiores se haberent, ut praesentiam Domini in vita quotidiana facilius quaererent, ut ad humilem et sinceram sui manifestationem paratiores essent, ut a tentatione « ironiae » liberarentur, brevi ut simpliciores « filii Patris » essent ad ipsum Deum, et ad superiores suos et ad fratres et ad omnes fideles, immo ut in praedicatione, facilius ipsum Christum in simplicitate sermonis et sinceritate cordis annuntiarent. Nec defuit superior localis ordinis religiosi, qui dicebat se idem colloquium sincerum suis alumnis, theologiae et philosophiae studentibus, et utique paucis numero, proposuisse, cum optimis fructibus pro disciplina religiosa, amore fraterno, unione cum superioribus, sinceritate in ministeriis.

Res forte miratione non caret, quod religiosi exemplo laicorum, immo eorumdem auxilio, utique ferventium, magis iuventur ad quosdam saltem, sed pretiosos optatosque fructus sibi acquirendos, quam a sua communitate, ceterum bona et sancta. Nam vita religiosa maxime apparet in Ecclesia ut vivida Spiritus Sancti creatio. Quare nihil ferventius, nihil caritate plenius quam *prima fraterna turma* e quo ordo religiosus originem duxit. Inter primos illos socios viget enim:

a) Concreta visio finis particularis, qui cum nondum legibus et textibus immobiliter sit determinatus, facilius directe refertur ad gloriam Dei, ad servitium fratrum, ad bonum Ecclesiae, id est ad finem universalem Redemptionis.

b) Viget etiam concretus conatus ad sanctitatem evangelicam, quae, nondum ad sociorum facilitatem codificata, directe hauritur ab ipso fonte qui Christus est et mediis particularibus utitur prout sunt media.

c) Viget quoque mutua et simul valde personalis membrorum institutio, quae maxime communitaria et mutua sinceritate adiuta, tamen a singulis personaliter et active quasi creatur et minus passivam se habet ad homines et consuetudines, magis autem pendet a gratia Dei nova: haec enim incipiente ingenti opere adhuc incerto, magis percipitur necessaria et praesens; socii pauci inter se cognoscunt et amant, omnesque sentiunt opus commune singulis incumbere, in quo partem suam efficacem habent.

Sed postea Constitutiones conscribuntur et regulae, consuetudinesque formantur, quae etiam in parvis vitam religiosi determinent. Quarum necessitas est evidens et fructus ingentes, licet timendum sit ne, omnibus iam ordinatis et adamussim definitis, inspiratio, iam non necessaria, minuatur, — finis particularis prae universali, a quo pendere debebat, praeferatur, — media sanctificationis specialia loco ipsius sanctificationis, pro parte saltem, assumantur. Quare multi fundatores, optantes quantun possunt ut lex caritatis semper praecipua haberetur, declararunt inter alia regulas sub ullo peccato non obligare.

Crescente autem numero sociorum, crescit etiam organizatio et administratio, domus religiosa ipsa iam apparet solide, et quandoque pulchre constructa, ordo domesticus regulariter procedit, societas tota pluribus in dies legibus et instructionibus regitur. Quae omnia verum progressum demonstrant nec est in nostra mente ut ad crisim traducantur.

Quaedam tamen pericula ex praedictis causis manantia enumerari possunt, quae institutionem alumnorum respiciunt.

PERICULA QUAEDAM ENUMERANTUR QUAE AD
INSTITUTIONEM ALUMNORUM PERTINENT

1) Et primo quidem notatur periculum cuiusdam *formalismi* in proponenda alumnis vita communitatis religiosae, — si nempe regularitas externa tantopere et quam citius urgeatur, ut quasi omittatur (mera externa omissione ut supponimus sed periculosissima) explicita institutio ad supernaturales virtutes seu vitam christianam in genere sumptam, immo ad officia legis natural's, quae omnino salvanda sunt; ita etiam ut inter socios vigeat utique participatio externa in publicis exercitiis, non autem illa communicatio proprie spiritualis et fervens, illud mutuum auxilium, quae in origine religiosae familiae admirati sumus et relig'osi illi, de quibus supra narravimus, fatebantur e coetu laicorum facilius hausisse.

Contra forte frenum quoddam falsi pudoris et secretae ironiae socios tenet, immo et superiores, quo utique publicae et consuetae virtutis manifestationes permittuntur, non autem sincera et simplicia spiritualia colloquia, quamvis S. Paulus hortetur: « Implemini Spiritu Sancto, loquentes vobismetipsis in psalmis et hymnis »... « docentes et commonentes vosmetipsos »...

Itaque institutio, ita formalismo notata, neque propriae perfectioni harmonice procurandae favet, neque valores veros religiosae vitae salvat, neque apte praeparat alumnos aut alumnas ad apostolatum sincere exercendum praedicationis, aut educationis, tum iuvenum, tum puellarum (harum forte praecipue). Formas enim actusque externos religionis inculcare non sufficit: ardens, sincera, simplex caritas animas movet in Evangelium salutis et perfectionis, haec nempe caritas, quam fundatores sperabant.

2) Secundo, notandum, et quidem praecipue in superioribus et superiorissis, periculum *legalismi,* satis praecedenti proximum, quo institutioni alumnorum non mediocriter noceatur. « Legalismum » autem vocamus acquisitam propensionem ad obiectivam tantum — aut praecipue — et litteralem materialemque observationem legum positivarum attendendam, dum moralitas vera pro parte omittitur, quae in sincero Dei et proximi amore consistit.

Ex officio enim superiores et iure merito, praecipue in institutione alumnorum, leges debent applicare et ab omnibus observationem exigere. Sed quia diutius forte in variis domibus idem officium exercent, et iam ipsa sua psychologia ad administrationem inclinantur, iudicant quidam praecipuas suas partes in hoc esse, ut omnia recte procedant ordine externo, et in hunc finem coecam oboedientiam ab inferioribus obtineant. Quae iterum omnino necessaria sunt, sed neque sufficiunt ut « spiritualis gubernatio » et institutio alumnorum procuretur. Haec autem spiritualis gubernatio praecipue exigit ut continuo applicetur et manifestetur, quantum fieri potest, « interna caritatis et amoris illius lex quam Sanctus Spiritus scribere et in cordibus imprimere solet ».

Neque hic supponendum est legem caritatis alumnis non inculcari, quod Religionem corruptam potius demonstraret; neque omitti exercitia spiritualia et instructiones periodicas spiritualis Patris, nec quotidianas meditationes et conscientiae examina, media quidem efficacissima ad spiritum continuo renovandum. Sed haec magis ad internam singulorum spiritualem vitam instituendam pertinent. Periculum, de quo hic loquimur, publicum regimen respicit, quod institutionem alumnorum in vita religiosa, essentialiter communitaria, efficaciter, immo praecipue et infallibiliter influit, et toti Religioni mentem efformat qua membra ducuntur: si nempe quandoque superior potius administratorem se habeat, ad vitandas difficultates praecipue attendat, suos inferiores externa, immo forte « politica » ingeniositate dirigat, potiusquam suo fiduciali simul et supernaturali modo agendi et loquendi, magistrum caritatis sincerumque patrem se profiteatur.

Statim autem addendum est legem caritatis, si recte intelligatur ut est « forma omnium virtutum », non « locum tenens » omnium virtutum, gubernationem exigere et alumnorum institutionem non minus obiectivam, et sapientem et adaequatam quam proprie spiritualem. Atque talis institutio, iam a prioribus annis noviciatus, requiritur ut et ipsi alumni caritatem illam sinceram addiscant, et nulli legalismo aut formalismo postea in scholis nosocomiis, missionibus, confessionali, cathedra faveant. Caritas enim ex bono quod obiective et sincere vult facere iudicatur, ex vera et accurata sollicitudine de aegrotis in nosocomio decumbentibus, ex apta instructione discipulorum, ex concreta et a propria experientia hausta praedicatione, non ex mera bona intentione et externa sui officii observatione.

3) Tertio parum insistendum est in periculo *particularismi,* quod facile credas institutionem alumnorum minitari in vita religiosa, si fini suo proprio contenta, societas religiosa suos alumnos ad Ecclesiam universalem et localem et ad alias familias religiosas fere non attentos faciat.

4) Quarto tandem notandum est periculum cuiusdam « mecanizationis », qua alumnorum personalitas minuatur imparque fiat ad recte de rebus et hominibus iudicandum, fortiterque et apto modo agendum. Omnis enim institutio et formatio cum e duplici fonte simul profluat, communitate nempe et personalitate, exigatque simul submissionem et propriam initiativam, docilitatem in recipiendo et activitatem in elaborando, timendum est ne ipsa vitae communis facilitas, et gregis inconscium pondus, et timorata a multis obstaculis praeservatio, socios nimis passivos faciat, prudentia ingenioque non satis muniat, immo parum paratos ad difficilia incipienda et toleranda — cum contra perfectio consiliorum ad strenuos aptosque milites Christi formandos manifesto praecipue dirigatur, sicut exemplo sanctorum et illustrium religiosorum didiscimus. Atque certo certius, eadem diminutio

personalitatis, si proh dolor haberetur, ipsi communitatis religiosae fervori et spirituali gaudio noceat necesse est.

Conclusio. — Ex dictis nonnulla vota innuuntur, inter quae praecipuum est: Ut in institutione spirituali alumnorum — immo in generali institutione — sicut in tota traditione ascetica affirmatur, locus praecipuus concedatur caritati, qualis supra descripta est.

Quod si character familiaris essentialis est rectae alumnorum religiosorum institutioni, media inveniri possunt, ut unum in hac dissertatione innuimus, singulis Religionibus apta, quibus non minor efficacitas oboedientiae et disciplinae, immo maior, hac methodo « familiali » quam decretis et coactione procuretur.

Nulla enim est christiana institutio, ubi omnia, et gubernatio superiorum, et inferiorum oboedientia, et omnium aliorum virtutum exercitatio, et ipsa externa opera, magis caritate animanda sint quam status perfectionis, et quidem perfectionis publice ante omnes oculos in communi manifestandae.

161   R. P. Luduvicus Fanfani, O .P., *scripsit*:

Superfluo insistere sulla necessità che negli Istituti religiosi sia data la massima importanza alla formazione religiosa ed anche culturale: quest'ultima proporzionatamente agli scopi di ciascun Istituto. La natura della cosa e l'esperienza quotidiana stanno a dimostrare questa necessità con evidenza meridiana.

Due altri quesiti invece, dovendo parlare di questa formazione, si possono utilmente sottoporre alla nostra riflessione: 1) Quale è lo stato attuale della formazione religiosa e culturale negli Istituti religiosi; 2) Quali i mezzi per rendere e l'una e l'altra sempre più efficienti.

1) *Quanto al primo quesito,* è opportuno distinguere fra Istituti maschili e femminili; fra i grandi Istituti e le piccole Congregazioni, specialmente di Diritto Diocesano.

Nei grandi Ordini o Congregazioni religiose, sia maschili che femminili, crediamo che *la formazione religiosa* sia abbastanza curata; se mai può risultare qualche volta deficiente, specialmente negli Istituti femminili, *la formazione culturale*.

Va bene che le Suore non sono chiamate ad esercitare un vero apostolato culturale, nè tutte hanno per scopo l'insegnamento nelle scuole. E' anche vero però che tutte hanno oggi occasioni molteplici, quotidiane, di trovarsi a contatto con persone secolari, le quali un certo grado di cultura, proporzionato alla loro condizione, lo hanno; ed è vero che queste persone che avvicinano le religiose hanno spesso bisogno di deporre errori, pregiudizi, superstizioni in materia religiosa e morale; o almeno avrebbero bisogno di essere meglio istruite in queste materie. Quale opportunità per farlo e per farlo utilmente in questi incontri! Ma come poterlo fare se le Suore per prime hanno invece bisogno di essere illuminate? con quale prestigio farlo se, pur dicendo una buona parola, esse si dimostrano completamente estranee alla vita e tanto al di sotto nella loro cultura alle persone stesse che hanno dinanzi?

Che se parliamo dei piccoli Istituti religiosi, dobbiamo spesso lamentare anche la deficienza di formazione religiosa. Sembra alle volte che tutta l'importanza in questi Istituti l'abbia la cosiddetta Vestizione. Una volta indossato l'Abito, questo dovrebbe senz'altro operare quasi un miracolo di trasformazione. Il proverbio dice: « L'abito non fa il monaco »; contro la verità e la sapienza di questo proverbio, sembra invece ci si appoggi ad un'affermazione in contrario, cioè « l'abito fa il monaco ». Quindi un noviziato che non è affatto un noviziato; una professione che non ha altro scopo, se non segnare il momento in cui la nuova religiosa potrà liberamente essere adoperata pei lavori, spesso anche delicati e di responsabilità, dell'Istituto. Altro che formazione integrale, armonica, adeguata della religiosa!

Negli Istituti maschili, questo pericolo si verifica principalmente riguardo ai fratelli conversi e fratelli cooperatori.

2) *Rimedi: a)* In primo luogo *rigorosa osservanza delle leggi della Chiesa;* basterebbe bene osservare quanto anche il solo Codice stabilisce riguardo al *modo* di fare il postulantato ed il noviziato, perchè molte, se non tutte le deficienze lamentate quanto a formazione religiosa, venissero a cessare.

b) Ingenerare fin da principio nell'animo di ognuno o di ognuna che domandi di abbracciare la vita religiosa, una *chiara comprensione* della medesima.

Troppo spesso ci si contenta del solo spirito di pietà e di una bontà quasi naturale per indole, temperamento, educazione, senza mettere in evidenza la radicale differenza fra un'anima, anche buona, nel secolo, ed un'*anima consacrata* a Dio nella vita religiosa. Ed ecco allora *nei monasteri di clausura* anime buone, se vogliamo, ma molto mediocri in fatto di vita contemplativa; nei *monasteri di vita attiva*, persone più preoccupate del lavoro materiale che della costruzione di un solido e ben ordinato edificio spirituale; ecco *in tutti* la mancanza di orientamento verso il vero e principale scopo della vita religiosa, che è la pratica della vita di perfezione, in ordine ad una vera e perfetta santificazione di sè.

c) Non trascurare i *mezzi* che, secondo il genere di vita di ciascun Istituto, sono a disposizione dei Superiori e dei sudditi per adeguare alla buona ed integrale formazione morale e spirituale, anche una buona formazione in materia profana, proporzionata allo scopo dell'Istituto.

d) Tra questi mezzi vogliamo ricordare, perchè un po' nuovo, l'iniziativa presa in questi ultimi anni, di un certo ammaestramento o preparazione per coloro che nella vita religiosa dovranno essere preposti alla formazione delle nuove reclute: I Maestri e le Maestre dei Noviziati.

Infatti, se è difficile per tutti e sotto ogni aspetto l'arte di educare, educare e formare alla vita religiosa, che è vita di perfezione, è necessariamente ancora più difficile: si acquista con l'esperienza, non si improvvisa. Ma perchè aspettare che un buon Maestro ed una buona Maestra acquistino solo dietro la *propria* esperienza il modo o l'arte di adempiere bene il loro ufficio, quando con una buona guida loro assegnata e facendo loro seguire per qualche tempo lo svolgimento di un buon programma di cultura spirituale, morale e pedagogica, si potrebbe renderli atti a svolgere subito bene, fin dal primo momento, con competenza e con frutto il compito loro affidato? Anche questo provvedimento, come quello di curare, particolarmente dopo la prima Professione, i religiosi e specialmente le religiose per completare la loro formazione spirituale e culturale, costerà certo qualche sacrificio; ma bisogna generosamente affrontarlo, ben sapendo che ogni sacrificio fatto per avere religiose e religiosi ben formati, frutta sempre ed a sovrabbondanza.

162 Rev.mus D. Paulus M. Grammont, Abbas Beccensis O. S. B. Montis Oliveti, *scripsit*:

LA VIE DES ORDRES RELIGIEUX
ET LES DIFFICULTÉS DES TEMPS ACTUELS

L'exposé qui suit n'est qu'un essai destiné à présenter quelques-uns des problèmes que posent les vocations religieuses dans les temps actuels. La première partie contiendra plusieurs réflexions sur la situation où se trouve aujourd'hui la plupart des jeunes gens, dans la seconde seront envisagés quelques grands principes de solution.

I - Il était inévitable qu'après les deux dernières guerres et les années d'occupation, les mentalités et les mentalités religieuses elles-mêmes fussent profondément modifiées et éprouvées. On peut se faire une idée des secousses imposées au tempérament humain lorsqu'on écoute et lorsqu'on observe la génération qui suit. Pour procéder à cet examen il suffit de constater les difficultés qui se présentent au niveau psychologique, intellectuel, économique, moral et religieux enfin.

1) *Plan psychologique.* — Sur le plan psychologique, le homme, le jeune homme moderne ne connaît plus l'unité qui assurait il y a encore une vingtaine d'années une équilibre moyen.

On est bien obligé d'admettre que, par suite des circonstances, des fissures se sont produites et que de nombreux troubles de la personnalité apparaissent très vite chez beaucoup d'enfants. L'équilibre physiologique normal est rompu et l'évolution du tempérament connaît des retards et des avancées brusques qui déconcertent. Bien des médecins ont relevé des pubertés fortement en retard, quels que soient par ailleurs le degré de culture et le développement de l'intelligence. On se trouve très souvent devant de grands jeunes gens qui, psychiquement, restent (et probablement resteront longtemps) de grands enfants. Ceci entraîne une instabilité foncière qui empêche le sujet de contracter un engagement définitif. Au moment de prendre une décision importante, surtout en matière religieuse, le jeune homme perd pied ou remet indéfiniment tout en question, sans être responsable, en grande partie du moins, de cet état. *La détermination franche à partir d'une option bien posée et d'un risque accepté est le fait d'un très petit nombre de vocations.*

La nervosité d'autre part introduit dans la vie un rythme accéléré et un besoin de nouveauté dont les jeunes gens sont les premiers à souffrir, mais dont ils ne peuvent se rendre maîtres. Leur besoin de varier et de morceler les activités provient de la difficulté toujours plus grande qu'ils rencontrent à fixer leur attention. Le dégoût de ce qu'ils font les saisit très vite et trahit une usure de l'affectivité même chez ceux qui sont doués d'une bonne volonté.

En somme sur le plan psychologique comme sur le plan physiologique les jeunes vocations arrivent avec un tempérament fatigué, usé, et une vitalité amoindrie par suite des épreuves traversées pendant ces dernières années.

2) *Plan intellectuel* — Au point de vue *intellectuel,* la génération montante se présente très différente des précédentes.

Le changement des programmes d'études par l'introduction des sciences exactes à un degré très développé n'a pas permis aux jeunes gens la formation littéraire ancienne; leurs points de comparaison comme l'élaboration de leurs schèmes d'idées et de leur langage se font à partir des connaissances scientifiques, répandues très largement d'ailleurs dans le public. Très formés à l'analyse ils n'ont plus les éléments suffisants pour réaliser les synthèses nécessaires et sont par conséquent portés à juger les questions religieuses du dehors sans prendre conscience de leur unité interne. Tout une série d'habitudes mentales ont été ainsi contractées, qui ont contribué à former des esprits assez exigeants au point de vue de la précision et du classement des notions, *mais difficilement ouverts au mystère.*

D'autre part on a pu remarquer chez les jeunes une diminution notable de la mémoire et, par suite, une attention presque exclusive au moment présent, qui semble accaparer toutes leurs forces. Tout ce qui touche à leur situation présente les intéresse très profondément, d'où un manque d'attention à tout ce qui ne se réfère pas, plus ou moins directement, à leur état actuel. Les faits peuvent être retenus, mais comme vidés de leur substance affective. Il en résulte une perte presque totale du sens de la tradition et un manque de référence au passé.

Il faudrait ajouter qu'un développement presque anormal de l'intelligence discursive chez un grand nombre rend plus difficile le sens de la vie plénière. *La génération actuelle avec ce développement parfois aigu du sens de la critique se désintéresse progressivement du mystère et ignore le sacré.* La dévalorisation des choses et gestes religieux, et comme une laïcisation, une profanation même de la vie et des différentes activités de l'homme, en sont la conséquence.

3) *Plan économique.* — La situation *économique* faite au jeune homme dans le monde moderne doit aussi retenir l'attention.

Tout d'abord par suite de l'évolution du monde vers une socialisation de fait, tout jeune homme doit, d'une façon ou d'une autre, s'inscrire dans les structures sociales de son époque. En de nombreux pays le clergé n'est plus qu'en droit une classe dans la nation, en fait, les circonstances et la précarité des moyens de subsistance amènent le clerc à s'assurer une position sociale qui lui fournisse le minimum de sécurité matérielle nécessaire à sa vie personnelle. Le système économique moderne fait peser sur tous une lourde obligation au travail. Le jeune clerc ressent plus ou moins confusément qu'il ne peut se mettre en dehors de la communauté de travail qu'en présentant des titres à une occupation, laquelle, bien que d'ordre particulier, prend vraiment toutes ses forces vives.

Quant aux communautés religieuses l'obligation d'un travail actif pour assurer la subsistance de leurs membres a changé complètement l'organisation de leur vie. Le capital, en effet, à part quelques exceptions, ne peut plus soutenir ses propriétaires, d'où la nécessité d'introduire dans le régime de vie des communautés le travail rentable avec toutes ses conséquences, soit sur le plan artisanal pour les travaux manuels ou les véritables métiers, soit sur le plan intellectuel.

Le travail peut rendre à la vie moderne un équilibre plus sain et un sens du concret, pourvu que ce travail ne soit pas inhumain. Mais cela ne va pas sans de sérieux dangers, entre autres l'accaparement par les soucis matériels, la tentation du gain, du développement de la production et par cette matérialisation de la vie l'orientation presque exclusive de celle-ci vers l'efficacité. *Par là on risque de juger trop facilement un individu à sa capacité de rendement, à ses possibilités de production.*

4) *Plan moral.* — Plus grave est la situation *morale*. Evidemment des exemples magnifiques de valeurs et d'exigence morale sont à relever chez les jeunes, précisément parce qu'ils se détachent avec plus de relief dans un milieu où se manifeste une baisse très grande du sens moral, milieu qu'il s'agit de regarder avec le maximum d'objectivité.

Les enfants ne distinguent plus aussi nettement le bien du mal. De même chez les adultes une sorte d'indifférence dissout le jugement moral. Par suite des restrictions massives imposées au peuple, un instinct de jouissance porte les hommes à saisir tout plaisir qui se présente et à profiter de la vie. La plupart des enfants se comportent pratiquement comme des frustrés qui cherchent inconsciemment des compensations pour tout ce qu'ils n'ont pu obtenir ou dont ils ont été privés par la dureté des temps. La discipline imposée du dehors est subie mais ne régit pas les actes dans l'intime du sujet. Vienne une difficulté et tout l'édifice de l'éducation s'écroule. Enfin l'appauvrissement de *la foi* crée un climat de rationalisme voire d'athéisme qui pénètre même les croyants. *C'est par là qu'un fléchissement de la morale s'introduit dans les âmes et que les hommes vivent comme si la vie terrestre était la seule, et non la préparation à une autre vie définitive et plus réelle.*

Ce tableau ne doit pas nous faire omettre les valeurs positives de loyauté et de don de soi qu'on peut relever chez nombre de jeunes gens.. Ceux-ci recherchent dans leur idéal moral une intégration complète des valeurs personnelles par l'éthique d'un progrès toujours ouvert et profondément religieux.

5) *Plan religieux.* — Cet état de choses crée une situation *religieuse particulière.* Partout on sent le besoin de formes simples et directes exprimant l'authenticité d'une vie religieuse qui se cherche à la mesure du monde moderne.

Evidemment ce besoin et les tentatives correspondantes ne s'observent que chez ceux qui réagissent sainement dans l'état actuel du monde. On se méfie et se détache de plus en plus des pratiques dites d'« habitudes ». Le manque de temps dans une vie de plus en plus rapide amène les âmes désireuses de vie religieuse personnelle à rechercher les moyens courts et les formules condensées pour satisfaire leur piété. On constate encore un besoin de contemplation authentique jusque dans les formes d'apostolat les plus avancées et une recherche de vie communautaire où la communion entre chrétiens s'exprime d'une façon très concrète. Dans les manifestations religieuses, aussi bien qu'en morale dans les classes les plus diverses de la société, on relève une même tendance au refus du conformisme et à la méfiance vis à vis de la tradition.

L'affaiblissement du sens de Dieu en ces dernières années permet la confusion entre humanitarisme et charité, groupement social teinté de religion et communauté chrétienne, évolution et progrès moral, confusion qui constitue un danger toujours menaçant. Le naturalisme sous toutes ses formes risque de contaminer les meilleures intentions. Chez beaucoup, une forme de protestantisme libéral est sous-jacente à leur pratique religieuse qui recherche la sincérité, mais accepte difficilement les formes données par l'autorité. Enfin on constate dans un grand nombre de cas une volonté généreuse de se donner à Dieu, mais une affectivité inconsciente qui s'y refuse, d'où un tiraillement très douloureux et souvent une inquiétude qui touche au désespoir. Là encore on relève ces troubles de la personnalité qui a perdu son unité, et sur le plan *religieux* n'arrive que très difficilement à opérer un choix véritable et plénier. On peut expliquer peut-être par là l'instabilité croissante du tempérament religieux et la difficulté, voire l'impossibilité de se lier par un engagement définitif. *Mais chez ceux qui l'accomplissent, cet engagement va très loin et le don de la personne appelle un milieu capable de le recevoir.*

II - Quelques essais de solution pourraient être envisagés mais il serait à craindre que ceux-ci n'apportassent que des améliorations passagères et factices. Tout d'abord il importe de poser un principe qui seul peut donner une vérité aux différentes recherches d'adaptation.

En dernière analyse les difficultés signalées relevant de l'ordre de l'esprit c'est sur le plan spirituel que les efforts devront porter. Il est extrêmement important à un époque de matérialisme d'aider les vocations à se placer en plein surnaturel per l'acceptation à tous les niveaux de leur être, de la primauté du spirituel. Aux besoins actuels on souhaite répondre surtout par l'esprit qui fera découvrir dans quelle ligne doivent être cherchées les modalités et les adaptations nécessaires. Nous en indiquerons cependant quelques-unes qui ont été certainement déjà signalées dans de nombreux ouvrages modernes.

Un assouplissement des horaires serait-il possible, peut-être en relation avec l'allègement du bréviaire actuellement à l'étude?

Par ailleurs, un élargissement de la culture semblerait nécessaire ainsi que des prises de contact avec les milieux les plus cultivés de notre époque. Les Religieux éviteraient ainsi un « renfermement » sur eux-mêmes et un appauvrissement pénible de leur manière de penser et de vivre.

De plus, comme Sa Sainteté Pie XII le rappelait dans sa récente Exhortation au Clergé, il serait nécessaire d'éprouver sérieusement les esprits surtout chez les jeunes, de se montrer plus circonspect dans l'accueil des vocations et de faire attendre plus longuement l'admission.

Ne serait-il pas également souhaitable que les Religieux fussent recrutés dans ce que la société a de meilleur — leur nombre dût-il en être restreint — et qu'il puissent alors constituer une élite appelée à un idéal si élevé qu'il ne pourrait, sans trahison, être servi par la médiocrité? Ainsi recrutés dans un *milieu* fort et décidé, aussi et même plus exigeant en matière religieuse que les plus ardents militants de l'Action Catholique, ils formeraient par sélection naturelle, un foyer de haute spiritualité où la culture humaine s'ouvrirait aux larges horizons et aux réflexions profondes pour mieux servir la foi.

Le monastère devrait être un institut supérieur d'ascèse chrétienne, et celle-ci bien conduite ne peut que faire découvrir les ressources infinies de la personne humaine, laquelle dans la plénitude de sa maturité, cherche à se donner, sans réserve et sans retour, à Dieu seul.

Il est presque inutile de faire remarquer que l'important est d'obtenir dans les monastères, le don de la personne, et pour cela de vivre un climat de confiance et d'intériorité morale telle que la personne puisse s'épanouir et se livrer. Il ne s'agit pas tellement de règlements à établir ou à modifier que de « règle » (au sens de grands principes, de lois supérieures) à faire vivre au coeur même du moine. S'il est loyal et magnanime, lui et ses frères connaîtront l'émulation intérieure qui n'a pas tant besoin d'une infinité de détails de réglementation, que de larges principes directeurs où l'esprit vivifie tout et peut toujours créer. Ces grands principes se dégagent par exemple de la Règle bénédictine comme l'a rappelé Sa Sainteté Pie XII dans l'encyclique « Fulgens radiatur » à l'occasion du XIVe centenaire de saint Benoît.

Les sens moral ne peut renaître que dans un climat de confiance et de conscience réciproque, ce qui suppose des milieux tels que chacun se sente porté à donner le meilleur de soi non par crainte, mais dans le sens d'une progression morale incessante.

Si l'ensemble des institutions et des constitutions s'assouplit pour pouvoir s'enrichir des particularités propres aux tempéraments, aux temps, aux lieux et aux cultures diverses, on peut être certain que les meilleurs des jeunes gens aussi bien que des hommes faits se porteront vers les centres religieux comme cela s'est vu dans des temps plus anciens. Là encore un appel à la loyauté révèlera ceux qui sont capables d'une vie personnelle réelle et qui sont susceptibles de s'orienter d'après l'essentiel de leurs obligations conventuelles. Un allègement de ces dernières pourra être considéré sans crainte puisqu'il ne sera pas l'effet d'un relâchement mais bien plutôt d'une exigence religieuse plus forte. Dans la vie contemplative cet aspect est très important pour éviter le gauchissement des vocations et même leur sclérose.

On pourrait aussi dans cet ordre d'idées montrer comment le sens de la paternité telle que l'a conçue Notre Bienheureux Père Saint Benoît, dans les maisons religieuses peut être porté très haut et devenir la source d'un courant très riche de spiritualité équilibrante et saine. L'appel à la foi aussi bien qu'à l'esprit peut raffermir maint tempérament dans la crise de naturalisme que nous traversons actuellement. D'autre part une position d'âme filiale envers une autorité qui sait faire confiance et maintient la ligne de conduite avec grandeur et noblesse permet un recours constant à cette source de vie qui féconde toute règle.

Les sociétés humaines ont souvent vidé l'autorité de ses centres d'affectivité en lui substituant une administration et un mécanisme impersonnel de contrôle et de contrainte, voire même un recours aux intérêts et à l'automatisme du nombre sans vie; l'Eglise a gardé le secret d'une autorité vivante laquelle sauve sa transcendance et son immanence parce qu'elle peut être aimée et servie dans une personne qui représente Dieu.

163   R. P. Iacobus Melsen, Ass. Gen. Ord. Carm.,
       scripsit:

De modo peculiari quo, habita ratione iuvenilis aetatis, veritates christianae candidatis sint proponendae, haud nobis est propositum loquendi. Tantum animos convertere libet ad obiectum perfectionis quod nostrae aetatis hominibus ob oculos versatur inque modum quo ad illud accedunt.

Nemini quidem christiano partem eorum, quae in revelatione continentur, reicere licet. Ubi proinde de perfectione contemporanea loquimur deque modo tendendi ad eius obiectum, affirmatum tantum volumus veritates quasdam hodie magis animarum attentionem attrahere. Eo ipso quod ut contemporaneae proponuntur, valor earum relativus denotatur, non utique inquantum sunt veritates, quippe cum ut tales in aeternum sint mansurae, sed ut sunt *praecipui* studii obiecta.

1) *Deus Optimus Maximus.*

Quamvis aliter videatur, ubique reditus ad aliquid Transcendens observare licet. Qui impulsus hinc quidem procul dubio ortus est conquassato humano genere; inde vero etiam supponi debet Spiritum Dei opus sanctificationis operari.

Hic reditus est ad Eum, qui suprema in hominem habet iura et sensum tribuit vitae eius. Perfectio concipitur tamquam glorificatio Dei et non terminatur gratiis et virtutibus, sed immediate attingere conatur Personas divinas et praesertim quidem Christum, Hominem Deum.

2) *Proximus.*

In perfectionis hodiernae obiecto Deus et proximus unum quid constituunt. Usque adeo ut non pauci Christum reiecerint, quia sequacibus Eius caritatem socialem parum cordi esse putabant.

Spernitur praxis religiosa sacrarii limitibus circumscripta; et verba Christi: « Quamdiu fecistis uni ex his fratribus meis minimis, mihi fecistis » (Mt. 25, 40), cordis nostri sensibus plenissime respondent. Libenter audimus Apostolum, qui optabat ipse anathema esse a Christo pro fratribus suis (Rom. 9, 3).

Hic amor proximi, qui originem trahit ex iuribus eiusdem probe perspectis, maxime etiam considerat proximi valorem proprium. Alter conspicitur tamquam destinatus proprio fini. Ceterum hanc indolem personalem exigit etiam proximus. Fenestrellae (*guichets, Schalter, sportelli*), post quas sedet officialis impersonalis, ei taedium profundum generant.

3) *Personalitas.*

Nostrae aetatis homo, utut communitatis amantissimus, agnitionem exigit suae personalitatis.

Facultatum eius operatio utique non ipsum centrum habet. Individualismi exclusivismus fractus est, ast utique, certe sub influxu saeculorum praeteritorum, sui conscius est et perspectum habet sibi in Ecclesia proprium munus esse implendum. Huius fundamentum videt in capacitate naturali sibi a Deo data et Spiritu Dei inspirante perficienda.

Passive se habere eum parum delectat. Ut sibi aliquid aggredi permittatur desiderat. Nullatenus ei arridet proprium ingenium morti addicere. Quod est, perficere cupit et prae aliis spiritualitatem quaerit quae condicioni vitae ipsius respondeat.

4) *Ecclesia.*

Pugna propter iustitiam socialem suscepta et renovatum in societatem studium etiam influxum exercuerunt in nostrae aetatis perfectionis obiectum. Nemini iam humanum genus est agglomeratum tantum individuorum. Penes catholicos vivissima adest conscientia unitatis omnium in Christo et Ecclesia. Hoc iam probatur ardore contagioso, ut ita dicam, anni piacularis, qui in dies plures peregrinos ad centrum trahit Ecclesiae.

Interrogare licet, cur tandem hic congressus sit convocatus. Semitam perfectionis clarius illuminare intendit, religiosorum institutionem profundiorem, apostolatum autem efficaciorem reddere, quo Deo favente Ecclesiam Christi magis vitalem et ad pugnam paratiorem faciamus.

Si sacrificia consuetis maiora imponuntur, etiam hoc fit propter extraordinariam Ecclesiae necessitatem. Hoc sensu ascesis characterem induit ecclesiasticum.

Propter Eam, per Eam et in Ea humanum genus ad Deum reducere volumus. Sanctitas iam non est res mere individualis, cui proinde unusquisque pro lubitu se subtrahere potest. Eius necessitas deducitur ex eo, quod unusquisque scit se esse custodem omnium fratrum suorum.

Ecclesia, ut societas, insuper comprehendit quaecumque hac aetate ad religionem undequaque perfectam pertinere censentur. Siquidem eius Caput est Deus. Unde qui amat Ecclesiam, amat Deum. Eius membra sunt proximi nostri, ita ut in ea amor mutuus ipso facto habeatur. In Ecclesia unaquaeque persona accipit valorem singularem et individuum, personalem quoque Spiritus Sancti inspirationem. Non sunt omnes unius typi uniformis, sed unitas maxime varia in Christo.

PERFECTIONIS MODUS

1) *Per modum amantis.*

Nullatenus dubitari potest quin hodierna vitae perfectae species nitatur caritate et quidem Amati, cui homo devovere se possit. Uti dicebamus, non terminatur perfectio, in quam nostrae aetatis homo tendit, gratiis et virtutibus sed Persona. Impletionem iuridicam, contractualem mandatorum praetergredi vult. Taedet exigue ad calculos revocare quousque progredi liceat absque peccato. Qui amat, eo ipso quod amat, omnia dare cupit.

Id valet etiam, licet alio modo, de proximo. Profunda est hominis moderni orientatio, uti aiunt, ad fraternam caritatem, quam si neglectam viderit, de ipso systemate religioso dubitat.

Exinde tamen specialia pericula. Magister nimis mechanice vitam religiosam exponens suos non attingeret. Candidatus specie caritatis praecepta vitae regularis facile eludit.

Nonnullae notae characteristicae e modo praedicto tendendi ad obiectum perfectionis deducuntur. Imprimis *indoles obiectiva*. Non ipse homo est principium terminusve, sed in Amato ponitur vitae centrum.

Exercitium virtutis quasi demensum iam non obtinet locum centralem et inde deductae methodi nonnihil in suspicione habentur. Multo magis attrahit spontaneitas iuxta illud S. Augustini: *Ama et fac quod vis.*

Etsi homines nostrae aetatis ob alias rationes quoque magni aestimant *sinceritatem* animumque apertum, haec etiam procedunt ex inspiratione caritatis.

2) *Transcendentaliter.*

Estne nostri temporis homo cynicus? Revera tales sensus multorum animos incesserunt. Ast iudicium durum non simpliciter ostendit animum insensibilem.

Nostra generatio multa experta est. Quot et quanta sunt quae collabentia vidit! Impulsus instinctuum maxime primordialium conscientiam turbat. Exinde angitur ut salvetur ex amaris vitae angustiis et ipsam medullam revelationis divinae inquirit. Redemptionis veritates Evangelio contentas tamquam plane nova experiri potest. Spem ei reddunt, ita ut ab instanti interitu se salvatum sentiat.

Vitae religiosae candidatus impulsu concipiendi vitam transcendentaliter, i. e. in sua essentia primigenia, facile plus aequo ferri se sinit. Basim angustiorem ponit, visibilia cum invisibilibus non satis connectit, secus ac ipse Deus nos docuit mysteria sua symbolis sensibilibus exhibens.

3) Intuitive.

Rationalistica rerum usque ad minima analysis hodie taedium ingerit. Mavult nostrae aetatis homo veritates universas immediate attingere easque perspicere uno ordine connexas.

Ita etiam appropinquamus religionis obiectis: Deo — societati — proximo et personalitati. Et haec dispositio animi intuitiva indubie una est ex rationibus, cur Ecclesia, societas supernaturalis omnium in Christo, nos tantopere devinciat. Hic habetur unica realitas continens in se idealia, uti aiunt, religiosa contemporanea. Horum unitas in ea quasi palpabilis ob oculos ponitur. Deus incarnatus in illa est, nosmet ipsi et proximus sumus eius membra, in Christo coagmentata.

4) Pragmatice.

Generatio praesens modo practico cogitat. Facta videre cupit, eaque argumentum constituunt peremptorium veritatis doctrinae cuiuscumque. Si quae doctrina, ceterum quantumvis sublimis et pulchra, a sequacibus in praxim non deducatur, non persuadet.

Duci spirituali eorum, qui ad vitam religiosam aspirant, inde sequitur officium primarium sancte vivendi. Discipulis esse debet is qui docet faciendo.

Aliunde etiam necesse est candidatos praemuniri contra pragmatismum superficialem, qui vana esse arbitratur quaecumque successum non habent. Nam « alius est qui seminat et alius est qui metit » (Io. 4, 37).

Congressus de Institutis Religiosis eorumque renovatione magnam omnium excitavit exspectationem, et merito quidem. Auditus est enim fuisse omnium coetuum convocatorum
praecipuus, non solum praestantia, actualitate et profundita-
te argumentorum necnon et auctoritate doctrinali relatorum
aliorumque participantium, sed etiam ob possibiles conclusiones, in praxim postea deducendas. Siquidem ex tanto Congressu — parva licet cum probabilitate — poterat oriri quaedam vera « Revolutio ».

Quidquid sit de hac re, hoc est tamen omnino certum et inconcussum:
adesse in Ecclesia vehemens desiderium opportunae necessariaeque renovationis,
ut utilius efficaciusque vires impendere valeat pro finibus Redemptionis necnon
pro renovatione Societatis et animarum salute. Quam renovationem socialem
animarumque salutem obtinere debet Ecclesia tamquam instrumentum integrale
in manibus Redemptoris, Institutiones vero Religiosae uti instrumenta partialia
intra oeconomiam ecclesiologicam.

Nunc vero: instrumentum debet agere in subiectum — Ecclesia, Institutiones
Religiosae in societatem et individua —; immo instrumentum et subiectum
debent possidere quamdam veluti connaturalem sympathiam, instrumentum debet
esse aptum; Ecclesia et Institutiones Religiosae debent esse aptae ad beneficum
influxum in societatem exercendum, ut fines Redemptionis attingere valeant.
Cum autem videantur Institutiones Religiosae, propter formas forsitan archaicas
seu anachronicas, amisisse aptidudinem socialem, inde oritur « in capite et in
membris » sincerum desiderium renovationis et accommodationis temporibus
nostris.

Quod vere dignum et iustum est.

Attamen haud periculorum expers, praesertim cum agatur de formatione
adspirantium ad sacerdotium — philosophorum et theologorum —; de quibus
periculis aliquid breviter et quantum fieri potest clare exponere haud inoppor-
tunum reputamus.

*1. Notae individuantes seu indoles temporum praesen-
tium, quibus Institutiones Religiosae aptari debent.*

Nota praecipua saeculi nostri est levitas, seu — sit venia
verbo — « superficialitas »; quae quidem levitas seu « superficialitas » nihil novi vel insoliti praebet; est enim fructus
naturalis cuiusdam saecularis processus. En brevis conspectus
praecipuorum indiciorum huius levitatis.

a) « *Homo oeconomicus* » — Uti omnibus notum est, inde a decenniis, invaluit consuetudo definiendi, ut ita dicam,

hominem ope qualitatum maxime extrinsecarum. Nunc autem: si olim potuit Homo nominari «homo sapiens», nostris temporibus nulla denominatio ipsi melius conveniret quam «homo oeconomicus». Equidem nostris temporibus praeoccupationes oeconomicae fere totam replent vitam humanam. Et in hoc ipso revelatur «superficialitas» nostri saeculi.

Licet enim quaestiones oeconomicae praeoccupationesque de vitae meliori ratione intime inhaereant naturae humanae, omnium tamen valorum humanorum sunt infimi, maximeque exteriores; quamvis ob rationes obvias homines dolenter pungant, uti patet ex ipsa violentia qua hodie proponitur ubique quaestio socialis.

b) Aliud indicium levitatis est *immoderata propensio seu cupiditas corporis exercitandi,* vulgo «sport», quae animos aliquoties etiam religiosorum replet.

Si vir adultus hodie plenus est praeoccupationibus oeconomicis, iuventus nostra, utriusque sexus et cuiuscumque condicionis, ad nihil fere libenter animadvertit nisi ad sic dictum «sport». Haec autem immoderata propensio et universalis condicio nostri saeculi secum attulerunt nimiam aestimationem sic dictae educationis physicae. Si autem Dominus potuit dicere animam esse plus quam escam et corpus plus quam vestimentum, etiam nobis licebit addere spiritum praecellere corpori, educationemque intellectualem, moralem et supernaturalem praecellere educationi physicae. Iuventus «sport» dedita procul dubio erit levis et inconsiderata.

c) Et similiter evenit in ordine *scientiarum.* Haec affirmatio insolita forsitan apparebit. Uti patet, nolumus negare progressum huius saeculi; progressus namque scientiarum hisce nostris temporibus nimis evidens est ut ignorari possit. Tamen iste progressus totus respicit scientias oeconomicas, et physico-mathematicas, quae non transcendunt secundum gradum abstractionis. Quaestiones theologicae et metaphysicae parum aestimantur et non raro tamquam inutiles habentur. Ipse clerus indulget talibus quaestionibus. Libentius vacat studiis canonicis quae prae se ferunt indolem practicam ad vitam utiliorem.

Cum autem theologia sit regina scientiarum earumque altissima quam sequitur immediate tamquam ancilla philosophia metaphysica, clare patet «superficialitas» nostri saeculi in ordine scientiarum. Id est: homines huius saeculi quamvis profundissimi in studiis suis remanent semper «superficiales» ex ipsa natura scientiarum quas colunt.

Idemque dicendum de litteris. Ut unum alterumve exemplum afferatur, quid tam «superficiale» cogitari potest quam sic dicta «poesis pura», quae nihil aliud videtur, quam harmonia verborum, idearum expers, attingens solummodo sensibilitatem — ideoque per se «superficialis», apta ad excitandas emotiones? Nonne poësis id genus nolens volens minuit dignitatem humanam? Et similiter accidit in spectaculo cinematographico quod, sicut «sport» pro educatione physica, verum cancrum constituit pro vita intellectuali et est quaedam quasi abrogatio vel substitutio omnis seriae activitatis.

d) Sed iam veniendum est ad res nobis viciniores, ad *pietatem nempe et apostolatum,* et proh dolor, etiam his in rebus magna et inaequivoca habentur indicia istius levitatis.

Imprimis, uti bene notum est, si obiective spectatur, oratio vocalis est infimus et imperfectior gradus orationis, magis « superficialis » et externus. Et id genus orationis est frequentius vel fere exclusivum hisce nostris temporibus. Parum meditatur, non solum inter fideles, sed uti /videtur etiam inter religiosos et sacerdotes. Immo frequenter, praetextu apostolatus, desideratur diminutio orationis obligatoriae, nempe Officii Divini. Igitur, ut plurimum, dicuntur nonnullae orationes vocales quae paucissimam habent efficaciam in vitam quotidianam.

Quid vero dicendum de ipso apostolatu? Ipse est fructus vitae nostrae interioris. Cum vero vita hodierna spiritualis « superficialis » inveniatur, apostolatus eodem redolet vitio. Maxima fiducia ponitur in apostolatu sic dicto « actionis » (haeresis actionis), qui auxiliis imprimis humanis nititur (organizatio, exhibitiones, conferentiae, congressus, ludus, exercitationes corporis, « clubs»). Fere omnino ignoratur apostolatus orationis (sic dictus apostolatus « genuum ») vel saltem parvi penditur, ipsique parum fiditur et haud parvo scepticismo laboratur in adhibendis mediis supernaturalibus.

Summa summarum haec est: tempora hodierna, proh dolor, in suis manifestationibus, etiam religiosis, etiam cum profundior ostenditur et est, remanet semper « superficialis ».

2. Mundus hodiernus est democraticus.

Hoc imprimis secum fert immoderatum cultum *libertatis* cum detrimento *auctoritatis,* et exaggeratum *individualismum* cum detrimento collectivitatis seu *communitatis.*

Quidquid autem dicendum sit de societate civili, quae immediate ad rem non pertinet, unum est omnino verum et certum:

a) Quod universitas rerum nempe creatio seu cosmos, regitur principio monarchico et hierarchico.

b) Quod societas ecclesiastica ex institutione et auctoritate divina regitur eodem principio monarchico et hierarchico.

3. Desideratur quaedam renovatio Religionum accommodata praesentibus temporibus et adiunctis.

Patent tamen pericula, praesertim quoad formationem adspirantium ad sacerdotium, nisi magna cum cautela de tali argumento agatur et personae omni praeditae qua par est virtute, scientia, et opere directionem teneant. Personae nempe quae constituant veram vim educatricem.

a) Adest nempe periculum quod non nos mundum vivificemus sed potius nos a mundo absorbeamur, et eius modos, rationes et maximas accipiamus. Quod mundus nempe nos suo spiritu, ne dicamus vivificet, sed mortificet.

b) Seu aliis verbis in periculo versamur ne formatio nostra praesertim vero clericorum, sit « superficialis » et levis iuxta omnia superius exposita.

c) Itemque periculum adest ne, spiritu quodam democratico, auctoritas ecclesiastica parvipendatur, uti non raro evenit, de quo Summus Pontifex lamentatur in Encyclica « Humani Generis »; pariterque immoderata libertas quam libenter semper suscipimus, exaggeratusque individualismus foveantur, et ita, viribus dispersis, debiliores efficiamur et incapaces ad verum influxum in societate exercendum.

d) Quod autem talia pericula non sint imaginaria sed realia, immo quod fortasse iam in talia pericula incidimus, plura habentur indicia.

Sufficiat ad casum in mentem revocare exiguam aestimationem et attentionem, ne dicamus despectum, quas apud Clerum et Religiosos, praesertim iuvenes, merentur quaestiones theologicae et metaphysicae; quam libenter operam navant studiis canonicis, non praecise amore scientiae, sed desiderio obtinendi locum in Dicasteriis; parvam aestimationem ministerii sacerdotalis; exodum a pagis et fluxum versus magnas urbes, implicationem frequentem in rebus politicis, negotiis oeconomicis et saecularibus, deditionem choraeis et ludibus, immoderatam propensionem « sport » sub omnibus eius aspectibus, etc. In quibus omnibus plura iam revelantur vitia antea proscripta, pluresque habentur manifestationes seu exercitationes quae minime decent clericos.

4. *Talis renovatio accommodata, ubinam est quaerenda?*

Talis renovatio intendit, ni fallimur, efficaciorem influxum Ecclesiae in societatem, ut fructus Redemptionis abundantius colligantur. Iamvero concesso quod non debemus esse laudatores temporis acti et quod pro Apostolis et educatoribus — ergo pro Ecclesia et Institutionibus Religiosis — tempora semper fuerunt difficilia et mala, firmiter tenendum oportet quod in societatem solum duobus modis possumus efficaciter agere: vel superabundantia mediorum humanorum — ita dictatores —; vel superabundantia mediorum supernaturalium et divinorum — ita Iesu, Apostoli, Sancti.

Ecclesia autem, — respective Institutiones Religiosae — numquam donatae sunt superabundantia mediorum humanorum. Debet igitur uti mediis spiritualibus et supernaturalibus. Hoc est: cursum mundi dirigit vel Napoleo vel Franciscus Assisiensis. Spiritus ecclesiasticus certe non est spiritus Napoleonicus, ergo agi debet spiritu franciscano.

Quae cum ita sint, ecce compendiose quid nostro iudicio agendum videtur.

1) Renovatio accommodata, licet periculis scateat, est necessaria et instauranda.

2) Talis accommodatio nullum medium humanum praetermittere debet; id est tamen res secundaria.

3) Talis accommodatio respicit solummodo methodos, nullimode principia et fines.

4) Parum vel nihil fidendum videtur apostolatui iuvenum clericorum qui plenam formationem nondum attigerunt. Potius videtur nocivus.

5) Itemque parum fidendum videtur nimiae organizationi, quando talibus rebus fit ostensio virium humanarum et exhibitio nostrae fiduciae in auxiliis humanis.

6) Cum educatio et formatio sit fructus praesertim medii ambientis, oportet omnino theologos et philosophos collocare in medio ambienti favorabili auxilio optimae bibliothecae, ephemeridum, professorum competentium, etc. ubi nihil audiant de rebus sibi alienis.

7) Formatio clericorum exigit quietem et animi tranquillitatem. Assidua et tranquilla meditatio problematum spiritualium, theologicorum et methaphysicorum, secus his ideis minime imbuuntur. Ideo arceantur ab omnibus illis quaestionibus quibus passiones agitantur, animique mentesque replentur cum detrimento seriae profundaeque formationis. Tradantur principia solutionum, sed non proponantur facta, praesertim cum agendum sit de re politica et de sport.

8) Foveatur et quidem modo serio studium quaestionum theologicarum et methaphysicarum, illarum nempe quaestionum, quae hodie ut plurimum tamquam inutiles habentur et quae illa sunt aeterna et immutabilia principia quae veras praebent solutiones problematum. Quaerantur et proponantur res profundae. Ni fallimur, positio *nimis* historica theologiae et philosophiae hodiernae, *nimisque* psychologica est quoddam iudicium paupertatis intellectualis nostrae aetatis.

9) Foveatur quoque studium quaestionum asceticarum et mysticarum. Impossibile enim erit vias vitae spiritualis perlustrare si illas ignoramus.

10) Inde ni fallimur orietur seria exercitatio ascetica, apprime necessaria in primis annis vitae religiosae, orietur quoque incondicionalis oboedientia, rationibus quidem humanis caeca, luce vero fidei illustrata. Et consequenter obtinebitur vita interior profundior.

11) Nolumus hic ad trutinam revocare nonnullas tendentias hodiernas quoad castitatis votum et vacationes religiosorum apud parentes ante professionem solemnem, eo scopo — ut aiunt — ut mundum agnoscant antequam vinculo perfectionis indissolubili obstringantur. Nolumus eas ad trutinam hic revocare, sed noluimus eas silentio premere. Adeo namque imprudentes et « superficiales » videntur.

165   *Orator* - Ill.mus D. IESUALDUS NOSENGO, Professor Paedagogiae in Pontificio Athenaeo de Propaganda Fide.

Accogliendo i suggerimenti pervenuti dalla Commissione ordinatrice dividerò la mia trattazione in tre parti:

La prima esporrà brevissimamente alcune idee sulla perfezione, considerata genericamente e in concreto, come fine dell'azione educativa sotto due aspetti: a) quello che coincide colla conclusione della vita terrena; b) quello che ne costituisce l'inizio, vale a dire l'entrata in quel periodo di formazione che si chiama il noviziato.

La seconda parte descriverà i tratti principali della psicologia dell'adolescente, specialmente sotto i punti di vista dell'intelligenza, del carattere, della affettività, della volontà, della fede, della pietà e della vocazione, osservandoli e studiandoli come elementi da prendersi in necessaria considerazione per poter ordinare con adeguatezza e con frutto la azione educativa.

Nella *terza* parte si proporranno succintamente i principali criteri che devono essere tenuti presenti nell'educazione degli adolescenti che aspirano ad entrare nella vita religiosa.

LA PERFEZIONE, FINE DELL'AZIONE EDUCATIVA

Come abbiamo detto, la nostra esposizione sulla psicologia dell'adolescente avrà un suo preciso riferimento: la vita di perfezione religiosa, che, dunque, ne costituirà il termine ed il fine.

E' una buona norma pedagogica cominciare a studiare attentamente e concretamente, per ogni problema educativo che si presenta, il fine umano che si ha da raggiungere con l'azione educativa che ci si propone di svolgere, per evitare di perderci lungo la via e magari di preparare una azione che alla sua conclusione consegua un fine differente da quello che era stato richiesto.

La perfezione religiosa in concreto e nel nostro mondo umano è rappresentata — secondo il pensiero di San Tommaso — da un uomo adulto che vive abitualmente secondo tutte le virtù morali, cristiane e religiose secondo i consigli evangelici, ritenendo che abitualmente significhi, come dice San Tommaso stesso, senza grande difficoltà, facilmente e lietamente.

Ordinariamente solo l'uomo adulto e non l'adolescente, può vivere attualmente la vita perfetta perchè solo esso può essere in grado di possedere quella che lo stesso San Tommaso chiama: capacità di azione perfetta, «perfectio educta e potentia materiae».

L'adolescente si trova in un periodo di vita nel quale ordinariamente a lui è soltanto possibile prepararsi a questa vita e cioè prepararsi ad intenderla perfettamente, a giudicarla secondo verità, a volerla con sufficienti motivi, a praticare in modo più perfetto dell'ordinario quelle virtù cristiane e quegli aspetti della medesima vita di perfezione che servono di necessaria base all'ingresso nella vita di perfezione.

Considerando dunque questo periodo di vita come un periodo di preparazione, il fine che con l'azione educativa svolto in esso si deve far conseguire può essere così definito: una sincera e personale religiosità, una condotta morale cristiana, una conoscenza chiara, generica e specifica dello stato religioso comune e del proprio in particolare, della sua realtà, dei suoi obblighi e delle sue reali difficoltà, una volontà di viverla ben fondata su ragioni chiare e su affetti stabili, delle buone abitudini già acquisite circa le virtù cristiane praticate con facilità e lietamente al di sopra della maniera ordinaria dell'età.

Come si vede sono chiamati in causa elementi intellettuali, affettivi, volitivi e religiosi. Perciò, sia lo studio psicologico che faremo al secondo punto, sia l'esposizione dei criteri pedagogici che faremo nel terzo seguiranno questa direttiva.

NOTE SUI VARI ASPETTI DELLA VITA DELL'ADOLESCENTE

Le mie osservazioni di carattere psicologico riguarderanno principalmente la età dai 14-16 anni perchè questi sono gli anni più decisivi.

1. Slancio del corpo e slancio del cuore.

Cominciando dagli aspetti fisiologici notiamo che a questa età si verifica una grande velocità di accrescimento corporale e si modificano profondamente le proporzioni del corpo. Accanto a questi cambiamenti corporali che interessano la statura vi sono quelli ancora più importanti che sono legati alla così detta evoluzione del germe.

Allo slancio del corpo corrisponde un parallelo slancio del cuore, un arricchimento della sensibilità e un grande risveglio affettivo sollecitato dal risveglio dell'amore e delle passioni. Sensibilità ed affettività divengono le dominanti delle attività psicologiche.

2. Affettività nuova.

La prima novità nella affettività degli adolescenti è la emergenza dell'istinto sessuale.

« L'erotismo esercita una azione potente come sorgente di emozioni direttamente collegate ai desideri nascenti dall'organismo.

La seconda novità è la preponderanza del sentimento dovuta alla ricchezza della vita emotiva e della vita immaginativa ». Gli adolescenti infatti si commuovono assai più facilmente dei ragazzi.

A questa età si fa più fervida anche l'immaginazione. L'intelligenza diviene più soggettiva e più capace di costruzioni e di combinazioni audaci. Le forme dell'immaginazione adolescente sono numerose, esse vanno dal sogno (rêverie) fino al simbolismo mistico.

L'età dell'adolescenza è stata anche definita « l'età del sentimento ».

Lo slancio dell'emotività e dell'immaginazione spiegano come l'adolescenza sia l'età del sentimento. « I sentimenti infatti sono la vera ricchezza psicologica dell'adolescenza ».

3. Affettività e amicizia.

L'adolescenza è un'età caratterizzata da una forte attività affettiva. « L'affettività dell'adolescenza è più interiore, più cosciente, più appassionata che quella del fanciullo. Essa diventa il centro di tutto il lavoro evolutivo che si compie in quella età. Tra i vari sentimenti i due più caratteristici sono certamente l'amicizia e l'amore ». Anche l'amicizia prende la forma di un sentimento nuovo, fortissimo e caratteristico. E' quasi una forma di vivere e di attuarsi.

Una educazione virile non sospettosa favorisce le amicizie sane che sorgono tra adolescenti. Diversamente da quelle che sorgono tra ragazzi, esse sono selettive, esclusive ed anche ombrose, ma possono facilmente essere educate e fatte divenire strumenti di attività e di apostolato.

Gli adolescenti contraggono facilmente amicizie anche cogli adulti. Queste amicizie possono risolversi in un grande beneficio per l'adolescente quando l'adulto sia tale da rappresentargli l'ideale vissuto e da fare da guida.

4. L'affermazione di sè e lo spirito di indipendenza.

L'adolescenza è un'età lungo la quale avviene il passaggio da uno stato di semi-passività di pensiero e di vita, ad uno stato di vita autonoma. Questa trasformazione rende necessario un trattamento corrispondente e diverso da quello usato nel periodo precedente. La tutela quasi assoluta dei genitori e dei maestri deve lasciare via via un posto sempre più largo ad una condizione di vita nella quale l'adolescente possa divenire più responsabile dei suoi atti. Il desiderio di indipendenza, che in alcuni casi è così intenso, non è che l'espressione di questa inevitabile benefica evoluzione.

Infatti ogni autorità che non si presenti amabile e ragionevole diviene pesante e ogni coartazione appare tanto meno sopportabile quanto più si è incapaci di comprenderne la necessità.

Sovente la libertà così cara agli adolescenti non è sentita che come rottura dei legami imposti al fanciullo e mantenuti senza cambiamenti anche in questa età. Questo nuovo bisogno di autonomia nella legge corrisponde al bisogno di un nuovo equilibrio che si deve stabilire tra le due reazioni istintive regolanti la condotta dell'essere di fronte all'ambiente: la reazione di imitazione e quella di opposizione.

La naturale reazione di opposizione si accresce lungo l'adolescenza e, quando non venga sedata da un opportuno trattamento educativo, può facilmente divenire spirito di opposizione.

Lo spirito di indipendenza e la reazione di opposizione, trovano un terreno propizio per la loro evoluzione nei due ambienti in cui l'adolescente tenta di affermarsi: la famiglia e la scuola.

Quando tale tentativo di affermazione non fosse pedagogicamente compreso e soddisfatto da genitori e superiori, potrebbe far nascere le più serie difficoltà. Potrebbe anche divenire la causa di contrasti accesi tra giovani e anziani, perchè gli anziani accolgono sempre abbastanza malvolentieri le rivendicazioni dei giovani.

In tal caso l'inserzione dei giovani nella collettività adulta presenterebbe una difficoltà anche maggiore.

5. La presa di coscienza di sè.

Il lavoro della affermazione esteriore di sè si accompagna con un lavoro psicologico interiore che si conclude con una profonda presa di coscienza di sè per mezzo della riflessione. Gli adolescenti di questa età provano il bisogno di isolarsi, di riflettere, di raccogliersi, di esplorarsi e diventano capaci di trattenersi con sè stessi. Essi cercano l'interiorità e la prima scoperta di questa realtà psicologica interiore prende sovente l'aspetto di una vera gioiosa rivelazione. L'educatore saggio accompagna e sorregge questo nobile tentativo. Ed allora l'affermazione di sè e la presa di coscienza di sè si sviluppano tanto sul piano della coscienza che sul piano dell'azione.

Lo studio di sè che può generare quel male che è detto narcisismo, se ben diretto, può alimentare un sano sentimento di autoemulazione e la prudente fiducia in sè che è un elemento positivo del carattere e una forza anche nella vita religiosa.

L'affermazione dell'io... esprime in una maniera permanente l'avvenuto accrescimento delle forze fisiche e mentali dell'individuo in questo periodo di crescenza, nello stesso tempo che esprime anche la reazione suscitata dal desiderio di potenziarsi, contro il sentimento di inferiorità che sussiste ancora di fronte all'adulto.

6. Crisi di originalità.

L'affermazione di sè si manifesta distintamente e con particolare accento nel settore della vita mentale sottoforma di tentativo di ripensare per conto proprio tutte le affermazioni accettate passivamente dall'autorità negli anni della fanciullezza.

L'inclinazione ed il gusto per questo ripensamento da una parte, la debolezza di giudizio personale ed il persistere di un'autorità, talvolta troppo forte, dall'altra fanno sì che in molti casi nè si ottiene più la sottomissione passiva, nè si permette il trionfo del pensiero personale come sottomissione ragionevole ad una verità riconosciuta.

A questa situazione di oppressione l'adolescente reagisce con la ribellione da lui intesa come sola affermazione di forza e di autonomia. A questa ordinaria forma di reagire vi sono due eccezioni: l'accettazione passiva dei deboli, la sottomissione eroica dei santi. Ma questo secondo caso è assai raro nella adolescenza.

La soluzione ideale, come appare chiaro, è invece data dalla sottomissione ragionevole che il giovane mentalmente sano riconosce senz'altro come un'affermazione di pensiero personale e libero.

Gli adolescenti, a partire dai 14-15 anni, amano appassionatamente la discussione e anche la disputa e in essa si comportano con cocciutaggine e irriducibilità specialmente quando non fossero amorosamente vinti dal rispetto, dall'amore, dalla chiarezza e dalla pazienza che per lui dimostra l'educatore,

Ora è bene che fino ad un certo limite siano seguiti in questo loro desiderio per avviarli alla forma vera e feconda del dibattito e del dialogo.

Così si contribuisce a liberare l'adolescente dall'abitudine di pensare con delle parole che hanno perduto ogni rapporto col reale e non sono rimasti che dei semplici segni.

7. Attitudini ed inclinazioni.

L'adolescenza è il tempo in cui affiorano le attitudini e si manifestano gusti ed inclinazioni. Le attitudini intellettuali sono un elemento più sostanziale del gusto e delle inclinazioni che hanno carattere e sfondo affettivo. Occorre però, senza fare nocive confusioni, tenere conto di ambedue e cioè anche del gusto, perchè senza questo elemento affettivo naturale l'attitudine ha un rendimento minore e perchè l'individuo che non amasse il lavoro per il quale pure ha le attitudini naturali, rischierebbe di non amare il *suo* genere di vita, di cambiarla con leggerezza e di divenire un instabile non solo nelle cose naturali, ma anche in quelle religiose soprannaturali.

Quelle che si chiamano « guide di vocazione » e che anche da un punto di vista naturale si giudicano necessarie all'adolescente per assisterlo nella sua scelta, sono assolutamente indispensabili quando si tratta di coltivare inclinazioni germinali assai più preziose perchè aventi una origine soprannaturale in quanto deposte dalla Grazia nell'animo del bambino battezzato.

L'eccesso di affettività, l'ardore dell'immaginazione, il gusto del ragionamento, il desiderio di affermazione, l'insufficienza dell'esperienza, dànno facilmente al pensiero e all'azione dell'adolescente un carattere soggettivo e libresco nello stesso tempo, che non va combattuto o deriso ma corretto ed aiutato a portarsi verso l'obbiettività.

8. I valori metafisici e religiosi.

I giovani sono avidi di conoscere sistemi che cerchino di dare una risposta ai problemi che la vita ed il destino umano pongono alla loro intelligenza.

I psicologi appaiono d'accordo nel ritenere che alla crisi puberale corrisponda un brusco slancio di sentimento religioso e una più facile accettazione di una vita eroica animata dal sentimento religioso. E' anche a questa età che si precisano le vocazioni religiose.

Esse sorgono da un fondamento naturale di emotività, di affettività, di attitudini, di gusti, e di slancio per tutto ciò che è ideale e rappresenta un valore, e da un dono di Grazia che fa sorgere nuovi gusti ed eleva al piano soprannaturale il moto della natura.

Se questa affermazione è vera, non è difficile intravvedere quale sia la regola educativa da seguire per poter ottenere i migliori risultati formativi in ordine a quel momento della vita di perfezione che è l'ingresso al noviziato.

9. Vita religiosa.

Nel dominio della vita religiosa dell'adolescente vanno ancora illustrati alcuni aspetti di notevole importanza. Possiamo ordinare le nostre osservazioni attorno ai 4 principali tra di essi: che sono: il rapporto con Dio, l'atto di Fede, la preghiera, la vocazione.

L'adolescente, anche quello educato in una famiglia religiosa, quando agli 11 anni esce dalla puerizia, ha una religiosità ordinariamente caratterizzata da esteriorità, da un certo conformismo formalistico, da una certa superficialità esteriore ed assolutamente acritica circa i problemi essenziali della religione e della vita. Il vero rapporto con Dio, profondo, sincero, personale, si trova ancora solo ad uno stato germinale, tenue e vago. Esso non divìene forte, non si consolida, non si interiorizza, non si fa vivo, caldo, personale se non attraverso un ripensamento che assume assai di frequente l'aspetto di una piccola o di una grande crisi, che, nel migliore dei casi, può essere benigna e risolversi in un rapido beneficio, ma che ordinariamente è inevitabile.

Nel caso in cui, sottraendo l'adolescente ad ogni contatto, si riuscisse a farla evitare, non si sarebbe forse ottenuto altro che un rinvio. Al contatto vivo e personale con Dio non si giunge passivamente, ma solo con impegno, con attività e con sforzi personali, talvolta faticosi e dolorosi che si iniziano già a questa età.

10. L'atto di fede.

L'atto di fede nella maggior parte dei casi, all'inizio della adolescenza, è quasi completamente passivo e per gran parte inconsapevole. Esso è più un *sapere* cose insegnate che un vero *credere* e cioè è più un atto della memoria che dell'intelligenza e della volontà, coll'intervento dei quali solamente si ritiene come vero quanto afferma un testimonio. Nella puerizia si ha una vaga intuizione del testimonio, del suo valore di fondamento indiscutibile. Si *sa* quello che si deve credere e lo si crede perchè « insegnato » dai maestri, dai genitori, dal sacerdote ma ancora passivamente.

Il segno del passaggio dall'accettazione passiva al pensiero personale in questo genere di scienza, si annuncia col dubbio. L'adolescenza è l'età in cui sorgono i primi dubbi. Tutti gli adolescenti, con diversa intensità e con diverso esito, passano attraverso i periodi di dubbio religioso. Il dubbio non consiste in una costruzione mentale positiva che si opponga alla fede precedente, è solo una oscurità manifestatasi improvvisamente in seguito ad un tentativo, fatto dall'adolescente — di sua volontà o per spinta d'altri — di vedere più a fondo nella sostanza della cosa creduta. Questa oscurità ordinariamente, per l'adolescente non passivo, costituisce uno stimolo allo svolgimento di una attività che può concludersi con la conquista di una nuova chiarezza.

11. La preghiera.

La *preghiera* è, assai frequentemente, anche essa una forma di vita religiosa prevalentemente passiva, vocale, formale, non del tutto cosciente, accompagnata da distrazioni, per lo più subita, non amata, non vissuta perchè non corrispondente alle forme di attività affettive ed espressive maggiormente gustate dall'adolescente.

Egli, durante questo periodo evolutivo, sente, di fronte alle forme di preghiera accettate nella puerizia, nascere in sè la noia e talvolta il disgusto, mentre all'opposto sente l'inclinazione, il gusto e il desiderio di forme più vive, più sentite, più soggettive, più spontanee; maggiormente corrispondenti a quanto sorge e si esprime nella sua inferiorità emotiva, affettiva e mentale. Anche qui egli aspira al personale, all'originale, sentendo avversione più o meno cosciente per l'impersonale, il formalistico, il passivo, il non capito e non sentito.

12. La vocazione.

La vocazione, quando realmente esiste, è la confluenza dei dati attitudinali, delle inclinazioni naturali e della voce di Dio manifestantesi umanamente sotto forma di gusti e di inclinazioni soprannaturali per una donazione piena a Dio nella vita religiosa e per qualche particolare attività di apostolato cattolico. Dalla confluenza e cooperazione di questi tre elementi si costituisce e si precisa quello che si chiama ordinariamente l'« ideale ».

All'età adolescente tutti questi elementi psichici e soprannaturali esistono solo ancora allo stato germinale e potenziale, indefinito in sè e nella coscienza del soggetto.

Affinchè il soggetto adolescente pervenga allo stato di certezza intellettuale nel pronunciare certi giudizi, di sufficiente maturazione affettiva nei suoi rapporti verso Dio, l'ideale e la famiglia religiosa e di ben motivata volizione a proposito di quanto vi è da fare, da combattere e da soffrire in una vita di consacrazione a Dio, di lavoro o di sacrificio, occorre che in lui, nel suo spirito e nella sua vita venga promosso uno sviluppo non indifferente sia sul piano naturale, psichico e morale che sul piano soprannaturale. Per quanto si può oggi sapere dagli studi psicologici dell'età evolutiva e dall'esperienza, fatta in ambienti religiosi, pare che tale possibilità e capacità non si raggiunga in grado proporzionatamente sufficiente che verso i 18 anni.

Infatti la decisione di seguire la vita religiosa deve essere presa dal soggetto con un atto personale, insostituibile e pieno, nel quale dall'esterno si può intervenire solo con controllo e con l'assistenza se non si vuole colpire di passività e di inferiorità un gesto che resta valido e resistente solo se non potrà mai essere minacciato dal gelo del dubbio e dal sospetto di avere subìta altra volontà umana.

Questa capacità di consapevole scelta personale non ci pare possa essere ordinariamente raggiunta al 15^0 o al 16^0 anno di età. E allora a noi pare che un elemento del rinnovamento dei religiosi potrebbe proprio essere costituito dallo spostamento in avanti dell'età nella quale si ammette al noviziato perchè questo permetterebbe una preparazione più accurata, più profonda, più personale, più sicura.

CRITERI EDUCATIVI

La regola prima e complessiva da seguire in questa azione educativa, secondo noi è la seguente:

Svolgere e formare con criteri adatti all'età tutti i lati e tutti gli aspetti naturali e soprannaturali della personalità dell'adolescente, tenendo presente che tale sviluppo è la necessaria condizione e il più solido fondamento per iniziare la vita di perfezione e costruire l'uomo religioso.

Seguendo quindi parallelamente il corso delle osservazioni di carattere psicologico fatte, nella seconda parte esporremo brevemente alcuni criteri e alcune direttive per l'educazione della personalità dell'adolescente che si prepara alla vita religiosa.

1. Per la vita fisiologica.

Lo sviluppo rapido del corpo richiede cure ed attenzioni del tutto particolari: igiene corporale e nervosa, educazione sensoriale e muscolare, esercizi ginnici e giuochi. Nello scautismo si trovano molte sagge regole che servono egregiamente a promuovere e dirigere questi esercizi e specialmente i giuochi psichicamente formativi.

Errerebbe chi pensasse che gli esercizi sensoriali e la cultura fisica non hanno alcuna relazione colla preparazione dell'adolescente alla vita religiosa. Lo sviluppo sensoriale, quello dell'osservazione e dell'attenzione, la rapida circolazione del sangue, la buona respirazione, l'agilità muscolare, la resistenza alla fatica e anche l'apprendimento degli elementi essenziali di un mestiere costituiscono una ottima base per l'equilibrio psichico, per l'acquisto del buon senso, per l'espressione, e una solida difesa contro gli eccessi emotivi sempre temibili e assai pericolosi.

2. Per l'affettività.

L'affettività ed il sentimento, così vivi nell'adolescenza e così irrompenti, possono essere trasformati, da forze subdole e talvolta insidiose, in forze sussidiarie ed alleate dell'educatore nella sua opera di formazione umana e religiosa.

Questo nuovo mondo affettivo, per la sua mescolanza col mondo delle sensazioni e con risveglio sessuale minaccia sempre di diventare un mondo oscuro e torbido. Bisogna spalancare su di esso tutte le porte e le finestre affinchè il sole ed il sereno giungano in quei recessi dove si annidano e si nascondono i sogni e le malinconie, le fantasie cattive e le simpatie morbose, le nostalgie dell'irreale e i veri e propri desideri impuri radici delle colpe che verranno.

Una buona norma pedagogica non consiglia solo di tacere su alcuni temi o solo di intervenire a reprimere, ma consiglia anche di trattare i problemi, di parlare a tutti e a ciascuno in particolare, di illuminare, di mettere mano e di intervenire con lealtà, con semplicità e con lieta fiducia.

L'affettività è una forza grande per la vita, anche per la vita religiosa. Senza slancio affettivo molte cose non si iniziano, o se iniziate, non si conducono a termine. Questa forza quindi non va repressa, ma incanalata, epurata, elevata. Servendosi di questa straordinaria ricchezza dell'adolescente si può facilmente orientarlo anche verso una forma più piena di vita sociale e religiosa.

Nei collegi si combattono le amicizie particolari e si fa bene, perchè talune di esse possono diventare moralmente pericolose. C'è però da osservare che esse non sono tutte cattive e che in ogni caso non bisogna limitarsi a reprimere. Per non soffocare dei germi che possono essere buoni, si deve anche pensare ad organizzare un'esercizio attivo e benefico dell'amicizia tra adolescenti. Una adolescenza che trascorresse tutta senza un buon impegno e l'equilibrato esercizio della vita affettiva, preparerebbe ordinariamente ad una giovinezza affettivamente povera, anche dal punto di vista sociale e religioso, e soggetta alle esplosioni affettive di carattere sessuale. Gruppi di amicizie, squadre organizzate per determinati lavori, legami affettivi suscitati tra membri di piccole società o associazioni culturali, sportive e anche religiose sono ordinariamente mezzi che recano buoni frutti educativi.

L'esercizio della buona amicizia umana e cristiana tra adolescenti, facendo svolgere l'adolescenza verso la pienezza, della sua capacità affettiva, la mette anche in grado di contrarre una vera e propria amicizia soprannaturale oltre che con uomini santi, con Gesù Cristo stesso riconosciuto, accettato e sentito come un fedelissimo e dolcissimo Amico.

Le esperienze condotte in questo settore educativo costituiscono una valida prova della bontà di questa affermazione.

Il sistema faccia anche appello all'entusiasmo, allo sforzo personale educativo e alla dedizione generosa. Utilizzi soprattutto la potenza dell'adolescenza di amare, di amare l'onore, il dovere, la bellezza e Dio stesso come un mezzo di portare tutti i valori della vita al loro punto di maggiore perfezione.

Nel guidare l'adolescenza e la giovinezza in questa via conserviamo il senso delle possibilità: un ideale troppo alto perde la sua potenza di appello e degli sforzi troppo violenti causano cadute gravi che lasciano il giovane scoraggiato.

3. Vita autonoma.

L'adolescente alimenta sempre nel suo animo un forte desiderio di autonomia. Il passaggio che egli desidera fare dalla vita di tutela alla vita di autonomia è irto di difficoltà e di pericoli. Tuttavia per il bene dell'adolescente stesso tale cammino deve essere fatto percorrere.

Alcuni vecchi educatori in questo desiderio vedono solo la manifestazione di un istinto di ribellione e di uno spirito di indisciplina e si pronunciano senza esitazione per una severa repressione. Questa condotta a noi pare che produrrebbe due mali: 1) allontanerebbe subito dalla vita religiosa quelli più inclinati alla ribellione; 2) soffocherebbe quelli che vi rimangono coartando la loro personalità e portandoli alla giovinezza in stato di quasi totale atrofia volitiva con grandissimo pericolo per il giorno in cui all'improvviso si concede loro la totale ed assoluta autonomia.

Vi sono anche i pericoli minacciati dall'eccesso opposto e cioè da una autonomia concessa in misura troppo grande o troppo presto, pericoli che sarebbero gravi soprattutto per adolescenti che si preparano a pronunciare il voto di obbedienza religiosa. Per evitare questi opposti pericoli è necessario procedere con cautela e gradualità conducendo l'adolescente per la via della ragione, della persuasione e della fede, ad una sottomissione accettata anche in seguito a una decisione personale fatta sempre più consapevole ed autonoma. I mezzi che si possono impiegare per questa pratica sono abbastanza noti.

Come si può utilizzare al massimo il momento dell'affermazione della personalità in un piano di educazione degli adolescenti?

Una educazione integrale deve favorire lo slancio del carattere, vale a dire la confidenza necessaria in se stessi e nella vita, il gusto delle azioni e delle responsabilità, la gioia delle difficoltà vinte con uno sforzo penoso. Insomma bisogna appoggiarsi anche sull'affermazione di sè per realizzare lo sviluppo della volontà tenendo conto di una duplice necessità: 1) permettere alla giovane personalità di esprimersi realmente per salvarsi dagli eccessi di una immaginazione senza freni; 2) orientarla verso delle attività collettive — quelle dell'età adulta — al fine di difenderla dai pericoli di un individualismo sfrenato.

Bisogna lasciare agli adolescenti una larga iniziativa, affidare loro certi servizi collettivi, organizzare il lavoro a squadre. Occorre che gli adolescenti possano impegnarsi in una azione autonoma riflessa e creatrice. Allora l'affermazione di sè, fiorita e disciplinata insieme, potrà dare i suoi buoni frutti.

L'adolescente quindicenne e sedicenne sente inclinazione a passare delle ore raccolte in una specie di astratta contemplazione per vivere con se stesso scoprendo a se stesso la nuova interiorità. Bisogna favorirlo in questa sua inclinazione. Bisogna difenderlo dai pericoli che abbiamo sopra indicato, ma anche aiutarlo perché è con questo lavoro di interiorizzazione che egli perviene a conoscere più distintamente se stesso e la sua stessa vocazione, e si abitua a riflettere.

Lo sforzo di interiorizzarsi e di raggiungere una espressione personale non sono cose nè cattive nè di poco conto: sono germi vitali di futuri elementi della personalità. L'educatore non li deve nè li può trascurare anche in ordine alla perfezione naturale e soprannaturale.

4. Educazione della volontà.

Particolare importanza assume in questa età una educazione della volontà diretta secondo i migliori dati della psicologia. Le abitudini buone non si fanno acquistare colla sola ripetizione degli atti, compiuti per sottomissione alla volontà degli adulti, ma per mezzo di una ripetizione comandata da motivi costruiti dallo stesso adolescente e aventi un forte valore soggettivo. Siccome l'acquisto di buone abitudini, come abbiamo visto, è fondamentale per una perfetta e sufficiente preparazione all'ingresso nella vita religiosa, l'educazione della volontà per mezzo dell'impossessamento dei motivi diventa un procedimento assolutamente indispensabile.

5. Personalità religiosa.

Sulla base della formazione fisica, sensoriale, affettiva, intellettuale, del carattere e della volontà occorre costruire la personalità religiosa.

Il rapporto personale con Dio ne è il primo elemento. Bisogna fare ogni sforzo per far passare l'adolescente dalla formalità e dalla esteriorità alla interiorità e alla vivezza di tale rapporto. Invece di accontentarsi di far apprendere a memoria molte formule senza dare il tempo necessario al lavoro personale, è bene fare delle lunghe soste formative sui capisaldi della religiosità. Una delle prime e più importanti è quella necessaria a far diventare personale e affettivamente sentito il rapporto tra l'adolescente e Dio. Verso i 15 anni l'adolescente ne ha la capacità e il desiderio (1).

Con una didattica che già è stata felicemente esperimentata si può ottenere un iniziale successo. A questo si dovrebbe accompagnare una certa libertà religiosa per permettere all'adolescente di avere una zona nella quale la vita e le espressioni religiose cominciano a prendere una caratteristica personale con sua grande soddisfazione.

6. L'atto di fede.

L'atto di fede va lentamente e gradualmente rinnovato attraverso la ripresentazione di tutte le verità da credere come verità proposte dal Testimonio primo che è Gesù Cristo, già entrato nella vita dell'adolescente per via conoscitiva ed affettiva. La fede deve diventare una attività della mente e del cuore del giovane estendendosi via via a tutte le verità cattoliche con un lento lavoro di assimilazione personale accompagnato e diretto da un educatore espertissimo e delicatissimo, vigile e generoso. Tra le verità da proporsi all'atto di fede dell'adolescente con maggiore chiarezza e importanza vi sono quelle che riguardano la vocazione in genere e la chiamata verso la vita di perfezione. La grazia attende questo lavoro dell'uomo per potere operare in profondità.

7. La pietà.

L'educazione alla pietà è uno dei problemi che, a mio parere, sono più lontani dalla soluzione specialmente riguardo agli animi dell'adolescenza.

---

(1) Vedi G. Nosengo, L'adolescente e Dio. U.C.I.M., Roma, 1952. - Id., La vita religiosa dell'adolescente. A.V.E., Roma, 1945.

Per gli adolescenti non sono mai state scritte e adoperate preghiere speciali e apposite e non vi è una particolare educazione preparatoria. In molti casi non si suppone nemmeno che esistano elementi da tenere presenti e da prendere in considerazione per una solida e specifica educazione alla pietà e alla preghiera.

La preghiera in senso puramente umano è il risultato del bisogno, dell'affetto e di una certa capacità espressiva. La preghiera soprannaturale nasce dalla fede, da un'affettività soprannaturale e da una capacità adeguata di espressione. Perchè essa diventi personale, come è necessario che diventi, occorre che sopra una fede personale e da un ricco strato di affettività profonda, fiorisca una *espressione* almeno in un primo tempo personale. L'educazione ad una espressione personale nell'orazione, nei rapporti con Dio, è oggi quasi completamente trascurata. E invece essa costituisce il punto di partenza per la conquista di una pietà ricca e sentita anche quando essa si esprime con le preghiere ufficiali, quelle della Chiesa o quelle scritte da Santi.

Uno dei principali elementi formatori della personalità umana religiosa è l'orazione, ma non una qualunque orazione, bensì quella che è espressione sentita ed elevante di tutto un mondo interiore e fa conseguire il contatto con la Divinità. Essa è anche quindi uno dei migliori mezzi per la formazione dell'adolescente che si prepara alla vita religiosa. Essa gli dà forza e consapevolezza, coraggio e lume, lo libera dalle illusioni e dai timori, ne fa veramente l'uomo pronto ad assumere la sua responsabilità soprannaturale.

Così come è attualmente impartita essa non rende questo servizio. Essa va quindi profondamente rinnovata.

8. La vocazione.

La vocazione, come abbiamo detto, è un germe risultante dalla composizione di dati naturali e di dati soprannaturali. Il germe dice vita, potenza e necessità di sviluppo. La vocazione va concepita quindi in senso dinamico e non statico, in senso non solo oggettivo ma anche soggettivo (2).

L'educazione della vocazione si fa in primo luogo — primo come posto fondamentale — promuovendo la consapevolezza sempre più chiara del soggetto. Si deve far conseguire consapevolezza per far prendere all'adolescente quella parte attiva alla sua formazione senza della quale egli è più trascinato che condotto.

Egli non deve rimanere solo spettatore intimorito del grande fatto di una vocazione ricevuta, egli deve accettarla con gioia, e assumersene via via una sempre più larga responsabilità. Una vocazione è un invito al compimento di

(2) Vd anche. G. NOSENGO, *L'educazione delle adolescenti di fronte alla vocazione religiosa*, in «Atti e documenti del primo Convegno internazionale delle religiose educatrici». Edizioni Paoline, Roma, 1952, pag. 140.

grandi imprese. L'adolescente è sensibile a questa forma di presentazione della sua vocazione. Così fece anche Gesù con San Pietro, così possiamo fare anche noi.

L'educazione dell'adolescente è difficile anche quando si tratta di adolescenti che percorrono la via ordinaria. Essa diventa assai più delicata e più impegnativa quando si tratta di adolescenti che chiedono di essere avviati per la nobile via della perfezione religiosa. L'arte educativa, in questo secondo caso, deve veramente toccare il suo sommo di abilità.

Bisogna perciò assegnare a questo settore di attività gli uomini umanamente e religiosamente migliori, bisogna fare di tutto perchè essi si forniscano di scienza psicologica e di arte didattica adeguata, affinchè mirando esattamente al fine e servendosi di mezzi appropriati promuovano quel rinnovamento che, se è necessario in molti altri settori, è urgentemente doveroso in questo, in quanto bisogna preoccuparsi di collaborare con Dio che chiama a sè le giovinezze ed evitare di divenire, per incuria o incapacità, elementi di contrasto alla Sua Divina Volontà.

Alii periti viri, ex munere a Sacra Congregatione de Religiosis commisso, circa idem argumentum scripserunt.

166   R. P. Iulianus Beausoleil, C. S. V., L. Theol., Doct. Phil. ac Professor Instituti Psychologiae in Universitate Marionopolitana, *scripsit*:

Les travaux de la psychologie nouvelle donnent une extrême importance à la vie émotive dans le développement social, moral et spirituel de l'enfant.

L'observation scientifique a servi à préciser une vérité reconnue, au moins théoriquement, depuis des siècles, à savoir qu'il appartient à l'affectivité de mettre en branle toute l'activité humaine. Nous essayerons de voir comment les conclusions de cette psychologie peuvent être utilisées pour l'orientation des jeunes vers la vie de perfection.

Il nous faut reconnaître que l'éducation reçue au cours des premières années, c'est-à-dire jusqu'à l'âge d'environ cinq ans, dispose l'enfant à l'acceptation des valeurs morales et spirituelles.

En effet, au terme d'une enfance normale, les attaches affectives enfantines achèvent de se transformer en un complexe de sentiments nouveaux auquel on donne le nom de piété filiale. Du point de vue des valeurs humaines cette piété filiale est indispensable. Elle implique un état de dépendance et de docilité qui dispose l'enfant non seulement à l'instruction religieuse, mais surtout à l'assimilation affective des prescriptions de la vie morale et spirituelle.

Si l'éducation de la première enfance n'a pas permis à l'enfant d'établir des liens affectifs normaux avec ses parents, ou si, au terme de l'enfance, l'atmosphère familiale n'a pas favorisé suffisamment la transformation des impulsions en piété filiale, les bases psychologiques de la formation religieuse feront défaut. Conséquemment, l'acceptation de l'idéal religieux et moral sera défectueuse.

Cette conséquence paraît psychologiquement inéluctable. Quelle que soit la conduite extérieure, on peut toujours présumer que dans ces circonstances les valeurs morales et religieuses ont été mal assimilées. L'expérience montre, en effet, que la soumission extérieure aux standards de vie n'est pas un meilleur signe de santé mentale que la révolte ouverte contre les préceptes de l'autorité.

Par contre, lorsque la piété filiale est donnée, la période de latence est le temps le plus propice à l'enracinement des principes moraux. A partir de six ans, les impulsions instinctuelles ont atteint un certain équilibre, et l'énergie psychique qu'elles absorbaient est prête à se sublimer en conduite morale et religieuse. Jusqu'à dix ou onze ans, l'enfant sera particulièrement disposé à poursuivre les fins des vertus morales; il cherchera à le faire sans compromis et avec une certaine rigidité qui lui rendra pénible la vue de l'inconduite chez les autres.

Bien que la ferveur morale et religieuse soit alors sincère, il va de soi que les vertus de cet âge ne sont qu'inchoatives, étant donné que la prudence vertueuse est encore irréalisable. L'amour des fins vertueuses demeure pour une grande part sous le contrôle d'une prudence extérieure, celle des parents et des éducateurs.

L'intériorisation des fins vertueuses durant la période de latence constitue les premières assises de la concience morale ainsi que le premier système de contrôle rationnel des impulsions. C'est elle qui au cours de l'adolescence permettra à l'individu de n'être pas pris de panique devant la recrudescence de l'affectivité sensible; c'est elle qui contribuera à diminuer l'intensité de la révolte qui, généralement accompagne chez l'adolescent la conquête de son autonomie. On assistera sans doute à un rejet plus ou moins dramatique des valeurs morales et religieuses reçues des parents et des éducateurs, mais ce refus ne sera que temporaire et superficiel. En fait, il s'agira plutôt d'une prise de possession personnelle des mêmes valeurs, si bien que spontanément l'ordre et la paix se rétabliront vers la fin de l'adolescence, et l'individu se retrouvera de nouveau en pleine possession de son armure spirituelle.

Bien que la docilité morale soit une caractéristique naturelle de l'enfant à la période de latence, il ne semble pas qu'il soit opportun de lui présenter à ce moment l'idéal de la vie de perfection en tant que tel.

L'idéal religieux, en effet, constitue une valeur spirituelle que seule une mentalité adulte peut apprécier convenablement; il y a là une valeur qui dépasse nettement les capacités de délibération de l'enfant. L'on peut même ajouter qu'à cet âge une présentation trop vive de l'idéal religieux peut entraver pour l'avenir les possibilités d'une saine option. On sait, en effet, que la conscience morale de l'enfant est encore rigide et incapable de compromis. L'enfant conçoit difficilement l'existence d'une valeur dont l'acceptation ne soit pas obligatoire. Mis en face d'un idéal de perfection religieuse il pourra devenir victime de réactions émotives qui domineront longtemps le fonctionnement de ses puissances affectives. Voici quelques illustrations des réactions qui pourront se produire.

L'enfant pourra accepter de façon plus ou moins irraisonnée l'idéal religieux proposé, sa conscience le lui représentant non pas comme un objet d'élection, mais comme une valeur obligatoire. Il sera alors porté vers l'état religieux en vertu d'une impulsion beaucoup plus émotive que spirituelle. A l'âge où le libre choix devra être exercé, il pourra difficilement se dégager de cette propension affective qu'il confondra d'ailleurs avec un mystérieux appel divin.

Dans d'autres cas, l'on constate que le sentiment d'obligation par rapport à la vie de perfection institue un conflit intérieur chez l'enfant. Il sent que la vie religieuse l'oblige, mais il voit dans cette obligation une tyrannie intolérable. Pour échapper au despotisme de sa pseudo-conscience il se révolte contre ses « prescriptions ». Au cours de l'adolescence il manifestera une détestation entêtée de l'idéal religieux. Cette répugnance se manifestera souvent par une antipathie marquée pour les personnes religieuses dont la vie représente à la fois une menace et une invitation. La véritable option sera impossible. Le sujet s'orientera de fait vers l'état laïque, à moins d'une révolution dans ses propensions affectives. Mais il ne peut se décider à choisir une orientation que s'il déteste l'état de vie qu'il n'embrasse pas.

Enfin il faut ajouter que plus l'idée d'obligation sera reliée à l'idée de vie religieuse, plus le sujet se sentira coupable de ne pas entrer en religion. Il pourra même arriver qu'au moment de sa décision, tout en prenant conscience que certaines circonstances motivent le choix de la vie conjugale, il s'imagine refuser de collaborer à la grâce divine. Il se croira alors rejeté de Dieu pour son manque de générosité; il gardera l'impression que les épreuves qui lui arrivent sont des punitions; il trouvera difficilement dans la vie conjugale la paix et la sécurité intérieures qui conditionnent la vertu.

Il semble donc que dans la pratique il soit préférable de favoriser d'abord chez l'enfant l'acceptation amoureuse de la morale chrétienne. Il faudra sans doute aussi l'inviter avec prudence à poser occasionnellement des actes qui l'initient aux conseils évangéliques. C'est là, semble-t-il, la manière la plus raisonnable de préparer les voies à l'acte vraiment libre et authentiquement généreux que constitue l'acceptation adulte de la vie religieuse. Il va sans dire que l'embauchage ou le recrutement précoces ne sont qu'une exploitation abusive d'une émotivité sans défense. Ils peuvent créer ou intensifier chez l'enfant une pseudo-religiosité dont les dangers sont une menace pour l'Eglise aussi bien que pour la personne humaine.

Conseguant les difficultés typiques de l'adolescence par rapport à la vie de perfection, l'honnêteté scientifique nous oblige à constater la déficience des connaissances actuelles sur cette période de l'évolution. Sans doute nous connaissons avec une précision satisfaisante la phénoménologie et même le divers dynamismes psychologiques impliqués dans la transition de la personne humaine à l'âge adulte. Toutefois il nous faut avouer qu'il n'est pas facile d'indiquer quelle doit être l'intensité normale de la révolution affective et instinctuelle qui caractérise l'adolescence. Nous pouvons encore moins préciser quel doit être le dosage normal des diverses pulsions et inhibitions qui sont mises en jeu. Conséquemment il est difficile d'indiquer quels schémas de la crise de puberté peuvent manifester un obstacle à la vie religieuse.

Il y a pourtant certains points assez bien définis. Le premier problème qui se pose au début de l'adolescence est celui de l'orientation scolaire. L'on peut dire que cette orientation doit se décider non pas tellement en fonction d'une présupposée vocation religieuse, mais d'abord en fonction des aptitudes et des goûts que l'adolescent manifeste pour les diverses catégories d'études ou d'apprentissages qui s'offrent à lui.

De plus, ceux qui ont pour mission d'aider les jeunes à se choisir un état de vie doivent être bien renseignés sur les difficultés et les écueils inhérents à cette option. Deux principes généraux doivent intégrer la prudence du directeur d'âmes.

En premier lieu, la vocation authentique est une réaction de l'individu à une valeur objective, à une valeur qui dépasse l'ordre de la sensibilité et de l'émotivité. En second lieu, dans le domaine de la vocation, la liberté est une condition requise de toute nécessité pour une option qui soit prudente et psychologiquement saine. Nous parlons ici de cette liberté qui suppose la connaissance et la domination active des motifs d'agir.

L'on comprend aisément que le fonctionnement de la liberté conditionnera la valorisation objective de la vie religieuse. C'est du côté de la liberté individuelle que se présentent les plus redoutables dangers. Il va de soi que nous ne parlons ici que des cas où les déficiences de l'acte libre sont telles qu'elles acheminent le sujet vers une décision imprudente sans invalider le lien qu'il contracte. Les directeurs d'âme, lorsqu'ils exhortent les jeunes à purifier leurs intentions et à éliminer les considérations passionnelles, ont trop souvent en vue uniquement de libérer leurs disciples des attaches affectives qui pourraient entraver leur entrée en religion. On ne considère pas suffisamment que l'émotivité peut également stimuler un individu de façon positive à embrasser l'état religieux, qu'il peut arriver que l'option pour la vie religieuse s'accomplisse sous l'influence d'impulsions purement affectives ou même instinctuelles. Si la formation morale de la période de latence n'a pas été réussie et si l'individu n'a pas été dûment éveillé au monde des valeurs spirituelles, les erreurs de discernement en matière de vie religieuse sont d'autant plus à craindre.

Il faut insister également sur ce fait que les erreurs sur les motifs ont parfois un caractère très subtil.

En effet, les impulsions instinctuelles et affectives étant souvent inconscientes, leur empiètement sur le domaine des valeurs morales et spirituelles peut se faire à l'insu même de celui qui en est victime. Nous voulons dire que certaines conduites extérieurement vertueuses relèvent beaucoup plus de pulsions mal intégrées que d'une saine appréciation des valeurs poursuivies. Le caractère anormal de ces conduites « vertueuses » se trahit fréquemment par un défaut de prudence, l'individu étant incapable d'harmoniser les fins des vertus morales avec les exigences de la vie concrète. C'est alors le signe que les fins des vertus morales prennent un rôle fonctionnel, c'est-à-dire servent à la satisfaction de certaines tendances émotives plutôt qu'à l'obtention du bien. Illustrons brièvement ce genre d'anomalies « spirituelles ».

Il n'est pas rare de rencontrer des jeunes qui sont inclinés à la vie religieuse par ce qu'on appelle en psychologie un sentiment de culpabilité. Ces jeunes embrasseront la vie religieuse comme un moyen de calmer l'angoisse du « surmoi ».

Notons immédiatement que cette angoisse se distingue essentiellement du remords de la conscience. Le vrai remords ne suit pas les lois « mécaniques » auxquelles obéit le sentiment de culpabilité. Le vrai remords est un acte délibéré qui procure une paix que ne peut jamais apporter le sentiment de culpabilité. Chez les adolescents, ce sentiment est fréquemment causé par la masturbation actuelle ou du moins désirée. D'autre part, ces tendances masturbatoires ne relèvent pas toujours uniquement d'impulsions libidineuses. Elles peuvent dépendre aussi de dispositions aggressives ou dépressives, quand elles ne relèvent pas d'une curiosité inconsciente fixée sur les fonctions génitales.

Dans de pareils cas, il peut arriver que l'angoisse prenne un contenu religieux, et alors la vie de perfection apparaît comme un moyen exigé pour éviter l'enfer.

Et ici l'enfer n'a pas même les traits qu'on lui reconnaît dans l'acte d'attrition; il sert plutôt à « objectiver » le sentiment vague que le sujet éprouve d'être menacé d'une punition indescriptible. On remarque encore dans ces cas que l'amour de Dieu joue un rôle superficiel dans de la décision aussi bien d'ailleurs que dans toute la vie morale du sujet. Il mentionnera ce motif parce qu'il sait, pour l'avoir entendu dire, que c'est un motif requis. Peut-être même aura-t-il l'illusion qu'il ressent véritablement un amour de Dieu suffisant pour justifier son entrée en religion.

On rencontre aussi des adolescents chez qui une répugnance quasi instinctive pour la vie sexuelle est confondue avec le goût positif pour la vie religieuse.

Personne n'ignore que l'adolescence est normalement marquée par une transformation et une intensification de la sexualité. L'acuité de la crise de transition est souvent accentuée par le résidu instinctuel de problèmes psychologiques mal résolus durant l'enfance ou la période de latence. Devant le nouveau cours que prennent leurs impulsions nombre de jeunes sont littéralement pris de panique. Ils s'accrochent à tout ce qui représente un instrument de défense, et la peur d'être envahis les pousse à organiser une résistance passive contre l'assaut des forces nouvelles. Un mécanisme de défense généralement utilisé dans ces états de panique est le refoulement. On assiste alors à un comportement pudique qui relève bien peu de la vertu authentique. Ces sujets, extérieurement réservés dans leurs relations occasionnelles avec les personnes de l'autre sexe, sont en réalité apeurés devant l'autre sexe comme devant une menace à leur intégrité psychique. Si ces individus adoptaient délibérément l'attitude qu'ils ont vis-à-vis de la sexualité, on pourrait les considérer sans difficulté comme des manichéens. Car ils ne rejettent pas uniquement l'acte essentiel de la vie sexuelle, mais ils tendent à mépriser et à dédaigner toute pensée, toute imagination, tout regard ou tout geste qui de près ou de loin se relie à la sexualité. Notons encore une fois que les réalisations extérieures sont ici très trompeuses, et que seul un examen attentif des dynamismes réussit à découvrir que ce genre de comportement constitue davantage un déséquilibre qu'une vertu. De pareilles dispositions sont bien de nature à entraver la vie conjugale, mais ne peuvent pas favoriser la vie religieuse. Celle-ci aurait, dans ces conditions, un rôle purement instrumental de défense (d'ailleurs illusoire) contre des impulsions mal intégrées et bien peu sublimées.

Une autre lacune que présentent certains adolescents peut aussi donner à leur option une allure plus ou moins névrotique. Il s'agit du défaut d'autonomie dans la conduite morale.

On remarque chez ces personnes que leurs jugements de conscience ne découlent pas d'une appréciation intérieure des valeurs qui leur sont proposées, mais dépendent d'une approbation extérieure, seule capable de motiver efficacement leur conduite. Ils ne parviennent jamais à posséder un code de valeurs qui leur soit personnel. Ils demeurent dans un état de dépendance infantile qui a fait dire à un humoriste qu'ils sont reliés à leur entourage par une sorte de cordon ombilical. Cette plaisanterie n'est pas dénuée de sérieux, puisque très souvent l'origine et l'objet premier de cet attachement est précisément la mère. Au cours de la croissance psychologique, il se produit autour du centre primitif de la dépendance infantile un effet de halo, et le sujet déplace plus ou moins totalement sur les personnes constituées en autorité son sentiment « filial ». Dans certains cas pourtant, la mère garde le rôle primordial. Et alors, si la domination de cette mère est doublée d'une supériorité intellectuelle, l'émotivité de l'adolescent pourra être exploitée de façon à la fois subtile et efficace. A son insu celui-ci pourra identifier le désir de gagner l'estime de sa mère avec le désir de mériter la prédilection divine représentée par l'appel à la vie religieuse. Ici encore les valeurs spirituelles risquent d'être subjuguées par des fonctions psychiques.

Le rôle du directeur nous paraît singulièrement périlleux dans ces cas de dépendance affective. Sa position vis-à-vis de son dirigé le rend susceptible de devenir dans l'ordre moral et spirituel le substitut le plus adéquat de la mère.

Le dirigé infantile attribuera volontiers à son directeur spirituel la toute-puissance qu'il attribuait à sa mère. Il verra en lui un personnage qui communique directement avec la divinité et dont toutes les paroles et tous les jugements sont inspirés directement d'En-Haut. Alors les moindres conseils, les moindres insinuations auront pour lui le même prestige que le regard du Christ invitant le jeune homme à la vie parfaite. Incapable d'une décision spontanée, il demandera par exemple à son directeur s'il *le voit* plutôt dans la vie religieuse que dans la vie séculière. Puis il exécutera comme un ordre, grâce à des motifs surnaturels purement rationalisés, ce que son directeur lui disait sans vouloir l'engager.

Malheureusement le blâme de ces décisions désastreuses n'est pas toujours à rejeter sur le dirigé timoré. Certains directeurs sont visiblement affectés d'un « complexe divin ». Ils cherchent à se draper devant leur dirigé d'un prestige qui réclame la soumission.

Ils donnent vaguement l'impression d'être illuminés par le Saint-Esprit au point que leurs jugements auraient le caractère de l'infaillibilité. Ils se considèrent parfois comme ayant pour mission officielle de transmettre à leurs dirigés l'avis de l'élection divine et le mystérieux appel à la vie parfaite. Puis après avoir accablé la conscience des adolescents qui se confient à eux, ils apaisent facilement leur propre conscience en avertissant tout bonnement leurs dirigés qu'ils sont libres d'accepter ou de refuser l'avis qu'on leur donne.

Un pareil procédé de direction spirituelle enlève à la décision des adolescents le caractère d'autonomie qui lui est essentiel. Si tout acte d'un être vivant est une opération dont le principe est à l'intérieur de l'agent, on doit pouvoir dire la même chose à plus forte raison de l'exercice de la liberté humaine.

Toujours est-il que lorsqu'un adolescent aborde la vie religieuse dans les conditions psychologiques que nous venons de décrire, il n'est pas long que son erreur se tourne contre lui. Entré en religion pour apaiser un sentiment de culpabilité, il réalise bientôt que ses nouvelles obligations ne font que nourrir et aggraver ce sentiment. Entré en religion sous le signe négatif d'un refoulement sexuel, il s'aperçoit que les prescriptions de la règle intensifient ses conflits sexuels. Entré en religion sous l'impulsion d'une « soumission filiale », il découvre que sa profession l'oblige à des efforts personnels de perfectionnement. Dans tous ces cas le sujet ne rencontre pas les gratifications émotives que ses impulsions recherchaient; il ne participe pas non plus aux joies de la vie spirituelle, parce qu'il y a en elles une valeur qu'il n'avait pas recherchée. Le bilan total de ce qu'il récolte dans la vie religieuse est constitué surtout de déceptions. C'est alors qu'il commencera à se demander pourquoi Dieu l'a « appelé ». C'est alors aussi que plus ou moins consciemment il commencera à considérer Dieu non plus comme un père qui communique ses trésors, mais comme un tyran qui lui a ravi sa joie. Enfin, les prescriptions de la règle et même celles de la morale seront vues comme autant d'obstacles au droit de vivre.

Pour conclure, disons qu'une culture hygiénique et économique des vocations à la vie religieuse doit s'abstenir de tout procédé qui violente la nature ou qui stimule artificiellement la surnature. D'un point de vue positif, il nous semble que le plus sûr moyen d'assurer les intérêts de l'Eglise par le recrutement est d'assurer d'abord chez les individus un véritable sens moral et un fonctionnement harmonieux de la liberté. Les assises du sens moral doivent s'établir durant les toutes premières années de la vie. Les parents y parviendront en usant de beaucoup de soins pour développer de saines attitudes émotives chez leurs enfants avant l'âge de raison. La période de latence est l'âge par excellence pour l'enracinement des valeurs morales qui seront plus tard les fins de la vie adulte. Durant l'adolescence il faut insister surtout sur la formation de la liberté. Il faut acheminer l'adolescent vers l'autonomie par rapport aux influences extérieures; il faut aussi l'aider à connaître et à dominer les divers mouvements d'une vie affective sensible qui menacera souvent de dénaturer les valeurs morales et spirituelles qui sont le vrai bien de la vie chrétienne.

I problemi fondamentali della formazione religiosa dei giovani aspiranti allo stato di perfezione si riducono psicologicamente, a tre soli: preparazione alla vita spirituale della Congregazione; discussione e riconoscimento della propria vocazione; potenziamento della personalità religiosa del soggetto in ordine all'apostolato svolto dalla Religione, che l'ha ricevuto.

Il primo cade specialmente negli anni cosiddetti del piccolo noviziato, quando gli aspiranti hanno dai dodici ai quindici anni di età, durante i quali si cerca di portare la loro vita, naturalmente pia, alla concezione e alla pratica della vita spirituale intesa monasticamente come perfezione della carità verso Dio.

Tra i dieci e i dodici anni, l'aspirante è ancora un fanciullo. Qualunque educazione, ma soprattutto quella religiosa, tiene conto di due fattori che ne determinano lo sviluppo morale: la natura stessa, cioè, del fanciullo, e l'ambiente in cui è vissuto.

Il primo di questi fattori fa portare l'indagine su tutto l'essere del fanciullo: intelligenza, età, (sesso), razza (o nazionalità), sanità fisica, ereditarietà, carattere, immaginazione, abitudini, convinzioni (ideali), volontà.

1. Intelligenza.

I reattivi mentali accusano una correlazione variabile fra i *testi* di moralità e quelli d'intelligenza. Non vi è relazione causale fra intelligenza e moralità, tuttavia l'ingegno è un gran mezzo di virtù, se ben illuminato e diretto.

Coscienza, sincerità, simpatia, tenerezza, volontà, perseveranza, prudenza, preveggenza, sono dati che normalmente s'accompagnano ad uno spirito pronto ed aperto.

Vi è una sorta di intelligenza « inferiore », per dir così, che s'associa invece a qualità moralmente deleterie, quali il sotterfugio, la menzogna, l'egoismo, il calcolo, la morbosità, le amicizie particolari, le cocciutaggini, la scaltrezza, l'interesse immediato.

Importa soprattutto educare l'intelligenza con lo studio metodico, e più ancora con l'influenza d'un maestro d'una logicità perfetta, d'uno spirito largo ed accogliente, d'una dirittura morale specchiatissima.

Il valore delle nostre abitudini intellettuali sta alla base del nostro valore personale, in tutti i settori, ma principalmente in quello morale.

Dai dieci ai dodici anni, l'ingegno del fanciullo è una capacità ricettiva di abiti intellettuali preziosissimi, che debbono portarlo, malgrado la potenza deviatrice del senso, ad un giudizio certo, sicuro, limpidissimo sui fatti della sua vita morale.

Il fanciullo non ha la nozione della « perfezione », come non ha quella dell'« eroismo »; ma sa compiere molti atti perfettissimi, e molti atti eroici, che egli conosce sotto un solo e verissimo termine, il proprio dovere, per amore di Dio.

2. Sanità fisica.

Molta importanza è da attribuirsi alla salute fisica. Una cartella clinica, per ciascun soggetto, o almeno per quelli che ci sembrano cagionevoli, s'impone. Anche qui come per l'intelligenza, non v'è una stretta relazione di causabilità tra salute fisica e morale; e tuttavia è di comune esperienza che un malato è almeno sempre un « anormale », e che la buona salute supera più facilmente determinate crisi morali.

Penseremo, adunque, che una buona costituzione fisica favorisce, ordinariamente la virtù; che certe malattie possono determinare, o favorire almeno, un cangiamento morale, o del carattere. Tra quest'ultime, è universalmente noto, l'effetto deleterio della menengite, ad esempio, della sifilide, dell'encefalite, anche quando si debbano ritenere, almeno clinicamente, guarite.

L'uomo è un essere assai complesso, nel suo fisico non meno che nello spirituale. La nutrizione, il « regime di vita », l'igiene, la vita all'aria aperta, o quella d'un ambiente perennemente chiuso, non possono non influire sull'intero composto umano, e specie sul morale.

Un vitto semplice, sano, abbondante, vario è la prima propedeutica della morale. Il minor numero di costrizioni fisiche possibili è una salvaguardia per lo spirito del ragazzo. Un'igiene razionale, completa, senza prevenzioni, che faccia larga parte al gioco, allo sport, alle cure fisiche è tanto più raccomandabile in quanto è, essa stessa, indice di molte virtù morali quali la purezza, la sociabilità, la capacità dello sforzo, la serenità del tono affettivo, la prontezza del volere, il senso della propria integrità e vigoria fisica, ecc.

3. Ereditarietà.

Poichè, come risulta da gran numero di osservazioni, l'ereditarietà condiziona spesso, nell'aspetto esteriore del comportamento, almeno, la moralità del fanciullo, bisognerebbe che, chi imprende l'educazione dei giovani aspiranti alla vita religiosa, avesse un'anamnesi quanto più perfetta possibile sugli ascendenti di quello.

L'ereditarietà infatti, reca con sè disposizioni spesso incorreggibili, o quasi, facilità o difficoltà morali in grande numero. Anzi, le tare degenerative, che si riscontrassero in questo o quel ragazzo, dovrebbero, senz'altro, imporre l'allontanamento. Alcool, lue, cleptomania, erotismo, e via dicendo, non dan frutti di perfezione, se non nella stretta cerchia del miracolo della grazia. Costituiscono infatti, sempre, uno stato di anormalità psichica, se non morale, dal momento che l'individuo potrebbe, — sia pure con gran fatica, — sorvegliarsi: ora, l'anormale può anche sublimarsi nell'eroismo: non può, invece, vivere, nell'integrità voluta dalla perfezione religiosa, la vita comune.

Un'ascendenza sana e morale è da annoverarsi tra i più grandi benefizi naturali: ed è la prima condizione da richiedersi dal ragazzo che s'avvia allo stato religioso.

4. Carattere.

Nessun carattere, di per sè, è opposto alla vita di perfezione. Tuttavia, ogni carattere è predisposto a certe virtù e a certi difetti.

Il sanguigno — per servirci della vecchia comune terminologia — sarà più facilmente socievole che non il nervoso; il collerico, più del linfatico, s'accenderà d'ira e sdegno; l'appassionato è più portato alla generosità dell'amorfo, e via dicendo.

Il carattere del ragazzo, per lo più, non è riflesso, cioè sfugge alla sua consapevolezza. Forse, più che carattere dovrebbesi dire temperamento. Ma appunto per questo è indice certissimo delle tendenze generali del soggetto.

Sono possibili, però, molti errori, nella valutazione del carattere d'un ragazzo, quando non lo si controlli su dati scientifici. La simpatia, l'affinità ed altre ragioni possono farci velo al giudizio, se ci abbandoniamo al solo intuito personale. Quante sorprese, non hanno rivelato, in questo campo, le ricerche di laboratorio!

Sarebbe sommamente desiderabile che l'uso della cartella bio-tipologica si generalizzasse presso tutti gli Istituti religiosi. Molte deviazioni sarebbero evitate, perchè corrette alle origini.

5. Abitudine.

Il valore massimo, però, dell'educazione religiosa impartita ai giovanissimi aspiranti allo stato di perfezione, consiste nella facilità di inserire nella loro vita un gran numero di sane e di feconde abitudini.

Le abitudini determinano, com'è a tutti noto, larga parte della nostra condotta, sia da ragazzi che da adulti. C'è chi ha voluto vedere tutta l'educazione nel fatto di rendere « automatiche » le nostre azioni.

E' un assurdo, ma pure bisogna riconoscere che la più parte delle nostre azioni, dallo scender di letto, al mattino, fino al ricoricarci per il sonno, non sfuggono a questo « automatismo ».

E' nota l'affermazione del James: « come fasci di abitudini siamo creature stereotipe, imitatori e copisti del passato ». Questo passato, che vive in noi con le abitudini, può avere, nella nostra vita, la freschezza e lo splendore d'un ideale mattutino, rinnovato ad ogni nuovo sole. Ma intanto è pur vero che « le abitudini — secondo l'espressione dello stesso scrittore, — sono la stoffa stessa dell'educazione ».

Ora in genere, si ha una vaga idea delle abitudini « da imporre », da creare, cioè nei giovanissimi aspiranti alla vita di perfezione: l'obbedienza, la sincerità, la pietà, la socievolezza, lo studio, la carità; ma, per lo più, ci si limita ad osservarne le manifestazioni, ad eccitarle o reprimerle, senza un piano organico e costruttivo, che le coordini, potenzi e perfezioni.

Molte « virtù » muoiono in erba, proprio perchè credute troppo « naturali », e non coltivate.

Il ragazzo non ha ancora una concezione sua della vita, ma già la vive d'istinto. Gli ideali astratti non possono ancora far presa su di lui; ma ogni realtà di vita è da lui sentita come concretezza. Una « divisa », una massima che racchiude un ideale, quando sia compresa e amata non è mai senza influenza sulla sua personalità. Essa agisce effettivamente come un catalizzatore delle sue giovani energie. Un errore forse irrimediabile, quello di voler vedere il ragazzo sotto l'aspetto della sua « impotenza »; egli è già aperto a tutta la vita, è una somma di « potenziali » che va crescendo in progressione geometrica meno con gli anni che con le idee che entrano nella sua mente e nel suo cuore.

6. Volontà.

La volontà si manifesta nel ragazzo primieramente sotto forma di « sforzo ». L'educazione della volontà ha il suo valore fondamentale in quanto essa determina la condotta morale. Ma tra tutti i settori in cui, per tecnica di studio, suol dividersi l'educazione, nessuno si presenta più malagevole e meno al riparo dai rischi connessi alla nostra azione.

Importa il problema dell'autorità e della libertà, o con formula cattolica, il problema della libertà nell'autorità. Credere di piegare la volontà « piegandola, spezzandola, contrariandola » è voler produrre la forza di un giovine tronco amputandolo di continuo. Si può anzi per tal guisa, inferire ferite morali alla personalità dell'individuo; con tutta l'inevitabile inversione della menzogna, dell'ipocrisia, del malanimo, o peggio, dell' abulia, dell'indifferenza, della vacuità ed assenza dell'animo.

La volontà si educa soprattutto con la razionalità dei comandi, che a loro volta sanno far leva sui motivi sentimentali ed emotivi del ragazzo. La sublimazione del sacrificio può essere proposta, non imposta. In generale, il ragazzo non si ritrae dal sacrificio — anche eroico — se non perchè la luce in cui glie lo abbiamo prospettato è fumigosa per il dubbio che ci assale della di lui capacità di darsi.

Il ragazzo si rifiuta all'esperienza, si offre invece tutto alla vita.

La radice della volontà — nel ragazzo — non sta in una ragione riflessa, s'affonda invece nel campo delle emozioni. Spesso è così anche per l'adulto; ma per il ragazzo è la norma quotidiana e invalicabile.

7. Emotività.

L'emozione — nonostante le definizioni del Watson, del Bechtersv, del Freund, del Klein, e dello stesso Wallon, che sembra raccogliere oggi la più parte dei suffragi — non è affatto il risultato d'uno stimolo superiore alla capacità attuale della coscienza dell'individuo — ma è la vita stessa profonda del soggetto, che s'integra con la realtà circostante.

L'emozione è sempre contraria all'automatismo. Supera, sempre, la nostra conoscenza immediata, e la nostra stessa azione. E' il nostro « futuro », che si proietta davanti a noi, sia ch'io peni o goda, invidii o simpatizzi, accetti o rifiuti.

Educare le emozioni, vuol dire educare la volontà, costruire la personalità nella base delle sue possibilità reali; far passare il tono della nostra vita dalla reazione incontrollata ed automatica, a quella della conoscenza intellettuale, dell'azione volontaria e totale.

La vita stessa è un tessuto di emozioni più che di idee riflesse: non è la logica razionale, quella che ci conduce, ma quella passionale, nella più parte dei casi: l'emozione è accezione puntuale di tutto il nostro essere.

8. L'ambiente.

Queste osservazioni ci conducono direttamente al secondo fattore dell'educazione morale, che abbiam detto essere l'ambiente. E' infatti l'ambiente la sorgente prima delle emozioni. L'ambiente si suol definire come tutto ciò ch'è esterno al ragazzo (o all'uomo, perchè la sua influenza è immanente nella vita d'ogni individuo, nè cessa con l'età): famiglia, compagni, gruppo sociale, scuola, educazione, lettura, cinematografo... I fattori, che costituiscono l'ambiente, sono quasi innumerevoli: il clima fisico e quello sociale, quello politico e quello religioso, quello artistico, e quello morale... le occupazioni ordinarie, il giornale, la radio...

Molti, la più parte, forse, di questi fattori, s'arrestano alla soglia della casa religiosa, ma non cadono nel nulla. Rimangono, perlopiù, in uno stato latente, nel fondo della nostra coscienza, di dove risalgono a colorire con i loro toni emotivi, le quotidiane integrazioni che noi facciamo di noi stessi con la vita.

L'ambiente non è tutto fatto di abitudini. Talvolta è il mobile fondo dei nostri desideri, ancorato a necessità bio-psichiche, che affiora, indipendentemente da quello che comunemente diciamo « abitudini ».

Esso costituisce, comunque, il nostro passato. L'educatore non lo conoscerà mai abbastanza. Non ci sono soluzioni di continuità, nella vita. Il presente non può che assumere le colorazioni del passato.

Certo, l'« ambiente » religioso fa pensare ad un netto e irrimediabile distacco. Non più cinematografo, nè giornali a fumetti; lontani dalle ripercussioni sociali e politiche dello stesso ambiente familiare, lontani, spesso, dall'ambiente fisico, che ci ha visti nascere...

Tutto sotto il segno d'un'austerità nuova, anzi, d'un capovolgimento di valori, per cui quello ch'era desiderato, atteso, amato, è ora dimenticato, anzi, volutamente — formalmente almeno — rifiutato.

L'integrazione alla vita, in questa circostanza, non è punto facile. Si son visti, ad es., dei ragazzi — ottimi sotto ogni rapporto, pietà, studio, docilità — piangere di gioia all'annunzio che si concedeva loro di assistere ad una proiezione cinematografica.

Il passato non è mai morto, forse appena dorme.

L'ambiente religioso deve offrire al ragazzo una maggiore — od almeno eguale — ricchezza di vita. Guai se non gli può offrire che l'aria rarefatta dalla rinuncia monastica, e l'automatismo d'una vita regolare scandita sulla monotonia dell'orario!

Gli studi, il gioco, la pietà sono tre mondi praticamente inesauribili per il ragazzo. Ed è possibile creare con essi tale intensità e pienezza di vita, che il ragazzo non senta, che ben raramente, nè mai in una maniera perniciosa, l'arsura dell'evasione nel vecchio mondo, ch'egli ha abbandonato.

9. Pietà.

S'è accennato alla pietà. E' naturale che un ragazzo, che « aspiri » alla vita di perfezione, mostri una grande inclinazione alla pietà. Anzi essa dovrebbe penetrare e come formare l'essenza di tutto il suo essere spirituale. Ma una pietà di tal fatta è rara come dono, e per lo più è frutto d'educazione e di conquista.

La pietà non s'identifica sempre con la « vita di pietà » dell'ambiente religioso. La preghiera in comune con gli adulti; la stessa assistenza ai divini offici; la lettura spirituale, lo studio della religione e del servizio liturgico; il canto sacro possono condurre ad una pietà « *routinière* », formalistica, ove non siano animate da uno spirito intimo e personale. Inutilmente ci si rallegra d'un esteriore impeccabile, quando purtroppo l'interno è meschino od assente.

I criteri psicologici della pietà, nei ragazzi di cui parliamo, — dai dieci ai dodici anni — si possono sintetizzare: 1) nella naturalezza; 2) nella minor possibile costrizione fisica e mentale; 3) nella progressività interiore.

Si deve cercare il senso giocondo e stimolante della presenza di Dio; il richiamo affettivo, connaturato alle cose, la volontà di piacere a Lui, « di fargli piacere », con un amore pratico, riposante, fatto di spontaneità e di intimità cordiale e serena.

Posizioni incomode e durate eccessive agli esercizi di pietà inducono nel ragazzo la sofferenza fisica della pratica stessa, cui s'associa il bisogno di evaderne fisicamente e spiritualmente. Assenza, irrequietezza, noia, apprensione, disistima non sono che alcune tappe dell'affievolirsi e del perdersi della pietà.

Talvolta, il contatto con gli anziani, con i « vecchi » sopra tutto, induce, invece della propostasi edificazione, un senso di repulsione, o un'apprensione penosa tra la soggezione e il fastidio.

Esercizi, per lo più brevi, ben compresi e nell'esecuzione materiale e nella significazione spirituale; che non obblighino a posture scomode, ad assurde immobilità; « guidati » spesso da chi ha cura dei ragazzi, con mano lieve ed alacre; commisurati, con tatto esperto, alla effettiva loro aderenza psicologica sono postulati irrecusabili d'una vera educazione alla pietà per mezzo degli « esercizi » della vita comune. La qual vita comune porrà sotto il suggello di « esercizi di pietà » non solo l'oratorio o la cappella, ma lo studio ed il dormitorio, il cortile di ricreazione e il refettorio; il lavoro manuale e le cure fisiche del corpo: dovunque, invero, si preghi specie se l'esercizio è fatto in comune.

10. Istruzione religiosa.

La progressività interiore della pietà ha il suo punto centrale nell'opera di Dio nell'anima del ragazzo, e questa è davvero mirabile; ma la Grazia s'associa quasi naturalmente alla conoscenza dell'oggetto e delle fonti della pietà, Dio, la SS. Trinità, lo Spirito Santo, Gesù Cristo, l'Eucarestia, la SS. Vergine, gli Angeli, i Santi, i Sacramenti, l'orazione mentale, le giaculatorie, i Sacramentali, le opere supererogatorie...

Se qualsiasi insegnante di religione sa che la scuola gli affida la parte più difficile e delicata nel processo dell'educazione del ragazzo; l'insegnante di religione dei ragazzi, che aspirano alla vita di perfezione, deve sapere che non solo ha la parte più difficile — nonostante l'apparente facilità e docilità dell'uditorio — e delicata, ma l'unica effettivamente e sostanzialmente necessaria e insostituibile nella formazione morale del giovane candidato alla « vita religiosa ».

Il ragazzo non sa che farsene di metodi e di esposizioni teologiche: vuole il catechismo, e questo con tutti i sussidi che valgono a facilitargliene l'intendimento, e la pratica immediata.

La cultura religiosa, lo si comprende, dev'essere proporzionata, ma organica ed elevatissima.

Ma oltre al metodo psicologico dell'insegnamento — tema che di per sè solo vorrebbe un'amplissima trattazione, specie trattandosi di ragazzi, nei quali le grandi verità religiose non possono essere comunicate con la sola analisi dei testi e il ragionamento dialettico, — chè cadono fuori del ragazzo, essendo, nella loro stessa formulazione logica, più grandi di lui — ma devono essere presentate nella concretezza della loro verità sentimentale (identità con quello che il ragazzo sente di Dio e delle cose religiose) e fantastica (coordinamento al mondo esteriore simbolo, storia, analogia); quest'educazione deve avere un suo spirito particolare, ch'è appunto la consapevolezza della missione cui aspira il ragazzo, che pertanto deve sentirsi vieppiù in armonia di pensiero e di vita con la sua istruzione religiosa, fino a riconoscersi « parte » di quel Regno di Dio, che si attua sulla terra, per mezzo dell'apostolato.

11. Vocazione.

Il fiore splendidissimo dell'istruzione religiosa d'un aspirante alla vita perfetta, è infatti quello della sua vocazione a detta vita, che dal mobile fondo sentimentale (inclinazione, capacità, contentezza) passa alla sua definizione dialettica (volontà, fede, immolazione).

Tra i dodici e i quattordici anni, l'aspirante entra, per così dire, in una funzionabilità, per gran parte diversa da quella esaminata sin qui.

L'età ordinaria della « vocazione », almeno come fatto esteriore, determinante l'ingresso dell'aspirante in una Religione, è tra il dodicesimo e il quattordicesimo anno, in quel periodo cioè, dello sviluppo, che han chiamato della pre-adolescenza.

E' un periodo singolarmente importante sotto l'aspetto psicologico. Sotto l'aspetto del ragazzo, l'evoluzione fisiologica, psicologica, sociale, morale e religiosa, prepara i grandi rivolgimenti della pubertà. Sono anni preziosi, d'un equilibrio che inserisce naturalmente le nuove forze che la vita va producendo, nel dominio già ricco della sensibilità, della conoscenza, della vitalità del ragazzo, non senza improntarle di « direzioni », « affinità », « esperienze », che si riveleranno, fra poco, formidabili e spesso determinanti nella crisi che ci darà dal fanciullo, l'uomo.

E' un grave errore trattare come ragazzo, chi ragazzo non è più, mortificarne o ignorarne le esigenze intellettuali e sentimentali, attendere, anzichè precorrere, per spianargli la via, l'eruzione tumultuosa della crisi puberale.

Anzi, c'è motivo di credere, che ad un periodo pre-adolescenza, saggiamente interpretato, vissuto con la chiara certezza della vita che cresce, con la conquista quotidiana delle forze che compongono l'equilibrio — che erroneamente si dice d'attesa, mentre la vita non ha soste — debba seguire l'adolescenza, senza alcuna di quelle catastrofi che la rottura dell'equilibrio fisico-psichico dovrebbe portare con sè.

E' un idea romantica, che la adolescenza sia una « seconda nascita »; che implichi, pertanto, la morte — e morte violenta — dalla vita passata.

Essa è nata dall'indugio (e varie ne sono le cause) fatto sul ragazzo, considerandolo tale, fino alla maturazione degli organi sessuali.

Praticamente, l'attenzione maggiore dell'educatore religioso deve portarsi, a quest'età, sulle emozioni, plastiche generatrici di pensiero, e sullo sviluppo intellettuale de' suoi giovani aspiranti, senza trascurare, s'intende, la crescita e i bisogni fisiologici ad essa inerenti.

Lasciando da parte quest'ultimo lato, per cui, crediamo, basti un controllo medico alquanto seguito, accenniamo dapprima allo sviluppo intellettuale.

12. Sviluppo intellettuale.

L'educatore non può confonderlo con il risultato scolastico. Lo sviluppo intellettuale è dato soprattutto, e forse unicamente, dalla ragione: liberarla dalla massa degli istinti, delle sensazioni, degli appetiti, per farne una forza libera e indipendente da tutto ciò ch'essa deve dominare, è lavoro lungo, difficile; ma necessario.

Molti non sapranno ragionare mai perchè tutta la loro educazione non è stata altro che un apprendere paradigmi su cui ragionare: un camminare stento, con le dande anche in età matura.

Per evitare tutto ciò non v'è che una via: dare al ragazzo, fra i dodici e i quattordici anni, il « senso » della libertà, e condurlo a scoprire il suo mondo interiore fatto appunto di libertà morale e di conoscenza. Farlo riflettere che il precetto non è che il fatto esterno d'una logicità interna, e che questa, non quello, crea la moralità d'un atto, e lo rende « vero ».

Se a quattordici anni l'educazione intellettuale dell'aspirante alla vita religiosa non ha raggiunto questa « libertà », c'è da disperare di lui.

Non troverà mai Dio, chi non può scendere nel suo intimo, e trarre da quello i « motivi » e le « forme » della sua azione. Tanto più che la logica soprannaturale non s'alimenta che di questa libertà.

Non comandi arbitrari, adunque. Non imposizioni assurde, o semplicemente cieche, o autoritarie. Ma principi chiarificatori e illuminanti dell'azione e de' suoi motivi. Anche la virtù è un supremo atto di logicità interiore, tanto che l'atto di umiltà, ch'io richiedo o posso richiedere ad un soggetto, è abbiezione e non virtù, se da esso non sgorga la luce della ragionevolezza.

Lo sviluppo intellettuale è singolarmente impacciato dal metodo corrente di studi, imposto quasi dovunque, un manuale, un « prontuario » per l'esame a scadenza fissa, senza l'ombra d'una discussione vivificante, senza possibilità di sviluppo se non mnemoniche.

Tutte le materie hanno un loro *humus* fertilizzante, per il nostro spirito, a patto ch'esse siano insegnate e apprese con competenza ed intelletto: studiare le scienze nella verità, secondo la bella espressione dello Joubert. E la verità di ciascuna di esse è, prima ancora della nozione che definisce i vari loro oggetti e i loro rapporti, il senso alacre del cammino, che per mezzo loro, l'ingegno fa verso Dio.

Un aspirante svogliato, o pigro, o incapace nello studio, o è malato o in crisi, o disadatto. Dio attrae dovunque si presenti: se lo studio è muto, vuol dire che Dio non ha nulla da dirci, e per noi «non c'è». Nè noi, per Lui.

13. Emozioni.

Ma psicologicamente, abbiamo detto, è questa l'età delle emozioni, che del loro tono sentimentale, colorano le idee che in noi stanno diventando « pensieri ».

Noi crediamo il ragazzo dai dodici ai quattordici anni « svagato » nel suo sogno avventuroso. Pensiamo ch'esso consumi gli ultimi residui di quella capacità fantastica, che l'infanzia gli ha recato come il dono giocondissimo e irripetibile della prima età.

Non sempre la psicanalisi tocca l'assurdo. Se la volessimo impiegare per conoscere il «mondo» interiore dei nostri aspiranti, vedremmo che tutti sono travagliati da questa sete di emozioni. Non per uno «scarico» di energie nervose, o comunque psico-fisiche; ma proprio per l'enucleazione profonda dei «pensieri» che in quest'età penetrano fino al fondo dell'anima, e che trova in quelle, l'ambiente potenziatore: emozioni che generano il pensiero.

Dai dodici ai quattordici anni, il pensiero riflesso non esercita ancora la sua critica fredda ed inibitrice, come sarà fra poco, nonostante il «marécage» dei sensi, nell'adolescenza. Ogni emozione è vissuta nella sua interezza.

Come batte il cuore d'un ragazzo di quattordici anni! Com'è generoso il suo impeto! Quale sfida sa gettare alla vita! Noi sorprendiamo, talora, il suo doloroso stupore, perchè il male trionfa, perchè nessuno sappia immolarsi; perchè la verità e il bene non sono tali per tutti...

Piangono, talvolta, ma non è la compassione per l'ucciso. L'emozione più profonda è quella d'una «assenza» incolmabile, e che pure va colmata. Perchè disegna sul suo cartoncino la scimitarra, le catene...? La sua vita s'integra con il senso d'un sacrificio necessario.

Ma vi sono anche emozioni deprimenti: quelle in cui il ragazzo non trova integrazione alcuna. Sono precipitati in un fiume tanti bimbi innocenti proprio mentre processionavano litaniando alla SS. Vergine. «Non può essere! Perchè, adunque avrebbero pregato?» Non è la sua fiducia, a venir meno, nella SS. Vergine; ma quella che non potrà indurre in altri... Al parossismo di quest'emozione, sta la convinzione dell'inutilità della sua propria missione.

Diverse, certo, sono le reazioni logiche e sentimentali secondo i vari soggetti. Ma l'influenza emotiva è sempre assai grande.

E' necessario che non venga meno la presenza dell'educatore, in questi istanti. Bisogna, in certo senso, che il giovane allievo, possa come vedere le reazioni della sua emozione, nelle parole, negli atteggiamenti del suo maestro. L'emozione più violenta è quella che si ripercuote nel deserto della nostra solitudine spirituale.

L'educazione è duplice: una interpretativa, direi delle varie emozioni, e che suppone sempre la presenza dell'adulto; l'altra, a carattere positivo, è l'offerta delle «grandi e salutari» emozioni che può dare la suggestione dell'esempio; la presenza fisica o spirituale ai grandi trionfi della Chiesa; la disamina del giudizio della storia sui persecutori e sui Martiri; la luce spirituale degli ideali cattolici. Tutto ciò che può far vibrare il cuore d'un ragazzo di quattordici anni, in Dio e per Dio.

E' evidente che non si può abbandonare tutto questo all'incontro fortuito, cui forse condurrà la vita.

Gli anni della formazione sono tutti rapidi; ma forse nessuno lo è tanto come quello che misura il trapasso dalla fanciullezza alla pubertà.

14. Pubertà.

La pubertà varia come è noto, secondo la razza, il clima, la salute fisica, la nutrizione, la vita emotiva, il genere di vita: da noi appare verso il quindicesimo anno e mezzo di età, per i maschi, e il quattordicesimo e mezzo per le ragazze.

Gli interessi sessuali si sviluppano assai durante l'adolescenza; ma la più parte di questi riflessi esiste già dalla fanciullezza, e si manifestano sotto forma di gioco, di desiderio vago di contatti e di tenere affezioni.

La civiltà attuale poi sovreccita fin dal bambino, le tendenze erotiche. Anche l'aspirante alla vita religiosa, per lo più non ne è immune. Ed è perfettamente logico, dato l'ambiente in cui viviamo, che sia appunto così.

La maturità sessuale è certo un fattore importante; ma non bisogna neppure esagerarne le conseguenze. Altri fattori, soprattutto psicologici, hanno una influenza ancora più considerevole. Per esempio, l'affermazione della personalità e dello spirito d'indipendenza, il bisogno di amare, di darsi, di servire, la scelta di un genere di studi, d'un lavoro, d'una missione, la scoperta della società, e come istituzione e come campo di attività, la « conversione » morale, in bene o in male, come elezione individuale, la religione, che si fa personale, o al lato opposto, l'abbandono della fede; la scoperta della famiglia, la propria, innanzi tutto, poi di quella che sarebbe possibile fondare, e in ultimo, la « generazione spirituale », propria del maestro, del sacerdote, dell'uomo d'azione, che non si appartengono più, perchè « sono » dei proprii scolari, delle anime loro affidate, della causa, che hanno abbracciata.

L'evoluzione psicologica segna, nel quindicesimo anno, — età presa come media per la pubertà; — l'accrescimento di statura, già iniziatosi accentuatamente, nel dodicesimo anno, e che raggiungerà il suo massimo, nel sedicesimo, con il peso corrispettivo. Troppo rapida, o troppo tarda denota qualche fattore patologico. Il cuore s'è quasi raddoppiato, la pressione sanguigna aumentata. Occorre l'intervento del medico, almeno ogni due o tre mesi, anche per i tipi sani e robusti, i quali possono andare soggetti a strane disfunzioni organiche, o ghiandolari.

Una tabella dietetica, coscienziosamente preparata dal dottore, s'impone; come pure, determinati esercizi fisici, non lontani dallo stesso atletismo.

E' naturale, che le prime cure siano date alla vita.

Ragazzi anche robusti « stanno male » nel periodo della transizione alla pubertà. Perchè? Disadattati, il più delle volte, dall'ambiente che li comprime, e li insidia.

Molti fatti di «introversioni» hanno puramente una causa fisica, o almeno, questa è predominante e necessaria.

Ginnastica attrezzistica, corsa, marcia, giochi, pre-atletici od anche atletici — palla a volo, cesto, calcio, — doccia e bagno frequentissimi, e visita medica periodica che controlli statura, peso, arti... capacità respiratoria, ecc., sono, dal lato fisico (in un con l'alimentazione frugale, semplice, appropriata, e il vestito ampio, leggero, adatto) fattori di primaria importanza per lo sviluppo normale dei processi vitali della pubertà.

E' falso credere che la pubertà determini sempre una crisi. Crisi c'è, quando l'età che l'ha preceduta, non è stata concepita e trattata in maniera razionale; quando, cioè, dall'infanzia s'è atteso, per cambiare metodi e rapporti, l'insorgere dei primi turbamenti sessuali, o le rovine delle prime esperienze impudiche ed esaltanti.

L'adolescenza è infatti lo sviluppo simultaneo di vari tratti specifici del nostro fisico e del nostro spirito, cui naturalmente sfocia l'età che dal fanciullo trae l'adolescente, senza soluzioni di continuità, nè inversioni di sorta.

Attenzione, memoria, giudizio, intelligenza, interessi sessuali si svolgono su una sola traiettoria psicologica che tende a dare al nostro essere una unità varia e completa.

La memoria si fa più intellettuale; l'attenzione riflessa, il giudizio razionale; l'intelligenza aperta e consapevole; l'interesse sessuale, lievitante o esasperante.

Nell'evoluzione psicologica della pubertà, l'educatore veda un tempo delicatissimo e ricchissimo di conseguenze. Non basta però esserne spettatori. E' un magma incandescente, ma che può ricevere ogni sorta di apporti. Questi diventano genetici se innestati, o meglio, connaturati nell'amore che guida l'irrompere della vita nel pieno suo mattino.

Tutto può essere esaltato e potenziato da un'idea, fatta concreta dal sentimento; ma tutto può essere irrimediabilmente guasto, se il sentimento aduggia nei confini corporei del senso; se la vita «s'introverte» perchè psicologicamente non ha trovato il proprio sviluppo spirituale parallelo alle forze del suo fisico turgore.

L'evoluzione sociale parte dal «sentimento» personale, che dà all'adolescente la «coscienza del suo proprio corpo», per giungere attraverso il «gusto» dell'indipendenza, che lo inebria ed esalta, al bisogno di darsi, di sacrificarsi, ch'è il senso sociale dell'apporto dell'individuo alla società.

Tra i germi, che ribollono nella cosidetta crisi della pubescenza, v'è appunto quello del passaggio dall'egoismo centripeto dell'infanzia, all'altruismo e all'attività centrifuga dell'adolescenza — e poi dell'età adulta. Vi si trovano quindi le tendenze egoistiche e quelle altruistiche, spesso in conflitto, e spesso anche in una strana diatesi, che le alterna; ma prepara poi l'insorgenza di quell'egoismo — non raro — ch'è la coscienza errata della propria sufficienza, della propria «necessità» nell'opera comune.

Com'è necessario, all'educatore, scoprire, nel suo giovane aspirante, queste prime incrinature della coscienza morale e porvi rimedio, con la riflessione, con la pazienza, con lo stimolo d'una generosità che s'oblia, con l'approfondimento dei motivi « reali » della vita religiosa, cui, sui quindici anni, il postulante, è ormai presso la soglia!

L'evoluzione morale e religiosa — a quest'età, — deve ormai veder ben chiaro nei tre suoi aspetti generali: a) la comprensione morale, o saper quel ch'è bene e quel ch'è male, e perchè; b) il sentimento morale, o il desiderio del bene (o del male); c) la condotta morale, o la pratica del bene (o del male).

15. Ideale morale.

L'adolescente — è naturale che dalla soglia dei quindici anni, si parli di adolescenza, — ha sovente un sentimento morale molto vivo; ma lui stesso è debole, senza carattere, suggestionabilissimo. Facili sono e frequenti le sue cadute, ma il suo pentimento — i rimorsi — è sincero e generoso.

E' qui — su questa splendida soglia dell'intera vita — che appare, in luce nitidissima, l'ideale morale. Per l'aspirante alla vita religiosa, esso si concreta nella vocazione che, scelta sui quindici anni, in maniera effettiva — avanti il Noviziato canonico — trova poi in quest'ultimo il suo esame ed approfondimento.

Carlyle e Nietzsche parlano del culto degli eroi. La frase è felicissima. Noi tutti, a quest'età dobbiamo proporci una meta eroica. Se questa manchi, siam condannati — irrimediabilmente, — alla mediocrità. Ora l'aspirante alla vita perfetta non può e non deve essere un mediocre, mai.

L'ideale morale può venire all'adolescente da' suoi stessi genitori — l'integrità della fede e dei costumi del babbo, lo spirito di sacrificio della mamma; — dei maestri, — di cui apprezza il valore umano e religioso nelle forme del rispetto, dell'ammirazione; — da estranei; da biografie; da influenze d'ambiente; dai Santi — e nell'attraimento della santità, dal Santo dei Santi, N. S. Gesù Cristo; dal male istesso, come la persecuzione, che stimola ed esalta... Scoprire « come » la vocazione si è presentata al giovane aspirante alla vita religiosa è una necessità dialettica e al punto stesso funzionale.

Senza l'idea di « quella » via, noi non sapremo come « instradarci » e neppure « condurlo »; e l'aspirante stesso, senza l'esame di essa, non potrebbe « camminare ».

E tuttavia spesso occorrerà tralasciare ogni forma inquisitiva, per non cercar se non di dare un contenuto religioso e pregnante al fatto attuale della presenza del postulante sulla « via » della vocazione.

Psicologicamente, il passaggio dalla pubertà all'adolescenza — o più che passaggio, il fiorire di quella in quest'ultima, — è segnato dalle tappe progressive della scoperta di se stessi; dall'elaborazione d'un piano di vita; e dalla presa di posizione dell'individuo di fronte ai grandi problemi, umani e religiosi.

Qui il discorso ci porta oltre il quindicesimo anno, quando per lo più, s'è aperta ai giovani aspiranti, la porta del Noviziato canonico (sedici anni) perchè le tre esigenze che abbiamo enumerate non sono statiche di un solo periodo, ma progrediscono e s'arricchiscono vieppiù con gli anni.

16. *Alcune conclusioni.*

a) E' evidente, che la scoperta di se stessi non possa avvenire che attraverso i processi introspettivi.

b) Nel Noviziato, l'adolescente, riconosciuta la propria vocazione, elabora progressivamente il suo piano di vita.

c) Noi non vorremmo che il Noviziato fosse solo un tempo di « esemplazione » su modello altrui. Ancorchè grande e perfetto, neppure il S. Fondatore s'attaglia all'anima del giovane postulante, che Dio ha chiamato alla religione per un motivo instrinseco all'anima stessa, e che nella « forma » della Regola e dell'Apostolato non ha che le sue coordinate esteriori.

d) I mezzi, suggeriti dalla psicologia, sono, anche qui, l'introspezione, che mette il giovane in possesso di se stesso, e l'analisi degli ideali perseguiti nella vita religiosa.

e) Bisognerà premunirlo che noi non « abbiamo » in nessun modo delle qualità essenziali; ma solo che le « viviamo ». Così anche le contradizioni interiori hanno il loro principio psicologico di superamento.

E' molto facile armonizzare una vita povera di elementi; ma dove questi sono ricchi e molteplici, una certa disarmonia è inevitabile. Il valore, comunque, della nostra personalità, sarà dato dal numero di integrazioni che sapremo realizzare.

Condurre il giovane che aspira alla vita perfetta a vedere, di giorno in giorno, tracciarsi e rilucere più intimamente la concezione della vita, — della sua, di quella cioè che Dio gli traccia nell'anima e illumina della sua luce — è un compito difficilissimo; ma è il solo che psicologicamente non importi contradizioni.

Riguardo a questo tema, osservero brevemente. «1 nostri giovani — *pueri et adolescentes* — sono veramente *figli del loro secolo,* e questo, in modo speciale quanto alla loro *psicologia.* In essi o in questa si rispecchiano quasi tutti i difetti e tutte le modalità dell'aspetto psicologico-morale del mondo moderno.

Non pretendo far un esame completo, a fondo, soprattutto oggettivo e reale di questo difficile problema, ma, nell'ambito di questa questione proposta sulla psicologia dei fanciulli e degli adolescenti sarà utile indicare alcuni aspetti, tanto più che per ottenere quell'*accommodatio,* prospettata dal Nostro Congresso, questo problema sarebbe il primo che dovrebbe essere seriamente studiato.

Valgano dunque le seguenti considerazioni:

1. *a) Il nostro secolo è un secolo laico e laicizzante.* Senza esagerazioni pessimistiche si deve pur dire che nella *Massa,* è profondo e quasi totale il distacco abituale, dell'uomo moderno, dalla Fede, dalla Grazia, dalla Pietà, dalle cose di Dio, da Dio stesso...

b) Ora, il giovane che viene da questo ambiente sociale porta con sè, nella sua psicologia questa *marca,* questo distacco, questa *insensibilità* religiosa.

Forse il laicismo ambiente ha già pervaso anche la sua famiglia, il cuore della madre — ultima trincea della religione nella società — e se qualche religiosità è rimasta nel giovane, in virtù di quella *Anima naturaliter christiana,* questa religiosità non passa di puro sentimento e di qualche nozione tradizionale di catechismo, che a ben valutare non arriva al profondo dell'anima, al vero senso della fede, della grazia, della pietà.

c) Da qui si vede la difficoltà per la formazione *religiosa.* C'è da rifare, o almeno da *completare* una struttura religiosa che sarebbe il sostrato, il fondamento di una vocazione ad una vita più perfetta, il punto di partenza di una formazione religiosa più ricercata, non comune a tutti i giovani cristiani.

Di qui innumerevoli conseguenze pratiche per la metodologia della loro educazione religiosa, sacerdotale.

La prima delle quali è questa di non trattarli come se fossero veramente già *cristianizzati:* certe finezze di pietà non le comprendono nè assimilano ancora, certe pratiche di pietà *massicce* non le sopportano ancora, o, se fatte loro subire, ne fanno indigestione, con non lieve scapito della loro formazione... Dunque... quasi modo geniti infantes... lac concupiscitis, etc. *Non potestis portare modo...*

Si ricolmino *prima* queste lacune, si dia una forte, intensiva e ben adatta formazione morale-religiosa, per metterli prima in quel piano e punto di partenza, in cui... dovrebbero già trovarsi se il mondo attuale, la società ambiente, la loro famiglia non fosse *laica* e laicizzante.

2. *a*) Il mondo di oggi vive sotto il segno della *libertà*. Se la parola è falsificata, se le soluzioni sono sbagliate, se le applicazioni controproducenti, cionondimento tutto sta a provarci che mai come oggi l'uomo sente il bisogno, la smania della libertà, e, forse non senza ragione. Quest'ansia di libertà dal campo sociale, economico e politico, passa al campo morale, religioso e... soprannaturale.

b) Si vede subito il riflesso di questo, diciamo, *liberta- rismo*, nell'animo dei giovani, naturalmente più insofferenti del gioco dell'autorità, più gelosi della propria autonomia, più contrari, instintivamente più contrari, ad ogni manifestazione dell'autorità fatta parole, fatta comando, fatta restrizione, fatta imposizione di legge, di persone.

c) L'educazione dunque ha da tener in conto questo stato; ha da fare i conti con questa ipersensibilità psichico-morale nel campo della libertà personale dei giovani anche di quelli che in un momento di grazia, in una risposta alla voce di Dio, hanno accettato in *blocco* di farsi religiosi, di farsi sacerdoti per sacrificare pure all'altare della loro vocazione la nobile vittima della loro *libera volontà*.

L'educazione di questi giovani, la prima educazione ha da essere piuttosto una rieducazione religioso-morale per rifare, anche qui la loro struttura morale e per ridare quello che la società moderna ha fatto sparire, cioè quel senso cristiano antico di rispetto all'autorità, di pronta e riverente e convinta sottomissione.

3. *a*) Il mondo attuale ha sete di *piacere*, di *commo- dismo*, di *benessere* materiale.

Tutti gli inventi dell'ingegno umano lavorano per questo in grandissima parte. Ed è riuscito, riuscito come mai, in una forma veramente insolita, ina- spettata, meravigliosa.

Sforzo, fatica, sacrificio sono bersagli contro i quali si scagliano i colpi dell'ingegno umano, fatto tecnica, fatto scienza.

b) Il giovane moderno (fatte sempre le dovute riserve) aperse gli occhi alla vista già con la luce... elettrica.

Molti di essi, gran parte di essi conoscono, godono il benessere della vita moderna, o almeno, non lo potendo avere, lo desiderano ardentemente... Fuggono istintivamente più che mai, il sacrificio, lo sforzo, l'indurimento del corpo e dell'animo... Non capiscono più il linguaggio dell'ascetismo; non leggono più o quasi la vita dei santi, dei martiri... E, ciò che è più grave, hanno apostatato la mira del loro eroismo... Sacrificheranno sì, tutto, godimenti, forse, danaro, salute, ma, ohimè! per altri ideali agonistici... fosse pure il gioco del *calcio*, la lotta di *box*...

c) L'educazione anche qui ha da fare i conti con questo spirito edonistico moderno.

La prima, almeno la prima formazione dei nostri giovani aspiranti allo stato religioso sacerdotale, ha da tenere molto in conto questo loro stato psicologico, non dico già per conformarvisi, a questo come ai due primi già indicati, ma per cercare di riannodare i fili rotti e sperduti per *ridurre* a stato cristiano la loro mentalità, il loro clima morale-religioso, per poi, far loro accettare quella dose di sacrificio che *progressivamente*, la loro vocazione richiederà. E questo per non fabbricare sul vuoto, per non credere che sia vera formazione morale-religiosa, ciò che è magari solo una sovrastruttura assai superficiale, una formazione che realmente non affondò le sue radici nella mente, nel cuore, nella volontà...

169   R. P. LAURENTIUS A S. ALBERTO, O. C. D., *scripsit*:

Quel frugolo di ragazzo che ci sta innanzi con il volto abitualmente sereno e con una gran voglia di far chiasso, tenterebbe di farci prendere alla leggera il mondo che si svolge intorno alla sua esistenza, ma forse ci trarrebbe in inganno.

E nell'inganno penso che sia già stato fatalmente coinvolto chi si contenta di tirare avanti alla meglio, con una chiassata di meno, o con un richiamo di più, illudendosi d'avere messo tutto a posto con la forza d'un semplice sguardo.

Credo che il fanciullo deve prendersi in una considerazione molto più seria specialmente riguardo alla pietà, alla vita spirituale, e — perchè no? — alla vocazione religiosa.

Il sorriso e la vivacità del fanciullo, come qualche volta la sua spensierata monelleria, non sono per se stessi contrari alle mozioni sublimi della grazia. Dico mozioni della grazia e non lo dico a caso.

Perchè non bisogna dimenticare che qualsiasi buona pedagogia dello spirito ha da trovarsi sempre a contatto di un elemento divino, che è vita, forza, attività, insindacabili.

Dio chiama chi vuole, quando vuole, e come vuole.

Non tutte le vocazioni allo stato ecclesiastico e religioso hanno avuto una fanciullezza angelica, una puerizia innocente, una gioventù esemplare. Nè i caratteri più felici sono sempre « in sortem Domini vocati ».

Questo era necessario ricordare per non porre l'opera di Dio nella inquadratura delle opere umane, quantunque sia lecito — anzi doveroso — studiare il lato più controllabile della nostra attività in ordine a quella che tutti riconosciamo « chiamata divina ».

E allora poniamoci la domanda:

1. *Il fanciullo può capire il dono della vocazione religiosa?*

Io non ho nessuna difficoltà a rispondere di sì: il fanciullo può sentire assai fortemente la divina chiamata per consacrarsi al servizio di Dio. Non dico che debba sentirla con l'impeto di una vocazione tardiva, quando svaniscono dal cuore le compiacenze del mondo, e brilla, unico, l'ideale del monastero.
Questo abitualmente nel fanciullo non si dà.

Ma il desiderio di menare una vita più raccolta di quello che facciano usualmente i compagni della fanciullezza sì; vita di preghiera più intensa, di maggior frequenza ai sacramenti, e di più devoto servizio all'altare. Non grandi cose, ma anche queste piccole cose, che poi non sono tanto piccole — gli fanno sentire il bisogno di essere più buono degli altri, di distinguersi dagli altri, di primeggiare; e se una gara c'è in rapporto a iniziative di bene, sentirà il dovere di contrassegnarsi in linea, non tanto per un senso di orgoglio, quanto per comprensione di dovere.

Egli deve eccellere fra tutti.

Il Seminario, o Scuola Apostolica, esercita senza dubbio la sua potenza di fascino.

Qualche volta però, la vocazione non si manifesta palesemente così; ma anche nelle forme più tenui ha uno sfondo in cui l'esistenza del fanciullo s'inquadra, con un tono di luce che va dalle sfumature più languide alle tinte più rimarcate e più decise.

Per questo penso che si possa anche ragionevolmente concludere intorno alle virtù del fanciullo.

2. *Nel fanciullo può ritrovarsi la pratica delle virtù eroiche?*

La questione ormai si considera superata. Dopo la beatificazione di Domenico Savio non capirei più una discussione in proposito: « Roma locuta est, causa finita est ».
Se mai può vedersi come nel fanciullo arrivi a destarsi il sentimento eroico delle virtù.
Credo, soprattutto, con gli esempi dei Santi.

Difficilmente il fanciullo afferra la forza logica dei ragionamenti, anche se fatti con garbo e con maniera sciolta.

I fatti invece lo colpiscono e lo entusiasmano.

Parlo di quello che ha saputo suggerirmi l'esperienza intorno al fanciullo studiato nel periodo della scuola media.

Si avverte, infatti, proprio in quell'età, un fenomeno veramente meraviglioso. Mentre il Professore in classe ha un bel dire e un bel fare per istillare in quelle testoline ardenti i primi principi dell'analisi e del ragionamento, vediamo che loro, da sè, si accalorano inverosimilmente per il proprio eroe, nella lettura dei classici e ne riproducono con aste e con elmi le gesta più significative rivivendo la grandezza dei momenti epici.

E come gli eroi dell'arte, così gli eroi della santità.

S. Tarcisio, S. Pancrazio, S. Sebastiano, S. Giorgio hanno tal forza di attrazione sull'animo dei fanciulli, da commuoverli visibilmente; come la figura candida di Maria Goretti.

E questa non è rettorica, ma realtà.

L'ho sentiti io fremere, l'ho visti io scolorire o avvamparsi in volto davanti a un quadro vivo in cui spiccava la virtù eroica dei nostri Santi.

E se sono capaci di provare le forti emozioni di questi sentimenti, dico: sono anche capaci di viverle. Perchè il ragazzo quando è mosso dall'entusiasmo si dona completamente; ed è generoso nel donarsi.

Credo che molta forza dei trascinatori della gioventù sia riposta in questo segreto.

Naturalmente però la vita eroica così concepita è — servatis servandis — come il sublime nell'arte; volevo dire, soprattutto nel fanciullo, momentanea. Mantenere permanentemente l'anima in uno stato in cui viva per programma l'eroismo della virtù è cosa tutta celeste che non cade sotto il controllo della pedagogia umana.

Ma il soprannaturale si innesta sul naturale, e prima di compiere i miracoli della Grazia, ognuno deve sapersi addestrare in quello che consente la sua possibilità.

Rimarco il concetto dell'addestramento perchè non vorrei mai educare i miei alunni a una forma di vita ibrida e addormentata, come a prima vista potrebbe supporsi dagli incompetenti.

3. Noi sosteniamo che nel fanciullo deve esserci consapevolezza della vita spirituale.

Ci facciamo da una semplicissima esperienza di ogni giorno.

Il fanciullo è incostante, senza dubbio; e piglia molte cose con troppa leggerezza, lo sappiamo. Anche questo è indubitato.

Ma mettetelo, così in globo, davanti ai problemi della vita spirituale; che cosa avviene allora?

Io parlo, naturalmente, del giovinetto che sente di avere una vocazione, e che gusta, sia pure a intervalli, l'attrattiva delle cose alte e sublimi: attrattiva dell'ideale che in lui collide con la santità.

Che cosa avviene dunque, in questo giovinetto che si mette davanti i problemi della vita spirituale?

Osservatelo. In certi giorni lo vedrete come se volasse sulle ali dei venti. Nell'espressione profonda dello sguardo, nella dolcezza del volto, nella calma che avvolge tutta la sua persona, voi cogliete il segreto di un mondo che egli vive, che sente potentemente e di cui subisce il fascino.

Giorni beati, momenti di Dio, trionfo della virtù.

In altra circostanza, forse nella stessa giornata, prima che il sole tramonti, o subito appena tramontato, nel rosso fiammante delle ultime sfumature, mentre cupe discendono dai monti le ombre, il povero figliuolo è in lotta con se stesso.

La fronte, prima spianata, si corruga; il volto, prima sereno, si rattrista; lo sguardo, prima paradisiaco, si annebbia; ohimè! quanta caligine intorno, e che aria greve è venuta tutt'a un tratto a impedire il respiro. Mio Dio che afa!

Giorni di pianto, ore di trepidazione, momenti di angoscia.

Come mai? Che cosa è avvenuto?

Ci sarà forse da ammainare le vele e far ritorno al porto?

O forse sarà tutto fallito?

Niente, proprio niente! E' quello che ci voleva.

Il giovane si trova nella piena consapevolezza della sua vita spirituale. Guai se tutti i giorni fossero uguali per lui!

Il fatto che in lui si alternino la pace e la guerra, lo dimostrano vero appassionato della vita, poichè la vita è una lotta che va eroicamente combattuta. E gli fa onore.

Direi che, stando così le cose, quasi per se stesso il problema della vita spirituale del fanciullo ci porta a parlare della educazione morale, ascetica e apostolica, verso la quale il fanciullo va incamminato.

4. Educazione morale

Ma si capisce. Anche se per educazione morale intendiamo quella solo naturale.

Non si costruisce un edificio senza la base. E la base, qui, quella che noi vogliamo, è una buona educazione morale del fanciullo.

Alla quale non è impossibile arrivare, quando soprattutto si batte sulla consapevolezza che il giovane deve portare nelle opere spirituali. Si tratta semplicemente di sviluppare quei principi che, non dico la fede, ma la natura stessa desta e fa sentire nel profondo del nostro essere.

Per esempio: fuggi il peccato, ama la virtù. Oppure: sii puro.

O anche: non tradire la coscienza.

Qui, evidentemente, siamo in un campo di azione molto semplificata, ma necessaria per dare il balzo in avanti.

E giova immensamente che il fanciullo abbia questa formazione morale che poggia sulla natura.

I figliuoli che provengono da ambienti immorali, dove non solo la disonestà del costume, ma l'aberrazione del pensiero è eretta a sistema, non sanno rendersi docili alla grazia.

Qui è opportuno ricordare che la buona educazione non solo riguarda i cosidetti rapporti di urbanità, ma agendo profondamente nello spirito deve guidare il giovane a quel concetto alto della propria dignità per cui si senta chiamato a dominare la natura, e non ad essere dominato.

La correttezza, il garbo, il saper fare, la maniera forte di dominarsi negli improvvisi scatti della natura, e soprattutto l'equilibrio delle facoltà sono la disposizione prossima a entrare nel « Sancta Sanctorum » dove la grazia compie i suoi miracoli.

E allora si passa dall'educazione morale all'educazione ascetica. Il che vuol dire verso la conquista della santità.

5. Educazione ascetica

Ma non esageriamo. La santità è ancora una meta lontana da raggiungersi, anche se a tratti intravista. Di fatto, però, il ragazzo incomincia ad innamorarsi della virtù.

Ama la preghiera, ama lo studio, ama la disciplina. Non è poco. Pensiamo alla sua età.

Eppure tu vedi lo sforzo con cui s'ingegna di compiere il dovere; tanto che se tu punti risolutamente sulla virtù s'innamora del sacrificio, e lo cerca, magari, con le lacrime negli occhi, e col sorriso sul volto.

Prodigio meraviglioso d'inverosimiglianza, che si accosta alla stranezza; e invece è il momento in cui il giovanetto sente bisogno di un sostegno: ancora non ci aveva badato.

Ma da qui innanzi... Chi gl'indicherà con sicurezza la via da percorrere? Chi lo sosterrà nella lotta?

Chi si affiancherà a lui per dirgli: « fatti coraggio, io sono con te »?

Bisognerà, senza dubbio, indirizzare questo cuore fremente incontro a Gesù, e ricordargli che lui, soltanto lui, è via, verità, e vita; che Gesù, soltanto Gesù è Maestro; il vero, l'unico Maestro.

Ma non basterà.

E allora nella disciplina severa dello spirito, si fa avanti da sè la formazione ascetica.

Non si tratterà, senza dubbio, di condurre i fanciulli a meditare sui digiuni e sulle asprezze dei Padri del deserto; ma sarà sommamente opportuno che si radichi bene nell'anima la pratica dei « fioretti », così come il buon senso della pietà cristiana ce l'ha consegnata.

Giornate mensili di ritiro, novene in preparazione alle principali feste dell'anno, tridui per qualche Santo avvocato, daranno materiale sufficiente a sollecitare il passo verso la conquista di quella perfezione che corona il trionfo dell'ascesi cristiana.

6. *Educazione Apostolica*

Penso che sia la cosa più semplice verso cui indirizzare l'animo dei giovani aspiranti alla vita religiosa.

Infatti novantanove su cento di quanti entrano nei piccoli collegi vengono con l'attrattiva lontana delle missioni.

Forse anche perchè quel pio desiderio che li ha spinti a lasciare la famiglia nacque proprio così: dopo una predicazione alla parrocchia, o dopo qualche fatto importante che aveva concentrato nelle missioni l'opera febbrile di giorni indimenticabili.

E pochi ideali si prestano all'entusiasmo dei giovani cuori, come l'ideale missionario.

Prendendo spunto da questo fatto, sarà facile guidare gli aspiranti a una forma di vita che sia eminentemente apostolica.

Più tardi il campo di battaglia, dove da eroi combatteranno le battaglie del Signore; ora intanto spirito di adesione perfetta all'apostolato, per aiutare con la preghiera e con il sacrificio, l'attività di coloro che si prodigano per la dilatazione del regno di Cristo sulla terra.

E prepararsi.

Prepararsi con la medesima passione con cui l'atleta si dispone alla lotta nello stadio, per il domani che gli darà allori e trionfi.

Sarà in forza di questo spirito di apostolato, che il giovane aspirante amerà lo studio, praticherà la virtù, si eserciterà nel sacrificio. Tanto più che anche nella ingenua formazione del fanciullo che sente il culto della vita apostolica, può assai facilmente sentirsi la spinta verso certi atti di pietà che incarnano quasi la bellezza dell'ideale. Amore, per esempio, e venerazione al Papa.

Credo che poche altre cose parlino eloquentemente al fanciullo come un « VITA! VITA! »! lanciato in triplice grido di osanna all'augusta persona del Pontefice.

Unita al Papa c'è poi tutta la gerarchia ecclesiastica, a cui il giovane deve sapersi mantener fedele: dai Vescovi al Parroco, dal Parroco al Padre spirituale, dal Padre spirituale ai suoi Superiori nei quali vede personificato Gesù che manda gli Apostoli a convertire il mondo.

7. Criteri per l'educazione dei giovani aspiranti alla vita religiosa.

Forse questa brevissima forma di relazione conclude poco; ma se una conclusione deve essere fatta da quanto abbiamo detto fin qui, e se quella conclusione deve riguardare i giovani aspiranti alla vita religiosa, mi pare si possa arrivare a quanto segue:

a) Accertarsi, prima di tutto, che nei giovani siano i germi di una vera e propria vocazione religiosa. Non tenere tanto al numero quanto alla qualità.

Esiste, a questo scopo, un'opera di estrema delicatezza da parte degli Educatori: osservare bene, selezionare con criterio, scegliere in quanto è possibile gli elementi « ad hoc »; cogliere « fior da fiore » per preparare il mazzo di cui dovrà deliziarsi Gesù.

b) Sviluppare poi in loro il senso della vocazione. Cioè: renderli persuasi che Iddio ha dei grandi disegni sopra di loro, e che da loro si ripromette grandi cose, altrimenti non li avrebbe chiamati alla vita religiosa con vocazione speciale.

c) In forza di questo, far brillare davanti ai loro sguardi la virtù eroica dei Santi, per innamorarli e spingerli alla imitazione. Insistendo col detto di S. Agostino: « si iste et ille, cur non ego? »

d) E preoccuparsi, dico preoccuparsi, perchè questa forma di alone entro il quale deve muoversi il giovane aspirante, non sia una cosa morta, ma viva; vitalità che si mostra nella consapevolezza piena di tendere alla perfezione.

e) Chiaro che a tutto questo giova l'opera di educazione, la quale non dovrà mai venir meno; educazione sana, paziente, amorosa.

Prima ci si ingegnerà di formare l'uomo, poi l'asceta, poi l'apostolo. O meglio umanità, ascetismo, apostolato uniremo in una sola formazione che darà l'uomo di Dio.

f) Vorrei, in fondo, dare un altro consiglio pratico. Questo: guardi l'Educatore di sapersi comportare come il frutticultore si comporta con le sue piante. Non pretenda, dico, che la pianta del pero dia sus'ne: nè il melograno ciliege.

Ogni pianta sia avviata a dare il suo frutto. Il suo, senza imbastardimento di innesti. E ogni frutto sia atteso nella sua stagione. Anche questo è importante.

A primavera ci si si contenti di fiori, nè si pretenda altro. Saranno fiori, fiori e fiori; fiori belli e profumati, ma non altro che fiori.

I frutti, la pianta, li darà in autunno. Pazientiamo.

Spesso è la fretta che rovina ogni cosa. Siccome a maggio il ciliegio matura le ciliege, noi ci stimiamo già eroici se siamo stati capaci di aspettare il giugno; ma a giugno corriamo davanti al diosporo, che ha avuto da parte nostra tutta l'assistenza possibile, e tendiamo la mano avida per coglierne i frutti. E i frutti non ci sono. Come mai? Oh ingratitudine, cattiveria, malignità!

E allora?

Nell'esasperazione del nostro orgoglio, che voleva prima del tempo ciò che la pianta non poteva dare, punti sul vivo, scattiamo, e nello scatto prendiamo la risoluzione: « scure alla radice »!

Ecco lo sbaglio.

Io penso che sia sommo criterio di educazione affiancarsi ai giovani affidati alle nostre cure, e svolgere unitamente alla Grazia il nostro lavoro, senza intemperanze.

Per cogliere, solo a suo tempo, il frutto che la pianta può dare.

COMMUNICATIO 2: *Collectio ac selectio vocationum.
De « Opere Vocationum Religio-
sarum ».*

170 . *Orator* - R. P. GERMANUS LIÉVIN, C. SS. R.,
Theologiae. Spiritualis Alphonsianae Professor
in Urbe, *scripsit*:

Iuxta doctrinam Ecclesiae traditionalem et eiusdem
praesentem disciplinam, utraque vocatio est gratia divina qua
homo ad sacerdotalem vel religiosam vitam amplectendam
invitatur; quae gratia recte dici potest: afflatus divinus, per
signa manifestatus, quo Spiritus Sanctus aliquos ad ecclesiastica munia vel ad consilia evangelica in religione sectanda
inclinat seu movet.

Utriusque pariter vocationis excellentiam et utilitatem
tot et tanta revocant documenta, ut non solum utramque ab
omnibus « in honore esse habendam » sed et omni modo fovendam ac iuvandam non est qui non sentiat. Ad unam enim
eamdemque christianam perfectionem vocantur et sacerdotes
et religiosi, alii ratione muneris quo funguntur, alii ratione
votorum quae profitentur; ita ut quod Apostolus de christiano
coniugio scribit multo magis de utraque sublimi vocatione
dicere liceat: Magnum Sacramentum hoc in Christo et in
Ecclesia.

Uterque revera clerus ad eiusdem Ecclesiae Sponsae Christi pulchritudinem, sanctitatem et fecunditatem confert et cooperatur; utriusque saepius
una fuit causa et fortuna, eaedem vexationes et persecutiones, sicut et una
fides et unus spiritus. Unum ergo sint oportet, ut et Cordis Christi votum
tandem aliquando impleatur, et agnoscant onmes et confiteantur unam, sanctam
Ecclesiam (1).
    Utraque uti constat vocatio in uno eodemque subiecto inveniri potest. Reli-
gionis itaque clericalis in Codice nomine venit religio cuius plerique sodales
sacerdotio augentur, secus est laicalis (can. 488,4); idem valet pro institutis
saecularibus (2).
    Attamen etsi ratione presbyteratus, sacerdotes cleri dioecesani et religiosi
conveniunt, ratione status seu generis vitae cui se ultro subiiciunt religiosi in
multis differunt. Quod enim ordinarie primum in vita religiosa, etiam in
religione clericali apprehenditur non est sacerdotium, sed professio consiliorum
evangelicorum ad perfectionem assequendam, quae quidem, ut ait S. Thomas,

(1) *Enchir.* p. 147.
(2) Constit. *Provida.*

multum confert ad efficaciam ministerii sacerdotalis (3). Inscindibilis, seu inseparabilis ergo apparet vocatio sacerdotalis a vocatione religiosa in religioso sacerdote.

Quae omnia suadent ut ad solvendum urgens illud vocationum problema, et sacerdotes et religiosi procedant Dei aemulatione compulsi, mutua comprehensione et existimatione animati, sinceraque caritate et aequitate servata, ne Christus, ut dicit Apostolus, divisus appareat.

Daturne obligatio sequendi vocationem, et quidem ob salutis periculum? Disputant auctores; omnes tamen concedunt consilia per se non obligare; et in applicanda sententia affirmativa casibus concretis seu individuis, magna prudentia esse utendum; specialiter quando de adspirantibus et novitiis agitur...

Praeterea traditioni non conformis videtur distinctio allata inter vocationem internam et externam seu hierarchicam. Ex antiquis enim documentis et recentioribus constat unam esse vocationem quae in afflatu Spiritus Sancti moventis consistit, et eadem ipsa est quae in documentis authenticis, divina seu theologica dicitur. Quae autem C.I.C. de recta intentione movente, de idoneitate et de impedimentorum absentia habet, ad vocationem pertinent uti signa et condiciones, quatenus nempe qui illis dotibus ornati sunt generatim a Deo vocari censentur. Talia enim sunt indicia quae documenta ecclesiastica ab omnibus exigunt.

COLLECTIO VOCATIONUM

Idem omnino grave penuriae periculum incurrere vocationes ecclesiasticas et religiosas et ubique ob easdem fere causas, nemo est qui non videat. Sed ex illa communi necessitate nonnulla oriuntur pro religiosis impedimenta, quibus adiungi debent exigentiae apostolatus laicalis in diversis coetibus vitae socialis. Novimus omnes sacerdotes qui a vita religiosa plures avertunt vel ut ad statum clericalem adeant vel ut Actionem Catholicam in proprio sociali ambitu exerceant.

Plenior Ecclesiae Christi sensus, et animarum amor solus haec omnia superare et solvere potest.

Quo spiritu animati, optimi Codicis interpretes (4), ad omnes vocationes et ecclesiasticas et religiosas referunt praescripta can. 1353: Dent operam sacerdotes, praesertim parochi, ut pueros qui indicia praebent ecclesiasticae vocationis, peculiaribus curis a saeculi contagiis arceant, ad pietatem informent, primis litterarum studiis imbuant, divinaeque in eis vocationis germen foveant.

Ad utrumque clerum pariter diriguntur verba Summi Pontificis in ultima Exhortatione ad clerum: Advocare collegas et laboris socios omni nisu contendant! (5).

(3) 2. 2. q. 184, a. 8.
(4) VERMEERSCH-CREUSEN, Epit. I, C. t. 2, n. 687. — AGATH. A LANG. De Inst. Cler. p. 132.
(5) Sept. 1950.

1. Media practica

Aptiora media ad vocationes deligendas recensentur in eàdem Exhortatione Piana: Oratio assidua, cooperatio activa omnium Christifidelium, praeprimis parentum, pastorum in sui ministerii exercitio, in directione spirituali, in praedicatione, in docenda doctrina chrstiana, in concionibus; et etiam in privatis colloquiis, in omnibus vitae quotidianae adiunctis, non solum verbis sed exemplis.

Haec vitae sacerdotalis irradiatio, optimum crit medium attrahendi vocationes omnino serias non solum apud iuvenes sed etiam apud adultos.

Quae omnia valent uti patet pro religiosis. Optimum namque et efficacissimum apostolatus medium est hodie praesertim vitam vivere plene christianam in omnibus etiam minimis vitae quotidianae domesticae et socialis adiunctis quod testimonium dicitur; sic et pro vita religiosa. Eo desiderabilior efficietur quo perfectior videbitur in singulis eiusdem domus vel religionis membris. Haec erat vis attractiva primitivae christianae communitatis: *cor unum et anima una... quotidie augebatur...*

Pluries expertus sum pietatem sinceram, zelum apostolicum, spiritum paupertatis, disciplinae et fraternitatis, iuvenes nostrae aetatis magis commovere quam omnia clamorosae publicitatis media.

Inter media practica eminent etiam pro religionibus: Institutiones quaedam: scholae apostolicae, iuvenatus, seminaria vel collegia religiosa, educandatus vel alumnatus, sive uni, sive omnibus apertae religionibus et vocationibus. Quantum hodie utiles ac necessariae sint, demonstratione non indiget. De his praeterea sermo est in aliis communicationibus.

Ad vocationes sibi colligendas fere omnes religiosae familiae illos habent qui speciali aptitudine seu charismate praediti, eximii hominum piscatores evadant; et in hoc nihil damnandum videtur, modo formae haud probatae de quibus infra dicemus omnino vitentur.

2. Quaestiones iuridicae

Si delectus vocationum sub aspectu iuridico consideratur, optata renovatio potius in accurata legis communis et particularis observantia ponenda est. Et praesertim ad signa vocationis quod attinet. Tria praecipua enumerantur: recta intentio, idoneitas, immunitas ab impedimentis.

a) *Recta intentio:* haec est voluntas efficax ecclesiasticum vel religiosum statum ingrediendi non quidem ad vana vel commoda captanda, sed ob eiusdem nobilitatem et propriam ceterorumque spiritualem utilitatem. Quae voluntas utique decursu formationis affirmatur et dignoscitur. Cognitionem aliquam supponit apud candidatum status eligendi et quoad obligationes principales quas imponit et quoad virtutes quas exigit; supponit praeterea libertatem electionis. Superiorum et collectorum est, uti patet, docere et probare sapienter quotquot praedictum statum ingredi cupiunt.

b) *Idoneitas* heic est aptitudo physica, psychica, intellectualis et moralis ad officia et onera ferenda status eligendi. *Relativa* dicitur si consideratur aptitudo ad onera obeunda illius particularis religionis amplectendae. *Negati-*

va quando nihil opponitur adspirantis admissioni. *Positiva* si omnes qualitates requisitas possidet. *Physica* in bona valetudine corporis consistit. *Psychica* in aequilibrio facultatum mentalium ex quibus iudicium rectum prodit. *Intellectualis* est aptitudo ad illa studia peragenda quae status eligendus exigit. *Moralis* vero ex candidati bona propensione dignoscitur ad virtutes proprii status adquirendas, praesertim pietatem, castitatem, obedientiam. Prudenter etiam attendatur oportet *Familia* candidati ne forte defectus quidam ex atavismo proveniens serio timeatur.

Ad rem faciunt Pii XII monita: Utrum qui sacros suscipere ordines velint, physice etiam idonei sint; idque eo vel magis quod recens bellum succrescentem praesertim subolem funeste non raro affecit pluribusque modis perturbavit. Hi igitur candidati accurate hac de causa inspiciantur, adhibito etiam si oportet probati medici iudicio (6).

c) *Ad impedimenta* quod attinet, prae oculis habeant vocationum collectores praescripta iuris tum communis, tum particularis, praesertim can. 542, 544, 545, 984, 985, 987, ut incommoda vitentur quae ex ignorantia vel negligentia haud raro proveniunt.

3. *Formae haud probatae*

Nec omnia licent, nec omnia expediunt in vocationibus colligendis. Nec mediis illicitis utendum est, nec media licita modo indebito adhibenda (7).

In relatione quinquennali ad S. C. de Rel. mittenda duo quaesita superioribus proponuntur: 1) Quae adhibeantur media ad vocationes excitandas et adtrahendas; 2) An etiam nuntia adhibeantur in publicis foliis et ephemeridibus inserta? In casu affirmativo, in quibus foliis et ephemeridibus facta sint? (8).

Prout ex documentis evincitur, Ecclesia omnino contrariam se praebet « facili et clamorosae collectioni vocationum turmatim factae, modis ac formis adhibitis profanis, quae selectionem excludunt vel impediunt » (9).

Districte vetat vim vel coactionem (raptum vel kidnapping), metum gravem et dolum, calliditatem nempe et artem ad decipiendum. Effectus irritantes declarant can. 542, 572, excommunicationem fert contra delinquentes can. 2352.

Caute praeterea vitetur quidquid admirationem causat aut scandalum; prudentiam, iustitiam vel caritatem laedit; haec omnia nocent magis quam prosunt.

Huc etiam faciunt sapientissima S. Ignatii monita in suis Exercitiis spiritualibus: « Ille qui tradit Exercitia non debet ea accipientem movere ad unum statum vel vivendi modum magis quam ad alium, quia licet extra exercitia possimus licite ac meritorie movere omnes qui probabiliter idoneitatem habeant ad eligendam continentiam, virginitatem, religionem et omnem modum perfectionis evangelicae; tamen in talibus exercitiis... convenientius est et multo melius, quaerendo divinam voluntatem, uti ipse Creator ac Dominus animae sibi devotae, se communicet... Idem omnino dicit S. Alfonsus in Praxi Confessarii (VII, 92).

Serventur haec omnia, et pseudovocationum numerus minuetur!

(6) *Exhort. ad Cler.* sept. 1950.
(7) S. Th. 2. 2. q. 189, a. 9.
(8) *Enchir.* 148.
(9) Larraona, *Comm. Cod.,* in C.P.R. 16, p. 151.

Renovetur etiam in re tanti momenti accuratior Codicis observantia. Semen est vocatio religiosa sicut et sacerdotalis. Assidua custodia et cultura indiget. Haec est ratio cur Seminaria et Novitiatus instituantur. Gradatim ad sacerdotium et professionem religiosam acceditur.

a) Postulatus est quasi atrium novitiatus. Candidatus modum vivendi in religione cognoscit et vicissim simul religioni occasio praebetur idoneitatem candidati experiendi (can. 540 § 1). Recte de generali quadam convenientia inter utrumque loqui fas est, et de vocatione generica postulantis.

b) Novitiatus vero formalem candidati probationem constituit. Ipse officia et onera religionis cognoscere et in eis se exercere debet, ut et ipse et religio vocationem et habilitatem ad vitam religiosam videre possit (c. 565, § 1-563).

Candidatus diligenter exploratus «exacto novitiatus anno», si iudicetur idoneus, ad professionem admittatur (can. 571 § 2). Si vocationis indicia non praebet, dimittatur ad normam can. 571 § 2 (can. 2411), sicut et durante professionis temporariae lapsu (647-648) (9). Si non praesefert signa sufficientia ad gignendam certitudinem moralem quae requiritur et sufficit in casu, vel differatur ad normam iuris, vel dubio permanente, non admittatur. Uti patet, idoneitas in novitio (c. 571 § 2) non tantum generalis est ac pro postulante (can. 538), sed specialis, positiva et relativa requiritur et intelligi debet pro qualitatibus sive internis sive externis quae in candidato ad religionem exiguntur et quae in praxi signa vocationis specialis constituunt.

Sic ergo ex pleniori mutua cognitione et frequentatione, eruitur utrum adsit annon seria voluntas et vera possibilitas unionem contrahendi. Quae ad tempus saltem fit professione temporaria.

c) In hac experitur religiosus et quidem in vita quotidiana, effectus unionis quam voluntarie contraxit: virtutes necessarias adquirendo, vel si sacerdotio destinatur, debitam scientiam; gradatimque spem manifestat quam affert propriae religionis finem assequendi. Completur eius vocatio eo sensu quod voluntas eius perseverandi experientia firmior et certior fit; intentionis rectitudo et idoneitas manifestiores apparent; et — quin amittat abeundi libertatem — ad ultimum perpetuae professionis gradum melius disponitur.

d) Meliorentur, si opus est, et conditiones externae, et methodi, et imprimis preparatio educatorum seu magistrorum spiritus. Haec tantum addere liceat:

1 - Veri educatores sint, et competentes speculative et practice, ac recentiores docendi probandique modos edocti.

2 - Inter se quam maxime consentiant; easdem ex

(9) Probis qui ad sacerdotium destinantur cfr. *Instr. S. C. de Rel.*, 1 dec. 1931.

animo sequentes prudentiae normas ab auctoritate stabilitas (10).

3 - Proprias ne effugiant uti dicitur responsabilitates in arcendo dubias vel falsas vocationes.

4 - Ecclesiae bonum et animarum utilitatem unice quaerant, illam S. Alfonsi normam sequentes: « In ciò vi bisogna un rigore che non sia piccolo, nè mediocre, nè grande, ma sommo » (11).

5 - Ecclesiae iustae severitatis contra Superiores in hac re delinquentes meminerint.

6 - Ad instar Divini Magistri Apostolorum, opus suum adimpleant non loquendo tantum, sed agendo et vivendo ita ut forma facti gregis ex animo, factis potiusquam verbis doceant. « Eligantur sacerdotes, praescribit Codex, de Seminariis agens, non doctrina tantum sed etiam virtutibus ac prudentia praestantes qui verbo et exemplo alumnis prodesse possint (can. 891).

Heic praesertim imperitiam magistrorum spiritus, nullus legum seu regularum acervus unquam supplere poterit!

DE OPERE VOCATIONUM RELIGIOSARUM

Sodalitates « fovendis, tuendis, iuvandis ecclesiasticis vocationibus », a Sancta Sede commendatae et spiritualibus beneficiis auctae, iam abhinc quadraginta annis existunt. Anno 1941, Motu proprio *Cum nobis*, Pii XII, Romae creatum fuit Officium centrale, scilicet Opus Pontificium Vocationum sacerdotalium, penes S. C. de Seminariis et Studiorum Universitatibus.

— *Finis* Operis est: Veram et claram doctrinam de natura, necessitate et excellentia sacerdotii diffundere; celebrationem missarum, communiones, orationes, opera poenitentiae et caritatis promovere ut a Deo obtineantur multae et optimae vocationes sacerdotales; erectionem et activitatem fovere Operis vocationum in singulis dioecesibus.

— Operi Pontificio aggregantur uti Sodalitates filiales: Opera dioecesana vocationum sacerdotalium; uti adhaerentes: Domus religiosae, associationes catholicae, et illi omnes qui de Opere peculiari modo bene meriti sunt.

(10) S. C. de Sem. et Stud. Univ. sub n. 419-43.
(11) Reg. per i Sem., Ed. Marietti, T. III, p. 880.

— Sub patrocinio constituitur Christi summi Sacerdotis, Reginae Apostolorum et Sti Joseph.

— Opus Pontificium in connexione manet cum Operibus dioecesanis quae relationes regulariter mittunt ad Officium centrale; et quibus ope folii periodici in quinque linguis, ter vel quater in anno editi, notitias communicat et incepta quaedam proponit (non imponit) ut unum saltem ex eis seligatur et perficiatur.

Christifideles omnis aetatis et condicionis socialis attinguntur: pueri, adolescentes, novelli sponsi, senes, infirmi, communitates, associationes et omnes ad pietatis et actionis cooperationem invitantur.

— *Ad vocationes religiosas quod attinet,* dantur Opera particularia ad utilitatem propriam religionum erecta quae quidem iisdem beneficiis spiritualibus ac Opera vocationum ecclesiasticarum fruuntur inde a Benedicto XV (1916).

— Officium Centrale Romanum, seu Opus Pontificium Vocationum Religiosarum adhuc desideratur.

— Opportunum videtur: Agitur enim de vocatione quadam speciali, sive pro viris, sive pro mulieribus, quae a vocatione sacerdotali simpliciter distinguitur.

— Sedem haberet tale Officium centrale penes S. C. de Religiosis, salvis iuribus S. C. de Sem. et Stud. Univ., S. C. Conc. et S. C. de Prop. Fide.

— *Finis* eius esset: Doctrinam veram et claram de vocationis religiosae excellentia et utilitate et quidem cum auctoritate ubique diffundere, aptioribus mediis (v. g. sub Patrocinio Sacrae Familiae, quae vitae contemplativae, et activae, in communi ducta, paupertatis, castitatis et obedientiae, vitae nostrae scilicet decus ac exemplar perfectissimum est).

— Opera particularia eiusdem generis quae iam existunt integra, immutata pleneque sui iuris manent; talis enim Officii centralis intentio non est omnia ad se rapere; nec ea supplantare, regere, vel impedire; sed potius stimulare et iuvare si opus est.

— Rogantur tantum eorum moderatores, ut, ea caritate moti quae ad communionem bonorum tendit, ad Officium illud mittant notitias, statuta, periodicos proprios, ceteraque cuncta ad communem utilitatem proficua, ut Officium pro sua auctoritate, consimiles sodalitates, ubi non existunt, fovere queat.

Omnibus aeque religionibus, sive virorum, sive mulierum prodesse cupit; vocationem religiosam multiformem commendare curabit apud omnes, etiam publicatione quadam periodica, apud illos etiam locorum Ordinarios, qui necessitate compulsi, de vocationibus ecclesiasticis colligendis unice cogitant.

Amplioris forsan erit cooperationis organum inter omnes religiosos, et optimum unitatis et caritatis exemplum.

Eccur non esset talis Institutio veluti hodierni Congressus perenne monumentum, cuius inscriptio illa erit divi Bernardi sententia de Ordinibus: Laudo en:m omnes et diligo.... Unum. opere teneo, coeteros caritate (12).

Alii periti viri, ex munere a Sacra Congregatione de Religiosis commisso, circa idem argumentum scripserunt.

171 Rev.mus P. Iacobus Alberione, S. S. P., Superior Generalis, *scripsit*:.
Cap., *scripsit*:

OPUS VOCATIONUM

1. Alcuni principi.

a) Il Divin Maestro Gesù Cristo, avendo portato la Redenzione (verità, g:ustizia e grazia) al mondo, vuole ora applicarla per mezzo degli uomini. Egli vuole tutti salvi e che tutti, in ogni secolo e luogo, arrivino a conoscere Dio e Colui che da Lui fu mandato.

b) La Divina Provvidenza dissemina certamente nel mondo il numero di vocazioni sufficienti e convenienti per la salvezza di tutti gli uomini e per glorificare Dio. La Chiesa, guidata dallo Spirito Santo, ha sempre approvato ed approva le istituzioni che realmente promuovono la gloria di Dio e la salute dell'umanità.

c) Il problema vocazionario è di interesse massimo per tutti gli uomini. Da questo problema dipende la estensione e

(12) PL., 182, 903.

penetrazione del Regno di Gesù Cristo. Sarà sempre « l'opera delle opere » la ricerca e la cura delle vocazioni. Per qualsiasi opera diretta alla salvezza delle anime occorrono le persone.

d) Il Divino Maestro, entrato nella vita pubblica, ancor prima di incominciare la predicazione, raccolse attorno a Sè un gruppo di discepoli, futuri continuatori della sua missione. Li formò con ogni cura, impegnandovi la miglior parte del suo tempo.

e) Gli Apostoli e la Chiesa ebbero sempre grande zelo per le vocazioni sacerdotali e religiose, maschili e femminili. L'*Opus Vocationum* ha lo scopo di formare in tutti una coscienza vocazionaria, coordinare il lavoro, pregare il *Padrone* della messe, aiutare i chiamati a seguire la loro vocazione ed assisterli nell'esercizio del loro apostolato.

f) Ogni Parrocchia, anche piccola, dia come minimo: un religioso, una suora, un sacerdote, un missionario, in un decennio.

g) Maria è Madre della Chiesa, degli Apostoli, dei Sacerdoti, dei Religiosi, delle Religiose. Operare con lo spirito con cui Maria accettò la Divina maternità, presentò Gesù al mondo, esercitò l'ufficio di Madre e Discepola del Figlio di Dio, cooperò e coopera alla salvezza delle anime. Maria dà grazie particolari per il reclutamento, la formazione, la santificazione dei Sacerdoti e dei Religiosi, che sono i suoi figli prediletti.

Gesù Cristo è per i Sacerdoti e Religiosi la via, la verità e la vita. Ne è l'esempio, la luce, la consolazione, il sostegno, il premio. Così come fu per gli Apostoli.

2. Alcune norme.

1. — L'« Opus Vocationum » ha *fine* vocazionario universale: per ogni ministero ed apostolato, secondo il motto: *tutti* i fedeli con *tutte* le forze per *tutte* le vocazioni, con speciale riguardo alle vocazioni religiose.

2. — Questo apostolato vocazionario si compie sotto la protezione ed in unione con Maria SS.ma Madre, Maestra e Regina degli Apostoli, e di Gesù Cristo, Maestro degli Apostoli.

3. — *Membri:* può essere membro qualsiasi persona e qualsiasi comunità, istituto, associazione che ne faccia domanda e venga iscritta nel registro generale dell'Opera, o nel registro particolare di un gruppo, ricevendone la tessera.

4. — *Mezzi*: *a*) Preghiera. Ogni giorno: «Custodisci, o Maria, Madre, Maestra e Regina, tutti i tuoi figli; e prega il Padrone della messe, Gesù, tuo Figlio, a mandare santi operai alla mietitura».

«O Gesù, Pastore eterno delle anime nostre, mandate buoni operai alla vostra messe».

«Regina Apostolorum, ora pro nobis».

«Cuore Immacolato di Maria, confido in Voi».

b) Opere. Formare nei membri un cuore modellato sul Cuore di Gesù Cristo, sul Cuore di Maria, sul Cuore di San Paolo. Ricercare, suscitare, indirizzare i giovani e le giovani che presentano segni di vocazione, adoperando i mezzi più fruttuosi. Attendere alla loro formazione con l'istruzione, l'educazione, la santificazione. Procurare loro aiuti materiali; accompagnarli ed incoraggiarli; cooperare loro nel ministero ed apostolato, secondo il proprio stato; ed in generale quanto concorre a dare apostoli alla Chiesa.

c) Offerte. Procurare pensioni, borse di studio, corredo; dare soccorsi per cure fisiche; ecc.

5. — *Organizzazione*: *a*) Un Direttore generale dipendente dalla Sacra Congregazione dei Religiosi e da essa nominato. Un Segretario generale, con quel numero di collaboratori che saranno necessari.

b) In ogni nazione ove sia possibile, sarà nominato il Direttore nazionale. Nelle nazioni ove ciò non sarà possibile, si pregheranno i singoli Ordinari a nominare un Direttore diocesano.

c) In ogni parrocchia, istituto, associazione, località vi sarà un capo detto Zelatore o Zelatrice, con ufficio di coordinare e zelare tutto il lavoro.

d) L'azione locale viene concordata e determinata nelle adunanze mensili o quindicinali, in locale pubblico o privato. Le adunanze sono presiedute dallo Zelatore o Zelatrice.

e) Vi sarà un periodico che avrà lo scopo di illuminare, eccitare lo zelo e coordinare l'attività.

3. Alcune osservazioni.

1. — L'«Opus vocationum» si distingue dalle altre simili Opere per il suo fine *generale,* avendo di mira: *ogni* vocazione alla vita religiosa, maschile e femminile, e alla vita sacerdotale; per *ogni* attività, *ogni* istituto, *ogni* seminario; con *ogni* mezzo: preghiera, assistenza, aiuti materiali e morali, nel reclutamento, nella formazione, nell'esercizio del

ministero ed apostolato, nelle infermità, dopo morte; *ogni* persona: il bambino e l'adulto, il laico ed il sacerdote e religioso, il povero ed il ricco, il sano e l'infermo; in qualsiasi posizione di vita.

2. — Dal giorno dell'iscrizione i membri partecipano ai beni spirituali ed alle indulgenze dell'Opera.

Ogni anno si devono trasmettere al Direttore generale i nomi dei nuovi membri, per venire inscritti nel Registro presso la Direzione Generale.

Non si cercano tanto le masse, quanto anime ferventi, zelanti ed operanti nella Chiesa di Dio. In ogni ceto sociale, parrocchia, istituto, località, si possono trovare di tali anime.

3. — La preghiera è il gran mezzo indicato dal Maestro Divino: « Pregate il Padrone della messe... ».

Oltre quanto è stato sopra indicato per ogni giorno, si consigliano le seguenti pratiche:

a) La Messa quotidiana; la Confessione e Comunione almeno mensili, alla prima Domenica del mese; l'Ora di adorazione settimanale.

b) Unirsi in spirito all'Adorazione perpetua continuata giorno e notte, che allo scopo dovrebbe farsi a Roma.

c) Preghiera apposita per le vocazioni.

d) Particolari intenzioni mensili.

Le preghiere sono offerte per il reclutamento e la formazione delle vocazioni; per la santificazione delle persone consacrate a Dio; per i frutti del loro ministero e apostolato; per riparazione dei disgusti fatti al Cuore del Divino Maestro dalle persone a Lui care; per suffragio di tutti i Religiosi, le Religiose e Sacerdoti defunti.

4. — Si invitano tutti gli Istituti religiosi, maschili e femminili, a darvi il nome ed a farne propaganda.

5. — Gli Ordinari che intendono introdurre l'Opera nella propria Diocesi, indicano al Direttore generale o nazionale un Direttore diocesano, il quale riceverà il diploma di nomina con le necessarie istruzioni.

Il Direttore diocesano nomina gli Zelatori locali e stabilisce i centri nelle parrocchie, negli istituti, scuole, associazioni, ecc.

La nomina vale pure per il successore dello Zelatore se questi sia Parroco, Direttore di istituto o di associazione.

Ove si può, conviene che lo Zelatore sia il Parroco, il Superiore dell'Ordine, Congregazione, Istituto, il Presidente dell'associazione.

6. — Compiti degli Zelatori: cercare nuovi iscritti; tenere e presiedere le adunanze; raccogliere abbonamenti al periodico dell'Opera; promuovere tutto il movimento locale per conseguire il fine dell'Opera stessa; conservare il registro degli iscritti; trasmettere ogni anno i nomi al Direttore nazionale, o al Direttore generale a Roma; rilasciare le tessere di iscrizione; svolgere localmente l'attività e le direttive date dal Centro a mezzo del periodico o di circolari.

7. — Le adunanze mensili e quindicinali sono il centro motore di tutta l'attività locale ed il periodico svegliarino per tutti i membri.

Nell'adunanza si recita la terza parte di Rosario ed il *Veni Creator*.

Quindi si fa il resoconto del lavoro compiuto dai singoli secondo la distribuzione fatta nelle precedenti adunanze.

In terzo luogo, si espongono le necessità, si indicano le opere da compiere e si affidano a membri capaci. Per esempio: promuovere la festa delle Madri dei Religiosi, delle Religiose, dei Sacerdoti; la celebrazione dell'Ora mensile per le vocazioni; fare una colletta per un aspirante povero; entrare in un'Associazione per istruire sulla scelta dello stato. Ricerca dei giovani e delle giovani che sembrano mostrare indizi di vocazione, per seguirli, coltivarli, indirizzarli. Promuovere un laboratorio per provvedere suppellettili sacre al clero e religiosi nelle missioni. Distribuire fogli ed opuscoli che trattino brevemente dei vari stati di vita, dei vari istituti, delle condizioni per entrarvi. Persuadere i genitori perchè comprendano la benedizione che è una vocazione tra i figli. Cooperare al Parroco ed Istituto religioso nella loro azione. Promuovere suffragi per i defunti religiosi e sacerdoti. Promuovere l'Ora di adorazione per le vocazioni.

Si chiude con la preghiera per le vocazioni.

8. — Quanto alla natura dell'Opera, sembrerebbe opportuno costituirla in modo che le varie sezioni non siano diverse associazioni aggregate alla principale, ma piuttosto centri locali ed amplificazioni della medesima Opera; non applicando quindi i canoni 689, 711, 712.

172   R. P. Agathangelus a Langasco, O. F. M.
Cap., Sacrae Congregationis de Religiosis Consultor, *scripsit*:

DE « OPERE VOCATIONUM RELIGIOSARUM »

Ad tria quaesita, ratione stricte logica, respondere volo:

1) Estne vocatio religiosa factum morale et iuridicum
indolis peculiaris?

2) Quae necessitudines intersunt inter vocationem religiosam et vocationem ecclesiasticam in genere et in specie?

3) Quae consectaria iuridica et practica erui possunt
ex responsis ad duo priora quaesita?

1) Nullum dubium quin vocatio religiosa sit factum
morale et iuridicum indolis peculiaris atque omnino singularis.

Tale est ex quo tempore Iesus Christus tria consilia
evangelica proposuit (1); quae, per iuris ecclesiastici evolutionem, status religiosi seu status perfectionis fundamentum
evaserunt (2); qui status re vera hoc ipsum continet: vitam
Deo consecratam per trium consiliorum oboedientiae, paupertatis, castitatisque observationem, iuxta peculiares modos ab
Ecclesia admissos et probatos (3).

Tale est etiam ex hoc, quod Ecclesia, statu religioso seu
perfectionis recepto et probato, accessum ad eundem ipsa
custodit, indiciis normisque praescriptis ad eos dignoscendos
qui ad eiusmodi statum vocantur (4).

Atqui liquet vocationem religiosam, quae est vocatio
ad eiusmodi vitae institutum capessendum, a quacumque alia,
quamvis similis naturae, perspicue discerni, ut est ex. gr. vocatio ad statum clericalem, qui per se consiliorum evangelicorum servandorum obligationem non continet (5).

(1) Lege textus evangelicos in: *Enchiridion de Statibus Perfectionis,* Romae, 1949, nn. 1-4.
(2) Can. 487, cum fontibus et commentariis; item Const. *Provida Mater
Ecclesia,* 2 Febr. 1947, in: *Enchiridion de Statibus Perfectionis,* n. 387.
(3) Vide Regulas seu Constitutiones uniuscuiusque Ordinis, Congregationis, Societatis, Instituti.
(4) Can. 538 et sqq., cum fontibus et commentariis.
(5) Alloc. Pii Papae XII ad Congressum de Statibus Perfectionis, 8 Dec.
1950, II; in AAS., 1951, p. 29 (annotatio post Congressum addita).

Et quamvis verum sit in C.I.C. vocationem quidem ecclesiasticam commemorari (6), nullam autem certam de vocatione religiosa nec de vocatione clericali mentionem fieri, negari tamen non potest in eodem Codice utriusque huius vocationis notionem substantialem inesse (7), in aliis vero documentis legum canonicarum magis definita indicia passim inveniri (8).

2) Quae cum ita sint, patet vocationem ecclesiasticam in genere considerari in Codice et in aliis fontibus canonicis tanquam *genus,* cuius species, quamvis inadaequate distinctae, sint vocatio clericalis et vocatio religiosa (9).

Pariter perspicuum est, vocationem religiosam et vocationem clericalem inter se non pugnare neque excludere, sicut et status religiosus et status clericalis non pugnant inter se neque alter alterum excludunt (10).

Inde consequitur ut utriusque status notae essentiales, quamvis sint ita inter se diversae ut duos diversos personarum ordines in Ecclesia constituant (11), tamen in alterutro ordine coniunctae inveniri possint (12).

Inde pariter elucet vocationem religiosam et vocationem clericalem, quamvis diversis notis essentialibus praeditas, in arctissima unitate consistere posse; in ea nempe unitate, quae Ecclesiam induxit ad utramque unico vocabulo vocationis ecclesiasticae, immo vocationis divinae comprehendendam (13).

3) Quod si duae vocationis ecclesiasticae species, talibus notis essentialibus distinctae quibus facile inter se dignosci possint, eiusmodi tamen unitatis splendore refulgent, opus est, saltem vocationi religiosae, aliqua accommodatio.

Exstat quidem « Opus Pontificium Vocationum Sacerdotalium » rite approbatum atque constitutum (14); sed pro vocationibus religiosis nihil simile adhuc exstitit.

Atqui, sicut anno 1916 Sancta Sedes indulgentias et privilegia, quae prius operi fovendis vocationibus ecclesiasticis concesserat, ad opera fovendis religiosis quoque vocationibus ex-

(6) Can. 1353.
(7) Can. 538 et 968.
(8) Vide *Enchiridion Clericorum,* Romae 1938, et *Enchiridion de Statibus Perfectionis,* Romae 1949, passim.
(9) Vide commentaria in Can. 1353.
(10) Can. 107, III, § 1, 488, n. 4.
(11) C.I.C., lib. II, pars I et II.
(12) Can. cit. in nota 10.
(13) Can. 1353. — Et quidem non obstante controversia a Can. Lahitton excitata, quae, etiam post resolutionem a Commissione Cardinalium factam, tot dissertationum scribendarum causa fuit: AAS., 1912, p. 485.

presse extendit (15), ita opportunissimum videtur, mea humili sententia, ut pariter « Opus Pontificium Vocationum Religiosarum » exsistat recteque instituatur.

Hoc esset consectarium iuridicum eorum quae huc usque tractavimus.

Consectaria vero indolis practicae essent nonnulla commoda, quae ex eiusmodi centrali constitutione provenirent; quorum aliqua tantum modo commemorare iuvat:

— novus impulsus novaque vita adderetur multiplicibus operibus quae iam exstant;

— haberetur maior vocationum religiosarum numerus meliorque delectus;

— removerentur seligendi normae et methodi non convenientes;

— obtineretur consensio et mutua opera inter diversa incepta;

— clerus universus solidiorem magisque compactam aciem efficeret contra omnes Dei et Ecclesiae hostes.

173   R. P. DOMINICUS BIANCHINI, S. I., Instructor Tertiae Probationis, Florentiae, *scripsit*:

DE COLLECTIONE AC SELECTIONE VOCATIONUM

Mi è stata chiesta una relazione scritta intorno a questo punto. Per la scarsezza del tempo, mi limito a qualche idea.

Sono persuaso che le norme già date ripetutamente in materia dagli ultimi Papi (specialmente Pio XI) e dalla S. Congregazione dei Religiosi sono più che sufficienti.

Il guaio è che spesso non sono osservate, e la ragione — a mio modesto parere — è che *le vocazioni per lo più scarseggiano:* nessuna meraviglia quindi che in certi piccoli Seminari o Scuole Apostoliche, in certi Istituti poco numerosi, in certe zone per svariati motivi meno feconde di vocazioni, si sia tentati di allargare più del conveniente quelle sapientissime norme o di ricorrere a metodi poco leali di « adescamento », o di rimandare il più possibile la debita selezione, con grave danno della formazione degli altri e dello spirito del Seminario o addirittura di tutto l'Istituto religioso.

Ritengo quindi che sia da insistere sopra tutto in una *questione previa:* « si può fare — dal canto nostro — qual-

---

(14) *Enchiridion de Statibus Perfectionis*, n. 287.
(15) AAS., 1941, p. 479.

che cosa per suscitare nella Chiesa un maggior numero di vocazioni ecclesiastiche e rel:giose? e in che modo? ».

Alla prima domanda la risposta non può essere che *affermativa*, perchè, se è vero che la vocazione ecclesiastica o religiosa deve venire da Dio, è anche certo che, nell'ordine soave della sua Provvidenza, Egli vuole la *collaborazione nostra*.

Quindi, *seconda domanda*: « in qual modo collaborare? ».
Indico brevemente quelli che a me paiono i modi principali:

1) *Intensificare e rendere quasi abituale* fra i religiosi e anche fra i fedeli la *preghiera voluta da Gesù* stesso: « Rogate Dom:num messis... » (Luc. X, 2), e procurare che sia una preghiera *insistente, fiduciosa, generosa*, che, pure non prescindendo da particolari necessità del proprio Istituto religioso, si estenda però ai bisogni di tutta la Chiesa e specialmente dei popoli più abbandonati. Ma per questo occorre prima:

2) *Convincersi dell'urgente necessità* di un numero *molto maggiore* di vocazioni sacerdotali e religiose: la popolazione del globo in continuo aumento, il neo-paganesimo dominante' anche nei paesi civili e cristiani, i milioni d'infedeli che non conoscono ancora, dopo 20 secoli, Gesù Cristo, la volontà di Dio di salvare gli uomini socialmente, per mezzo d'altri uomini... E, di fronte a tutto ciò, la constatazione dolorosa che in molte reg:oni anche cristiane i Sacerdoti sono insufficienti, le vocazioni non aumentano in proporzione ai bisogni, se pure non sono in continua diminuzione...

3) *Lavorare con più impegno, e più uniti* (anche di Ordini e Congregazioni diverse) *tutti* (qualcuno di noi — dobbiamo riconoscerlo e non illuderci — conduce una vita comoda, troppo comoda) alla grande opera di *ricristianizzare* la società, la famiglia: da una società neo-pagana, che non pensa che al divertimento, da famiglie che non vogliono più di uno o due figl:..., non escono normalmente le vocazioni; e se il Signore nella sua misericordia ne suscita qualcuna (come la più tenue vendetta contro genitori che violano per sistema le leggi sante del matrimonio), è rarissimo ch'essa giunga in porto e non faccia naufragio nel mare delle opposizioni e difficoltà che le si oppongono.

4) *L'esempio*. Più direttamente *procurare* (analogamente a quanto prescrivono i canoni 554 e 1360 per i Noviziati e Seminari) che i Religiosi che più sono a contatto coi giovani, nelle varie forme di associazioni nostre, siano veramente *esemplari* e interamente *soprannaturali*: il loro esempio di *soda pietà*, di *pazienza* e *carità*, di *zelo disinteressato*, di santo *entusiasmo* per la propria vocazione, avrà un notevole, forse decisivo, influsso sull'orientamento futuro di parecchie anime giovanili. Soprattutto se appariranno *soprannaturali* anche nel resto della loro vita e in particolare nelle relazioni coi loro Superiori e Confratelli — cogli altri Istituti religiosi — col Clero secolare, mostrando verso tutti sincera stima e carità comprensiva.

5) *La parola*. Tutti poi i sacerdoti che hanno occasione di parlare ai giovani o nelle suddette associazioni, o anche nelle pubbliche scuole, come insegnanti di religione, dovrebbero pure — sobrie, prudenter, modo et tempore opportuno — far conoscere loro anche l'ideale della vita ecclesiastica e religiosa, illustrarne i pregi, rivendicarla dalle calunnie, ecc.

Pare che alcuni non abbiano altra mira nelle loro relazioni con i giovani se non di formare dei buoni professionisti, industriali, tecnici, ecc., che possano domani contribuire dal loro alto o umile ufficio, a far del bene agli altri o sostenere le nostre opere. Ottima cosa in sè, ma che ciò non vada a scapito delle vocazioni ecclesiastiche, perchè — a parità di condizioni — farà sempre *molto di più* per ricristianizzare la società un sacerdote che un laico. Non si deve temere perciò di privare le nostre Associazioni anche di ottimi elementi, quand'essi mostrano la loro inclinazione ad entrare nel Seminario o a farsi Religiosi *anche in altri Istituti*, ma piuttosto:

6) *Incoraggiare, sostenere, seguire* le vocazioni nascenti, coltivandole con cura particolare e suggerendo senza timore (i veri « chiamati » sogliono essere generosi) quelle pratiche che contribuiscono più efficacemente a *formare* la pietà e a distaccare l'animo dalle cose del mondo, a concepire desideri di apostolato, ecc., quali: la frequenza ai sacramenti, breve meditazione e visita al Santissimo quotidiane, qualche buona lettura (vite di Santi particolarmente adatti, riviste di Missioni...), qualche rinuncia o mortificazione volontaria, qualche breve colloquio col proprio direttore di coscienza, ecc.

Con queste e simili industrie, tutte soprannaturali, sembra che si dovrebbe superare — come si suol dire — « il punto morto », spezzare quel « circolo vizioso » per cui l'attuale scarsezza di vocazioni porti a una scarsezza sempre maggiore, e per contrario — causa la mancata selezione — i casi di Sacerdoti e Religiosi che fanno poco onore alla loro vocazione seguano a moltiplicarsi sempre più, con gravissimo scandalo e danno delle anime.

174   R. P. LADISLAUS AB IMMACULATA, C. P.,
        scripsit:

DE VOCATIONUM SELECTIONE

Ecclesia quae, inde a primis rei christianae incunabulis, tanto studio maternoque affectu contendit, ut qui totam vitam Domino mancipabant, dignos iugiter redderet (1), selectionem vocationum religiosorum quam maxime semper fecit. Quamplurima enim Pontificum, Conciliorum et ecclesiasticorum Scriptorum documenta ac testimonia hoc luculenter demonstrant (2).

Sollicitudinem haud minorem in candidatis ad vitam perfectionis evangelicae deligendis habuerunt religionum Fundatores. Hoc in comperto est iam ab exordiis status religiosi. Non enim quisquis ianuam monasterii pulsasset, statim inter monachos admittebatur. Sed ii tantum coetui monachali adscribebantur, qui postea, multis equidem experimentis probati, digni reperti essent (3).

Etsi ratio qua, veluti fundamento, nititur haec diligentia in vocationibus seligendis in eo consistat quod non omnes homines ad vitam religiosam divinitus vocentur, dubitari nequit quin illius finis immediatus sit Institutorum ruinam praecavere eorumque potissime consuiere prosperitati. Enimvero quanti sit momenti prudens ac sapiens candidatorum delectus ad hoc assequendum neminem fugit neque demonstratione eget. Ex ipsa rerum natura atque quotidiana experientia constat religionum existentiam, prosperitatem et decorem ab alumnorum delectu praeprimis pendere. Quod ita declarabat Pius IX: « Cum ex diligenti tironum admissione atque optima illorum institutione latius cuiusque

(1) Const. Apost. *Provida Mater Ecclesia*, Pii Pp. XII, diei 2 febr. 1947 (AAS., 39, 1947, p. 114).

(2) Plura ex iis retulimus in opere nostro, *De vocatione religiosa*, Romae 1950, ubi inveniri potest de selectione vocationum copiosa bibliographia.

(3) Cfr. *Regula S. Pachomii*, c. 49 (L. Holstenius, *Codex Regularum Monasticarum et Canonicarum*, ed. Brockie Aug. Vindelic. 1759, t. I, p. 24); J. Cassianus, *De institutis renuntiantium*, c. 3 (ML 49, 154-156); *Regula S. Basilii*, Interrogatio VI (Holst., *o. c.*, p. 73-74); S. Basilius, *Sermo asceticus* (MG. 31, 626-627); *Regula S. Benedicti*, c. 58 (Holst., *o. c.*, p. 1311).

familiae status decorque plane pendeat, vos summopere hortamur, ut eorum qui religiosae vestrae familiae nomen daturi sunt, indolem, ingenium, mores antea accurate exploretis, ac sedulo investigetis quo consilio, quo spiritu, qua ratione ad regularem vitam ineundam ipsi ducantur » (4).

Plures optimaeque extant tractationes de selectione vocationum. Necesse igitur non est longam hac de re instituere disquisitionem. Quapropter nonnulla tantummodo hic breviter recolimus, quae, inter alia, hisce nostris temporibus magis opportuna nobis esse videntur, ut selectio vocationum rite perficiatur et plurimum conferat ad lectissima religiosorum agmina multiplicanda. Haec autem sunt: 1) Recta notio de natura vocationis religiosae in iis qui selectioni vocationum incumbunt; 2) Maior in adspirantium delectu severitas; 3) Adspirantium idoneitatis diligentior exploratio; 4) Peculiaris in deligentibus vocationes aptitudo.

1. *Recta notio de natura vocationis religiosae in iis qui selectioni vocationum incumbunt.*

Doctrina de natura vocationis ad statum religiosum longe abest ut sit una atque certa. Imo auctores non solum in varias abeunt sententias, prout humanae mentis haud raro studium est, sed et opinationes minus rectas nonnunquam defendunt (5).

Ita v.g. alii duplex elementum in conceptu vocationis distinguunt: *materiale* unum vel *quasi materiale,* quod componitur ex omnibus subiecti dispositionibus tum internis tum externis; alterum, *formale* nuncupatum, quod est legitima in religionem admissio. Adsertores tamen huius sententiae dividuntur: nonnulli dicunt *elementum formale* constituere vocationem religiosam divinam, specifice et formaliter dictam, illudque in candidato *creare* vocationem, habeat necne ipse materiale elementum; quidam vero docent vocationem haberi non posse, *si alterutrum deficiat elementum.*

Alii, post Codicem, tenent vocationem religiosam constare requisitis vel dotibus quibus quis exornari debet, ad norman can. 538, ut in religionem admitti possit.

Alii tandem vocationem ita intelligunt ut eius existentiam negent, si candidatus extraordinaria Spiritus Sancti invitamenta seu speciales internas motiones haud sentiat.

Dubium non est quin haec opinionum varietas bonae selectioni vocationum non parum noceat, ut facile percipitur, praeterquam ansam controversiis et locum confusioni praebeat. Imo pro certo habemus huic diverso sentiendi modo de vocatione adscribendum esse, si non ab omnibus vel non semper vocationum delectus peragitur, ut decet. Oportet igitur ut ii, qui operam navant in vocationibus deligendis, rectam habeant notionem de natura vocationis, quam, ceterum, haud difficulter perdiscere quilibet valet, si monumenta traditionis obiective seu absque praeiudiciis attente consideret.

Quid de natura vocationis constans in Ecclesia traditio doceat, ita paucis comprehendere possumus:

a) Vocatio religiosa est quaedam ad religionem ingrediendam invitatio divina et nihil aliud est quam Spiritus

(4) Litt. apost. *Ubi primum,* diei 17 iunii 1847, § 5 (*Acta Pii IX,* vol. I, p. 49).

5) Qui ampliorem tractationem de natura vocationis aliasve sententias de vocatione desiderat, conferre potest o. c. *De vocatione religiosa,* p. 83-121,

Sancti inspiratio seu actio, quae hominem ad consilia evangelica, in religione sectanda, interius inclinat seu movet.

Haec dumtaxat est vocatio religiosa, de qua iam expresse loquuntur Patres aliique ecclesiastici scriptores a saec. IV et, saepe saepius, directe vel implicite agunt fontes iuridici, licet diversis sub nominibus: nam appellatur afflatus Spiritus Sancti, Spiritus Dei, lex privata, instinctus divinitus inditus, vocatio divina et, nonnunquam, vocatio simpliciter. J. Cassianus, S.J. Climacus, S. Theodorus Studita, S. Bernardus, S. Thomas, S. Ignatius, S. Franciscus Salesius, S. Alfonsus hoc sensu intelligunt vocationem ad statum religiosum. Hanc praeter vocationem, nulla alia ab Ecclesiae disciplina agnoscitur. Hinc, proprie loquendo, ille dicendus est vocatus ad vitam religiosam, iuxta traditionem, qui ad eam amplectendam divino moveatur afflatu.

b) Vocatio religiosa est aliquid admissioni candidati antecedens, ab ea omnino distinctum (6).

Nunquam traditio admissionem in religionem nuncupat *divinam* vocationem religiosam. Admissio, nisi vocis significationem pervertere velimus, est actus iuridicus — et nihil aliud — quo quis, iuxta diversos admissionis gradus, societati religiosae incorporatur. Nec valet admissionem, ut aliquibus placet, appellare vocationem *iuridicam*. Ad quid admissionem vocationis nomine decorare? Vocatio, quam exigit Ecclesia in adspirantibus ad vitam religiosam et de qua candidati ad sacerdotium in religione testari debent, *non est admissio*, sed illa vocatio, quam supra descripsimus.

Requisita praeterea quae can. 538 exigit, signa vocationis, non vero vocatio proprie dicta habenda sunt.

c) Vocatio religiosa non necessario sociatur cum *intimis* et *extraordinariis* coscientiae invitamentis sensuumque *peculiaribus* motibus. Quae, etsi divinam vocationem persaepe sequantur, interdum deesse possunt (7). Quinimo vera Dei vocatio existere potest cum candidati repugnantia intrandi religionem.

Insuper de vocatione religiosa dici potest, mutatis mutandis, quod Commissio Cardinalitia, die 20 iunii 1912, de sacerdotali declaravit, nempe eam nequaquam consistere, saltem necessario et de lege ordinaria, interna quadam adspiratione, seu invitamentis Spiritus Sancti, ad religionem ingrediendam (8). Quae tamen verba *recte* intelligantur oportet.

d) Vocatio religiosa, quae requiritur ut quis religionem ingredi valeat, constare debet in foro externo. Nihil interest si, natura sua, directam probationem non admittat: non enim exigitur. Ecclesia, ad forum externum quod attinet, existentiam vocationis in aliquo candidato probatam habet argumentis quae certitudinem moralem pariunt quaeque ex indiciis seu ex coniecturis hauriri possunt. In praxi, ad hanc

---

(6) Item vocatio a proposito intrandi religionem distingui debet. Conferatur quod de hac re scite scribit E. Zoffoli, *A quanti negano «l'obbligo di corrispondere alla vocazione»*, in *Vita Cristiana*, 19, 1950, p. 177-178.
(7) Cfr. Litt. encycl. *Ad catholici sacerdotium*, Pii Pp. XI, diei 20 dec. 1935 (AAS. XXVIII, 1936, p. 40).
(8) Cfr. AAS. IV, 1912, p. 485.

certitudinem comparandam, praeter ipsius candidati declarationem nec non testimonia quae haberi possunt ab iis qui illum cognoverunt, attendi semper debent signa vocationis, quae ad tria reduci solent, videlicet rectam intentionem, idoneitatem, imped:mentorum absentiam.

Superfluum nunc animadvertere videtur *veram* vocationem *generalem* non exsistere. Hoc enim ex dictis logice consequitur. Sane, vocatio generalis, ut aiunt, ad consilia evangelica amplectenda in statu religioso aut non est *vera* vocatio aut est quaestio de vocibus. Ecclesiastica documenta, cum de vocatione agunt, eam *specialem* vel supponunt vel expresse declarant, tum quatenus in homine particulari specificatur tum quatenus non omnibus donatur. Ita etiam tenent omnes fere unanimiter auctores (9. Quae doctrina, si optimis fidamus interpretibus, fundamentum habet in Sacra Scriptura (10).

Itaque, si quotquot in vocationibus deligendis operam dant, hanc vocationis notionem, quam docet traditio atque recentiora Ecclesiae documenta confirmant, prae oculis haberent, hoc ad candidatorum delectum plurimum conferret. Memores enim quod Deus — nunquam homo — vocationem dat et quidem aliis prac aliis, qui tantum in religionem recipi valent; ac vocationem insuper discernere, ob specialem illius naturam, res difficilis evadit, consentanea atque maiore quo fieri potest diligentia ad munus obeundum ducentur, ne in religionem admittantur qui vocatione careant seu instinctu superno ad vitam religiosam ineundam non moveantur.

2. *Maior in adspirantium delectu severitas.*

Qui candidatorum selectionem satis prudentem esse voluerit, vitare omnino debet nimiam in candidatis admittendis facilitatem. Hoc necessarium est ut quis agnoscere valeat an candidati divinam habeant vocationem et divinitus vocatos tantummodo, ut oportet, in religionem admittere, qua in re tota selectionis vocationum ratio consistit. Facilis candidatorum adm:ssio est pessima vocationum selectio. Imo qui, parva aut nulla praevia consideratione, adspirantes utrisque ulnis accipiunt, non selectionem vocationum, sed opus nefarium faciunt, cum mala ingentia ex huiusmodi agendi modo proficiscantur.

« Facilis enim tironum admissio, ait A. M. Micheletti, malorum fere omnium quae in Sodalitatibus religiosis lugenda sunt fons et origo est, qua earum regimen difficile redditur, et vix aliquos in observantiae bonum ac Sodalitatis utilitatem fructus percipere licitum; imo haud raro tum moralia, tum materialia ipsi comparantur detrimenta. Haec enim hominum turba si maneat, potiusquam veritate, hypocrisi vivendo, religiosam lacessit observantiam, ac otiosi potiusquam actuosi, exigentes potius quam mortificati, sibi taedio, sodalibus impedimento et (saepius) detrimento sunt, Superioribus vero infandos dolores comparant » (11).

(9) Merito de opposita sententia dicit A. Bonduelle, *La vocation religieuse, ses éléments de discernement*, in *Le discernement des vocations de religieuses*, Paris 1950, p. 52: « Elle a contre elle l'avis très général de tous les théologiens: *tout le monde n'est pas appelé par Dieu à la vie religieuse* ».

(10) Cfr. o. c. *De vocatione religiosa*, p. 112-121.

(11) *De Superiore Communitatum Religiosarum*, Romae 1911, p. 457.

Re quidem vera nihil ad relaxandam regularem disciplinam et ad Sodalitatibus interitum inferendum quam nimia in recipiendis alumnis facilitas valet (12). Hoc historia docet antiquae ac recentioris aetatis (13). Sapientissime igitur admonet Pius X: «Caveant omnino ne festinanter neve gregatim adolescentes adsciscantur» (14).

Attamen non modo facilitas nimia vitanda est in selectione vocationum, sed rigidiori oportet uti cautela. Audiatur Pius XI: «Siate rigorosi... Se si vuole infatti conservare lo splendore della vita religiosa, bisogna essere rigorosi, soprattutto sulle vocazioni, perchè la grazia di Dio aiuta, ma non distrugge la natura umana... Perciò bisogna allontanare il pericolo che elementi inadatti si infiltrino in una famiglia religiosa, giacchè non solo non le saranno di nessun giovamento, ma bensì di ostacolo, di inciampo, e ne costituiranno le tare... Non perciò una famiglia religiosa deve diminuire il proprio numero, che anzi bisognerebbe moltiplicarlo, ma deve far sì che i suoi componenti siano tutti scelti, soldati eletti...» (15).

Quae Summorum Pontificum monita et in praesens vim suam amisisse nemo dixerit. Quinimmo ea in praxim sunt deducenda, et quidem iam inde a primo candidatorum ingressu in religionem (16), si quis malis occurrere velit quae Institutis infert minus accurata selectio vocationum.

Nulla autem de causa in adspirantium delectu debita severitas remittenda est.

Non propter exaggeratum desiderium proselytismi seu agmina Instituti augendi: numerositas cum bonitate haud de facili componitur. Potiusquam sodalium numerositatem, eorum bonitatem selectores quaerere debent. Melius est paucos sed electos habere sodales, qui, religiosam deligendo vitam, eam digne ducant, quam multos quos inter parvi et inepti.

Non ob metum ne in Instituto religiosorum copia imminuatur: «Longe minor est Ordinibus et Institutis timenda iactura si minus frequentatae, vel prorsus vacuae per aliquod tempus novitiorum domus extant, quam si plenae sodalibus non adaequate institutis... interim summopere curandum, ut id quod numero erit inferius, spe reddatur uberius» (17).

Non propter aliam humanam utilitatem aut rationem, uti v.g. candidati ingenium, habilitas, nobilitas, divitiae, urbanitas. Referre liceat quod Instructio *Illud saepius* S. C. de Religiosis, diei 18 aug. 1915, ad rem habet: «Haud raro accidit ut in tirocinium iuvenes recipiantur, ingenii dotibus illi quidem exornati laudibusque praediti quae in honore sunt apud homines, occulto autem Iudici minime probantur» (18).

(12) Cfr. Epist. apost. *Inter plura* ad Abb. Gen. O.C.R., n. 3, diei 31 maii 1905 (*Acta Pii X*, vol. 2, p. 102).

(13) Ut unum afferamus exemplum, in Litt. apost. *Romanorum Pontificum* Pii Pp. XI, diei 20 nov. 1935, qua Ordo Fratrum Poenitentiae de Iesu Nazareno, cuius membra «Scalzetti» nuncupabantur, ex integro supprimitur, legitur: «Quamvis autem ab initio fructus salutares afferret Ordo, processu tamen temporum ob penuriam alumnorum, et ob alias graves causas, vita religiosa haud leve detrimentum passa est». Graves causae autem erant abusus et incommoda, «quae praesertim oriebantur ex nimia facilitate in recipiendis novis alumnis et novitiis, necnon in promovendis haud idoneiis ad maiores Ordines» (AAS. XXVII, 1935, p. 482).

(14) Epist. apost. *Cum primum* ad Mag. Gen. O.P., diei 4 aug. 1913 (AAS. V, 1913, p. 388).

(15) *Allocutio ad Patres Capitulares O.M.C.*, in ephem. *L'Osservatore Romano*, diei 2 iun. 1938.

(16) Cfr. Instructio *Quantum Religiones* S. C. de Rel., diei 1 dec. 1931 (AAS. XXIV, 1932, p. 76).

(17) Decretum *Nonnulli Superiores* S. C. de Rel., diei 21 dec. 1909 (AAS. II, 1910, p. 36).

(18) Cfr. *Enchiridion de Statibus Perfectionis,* Romae 1949, p. 341.

De facto, in admittendis candidatis, tres hypotheses occurrere possunt:

a) Candidatus, diligenter exploratus, signis vocationis praeditus apparet. In casu, nulla difficultas ut in religionem accipiatur, etsi negari haud potest iuvenem, divinitus non vocatum, externam habere posse speciem vocationis. Quod si de novitio ad professionem admittendo agitur, qui omnia habeat requisita, C.I.C. praescriptum adimpleri debet et novitius ad vota profitenda admitti (19).

b) Candidatus indicia vocationis non praebet. Tunc, humano nullo habito respectu, in statum religiosum nullatenus suscipiendus est. Quod si in religionem iam admissus fuerit, ut ab Instituto sponte sua recedat inducatur vel, servatis de iure servandis, prout res ferat, dimittatur. Quo in casu obliviscendum non est quod ius canonicum decernit vel aliae peculiares normae, ab Ecclesia editae, de subiectis haud idoneis statuunt (20).

c) Candidatus signa vocationis non praesefert sufficientia ad moralem certitudinem de sua vocatione gignendam. Potest admissio differri, si id nempe necessarium videatur ad melius explorandam vocationem (21). Dubio tamen permanente, candidatus potius non admittatur vel, admissus, opportune ad normam iuris, expungatur. Numquam sunt admittendi ii « de quibus in incerto sit afflatune divino sanctissimam istam vitae rationem deligant » (22).

3. *Adspirantium idoneitatis diligentior exploratio.*

Deus, cum hominem ad aliquem statum suscipiendum invitat, iis donis eum instruendum curat, quae ad illud vitae genus inserviunt. Ait S. Thomas: « Illos quos Deus ad aliquod eligit, ita praeparat et disponit, ut ad id ad quod eliguntur, inveniantur idonei... » (23). Proinde idoneitas candidati ad religionem definiri potest: complexus qualitatum quae aliquem aptum efficiant ad statum religiosum amplectendum. Ut autem idoneitas verum signum vocationis constituat, completa esse debet, nempe physica, psychica et moralis. Insuper non modo absoluta sit oportet, quatenus scilicet postulans requisitis pol-

---

(19) Cfr. can. 575, § 1.
(20) Cfr. can. 572, § 2; can. 575, § 1; can. 637; can. 2411. Insuper, pro iis qui ad sacerdotium destinantur, Instructio *Quantum Religiones*, l. c.
(21) Cfr. can. 539, § 2; can. 571, § 2; can. 574, § 2.
(22) Epist. apost. *Cum primum*, l. c.
(23) *Summa Theologica*, 1-2, q. 27, a. 4.

leat ad vitam religiosam capessendam necessariis; sed et relativa, id est talis ut ipse aptus evadat ad onera ferenda illius particularis religionis, quam amplecti desiderat.

a) De physica et psychica candidati idoneitate. — Physica candidati idoneitas in eius bona corporis valetudine consistit; psychica autem in aequilibrio facultatum mentalium, ex quibus iudicium rectum prodit. Utraque omnino necessaria est ad vitam religiosam amplectendam.

Status religiosus enim ita suapte natura ordinatur, ut sufficientes vires corporales in adspirantibus exigat simulque rectum iudicium. Obligationes, quas secumfert vita in communi ducenda atque diversa ascesis exercitia in ipso peragenda, mentem rectam et corpus sanum in admittendis postulant. Qui enim, nonnisi multis dispensationibus acceptis, in religione vivere posset, vocationem habere nullatenus dici valet.

Normas peculiares hac de re nec C.I.C. nec aliquod aliud documentum tradit. Ratio fortasse quaerenda est in tanta religionum varietate, quarum aliae sunt aliis multo rigidiores in vitae asperitate, aliae ab aliis multum differunt in mediis et in speciali vitae modo. Res igitur tota Superioribus committitur, qui prae oculis habere debent constitutiones uniuscuiusque Instituti, ad quod pertinent ac magna cum diligentia procedere, eoque magis quod candidatus a renovatione votorum arceri nequit ob infirmitatem quae, iam ante professionem temporariam existens, non fuerit dolose reticita vel dissimulata (24), sive cognita fuerit Superioribus sive non, multoque minus, si candidatus statum valetudinis aperte ante professionem exposuerit.

Quamvis nihil in particulari legislator statuerit circa idoneitatem, de qua loquimur, solent auctores quosdam enumerare morbos qui ex eorum natura sufficiunt ad candidatos, iisdem laborantes, a statu religioso arcendos. Relate ad physicam idoneitatem sunt praesertim: phthisis, syphilis, alcoolismus, epilepsia seu morbus comitialis et nervorum infirmitas. Hi enim non tantum corpus afficiunt ac torquent, sed et magnum influxum exercent in facultates intellectuales et morales, quas perturbant atque imminuunt, quod maxime de epilepsia ac de nervorum morbo dici debet (25). Relate vero ad idoneitatem psychicam veniunt quaedam mentales infirmitates, quae haud infrequenter sub forma constitutionali manifestantur, uti sunt hysteria, paranoia, psychastenia, cyclothimia. Qui iis vel similibus morbis affecti sunt, hospitia non autem Instituta religiosa postulant.

Ne in religionem admittantur quorum valetudo claudicet, optime erit si omnes qui selectioni vocationum incumbunt, quod Pius XII exhortatur de candidatis ad sacerdotium, observabunt. « Opportunum potius putamus vos adhortari — ait Summus Pontifex — ut ea, qua enitetis, prudentia sedulo exquiratis, utrum, qui sacros suscipere ordines velint, physice etiam idonei sint; idque eo vel magis quod recens bellum succrescentem praesertim subolem funeste non raro affecit pluribusque modis perturbavit. Hi igitur candidati accurate hac de causa inspiciantur, adhibito etiam, si oportet, probati medici iudicio» (26). Decet tamen ut examen a medico Instituti perficiatur. Nam plerumque, pagi vel familiae medici amicitiae potiusquam sinceritati servientes, veritatem celant, et cum, ut plurimum, vitae communis necessitates ignorent, de tironum sanitate relate ad vitam religiosam apte iudicare nequeunt.

(24) Cfr. can. 637.

(25) Cfr. Biot R. et P. Galimard, *Guide médical des vocations sacerdotales et religieuses*, Paris 1945, p. 123.

(26) Cfr. Adhortatio ad Clerum *Menti nostrae*, diei 23 sept. 1950 (AAS. XXXXII, 1950, p. 684).

b) *De candidati morali idoneitate.* — Moralis idoneitas

ex dotibus animi resultat. Ad religionem ingrediendam peculiares virtutes non exiguntur, nec, multo minus, sanctitas postulatur. Quinimo ne peccatores quidem a statu religioso per se arcendi sunt, ut iam ex antiqua Ecclesiae disciplina constat (27). Ex quo tamen non sequitur Ecclesiam omnes in religionem admisisse absque ulla cautione. Nam inde a primo ingressu semper ipsa exquisivit minimum quoddam idoneitatis moralis, in hoc consistens quod candidati vita eiusque animi dispositiones fundatam spem praeberent eum in bono perseveraturum esse.

In genere idoneitas moralis revelatur ex candidati bona propensione seu inclinatione ad virtutes vitae religiosae adquirendas.

Quod si hac careat vel si nimiam patiatur difficultatem in suis naturalibus inclinationibus superandis ac vitiosis consuetudinibus corrigendis, a statu religioso excludi debet: communiter hic moraliter non aptus ad vitam religiosam censetur. In particulari autem idoneitas dignoscitur a spiritu pietatis candidati, ab illius caritatis studio nec non e gradu obedientiae, castitatis et paupertatis ab eo acquisito, virtutum nempe quae religiosos addecent iisdemque sunt propriae. Hoc signanter considerare oportet, quando agitur de admissione ad vota religiosa praesertim perpetua. Tunc norma esse debet, ne quis admittatur de quo prudenter praevideatur quod contra votorum obligationes in posterum graviter delinquet aut qui solidam pietatem non demonstret vel caritate haud niteat. Siquidem in casu candidatus signa negativa ad statum religiosum ostenderet.

Attentionem specialem meretur idoneitas candidati quoad oboedientiam et castitatem. Status religiosus est status subiectionis, quae propriam voluntatem propriumque iudicium in rebus agendis, etiam de se indifferentibus sub respectu morali, sequi non permittit. Proinde quando candidatus inclinationem non manifestat ad constitutionibus obtemperandum vel ad praeceptis Superiorum humiliter sese subiiciendum, religioni non incorporetur. Divinitus vocatus ille dici nequit, cum ea sit destitutus qualitate, quae ab ipsa natura status religiosi exigitur.

Item qui evangelicam castitatem servare non possunt, idonei haud sunt ad statum religiosum amplectendum. His verba Apostoli conveniunt: « Quod si non se continent, nubant: melius est enim nubere quam uri » (28). Hinc ad religionem nullo modo sunt admittendi quotquot nimis proclives sunt ad sensualitatem sive ob constitutionem sive ob pravum habitum cum vitio luxuriae contractum, excepto casu, in quo candidatus extraordinariae conversionis certa argumenta exhibeat.

Nonnulli vero quando agitur de castitate candidati ad vitam religiosam potius indulgentes esse videntur, potissime quoties de iis agitur qui ad

(27) Cfr. v. g. can. 43 conc. quinisexti (in Trullo, 692). Mansi, XI, 693.
(28) *I Cor.*, 7, 9.

sacerdotalem dignitatem non adspirant. Quam sit periculis plena haec agendi ratio patet. Est insuper erronea norma huiusmodi. Ubicumque enim evangelicam perfectionem quis sequi velit, certitudinem moralem habere debet se castum servandi propter Christum. Sin autem, vocatus non est ad hoc vitae genus. Praeterea sacerdotes aeque ac laici, votis religiosis obstricti, tenentur utrique et in eadem mensura, quatenus religiosi, ad castitatem servandam.

Qui igitur pluries in peccata turpia relapsus est et sacra coenobii septa adit, ut facilius occasiones peccandi vitet, recipi quidem potest, ad vota tamen non est admittendus, nisi praevio et rationabiliter diuturno experimento. Valde enim de iis timendum est ne, religiosi facti, vitam ducant nimis molestam inter iuges lapsus, vel etiam ne scandalum praebeant.

Quid tandem de his qui aliquoties solum contra castitatem peccaverint? Norma generalis tradi nequit. Singula personae adiuncta perpendenda sunt. Utcumque, antequam quis votis obstringatur quaestio de castitate soluta esse debet (29).

c) De candidati parentibus et propinquis. — Ut recte iudicari valeat de candidati idoneitate, non sufficit illius personales et actuales aptitudines perpendere, oportet ut eiusdem parentes ac propinqui attendantur. Hoc enim maximi momenti est, considerata praesertim atavismi lege (30). Experientia docet in filios facile redundare qualitates physicas, psychichas et morales vel parentum, qui eos genuerunt, vel eorum patruorum vel avunculorum et avorum.

Si vero atavismi vis atque actio exaggerandae non sunt, ne parvi quidem eas facere licet.

Quamvis enim atavismus mysterio adhuc contegatur et eius leges sint relativae et non absolutae, ac per eas non characteres, qua tales, acquirantur sed dispositiones (31), negari tamen haud potest atavismum magno pollere influxu in evolutionem personae humanae. Hinc ratio cur « radix personalitatis » vocetur (32) et veluti fundamentum habeatur, quo nititur universa hominis structura (33).

Ecclesia non una vice, in normis statuendis pro candidatorum receptione in religionem, consectaria praesertim moralia ante oculos habuit, quae ex atavismi lege oriri possunt. Mentione dignum hac in re venit S. Congregationis de Religiosis monitum: « Neque negligant Superiores notitias sibi assumere de illorum familiarum moribus, utrum nempe parentes fuerint ab illis vitiis immunes, quae facile in prolem redundare possunt » (34).

In examine tamen perficiendo familiae candidati ac in iudicio de morbis illius parentum ferendo, monitum peritorum obliviscendum non est; scilicet

---

(29) Biot et Galimard, *o. c.*, p. 172: « Il faut considérer qu'à 20 ou 21 ans l'orientation de la sexualité doit être stable et définitive et que par conséquent toute déviation de la libido constitue une contre-indication absolue ».

(30) Biot et Galimard, *o. c.*, p. 132: « Pour juger de la valeur d'un jeune homme ou d'une jeune fille, une étude attentive de sa famille entière s'impose. Il n'entre pas seul au séminaire, elle ne franchira pas seule la clôture. Du fait qu'ils pénètrent avec tout leur passé psychologique, c'est un peu leur famille aussi qui y entre avec eux, car leur passé, c'est elle ».

(31) N. Pende, *La scienza moderna della persona umana*, Milano 1947, p. 371-372.

(32) N. Pende, *o. c.*, p. 173.

(33) N. Pende, *Trattato di biotipologia umana*, Milano 1939, p. 52.

(34) Instructio *Quantum Religiones*, 1. c.

non raro fieri ut infirmitates, quae in parentibus peculiarem gravitatem non attigerint, species conclamatas seu clamorosas, ut aiunt, in descendentibus induant (35).

Sed et in hoc meminisse iuvabit quod est modus in rebus, ne nimiam ob severitatem plures a statu religioso excludan*^r qui optimi religiosi futuri essent. Casus enim dari possunt, in quibus adj^ncta seu signa vocationis talia sint, ut, parentum condicione non obstante, ca^lidati admissio decerni debeat.

4. Peculiaris in seligentibus vocationes aptitudo.

Gravissimum et arduum sane di^endum est officium seligendi vocationes: tum quia, ut diximus, ab eo non modo pendent religionum prosperitas sed et existentia; tum quia non paucis scatet difficultatibus definire utrum quis habeat necne vocationem religiosam, attenta hominis natura necnon indole vocationis.

Huiusmodi ideo officio perdifficili quidem sed omnino necessario, ii destinandi sunt qui peculiari sint praediti aptitudine.

Revera bona vel mala selectio vocationum, per se, recidit in Superiores maiores. Nam ipsis competit ius candidatos admittendi ad novitiatum et ad subsequentem professionem tam temporariam quam perpetuam (36). Praeterea ipsorum est designare vel, si a capitulo consiliove eliguntur, invigilare quos aut inferiores in religionem admissiones peragunt, uti ad scholam apostolica (37) et ad postulatum (38), aut operam adiutricem quodammodo dant in candidatorum delectu.

De facto tamen qui immediate et proprie muneri incumbunt seligendi vocationes vel selectioni plurimum conferunt, sunt praesertim: director vel rector scholae apostolicae eorumque auxiliarii; magister noviciatus eiusque socius; confessarii et spiritus moderatores; consiliarii seu capitulares, qui secundum propriae cuiusque religionis constitutiones, de candidatorum idoneitate iudicium ferre tenentur et quorum suffragium pro admissione requiritur (39).

Hi omnes proinde peculiari modo capaces esse debent ad vocationes deligendas. Procul errant Superiores et graviter etiam peccare possunt si, ea ducti ratione quod nesciant quomodo aliquos religiosos occupatos teneant, vel ut sibi ipsis molestias devitent, munera supra dicta ineptis vel minus aptis committant. Legitur in citata Instructione *Illud saepius:* «Nonnumquam fit ut Ordinum Moderatores, aut indole imbecilles, aut pavidi natura, aut animo ignavi, graviter peccent, exempli gratia quum, ne quem ingenio vehementem ac litigiosum lacessant, ne oratorem praestantem aut eximium praeceptorem offendant, munera multae prudentiae multique consilii, eademque non omni periculo immunia, iis committant, qui, quamvis et scientia et rerum usu ad ea explenda idonei videantur, illis tamen animi laudibus careant quae omnium sunt maxime necessariae (40).

Ius canonicum nec non alia Ecclesiae documenta, ante et post Codicis Iuris Canonici promulgationem edita, plura habent de dotibus quibus magister novitiorum, spiritus moderatores et confessarii instructi esse debent. Normis

(35) N. PENDE, *La scienza moderna della persona umana*, p. 171.
(36) Cfr. can. 543.
(37) Alumnus scholae apostolicae aliquo modo ad religionem pertinet.
(38) Codex Iuris Canonici non determinat ad quem pertineat candidatos admittere ad postulatum. Standum igitur est constitutionibus cuiusque religionis.
(39) Cfr. can. 543 coll. cum can. 575, § 2.
(40) Cfr. *Enchiridion de statibus perfectionis*, p. 341.

illis traditis si plene perfecteque satisfiat, procul dubio periculum ineptitudinis seligentium vocationes, magnam partem, abducetur.

Aliqua vero hic indigitare volentes quae selectores vocationum aptos efficiant, tria recolere opportunum ducimus.

a) Qui ad vocationes deligendas destinantur, praeter rectam de vocatione notionem, scientiam psychologicam satis callere debent, etsi verum sit omnes psychologos esse non posse. Non sufficit ut devoti ipsi sint ac regulas Instituti apprime noscant. Selectio enim vocationum secumfert diligens candidatorum idoneitatis studium, quod, ut convenit, peragi haud valet, si psychologiae capita praecipua selectores nesciant. Qui hac careat cognitione facile fallitur in iudicio ferendo de adspirantium vocatione.

b) Selectores insuper mentem sagacem habere et in perscrutando perseverantes esse debent. Antequam candidati admittantur in religionem, eos « diligentissime introspicere », ut Pii XII verbis utamur, necessarium est (41). At nil animo humano mutabilius. Quod potissime dicendum est de iuvenibus, qui animi mutabilitate praeprimis laborant eaque artificiose non raro utuntur. Ideoque ad recte dignoscendam candidati vocationem seu ad illius genuinam indolem ac voluntatem vere perspectam habendam, haud satis est uno vel altero tempore, in uno vel altero adiuncto eum deprehendere, sed opus est diuturna observatione ipsum investigare ac rimari. Selectores vero, sagacia destituti et animi ingenuitate laborantes, cum malum aliquod in hominibus vix suspicari audeant, omnes reputant bonos et, in casu, omnes ad vitam religiosam idoneos. Hinc fallaciis, patet, saepe saepius ii subsunt, vocatos existimantes qui, e contra, divinitus vocati nullatenus sunt. Idem affirmandum est de iis, qui constantia non polleant in candidatis perscrutandis.

c) Selectores tandem in munere obeundo prudentia nitantur oportet. Duplici praesertim de causa: 1) ne candidatus alium se exhibeat ac reapse est, sicque in religionem admittatur; 2) ne vere a Deo electi, maxime si adulescentes sint, vocationem amittant. Quod alter hic casus non sit hypotheticus, ex Instructione *Illud saepius* colligi etiam potest.

(41) Cfr. Adhortatio ad Clerum, *Menti nostrae*, l. c., p. 684.

Conclusio. — Inter ea quae exposuimus, aptitudo seligentium vocationes maioris momenti nobis esse videtur. Ad praecavendum ne religionem ingrediantur divinitus haud vocati vel ad eorum saltem numerum imminuendum, censemus, nil efficacius quam munus vocationes deligendi iis committere, quos Superiores — omni posthabita humana ratione — illis perspexerint dotibus ornatos ad tantum opus necessariis. Eo sapientior vocationum delectus erit, quo maior idoneitas seligentium.

Selectio denique vocationum ut finem suum assequatur, actio seligentium, quantum fieri potest, concors sit oportet. Hoc obtineri posset statuendo, in quolibet religioso Instituto, principia quaedam, quae omnes seligentes sequi teneantur in iudicio ferendo de candidatorum vocatione.

175   R. P. Melchior a Pobladura, O. F. M. Cap., Director Instituti Historici Ordinis, *scripsit*:

1. *Derecho de selección.*

Es una verdad axiomática que toda sociedad tiene el derecho, que puede considerarse como inalienable, de escoger y seleccionar el personal que ha de componerla, e instruirlo por cuenta propia, con miras al desempeño y cumplimiento de los fines de la misma.

La Iglesia Católica ha elegido siempre y formado los ministros que deben continuar la misión que su divino fundador le confiara. Y el Estado, estableciendo escuelas, institutos y universidades, haciendo obligatoria la enseñanza y exigiendo a sus funcionarios aquella preparación moral, intelectual y técnica o profesional que los fines de la sociedad civil exigen, no hace otra cosa que cumplir con uno de los postulados más elementales de todo buen gobierno.

También las Ordenes Religiosas, parte integrante de la Iglesia de Jesucristo, se han preocupado en todo tiempo del sistema o método más apto y eficaz para proveer debidamente al reclutamiento de sus miembros.

Y así, con el fin de cerrar las puertas del santuario a los indignos o inhábiles y abrirlas sólo a quienes juzguen dignos, se instituyó el noviciado; pero ya antes las Ordenes monásticas, para que sus futuros miembros se imbuyeran con mayor abundancia y con más facilidad del espíritu propio de la sociedad que un día los haría hombres perfectos, habian adoptado la institución de los Oblatos (1), que pueden considerarse como los precursores de las modernas Escuelas Apostólicas, de la misma manera que las escuelas catedralicias o episcopales de la Edad Media son precursores de los seminarios diocesanos tan sabiamente organizados por el Concilio de Trento.

Pero ¿es justo y conveniente apoderarse de las almas en tan tierna edad, cuando no poseen los elementos necesarios de juicio para lanzarse con conocimiento de causa por los caminos de la vida? Ante todo, el hecho no constituye una excepción o novedad en el desarrollo normal y vital de la convivencia humana. Quien desea crearse una posición y seguir una determinada carrera, no espera con los brazos cruzados hasta la edad adulta; los padres y los educadores van trazando al niño y al adolescente el sendero que lo conduce v prepara para el ejercicio de la profesión que libremente elegirá y con amorosa providencia le acompañan en las diversas etapas del camino. Así se procede en el engranaje de la vida social. Ni hay por qué reprochar a la Iglesia y a las Ordenes religiosas si encauzan las almas jóvenes — respetando en todo su libertad — por los caminos del santuario. Por otra parte ninguna profesión o estado particular exige tantas garantías ni tales informes sobre el conocimiento, capacidad y cualidades de los que escoge y selecciona.

2. Quién debe seleccionar.

Puesto que la Escuela Apostólica es una institución provincial, nada más natural que el derecho de escoger y seleccionar el personal radique en el Moderador de la misma, si bien hallándose el Director en posición mucho más ventajosa para conocer y juzgar las aptitudes de los aspirantes, su conducta y cualidades, parece muy puesto en razón que sea él encargado o delegado para admitir y despedir a los colegiales (2). A él incumbe dirigir los primeros pasos de los candidatos y modelar sus almas.

Por tanto a través de la colectividad busque siempre e interésese por el individuo, es decir, profundice y escudriñe el alma de cada alumno para conocer sus vicios y virtudes, sus debilidades, sus tendencias, sus iniciativas, etc. Interesarse sólo en general por el bien de todos se reduciría a cultivar una pedagogía impersonal, postiza, sin base y sin fin; y por consiguiente, no podría captar los elementos de juicio necesarios para la selección objetiva y prudente.

Aun cuando de derecho competa la selección de las vocaciones al Moderador Provincial o al Director de la Escuela, todos los miembros de la Provincia deben preocuparse seriamente del problema del alistamiento, puesto que redunda en bien o en mal de todos. Como es natural, los más llamados a hacerlo son quienes se dedican a los ministerios sacerdotales en el confesonario, en el púlpito o en la cátedra.

(1) Véase la obra fundamental de J. N. SEIDL, *Die Gott-Verlobung von Kinder... oder de pueris oblatis*, München, 1872. Concretándose a la Orden Franciscana, ha desarrollado el mismo tema L. OLIGER, O.F.M., *De pueris oblatis in Ordine Minorum (cum textu hucusque inedito Fr. Joannis Pecham)*, in *Arch. Franc. Hist.*, 1915, t. VIII, p. 389-447; 1917, t. X, p. 271-288.
(2) Cfr. *Commentarium pro Relig.*, 1935, t. XVI, p. 226.

3. *Necesidad de un examen previo y riguroso.*

Cualquier empleo exige en quien ha de desempeñarlo una serie de cualidades proporcionadas a la importancia y trascendencia del mismo. Y siendo el Estado Religioso una profesión de suma responsabilidad, la misma naturaleza de las cosas exige que sus individuos estén perfectamente dotados. De ahí que a toda selección debe proceder un minucioso y concienzudo examen de las cualidades morales del individuo, de su capacidad intelectual, de su resistencia física.

Los examinadores deben cerciorarse muy bien de los móviles que impulsan al aspirante a ingresar en el Colegio; si el respeto humano, los intereses terrenos de la familia, la voluntad impuesta de algún bienhechor o tutor, o tal vez el deseo de cursar económicamente los estudios clásicos para luego seguir otra carrera. La mayor parte de las defecciones de los candidatos antes y después del noviciado son debidas a la ligereza y superficialidad de este examen previo en todos o en algunos de sus aspectos.

Este examen tiende ante todo a seleccionar y toda selección entraña dos cosas: número y cualidades. El primero es accidental y en tanto se busca y se incrementa, en cuanto que por medio de sucesivas eliminaciones se puede llegar a establecer lo esencial, o sea la calidad o cualidades. Puede constituir un peligro el determinar de antemano el número de los alumnos que absoluta-mente han de recibirse cada año, pues puede traer el inconveniente de que, no encontrándose sujetos completamente idóneos, se dé el pase a individuos menos aptos intelectual o moralmente con el falaz pretexto de probarlos más de cerca por algún tiempo. Mejor sería que bajo la vigilancia del párroco o del maestro continuaran en sus casas, siempre que no amenace otro peligro mayor. En todo caso es preferible que los cuadros permanezcan vacíos a llenarlos con sujetos inhábiles.

El examen de que venimos hablando lo recomendó la S. Congregación de Religiosos en una interesantísima instrucción emanada el 1 de diciembre de 1931 con estas textuales palabras: «Atqui in primiis, maxima diligentia, iam inde a primo candidatorum in Religionem ingressu Superioribus adhibenda erit ut adolescentes non gregatim, neve festinanter adsciscantur; sed ii soli in quibus divinae vocationis indicia deprehenduntur, et spes affulget eosdem cum fructu ecclesiasticis ministeriis perpetuo addictum iri» (3).

Pero veamos más concretamente a qué extremos debe extenderse dicho examen y cuáles son las cualidades con que los candidatos deben comprobar su idoneidad para ser recibidos.

4. *Cualidades físicas.*

a) *Constitución física normal.* — A nadie se oculta la conveniencia y necesidad de que los aspirantes estén dotados de una constitución física normal. Por tanto, para que el decoro de la Orden sea por todos respetado, no se admitirá a quien tenga algún defecto corporal notable, sea orgánico o funcional.

(3) Cf. *Acta Apost. Sedis,* 1932, t. XXIV, p. 74 y sigs.

Y no sólo por el decoro y buen nombre se ha de proceder con rigor en este particular, sino también porque, según el Código de Derecho Canónico (can. 984), son irregulares por defecto quienes a causa de la deformidad corporal no pueden desempeñar con decoro los ministerios sagrados.

La salud del cuerpo es un factor de primera importancia para el desempeño de dichos ministerios y para sobrellevar las cargas de la vida religiosa. Por lo cual los examinadores deben proceder con gran cautela. Ni deben contentarse con el certificado del médico de familia (del que, por otra parte, nunca han de prescindir), sino que convendría igualmente obtener el de algún otro médico afecto y conocedor de las obligaciones de la Orden o Congregación. Las investigaciones deben extenderse, además, al posible estado patológico de los padres y antepasados, comprobado también con el certificado médico.

b) *La edad.* — Reina la mayor divergencia en este punto particular, cuando se examinan los usos y reglamentos particulares; en algunas regiones, las edades topes son de once a catorce o de doce a quince años, respectivamente. La edad de admisión depende en cierto modo de la edad canónica necesaria para ingresar en el noviciado y de los conocimientos o grado de instrucción primaria, así como del tiempo que, según los programas oficiales, debe durar el estudio de las humanidades en las respectivas naciones.

Según el P.B. Duffee, O.F.M., ponente de una memoria en el congreso de profesores franciscanos de Norte América, no se admitirá al primer curso gimnasial, a non ser en casos extraordinarios, a quien no tenga catorce años — que es la edad legal para la admisión en la high school — ni después de los dieciocho. Y razonaba así su opinión: a los catorce años, los adolescentes tienen ya suficiente conocimiento de su vocación, es decir, del método de vida que van a escoger, y conociendo suficientemente los atractivos del mundo pueden tomar una resolución bien razonada. Por el contrario, pasados los dieciocho, si antes no han tenido familiaridad con los libros, difícilmente se aficionan al estudio, y sólo a costa de grandes sacrificios podrán seguir los cursos regulares del seminario (4).

5. *Cualidades intelectuales.*

a) *Capacidad e idoneidad intelectual.* — Es evidente que hay que exigir a los llamados al sacerdocio las dotes intelectuales necesarias para cursar, al menos convenientemente, los estudios de la carrera eclesiástica y habilitarse para los ministerios propios del Estado religioso.

Deben, por tanto, los aspirantes estar dotados de una inteligencia despierta y de un ingenio despabilado y más que mediocre. Quedan, desde luego, excluidos los imbéciles o abobados y semifatuos.

b) *Instrucción primaria.* — Correspondiendo las Escuelas Apostólicas a los Centros de Segunda enseñanza del Estado,

(4) Cf. *Conditions for Admission,* en *Report of the fourteenth annual Meeting,* p. 28, Washington, 1932.

nada más natural que exigir en los candidatos todos aquellos conocimientos que el Estado exige a los alumnos oficiales del primer curso de bachillerato oficial.

Estos conocimientos son tan diferentes según las diversas naciones que es sumamente difícil dar una regla general y uniforme. Lo fundamental e indispensable es que los aspirantes hayan seguido y aprobado los cursos elementales prescritos en los programas oficiales.

Así como el Estado exige el examen de ingreso antes del bachillerato, de la misma manera debe exigirse antes de dar las patentes de admisión en la Escuela Apostólica. Se pedirá, además, el certificado de los respectivos maestros, en el que se consignarán las disciplinas estudiadas y aprobadas. Cuando se presentaren algunos candidatos que hayan cursado uno o varios años de bachillerato, podrán conmutárseles éstos, previo el examen y los certificados correspondientes, por las asignaturas no estudiadas, y ser después promovidos a un curso superior. También los alumnos de los seminarios diocesanos u otros colegios eclesiásticos deberán presentar el certificado de los estudios hechos.

6. Cualidades morales.

a) *Buenas costumbres.* — Es necesario examinar a fondo la índole, el temperamento y carácter del candidato, así como su conducta y la de su familia; para lo cual pueden ser de ayuda el párroco y otras personas de confianza y solvencia moral. No creemos oportuno descender a más pormenores.

b) *La vocación.* — Todas las cualidades físicas, intelectuales y morales de que venimos ocupándonos son como el marco que adorna y embellece el cuadro. El cuadro es la vocación religiosa; si ésta falta, puede sin más hacerse caso omiso de las otras; ni aun los superdotados deben admitirse. Dicho se está que sería necio y pueril buscar en los adolescentes una vocación decidida y a toda prueba, con un conocimiento exacto y reflejo de los deberes que la vida religiosa impone. Pero ya en tan corta edad es dable descubrir los indicios, las aptitudes, la inclinación que paulatinamente manifiestan el llamamiento divino. Y esto es lo que puede y debe exigirse y con redoblada atención examinarse.

La S. Congregación Consistorial prescribía el 16 de julio de 1912 que de ninguna manera se recibieran en el seminario, ni siquiera para las clases elementares, a los adolescentes que no manifestasen una decidida inclinación al estado sacerdotal, porque la experiencia enseña que ello es causa de la pérdida de muchas vocaciones (5). Y esta orientación ha quedado definitivamente sancionada en el canon 1363 del Derecho. Pío XI insistiendo sobre este particular y recordando decisiones de sus predecesores quiere que los seminarios estén exclusivamente destinados al fin para que fueron instituídos, que no es otro que el de formar los ministros del santuario. Reprueba enérgicamente la práctica contraria, atribuyéndole la escasez de sacerdotes en algunas

(5) Cf. *Acta Apost. Sedis,* 1912, t. IV, p. 493.

diócesis (6). Por su parte, la S. Congregación de Religiosos en la citada instrucción de 1931 aplicaba a las Escuelas Apostólicas las prescripciones que acabamos de recordar (7).

Hemos aducido estos testimonios — que podíamos multiplicar — porque la cuestión de la vocación es básica para la vida floreciente de los Colegios. Antes de dar su beneplácito, los Superiores deben cerciorarse, empleando todos los medios a su alcance, de los móviles que impulsan a los niños y adolescentes a tomar semejante decisión, pidiendo así a ellos como a sus padres o tutores el atestado escrito de que sólo con el fin de abrazar más tarde la vida religiosa en aquél determinado Instituto ingresan en el Colegio.

Los padres, además, se obligarán a respetar en todo tiempo la voluntad de su hijo y a observar los estatutos del Colegio. No es raro en estos tiempos el caso de familias que, acosadas por los rigores despiadados de la crisis económica, se ingenian para colocar sus hijos en los seminarios diocesanos o en los colegios de religiosos, de los cuales, una vez terminados los estudios humanísticos, los retiran para continuar otra carrera más productiva y de más lisonjero porvenir humano.

Por último será empeño de los educadores de la Escuela Apostólica iluminar gradualmente a los alumnos para que se formen ideas claras sobre el problema de la vocación, a fin de que les impidan más tarde amargas desilusiones que traerían como consecuencia inevitable el descontento, la amargura, la mediocridad y la infecundidad.

No queremos almas forzadas, pero tampoco desamoradas del ideal. No se ama ni se busca lo que no se estima y desea; y lo que no se ama fácilmente se desprecia. Pero téngase siempre en cuenta que el aprecio y la estima de la vocación no deben ser humanamente interesados ni meramente externos, sino que deben tener una raigambre más profunda e íntima, que arranque de la misma esencia de las cosas. Con una preparación así iluminada los candidatos justipreciarán con más facilidad las obligaciones ni pocas ni ligeras que van libremente a contraer; y los superiores, a su vez, podrán más fácilmente hallar la controprueba de la aptitud e idoneidad de aquéllos.

7. Medios y modalidades del alistamiento.

La vocación es una semilla depositada por Dios en el corazón humano para que vaya desarrollándose hasta su plena madurez con la ayuda de la gracia y de los convenientes medios humanos. Es necesario, por tanto, cultivarla con esmero para que no se malogre. Con este fin surgió la *Obra de las vocaciones,* instaurada con el fin piadoso de impetrar del cielo

(6) Cf. *Acta Apost. Sedis,* 1932, t. XXIV, p. 76.
(7) Cf. *lug. cit.*

socorros espirituales en pro de las vocaciones y de allegar permanentemente fondos materiales, en especie o en metálico, a favor de los seminarios, colegios o escuelas apostólicas. El arma más poderosa y eficaz es la oración privada y colectiva: *Rogate Dominum messis*.

Después de palabra y por escrito suscitar simpatías, que se manifiesten en colaboración adecuada a las exigencias del apostolado moderno, hablando a los niños en las iglesias y las escuelas de la nobleza y excelencias de tan divino don; y hacer lo mismo, guardada la debida proporción, con los padres. A eso tiende también el llamado *Día del seminario*, que es una especie de cruzada de oraciones, conferencias y limosnas.

Los directores y miembros de esta *Obra* deben tener conciencia de su fin nobilísimo y alejar de sus palabras y de sus métodos de alistamiento y recaudación la idea vulgar de que se trata de un simple negocio, para el que todos los medios son buenos con tal de recaudar mucho dinero; no insistir demasiado sobre este lado material y humano; anteponer siempre el ideal de la colaboración a formar dignos ministros del santuario, almas consagradas a continuar sobre la tierra la obra divina de la redención.

Entre las ofrendas de los bienhechores, prescindiendo de las limosnas libres y ocasionales, hay dos que merecen particular mención; nos referimos a las becas y a las bolsas de estudio. a) Por *Becas* se entiende una cantidad determinada de dinero entregada con el fin de que sus intereses sirvan a la manutención y educación de uno o varios colegiales. b) Otros distinguen las *Bolsas* de estudio, que consistirían en los bienes muebles o inmuebles cuya renta o interés se destina por los dantes al mantenimiento de un estudiante en particular. Tanto unas como otras pueden ser individuales o cumulativas, según sean una o varias personas quienes la fundan y sostienen.

Para lograr con mayor facilidad los dos fines que la *Obra de las vocaciones* se propone, es necesario exponer sus ventajas por todos los medios al alcance del apostolado moderno, prensa, cine, radio, bibliotecas, conferencias, sirviéndose de los miembros más activos y competentes del apostolado laico, de las asociaciones piadosas, de las Ordenes Terceras, de la Acción Católica, etc.; procurando, como antes se decía, evitar todo cuanto pueda inducir los fieles a pensar que se trata de una empresa meramente técnica, material, temporal. Todos estos medios y medidas deben ir informados de un gran sentimiento sobrenatural y estar subordinados al elemento espiritual; más que medios económicos, deseamos almas verdaderamente religiosas; buscamos aquéllos sólo en función de éstas.

8. La expulsión de los alumnos.

Es evidente que a pesar del cuidado en seleccionar los candidatos antes del ingreso, no todos los admitidos poseerán las dotes necesarias o las desarrollarán convenientemente para perseverar en el camino comenzado.

Por otra parte, es necesario exponer a los alumnos con claridad el concepto de la vocación y nunca atemorizarlos con la idea de que cometen un grave pecado si abandonan el colegio; ello contribuiría a forzar la libertad. El mero hecho de haber venido no significa una vocación cierta, definida e irrevocable.

Recuérdeseles con frecuencia la libertad absoluta con que deben decidirse. Procédase siempre con la máxima prudencia, de suerte que ni se disminuya la estima y aprecio de la llamada divina ni se obstinen en pensar que desde el ingreso en el colegio la vía está definitivamente trazada.

La iniciativa de abandonar el camino comenzado no siempre parte de los alumnos; ni los directores o superiores deben esperar a que así suceda. En principio puede decirse que siempre que un alumno carezca de las cualidades físicas, intelectuales y morales anteriormente examinadas, puede y debe ser expulsado, pues ello supondría que no hay verdadera vocación por carecer de las aptitudes necesarias.

Las faltas que pueden motivar la expulsión están muy bien especificadas en el canon 1.371 hablando de los seminarios: « E seminario dimittantur dyscoli, incorrigibiles, seditiosi; ii qui ob mores atque indolem ad statum ecclesiasticum idonei non videantur; itemque qui in studiis adeo parum proficiant ut spes non affulgeat eos sufficientem doctrinam fore assecuturos; praesertim vero statim dimittantur qui forte contra bonos mores aut fidem deliquerint ».

Toda vez que el legislador ha puesto tanto empeño en catalogar las cualidades incompatibles con el estado sacerdotal y religioso, toca ahora a los directores y profesores discernirlas y obrar en consecuencia. « Si a pesar de todas las precauciones — leemos en una Instrucción de la Congr. de Seminarios y Estudios a los Ordinarios de Italia del 25 de julio de 1928 — ocurriera que fuese admitido un joven que por sus deficiencias intelectuales, morales o físicas, se prevé que será incapaz de ejercer con fruto y con decoro el sagrado ministerio, sea despedido inexorablemente » (8). A veces será éste un deber penoso; pero no se amedrenten ni se dejen guiar o dominar por un falso sentimiento de piedad o respeto humano. La gloria de Dios y el buen nombre de la Orden, no menos que el bien particular de los individuos, exigen de ellos esta severidad en la selección. No cabe la menor duda que se registrarían menos defecciones en las Ordenes y Congregaciones, si no se pusieran tantos reparos en la aplicación exacta de cuanto el derecho común y particular prescriben en el período de prueba que precede al noviciado. En caso de duda, resuélvase a favor de la Orden.

Merece la pena copiar íntegro y meditarlo el siguiente pasaje de la encíclica *Ad catholici sacerdotii* (20) dec. 1935 de Pío XI: « Hoc verumtamen, quod laudabiliter eo nititur, ut sacrorum alumni quam rectissime instituantur, parum sane profectus pepererit, si eorum delectus, quorum causa seminaria exstant, haud consentanea diligentia fiat. Ad quem quidem delectum omnes, pro virili cuiusque parte, adiutricem operam conferant, quotquot cleri conformationi praeponuntur. Moderatores nempe, animorum disciplinae rector, ac confessarii — ad sui tamen cuiusque muneris fines ac terminos — quemadmodum hanc, divino instinctu inditam ad ineundum sacerdotium inclinationem omni ope fovere ac roborare debent; ita eos arceant, quos non idoneos perspexerint atque adeo inutiles ad digne sacerdotalia officia sustinenda... Cum primum e recto itinere deerratum esse aperte patuerit, tum, nullo habito hominum respectu, vitio medendum est. Quibus vero hanc ineundi deliberationem officium

(8) Cf. *Enchiridion Clericorum*, n. 1. 259, p. 686 sq., Typ. Pol. Vaticanis, 1938.

est, eos non falsi nominis misericordia moveat, quae non modo in Ecclesiam, cui quidem iners vel indignus administer praeberetur; sed in iuvenem ipsum crimen evaderet, qui via deceptus, summo cum aeternae salutis discrimine, sibi ceterisque offensioni esset... Eaque in causa pertractanda tutiorem semper sententiam amplectantur, quae quidem, ad rem quod attinet, multo magis sacrorum alumnis favet, cum eos ex itinere avertat, per quod ad aeternam ruinam adduci possent » (9).

176 R. D. HUMBERTUS OLIVERO, S. D. B., Professor in Athenaeo Salesiano, *scripsit*:

I. - QUESTIONI TEORICHE

1. *La vocazione divina*

Il problema della scelta delle vocazioni, implica anzitutto la questione sulla esistenza, natura e necessità della vocazione divina (1).

Essendo lo stato religioso uno stato giuridico di perfezione organizzato dalla Chiesa, non c'è dubbio che per entrarvi si richieda l'elemento canonico di foro esterno, cioè l'ammissione canonica che da alcuni viene chiamata vocazione canonica o esterna. Però anteriormente a questa vocazione esterna si richiede la vocazione interna o divina la quale si riduce in ultima analisi a quel complesso di grazie divine che spingono l'individuo ad abbracciare lo stato religioso; si richiede cioè secondo il Codice, can. 538:

1) la carenza di impedimenti canonici;
2) l'idoneità positiva per la religione;
3) la retta intenzione.

Se l'idoneità sia negativa che positiva del candidato implica già un complesso di grazie divine, la retta intenzione non si può affatto concepire senza una speciale grazia di Dio. Tutto questo complesso di grazie che rende idoneo il candidato e lo spinge verso lo stato religioso costituisce il gran dono della vocazione divina.

Il giudizio definitivo sull'esistenza della vocazione in un candidato allo stato religioso, spetta al superiore a cui è riservata la ammissione alla religione; pertanto il candidato non può vantare alcun diritto per entrare nello stato religioso.

(9) Cf. *Enchiridion Clericorum*, n. 1. 386, 1388, p. 754 sigs.
(1) Per l'analisi della questione cfr. OLIVERO, *De vocatione religiosa...* Romae, 1947, p. 17 ss.

2. Libertà di seguire la vocazione

Il problema della libertà di seguire la vocazione ha due aspetti essenzialmente ·distinti: a) libertà in relazione agli uomini; b) libertà in relazione a Dio.

In relazione agli uomini non c'è alcun dubbio che il candidato allo stato religioso è perfettamente libero, e la Chiesa si preoccupa di tutelare in tutti i modi questa libertà nella scelta dello stato religioso. (Cfr. cc. 542, 572, 971 ecc.). Perchè la scelta dello stato ecclesiastico sia sempre più libera da parte del candidato, la Chiesa vuole che gli studi siano organizzati secondo i programmi civili (2).

In relazione a Dio si discute se il candidato quando è moralmente certo della vocazione divina, sia libero o no di seguire la divina chiamata. La risposta di S. Tommaso è categorica: La vocazione si deve seguire perchè « statim homo impetum Spiritus Sancti sequi debet », ma non sotto pena di peccato, perchè « praeceptum importat necessitatem, consilium autem in optione ponitur eius cui datur » (3).

S. Alfonso risponde a questa questione con queste parole: « Per se non est peccatum; divina enim consilia per se non obligant ad culpam ». « Ratione periculi aeternae salutis, cui vocatus se committit, electionem status faciens non iuxta divinum beneplacitum, non potest ab aliqua culpa excusari... » e dà la ragione di questo pericolo, cioè dice che il Signore lo priverà delle grazie necessarie per salvarsi.

Posizione estrema, se pur logica, in questa discussione è la tesi dello Zoffoli (4), il quale sostiene il « dovere dell'ottimo » sotto pena di peccato.

Ritengo che la sentenza di S. Tommaso in materia sia quella da preferirsi.

II. - MEZZI PRATICI

Premesse. — Lo zelo per suscitare e coltivare vocazioni religiose e sacerdotali è non solo lodevole ma commendevole. « Dicendum — afferma S. Tommaso — quod inducentes alios ad religionem non solum non peccant, sed magnum praemium merentur » (5).

« Quanto sunt magis sancti, tanto hunc zelum convertendi alios ad statum perfectionis magis habent » (6).

Le vocazioni sono una grazia di Dio ma dipendono da noi, in quanto Dio suole servirsi delle cause seconde per far germogliare e crescere le vocazioni.

Il proselitismo religioso non deve essere basato sull'interesse dei religiosi, ma deve essere ed apparire come un interessamento dell'educatore per il bene

(2) Cfr. Lettera agli Ordinari d'Italia della S. Cong. VV. RR. — 10 maggio 1907; Pio XII Adhortatio ad clerum universum « Menti nostrae » 23 settembre 1950.
(3) I - II, q. 108, art. 4.
(4) Vita cristiana 1949, Fasc. IV-V, p. 361-401.
(5) II - II, q. 189, a. 9.
(6) Opusc. 16, c. 3.

del giovane o dell'aspirante allo stato religioso, quindi illuminare e guidare, ma rispettare al massimo la libertà del candidato.

La qualità e quantità delle vocazioni è in proporzione diretta della santità degli educatori.

Mezzi *pratici* per suscitare e coltivare le vocazioni religiose e sacerdotali:

1. Santità e preghiera dell'educatore.
2. Creare l'ambiente propizio (entusiasmo, allegria, feste ecc.).
3. Contatto con i giovani.
4. Istruzione religiosa (catechismo, scuola di religione, conferenze).
5. Parlare del problema della vocazione.
6. Promuovere le compagnie religiose e l'Azione cattolica (lo zelo apostolico e missionario).
7. Fomentare lo spirito di pietà e la frequenza ai santi Sacramenti.
8. Coltivare soprattutto la purezza (attenti alle amicizie particolari, alle letture, al cinema, ecc.).
9. Fattore fondamentale, secondo D. Bosco, è la carità coi giovani e tra i confratelli. Le vocazioni nascono al calore della carità che regna nella famiglia religiosa.
10. Scelta di buoni confessori e direttori spirituali.
11. Interessare i parroci per la raccolta di vocazioni.
12. Coltivare le vocazioni tardive le quali sogliono dare maggior garanzia di successo.
13. Promuovere gli esercizi spirituali che sono sempre una luce ed una grazia eccezionale che segna spesso una svolta decisiva nell'orientamento della vocazione.

III. - SEGNI DI VOCAZIONE

I segni di vocazione religiosa sono, secondo il Codice, can. 538 *l'idoneità* negativa e positiva e la *retta intenzione*. Notiamo che la inclinazione sensibile (propensione, attrait) non si esige come un requisito indispensabile, ma suole essere un indizio di vocazione e raramente si dà vocazione senza un'attrattiva allo stato di perfezione. Se l'amore a Gesù non rende spregevoli gli altri amori, se cioè si sente il sacrificio e non la gioia nella rinuncia agli altri amori, non conviene abbracciare lo stato ecclesiastico o religioso.

Trattandosi di vocazione religiosa sacerdotale, S. Giovanni Bosco riduceva a tre i segni di vocazione:

1) probità di costumi;

2) scienza;

3) spirito ecclesiastico (pietà, disciplina, obbedienza ecc.).

Conviene avere idee chiare riguardo al primo requisito che è il più importante e delicato nella scelta delle vocazioni specialmente sacerdotali. La purezza « deve ritenersi come una conditio sine qua non per poter riconoscere nel candidato la vocazione al sacerdozio ». Purezza che impl:ca una « *perfetta vittoria* », ed una « *certezza morale* » in materia così delicata.

Una lettera della S. Cong. dei Seminari (Prot. Num. 419/43) indica i criteri pratici per la selezione accurata dei candidati. Ricordo due delle norme stabilite al riguardo:

1) « Con l'inizio del corso teologico lo studio del giovane sotto l'aspetto della purezza deve considerarsi chiuso. In teologia l'abito della castità dev'essere acquisito. Se il giovane non si è mantenuto immune da peccati gravi esterni *almeno da un anno* prima di entrare in teologia deve essere escluso dalla via del sacerdozio ».

2) « Dev'essere escluso in qualsiasi tempo, senza indugi e senza concessione di ulteriori prove chiunque avesse commesso dopo il suo ingresso in seminario anche *un solo peccato grave* con persona d'altro sesso oppure con un compagno ».

In relazione ai criteri pratici stabiliti dalla S. Cong. dei Seminari nella citata lettera credo bene notare che non si devono ridurre ad un solo calcolo matematico delle cadute ma si esige uno studio psicologico dell'indole sessuale del candidato onde poter formulare un giudizio sicuro ed evitare le amare sorprese dell'esperienza.

Ricordo infine l'importanza di una *diligente visita medica* di uno specialista onde scoprire le *contro-indicazioni* all'entrata in religione, come per es. le costituzioni psicasteniche, paranoiche ecc. Questo campo è purtroppo molto ignorato e trascurato.

177   R. P. Eduardus A. Wuenschel, C. SS. R., rector Collegii Maioris S. Alfonsi de Urbe, *scripsit*:

DE OBLIGATIONE
SEQUENDI VOCATIONEM RELIGIOSAM

Summi sane momenti est determinare utrum necne vocatio religiosa strictam imponat obl gationem, ita ut respui non possit absque peccato. Qua de re illi saepe anguntur, quibus officium incumbit adspirantes ad vitam religiosam formandi et de eorum vocatione decernendi. Patet enim sequelas sat graves inde oriundas esse, secundum quod quis affirmaverit vel negaverit vocationi inesse veram vim obligandi.

Quaestio illa eo magis animum torquet, eoque difficilius consilium quaeritur, quod hac de re acriter disputatur. Quapropter plerique, quorum maxime interest, ancipites haerent, timentes uni alterive solutioni semetipsos omnino committere. Nam ex una parte, qui sustinet vocationem religiosam revera conscientiam obstringere, de rigorismo reprehenditur, quo vani angores animi incutiantur et scrupulositati faveatur. Ex altera parte, qui existimat nullam prorsus obligationem ex ea oriri, rem laxius liberiusque tractare videtur, atque valori ipsius vocationis obtrectare. Recta tamen solutio inveniatur oportet, ne adspirantium delectus et formulatio in vias nimis angustas vel nimis latas deflectantur, neve de vocationibus, quae in discrimine versantur, male decernatur cum damno animarum.

Antequam ipsum problema aggrediamur, natura vocationis religiosae recte definiri debet, alioquin de eius vi obligandi tractantes, erimus quasi aerem verberantes.

NATURA VOCATIONIS RELIGIOSAE

Sunt adhuc qui putent, nullam dari veram vocationem ad religionem antequam quis a superiore competente approbatus fuerit ut ad professionem admittatur. Vocationi religiosae nempe applicatur sententia illa, secundum quam nulla vera habetur vocatio ad sacerdotium ante liberam electionem episcopi ad ordines suscipiendos, in qua electione reponitur tota vis et essentia ipsius vocationis sacerdotalis. Haec tamen sententia doctrinae traditionali contradicit, et implicite reprobata est a summis Pontificibus recentioribus, qui iterum iterumque declaraverunt Deum ipsum, ante electionem episcopi eligere et vocare ad sacerdotium quos voluerit (1).

Quod ad vocationem religiosam attinet, praesuppositis corporis animique qualitatibus requisitis, eius essentia in hoc consistit, quod Deus inspiratione gratiae alios prae aliis allicit et inclinat ad propriam perfectionem assequendam per exercitium consiliorum evangelicorum, et quidem modo stabili votis religionis firmato. Talis inspiratio veram constituit vocationem, est enim afflatus in intimis animae acceptus, quo Deus hominem ad hunc finem in hoc statu consequendum invitat et impellit. Quae vocatio sic definitur a S. Thoma: « interior locutio qua Spiritus Sanctus mentem immutat », seu « instinctus quo Spiritus Sanctus hominem movet ad reli-

---

(1) Pius XI, Litt. Enc. *Rerum Ecclesiae*, AAS XVIII (1926), 68, 76; Litt. Enc. *Mens Nostra*, AAS XXI (19293, 701; Litt. Enc. *Ad Catholici*, AAS XXVIII (1936), 39-49; Pius XII, Nuntius radiophonicus Congr. Euch. S. Pauli, AAS XXX (1942), 269, 274; Epist. Apost. *Volvidos cinco*, AAS XX (1947), 285-89; Litt. Enc. *Mediator Dei, ibid.*, 530, 539; Motu Proprio *Quemadmodum*, AAS XLI (1949), 165; Adhortatio Apost. *Menti Nostrae*, AAS XLII (1950), 659, 661, 682-87; *Discorsi e Radiomessaggi* (Milano-Roma 1941-51), vol. IV, pp. 12-17; vol. IX, pp. 577-78; vol. XI, p. 413; vol. XII, p. 346, 442.

648

gionis ingressum » (2). Terminis *locutio* et *instinctus* Angelicus significare vult gratiam vocationis intellectum illuminare et voluntatem inspirare influxu interno, quo Deus homini quasi loquitur et illum immediate movet sicut per quamlibet gratiam actualem. Quem afflatum divinum S. Thomas appellat *vocationem interiorem* (3).

Qui huic vocationi divinae fideliter respondet, demonstrat se moveri intentione recta, id est, sepositis rationibus indignis vel abs re alienis, firmum propositum se habere ut ad propriam sanctificationem contendat per viam consiliorum. Praeterea decursu probationis magis magisque idoneum se praebet ad vitam religiosam secundum indolem religionis particularis quam ingredi appetit. Haec duo ergo, scilicet intentio recta et idoneitas, sunt proprii effectus vocationis, ideoque sunt signa quibus vera vocatio cognosci potest et a vocatione fictitia discerni.

Requiritur quidem ut superior competens adspirantem ad vota nuncupanda admittat et in religionem assumat, ad instar electionis candidatorum ad ordines per episcopum. In utroque casu autem est actio juridica nomine Ecclesiae posita, quae, nedum ipsam vocationem constituat, illam potius praesupponit ut jam a Deo prolatam, illamque comprobat et confirmat.

De tali ergo vocatione quaeritur utrum vocatum sub poena peccati officio obstringat ut illam sequatur, illique fidelis permaneat.

Ut patet, agitur de vocatione moraliter certa, non de vocatione dubia, quae non obligat ad religionis ingressum, etsi obliget ut diligenter inquiratur utrum necne revera sit a Deo. Agitur etiam de vocatione expedita, cui nempe nullum impedimentum insuperabile obstat; non de vocatione impedita, qua quis ex inspiratione divina vitam religiosam anhelat, sed in tali conditione est ut religionem ingredi nequeat. Denique agitur de vocatione definitiva, seu ad perpetuo semetipsum religioni dicandum; non de vocatione temporaria, qua quis ex instinctu Spiritus Sancti religionem jam ingressus est, vel saltem probationem suscepit; postea vero propter circumstantias supervenientes, quae a vocati voluntate non dependent, physice vel moraliter impossibile fit ut ille vitam religiosam am-

(2) *Contra retrahentes a religionis ingressu*, Cap. IX; II-II, qu. 189, art. 10. ad 1.
(3) *Contra retrahentes, loc. cit.* Cf. M. Maggiolo, « La vocazione religiosa secondo S. Tommaso », *Xenia Thomistica* (Romae, Typis Polyglottis Vaticanis, 1925), vol. II, pp. 283-86.

plius excolat. In eiusmodi casu licite egreditur, sive sit novitius sive professus, quum constet hoc esse secundum voluntatem Dei.

Divina vocatio interior, certa, expedita, definitiva — en ergo objectum totius discussionis.

Omnes consentiunt vocatum officio teneri ne inspirationem divinam respuat ex pravo fine vel ex dispositionibus minus rectis. Certe peccaret qui, verbi gratia, vocationem religiosam sequi recusaret ut sibi licentius indulgeret in mundo, vel propter acediam aut ignaviam. Sub hoc aspectu vocatio religiosa non differt a quocumque alio objecto actuum humanorum, cui talis obligatio per accidens vel indirecta inhaeret. Nostra autem quaestio movetur de obligatione directa et per se, id est, utrum vocatio religiosa obliget vi sui, seu eo ipso quod Deus aliquem ad statum religiosum amplectendum eligit et vocat.

SENTENTIA NEGATIVA

Sententia negativa his duobus assertis innititur: primo, stricta obligatio imponi potest solum per praeceptum formale; secundo, vocatio religiosa non est nisi consilium, ideoque vocatum omnino liberum relinquit, ita ut pro arbitrio illam aut sequi aut respuere valeat, salvo casu exceptionali quo a Deo proponitur per modum praecepti vel ut medium necessarium salutis. Hoc sensu exponuntur etiam textus Sacrae Scripturae qui ad vocationem religiosam referri possunt, et loci multi ex scriptis Patrum et Doctorum excerpti.

Fautores sententiae affirmativae illam positionem ex toto rejiciunt, et re quidem vera validae dantur rationes sustinendi vim obligatoriam vocationis religiosae, tum ex ipsa natura rei, tum ex sequelis damnosis quae ex eo proveniunt quod quis vocationem Dei recusat. Pariter demonstrari potest nec Sacram Scripturam nec testes traditionis sententiam negativam fulcire, sed e contra multiplici voce evincere vocationem ad statum religiosum revera obligare.

Quoad primum assertum sententiae negativae, falsum est strictam obligationem imponi non posse nisi per praeceptum formale. In concretis vitae conditionibus saepe saepius adest vera obligatio moralis etiam in materia consilii, agitur enim de actibus humanis ponendis, quorum moralitas aestimanda est secundum integram agentis conditionem et exigentias inde orientes, quae persaepe latius patent quam ea quae sunt de praecepto formali.

De facto vita hominis quotidiana tam mutabilis et multifaria est, ut multoties dubia remaneat applicatio praeceptorum, quae sunt normae objectivae et generales potiusquam regula proxima actuum humanorum in individuo. Propterea saepe difficile est, immo et impossibile, discernere utrum objective agatur de applicatione praecepti, an de materia consilii. Saepe etiam constat objectum propositum in se esse de consilio, at decernendum est quidnam circa illud faciendum sit in datis circumstantiis. In variissimis eiusmodi casibus oportet tandem agere, et quidem consentanee cum lege aeterna, actus suos referendo in Deum tamquam supremam regulam et finem ultimum omnis honestatis. Ad quod non sufficit casuistica, nullus enim casuista scire potest in antecessum agentis circumstantias, eius dotes et ingenium, eius statum animi, et praesentes eius gratias, quae omnia partes suas habent in determinando rectum modum agendi in concreto.

Unum denique datur criterium quo tuto decernitur quid hic et nunc agendum it, scilicet conscientia recta, quae consilio et iudicio prudentiae regulatur, suaque decreta emittit secundum instantes exigentias, et recti appetitus impulsum, actualemque gratiae inspirationem. Voce imperative decernit, quae vox ipsius Dei intus resonat, atque lex aeterna participatur et in effectum perducitur. Conscientiae rectae ergo semper obtemperandum est, quidquid sit quod agendum decreverit, etiamsi actus quos imperat a nullo praecepto formali exiguntur.

Ita Deus unicuique officia sua destinat, non tantum ut legislator praeceptis imperans; verum etiam ut Pater caelestis, particulari sua Providentia et inspirationibus gratiae bono uniuscuiusque consulens secundum eius vires et circumstantias. Quod fit praecipue per vocationem, qua missio in vita terrestri complenda cuique praestituitur.

Qui ergo officia hominis restringere vellet ad illa sola quae sunt de praecepto formali, vitam moralem ad quoddam minimum reduceret, et hoc minimum exsecutioni mandari non posset, quin saepe suffocaretur vox decretoria conscientiae, et extinguerentur inspirationes Spiritus Sancti. Eiusmodi moralista denique implicaretur contradictionibus theoreticis et practicis ex quibus se extricare non valeret. Ergo primum principium sententiae negativae non solum falsum est, sed insuper, si in praxi consequenter applicaretur, admodum perniciosum esset (4).

Ideo falso etiam asseritur vocationem religiosam non esse nisi consilium, quod hominem omnino liberum relinquit coram Deo. Hoc asserto confunditur vocatio concreta et personalis cum consiliis evangelicis in abstracto sumptis, et de illa asseritur quod solum de istis valet. Hic habetur alius error radicalis huius sententiae, ex quo omnes eius contradictiones immediate pullulant. Quod patebit ex demonstratione sententiae affirmativae.

(4) E. Hugueny, « Imperfection », DTC VII (2), 1286-98; J. Leclercq, Le retour a Jesus (Essais de morale catholique I, Tournai-Paris, Casterman, 1946), pp. 85-100; La vie en ordre (Essais de morale catholique, IV, Tournai, Casterman, nouv. ed. 1947), pp. 97-105.

In abstracto, seu simpliciter ut in doctrina Christi et Ecclesiae continentur, consilia evangelica modo generali proponunt media quibus perfectio christiana facilius et efficacius attingi potest. Sub hoc aspectu neminem respiciunt in particulari et neminem obligant; aliter ac praecepta, quibus media ad salutem necessaria omnibus imperantur.

A consiliis sic sumptis probe distinguenda est vocatio religiosa, quae natura sua est omnino personalis et particularis, sicut quaecumque alia vocatio, sive sit ad sacerdotium, sive ad matrimonium, sive ad virginitatem vel coelibatum in statu laico. Quae omnes vocationes ordinantur ad finem vitae christianae, at prout Deus vult hunc finem attingi ab unoquoque secundum datas sibi dotes et gratias, seu secundum vocationem suam particularem: «Haec est Christianismi meta, imitatio Christi juxta humanitatis mensuram, prout convenit uniuscuiusque vocationi» (5).

Proinde vocatio religiosa est effectus divinae Providentiae, quo aliqua persona determinata eligitur atque dotibus gratiisque congruis ditatur, ut Deo se devoveat et conformis fiat imaginis Filii eius per plenum exercitium consiliorum. In sua concreta realitate haec vocatio id omne comprehendit quod ipse vocatus est, vel fieri potest, per suam naturam individuam et per gratias particulares sibi collatas. Propterea vocationem suam sequi, idem est ac potentias suas naturales et supernaturales actuare, propriamque perfectionem et felicitatem consequi. Quisnam autem diceret, homini licere ut dotes naturae et dona gratiae pro arbitrio frustretur, et perfectionem suam temerarie sibi renuntiet?

Accedit quod Deus, aliquem ad statum religiosum vocando, voluntatem suam respectu ipsius vocati explicite manifestat. Elementum enim formale, quo vocatio religiosa vere divina est, consistit in inspiratione gratiae proprie vocantis, quae a S. Thoma definitur: « interior locutio qua Spiritus Sanctus mentem immutat », seu « instinctus quo Spiritus Sanctus hominem movet ad religionis ingressum ». Hoc quidem non est praeceptum formale, nec tamen est purum consilium quod vocatum nullo modo obstringit. Potius est intimatio voluntatis Dei invitantis, allicientis, impellentis, totamque vocati vitam ordinantis ad perfectionem et felicitatem suam in religione consequendam. Voluntati divinae ita propositae, vel potius impositae, omnino obediendum est; Deus enim certo vult ut vocatus invitamento suo respondeat, et ordinationem Providentiae suae exsequatur.

An dubium est, ad magnum negotium vocationis referendum esse dictum illud Christi: «Ille autem servus qui cognovit voluntatem domini sui, et non praeparavit, et non fecit secundum voluntatem ejus, vapulabit multis» (Luc. XII, 47)?

Deus eo magis vult ut sibi obediatur, propterea quod vocatio religiosa est maximum beneficium, iis solis collatum quos Deus ex praedilectione elegit: «Omnis autem cui multum

---

(5) S. BASILIUS, *Regulae fusius tractatae*, XLIII, PG 31, 1027.

datum est, multum quaeretur ab eo» (Luc. XII, 48). Talis vocatio ergo exigit ut vocatus ex amore et gratitudine conetur intentionem Dei respectu sui adimplere: «Vocare enim Dei est nos amando et eligendo respicere. Respondere autem nostrum est amori illius bonis operibus parere» (6). Amor quidem peculiares suas exigentias habet, quibus non satisfit nisi redamando. Amor autem reciprocus cogi non potest, sponte praestari debet, at renui nequit sine offensa amantis.

Qui ergo vocationi divinae obtemperare recusat, etsi non transgrediatur praeceptum formale Dei legislatoris, reus tamen est laesi amoris Patris caelestis, cuius invitamentum ad cenam praedilectorum pertinaciter respuit, et dona insignia improvide dissipat. Ad primas catervas militiae Christi vocatus, Regi regum obsequium suum negat. Talentum sibi concreditum, ut cum illo negotietur, abscondit in terra et ipsi suo Conditori audet clamare: Nihil debeo. Quod, visis auctore, natura et fine vocationis religiosae, sane peccato non caret.

S. Thomas demonstrat, cum solita sua perspicuitate, vocationem religiosam non solum stricte obligare, sed cito sequendam esse. Coaevi enim vitae monasticae adversarii non negabant quidem huic vocationi obtemperandum esse, tamen omni vi conabantur vocatos a religionis ingressu retardare. Inter alia speciosa argumenta, hoc imprimis urgebant, scilicet antequam quis religionem ingrediatur, illi diu cum multis deliberandum esse, eo fine ut exploratum sibi habeat vocationem revera esse a Deo. S. Thomas autem demonstrat, propositum de religionis ingressu non aliter haberi posse nisi ex inspiratione divina, ita ut ipse vocatus, rectae suae intentionis sibi conscius, dubitare nequeat an exorta sit a Spiritu Sancto; ideoque nec multum consulendum esse de divina vocationis origine, nec differendum esse ingressum. Praeterea, Patrum vestigiis insistens, ostendit ex Sacra Scriptura ipsum Dominum exegisse, ut vocationi suae quantocius responderetur: «ex quo evidenter accipitur, quod nihil humanum nos debet retardare a servitio Dei» (7).

Mens Angelici adhuc magis liquet ex modo quo sophisma quoddam adversariorum redarguit, his terminis propositum: «Sed derisibili quadam tergiversatione praedicta conantur evadere. Dicunt enim, quod praedicta locum non habent nisi aliquis ipsius Domini voce vocaretur: tunc enim confitentur

---

(6) S. GREGORIUS M., *Moralium*, lib. XI, cap. XLIII, 57, PL 75, 978.
(7) *Contra retrahentes*, cap. IX; a S. Thoma citatum.

differendum non esse, nec ad aliud consilium recurrendum. Sed quando homo interius vocatur ad religionis ingressum, tunc opus habet deliberatione magna et multorum consilio, ut discernere possit si hoc sit ex instinctu divino. Sed haec responsio errore plena est ».

S. Thomas errorem illum confutat primum argumento ad hominem: « Locutio qua nobis Dominus loquitur in scripturis, idem habet auctoritatis pondus, ac si verba ab ipso Salvatoris ore proferrentur ». Ergo si adversarii sibi constare vellent, admittere deberent, illos omnes ad promptam obedientiam teneri, qui ex verbis Domini in Evangelio relatis propositum concipiunt religionem ingrediendi.

Deinde S. Thomas pergit argumento a fortiori: « Est autem et alius modus quo Deus interius homini loquitur, secundum illud psal. 84. Audiam quid loquatur in me Dominus Deus: quam quidem locutionem cuilibet locutioni exteriori praeponit ». Interior Dei locutio praeponenda est exteriori, quia haec inefficax remanet, nisi accedat internus afflatus Spiritus Sancti: « Ipse Conditor non ad eruditionem hominis loquitur, si eidem homini per unctionem Spiritus non loquatur » (8). S. Thomas ergo concludit, limpide et categorice affirmando vim imperativam vocationis religiosae ut nunc profertur per inspirationem gratiae: « Si igitur voci Conditoris exterius prolatae statim obediendum esset, multo magis interiori locutioni, qua Spiritus Sanctus mentem immutat, resistere nullus debet, sed absque dubitatione obedire ».

Quam conclusionem S. Thomas ulterius confirmat ex Sacra Scriptura. Sacri enim auctores, et imprimis S. Paulus, docent obediendum esse inspirationibus Spiritus Sancti in omni actu particulari ad quem homo per gratiam movetur. Quod ratione omnino speciali valet de vocatione divina ad aliquem statum vitae, quum haec fere semper consistat in catena gratiarum, quibus Deus hominem identidem movet, totamque eius vitam ordinat in finem illi praestitutum. S. Thomas ergo denuo affirmat obligationem sequendi vocationem religiosam, et quidem prompte: « Cum igitur homo instinctu Spiritus Sancti movetur ad religionis ingressum, non est ei differendum ut humanum requirat consilium, sed statim homo impetum Spiritus Sancti sequi debet ». Proinde dila-

---

(8) S. GREGORIUS M., *Homiliarum in Evangelia* lib. II, Hom. XXX, PL 76, 1222.

tores improbat, quia « vituperabile est post vocationem interiorem differre » (9).

In hac argumentatione nervosa, quae in rei medullam penetrat, S. Thomas totus in eo est, ut demonstret ex ipsa natura vocationis religiosae, Domino vocanti obediendum esse sine mora, contra eos qui, admissa obligatione obediendi, nitebantur ut vocatos ultra modum retardarent. Quidnam diceret Doctor Angelicus de sententia quae hodierno tempore propugnatur, scilicet vocationem religiosam nullo modo ex se obligare, liberumque esse vocato illam prorsus reicere!

OBLIGATIO EX SEQUELIS DEFECTIONIS A VOCATIONE

Vocationem religiosam obligare eo ipso quod est invitamentum a Deo prolatum, patet praeterea ex hoc, quod quaedam damna gravia et omnino vitanda semper et necessario illum gravant qui vocationem religiosam respuit. Non agitur ergo de malis quae solum fortuito postea eveniunt; nec innuere vellem omnia mala subsequentia esse punitiones divinas propter recusatam vocationem. Agitur solum de illis damnis quae ex ipsa defectione profluunt, et ideo aliquo saltem gradu semper adsunt. Haec ad duo genera reduci possunt: psychologica et spiritualia.

Qui in saeculo manet contra Dei vocationem, vel illuc revertitur, quaedam incommoda psychologica patietur, ex eo quod per propriam electionem extra illum statum versetur ad quem a Deo destinatus erat, quem olim ex animo anhelabat, et cui idoneus erat per congruas dotes et propensiones. Mànebit ergo in corpore Ecclesiae veluti membrum luxatum in corpore humano, quod utcumque adhuc servire potest, aegre tamen et cum quadam deformitate. Sciens se esse in loco non suo, immo devium iter vitae se facere, eo facilius animo deficiet, dum aspirationes nobiliores, quae in religione expleri possent, magna saltem ex parte ad vanum et irritum reducentur. Praeterea defectionis suae a divino invitamento sibi conscius, stimulis conscientiae non carebit, nec pace interna fruetur.

Quae omnia, sexcenties animadversa, expertorum testimonio confirmantur; quidquid enim dicant fautores sententiae negativae, conscientia christiana sponte percipit vocationem divinam respui non posse absque offensa Dei, quae malas sequelas in animo relinquit ac si esset quasi quoddam peccatum originale.

In ordine spirituali defectio a vocatione religiosa cadit sub illa lege divinae Providentiae quae his verbis a Domino enuntiatur: « Qui enim habet, dabitur ei et abundabit: qui autem non habet, et quod habet auferetur ab eo » (Matth. XIII, 12). Quod magis explicite ita a S. Basilio declaratur: « Qui primum Dei donum probo ac grato animo suscepit, idque diligenter excoluit ad Dei gloriam, is alia etiam accipiet: qui vero talis non exsistit, priore etiam privatur, paratum-

(9) Contra retrahentes, cap. IX, X; II-II, qu. 189, art. 10. Cf. Super Evangelium S. Matthaei lectura, cura P. Raphaelis Cai, O. P., editio V revisa, Taurini-Roma, 1951, n. 721-22, p. 112.

que non consequitur, imo vero poenae traditur» (10). Hoc certe valet de illa vocatione quae, post Creationem, Redemptionem et Baptismum, est donum Dei maxime pretiosum et maxime beneficum.

Vocatio religiosa nempe est pignus gratiarum abundantium, quae indoli et viribus vocati optime congruunt, quibusque ille ipsum fastigium sanctitatis attingere potest. Qui vero vocationem Dei sequi recusat, illa copia gratiarum se privat, ac ceteris carebit mediis sanctificationis quae vitae monasticae propria sunt — ingens damnum, quod quis sibi inferre non potest sine culpa probabiliter gravi (11).

Qui vocationem religiosam recusaverit, communia quidem adhuc habet auxilia quibus vivere valet secundum praecepta. Quod autem ad hoc attinet, ille aliter se habet ac fidelis qui in statu laico propriam adimplet vocationem, ille enim in statu alieno versatur velut membrum luxatum in corpore humano. Vitae laicae minus aptus est et in conditionibus mundanis gravius periclitatur propter statum animi ortum ex defectione a propria vocatione, quae alio illum ordinabat. Propterea gratiis communibus difficilius cooperatur, orationem imprimis negliget et tentationibus cedet, nisi constanti voluntate conetur difficultates suas peculiares superare — durum conamen, a quo nimis facile deficere potest, ut iterum expertorum testimonio confirmatur.

Denique ex omnibus illis sequelis psychologicis et spiritualibus simul sumptis, alia provenit quae omnium maxima est, scilicet quod eiusmodi homo, qui a statu suo vagus et exsul errat, in discrimine salutis versatur, quod autem recte intelligendum est.

Hodie nonnulli hanc quaestionem tractant ac si nullum haberetur medium inter haec duo extrema: ex una parte, a Deo reprobari ob defectionem a vocatione; et ex altera parte, omnino impune a vocatione deficere. Porro quum constet, deficientem a vocatione non eo ipso reprobum fieri, illico concluditur nihil mali illi evenire propter suam defectionem.

Reapse tamen datur medium non parvipendendum, ille scilicet complexus damnorum supra memoratorum, ac simul id quod ex illis necessario profluit, periculum nempe salutis plus minusve grave — periculum, inquam, seu maior difficultas salvandi animam, ac proinde non interitus inevitabilis, sed discrimen superabile, etsi superari possit solum incedendo per viam humilitatis et paenitentiae.

Haec doctrina multis non placet, sequitur tamen ex ipsa natura rei; ut infra videbimus, a Patribus instanter urgetur; atque innuitur in doctrina S. Pauli, quae egregie explicatur a S. Joanne Chrysostomo, non solum de vocatione religiosa, sed de qualibet vocatione ad munus aliquod in Corpore Mystico complendum: «Quare non oportet solum ut sit unitus

(10) *Moralia*, Regula LVIII, PG 31, 790.
(11) S. Alfonsus De Liguori, *Theologia Moralis*, lib. IV, cap. I, n. 78 (ed. L. Gaude, Romae 1907, t. II, p. 507).

656

corpori, sed etiam ut suum locum teneat: quod si exsupera-
veris, non es unitus, neque Spiritum suscipis. Annon vides in
ossium transpositionibus, quae aliquo casu contingunt, quando os loco suo transmisso alium tenet, quomodo totum corpus
laedit, et saepe mortem affert, et saepe etiam de caetero in-
ventum est indignum quod retineatur?... Quare unumquodque
in suo loco manere, nec in alterum excedere non convenientem, quantum sit cogita. Tu membra componis: ille desuper
subministrat ac suppeditat » (12).

Non iuvat ergo hanc doctrinam de rigorismo reprehendere quin rationes bene ponderentur. Nec juvat objicere, Superiores, hac doctrina perterritos, plus aequo dubitare indignos et non vocatos dimittere, immo illos tolerare cum gravi
damno communitatis; aut objicere, inter ipsos indignos et
non vocatos plerosque propterea exire nolle quod timent ne
ideo pereant. Non juvat, inquam, quia ad rem non facit,
agitur enim de illusionibus insipientium, quibus praecaveatur
veram doctrinam de vocatione inculcando, candidatos prudenter seligendo, eosque recte formando et dirigendo.

Nec verum est hac doctrina formari ignavos, qui spiritu
servili constringuntur et solo timore in claustris retinentur,
sicut minime verum est solos ignavos inter fideles formari eo
quod transgressio praeceptorum poena inferni sancitur. Salutare quidem est, praesertim in discrimine vocationis authen-
ticae, prae oculis habere gravia illa damna quae ob defectionem a vocatione imminent; generatim autem adspirantes qui
revera vocantur, sponte moventur amore Dei et zelo propriae
perfectionis, nihilque illis antiquius est quam ut in religionem admittantur, ibique oblationem suam perficiant et pin-
gue fiat eorum sacrificium.

E contra vero adspirantes magnum detrimentum capere
possunt si doceantur vocationem divinam non esse nisi consilium quod impune respuere licet. Ita quidem excutitur timor,
sed cum dispendio veritatis. Juvenes qui sic docentur parum
aestimabunt insigne Dei donum, ac eo facilius cedent tentationibus contra vocationem, non autem effugient funestas
sequelas eo quod eorum magistri putant se veritatem docere.

Ergo insistendum est, salutem aeternam revera periclitari
ob defectionem a vocatione religiosa, sequitur enim ex ipsa
natura vocationis propter rationes supra allatas, atque diserte
affirmatur a Patribus magnisque Doctoribus, quorum doctrina
a Concilio Provinciali Bituricensi (Bourges 1850) his gravi-

---

(12) Hom. XI in Epist. ad Ephes. cap. IV, PG 62, 85.

bus verbis resumitur et comprobatur: « Hic abs re non est admonere animarum directores maxima utendum esse prudentia in definienda adolescentium vocatione, ne forte, cum gravissimo salutis periculo, aut vocati ad religionem accedere renuant aut non vocati accedere praesumant. Caveant ipsimet parentes, ne minime aptos inducant filios ad amplectendum religionis institutum, neque idoneos ab eo capessendo avocent: id enim in filiorum simul et parentum perniciem vergeret » (13).

Ex supradictis concludendum est, vocationem religiosam obligare per se, id est, eo ipso quod est vocatio Dei, cuius voluntas rectrix per ipsam vocato intimatur; cuius Providentiam particularem cum vocati cooperatione executioni mandari oportet; cuius dona selectiora, per vocationem oppignorata, officium peculiare secumferunt; et cuius benevolum beneficumque invitamentum respui nequit, quin inde sequantur et grave damnum animae, et periculum salutis aeternae.

SACRA SCRIPTURA

Doctrina Sacrae Scripturae de obligatione sequendi vocationem religiosam caute exploranda est duce traditione patristica, quum de re nostra discordantes proponantur interpretationes. Quod maxime valet de textu illo classico: « Si vis perfectus esse... », qui a multis exhibetur ut magna charta plenae libertatis moralis respectu vocationis religiosae. Contrarium autem evincitur ex triplici narratione ut in Synopticis continetur et a Patribus illustratur.

A. — Quidam adolescens, qui vitam meliorem anhelabat, a Domino quaesivit: « Magister bone, quid boni faciam ut habeam vitam aeternam? ». Respondit Jesus: « Si vis ad vitam ingredi, serva mandata », et praecipua recitavit. Dixit illi adolescens: « Omnia haec custodivi a iuventute mea, quid adhuc mihi deest? » Jesus autem intuitus eum, dilexit eum et dixit: « Si vis perfectus esse, vade, vende quae habes, et da pauperibus, et habebis thesaurum in caelo, et veni, sequere me ». Ille autem contristatus in verbo, abiit tristis, quia dives erat valde. Videns autem Jesus illum tristem factum, ait discipulis suis: « Amen dico vobis, quia dives difficile intrabit

---

(13) *Collectio Lacensis* IV, 1099; *Enchiridion de Statibus Perfectionis* I (Romae 1949); p. 165, n. 191.

in regnum caelorum. Facilius est enim camelum per foramen acus transire, quam divitem intrare in regnum caelorum » (*Matth.* XIX, 16-24; *Marc.* X, 17-23; *Luc.* XVIII, 18-25).

Hic habetur concisa declaratio consiliorum evangelicorum ut perfectus modus vitae christianae. Illi juveni autem erat plus quam simplex consilium, nam respectu illius erat clara manifestatio voluntatis divinae et vera vocatio personalis. Dominus enim illi ipsi locutus est cum intentione illum trahendi ad sui sequelam, dum oculorum obtutus, dilectione plenus, erat pignus gratiae internae qua adolescens divino invitamento sponte respondere potuisset. Illi ergo non licuit nolle perfectionem ad quam vocatus est, nec licuit respuere media a Domino commendata. Adolescens autem, divitiis suis nimis addictus, recusavit vocationem tam clare prolatam, et abiens, etiam corde abscessit a Domino, adhuc strictius illaqueandus in spinis divitiarum cum discrimine salutis.

Sic Patres intelligunt narrationem illam, scilicet agi de vera vocatione, quam respuendo adolescens peccavit, et in periculum salutis se injecit. Quorum quaedam testimonia speciminis gratia subjungo.

S. Joannes Chrysostomus: « Pinguis certe terra et fertilis ager erat, sed spinarum multitudo semen suffocavit » (14).

S. Basilius: « Ut compararet quod ad perfectionem deerat, praecepit, et nunc ei sequendi copiam fecit » (15). « ... salutaria documenta, quae a magistro vero didicerat, non inscripserit in suo corde, neque doctrinam exsecutus sit, sed avaritiae vitio obcaecatus cum moestitia abierit... Quia vero magnus animarum medicus te praecipuis rebus destitutum vult perfectum reddere, beneficium eiusmodi non accipis, sed luges ac moestus efficeris » (16).

S. Augustinus: « Magnum erat quod amabat, et vile erat quod contemnere nolebat. Itaque perverso corde audiens quem jam dixerat magistrum bonum, majore amore vilitatis, possessionem perdidit charitatis... Non audivit quod voluit, sed audivit quod debuit: desiderans venerat, sed tristis abscessit » (17).

S. Hieronymus: « Haec est tristitia quae ducit ad mortem. Causaque tristitiae redditur, quod habuerit multas possessiones, id est, spinas et tribulos, quae sementem dominicam suffocaverunt » (18).

S. Gregorius Magnus: « Qui cum praeceptum relinquendi omnia audisset, tristis abscessit, et inde est angustiatus in mente, unde foris fuit latior in possessione. Quia enim in hac vita amabat sumptus celsitudinis, tendendo ad aeternam patriam habere noluit sumptus humilitatis » (19).

B. — Eadem doctrina eruitur ex illo loco quo Dominus simpliciter ait ad alterum: « Sequere me ». Ille autem dixit: « Domine, permitte mihi primum ire, et sepelire patrem

(14) *In Matth. Hom.* 63, PG 58, 603.
(15) *Regulae fusius tractatae,* X, 1, PG 31, 946.
(16) *Homilia in Divites,* PG 31, 279.
(17) *Sermo* 86, cap. II, 2, PL 38, 524.
(18) *Comment. in Matth.,* cap. XIX, PL 26, 137.
(19) *Homiliarum in Evangelia* lib. II, Hom. 37, PL 36, 1278. Crf. S. THOMAS, *Catena Aurea* (Taurini, Marietti, 1938), vol. I, pp. 308-313, 554-56; vol. II, pp. 270-73.

meum ». Dixitque illi Jesus: « Sine ut mortui sepeliant mortuos suos; tu autem vade, et annuntia regnum Dei » (*Luc.* IX, 59-60; *Matth.* VIII, 21-22).

Hic agitur de vocatione ad apostolatum, quae tamen simul erat vocatio ad vitam secundum consilia, sicut caeteris discipulis accidit. Dominus promptam obedientiam exegit, atque tenerrimum officium pietatis prohibuit, ne vocationem impediret, quod veram obligationem vi ipsius vocationis innuit. In hoc maxime insistunt Patres hunc locum exponentes, quem ad omnem similem vocationem referunt.

S. Ambrosius: « Itaque cum religiosum humandi acceperimus officium quemadmodum hic paterni quoque funeris sepultura prohibetur, nisi ut intelligas humana posthabenda divinis?... Non ergo paterni funeris sepultura prohibetur, sed necessitudini generis divinae religionis pietas antefertur: illud consortibus relinquitur, hoc mandatur electis » (20).

S. Joannes Chrysostomus: « Idcirco alium venientem et rogantem ut sibi liceret sepelire patrem suum, ne illud quidem facere permisit, ostendens, sequendi Christum officium esse omnibus anteferendum » (21). « Jesus id prohibuit ipsi, non quod juberet honorem parentibus debitum contemnere, sed ut ostenderet, nihil nobis aeque necessarium esse atque res caelestes, iisque summa cum diligentia esse incumbendum, nec vel tantillum differendum, etiamsi admodum urgentia videantur esse ea quae alio trahunt » (22).

S. Augustinus: « Pie quidem excusavit: et ideo dignior cujus excusatio removeretur, vocatio firmaretur. Pium erat quod volebat facere: sed docuit Magister quid deberet praeponere » (23). « Fides cordis ejus Domino se ostendebat: sed pietas differebat. Dominus autem Christus quando parat homines Evangelio, nullam excusationem vult interponi carnalis huius temporalisque pietatis... Honorandus est pater, sed obediendum est Deo. Amandus est generator, sed praeponendus est Creator. Ego, inquit, ad Evangelium te voco, ad aliud opus mihi necessarius es: maius est hoc quam quod vis facere. Sine mortuos sepelire mortuos suos » (24).

C. — Alter instinctu Spiritus Sancti motus, ait ad Christum: « Sequar te, Domine, sed permitte mihi primum renuntiare his quae domi sunt. Ait ad illum Jesus: Nemo mittens manum ad aratrum, et respiciens retro, aptus est regno Dei » (*Luc.* IX, 61-62).

Hoc casu Dominus iterum prohibet actum pietatis, ne vocationem impediat, ipsi vocato libertatem differendi denegans. Secundum Patres eadem exigentia adest quoties quis ad vitam religiosam vocatur.

S. Basilius: « Cognito igitur intolerabili illo damno, quod ex studio in propinquos nostros nascitur, susceptam eorum causa sollicitudinem tamquam diabolicum telum fugiamus. Nam et Dominus ipse ejusmodi affectum ac consuetudinem vetuit: qui uni ex discipulis id non permisit, ut diceret vale propinquis; nec alteri

(20) *Expositio Evangelii secundum Lucam,* lib. VII, PL 15, 1708, 1710.
(21) *In Matth. Hom.* XIV, PG 57, 219.
(22) *In Matth. Hom.* XXVII, PG 57, 348.
(23) *Sermo* 62, cap. I, 2, PL 38, 415.
(24) *Sermo* 100, cap. I, 2, PL 38, 603.

ut vel cadaver mortui patris humo superinjecta contegeret... Et quidem videbantur uterque rem aequissimam justissimamque rogare: sed Salvator non probavit et ne minimo quidem temporis momento permisit a se disjungi alumnos regni caelorum » (24 b).

S. Joannes Chrysostomus locum istum refert ad vocationem S. Matthaei et omnium subsequentium qui ad religionem vocantur. « Sed ut didicistis vocantis potestatem, sic disce vocati obedientiam. Neque enim repugnavit... sed statim obedivit: neque petiit ut domum ire liceret, ut rem cum suis communicaret.... et a rebus omnibus saecularibus se statim abscindens, per obedientiam perfectam testificabatur quam tempestive vocatus fuisset » (24 c).

Item de vocatione Petri et Andreae ait: « Perpende autem illorum et fidem et obedientiam. Etenim in medio opere... illum jubentem audientes, non distulerunt, neque cunctati sunt: non dixerunt, Reversi domum, propinquos alloquemur: sed relictis omnibus sequuti sunt... Talem quippe Christus obedientiam quaerit a nobis, ita ut ne momento quidem temporis differamus, etiamsi quid ex admodum necessariis urgere videatur » (25).

Uti iam vidimus, S. Thomas, Patrum expositionem horum textuum resumens, asseverat vocationem interiorem fortiori ratione ad obedientiam obstringere quam ipsa vox Christi exterior: « Si igitur voci Conditoris exterius prolatae statim obediendum esset, multo magis interiori locutioni, qua Spiritus Sanctus mentem immutat, resistere nullus debet, sed absque dubitatione obedire ».

DOCTRINA PATRUM ET DOCTORUM

Multi loci ex scriptis Patrum excerpti proferuntur ad sententiam negativam sustinendam, scilicet vocationem religiosam destitutam esse omni vi per se obligandi, at loci de quibus agitur, vel non faciunt ad rem, vel male intelliguntur. Ut doctrina Patrum hac re recte capiatur, probe distinguenda sunt diversa genera textuum.

Saepe loquuntur Patres de consiliis evangelicis in abstracto vel objective sumptis ut commendationibus vitae melioris, quae neminem in particulari respiciunt, ut hac ratione illa distinguant a praeceptis, quae necessaria ad salutem imperant et omnes constringunt. Locis huius generis Patres ne agunt quidem de vocatione religiosa.

Saepe etiam docent unumquemque christianum spiritum consiliorum colere debere, animo semper paratum particulares illorum actus exsequi prout statui et conditioni suae convenit. Neque his locis agitur de vocatione religiosa.

Saepe quidem affirmant vocationem religiosam esse liberam, sed hoc sensu, quod vita religiosa nulla lege divina iubetur, vel quod quis statum religiosum sponte amplecti debet electione libera a vi, fraude et metu ab homine incusso. His locis nihil dicitur de vi obligatoria ipsi vocationi inhaerente.

(24b) *Constitutiones monasticae,* cap. XX, PI 31, 1391.
(24c) *In Matth. homil.* XXX, PI 57, 363.
(25) *In Matth. Hom.* XIV, PG 57, 219.

Praeter omnia illa documenta habetur magna copia locorum quibus Patres modis diversis docent vocationem religiosam per se obligare, et quibus constat quantopere vocatio concreta et personalis hac ratione differt a consiliis evangelicis in abstracto. Imprimis obligationem fundant super ipsam naturam vocationis in quantum est intimatio voluntatis Dei respectu ipsius vocati, quapropter vocationem saepe nominant praeceptum. Aliis locis insistunt vocationi prompte respondendum esse, etiam cum gravi detrimento et cordis cruciatu propter obstacula superanda. Praeterea illos graviter increpant qui obedire recusant, vel praeter necessitatem ingressum differunt, dum illos improbant qui aliorum vocationem impediunt. Denique prae oculis ponunt incommoda quibus deficientes a vocatione gravantur, quorum omnium maximum est periculum salutis.

Ut breviter dicam, Patres id ipsum affirmant, et instanter quidem, quod fautores sententiae negativae de errore et rigorismo reprehendunt. Haec Patrum testimonia eo graviora sunt, quod magna ex parte proferuntur, non modo speculativo tantum, sed ut monita et consilia practica omni generi personarum, de quarum bono spirituali et aeterna salute agebatur.

Supra iam attuli quaedam documenta patristica quibus doctrina Christi in Sacra Scriptura relata illustratur. Ex ingenti copia pauca alia seligo quibus traditio de re nostra magis patebit.

S. Basilius decrevit, conjuges, qui ex mutuo consensu religionem ingredi volunt, recipiendos esse, « nam obedientiae Deo debitae nihil est praeferendum » (25 b). Ideo periculosum est eos repellere qui accedunt ad Dominum, ejusque jugum suave, quod ferentes ad caelum attollit, subire volunt (26). Eadem de causa fovendum est propositum illius qui legitime et ad tempus a religionis ingressu impeditur, nam « cupido quidem aequi bonique non exscinditur sine periculo » (27).

Jam vidimus S. Joannem Chrysostomum graviter monuisse vocatos ne differrent ingressum in religionem, et hoc quidem propter detrimentum animae et periculum salutis quae inde sequuntur. Ad vocationem religiosam accommodat illud Sapientis: « Ne tardes converti ad Dominum, et ne differas de die in diem » (Eccli. V, 8), hancque rationem affert: « ne forte, dum tu moram trahis, conteraris, et in tempore ultionis pereas » (28).

Quapropter acriter improbat parentes qui filios a vita monastica arcent et in domo paterna claudunt, dum eosdem longe a se libenter mitterent, ut litterarum studiis incumberent, vel artem quamdam mechanicam aut aliam viliorem ediscerent: « quid hac absurditate possit esse deterius » (29). Omni vi oppugnavit tales parentes, illisque notas infamiae inussit, quibus

(25-b) *Regulae fusius tractatae*, XII, PG 31, 947, 950.
(26) *Iibid.* X, col. 943.
(27) *Regulae brevius tractatae*, CVII, PG 31, 1155. Cf. J. RIVIERE, *Saint Basil* (Les moralistes chretiens, Paris, J. Gabalda, 1925), p. 271.
(28) *Adversus oppugnatores vitae monasticae*, lib. III, 17, PG 47, 378. Cf. *In Matth. Hom.* XXX, 1, PG 57, 361.
(29) *Adversus oppugnatores*, lib. III, 18, PG 47, 380.

patet quantopere exhorruit damna filiis illata. Illos livore et inhumanitate correptos esse dicit, atque saevitiam et immanitatem in liberos proprios ostendere, immo vero barbaris immaniores esse, quia animam filiorum in servitutem redigunt, eamque velut captivum alligatam malignis ferisque daemonibus tradunt (30).

Denique terminis durissimis insistit in periculo salutis et maiore facilitate peccandi quibus capiuntur ipsi filii qui a vocatione sua impediuntur: « Ac etiamsi domi manentes possent non penitus perire, sed extremam salutis sortem adipisci, ne sic quidem poenas effugere possemus, si eos qui ad diligentiorem vitam festinarent prohiberemus, atque saecularibus rebus detineremus eos, qui in caelum avolare gestirent. Cum autem id fieri nequeat, sed omnino pereundum esse constet, ac de extremis periculum sit, quam tandem veniam, quam excusationem habituri simus, si non modo propriorum peccatorum, sed eorum etiam quae postea filii admiserint, poenas in nos gravissimas pertrahamus? Neque enim puto illos tam graves daturos esse poenas pro iis, quae postea deliquerint in hos fluctus pertracti, quam vos, qui in hanc illos necessitatem induxistis » (31).

Durissimus quidem est iste modus loquendi, at mitius forsitan explicari potest tamquam rhetorica superlatio veritatis, ideo adhibita ut efficacius oppugnaretur pessima morum corruptio quae eo tempore Antiochiae grassabatur, vitaeque monasticae inimica, multos juvenes a claustris avertit et in interitum praecipitavit. Quidquid sit hac de re, dubitare non licet Chrysostomum strenue sustinuisse vocationem religiosam stricte obligare, illosque grave damnum animae pati atque in periculum salutis incurrere qui illam respuerint, etiamsi id fieret propter renitentes parentes.

S. Joannes Climacus iisdem rationibus adspirantes praemunit contra dilationem ingressus: « Caveamus ergo, ne regum Rege, et Domino dominantium, Deoque deorum, nos ad caelestem hanc religiosae disciplinae militiam citante, ex inertia et vecordia illam detrectamus, olimque ad supremum judicis tribunal adducti, rei indefensique deprehendamur » (32).

Haud pauci, ait, ignavos et desides praestolati sunt, qui illos apud se servare cupiebant, cum pessimo tamen exitu: « calore caelestis flammae sensim refrigescente, cum illis perierunt. Ergo concepto hoc intra te divini amoris incendio, curre; cum ignores quando exstinguatur, et te in tenebris relictum destituat » (33). « Non te parentum et amicorum lacrymae moveant, ne olim in aeternum plores » (34).

In scholiis ad opera S. Joannis Climaci, ex Elia Cretensi Archiepiscopo potissimum, et aliis Patribus et scriptoribus graecis decerptis, hoc habetur: « Impius est qui professionem suscepit, et eam abdicat. Etiam hic impius, qui propter stultitiam ad illam non accedit » (35).

Quidam juvenis, qui sibi proposuit ut nomen daret inter monachos S. Augustini, in discrimine versabatur ne vocationem proderet ob matris obsecrationes: « Rapit militem Christi tuba caelestis ad praelium, et retinet mater! ». S. Augustinus gravissimis litteris eum hortatur, ut, contemptis perversis matris affectibus, fortiter pergat: Si te igitur tironem Christi profiteris, castra ne deseras. Quidquid mater tibi obtendit, ut a germana sinceraque Evangelii charitate te detorqueat, ad serpentis astutiam pertinet. Hoc interfice verbo salutari. Hoc perde matris, ut in vitam aeternam custodias eam. Hoc memento ut oderis in ea, si diligas eam, si turris fundamenta posuisti. Habent haec locum ubi majora non vocant. Cave ergo ne te in deterius pervertat, et evertat. Si est in te charitas ordinata, scias praeponere majora minoribus, et cor habeas paratum ad sequendum Domini voluntatem (36).

(30) *Adversus oppugnatores*, lib. I, PG 47, 353, 366.
(31) *Adversus oppugnatores*, lib. III, 21, PG 47, 385.
(32) *Scala Paradisi*, Gradus I, PG 88, 639.
(33) *op. cit.*, Gradus III, col. 663.
(34) *ibid.*, col. 667.
(35) *ibid.*, col. 646.
(36) *Epist.* 243, PL 33, 1055-59.

S. Hieronymus vocatos ad religionem vel ad virginitatem saepe monet de obligatione prompto animo respondendi, et reprehendit dilationes admissas ob affectus humanos vel oppositionem parentum et propinquorum.

« Ecce adversarius in pectore tuo Christum conatur occidere », sic scribit Heliodoro, reluctanti stare promisso se socium adjungendi Hieronymo in eremo. « Ecce donativum quod militaturus acceperas, hostilia castra superant. Licet parvulus ex collo pendeat nepos, licet sparso crine et scissis vestibus, ubera quibus te nutrierat, mater ostendat, licet in limine pater jaceat, per calcatum perge patrem, siccis oculis ad vexillum crucis evola. Solum pietatis genus est, in hac re esse crudelem » (37).

Quanam autem ratione potest quis ad eiusmodi piam crudelitatem animari? « Facile rumpit haec vincula amor Dei et timor gehennae... Gladium tenet hostis, ut me perimat, et ego de matris lacrymis cogitabo? » (38).

Sed forsitan dicet Heliodorus: « Quid ergo? Quicumque in civitate sunt, Christiani non sunt? » Respondet Hieronymus: « Non est tibi eadem causa quae caeteris. Dominum ausculta dicentem: Si vis perfectus esse, vade, vende omnia tua, et da pauperibus, et veni, sequere me » (39).

Secundum S. Hieronymum ergo, qui dotibus idoneis induitur, et in intimis animae divinum percipit afflatum, illum moventem ut semetipsum Deo offerat hostiam viventem, ille non potest amplius se gerere ac si digito Dei tactus non fuisset, nec licet illi donum caeleste recusare et salutem quaerere in via communi. Quapropter Hieronymus eiusmodi vocatum instantissime hortatur, ut quam citissime vincula mundi dirumpat: « Festina, quaeso te, et haerentis in salo naviculae funem magis praecide, quam solve » (40).

S. Gregorius Magnus principium statuit, quod ad quodlibet genus vocationis attinet: « Restat igitur ut in cunctis quae agimus vim supernae voluntatis inquiramus, cui videlicet cognitae debet nostra actio devote famulari, et quasi ducem sui itineris persequi » (41).

Expositis diversis modis quibus Deus homines vocat ad opera quae ad vitam aeternam conducunt, Gregorius monet: « Nemo contemnat, ne, dum vocatus excusat, cum voluerit intrare non valeat ». Tunc, descriptis periculis salutis in mundo imminentibus, ait de illis qui ad vitam monasticam vocantur: « Quid inter haec, fratres carissimi, nisi relinquere omnia debemus, curas mundi postponere, solis desideriis aeternis inhiare? » (42).

Praeterea Gregorius detegit qua arte et quocum damno diabolus illum avertere conetur, qui mundo nuntium remittere meditatur: « Dolose ejus consilia, dum blandum ex exterioribus sonum reddunt, perniciosum dispendium de interioribus ingerunt », inde maxime noxia quod vocatum a recta intentione dissipant (43). Qui seipsos a callido hoste decipi sinunt, bonum propositum executioni mandare pertimescunt, et a melioribus quae deliberaverant deficiunt. Certo male agunt, nam « ante omnipotentis Dei oculos ceciderunt in deliberatione » (44).

Dum omnes, qui vocationem religiosam respuunt, in discrimine salutis versantur, Gregorius asseverat plerosque de facto salvari non posse nisi in statu religioso. Hac de causa forti animo obstitit legi imperiali, quae vetuit quominus in monasterium converterentur milites et rei publicae administratores. Se ait vehementer expavisse, quia per illam legem caelorum via in multis claudebatur: « Multi enim sunt qui possunt religiosam vitam cum habitu saeculari ducere. Et plerique sunt, qui nisi omnia reliquerint, salvari apud Deum nullatenus possunt » (45).

Eadem omnino est doctrina S. Anselmi, tum de vocationis religiosae vi obli-

(37) *Epist.* 14, PL 22, 348, citatum a S. Bernardo, *Epist.* 322, PL 182, 527.
(38) *Ibid.*, col. 349.
(39) *Ibid.*, col. 351.
(40) *Epist.* 53, ibid., col. 549. Cf. *Epist.* 118, col. 960-66; *Epist.* 145, col. 1191-92.
(41) *Moralium* lib. VI, cap. XVIII, PL 75, 747.
(42) *Homiliarum in Evangelia*, lib. II, Hom. XXXVI, PL 75, 1272.
(43) *Moralium* lib. XXXII, cap. XXI, 42, PL 75, 660.
(44) *Homiliarum in Ezech.*, lib. I, Hom. IV, 18, PL 76, 813-14.
(45) *Epistolarum* lib. III, Indict. XI, Epist. 65, PL 77, 663.

gandi, tum de damnis animae et de periculo salutis ex vocationis recusatione oriundis.

Nonnulli, ait, saecularium rerum obstaculis retinentur, ne sapientiam quae Christus est, per religiosam conversationem apprehendant: « Ideo vera sapientia jubet ut omnes, qui eam mente concupiscunt, transeant cunctos huiusmodi obices, et ad ipsam, dum licet, venire festinent » (46).

Quemdam huiusmodi dilatorem monet: « Ne ergo sis crudelis in animam tuam... scis quia semper nocuit differre paratis » (47).

Alium hortatur: « Non te detineat, mi dilecte, nec moretur ulla occasio carnalis, quia utique non est consilium, non expedit bonum aeternum perdere, aut minuere, aut vel differre pro tempore » (48).

Walerannus cantor Parisiensis Ecclesiae, in monasterio habitum monachi suscepturus, inde vi a Gaufrido Episcopo Parisiensi fuit abstractus. Anselmus illum hortatus est, ut arreptum vitae monasticae propositum strenue prosequeretur, non obstante vi ab episcopo illi illata, haec enim illum non excusaret si deficeret: « Timeo enim ne diaboli calliditas animam tuam dilectam mihi decipiat, ne tibi, quoniam vi abstraheris et nolens a sancto proposito, posse in clericatu licite et sine culpa, ut olim, permanere persuadeat. Certius esto, charissime, quia nullo modo hoc potest anima tua sine sui reprobatione suscipere, quamvis hoc episcopi sui auctoritate velit defendere... multa tibi dicerem, ut quam bonum sit quod incepisti, et quam malum si ab incepto deficis, ostenderem. Breviter dico, nihil salubrius potuisti incipere, nihil periculosius potes relinquere » (49).

Ergo nefas est aliquem a vita monastica retinere vel abstrahere. Ex altera parte autem, S. Anselmus insistit fas non esse aliquem cogere ut ingrediatur, ne novitium quidem cuius vocatio comprobata est, sed libera ei conceditur potestas discedendi. Haec est libertas juridica coram Ecclesia et est omnino tuenda, quam vero Anselmus probe distinguit a libertate morali coram Deo. Inter hodiernos theologos et canonistas multi sunt qui has duas species libertatis confundunt respectu vocationis religiosae et sacerdotalis, et ideo totam quaestionem de vocationis vi obligandi falso concipiunt, ac denique ad falsam solutionem perveniunt.

Non ita S. Anselmus. Asserta enim libertate juridica coram Ecclesia, diserte negat novitium in casu proposito esse liberum coram Deo: « Non dico quod non peccet si acceptam bonam voluntatem deserat; et quod saepius ore bene promiserat, diabolica persuasione deceptus exhorreat; sed dico quia quamvis coram Deo mendacii arguatur, non est tamen abbatis ut quod ille promisit, ab eo violenter exigat » (50). Liber in foro externo, novitius ille obligatus manet in foro conscientiae, ita ut non possit citra peccatum discedere.

Ut jam ex locis citatis patet, S. Anselmus, sicut et caeteri Patres et Doctores, instanter docet defectionem a vocatione religiosa animae esse detrimento et periculum salutis inferre. Hoc cuidam in mentem revocat, ingressum suum differenti: « Quid moraris? Si prius de hac vita tolleris damnum est irreparabile » (51).

Eodem acri monitu excitare conatur militem, qui pariter differebat ingressum, ut fratrem, saeculi curis involutum, adjuvaret: « An tu, audito fragore ruentis mundi super fratrem tuum, contemnens vocantem Christum, curris sub ipsam ruinam... Ne tardes amplius in hac vita meliorem, quam constituisti, viam incipere, ne forte in alia vita moreris coronam beatam percipere » (52).

S. Bernardi multum intererat quaestio de vocationum delectu, probatione et vi obligandi, erat enim vitae monasticae eximius instaurator et numerosae familiae religiosae superior, atque multitudini juvenum consiliarius extitit, ita ut, tum in foro externo, tum in foro interno, de vocationibus frequentissime decernere debuerit summaque experientia hac in re ditatus fuerit.

In scriptis suis Doctor Mellifluus iterum iterumque insistit vocationem reli-

(46) *Homilia* I, PL 158, 594.
(47) *Epistolarum* lib. II, 25, PL 158, 1175.
(48) *ibid.*, Epist. 39, col. 1191. Cf. Epist. 40, col. 1192.
(49) *Epistolarum* lib. III, 13, PL 158, 1175.
(50) *Epistolarum* lib. II, 23, PL 158, 1173.
(51) *Ibid.*, Epist. 29, col. 1182.
(52) *Ibid.*, Epist. 19, col. 158, 168.

giosam promptam exigere obedientiam. Bene scivit quidem nullum hac de re dari praeceptum divinum, fortiter tamen aggressus est « libertistas » sui temporis, qui asserebant ad religionem vocatis liberum esse divinam inspirationem aut sequi aut reiicere. Indefesse asseverabat vocationem religiosam obligare sub poena gravium damnorum animae et periculi salutis; magis autem urgebat obtemperandum esse ex amore Dei, praedilectionem suam demonstrantis et beneficam suam voluntatem intimantis per ipsam vocationis collationem.

Expositis rationibus quibus dilatio ingressus in religionem suaderi solet, sic pergit: « Haec sapientia mundi terrena, animalis, diabolica, inimica salutis, soffocatrix vitae, mater tepiditatis eius quae solet Deo vomitum provocare... Cave tibi! magnum omnino est quod offertur; sed eo libentius et festinantius suscipiendum, et obviis arripiendum moribus cum fervore et hilaritate » (53).

Olim Abrahae dictum est: « Tolle filium tuum quem diligis Isaac, et offeres mihi eum in holocaustum » (Gen. XXII, 2). Quod Bernardus ad vocationem religiosam refert, ut in eius vi obligandi insistat: « Et tu igitur si vocem Domini audieris intus in animo, et dicatur tibi ut offeras tuum Isaac, tuum quodcumque est gaudium immoles Deo (interpretatur enim Isaac Gaudium seu Risus); fideliter et constanter obedi. Ne timeas; nimirum etsi rem grandem tibi dicit propheta, facere debes, et obtemperandum ei per omnia, etiamsi oportuerit ipsum Isaac jugulari » (54).

Thomas, praepositus de Beverla, ordinem Cisterciensem in Clara-Valle se ingressurum promiserat (55); cui, ultra modum procrastinanti, S. Bernardus totam salutis oeconomiam exposuit, ut illi vocationis suae demonstraret momentum, illumque moneret de periculo salutis, quod sibi illaturus esset nisi cito promisso satisfaceret.

Quem, inquit, Deus praescivit et praedestinavit conformem fieri imaginis Filii sui, ille spiritu mundi se abdicet oportet; amicus enim mundi excluditur a consilio amicorum Dei, qui acceperunt spiritum qui ex Deo est, ut sciant quae sibi a Deo donata sunt. Amicus autem Dei quis est, « nisi qui amanti se Deo vicem rependit amoris? Quod non fit nisi revelante Spiritu per fidem homini aeternum Dei propositum super sua salute futura. Quae sane revelatio non est aliud quam infusio gratiae spiritualis, per quam, dum facta carnis mortificantur, homo ad regnum praeparatur, quod caro et sanguis non possident; simul accipiens in uno Spiritu, et unde se praesumat amatum, et unde redamet, ne gratis amatus sit ».

Audiatur ergo Spiritus Sancti vox interior, qua cognoscatur consilium loquentis pacem in eos qui convertuntur ad cor: « Caeterum tu, o charissime, ait Bernardus, huic voci Dei tui, dulciori super mel et favum, si praeparas autem interiorem, fuge curam exteriorem, ut expedito et vacante interno sensu, dicas et tu cum Samuele: Loquere, Domine, quia audit servus tuus (I Reg. III, 10). Vox haec non sonat in foro, sed nec auditur in publico. Secretum consilium, secretum quaerit auditum. Auditui tuo gaudium pro certo dabit et laetitiam, si sobria aure perceperis ».

Thomae vero jam cognitum erat quaenam oporteret fieri cito, ne forte cum reprobis inveniretur. Sicut enim Abrahae praeceptum erat exire de terra et de cognatione sua, ut videre et possidere mereretur terram viventium; et sicut Sponsae jubetur oblivisci populum suum et domum patris sui, ut concupiscat Rex decorem eius; ita etiam Thomae praecipitur: « Fuge fratres et tu, si tuam vis invenire salutem. Fuge, inquam, de medio Babylonis, fuge a facie gladii aquilonis » (56).

(53) *Declamationes,* XXVII, PL 184, 456.
(56) *Epist.* 107, PL 182, 244-49. Vide *Epist.* 411 ad eumdem, *ibid.,* 619-20.
(55) Bernardus votum vel pactum appellabat eiusmodi promissum, quo quis se religionem ingressurum coram eo statuerat (Vide notam editorum, PL 182, 249, n. 308). Agebatur de simplici proposito, fide adspirantis firmato, potiusquam de voto sensu stricto. Bernardus vero quam instantissime exigebat ut eiusmodi promissum persolveretur, quum datum esset de vocatione divina sequenda. Vide Epistolas 107, 108, 395, 412, 415, PL 182, col. 243, 249, 250, 605, 621, 623.
(54) *op. cit.,* XLVII, col. 467.

Thomas autem surdus permansit tam monitis Bernardi, quam voci Spiritus Sancti, « et ita paulatim refrigescebat, donec subita et horrenda morte praereptus factus de medio est saecularis et praevaricator, et duplo filius gehennae (quod ab eo, si fieri potest, avertat misericors et miserator Dominus!) ».

Mundus a sanguine eius, Bernardus tamen ex charitate illum lugebat « qui securus non exiit, quoniam male securus vixit ». Qui dum adhuc in vivis erat, maiori facilitate peccavit, quia infidelitate sua semetipsum gratiis vocationis privaverat: « O terribilis in consiliis Deus super filios hominum! Spiritum donavit, quem erat denuo oblaturus, ut esset supra modum peccans peccatum; et gratia subĩntravit, ut abundaret delictum: quod tamen non fuit culpa dantis, sed addentis praevaricationem. Sui nimirum arbitrii erat, quo male liber liberum habuit contristare Spiritum, contemnere gratiam, nec mancipare effectui suggestum Dei, ut posset dicere: Gratia Dei in me vacua non fuit » (I Cor. XV,10).

Haec habentur in epistola inscripta Thomae de Sancto-Audomaro, qui similiter differebat stare promisso de religionis ingressu, ut studiis incumberet. Quem Bernardus de pari periculo monet: « Obsecro, redi ad cor, et adverte hunc annuum terminum, quem tu tibi indulsisti in injuriam Dei, non esse annum placabilem Domino, sed discordiae seminarium, irae fomitem, nutrimentum apostasiae, qui spiritum exstinguat, gratiam intercludat, teporem affert illum qui Deo solet vomitum provocare... Ea propter ad omnem recordationem tui, animam meam transverberat gladius iste timoris, tanto acerbius, quanto te minus timentem considero. Scio nempe ubi de talibus legerim: ”Cum enim dixerint. Pax et securitas, tunc repentinus eis superveniet interitus, sicut dolor dixerint: Pax et securitas, tunc repentinus eis superveniet interitus, sicut dolor in utero habendi, et non effugient ” (I Thess. V, 3). Multa autem praesentio cognovisses et tu! » (57).

Illustrem iuvenem Gaufridum et socios ad promptum ingressum monasterii item stimulat timore gehennae: « Non apparebit ultra vacua in vobis crux Christi, quemadmodum in multis filiis diffidentiae, qui tardantes converti ad Dominum de die in diem, improvisa morte subtracti, in puncto descendunt ad inferos » (58).

Alius, novitius iam factus, religionis propositum deseruit et ad saeculum rediit, cui Bernardus imminentes poenas gehennae obtendit, ut resipisceret: « Quomodo qui vocatus eras à Deo, revocantem diabolum sequeris, et quem Christus trahere coeperat post se, repente pedem ab ipso introitu gloriae retraxisti?... jam parum est ut descendas in ventrem inferi; jam te deglutire festinat, ac rugientibus praeparatis ad escam tradere devorandum. Revertere, quaeso, revertere priusquam te absorbeat profundum, et urgeat super te puteus os suum » (58 b).

Multum eo tempore luctandum erat cum parentibus, qui filiorum vocationi adversabantur et eos in saeculo retinere satagebant. Quos S. Bernardus reos fecit in Christum et in illos quos ad se vocavit, magis autem angebatur periculo peccandi pereundique filiis illato. Juveni, in eiusmodi periculo constituto, scribit: « Mater tua vult contraria tuae, ac per hoc et suae ipsius saluti. Elige ergo tu e duobus quod vis, aut unius videlicet satisfacere voluntati, aut utriusque saluti. Verum si multum eam diligis, desere potius ipsam propter ipsam: ne, si Christum deseras ut maneas cum ipsa, propter te pereat et ipsa. Alioquin male meruit de te quae te peperit, si propter te perit. Quomodo enim non perit, quae ipsum quem peperit, perimit? » (59).

Exprobationes adhuc duriores profert ex persona Eliae novitii sui, cuius parentes eum retrahere conabantur et, ut ait Bernardus, filium facere gehennae; « O durum patrem! o saevam matrem! o parentes crudeles et impios; imo non parentes, sed peremptores: quorum consolatio mors filii est! Qui me malunt perire cum eis, quam regnare sine eis!... Proh furor! si vos contemnitis mortem vestram, cur etiam appetitis meam? Si, inquam, negligitis salutem vestram, quid

(57) *Epist.* 108, PL 182, 250-51. Vide *Epist.* 395, *ibid.*, col. 604-605, ubi agitur de eodem casu.

(58) *Epist.* 109, PL 182, 251.

(58b) *Epist.* 112, PL 182, 256.

(59) *Epist.* 104, PL 182, 240.

juvat etiam persequi meam?... An hoc est vestri cruciatus levamen, si me etiam perimatis?... quae, inquam, consolatio damnatis, socios habere, suae damnationis? » (60).

Merito igitur animadvertunt editores (61), secundum S. Bernardum, reatum contrahi, non tantum ex professione, sed ex sola vocatione, quod etiam ex hoc patet, quod Bernardus inter apostatas censet novitios, qui contra vocationem suam ab ordine deficiunt (62).

Aequo jure memorat Joannes Mabillon: « Solet Bernardus de salute eorum dubitare, qui ad religionem vocati, Deo vocanti non acquieverunt; nedum qui ingressi, sed non professi, in saeculum redierint » (63).

S. Thomam jam audivimus, declarantem vocationem interiorem praevalere exteriori locutioni ipsius Christi, ac proinde multo magis instinctui Spiritus Sancti, ad religionis ingressum moventis, absque dubitatione obediendum esse. Haec Aquinatis doctrina obscurari non deberet, proferendo aliam omnino quaestionem quae ad rem non facit, scilicet de obligatione orta ex voto ingrediendi in religionem. S. Thomas nempe quaerit: Utrum ille qui vovet religionem ingredi, teneatur perpetuo in religione permanere. Respondet, obligationem voti ex voluntate procedere, et in tantum ferre in quantum se extendit voluntas et intentio voventis. Ergo tenetur perpetuo remanere qui vovendo hoc intendit. Qui vero intendit solum religionis ingressum experiendi causa, non tenetur remanere. Qui simpliciter cogitavit de ingressu religionis, quin cogitaverit de libertate exeundi vel de perpetuitate remanendi, tenetur tantum ad annum probationis sustinendum, cum libertate exeundi si voluerit (64).

Ex hoc nonnulli concludunt, ipsam vocationem non obligare ut quis in religionem ingrediatur vel ibi permaneat, quod autem abs re alienum est et contra mentem S. Thomae. In articulo citato enim agitur tantum de obligatione orta ex voto, et prorsus abstrahitur a vocatione, scilicet utrum vera vocatio adsit, vel utrum vocatio ratione sui obliget. Hanc quaestionem, ut jam vidimus, Doctor Angelicus alibi dirimit, apertissime affirmando vocationem interiorem adhuc strictius conscientiam ligare quam ipsa vox Domini exterius prolata.

Multi alii testes eiusdem doctrinae afferri possent ex aevo patristico et scholastico, qui saepe illam etiam memorant per transennam, vel ut bene notam praesupponunt, ac si demonstratione non indigeat. Inter quos notatu digni sunt praesertim S. Eucherius Lugdunensis Episcopus (65), S. Fulgentius (66), S. Paulinus Nolanus (67), S. Theodorus Studita (68), S.

(60) *Epist*. 111, PL 182, 254, Cf. *Epist*. 322, col. 527.
(61) PL 182, 603, nota 1030.
(62) *Sermo 63 in Cantic*., n. 6, PL 183, 1083, *Epist*. 111, 112, PL 182, 254, 256.
(63) PL 182, 83, nota 65.
(64) II-II, q. 189, art. 4; *quodl*. III, qu. V, art. 2; IV Sent. D. 38, q. 1, art. 4, gc. 1 ad 6.
(65) *De Contemptu mundi*, PL 50, 711-26; *Homiliae ad monachos* III, V, PL 50, 836-41, 844-48; *Exhortatio ad monachos*, PL 50, 867,
(66) *Epist*. 6, PL 65, 348-52.
(67) *Epist*. 1, 8, 11, 24, 25, PL 61, 144-47, 181-84, 193-94, 287-99, 300-304.
(68) *Sermones Parvae Catecheseos* XXXV, XXXVIII, LXXIX, CXXXI, *Novae Patrum Bibliothecae* a Card. Maio collectae, Romae 1888, t. IX, pars I, p. 85, 93-94, 185, 309-310; *Sermones Magnae Catecheseos*, XII, ibid., pars II, pp. 35-36; *Sermo* XC, t. X, pars I, p. 58; Epist. 51, PG 99, 1262-63.

Petrus Chrysologus (69), S. Petrus Damiani (70), et Thomas a Kempis (71).

AETAS POST-TRIDENTINA

Porro illa doctrina decursu saeculorum subsequentium in tranquilla possessione remanebat, atque aetate post-tridentina magis systematice exposita et evoluta est; tunc enim reformatio vitae monasticae et clericalis exigebat ut vera doctrina de vocatione religiosa et sacerdotali accuratius indagaretur. Ad hanc evolutionem multum contulit aureus S. Ignatii liber de *Exercitiis Spiritualibus;* ibi enim statuuntur regulae practicae in electione status vitae servandae, quae in multis directoriis et commentariis funditus exponebantur. Horum omnium optimum et gravissimum est Directorium quod probatum est in Societate Jesu. Ex illo ergo pauca quaedam ad rem nostram attinentia breviter resumo (72).

Electio status vitae tanti refert quia directionem et indolem totius vitae magna ex parte determinat, secundum finem quem quis sibi in eligendo praestituit: « ex quo scilicet consequuntur fere omnia opera vitae nostrae, ita ut, si finis ipsius status sit vitiosus, ea etiam quae ad finem consequuntur oporteat esse vitiosa ».

Ad Spiritum Sanctum pertinet singulis suum locum in corpore Ecclesiae tribuere: « Ex quo constat, ut famuli a suo domino, suo quisque operi ac muneri destinatur, sic homines a Deo; ac proinde non debere hominem impedire in seipso id, quod Deus in eo et de eo agere vult; sed oportere, ut ei fideliter serviat in quacumque re ejus Majestas voluerit ».

Qui in tanta re se suo iudicio ac placito gubernare velit, facile in maximos et maxime perniciosos errores incidet, « quoniam pertinet ad salutem aeternam. Nam etsi Deus nemini negat auxilium necessarium ad salutem, tamen non est dubium, quin iis multo abundantius gratiam suam, et lumen, atque opem communicet, qui non se in aliquem vitae statum ex libito suo intruserunt, sed eum elegerunt, quem praemissa diligenti consideratione putarunt esse juxta Divinum beneplacitum ».

Ergo secundum doctrinam ignatianam, ille status vitae eligatur, quem Deus cuique destinavit. Qui alium statum placito suo eligit, contra voluntatem Dei agit, deviam vitam ducit in loco non suo, abundantioribus privatur gratiis quas in proprio statu haberet, atque periclitatur aeterna eius salus. Quae omnia imprimis valent de vocatione ad statum religiosum, quam S. Ignatius, regulas electionis elaborans, praesertim prae oculis habuit.

Aetate post-tridentina S. Alfonsus de Ligorio eminebat inter theologos qui doctrinam traditionalem de vocatione colebant et propugnabant, suaque auctoritate fecit ut latius diffunderetur et firmius teneretur. Ille etiam accuratius defi-

(69) *Sermo* XIX, PL 52, 252.
(70) *Opuscula* XVI, XLII, LII, PL 145, 365-80, 667-74, 763-92.
(71) *Soliloquium Animae,* cap. XV, XXV; *Opera Omnia* ed. M.J. Pohl, vol. I, pp. 264-6(. 331-46; *Epistolae de conversione et perseverantia in bono proposito,* vol. IV, pp. 474-78; *Dialogi Noviciorum,* lib. I, cap. IV, VIII, vol. VII, pp. 17-22, 28-30.
(72) *Monumenta Historica Societatis Jesu. Monumenta Ignatiana,* series secunda: *Exercitia Spiritualia Sancti Ignatii de Loyola et eorum Directoria,* Matriti 1919, p. 1152.

nivit reatum defectionis a vocatione, apte distinguens tria genera deficientium (73).

Primum est eorum qui vocationem suam potius negligunt quam rejiciunt, id est, qui ex gratia Dei se sentiunt ad statum religiosum inclinatos, sed omittunt de eo serio deliberare et alium statum eligunt. Non possunt ab aliqua culpa excusari, ait S. Alfonsus, ratione periculi salutis cui se committunt. Hoc casu ergo censere videtur periculum non esse tam grave.

Secundo, si quis crederet quod in saeculo manens damnationem incurreret, tum ob suam fragilitatem quam inter saeculi occasiones expertus est, tum ob carentiam auxiliorum quae in religione haberet; non potest excusari a peccato gravi, cum in grave discrimen salutis suae se injiciat.

Tertio, agitur de illis qui, certi moraliter jam facti de vocatione Dei ad religionem, nituntur sibi suadere, manendo in saeculo vel in illud redeundo, se posse salutem suam aeque facile consequi. S. Alfonsus respondet: « Non videtur dubitandum quod isti magno discrimini salutis se exponunt ». Postquam autem rationes exposuerat, modeste concludit quoad gravitatem peccati: « Caeterum nolo in hoc puncto absolutum judicium proferre: sapientibus illud remitto ».

In suis operibus asceticis et epistolis magis insistit in amore et gratitudine erga Deum tamquam rationes vocationem sequendi, et in sequelis psychologicis et spiritualibus quae ex defectione ab ea profluunt (74).

Nostris diebus S. Alfonsus perperam habetur praecipuus parens illius doctrinae quae in ipsa Sacra Scriptura radicatur et tot Patrum testimoniis comprobatur. Immo eadem ipsa doctrina irridetur et reiicitur, ac si non esset nisi propria opinio S. Alfonsi, male fundata, nimis rigorosa, et animis nociva; dum e contra constat, S. Alfonsum hac in re esse testem fidelem doctrinae traditionalis, quam ille — Doctor Zelantissimus et Patronus Moralistarum et Confessariorum — adeo mitius tractat quam quidam ex Patribus, praesertim S. Joannes Chrysostomus et S. Bernardus.

Verum quidem est, multos excessisse, imprimis oratores et scriptores de re ascetica, in quantum vocationem identificant cum praedestinatione, illamque sequi omnino necessarium censent ad salutem, ideoque deficientes ab ea exhibent ut a Deo derelictos et reprobatos. Huic malo autem mederi oportet, doctrinam veram de excessibus illis purgando, dummodo ipsa veritas inconcussa retineatur. At tantum abest ut fautores sententiae negativae hoc faciant, ut in extremum oppositum ruant, asserendo vocationem religiosam ex se nullam prorsus vim obligandi habere ac impune respui posse.

Oportet ergo ut doctrina traditionalis denuo vindicetur et melius intelligatur, quod autem exigit ut, depositis praeiudiciis,

(73) *Theologia Moralis,* lib. IV, cap. I, n. 78 (ed. L. Gaudé, Romae 1907, t. II, pp. 506-508).
(74) *Opuscoli relativi allo stato religioso* (Opere di S. Alfonso de Liguori, Torino 1867, t. IV, p. 397, 403, 411, 417, 449); *Lettere,* Roma 1887-90, vol. I, p. 188, 258, 398, 467; Vol. II, p. 162, 189, 276, 277. Cf. E. WUENSCHEL, C.SS.R., « L'obbligo di corrispondere alla vocazione religiosa secondo S. Alfonso », *Vita Cristiana* XX (1951), 227-40; « Di nuovo l'obbligatorietà della vocazione secondo S. Alfonso », *Seminarium,* IV (1952), 134-145.

sensus Sacrae Scripturae profundius exploretur, ut scripta Patrum diligentius perlegantur, et ut rationes intrinsecae accuratius ponderentur. Ita demum patebit quid inde sequatur, quod vocatio religiosa sit maximum Dei beneficium, ex caritate aeterna collatum et ad summum verticem sanctitatis invitans et impellens. Tale datum optimum et donum perfectum exigit, ut vocatus ex amore reciproco oblationem sui faciat, et conetur depositum sibi concreditum cum fructu centesimo reddere in laudem et gloriam Dei. Vocatio religiosa ergo ex ipsa sua natura officium erga Deum imponit, a quo vocatus se subtrahere nequit quin cum voluntate divina pugnet, et semetipsum extra ordinem sibi praestitutum constituat, cum gravi detrimento animae et periculo salutis aeternae.

COMMUNICATIO 3: *Ratio conscientiae et directio spiritualis in statibus perfectionis.*

178   *Orator* - R. D. AEMILIUS FOGLIASSO, S. D. B.,
       Professor in Pontificio Athenaeo Salesiano.

1. Indoles ac limites huius communicationis.

Neminem certo fugit argumentum huius communicationis, etsi in secunda sectione nostri Congressus comprehensum quae *institutioni* ac *formationi* religiosorum dicata est, concreta tamen formula qua proponitur in *Thematum Ordine,* ipsam religiosam vitam afficere, ita ut non modo sodales alumnos, sed et caeteros quoque professos, pariter tangat.

Caeterum, cum peculiares normae circa rationem conscientiae ac spiritualem directionem quae religiosos tantum alumnos respiciant in Codice I.C. non inveniantur, et proinde quae datae sunt praescriptiones circa formationem spiritualem sive novitiorum (Can. 565, § 1), sive religiosorum studentium (Can. 588, § 1), reduci debeant ad fundamentales normas Can. 530 in quo explicite agitur de aperitione conscientiae. admitti debet Commissionem nostri Congressus haud incongrue examinandam proposuisse generali ratione quaestionem de ratione conscientiae et directione spirituali in Statibus perfectionis.

Patet vero ita propositum atque necessario intellectum argumentum huius communicationis non in una tantum, etsi amplissima, sed in pluribus sane relationibus aptam enodationem per se postulare.

Veruntamen, ct definito temporis spatio pro communicatione, sed praesertim ad immediatam detectionem fundamentalis aspectus in hoc argumento requirendi, succurrit obiectiva analysis formulationis italice factae istius communicationis in priore schemate thematum nostri Congressus. Ibi enim facienda communicatio hisce verbis proponebatur: «*Il problema della direzione spirituale negli Stati di perfezione*», in quo titulo verbo *problema* sat clare innuebatur et in praesens revera adesse aut saltem admitti nonnullas difficultates circa exercitium directionis spiritualis in Statibus perfectionis.

Quapropter, sepositis tum notionibus ac discussionibus doctrinalibus, tum excursu in historicas vicissitudines directionis spiritualis apud religiosas familias, unam quaestionem de innutis difficultatibus ad examen revocare conatus sum.

Hoc autem, ut patet, mihi proposui quin adesset inanis praesumptio ostendendi huiusmodi difficultatum aptam solutionem, sed humile tantum gerens desiderium proponendi mere personalem considerationem *(punto di vista)* circa errorem qui ad modum fontis determinat difficultates quoad exercitium directionis spiritualis in Statibus perfectionis.

2. *Error ex quo tamquam ex fonte oriuntur difficultates in componenda ratione directionis spiritualis in Statibus perfectionis impertiendae.*

Atque in primis aperte declarandum est in quo consistat « problema » circa directionem spiritualem in Statibus perfectionis. Nonne hoc problema exsurgit quia communiter excluditur hanc spiritualem directionem non posse sic et simpliciter ex toto atque exclusive demandari alicui sacerdoti confessario, perinde ac fit pro communibus christifidelibus? et hoc quidem quia intima suasione tenetur Superiorem religiosum (aut Superiorissam) non posse prorsus alienum fieri directioni spirituali suorum subditorum?

Nunc vero, ex hac explicita agnitione « status quaestionis » sponte fluit — at expresse dicendum — difficultates quae contradicunt harmoniae inter exercitium directionis spiritualis in Statibus perfectionis et structuram ipsius vitae religiosae, systematica ratione oriri ex erronea opinione quae (in genere, non consulto, at quae plures habet asseclas) tenet directionem spiritualem in Statibus perfectionis conformandam esse illi directioni spirituali quae extra hos Status impertitur communibus Christi fidelibus, aut saltem communes cum hac directione habere indolem ac normas.

Patet nos hic agere de illa spirituali directione quam *proximam* passim scriptores appellant, seu quae procedit a definitis directoribus spiritualibus, per oppositionem nempe ad sic dictam directionem spiritualem *remotam,* sub qua appellatione venit complexus normarum ac principiorum spiritualium quae quoddam recti agendi criterium, seu in dies solidiorem experientiam in via perfectionis, efformant.

Nunc vero, directio spiritualis extra Status perfectionis cum ab uno tantum et quidem delecto viro ecclesiastico procedat, qui generatim dirigendi sacramentalem confessionem vel saltem haud inferiorem recipit rationem conscientiae, quaestiones, eo minus difficultates, quoad subiectum activum eiusdem spiritualis directionis, prorsus ignorat.

E contra ut nuper dictum est, in Statibus perfectionis quaestio, ad gradum difficultatis facile prolapsura, seu « problema », exsurgit ex necessitate concordandi praescriptionem hodiernae disciplinae ecclesiasticae qua excluditur ut Superior religiosus semper ac necessario a subditis recipiat congruam manifestationem conscientiae (Can. 530, §1), cum congenitis exigentiis eiusdem disciplinae quod attinet ad hodiernam structuram spiritualem-iuridicam vitae religiosae. Haec enim structura, quae ut fundamentum habet dependentiam religiosorum sodalium ab interno Superiore, prohibet quominus Superior iste — cuius praecipuum munus est subditos ad assecutionem perfectionis evangelicae ducere — etsi ipse districte vetetur « personas sibi subditas quoquo modo inducere ad conscientiae manifestationem sibi peragendam » (Can. 530, §1), extraneus prorsus habeatur directioni spirituali suorum subditorum.

Quaeritur proinde: 1) Quomodo Superior religiosus qui per se non disponit de praevia aperitione conscientiae, possit suam partem habere in directione spirituali suorum subditorum (alias: quomodo Superior iste possit adhuc aliquam partem habere in hac directione cum per se alius sit director qui legitime conscientiae manifestationem recipit).

Sed pari iure quaeritur: 2) Quomodo Superior religiosus possit proprium fundamentale munus explere ducendi sibi subditos ad perfectionem religiosam, quae ex natura sua intime connectitur cum directione spirituali, si ex hypothesi admitteretur ipsum posse prorsus extraneum evadere directioni spirituali suorum subditorum.

Verum, ut iam vidimus, hic autem probandum, tota perplexitas ad agnoscendam Superiori religioso congruam partem in directione spirituali subditorum exsurgit ex tacite admissa subordinatione seu dependentia directionis spiritualis in Statibus perfectionis impertiendae a consueta seu ordinaria ratione qua eadem directio traditur communibus Christifidelibus.

Equidem, ex hac ratione ad modum principiorum concluditur:

a) nullam dari posse directionem spiritualem absque praevia manifestatione conscientiae dirigendae;

b) huiusmodi directionem ab uno tantum animi moderatore, saltem definitive, impertiri posse.

Nunc vero, neutra deductio, quippe quae solido caret fundamento, admittenda.

Infra dicam quo sensu et qua de causa Superiori religioso partem aliquam in directione spirituali subditorum agnosci valeat (V. nn. 4-5).

Hic praestat illico probare nuper declaratas conclusiones circa directionem spiritualem, saltem quoad rationem servandam in Statibus perfectionis, nullo fulciri fundamento.

Verum, ante omnia liceat mihi animadvertere quod a priori reicienda sit dependentia (etsi implicita) directionis spiritualis in Statibus perfectionis impertiendae a notione atque a ratione directionis spiritualis traditae communibus Christifidelibus. Neminem sane fugit quam incongruum sit hanc alteram rationem tradendi directionem spiritualem, quippe quae privata est, atque tot diversitatibus obnoxia (tum quoad extensionem, tum quoad methodum) fere quot sunt spiritus moderatores, anteponere publicae atque fundamentaliter uniformi rationi qua in Statibus perfectionis quaeritur evangelica perfectio. Equidem, directio spiritualis quae traditur communibus Christifidelibus, nonne aliquo modo imitatur ac substituit spiritualem moderationem quae de iure ingreditur spiritualem ac iuridicam structuram status religiosi?

Nunc autem, nostram quaestionem propius, seu in suis concretis aspectibus, aggredientes, supradictas deductiones, procedentes ex conceptu ordinariae directionis spiritualis, indirecte refellimus cum quaerimus:

a) num quaelibet directio spiritualis revera egeat praevia manifestatione conscientiae, ac proinde num Superior religiosus absque hac manifestatione nullam partem in directione spirituali suorum subditorum habere valeat;

b) num (consequenter) coordinari possint interventus plurium Directorum spiritualium, etsi non omnes disponant de praevia manifestatione conscientiae.

Utrique solvendae quaestioni ipse Codex I.C. tutam sternit viam.

3. Dari potest aliqualis directio spiritualis licet absque praevia aperitione conscientiae.

Equidem, ad priorem quaestionem quod attinet, recolere sufficit inde a Concilio Lateranensi IV (1) canonicam disciplinam exigere ut qui publice cupiunt religiosum statum amplecti hanc religiosam vitam ducant in communi, ergo sub regimine legitimi Superioris interni. Huiusmodi autem regimen, ex ipsa natura finis in quem tendit, nemo non videt vel simpliciter in spiritualis directionis categoria collocandum, vel saltem intime cum directione spirituali coniunctum esse agnoscendum. Esto veram proprioremque directionem spiritualem ab illo sane sacerdote procedere qui directe sodalis religiosi « spiritum » agnoverit ex praevia conscientiae manifestatione ab ipso facta explicito proposito obtinendi illam peculiarem moderationem quae passim vocatur directio spiritualis.

At, praeter hanc directionem qua « spiritus » consideratur *in recto*, utique dari potest directio vitae externae quae fiat *in obliquo*, nempe in ordine ad « spiritum », ita ut et ipsa vere spiritualis evadat. Atqui finis status religiosi moderationi a Superioribus exercendae quandam spiritualis directionis notam certo communicat. Qua vero mensura seu extensione Superiores religiosi agere debeant in moderatione spirituali subditorum relate ad assecutionem perfectionis evangelicae intuitivo modo perspicit qui consideraverit hanc perfectionem sub ductu Superiorum religiosorum obtinendam, non generico ac uniformi systemate quaerendam esse, sed secundum proprias cuiusque familiae religiosae leges ac spiritum (Can. 488, § 1; cfr. Can. 594, § 3).

Caeterum, quis solidis argumentis inficiari potest ex hac moderatione, etsi tantum externae vitae religiosorum, nonnulla interdum « spiritus » capita attingi de quibus religiosi sodales cum nullam aut imperfectam habeant conscientiam, Directori spirituali haud manifestant, nec huiusmodi Director ex propria observatione cognoscere potest?

Non ideo tamen istiusmodi aspectus moderationis quae exercetur a Superiore religioso impedit quominus pars quae ipsi hac via contingit in directione spirituali subditorum, si perficiatur absque ulla aperitione conscientiae, sat strictis limitibus circumscripta agnosci debeat, seu valde rudimentalis dicenda.

Ampliores vero fines attingi posse, seu profundiorem efficaciam ipsi reservari, videbimus cum analysi subiiciemus quid moderationi subditorum conferat ratio vitae exterioris ab iisdem subditis Superiori religioso reddita. At antequam perveniamus ad hanc considerationem, solvere debemus dubium circa opportunitatem recipiendi hanc moderationem quam exercent Superiores religiosi in provinciam directionis spiritualis.

---

(1) C. 9, X, de relig. domib., III, 36; C. unic., eod. III, 17, in Sext.; S. C. EE. et RR. 11 Aug. 1889, in Collect. S. C. de Prop. Fide, n. 2159; SUAREZ, tract. VII, l. II, c. XV, Opera omnia, t. XV, p. 191, ss.; LARRAONA in *Commentarium pro Religiosis*, II (1921), p. 137.

4. *Moderatio sodalium ad assequendam evangelicam per-fectionem quae a Superioribus religiosis exercetur, collocari potest in provincia directionis spiritualis.*

Non enim me fugit propter praeiudicialem opinionem quae tenet nullam dari posse directionem spiritualem quam non praecesserit congrua manifestatio conscientiae ex receptio-ne moderationis exercendae a Superioribus religiosis in pro-vincia directionis spiritualis, facile oriri posse periculum indu-cendi sodales religiosos ut se ipsos moraliter obligatos habeant simplici suasioni de qua in Can. 530, § 2; ut nempe sodales isti opinentur absque ultronea aperitione conscientiae facta propriis Superioribus aut prorsus aut fere nullam reddi dire-ctionem spiritualem ab iisdem Superioribus ipsis tradendam.

Nunc vero, dicendum est: etsi impossibile esset huic pe-riculo absoluta efficacia occurrere (quod, e contra, possibile esse illico demonstrabitur), sperni non posse huic periculo graviora consectaria psychologica promanantia ex absoluta exclusione muneris Superioris religiosi a provincia directionis spiritualis.

Equidem, statim ac admissa fuerit haec exclusio, Superior religiosus alienus prorsus habetur illi personali operae spirituali quae maximum sane constituit officium uniuscuiusque sodalis in Statibus perfectionis. Videlicet, Superior reli-giosus hoc modo habetur, atque de facto evadit, nonnisi censor disciplinae (et, e contra, omnes AA. passim loquuntur de religiosis *familiis*), distributor licen-tiarum vel pecuniae pro variis vitae necessitatibus, praedicator ex officio, etc.; sed revera dissolvitur munus capitis familiae religiosae. Hoc modo considerato munere Superioris religiosi, eiusdem praecepta habentur tamquam elementa quae utique spiritualem activitatem sodalium propius tangunt, ac consequenter spe-ciali spiritu supernaturali accipienda sunt, at quin directe afficiant formationem *christiano-religiosam* sodalium (qui sane duo fines in sodalibus religiosis insepa-rabiles sunt), ideo, perinde ac caetera omnia quae se referunt ad spiritualem profectum, iudicio Directoris spiritualis subiicienda, qui proinde practice habetur tamquam supremum tribunal (*la Cassazione*) totius vitae religiosae.

E contra, ipso dictante Codice I.C. religiosus Superior vel Superiorissa suorum subditorum *pater* vel *mater* esse debent, nam si « expedit ut (subditi) filiali cum fiducia Superiores adeant » (Can. 530, §2), manifestum est hanc filialem fiduciam praevium exigere paternum vel maternum munus ac congruum agendi modum huic muneri consentaneum. Nec minus patet istam paternitatem vel maternitatem propter spiritualem finem ad quem ordinantur originem dare habi-tudini spirituali; quippe quae intercedit inter vitam spiritualem subditorum et opem spiritualem collatam a Superiore religioso sua moderatione sodalium.

Veruntamen supra declarato periculo de erronea interpretatione illius sua-sionis quae continetur in Can. 530, §2 circa ultroneam manifestationem con-scientiae sollicite occurri debet.

Nunc vero, periculum hoc radicitus de medio aufertur si reiecta fuerit opinio, etsi tantum implicite admissa, quae tenet rationem tradendi directionem spiritualem in Statibus perfectionis conformandam esse illi rationi qua eadem directio impertitur communibus Christifidelibus, nam ex hac ratione, ut vidimus, ad modum erronei pricipii facile deducitur spiritualem directionem ab una tan-tum persona, ex regula, procedere posse.

Atqui huic principio, implicite quidem at indubitanter, contradicit Codex I.C.

Equidem, plurisaecularis experientia circa consectaria promanantia ex coniunctione directionis spiritualis tradendae a Superioribus religiosis cum sacramentali confessione a sodalibus instituta apud eosdem Superiores valde claram maturavit in Codice distinctionem inter denegatam opportunitatem instituendi sacramentalem confessionem apud proprios Superiores religiosos et, e contra, laudatum propositum ipsis aperiendi animum cum fiducia (alia et alia mensura, prout nempe Superiores isti sacerdotes sunt vel non). Enimvero in Can. 518, § 3, Superiores religiosi prohibentur « ne quem subditum aut ipsi per se aut per alium, vi, metu, importunis suasionibus aliave ratione inducant ut peccata apud se confiteantur ». Hanc autem prohibitionem nulla temperat contraria suasio, qua nempe sodales invitentur ut sacramentalem confessionem sponte instituant apud proprios Superiores; immo injunctam prohibitionem bene confirmat adhortatio ipsis sodalibus facta ne facultate confitendi peccata propriis Superioribus « sine gravi causa per modum habitus » utantur (Can. 518, § 2).

E contra, in Canone 530, factae Superioribus religiosis prohibitionis inducendi personas sibi subditas ad conscientiae manifestationem sibi peragendam (§ 1) finalem effectum magnopere temperant tum absentia cuiusvis limitationis circa ultroneam manifestationem conscientiae, tum praesertim explicita — ni, verius, dixeris «´materna» — Codicis declaratio qua edicitur expedire ut religiosi sodales « filiali cum fiducia Superiores adeant, eis, si sint sacerdotes, dubia quoque et anxietates suae conscientiae exponentes » (§ 2).

Ut patet, in istis praescriptionibus ab ecclesiastico Legislatore tria genera aperitionis animi distinguuntur:

a) illa aperitio quae tendit ad sacramentalem confessionem;

b) quae non ingreditur dominium dubiorum ac anxietatum conscientiae;

c) quae et haec dubia et anxietates tangit.

Haud minori evidentia elucet his tribus generibus aperitionis animi tria respondere genera seu extensiones directionis spiritualis.

Superest ut istis tribus generibus addamus directionem spiritualem propriore sensu intellectam (illam nempe quae immediate pendet a plenissima aperitione conscientiae ipsi exomologesi superiore), tum, denique, et illam aliquo modo spiritualem directionem circa vitam externam subditorum quae officio Superioris religiosi necessario inhaeret.

5. Validiori exercitio spiritualis directionis a Superiore religioso tradendae magnopere confert ratio vitae externae a sodalibus reddita.

Ut factae animadversiones circa fundamentum ac extensionem directionis spiritualis quae promanat ab ipso munere a Superioris religiosi aliquatenus perficiantur, expedit saltem innuere quid tum ad extensionem tum, ut dicitur, ad « profunditatem » huius directionis, conferre possit ratio vitae exterioris a sodalibus legitimo Superiori religioso apte reddita. Verum, in primis sedulo adnotandum est hanc rationem vitae externae quae vulgo *rendiconto* aptissime appellatur, etsi in spiritualem finem factam (quia omnis sane activitas religiosorum huic fini reduci debet), ita ut per se, seu absolute, vocari posset *rendiconto spirituale,* substantialite1 tamen differe ab aperitione conscientiae, quae una et natura sua est, atque iure appellari potest, *rendiconto spirituale.*

Nunc autem, Codex I.C. nullam explicitam, seu melius specialem, normam continet circa huiusmodi rationem vitae exterioris religiosorum sodalium; at dicendum hanc rationem revera praecipi saltem in Canone 513, § 1, ubi religiosi monentur de obligatione respondendi Visitatori secundum veritatem, atque insuper de facto subintelligi in Canone 510, ubi sermo est de relatione quinquennali ad Sanctam Sedem transmittendam. Equidem si ab hoc canone gressus fit ad relativum *Elenchum quaestionum* ad hunc finem a Sacra Congregatione de Religiosis compositum, nemo in dubium revocare poterit totam exteriorem vitam subditorum a legitimis Superioribus religiosis cognitam praesupponi.

Ne immoremur in examine negotiorum quae comprehenduntur in sphaera vitae exterioris religiosorum, saltem prae oculis habendum est quod ut appareant veri limites huius provinciae non sufficit ipsi ambitum opponere vitae interioris (quae sane obiectum evadit illius aperitionis animi de qua in Can. 530), sed et occultorum negotiorum agmen considerandum est, ne sic et simpliciter huiusmodi negotia includantur in sphaera unius aperitionis conscientiae. Non autem, e contra, nimia simplicitate procedere circa distinctionem negotiorum in publica ac occulta dicendus est qui ad rem nostram externum negotium — ideoque obiectum rationis vitae exterioris religiosorum sodalium — habeat quidquid subiici potest legitimae inspectioni (directae vel indirectae) Superiorum religiosorum.

Prono alveo fluit istiusmodi negotiorum quae Superiores legitimis mediis cognoscere valent, congruam exigi posse rationem a sodalibus reddendam. Legitima quidem illa media dicenda sunt quae non sint contra praecepta Codicis I.C., at principiis vigentis iuris religiosorum conformia (i.e. iuridicae structurae quae inhaeret vitae coenobiticae), etsi non sint expresse considerata in regulis alicuius Instituti Religiosi. V. gr. patet in qualibet religione, etsi constitutiones absolute sileant circa usum telephonii, legitimum Superiorem posse istiusmodi usum ex porte subditorum advigilare (cfr. Can. 611).

6. *Vis praescriptorum Canonis 530; quaenam ratio ex iis deduci possit circa directionem conscientiae quae indoli uniuscuiusque religiosae familiae congrue respondeat.*

Ex dictis — profundiori quidem examini subiicendis — iam argui potest totam quaestionem de directione spirituali in Statibus perfectionis potius quam difficultatis, sub quaerendae harmoniae aspectu considerandam esse.

Veruntamen, hunc in finem directo examini subiicienda sunt praescripta Canonis 530, quae hucusque nonnisi perfunctorie revocata sunt.

In hoc enim canone omnino clara principia statuuntur

ad quaerendam harmoniam inter injunctam Superioribus religiosis prohibitionem inducendi subditos ad aperitionem conscientiae sibi peragendam et agnitionem iuris atque officii eorundem Superiorum partes habendi in directione spirituali subditorum. *Principia* sane dicimus non tantum *normas,* quia revera in praescriptionibus Canonis 530 systema, sed et in hoc systemate anima quaerenda est.

Systema autem in hoc panditur quod Canon 530 non modo incommodis promanantibus ex imperata religiosis sodalibus aperitione conscientiae propriis Superioribus facienda occurrit, claram eisdem obiiciens prohibitionem de qua in priore paragrapho, sed et quid faciendum expediat aperte declarat in altera paragrapho. Animam vero huius systematis circa directionem spiritualem in Statibus perfectionis mihi videtur exprimi seu innui posse verbis Apostoli: « Non sumus ancillae filii sed liberae » (Gal., IV, 31). Videlicet, sacrum ac maxima reverentia tractandum negotium aperitionis conscientiae a religiosis sodalibus propriis Superioribus factae, quod anteactis temporibus habebatur veluti consectarium spiritualis mancipationis quae comitabatur professionem religiosam, i. e. tamquam bonum quod Deo, in persona Superioris religiosi, *semel pro semper* offerebatur, hodie dicendum est ab Ecclesia committi « sensui responsabilitatis » uniuscuiusque religiosorum, ita nempe ut propriae condicionis memor, *singulis vicibus* — ac si religiosam professionem renovet — libera conferat oblatione. Hinc dicendum principium de quo in paragrapho altera Canonis 530 harmonice perficere principium de quo in priore paragrapho. Liquet proinde Canonem 530 nullo pacto haberi posse tamquam *modus vivendi* inter Superiorem religiosum eiusque subditos, vel transactio quaedam pro bono pacis a Codice I. C. concessa.

Caeterum, huius canonis nullum hucusque prodiit tam auctoritativum quam absoluta claritate expressum commentarium litteris datis a Summo Pontifice Benedicto XV, utique pro Societate Jesu, at quoad rem nostram facta explicita extensione ad universas religiosas familias: « Nunquam mens Nobis fuit prohibendi, tamquam consilium, conscientiae manifestationem Superioribus faciendam, cum ea a Sanctis tam insignibus, qualis est conditor vester, commendata fuerit: immo cupientissimo Nos animo desideramus ut *omnes religiosi* hanc praxim, spiritui tam utilem, servent. Id quod Nos nolumus est obligatio. Quod si S. Sedes in ipso canone (530) eam tali praeconio celebrat, quisquis eandem laudat et commendat *illius menti* se conformat; dummodo ne quis cogatur » (2).

Aliis brevitatis causa sepositis considerationibus circa canonem 530, unam inter ipsum et decretum *Quemadmodum* (17 dec. 1890) (3) differentiam liceat

(2) Cfr. *Commentarium pro Religiosis,* I (1920), pp. 147-148.
(3) GASPARRI, *Fontes Codicis I. C.,* IV, n. 2017, p. 1050, ss.
(4) In schemate Codicis I.C. anni 1914, Canon (tunc 528) hoc modo proponebatur:

adnotare. Quamquam in Canone 530 ad clericales quoque extendatur prohibitio quae in decreto laicales tantum religiones afficiebat, extensam vero prohibitionem suo pondere superat illud « *expedit* » quod deest in decreto, imo et in schematibus praeparatoriis Codicis I. C. (4).

Nunc vero, istiusmodi differentia inter duas iuridicas providentias, tam brevi spatio temporis inter se separatas, nonne ostendit quod experientia circa directionem spiritualem in Statibus perfectionis potest novos gradus attingere, saltem quod attinet ad deductionem ad consequentias ipsarum praescriptionum Canonis 530?

Veruntamen quomodo perfici possit haec deductio ad consequentias videtur ostensum in ipso Canone 530, qui sane quoad ultroneam animi aperitionem alteram cum Superior religiosus sacerdos est, alteram cum laicus, commendat rationem.

Verum et in agmine religionum laicalium quoad extensionem laudatae aperitionis animi de qua in Can. 530, § 2, differentiae dari possunt, quippe quod aliae et aliae sunt exigentiae boni tum individualis tum communis in alia et in alia religione; v. gr. prout externis ministeriis incumbit, vel in claustrali recessu ad propositum sibi finem contendit.

Proinde, cum quaecumque animi manifestatio in religione — sicut et exterioris vitae reddita ratio — sive ad particularem sive ad communem profectum religionis ordinetur, dici potest specificationem seu extensionem aperitionis animi quae commendatur in Canone 530, § 2, inveniendam esse in ipso specifico fine (ac proinde in operibus ac ministeriis) uniuscuiusque religiosae familiae.

7. *Conclusio.*

Ut supra expresse animadverti, quamvis per se manifestum, hucusque protractus sermo de directione spirituali in Statibus perfectionis impertienda nequit certo absolvi proposita practica ratione qua componi possunt partes Superioris religiosi (etsi disponere nequeat de praevia aperitione conscientiae subditorum) et sacerdotis qui hanc aperitionem recipit. Hanc sane rationem suis fini ac indoli consentaneam, salva lege ecclesiastica, unaquaeque religiosa familia elaborare debet, sed et de facto absque dubio iam elaboravit (5).

Nihilominus haud supervacaneum mihi videtur circa hanc rationem proponere duas animadversiones.

§ 1. Omnibus religiosis Superioribus districte vetatur personas sibi subditas quocumque modo inducere ad conscientiae manifestationem sibi
§ 2. Subditi tenentur Superiorem qui eos ad id inducere audeat, denuntiare Superiori maiori, et si de supremo Moderatore agatur, Sanctae Sedi.
§ 3. Non tamen prohibetur quominus subditi libere ac ultro aperire suum animum Superioribus valeant.

(5) Ita, v. gr. quod attinet ad munus Praefecti seu Magistri spiritus, de quo in Canone 588, ab ipso Superiore Locali exercendum, praesertim cum domus religiosa in exclusivum finem ordinata est praebendi aptam sedem studiorum pro sodalibus alumnis.
Fere supervacaneum est adnotare istiusmodi munus nullo pacto confundi posse cum munere Directoris spiritus seminariorum, de quo in Canone 1358. Equidem, praeter expressum fontem Canonis 588, i. e. constitutionem *Cum ad regularem* S. P. Clementis VIII (§ 20), in qua sane agitur de « directione ac regimine Superioris, qui eas qualitates habeat, quibus *novitiorum magistrum* praeditum esse oportere dictum est » (GASPARRI, *Codicis I. C. Fontes*, I, p. 362), peremptorium argumentum pro diversitate duorum munerum invenitur in praescriptione contenta in Instructione *Quantum Religiones* S. C. de Religiosis, d. 1 dec. 1931, in qua edicitur: « Ad certius obtinendum (scrutinium pro admissione religiosorum sodalium ad ordines) *testimonium* (Superiores) *exquirant Magistri spiritus* aliorumque... »

1) Quomodocumque unaquaeque religiosa familia, iuxta praescriptiones Codicis I. C., determinaverit practicum modum quo sodalibus, praesertim alumnis, impertienda sit directio spiritualis, summi momenti habenda est distinctio quae viget inter remotam et proximam directionem spiritualem, ita ut sodales non priorem tantum, sed et alteram magni faciant, atque hoc modo quemlibet personalismum, quamvis optimum, priori directioni nonnumquam commixtum, apta spirituali formatione vitent; nec, insuper, sublata possibilitate recipiendi directionem spiritualem a determinato Directore, seipsos habeant adaequatae directionis expertes.

2) Magni pariter, tam Superiores quam sodales, facere debent rationem vitae externae, quippe quae cum legitime exigi possit, securam praebet Superiori religioso occasionem consulendi tum immediato profectui spirituali uniuscuiusque sodalis, tum generali prosperitati totius religiosi Instituti.

Sodales autem huic redditioni subiecti facilius vitabunt tum scopulum cuiusdam subiectivismi quem aliquando (etsi inconscie) adstruit sat communis opinio de totali dependentia a Directore spirituali, tum haud impossibile periculum omittendi quamlibet redditionem propriae vitae religiosae, in quod incidere possunt aliqui religiosi, una sacramentali exomologesi contenti, instituta apud confessarium plus minusve habitualem.

Haec ratio vitae exterioris a religiosis sodalibus tradita eo utilior hodie dicenda est quo magis conscrescunt peculiaria ministeria in bonum spirituale animarum a religiosis familiis suscepta, quae persaepe supra personalem responsabilitatem sodalium solidantur, ac proinde ut structura regiminis coenobitici sarta tectaque sit, omnino exigitur ut haec activitas religiosorum sodalium validae inspectioni Superioris subiiciatur.

Indubitanter asseri potest pericula quae nonnumquam inhaerent aliquibus ex his ministeriis radicitus fugari clare definita ratione de iisdem ministeriis a sodalibus Superiori religioso reddenda.

Quisquam consideraverit naturam argumenti istius com-

AAS., XXIV, 1932, p. 79), quod profecto praecipi nullo modo potuisset si munus istiusmodi Magistri spiritus idem esset ac munus Directoris spiritus seminariorum.

Cfr. quoad hanc quaestionem fundatissima studia P. AGATHANGELI A LANGASCO, O. F. M. CAP., *De regimine domus studiorum in religione clericali*, in «Ius Pontificium», XVIII (1938), pp. 118-131; XIX, pp. 55-69, 191-201; atque P. VIGILII ALT, eiusdem Ordinis, *De potestate Magistri Spiritus ad normam canonis 588*, Romae, 1949, pp. X-165.

municationis necessario admittit plus esse quod omittere debui quam dicere potui.

Nunc vero, liceat mihi aperte declarare omnia quae exposui, sed et quae exponenda erant, uno voto comprehendi posse: Illud « expedit » de quo in Can. 530, quod testante S. P. Benedicto XV *mentem Ecclesiae* manifestat atque clavem continet ad inveniendam harmoniam inter agnitam libertatem quoad rationem conscientiae et congruam directionem spiritualem a Superioribus religiosis impertiendam, lucem recipiat ac calorem a paternitate Superiorum. Paternitas quippe Superiorum religiosorum vitam dat iuridicitati; nec filialis fiducia subditorum ab Ecclesia commendata adesse potest ubi deerit paternitas Superiorum. Igitur super hanc realitatem tandem revera solidatur *systema* de directione spirituali pro sodalibus religiosis ab Ecclesia in Canone 530 definitum.

> *Alii periti viri, ex munere a Sacra Congre-*
> *argumentum scripserunt.*
> *gatione de Religiosis commisso, circa idem*

179   R. P. Geraldus Fernandes, C. M. F., *scripsit*:

Quaestio haec, quamvis minus juridica, quia praecipue forum internum tangit, momentosa tamen est et vitalis in statibus perfectionis. Etsi disciplinam externam directe non respiciat, quae juris materiam constituit, indirecte tamen ex ea omnis vera disciplina pendet.

Igitur antequam ad quaestiones propositas deveniamus, breviter quidem, sed obscuritatis vitium devitans, notiones *Directionis spiritualis* et *Rationis conscientiae* perpendemus. De Directione spirituali pauca dicemus, cum nimis nota apud omnes sit qui Theologiae sive asceticae et mysticae, sive pastorali operam dedere. In notione vero Rationis conscientiae immorari aliquantulum opus erit eo quod minus nota et de ea frequenter notiones clarae non habentur.

1. *Quaestiones quae ad ius pertinent.*

Directio spiritualis ab Auctoribus, qui de Ascetica aut Mystica theologia aut de Pastorali scripsere, directe non definitur, determinant enim potius Auctores quid sit Director seu Magister spiritus.

Et sic habetur apud Schram: « Est autem *Magister spiritualis*, ille, cui alius, manifestata ipsi tota conscientia sua, se habitualiter dirigendum praebet in via perfectionis; quod fieri potest vel praelato suo, vel alteri particulari sive intra sive extra confessionem » (1).

Cui consonat Naval: « Moderator vel Director spiritualis dicitur sacerdos ille, cui munus incumbit profectum animarum in via perfectionis promovere, cui ideo secreta conscientiae sive bona sive mala patefiunt » (2).

Director spiritualis animabus ad perfectionem aspirantibus omnino procurandus est, cum de medio agatur ordinario, quo Deus animas ad perfectionem ducat. Ideo Superiores ecclesiastici, praesertim regulares, tenentur providere subditis de Magistro spirituali. Directio spiritualis in Ecclesia semper in usu fuit, maxime in statibus perfectionis ita ut supervacaneum foret de ea in Codice loqui. Codex igitur tantum speciali cura de ea loquitur cum de tironibus agitur, eo quod ipsis magis sit necessaria.

De Directione enim et de Magistro spiritus sermo est in tit. de Seminariis et, pro religiosis, cum sermo est de Magistro novitiorum et de Praefecto professorum per curriculum studiorum dum ad sacerdotium se praeparant.

Magister spiritus, omnibus, de via ordinaria, necessarius, cum de junioribus agitur omnino necessarius dicendus erit. Ideo Codex, qui de Directione expresse non loquitur, pro novitiis haec habet can. 565, § 1:

« Annus novitiatus debet sub disciplina Magistri hoc habere propositum, ut informetur alumni animus studio regulae et constitutionum, piis meditationibus assiduaque prece, iis perdiscendis quae ad vota et ad virtutes pertinent, exercitationibus opportunis ad vitiorum semina radicitus exstirpanda, ad compescendos animi motus, ad virtutes acquirendas ».

Et Magistro novitiorum dicitur Can. 562:

« Gravi obligatione tenetur Magister novitiorum omnem adhibendi diligentiam ut sui alumni in religiosa disciplina, secundum constitutiones sedulo exerceantur, ad normam can. 565 ».

Perdurante novitiatu vigebit exercitium Directionis spiritualis, a qua, ut patet, cessare non poterit juvenis religiosus post emissam professionem votorum. Novitiatus est enim initium vitae religiosae, tempus in quo probandus incipit esse religiosus.

Communis erat olim praeceptum novitiis confitendi peccata apud Magistrum cum exclusione aliorum confessariorum. Nunc autem, e contra, canon 891 statuit:

« Magister novitiorum ejusque socius, Superior Seminarii Collegiive sacramentales confessiones suorum alumnorum secum in eadem domo commorantium ne audiant, nisi alumni ex gravi et urgenti causa in casibus particularibus sponte id petant ».

De tempore formationis religiosae propriae dictae quod

(1) *Theologia Mystica,* Parisiis 1847, Vol. II, p. 1. Plura inveniuntur utilia apud Schram, hoc volumine, tum relate ad Moderationem spiritualem, tum ad Rationem conscientiae.

(2) *Theologiae Asceticae et Mysticae Cursus,* Taurini (Marietti) 1925, p. 33.

pro omnibus est tempus ante professionem perpetuam et pro his qui se praeparant ad sacerdotium est curriculum studiorum ecclesiasticorum, Codex in can. 588, § 1, statuit:

« Toto studiorum curriculo religiosi committantur speciali curae Praefecti seu Magistri spiritus qui eorum animos ad vitam religiosam informet opportunis monitis, instructionibus atque exhortationibus ».

De caetero nihil circa Directionem spiritualem in statibus perfectionis habetur in Codice praeter ea quae citavimus. Perspectae utique erant legislatori leges particulares laudabilesque consuetudines religiosorum hac de re. Non erat igitur immorandum in his quae ab objecto proprio legum exsulant. Quae in regulis et constitutionibus habentur religiosorum vigere pergent.

Ratio conscientiae quae et manifestatio et aperitio conscientiae nominatur est « aperitio status animae quoad defectus, quoad virtutes, quoad passiones, tentationes et pericula ut Director spiritualis plene ipsum cognoscat et ad perfectionem tuto ducere valeat » (3).

Manifestatio, igitur, conscientiae est pars seu praesuppositum necessarium Directionis spiritualis. Sane nulli dubium quod ad Directionem spiritualem requiratur ut Director filii sui spiritualis animam cognoscat, quod fieri non potest nisi directus ipse plene et totaliter propriam animam illi patefaciat. Objectum ergo Rationis conscientiae erunt omnes animae motus sive qui ad perfectionem impellunt, sive qui ad peccatum inclinant ut Director animam tuto dirigere valeat.

Et cum manifestatio propriae conscientiae diversas induere formas possit, sedulo distinguere oportebit manifestationem conscientiae in sensu definito ab aliis quae fiunt tum in confessione, tum in ratione observantiae, tum in capitulo culparum. Porro in confessione peccatorum manifestatio fit, ut, per absolutionem, remissio eorum obtineatur. In ratione observantiae superioribus, praesertim in religionibus in quibus capitulum culparum non habetur, manifestantur transgressiones exteriores quae disciplinam externam infringunt. In capitulo culparum, publice transgressiones quaedam exteriores Regularum accusantur et poenitentia etiam publica puniuntur.

Manifestationis conscientiae finis est directio spiritualis in ordine ad perfectionem et sanctitatem ipsius directi, sed indirecte et consequentur sequitur bonum totius communitatis et religionis totiusque corporis Ecclesiae. Gubernium

---

(3) CpR. 12 (1931) p. 127. Cfr. G. FERNANDES, C.M.F., *Manifestatio Conscientiae in vita religiosa*. Thesis ad Lauream in Pontificio Instituto Utriusque Iuris, Romae, 939 1939 (Pro manuscripto).

sane totius communitatis facilius redditur cum subditi Superioribus interna sua filialiter pandent, dummodo Superior
secretum sancte servare curet, etsi eo in bonum subditorum
utatur. Superior quantumcumque de bono subditorum sollicitus, si eorum dispositiones internas non cognoscat, non
semper aptiora eliget media ad eorum maiorem perfectionem
facilius consequendam, eorumque viribus non adaequabit onera. Huic defectui Ratio conscientiae obviam ire intendit, Superioribus media suppeditando, ut, subditorum animo melius
cognito, bono ipsorum et spirituali et temporali prospiciant.
Subditus enim qui fiducialiter Superioribus exponit tentationes et pericula quae in muneris perfunctione invenit, poterit
a munere removeri, alibi transferri aut alio quovis modo a
periculo separari quod ipsum a consecutione perfectionis et
a conservatione gratiae impedire posset.

Cum tamen occasione Rationis conscientiae plures ir-
repsere abusus, Sancta Sedes usum satis invectum manifestationis conscientiae Superioribus per decretum *Quemadmodum*
et nunc per Codicem Juris Canonici ad strictos limites reduxit.

Quidquid sit de legibus ante Codicem quae amplius vigere non pergunt, nunc ea quae ad Rationem conscientiae
respiciunt unice in canone 530 continentur. Canon ita
legitur:

« § 1 - Omnes Superiores districte vetantur personas sibi
subditas quoquo modo inducere ad conscientiae manifestationem sibi peragendam.

§ 2 - Non tamen prohibentur subditi quominus libere ac
ultro aperire animum suum Superioribus valeant; imo expedit
ut ipsi filiali cum fiducia Superiores adeant, eis, si sint sacerdotes, dubia quoque et anxietates suae conscientiae exponentes ».

Codex, ea, quae in decreto *Quemadmodum* statuta fuerant ad praecaven-
dos abusus, conservat, licet immutationes aliquas legi illi afferat.

Tam Directio spiritualis quam Ratio conscientiae fieri potest **Superioribus**
aut quibusvis aliis, sacerdotes sint aut laici, canon autem 530 loquitur tantum
de Superioribus. « Omnes religiosi Superiores districte vetantur personas sibi
subditas quoquo modo inducere ad conscientiae manifestationem sibi peragendam ». Prohibitio, quae gravis est, attingit tantum Superiores proprie dictos
quique hoc nomen in jure obtinent. Vetantur tantummodo inducere subditos
ut sibi animum aperiant. Et quia Superiores non sunt, in prohibitione hujus
canonis non comprehenduntur Magister novitiorum et Praefectus seu Magister
professorum qui ad sacerdotium sese disponunt. E contra cum in canone 565, § 1,
novitiis imponitur Directio spiritualis, quae sine manifestatione conscientiae
impossibilis erit, indirecte saltem imponit Rationem conscientiae. Alumnis professis toto studiorum curriculo, canon 588, §1, etsi non expressis verbis Dire-

ctionem quoque imponit, praesertim si attendatur praxis et mens Ecclesiae cum agitur de animo efformando illorum qui erunt suo tempore dispensatores Mysteriorum Dei.

Codex tantummodo prohibet Superiores inducere personas sibi subditas ad manifestationem conscientiae *sibi* peragendam, non autem quominus haec manifestatio aliis sive Praefectis, sive confessariis sive alii cuicumque fiat. Canon 530 prohibet *quoquo modo* inducere, id est: « directe aut indirecte, praecepto, consilio, timore, minis aut blanditiis » ut dicebatur in decreto *Quemadmodum*.

Ecclesia prohibens Superiores exigere Rationem conscientiae, non prohibet subditos *ultronee* eam Superioribus reddere, in quo apparet mitigatio rigoris jurisprudentiae Sacrae Congregationis Episcoporum et Regularium in secunda medietate saeculi transacti. In Codice enim expedire dicitur subditos cum fiducia Superiores adire ut eis conscientiam suam aperiant, dubia quoque et anxietates suae conscientiae exponentes, si sint sacerdotes. Omnibus enim subditis Ratio conscientiae commendatur, etsi diverso modo prout agatur de Superioribus sacerdotibus vel de laicis. Subditis semper tamen liberum erit Superioribus suis etiam laicis, etiam in religionibus feminarum, dubia quoque et anxietates omniaque suae conscientiae secreta manifestare.

Non commendatur manifestatio dubiorum et anxietatum Superioribus laicis, sed neque prohibetur. Igitur nisi alia ratio externa aliud suadeat, poterit subditus, etiam in religionibus laicalibus, omnia quae propriam conscientiam respiciunt, ipsis peccatis non exclusis, Superioribus manifestare. Eorum prudentiae committitur talia permittere aut prohibere.

Dummodo libera sit ex parte subditorum, mens Ecclesiae est non tantum eam non improbare sed potius commendare, ut scripsit Benedictus XV ad Praepositum Generalem Societatis Jesu:

« Nunquam mens nobis fuit prohibendi aut improbandi, tanquam consilium, conscientiae manifestationem Superiori faciendam, cum eam a Sanctis tam insignibus, qualiter est Conditor vester Sanctus Ignatius, commendata fuit; immo cupientissimo nos animo desideramus ut omnes religiosi hanc praxim, spiritui tam utilem, servent. Id quod nolumus est obligatio. Quod si Sancta Sedes in ipso canone eam tale praeconio celebrat, quisquis eam laudat et commendat, illius menti se conformat, dummodo neuis cogatur » (4).

2. *Quaestiones quae ad disciplinam et praxim pertinent.*

Directio spiritualis ordinarie necessaria est pro omnibus qui perfectionem attingere cupiunt. De praecepto tamen non est pro his qui Statum perfectionis aut clericalem amplexi non sunt.

Pro his, qui Statum perfectionis ingressi sunt, implicite saltem impontiur in canonibus 565, § 1, et 588, § 1, dum se praeparant sive ad professionem sive ad sacerdotium. Sed eo ipso quod Statum perfectionis ingressi sunt, independenter a quovis alio praecepto, ordinarie tenentur omnes religiosi Moderatorem spiritualem habere.

Hic adducere possumus, aliquantulum accommodatas religiosis, conclusiones quae relate ad Directionem spiritualem propositae fuerunt in Congressu Magistrorum spiritus Seminariorum Italiae, praeside E.mo Card. Pizzardo. Directio

---

(4) CpR. I (1920) p. 147.

spiritualis his qui in Statibus perfectionis vivunt necessaria
est (5):

1° quia militiam ingrediuntur Ecclesiae in qua formari
debent secundum voluntatem et mentem Ecclesiae;

2° quia sanctitas religiosorum, praesertim eorum qui
vitam activam aut mixtam profitentur, est bonum quod toti
Ecclesiae interest.

Notari igitur juvat non omnino eamdem doctrinam te-
nendam esse ubi agitur de Directione spirituali in Statum
saeculari degentium et ubi sermo venit de Directione religiosorum aut clericorum durante formationis periodo.

Differentiae vere essentiales, nostro judicio, utramque
distinguunt:

1° - Attento fine Directionis spiritualis: Relate ad saeculares est simpliciter profectus eorum individualis in perfectionis viis; — dum vero ubi quaestio est de religiosis, Directionis finis non est eorum mere individualis progressus,
sed progressus *conditionatus* communi bono (Ordinis sive
Congregationis, — et vitae sacerdotalis si de clericis religiosis
agatur), progressus qui respondeat Statui religioso, immo peculiaris cujuscumque Congregationis sive Ordinis conditionibus et exigentiis.

2° - Considerata libertate in Directore sibi eligendo: Haec
libertas conditio est essentialis, ab omnibus spiritus Magistris
indicata, cum agitur de sibi a saecularibus Directore procurando. Libertas adesse debet tum in electione, tum in Directoris, si verae intersint rationes, mutatione. Jamvero haec
individualis libertas coarctatur in casu religiosorum qui Directores non sibi eligunt, sed a Superioribus designatos accipiunt. Ratio communis boni potior est commoditate spirituali
individui.

Cum autem agitur de his qui ad sacerdotium sese disponunt, Ecclesia invigilare debet ut ministri sui, non secundum
proprium arbitrium se disponant, sed exigere debet ut per
Magistros spiritus efformentur secundum mentem Ecclesiae.
In re tanti momenti Ecclesiae liberum non erit formationem
proprii spiritus privatorum arbitrio relinquere. Qui seipsos
efformare cupiunt potius non formantur. Sufficiens, ut putamus, erit ratio ad excludendum religiosum votorum temporalium a professione perpetua, defectus comprobatus alicujus
saltem Directionis spiritualis, quod magis stricte accipien-

(5) (Pro manuscripto).

dum est cum de clericis agitur. Qui abhorrent Directionem spiritualem, disciplinam et vitam vere religiosam quoque abhorrent.

Directio spiritualis est praecipuus modus efformandi spiritum religiosum secundum spiritualitatem cujusvis religionis, ideo fieri debet secundum leges proprias singularum religionum. Debet esse quodammodo officialis. Liberae igitur non erit relinquendum privatorum voluntati et personam Directoris et modum Directionis indiscriminatim seligendae. Quae in probatis legimus et legitimis consuetudinibus religiosorum habentur sancte serventur.

Praeter Directorem spiritualem ex munere a Superioribus designatum, alius vel alii designari possunt a Superioribus, pro sua prudentia, in commodum juvenum in collegiis.

In pluribus Ordinibus et Congregationibus mos est ut Directio spiritualis perficiatur sub Magistro etiam in casu scholasticorum jam professorum, quo in casu Director spiritualis, ut patet, erit a confessario distinctus. E contra in Seminariis, quia Director spiritualis a Rectore et a Praefecto disciplinae distinguitur, omnino suadendi sunt alumni ut pro confessario eumdem Directorem spiritualem eligant.

Qui Directionem traditionalem et Directorem officialem sequi nolunt, saepe saepius omni Directioni valedicunt. Ideo in honore habenda est Directio *officialis:*

1º - Quia jus et obligatio est religioni eos seligendi qui membra religionis efformare debent ad spiritum proprium cujusvis religionis conservandum. Interest enim bono religionis ut Moderatores spiritus de propria religione sint et inter eos seligantur qui prae aliis spiritu orationis, observantiae et amore disciplinae effulgent.

2º - Quia hoc modo omnes Directorem spiritus habebunt. E contra nimia libertas in seligendo Magistro spiritus ansam praebet negligentiae in re tanti momenti.

Director hic quem *officialem* vocamus generatim est Superior fori externi, sive Superior proprie dictus sit, sive Magister novitiorum aut studentium professorum, sive in religionibus feminarum Magistra novitiarum aut Superiorissa.

Diversa erit, ut patet, Doctrina circa Directionem tradenda cum agitur de Superioribus aut de Superiorissis, etc.

Superiores si sacerdotes sint, Codex, canone 530, expresse hortatur subditos ut ipsis filiali cum fiducia conscientiam manifestent Directionis causa. Mens igitur Ecclesiae perspicua: dicit expedire, oportere subditos per Superiores in via spiritus dirigi. Superiores qui subditos in ordine externo gubernant eos quoque dirigere oportet in ordine ad perfectionem internam et sanctitatem. Superiores veri patres et magistri esse debent suorum subditorum. Superiores facilius poterunt subditos suos dirigere.

Codex tamen hac de re praeceptum non habet et ad praecavenda pericula confusionis fori interni et fori externi expresse prohibet Superiores esse confessarios suorum subditorum. Quam prohibitionem etiam extendit ad Magistrum novitiorum et Superiorem Seminarii aut Collegii. Item can. 890, § 2, meminit Superiores qui aut ante assumptum munus aut eo durante, subditorum confessionem audierunt, notitia, quam de peccatis in confessione habuerunt, ad exteriorem gubernationem nullo modo uti posse.

In religionibus clericalibus fortasse aliqui per confessarios sese dirigant, quod omnino improbandum non erit, cum nec Codex hoc prohibeat. In religionibus laicalibus, praesertim feminarum, tantummodo occasione confessionum possibilis erit Directio, quae tamen non semper facilis erit, e contra frequentissime nimis difficilis, praesertim in locis in quibus pauci sint sacerdotes, immo non raro unus sacerdos, qui cura animarum in magnis parochiis nimis iam sunt implicati.

Sive quia deficiunt sacerdotes, sive quia spiritum religiosum haud sufficienter norunt, sive ex multiplicibus aliis causis, nullo modo damnari potest praxis Directionis spiritualis per Superiorissas. Ut in rebus omnibus humanis, omnia pendent praesertim a prudentia et scientia Superiorissarum in pertractandis rebus magni momenti et quae frequenter exigunt cognitionem invulgarem rerum spiritualium. Si opinari liceat, dicemus optimam esse praxim Directionis spiritualis religiosarum per Superiorissas dummodo in casibus difficilioribus recursus fiat ad confessarium vel alium sacerdotem in rebus spiritualibus expertum.

Directio subditorum per Superiores sive sacerdotes hi sint, sive laici, omnino laudanda est. Ad devitandos abusus in decreto *Quemadmodum* notatos, de medio non est tollendum institutum sapientissimum et venerabile quod per tot saecula apud omnes fere Ordines et Congregationes viguit, quodque tot tantosque sanctitatis fructus produxit.

Fructus praecipuus Directionis spiritualis subditorum per Superiores erit spiritus vere filiationis spiritualis ex parte subditorum et paternitas ex parte Superiorum. Erit quoque spiritus fidei et verae sinceraeque oboedientiae ex parte subditorum.

Tandem, antequam finem huic summariae disquisitioni imponamus, meminisse iuvabit momentum et quodammodo necessitatem Rationis conscientiae et Directionis spiritualis subditorum per proprios Superiores apud Instituta saecularia in quibus non viget vita communitatis. Apud ea enim praecipuum vinculum erit Directio spiritualis.

In questa comunicazione credo opportuno attenermi soprattutto all'aspetto pratico della questione, essendo questo l'aspetto al quale, come studioso della teologia spirituale, sono stato più portato ad interessarmi. Le informazioni e le osservazioni qui raccolte risultano da un esame inteso a rendere tanto la « ratio conscientiae », quanto la direzione spirituale, più efficaci per la formazione religiosa e per l'acquisto della perfezione religiosa, che è lo scopo principale e diretto della vita religiosa.

La « ratio conscientiae » e la direzione spirituale sono correlative e quindi una direzione spirituale integrale ed efficace non può esercitarsi senza un'adeguata manifestazione della coscienza.

Per dimostrarlo basta ricordare ciò che s'intende per direzione spirituale e per manifestazione della coscienza.

Per direzione spirituale nel senso più proprio s'intende l'opera sacerdotale con cui si guida un'anima nel cammino della perfezione, prestandole gli opportuni aiuti (luce e sostegno) per conoscere ed adoperare i mezzi con cui si deve raggiungere la santità. Sebbene quest'opera sia — se si considera nella sua completezza — specificatamente sacerdotale, è generalmente ammesso che può essere *partecipata* da altre persone, le quali possono anche avere una missione ufficiale di aiutare le anime a progredire nel cammino della santità. Tali sono in particolare i Superiori degli Istituti religiosi e secolari che di frequente — è così per tutti gli Istituti femminili — non sono sacerdoti.

Che i Superiori abbiano un compito di direzione spirituale risulta dalla natura stessa degli Istituti di perfezione, i quali si chiamano così appunto perchè i membri di essi stanno nello stato « perfectionis adquirendae », cioè in uno stato di vita che ha per fine la perfezione spirituale. Evidentemente i Superiori hanno il compito di dirigere i loro sudditi verso questo fine e di « guidarli nel cammino della perfezione prestando loro gli aiuti opportuni ».

Bisogna però tener presente che gli aiuti che il Superiore di un Istituto è tenuto a fornire, e di cui può urgere l'applicazione, sono quelli determinati dalle leggi e che costituiscono la cosiddetta « osservanza ». Questi mezzi hanno anche un aspetto esterno e in qualche modo una portata anche sociale; sono soggetti al controllo ed alla sorveglianza esterna e proprio di questa il Superiore si serve per richiamare i sudditi alla fedeltà nell'usarli.

Ciò non impedisce naturalmente che il Superiore — o la Superiora — vada più oltre e ai suoi comandi di Superiore aggiunga anche i suoi consigli, le sue esortazioni di Padre, cercando di svegliare nel suddito una più viva coscienza del suo dovere, un più grande senso della sua responsabilità, una maggiore buona volontà. Ed è molto opportuno che lo faccia; infatti, dovendo egli aver cura dell'osservanza, e non essendo questa opera meccanica ma opera di persone umane che agiscono mediante l'intelletto e la volontà, sarebbe molto difettoso e poco « umano » procurare il compimento esterno del dovere senza cercare di stimolare il principio da cui esso deve procedere: la *volontà convinta*. Non si può dunque negare che il Superiore ha il diritto di cercare di *influire* anche sulla vita interiore dei sudditi. Si può domandare tuttavia fino a qual punto abbia il « diritto » di *penetrarvi*.

Basta riflettere un momento per intendere che qui debbono esservi dei limiti.

Trattandosi di soggetti umani, questi hanno la loro « coscienza », hanno cioè la consapevolezza della più o meno grande fedeltà interiore con cui aderiscono ai loro doveri ed alle sollecitazioni divine di tendere al più perfetto. E' in questo campo che l'uomo commette, nel senso più formale, le sue « mancanze » e che queste possono essere, e sono difatti spesse volte, unicamente « interne ». Può un Superiore o una Superiora voler entrare in questo campo della coscienza?

Qui risponde il buon senso cristiano: per la manifestazione dello stato difettoso della coscienza il Signore ha costituito il tribunale della penitenza, circondato di tutte le garanzie della più assoluta discrezione: nessuno quindi deve, fuori dell'amministrazione di tale sacramento, credersi in diritto di penetrare nell'anima altrui. E se questo è chiaro per l'aspetto negativo, ossia « difettoso » della coscienza, sembra logico affermare lo stesso per l'aspetto correlativo, ossia positivo, della coscienza, la cui manifestazione comporterebbe quasi necessariamente come « onesta » conseguenza, la manifestazione delle debolezze. Perciò non si può dare a nessun Superiore, a nessuna Superiora, il diritto di penetrare nell'atteggiamento più intimo che l'anima ha dinanzi al Signore, atteggiamento con cui aderisce — più o meno intensamente — o non aderisce alle sue sollecitazioni al bene.

Qualcuno potrebbe credere *a priori* che sia privilegiato, a questo riguardo, il caso di un Superiore sacerdote appunto perchè a lui i sudditi potrebbero confessarsi. Ma proprio su questo punto abbiamo le più espresse dichiarazioni delle leggi canoniche.

1. Il Superiore non può ascoltare abitualmente la confessione del suo suddito, anche se questo lo desidera spontaneamente, se non per ragioni gravi (Can. 518, § 2; si veda pure Can. 891).

2 A tutti i Superiori è strettamente proibito di indurre « quoquo modo » i loro sudditi a manifestare ad essi la loro coscienza (Can. 530, § 1).

Crediamo che quanto abbiamo esposto sopra faccia intendere nel senso più ovvio ciò che si deve intendere per la « manifestazione di coscienza » che ai Superiori è proibito esigere dai loro sudditi: si tratta dell'atteggiamento intimo dell'anima verso Dio con cui aderiscono o no ai Suoi comandi ed ai Suoi inviti.

Questa proibizione non deve estendersi affatto a tutte le pratiche della vita spirituale: evidentemente non si estende alle pratiche che hanno anche un aspetto esterno (come per es. la recita delle preghiere), ma neppure ad alcune più interne, come per es. il metodo adoperato nell'orazione mentale, l'utilità generale che se ne ricava, oppure la forma di presenza di Dio che si usa, stando attenti però, nel parlarne, a non scivolare nel campo dell'intima corrispondenza agli inviti della grazia, campo che, come abbiamo veduto, rimane riservato.

Di più, in queste materie immediatamente interiori il Superiore — come pure il direttore spirituale — si ricordi che non può dare ordini, ma unicamente proporre consigli, sia pure con la debita insistenza, se ne vedesse la necessità.

Se però il Superiore non può esigere la manifestazione della coscienza, anzi gli viene proibito espressamente dal Codice di D.C., lo stesso Codice — e ciò viene purtroppo spesso dimenticato! — dopo aver ricordato che non proibisce di aprire liberamente l'animo al Superiore, invita positivamente i sudditi (impiega infatti la parola « expedit ») ad andare dai Superiori e dalle Superiore « con fiducia filiale »; anzi, quando si tratta di Superiori sacerdoti, « di esporre loro i dubbi e le ansietà di coscienza ». Quest'ultimo atto pur non essendo una « confessione », significa però veramente entrare nel campo della coscienza; solo che qui è il suddito che prende l'iniziativa, non già il Superiore.

La « fiducia filiale » che viene raccomandata anche alle religiose con la loro Superiora non si estende fino alla manifestazione dei dubbi e delle ansietà di coscienza (pur non essendo questo proibito), ma s'intende che tale fiducia va anche un po' nell'intimo e giunge sino alle frontiere della coscienza propriamente detta. Però si tratta sempre di iniziativa personale della suddita.

Quest'invito del Codice dimostra che la legislazione attuale intende bene conservare al Superiore l'ufficio di direzione spirituale in un senso abbastanza ampio, pur facendone dipendere l'esercizio dalla raccomandata iniziativa del suddito, iniziativa che il Superiore potrà favorire mostrandosi accessibile. Sarebbe perciò un errore se il Superiore rimandasse tutta la direzione spirituale, o anche semplicemente tutta quella interiore, ai confessori, disinteressandosene del tutto.

Tuttavia non si può negare che, non solo «ex natura rei», ma anche in seguito alle disposizioni del Codice, un settore importante della direzione spirituale viene devoluto ai confessori.

Anche se si ammette che il *Magister spiritus*, ossia «Prefetto», al quale i religiosi vengono affidati durante il loro tempo di formazione dopo il noviziato (c. 588), non sia un vero Superiore, la sua posizione, molto simile a quella del Maestro dei Novizi — al quale, come pure al suo Socio, è normalmente proibita la confessione abituale dei novizi (can. 891) — non ne fa evidentemente il confessore indicato per gli studenti a lui affidati. Neppure lui, dunque, ha l'occasione normale di penetrare nella coscienza dei suoi alunni con l'amministrazione del sacramento della penitenza.

A lui tuttavia è veramente affidata la formazione e l'educazione religiosa dei giovani e sarebbe assurdo concepire questa come una direzione puramente esterna e disciplinare. Non si forma un religioso se non aiutandolo ad acquistare *convinzioni* personali sulla grandezza, l'importanza, l'opportunità della sua vita e sull'urgenza degli sforzi che bisogna fare per realizzarne l'ideale. Ed a ciò non si giunge normalmente con le sole istruzioni collettive; ci vuole il contatto personale tra educatore e discepolo.

Non si può negare quindi che il *Magister spiritus* ha un vero compito di direzione spirituale ed egli può certamente prevalersi di questo suo ufficio per cercare di influire nel modo più efficace sull'animo dei giovani.

Con molta più libertà che non il Superiore propriamente detto, egli potrà entrare coi giovani in argomento sulla loro vita spirituale; naturalmente, senza che gli sia mai permesso di esigere una manifestazione della coscienza che solo in confessione si può richiedere.

Si capisce tuttavia che l'invito rivolto dal Codice ai religiosi inferiori sul modo di comportarsi coi Superiori (Can. 530, §2) sia da intendersi anche — ed *a fortiori* — delle relazioni dei giovani in formazione con colui che dalla legge canonica è costituito proprio il loro educatore. Giova cioè che vadano a lui con fiducia filiale, manifestandogli anche i dubbi e le ansietà di coscienza, in modo però del tutto spontaneo. Ma, appunto perchè questo deve farsi «spontaneamente», c'è da aspettarsi che più volte, anzi spesso, non si farà.

Ed è perciò che, nonostante la situazione particolare del *Magister spiritus*, non si può dire che con la sua istituzione venga provveduto sufficientemente a tutte le necessità della direzione spirituale dei giovani religiosi.

Quando poi si tratta di Istituti femminili, non è più la manifestazione dei dubbi di coscienza che viene raccomandata, non trattandosi più in questo caso di Superiori sacerdoti, ma solo la «fiducia filiale».

Si deve dunque concludere che, praticamente, con le funzioni attribuite ai Superiori dall'organizzazione canonica delle cariche di superiorità negli Istituti religiosi, non viene provveduto adeguatamente a tutte le necessità di una integrale direzione spirituale e che questa diventa così per una parte notevole — e specie negli Istituti femminili — compito dei confessori e dei direttori di coscienza, distinti dai Superiori.

Ne segue evidentemente che i confessori dei religiosi, e più ancora quelli delle religiose, dovrebbero essere in grado di esercitare convenientemente tale importantissimo compito. E proprio riguardo a questo credo opportuno raccogliere alcune informazioni e aggiungervi alcune osservazioni.

* * *

Dopo alcune *osservazioni generali,* distinguerò in proposito ciò che riguarda gli Ordini maschili — specialmente quelli clericali — e gli Istituti femminili.

1. *Osservazioni generali.*

I. Sarebbe dapprima necessario che tutti i confessori e i direttori che si occupano della direzione spirituale dei religiosi si considerassero come collaboratori dei Superiori, in quanto condividono con essi il compito di condurre i medesimi soggetti alla perfezione spirituale.

Si tratta però di una collaborazione che non richiede nessuna « intesa » diretta fra i collaboratori: da parte dei Superiori non è necessaria nessuna manifestazione al direttore spirituale circa il modo di agire dei sudditi; e al direttore spirituale è proibito di parlare ai Superiori di ciò che egli sa dalle comunicazioni con i suoi figli spirituali.

II. Dovendo aiutare i figli spirituali a santificarsi non in una forma qualsiasi o a scelta del direttore, ma nell'Istituto a cui appartengono, e perciò secondo il suo spirito ed osservandone le leggi, è necessario che chi dirige spiritualmente i membri di un Istituto ne conosca, almeno fino ad un certo punto, lo spirito e le regole.

III. Appunto perchè devono collaborare con i Superiori, conviene che i direttori spirituali nelle esortazioni ai loro penitenti procurino di condurli a cercare spontaneamente quei più intimi contatti con i Superiori che il Codice raccomanda sotto il nome di « fiducia filiale », e con i Superiori sacerdoti anche la manifestazione dei dubbi di coscienza.

Per quest'ultimo particolare però, terranno sempre conto delle circostanze concrete che potrebbero esservi tanto da parte dei Superiori — in cui possono talvolta mancare le qualità richieste — quanto da parte dei sudditi, le cui disposizioni psicologiche e morali possono talvolta consigliare il contrario. In via normale, è molto indicato che il direttore spirituale cerchi di portare il penitente a mettere, col suo atteggiamento filiale, il Superiore in grado di dargli tutta quella formazione che, per il suo ufficio, deve opportunamente impartirgli.

IV. I direttori spirituali, che conoscono i loro penitenti solo attraverso le loro manifestazioni di coscienza e che spesse volte — ciò è generale per gli Istituti femminili — non sanno, perchè non hanno possibilità di vederlo, come si comportano in comunità, siano molto prudenti nell'accogliere le lamentele dei sudditi contro i loro Superiori.

Cerchino invece di portarli molto allo spirito soprannaturale ed alla virtù nei loro rapporti con i Superiori, sapendo superare generosamente le inevitabili difficoltà della vita comune e dei rapporti umani, sempre soggetti ai difetti ed alle lacune che si incontrano anche negli uomini migliori. Aiutino i loro penitenti ad approfittare delle loro situazioni penose così da giovarsene per il loro avanzamento spirituale, anzichè ripiegarsi su se stessi.

V. Dato che la parte del direttore spirituale nella sua collaborazione con i Superiori degli Istituti è specialmente quella della « formazione della coscienza », egli cercherà di istillare ai suoi figli spirituali quelle convinzioni profonde, quell'amore al loro ideale ed ai mezzi necessari per realizzarlo che costituiscono l'anima di ogni osservanza religiosa.

2. *Negli Istituti maschili.*

I. Dato che la direzione spirituale nella sua completezza non può essere assicurata normalmente dai soli Superiori a tutti i sudditi, si deve procurare ad ogni comunità, accanto ai Superiori, quei religiosi che possono dare un'efficace direzione spirituale a tutti i membri. Questo si intende specialmente per tutte le case di formazione religiosa.

II. Avendo la Chiesa stabilito che i giovani religiosi in formazione, non solo nel noviziato, ma ancora durante tutto il periodo dei loro studi, vengano affidati ad un « Magister » al quale incombe l'ufficio della loro formazione — formazione che il « Magister » non può efficacemente dare se i giovani non trattano con lui con apertura — è assai indicato che i direttori spirituali ed i confessori esortino efficacemente i giovani a trattare spontaneamente col loro « Magister » con tale apertura d'animo.

3. Negli Istituti femminili.

I. I superiori e le Superiore siano solleciti di procurare alle comunità religiose, come confessori ordinari — o almeno come confessori straordinari ed aggiunti — sacerdoti che hanno le doti richieste per assicurare una completa direzione spirituale ai membri delle comunità. Su questo punto le lacune attuali sono evidenti e certo da questa mancanza di assistenza efficace dipende, in parte notevole, il basso tono spirituale di molte religiose, le cui ripercussioni si fanno inevitabilmente sentire nel loro apostolato.

II. Essendo le religiose, per la natura stessa dei loro Istituti, « collaboratrici dell'apostolato gerarchico » nel senso più stretto e più integro — appunto perchè a tale collaborazione consacrano tutta la vita — meritano la premurosa sollecitudine della Gerarchia per la loro formazione spirituale, poichè tale formazione deve appunto assicurare a questa collaborazione un rendimento più efficace.

III. Sarebbe opportuno sorvegliare in particolare l'osservanza delle leggi ecclesiastiche destinate ad assicurare alle religiose una sufficiente istruzione spirituale — che dovrebbe essere almeno al livello della loro cultura generale — ed esaminare, non solo se le istruzioni vengono tenute regolarmente, ma se vengono fatte con la necessaria competenza.

IV. I problemi della completa formazione spirituale delle religiose dovrebbero essere studiati dai sacerdoti, particolarmente da quelli che sono chiamati ad esercitare presso di esse il compito della direzione spirituale. Nei corsi di aggiornamento, tanto desiderabili per i sacerdoti, tali questioni dovrebbero avere una parte proporzionata alla loro importanza.

181   R. P. Marius Ghezzi, S. X., *scripsit*:

Si dirà brevemente cosa sia il rendiconto di coscienza propriamente detto, distinguendolo dal semplice rendiconto disciplinare.
A chi fare il rendiconto di coscienza, a chi quello disciplinare.
Padre Spirituale nelle Case Religiose e Direttore Spirituale nei Seminari.

1. *Rendiconto di coscienza al P. Spirituale.*

Che cosa è il rendiconto?

E' la manifestazione della propria coscienza.

Tale manifestazione differisce dalla confessione sacramentale perchè questa ha per oggetto l'accusa dei propri peccati in ordine ad averne l'assoluzione; oggetto invece del rendiconto è la semplice esposizione di tutta la propria condotta, di tutte le proprie disposizioni, inclinazioni, tentazioni, difetti, di tutto il male ed anche di tutto il bene che è in sè, in ordine ad averne una direzione.

Il rendiconto si fa di solito una volta al mese. Questa manifestazione della propria coscienza è del tutto confidenziale e viene fatta al P. Spirituale, non come ad un giudice, ma come ad un padre per ottenerne consiglio, conforto. Le cose esposte in esso restano sotto la salvaguardia del sigillo naturale; la notizia avutane non può servire che per la direzione del religioso.

Qual'è il fine del rendiconto?

1) Il vantaggio spirituale del religioso.

Una delle più fatali illusioni per l'uomo di questo mondo è il credere di bastare a se stesso. Il voler dirigersi da sè senza cercare il consiglio di persone savie e prudenti, in qualsiasi ordine di cose, è la causa di molti errori ed espone al pericolo di grandi aberrazioni.

Nell'ordine spirituale tale pericolo è più grande: a) perchè l'opera della propria santificazione è la più ardua di tutte; b) perchè le passioni, e massime l'amor proprio possono trarre in inganno; c) perchè il demonio ha tutto l'interesse, che così succeda, sia per impedire il profitto del religioso stesso, come per impedire il bene di tante altre anime.
E' quindi necessario, per andare avanti, scegliersi una qualche guida, che con i lumi del Signore conduca i propri pensieri nella via del bene, ne addi-

ti gli scogli, aiuti a superarli. Ed appunto per poter essere così guidati si fa il rendiconto di coscienza.

2) La tranquillità del religioso.

Il pensiero che il P. Spirituale, conoscendo bene, potrà dare i consigli adatti al proprio profitto, è una sorgente di grande pace e di grande felicità per il buon religioso.

Con quali disposizioni si deve fare il rendiconto.

Affinchè il rendiconto giovi veramente, deve essere fatto:

1) Con retta intenzione.

a) Con animo di trarre il maggior profitto possibile per il proprio vantaggio spirituale; b) con desiderio di dare una idea esatta di se stessi al proprio P. Spirituale, escludendo qualsivoglia altro fine basso, o puramente umano.

2) Con umiltà.

a) Con esso si viene a riconoscere la propria insufficienza e il bisogno dell'altrui consiglio; b) nel farlo si deve vincere quel naturale riguardo che si prova nel manifestare le proprie debolezze; c) dovendo dire anche il bene che è in sè, conviene non esagerarlo.

3) Con sincerità sopra tutto.

A nulla servirebbe il rendiconto e si ridurrebbe a una mera cerimonia, se la manifestazione della propria coscienza non fosse intera e totale, così da lasciare vedere sino in fondo alla propria anima. Nè solo sarebbe inutile per il proprio profitto un rendiconto che non fosse sincero, ma sarebbe sommamente dannoso per le sue conseguenze, la responsabilità delle quali cadrebbe tutta ed unicamente sull'ingannatore. Fu sempre cosa assai pericolosa mentire allo Spirito Santo.

Metodo da tenere nel fare il rendiconto.

Si possono ridurre a sei i punti principali per fare un buon rendiconto di coscienza:

1) La vocazione.

a) Se si hanno mai pensieri e sentimenti contro la vocazione, e da quali difficoltà provengono; b) se si è contenti dell'ufficio in cui si fu posti dall'ubbidienza e delle occupazioni che appartengono ad esso; c) se si è contenti del luogo.

2) Tentazioni.

Possono essere di varie specie. Le due sorgenti principali sono l'amor proprio e la concupiscenza. Quanto all'amor proprio: a) se disturba nel proprio operare e impedisce la rettitudine d'intenzione; b) se porta ad una stima esagerata di se stessi ed a nutrire pensieri di preferenza; c) se si sentono molto al vivo le piccole umiliazioni; d) se suscita difficoltà all'ubbidienza e riguardo ai Superiori; e) quali sono e fino a che punto. Quanto alla concupiscenza: a) se rare o frequenti le tentazioni contro la castità e sotto quale forma maggiormente disturbino; b) se esistono intorno a sè occasioni prossime o remote e quali sono; c) come ci si diporta nelle occasioni, come nelle tentazioni; d) fino a che punto arriva la propria prontezza, ovvero la propria trascuratezza e la propria debolezza; e) se pare di coltivare lo spirito di mortificazione con la custodia dei sensi o in qualche altro modo.

3) Carattere.

a) Se si è portati all'ira o alla leggerezza o alla malinconia; b) se si vince sempre o se si resta talora vinti; c) se si ha qualche cosa interna che ci sia causa costante di preoccupazioni o angustie.

4) Carità fraterna.

a) Come ci si diporta nei pensieri e nei giudizi; b) se si è facili a mormorare; c) se si è facili a risentirsi e a mostrarlo esternamente; d) se si hanno antipatie od avversioni e se si disprezzano ovvero si assecondano; se si nutrono affetti particolari, donde nascono, verso quali persone, e come ci si diporta.

5) Pratiche di pietà.

a) Se si fanno tutte; b) se si fanno con convinzione e con impegno; c) se si è negligenti e quali si crede possano essere le cause (forse la poca stima e la dissipazione nelle cose esterne, studi, lavori, impieghi, ecc... pene interne, o disturbi fisici ecc...); d) qual'è l'argomento dell'esame particolare, quale il proposito; e) se si fanno con dolore le proprie Confessioni e pare di cavar fervore e frutto dalla S. Messa e dalla S. Comunione.

6) Regole.

a) Se è facile o se pesa la vita comune e se ci si lamenta mai di qualche cosa; b) se si trova difficoltà in qualche regola determinata; c) se si manca a qualche regola per poca stima, ovvero per debolezza o per altro motivo speciale. Infine, se si è pronti e disposti ad esporre schiettamente qualunque altra cosa, anche qui sopra non specificata, che riguardi il proprio profitto, la propria condotta, il frutto dei propri ministeri, le proprie relazioni col prossimo in casa e fuori, ecc... e pronti pure a rispondere con la medesima sincerità alle interrogazioni che, per maggior chiarezza, venissero fatte.

2. Rendiconto disciplinare al Superiore.

1) E' la manifestazione della propria condotta, in quanto ha attinenza con la vita esterna e disciplinare, escluse le colpe, al proprio Superiore.

Esso differisce dal rendiconto di coscienza, che si fa al proprio Direttore Spirituale, in quanto quello ha per oggetto la manifestazione di tutto il proprio interno (tentazioni, dubbi, cadute, inclinazioni, ecc...); questo invece ha per oggetto la propria vita disciplinare e ciò che passa nel proprio interno, solamente in quanto ha relazione con essa.

2) Fine del rendiconto disciplinare è di dare al proprio Superiore la possibilità di conoscere ciascuno, perchè possa regolarsi nell'assegnargli uffici ed impegni.

Quindi esso è un grande aiuto che si dà al Superiore in ordine al proprio bene, all'impiego delle proprie capacità ed un motivo di tranquillità per ciascuno di fronte alle proprie destinazioni e necessità. Naturalmente le notizie che si forniscono al Superiore, anche in questo rendiconto disciplinare, restano sotto la salvaguardia del sigillo naturale e non possono servirgli che per meglio guidare ciascuno.

3) Materia su cui si svolge.

Se si ha qualche difficoltà intorno alla vocazione. Se è gravosa l'osservanza di qualche articolo particolare delle Costituzioni o delle Costumanze.

Povertà: se si ha quanto è necessario riguardo al cibo, al vestito, ai libri, ai propri bisogni o esigenze particolari. Se per queste ultime si hanno i debiti permessi. Se si ha del superfluo.

Castità: se nel ministero, negli studi, o nel proprio ufficio assegnato si trovano pericoli od occasioni di tentazioni.

Obbedienza: se si ha particolare difficoltà o ripugnanza a qualche ufficio, o ministero, o studio, o casa. Se l'ubbidienza a qualche Superiore od Ufficiale è particolarmente gravosa.

Vita comune e carità: se si ha qualche cosa da osservare sulle relazioni tra Superiori e Confratelli della propria Comunità. Se si incontrano ripugnanze o avversioni per qualche confratello. Se si ha qualche rilievo da fare sull'unione fraterna della propria Comunità, sulla organizzazione degli studi, sul metodo di formazione religiosa e missionaria dei membri.

Inclinazioni: se e quali siano gli studi, gli uffici o i ministeri ai quali ci si sente maggiormente portati o per i quali si sente ripugnanza. Se si hanno progetti particolari che si desidera esporre o conseguire. Se si hanno disturbi di salute e quali. Se si ha qualche altra cosa da fare presente al Superiore.

3. A chi fare il rendiconto di coscienza, a chi quello disciplinare.

Pur rimanendo libero il giovane religioso di fare il suo rendiconto di coscienza anche al Superiore, se Sacerdote (vedi can. 530), glielo si propone da farsi al P. Spirituale.

Va peraltro notato che il Superiore che riceve queste confidenze intime come già e molto più che per il rendiconto disciplinare, non può valersene che per il bene del religioso, è tenuto al segreto d'ufficio e i suggerimenti che potrà dare in seguito a tali manifestazioni non hanno altro valore che di consiglio.

Citiamo un esempio: Dal rendiconto di un suo religioso, il Superiore viene a conoscere, supponiamo, nel soggetto tendenze patologiche di origine nervosa per cui è controindicato il Sacerdozio, o abitudini viziose per le quali, non solo non dovrebbe ascendere agli Ordini, ma ritirarsi dalla stessa vita religiosa allo scadere dei voti. Il Superiore potrà e dovrà insistere con tutti gli argomenti in sua mano per indurre il suddito a chiedere di ritirarsi, ma in base alle sole rivelazioni confidenziali, non potrà forzarlo e tanto meno dare ai Superiori competenti per l'ammissione alla Professione Perpetua o ai sacri Ordini, una relazione negativa. Questo ad apicem iuris perchè penso che nessun giovane che sia così aperto da fare spontaneamente al suo Superiore il rendiconto di coscienza, sarà poi così indocile con lui, da non accogliere i suoi consigli in un affare così grave.

Se non ci fossero difficoltà d'ordine psicologico, data la natura del giovane, il rendiconto di coscienza al Superiore avrebbe tutti i vantaggi di quello al P. Spirituale, coi consigli, lumi, direttive, ecc... più l'azione prudente sì, ma concreta e coordinata, anche in foro esterno, nel quale il P. Spirituale, in quanto tale, non ha alcuna ingerenza. Comunque sia, più proprio del Superiore (Rettore, Guardiano, Priore, ecc...) è il rendiconto disciplinare di cui abbiamo parlato sopra.

4. Padre Spirituale nelle Case religiose e Direttore Spirituale nei Seminari.

Il Prefetto o Maestro di Spirito del can. 588 non è il Direttore Spirituale del can. 1369. L'uno e l'altro hanno campi e attribuzioni diverse. Il Prefetto di Spirito sorveglia i suoi alunni e li assiste mediante avvisi, istruzioni ed esortazioni, li segue da vicino, a un dipresso come il Maestro del Noviziato, è richiesto e dà il suo voto per la loro ammissione alla rinnovazione dei voti e agli Ordini.

Il Direttore Spirituale invece lavora quasi esclusivamente nei colloqui intimi coi singoli seminaristi, dai quali riceve ordinariamente l'accusa sacramentale dei peccati e ai quali dà suggerimenti, consigli, indirizzi.

In quegli Istituti Religiosi dove la funzione di Direttore Spirituale non è espletata dal Superiore e viene affidata ad altri sotto diversi nomi (P. Spirituale, Direttore Spirituale, Catechista, ecc...), la posizione di questi altri è notevolmente diversa da quella del Direttore Spirituale dei Seminari e ciò, non tanto per il diverso valore dei termini usati per designare il loro ufficio, quanto per la differente posizione giuridica dei giovani religiosi e quella dei Seminaristi. Questi ultimi, del Seminario sono semplici convittori e quindi del Rettore del Seminario sono sudditi.... avventizi; i religiosi invece sono membri effettivi della famiglia nella quale hanno fatto la loro professione, la podestà quindi dei Superiori Religiosi sui sudditi è di sua natura permanente e più intima trovando il suo fondamento nel voto di obbedienza, per il quale il religioso si è posto interamente nelle mani dei suoi Superiori. In base a ciò mi pare di poter concludere che se nei Seminari il Rettore e il Direttore Spirituale nella direzione dei giovani sono due autorità indipendenti tra loro, negli Istituti Religiosi l'azione del P. Spirituale è molto più subordinata a quella del Superiore, salvo, s'intende, la insindacabilità della sua azione intima sui giovani. Un esempio: Un religioso laico, durante i voti, comincia ad aspirare agli Ordini Sacri, si apre col suo P. Spirituale, il quale finalmente gli consiglia il passaggio. Il Superiore può opporsi, anche d'autorità e in forza del voto, a tale passaggio. Al laico non rimarrebbe che ricorrere o alle Autorità superiori dell'Istituto o alla S. Sede. Un seminarista invece a cui il suo Direttore Spirituale ha consigliato, a ragion veduta nei colloqui intimi, per esempio, la vita missionaria o religiosa, può liberamente uscire di Seminario e indirizzarsi verso la via indicatagli, nonostante le opposizioni del Rettore. Nè del resto il Rettore potrebbe ragionevolmente opporsi d'autorità.

Da questa particolare posizione del P. Spirituale dei religiosi nei confronti del Direttore Spirituale dei seminaristi, nasce nel primo la necessità di una perfetta permeazione di spirito religioso e di obbedienza, e ciò, oltre ad essere suo dovere come religioso, è anche condizione di efficacia della sua azione di formazione.

1. *Quaestiones quae ad disciplinam pertinent.*

Gli Asceti mettono in rilievo la necessità della direzione spirituale. A persuadercene ci portano ragioni di ordine naturale e ragioni di ordine soprannaturale.

Cominciando dalle prime, vi è una certa quale parità tra la vita fisica e la spirituale. La Provvidenza ha disposto che ai fianchi del piccolo bambino che nasce vi siano babbo e mamma, i quali provvedono alle prime necessità della vita, e gliene insegnano gradatamente le vie. Così l'anima ha bisogno di chi faccia la parte di padre, e vorrei dire anche di madre nei suoi bisogni spirituali. Nell'ordine naturale si possono ancora avere degli autodidatti: ma sono rari, e ad ogni modo la loro formazione è lunga ed incompleta. La comune degli uomini ha bisogno di un maestro, sia di un maestro di scuola, sia di un maestro di arte. E così è dell'uomo spirituale: ha bisogno di un maestro di spirito. Gli alpinisti che tentano la scalata delle cime eccelse dei monti, si affidano ad una guida pratica dei luoghi per evitare le difficoltà ed i pericoli, e fors'anche per avere aiuto, se vi fossero già incorsi. E' il caso di ripetere qui quello che lo Spirito Santo dice: *Vae soli! quia cum ceciderit non habet sublevantem se* » (Eccl. 4.10). A pari l'anima che aspira alle alte cime della virtù e della santità ha bisogno di essere accompagnata, sostenuta, sollevata. Il paralitico della probatica piscina si lamentava di essere solo e di non avere chi lo gettasse nell'acqua mossa alla discesa dell'Angelo: *Hominen non habeo* (Io. 5.7). E' il lamento che dovrebbe fare chi fosse privo di un direttore spirituale. A lui la parte del buon Samaritano dell'Evangelo coll'anima incappata nei ladri assassini (Lc. 10.75). Oltre che, come ha pronunziato l'antica sapienza: « Nemo iudex in causa propria ». Nessun malato si cura da sè, ma si rivolge ad un medico: nessuno che è stato leso nei suoi diritti, od è stato ingiustamente accusato da sè patrocina la sua causa, o si difende, ma ricorre ad un avvocato; nessuno pronunzia sentenze a suo vantaggio o a suo svantaggio, perchè sarebbe troppo interessato o mosso da passione: ricorre ad un giudice imparziale ed onesto. Tanto più che le cose guardate da lontano si vedono in altro modo che viste da vicino. Le nostre cose sono troppo vicine a noi.

Ma a queste ragioni di ordine naturale si aggiungono quelle di ordine soprannaturale. La più importante ce la suggerisce Leone XIII di f.m. nella sua Lettera « Testem benevolentiae » (1): « Spiritum Sanctum secreto illapsu in animas iustorum agere eosque admonitionibus et impulsionibus excutere, nullus est qui ambigat; id ni foret, externum quodvis praesidium et magisterium inane esset... Verum quod experiendo novimus, hae Spiritus Sancti admonitiones et impulsiones plerumque non sine quodam externi magisterii adiumento ac veluti comparatione, persentiuntur... scilicet ad communem legem id pertinet, qua Deus Providentissimus, uti homines plerumque fere per homines salvandos decrevit, ita illos quos ad praestantiorem sanctimoniae gradum advocet, per homines eo perducendos constituit ». Per insegnare a Saulo quello che doveva fare per diventare Paolo, Gesù lo mandò ad Anania (Act. 9.7) e per avere un conforto nelle tristezze della sua anima, lo rivelò ai tre fortunati Apostoli del Getsemani, e li invitò a star svegli con Lui ed a pregare (Mt. 16. 38). Così ancora ai nostri giorni la verità ci viene predicata da un uomo, il

(1) *AAS*, 31, 474.

perdono dei peccati ci viene concesso per mezzo di un uomo, il pane eucaristico ci viene preparato da un uomo, e la direzione dello spirito ci verrà impartita da un uomo. Sarà un bel modo di esercitare la fede, l'umiltà e la docilità.

Oggi abbiamo una valida conferma di quanto abbiamo letto nella recentissima Esortazione *Menti Nostrae*, 20 settembre 1950, rivolta al Clero dal regrante Pontefice Pio XII. Egli scrive: « Opportunum etiam ducimus vos adhortari, dilecti filii, ut in spirituali vitae itinere ingrediendo persequendoque, ne nimis vobis confidatis, sed demisso docilique animo ab iis consilium suscipiatis petatisque auxilium, qui sapienti moderatione vos regere possint, qui adventantia pericula vobis praenuntiare queant, itemque consentanea vobis indicare remedia, et in difficultatibus omnibus ex internis externisve rebus oriundis, vos recta ratione ducere, vosque ad perfectionem illam cotidie auctiorem dirigere, ad quam sanctorum Caelitum exempla, probatique christianae asceseos magistri vos alliciant et advocent. Etenim sine prudentibus hisce conscientiae moderatoribus plerumque difficillimum est supernis Sancti Spiritus impulsionibus divinaeque gratiae recto modo obsecundare » (2). Il S. Padre anzi è arrivato al punto di compiacersi con quei sacerdoti che si applicano in modo speciale a dirigere nello spirito i loro Confratelli: « Cupimus etiam ut paterna haec adhortatio Nostra peculiari modo sacerdotes illos attingat, qui demisso quidem animo, sed incensa caritate, in ceterorum sacerdotum sanctitudinem procurandam augendamque sollerter incumbant, sive eorum consiliarios agant, sive eorum conscientiae moderatores, vel Paenitentiae Sacramenti administros. Quod hi in Ecclesiae inaestimabile bonum conferunt, plerumque dum vivunt, silentio obtegitur, at in divini Regni gloria aliquando luculentissime manifestabitur » (3).

Se si parla poi del *rendiconto di coscienza,* è uno dei mezzi migliori per ricevere la direzione spirituale.

S. Ignazio, che lo ha voluto per i suoi figli, ce ne dà le ragioni. Si noti però che il Santo, per rendiconto di coscienza, « ratio conscientiae », intende non già il colloquio spirituale che si fa col Direttore di spirito, precisamente per essere diretti nello spirito, ma l'apertura d'animo che si fa al Superiore, per essere da lui governato. Tre ragioni adunque. La prima: « Ut Superioribus subditi omnino perspecti sint, quo melius regi et gubernari, et per eos in viam Domini dirigi possint ». La seconda: « Quanto melius Superiores res omnes internas et externas suorum noverint, tanto maiore cum diligentia, amore et sollicitudine, iuvare eos ipsorumque animas a variis malis et periculis quae in progressu possent accidere conservare poterunt ». La terza: « Ut Superior plenam habeat notitiam propensionum ac motionum animi, et ad quos defectus et peccata fuerint vel sint magis propensi et incitati qui sub eius cura sunt » (Exam. C. 4. nn. 34-35). Nell'assegnazione dei luoghi e degli impieghi potrà tener conto se p. es. il suddito sia portato agli affetti sensibili a ragazzi o a donne, potrà occuparlo in uffici nei quali non vi sieno relazioni con quelli e con queste: e chi soffrisse eccitamenti dall'aria di montagna, sia mandato al piano o al mare.

Per ottenere questi vantaggi, occorre che le manifestazioni non sieno fatte in confessione, dove chi confessa sarebbe tenuto al segreto sacramentale. Sia pure che anche per il rendiconto fuori di confessione vi sia il segreto commesso o di ufficio, o professionale che dir si voglia, comunque il Superiore non potrà rivelare le cose sentite, ma ne potrà usare

(2) *AAS*, 42, 674.
(3) *Ibid.* 681.

a vantaggio del suddito, perchè questo è precisamente il fine del rendiconto.

Le « Epitome della Compagnia di Gesù » (n. 204 §§ 1 e 2) lo dichiarano espressamente: « Licet Superiori, salvo secreto, eum providentiae modum tenere qui subditi vel Societatis bono necessarius aut utilis fuerit ».

Purtroppo però si verificarono degli abusi, specialmente in Istituti femminili, dove delle Superiore poco discrete e prudenti pretesero penetrare nel santuario inviolabile della coscienza, esigendo da suddite restie manifestazioni forzate. Di qui il Canone 530 del Diritto Canonico che proibisce le imposizioni, pur permettendo e lodando il libero uso del rendiconto.

2. *Quaestiones quae ad praxim pertinent.*

Il Direttore Spirituale di per sè può essere una persona distinta dal Confessore, come la direzione anche potrebbe essere data per lettera. Ma nè l'una cosa, nè l'altra è consigliabile.

Non questa, perchè, oltre il pericolo di violazione di segreto postale, la lettera è muta, il penitente scrive quello che pare a lui più importante, tacendo il resto, che invece sarebbe più utile per il Direttore. Anche la distinzione tra Confessore e Direttore presenta degli inconvenienti, perchè il penitente sarebbe così costretto a rivelarsi due volte, e ci sarebbe sempre il pericolo di disaccordo tra i due. Molto meglio quindi che il Confessore sia anche Direttore. Il Codice ad ogni modo ammette che il Vescovo possa permettere alle Religiose di avere oltre il Confessore anche un Direttore: « Si qua Religiosa, ad animi sui quietem et ad maiorem in via Domini progressum, aliquem specialem confessorem vel moderatorem spiritualem postulat, eum facile Ordinarius concedat » (Can. 521 § 2). Ma anche qui bisognerà evitare l'abuso facile a verificarsi, che cioè nel monastero vi siano tanti Direttori quante sono le monache, a scapito dell'unità di direzione: e questo non per vero bisogno o desiderio di perfezione, ma per vanità e per capriccio.

Comunque i laici che vivono nel mondo possono sceglersi a piacere il Confessore ed il Direttore: i Religiosi, specialmente quelli che vivono in clausura, non così, perchè vengono designati dall'Ordinario, o dal Superiore dell'Istituto. Però la Chiesa ha stabilito questi temperamenti: quelli che escono di casa possono rivolgersi a Sacerdoti che confessano nelle Chiese pubbliche e semipubbliche (Can. 518 e 519). Per quelli che non escono, oltre al Confessore ordinario, sono designati confessori straordinari, che possono e debbono essere chiamati, quando il Religioso ne ha bisogno (Can. 121 § 2). Ogni semestre poi tutte le Religiose indistintamente devono presentarsi ad un Confessore straordinario (Can. 521 § 1). E finalmente ogni triennio Confessore ordinario e straordinario devono essere mutati, a meno che la maggioranza dei membri della Comunità non domandi la conferma, e questo per un secondo e al massimo per un terzo triennio (Can. 526).

Dal fatto che i Confessori sono designati, l'importanza della scelta dei soggetti per parte dei Vescovi e dei Superiori degli Istituti religiosi è somma. Ai Vescovi il Codice prescrive che scelgano « morum integritate ac prudentia praestantes; sint insuper annis nati quadraginta » (Can. 624 § 1). Lo stesso si deve raccomandare ai Superiori Religiosi. Una scelta infelice sarebbe la rovina delle anime e delle Comunità.

Il primo compito del Direttore sarà quello di studiare la vocazione dell'aspirante e giudicare della sua idoneità o meno.

Scrive Pio XI nella sua Esortazione al Clero « Ad catholici Sacerdotii fastigium » del 20 dicembre 1935 (4). « Hoc ita intelligendum est non quasi iidem (Confessori e Direttori) possint extrinsecus quoque ac publice operam proferre suam — quod immo ex religiose suscepto munere, vel ex inviolabili sacramenti secreto iisdem vetitum est — sed ita potius ut in cuiusque iuvenis anima efficacem vim exserant eosque firma paternaque constantia regant, prout assequenda sempiternae salutis bona postulent. Quamobrem ipsi... non aptos aeque atque indignos, humano nullo habito respectu, pro officio iubeant e sacris Seminarii septis, dum tempus est, recedere ». Lo stesso dicasi del noviziato. E' troppo evidente che i Superiori di disciplina e lo stesso Vescovo conoscono dell'aspirante l'esterno, e quel poco che l'esterno manifesta dell'interno. Chi conosce il giovane a fondo, se è sincero e non ipocrita, è il Confessore.

Si noti quel « dum tempus est » che per gli aspiranti al sacerdozio, sieno pure religiosi, è l'ordinazione al presbiterato, perchè fino a quel punto è ancora possibile ottenere dalla S. Sede la dispensa dagli oneri assunti col Suddiaconato. Ma per tutti i Religiosi e le Religiose sarà l'emissione dei voti perpetui, dato che il tempo che la precede si può considerare come tempo di prova. E' evidente però che non si può aspettare all'ultimo momento ad eliminare un candidato al sacerdozio od un Religioso inetto od indegno. Questo prova che il Direttore Spirituale deve sempre vigilare sul suo penitente per confermare o modificare il suo giudizio sulla vocazione.

I giovani devono essere curati più dei vecchi. Dice sapientemente Leone XIII nel documento sopra citato: « Accedit praeterea quod qui perfectionem sectantur, eo ipso quod ineunt intentatam plerisque viam, sunt magis errori obnoxii, ideoque magis quam ceteri doctore ac duce indigent ». Per gli studenti che si immergono nello studio c'è il pericolo di isterilire lo spirito e di trascurare le pratiche della pietà. L'omissione della meditazione, l'illanguidimento della pietà eucaristica e della devozione alla Madonna sono state spesso la causa della perdita della vocazione. Il disprezzo delle piccole cose, come insegna lo Spirito Santo, fa precipitare l'anima nelle grandi cose: *Qui spernit modica paulatim decidet* (Eccli. 19.1). Il far poco conto dei voti e delle regole si oppone direttamente al fine della vita religiosa, che è la perfezione, ossia l'attività e il fervore della carità. Su di questi punti il buon Direttore dovrà insistere sia con esortazioni a tutta la Comunità, sia con eccitamenti personali ai singoli nelle confessioni e nei colloqui spirituali.

Bisognerà sopra tutto favorire l'apertura d'anima e la confidenza specialmente durante le tentazioni.

Osserva a ragione S. Ignazio: « Quando inimicus naturae humanae ingerit animae iustae suas fraudes et suasiones, vult ac desiderat ut recipiantur et teneantur in secreto » (Reg. 13 della discrez. degli spiriti per la sett. n. 326). Il mezzo più sicuro per vincerle e liberarsene è confidarle al Direttore. Mi riporto allora al rendiconto. Lo stesso S. Ignazio nella sua regola 41 ne precisa la materia: « Deve essere gratissimo a ciascuno che tutta l'anima sua sia a quelli (Confessore e Superiori) interamente manifesta. Nè solo gli scoprano i difetti, ma ancora le penitenze, mortificazioni, devozioni e virtù tutte, desiderando con pura volontà di essere da quelli indirizzati ». Vi si aggiunga una sincera carità che porta ad aprirsi per spirito d'amore, affidandosi come figlio al padre, e ad un padre che tiene il posto di Dio. E il tutto sia imbalsamato da una vera umiltà, che farà accettare con riconoscenza i consigli ed i suggerimenti del Superiore, e animerà a metterli in pratica.

Finirò notando che il religioso non è obbligato ad una vera ubbidienza al Direttore Spirituale, il quale, non essendo un Superiore, non ha autorità di comandare; fosse

(4) *AAS*, 26, 41.

anche Superiore, non intende di valersi della sua autorità, nè la manifesta. Non si tratta quindi nel religioso di virtù di ubbidienza, ma di *docilità*, che, come spiega S. Tommaso (5), è parte integrante della prudenza. Lo Spirito Santo dice: *Ne innitaris prudentiae tuae* (Prov. 3,5); e S. Ignazio nella sua lettera sull'ubbidienza, raccogliendo il pensiero degli antichi, scrive: «E' vera prudenza non fidarsi di sua propria prudenza».

183   R. D. EUGENIUS VALENTINI, S. D. B., Rector Magnificus in Pontificio Athenaeo Salesiano, *scripsit*:

I. Ci proponiamo con questa trattazione di porre chiaramente in luce la distinzione che corre tra Formazione spirituale e Direzione spirituale nelle case religiose, e tra Educazione spirituale e Direzione spirituale nei collegi diretti da religiosi.

Il primo termine (formazione e educazione spirituale) abbraccia tutto il lavoro spirituale che si compie attorno ad un'anima; il secondo termine (direzione spirituale) indica solamente uno dei tanti mezzi (certamente tra i principali) che cooperano alla trasformazione spirituale di un'anima.

La formazione ed educazione sono opera di tutto un complesso educativo e formativo, di tutto uno spirito, di tutto un lavoro comunitario; la direzione invece è il lavoro di un singolo sopra un singolo, che si è a lui completamente affidato.

Stabiliamo il principio: «Quanto più c'è di formazione e d'educazione spirituale (la ricchezza dei mezzi stabiliti dalle regole e per la vitalità di una religione in cui uno è entrato — oppure per la ricchezza della impostazione della vita collegiale e per la vitalità dello spirito che la anima), tanto meno è necessaria la Direzione spirituale in senso tecnico; e viceversa quanto meno sono i mezzi spirituali comuni, tanto più è necessaria la Direzione spirituale in senso stretto. Di qui la massima necessità della Direzione spirituale nel mondo religioso e nei collegi ben ordinati.

Dato il perfetto parallelismo posto tra Formazione religiosa, attuata dal governo spirituale dei superiori religiosi, e l'Educazione spirituale data dall'insieme dei superiori di un collegio, nel corso della nostra trattazione parleremo solo di Educazione spirituale (E.S.), intendendo applicare anche alla Formazione spirituale tutto ciò che verremo dicendo sulla Educazione spirituale.

II. Se il problema della D. S. è ancora oggi così intricato da dar luogo a molte discussioni anche tra i competenti,

(5) 2, 2, q. 49, a. 3.

706

ciò è dovuto sopratutto al fatto che si usa lo stesso vocabolo dando però ad esso significati non del tutto identici. Chi lo usa naturalmente in senso un po' vago, chi in senso tecnico secondo il linguaggio di una scuola, chi secondo un significato proprio ma strettamente personale. Di qui le confusioni. Ad evitare ciò, noi preferiamo partire dal significato base, quasi direi etimologico, cercando poi di salire sempre più in su, fino ai significati tecnici specializzati.

Dirigere significa ovviamente indicare o dare una direzione, e dirigere spiritualmente vorrà dire, segnare una direzione nelle vie dello spirito. In questo senso dirigere è guidare. E come si può essere guida di un altro in vari modi, nei viaggi terrestri o marittimi, così egualmente avviene nelle vie dello spirito, nel viaggio cioè che conduce ogni anima dalla terra al cielo, o, per usar un linguaggio classico in tema di spiritualità, nella salita al monte Carmelo, come la chiama S. Giovanni della Croce. C'è chi dirige indicando semplicemente la via in una forma molto sommaria, c'è chi dà i mezzi per conoscere bene il cammino, offrendo un'eccellente carta topografica ed insegnando ad usarla rettamente, e c'è infine chi, conoscendo appieno il cammino per esperienza personale, si offre quale guida pratica e accompagna nel viaggio l'inesperto viandante.

C'è quindi una direzione piuttosto teorica che si limita ad indicare la mèta, c'è poi una direzione pratica che scende ai dettagli, ma lascia la soluzione definitiva dei singoli dubbi alla persona che deve fare il viaggio, e c'è infine la direzione completa e per eccellenza, che assume tutta la responsabilità della riuscita dell'escursione, accompagnando, eccitando, aiutando il viandante in tutto il percorso. Quando si tratta di salire un monte in cui i pericoli sono ad ogni piè sospinto, è evidente che l'unica forma veramente efficace di direzione è la terza, quella cioè della guida alpina autorizzata, che conosce i pericoli, segna la via ed aiuta a percorrerla. Troppe sono nella vita le sorprese per poterci accontentare di una direzione spirituale fatta al tavolo di studio; abbiamo bisogno evidente di una direzione vitale. Che se queste considerazioni valgono per ogni ceto di persone, molto più convengono alla gioventù che per l'inesperienza della vita ha bisogno di particolari aiuti.

Oggetto della D. S. possono essere i pensieri, le parole, le azioni.

I primi si possono solo conoscere per confessione dello interessato, ma le parole e le azioni possono essere anche vedute dall'esterno e possono quindi venir corrette col contatto immediato e diretto dall'educatore spirituale molto più e molto meglio che con la correzione verbale avuta in occasione del colloquio che l'anima istituisce ogni tanto con il Direttore della sua coscienza. Gli atti e le parole, quando vengono corretti ed indirizzati al bene in base alle confidenze dell'educando, sono oggetto della D. S.; quando invece vengono osservati e guidati dall'esterno nella convivenza collo Educatore, allora sono oggetto della E. S.

La D. S. basata unicamente sulle confidenze dell'educando e non sull'osservazione diretta dell'Educatore, è appunto paragonabile ad un'ascesa sui monti, di cui si ragiona con la guida a viaggio avvenuto, dopo averne preventivamente ricevuti i consigli e gli ammaestramenti. Non è certo questo lo unico mezzo per guidare un'anima alla perfezione, anzi alcune volte non è neppure il mezzo più efficace e più comune.

Comunemente si ritiene che sia dell'essenza della D. S. la cooperazione esplicita e riflessa dell'educando, in ordine al proprio perfezionamento spirituale. Quando però si prende la D. S. in senso ampio, come cooperazione data ad un individuo in ordine alla sua formazione spirituale, è evidente che bas a una cooperazione implicita e spontanea. Può infatti uno essere guidato ad una meta, anche senza che egli lo voglia in modo esplicito e lo intenda in forma riflessa. Per noi quindi esiste una educazione spirituale integrale che abbraccia sia la D. S. tecnica in senso stretto, basata unicamente sulle confidenze dell'educando e sulla volontà decisa ed esplicita di esso a farsi dirigere, sia l'E. S. meno riflessa e più spontanea, basata sull'osservazione diretta dell'educatore e su una volontà implicita dell'educando al proprio miglioramento.

Del resto Pio XI nella Enciclica *Divini Illius Magistri* identifica il fine della D.S. con quello della Educazione Cristiana, là dove dice che «il fine proprio ed immediato della educazione cristiana è quello di cooperare all'azione della Grazia divina nella formazione del vero e perfetto cristiano, cioè alla formazione di Cristo stesso negli animi rigenerati dal Battesimo».

Dirigere vuol dire, secondo il Palazzi, sorvegliare e guidare una cosa, una persona, un'azienda. Tutt'al più possiamo aggiungere che nella voce « dirigere », si unisce un non so che di primato, per cui non si tratta di una qualunque sorveglianza o guida, ma di una sorveglianza e guida suprema, che ha quindi tutti i mezzi per il raggiungimento del fine.

Se ora tralasciamo il significato originario e veniamo al significato tecnico e proprio del termine, ci pare che la D. S. non nomine sed re, significhi e comprenda:

1) Un influsso sull'intelletto dell'anima diretta, che si attua:

a) comunicando all'interessato un'istruzione nelle vie dello spirito;

b) consigliandogli una decisione pratica nei casi dubbi, allorchè sorgono delle difficoltà nell'applicare le leggi generiche e teoriche ai casi singoli e concreti della vita;

c) abituandolo poco per volta a decidere da solo in casi analoghi.

2) Un influsso nella volontà dell'educando, che si ottiene:

a) entusiasmando con l'esempio e con la parola detta volontà per il bene;

b) applicando immediatamente su di lei i mezzi che vi influiscono sia ex opere operato che ex opere operantis, come i Sacramenti, la preghiera ed esercitandola in essi.

E sembrerebbe allora che D. S. ed Educazione spirituale divengano praticamente sinonimi. Il Gnocchi infatti chiama la D.S. l'anima profonda di tutta l'educazione cristiana (1). E soggiunge anzi: «La definizione di educazione cristiana e di D. S. combaciano perfettamente».

La D.S. richiede la scienza teologico-pastorale nel Direttore, la capacità d'intuito o criterio pratico direttivo e la conoscenza dell'educando. La prima si ha dallo studio, la seconda dalle capacità native e dall'esercizio pratico sotto una guida esperta, la terza dalla convivenza e dalle confidenze. La convivenza però non è solo la base per dare la direzione, ma può essere talora anche una parte della Direzione in atto, e questo minutamente, caso per caso, senza mettere sull'attenti l'individuo, molte volte quasi senza che se ne accorga.

Tutto questo però è vero solo superficialmente, cioè quando si prendono D. S. ed E. S. in senso ampio; occorre invece analizzare più profondamente questi concetti, in modo da togliere le confusioni, e attribuire alla D. S. ed alla E. S. il proprio ruolo specifico nella formazione del giovane.

III. Sotto la spinta degli avvenimenti che caratterizzano la nostra epoca, segnatamente per l'impulso che il problema ha ricevuto dal movimento di A. C., la questione della D. S. è oggi alla ribalta della spiritualità contemporanea.

E mentre il Godinez dice che «una delle cause principali del mancato raggiungimento della perfezione è la scarsezza di direttori spirituali» (2) il P. Hertling S. I. invece così riassume la posizione contraria: «Secundum dicta sequentia statuimus:

1) Moderator spiritualis ut talis non habet auctoritatem specialem, consequenter non potest oboedientiam exigere.

2) Cum Moderator spiritualis simul est superior vel confessarius, auctoritas eius tam late patet quam auctoritas superioris vel confessarii.

3) Proprium et stabilem moderatorem spiritualem, cui statutis temporibus conscientia manifestetur, ad perfectionem indispensabilem esse, demonstrari nequit, nisi in incipientibus.

4) Religiosi praesertim, qui vivunt secundum regulas proprii instituti et mandata superiorum non indigent insuper speciali moderatore, exceptis iterum incipientibus (magister novitiorum).

5) Utilitas specialis moderationis pendet tum a prudentia paenitentis, tum ab eminentia moderatoris in doctrina et experientia.

---

(1) D. CARLO GNOCCHI. *I giovani del nostro tempo e la direzione spirituale* A.V.E., Roma, 1940, pag. 5.
(2) GODINEZ, *Theol. Myst.*, l. 7, c. I.

6) Amicitia erga moderatorem utilis esse potest, uti docent exempla sanctorum, sed etiam nociva, ut ex aliis exemplis apparet » (3).

Ora in questo cozzo di posizioni è bene porre in rilievo alcuni punti fondamentali, che serviranno a chiarire idee ed a precisare dettagli che, non essendo stati considerati, hanno finito per imbrogliare la matassa.

Lo stesso Hertling annota a questo proposito: « Nomen moderatoris spiritualis vario modo adhibetur significando: I) superiorem ecclesiasticum; 2) confessarium; 3) consiliarium; 4) amicum vel magistrum sensu latiore. Cavendum tamen, ne ea quae a doctoribus vitae spiritualis de una significatione praedicantur, indistincte ad alias transferantur » (4).

E' perciò che quando presso autori qualificati si cerca una definizione di D.S., si rimane molte volte delusi, e quando si ha la fortuna di trovarla ci si accorge poi di avere tra mano una definizione generica, che si adatta a molte cose che hanno sì relazione con la D. S., ma non sono la D. S. propriamente detta. Quando per esempio si prende la definizione che dà il Gnocchi (5), e cioè: « L'opera dell'uomo, come istrumento di Dio, per la generazione di Cristo nelle anime », si vede subito come tale definizione conviene anche alla confessione ed all'educazione soprannaturale.

Ora in che relazione sta la D. S. con l'E. S.?

E' inutile cercare presso gli autori tale distinzione, perchè non ne trattano, e facilmente confondono una cosa con l'altra, come fa lo Charmot, che pure è uno specialista in materia. Dice infatti a questo proposito: « Il Direttore spirituale, che deve essere per missione una guida sicura, può scegliersi dei collaboratori e cercare fra i suoi giovani il più adatto a trascinare i compagni; suddividendo in tal modo le mansioni, si evita anche l'inconveniente di rendere indispensabile il Direttore (6). Ora questo si addice, come vedremo, all'educatore e non al direttore spirituale propriamente detto.

Cominciamo dal definire esattamente la D. S.

La D. S. è l'opera dell'uomo, come strumento di Dio, per la generazione di Cristo nelle anime, basata sulle intime confidenze dell'individuo che chiede la direzione ed è pronto a dare esplicitamente la propria collaborazione.

Il Leclercq dice a questo proposito: « La question de la direction de conscience se rattache à celle de l'obéissance, en même temps qu'à la pédagogie. La direction de conscience est une forme d'éducation morale, elle tient en particulier une place importante à l'âge où s'atténue le rôle des éducateurs parents et maître, et où l'être humain, prenant conscience de sa personnalité, cherche son orientation par lui-même. Comme son nom l'indique, la direction de conscience porte sur la vie intérieure. Ce n'est pas une direction professionnelle ou familiale, elle ne porte pas sur la vie extérieure du dirigé, que le directeur peut ne pas connaître ou connaître mal, qu'il ne connaît le plus souvent que par ce que le dirigé en dit, et celui-ci, avec la meilleure foi du monde, peut l'induire en erreur et le fait souvent, La direction porte sur la vie

(3) LUDOVICUS HERTLING, S.J., *Theol. ascet.*, Romae, Typis Pont. Univ. Greg. 1939, pag. 155-156.

(4) L. HERTLING, Op. cit., pag. 150.

(5) D. C. GNOCCHI, Op. cit. pag. 6.

(6) FRANÇOIS CHARMOT, S. J., *L'anima dell'educazione: la Direzione spirituale*, Tipografia dell'Addolorata, Varese 1935, pag. 305.

intérieure et n'atteint la vie extérieure que d'une façon indirecte, par la réper cussion de la vie intérieure sur le dehors » (7).

Il compito quindi del direttore spirituale è quello di formare una coscienza in ordine alla vita soprannaturale. Il direttore si basa unicamente sulle confidenze dell'anima diretta e si preoccupa unicamente di dirigere i pensieri e comunicare la capacità di giudicare rettamente sul quid agendum in ordine alla vita soprannaturale. La coscienza infatti è l'ultimo giudizio pratico che precede l'agire, e quando questo è retto ne viene di conseguenza che saranno rette le parole e le azioni dell'uomo. Il direttore quindi non si interessa delle parole e degli atti, cioè della vita dell'anima diretta, osservata dall'esterno, ma si preoccupa unicamente dell'interno, ben sapendo che una volta formata la coscienza, tutto il resto verrà come legittima conseguenza. La D. S. si dovrebbe quindi chiamare più propriamente: « Direzione di coscienza ».

E subito conviene notare come nel trattato De Conscientia la nozione di coscienza sia legata intimamente alla questione probabilistica, e come, anche oggi, questa questione assorba la maggior parte del trattato. E non è pura coincidenza che appunto nel tempo in cui cominciò ad agitarsi in tutta la sua acutezza il problema probabilistico, si sia affermata in modo straordinario e decisivo la D. S. come mezzo insostituibile e quasi unico di formazione. Il motivo è evidente. Soppressa « praticamente » la virtù della prudenza ed il suo ruolo principale nelle decisioni della vita morale, da parte dell'anima diretta, nell'ansia di avere soluzioni *fatte e precise* di tutti i problemi che si affacciano alla mente umana, non rimaneva che accentuare l'indispensabilità del direttore spirituale, che sciogliesse d'*autorità* tutti i dubbi che potevano sorgere nel campo delle responsabilità personali, in vista dell'agire morale.

Questa necessità fu sentita specialmente dalle persone che vivevano nel mondo e che non avevano perciò la guida autorizzata di un superiore religioso o di una regola, che stabilisse riguardo ad essi quale fosse la volontà di Dio nei singoli casi della vita.

Pur essendo questa D. S. un'opera educativa, tuttavia si preferì il termine di Direzione, dato che si trattava di adulti da guidare alla perfezione, ed essi non avrebbero facilmente tollerato di essere trattati come bambini sia pure nelle vie dello spirito, accettando d'avere un pedagogo spirituale.

Ma il Vincent nota tuttavia a questo proposito: « Car il s'agit bien ici d'une pédagogie dans l'ordre spirituel, l'âme étant par rapport à la perfection, quand le directeur s'en empare pour la cultiver, dans l'état on se trouve l'enfant par rapport à la science, quand il commence son instruction. Il s'agit pour le pédagogue spirituel qu'est le directeur de développer une volonté, de la conduire de l'enfance à la virilité, de l'éduquer au sens etymologique du mot, jusqu'à ce qu'elle adhère au Bien, à Dieu » (8).

La D. S. è dunque una parte della pedagogia spirituale.

Dirigere spiritualmente è dirigere i pensieri ed i giudizi e cioè formare l'anima in ordine alla capacità di rettamente giudicare in campo spirituale, basandosi sulle confidenze dell'educando, le quali solo possono rivelare il suo interno; mentre educare spiritualmente è dirigere le parole e gli atti e cioè formare l'anima in ordine alla capacità di rettamente operare in campo spirituale, basandosi sull'osservazione esterna, la quale solo può direttamente rivelare le manche-

(7) CH. LECLERCQ, *Essais de Morale catholique*, vol. IV: La vie en ordre, Tournai, Casterman 1947, pag. 290.

(8) FRANÇOIS VINCENT, S. *François de Sales directeur d'âmes*, Édition Troisième Paris, Beauchesne 1923, pag. 2, nota 1.

volezze della sua formazione interiore, che molte volte sfuggono a lui stesso.

La D. S. dirige l'interno e la coscienza, senza controllare direttamente la vita dell'anima diretta; l'educazione spirituale dirige l'esterno e l'operare cioè la vita dell'anima diretta, senza preoccuparsi direttamente dell'interno dell'educando, ma cogliendolo solo indirettamente come la causa dall'effetto.

Ci pare così che siano ben determinati i campi dell'una e dell'altra, e appaia quindi chiaramente come la formazione integrale perfetta, sopratutto riguardo ai giovani, la si possa ottenere solo dalla congiunzione di questi due mezzi, che debbono realizzare la trasformazione dell'anima in Cristo. E' ovvio che anche la D. S. si occupa degli atti e delle parole, in quanto però sono riferiti dall'interessato; e che l'E. S. si occupa dei giudizi interiori in quanto sono impliciti nel parlare e nell'operare del giovane.

* * *

Ci rimane ora da dire un'ultima parola sulla vita soprannaturale e porci il problema sul fine dell'Educazione soprannaturale, analogamente al fine dell'Educazione naturale.

Parliamo di educazione soprannaturale in senso stretto, cioè della pedagogia della santità, non solo di educazione cristiana che abbraccia anche tutta l'educazione naturale.

Quando nella luce di Dio si cerca come possa un uomo aiutare un suo fratello nell'opera della sua santificazione, si vede che in primo luogo tra i mezzi soprannaturali si deve porre la preghiera fecondata dal sacrificio poi in seguito l'esempio che conquide e trascina e infine l'insegnamento o la opera educativa attraverso la parola.

Quest'ultima ha certamente la sua importanza, perchè « placuit Deo per stultitiam praedicationis salvos facere credentes », ma è bene ricordare che non c'è nessuna tecnica educativa, nel campo soprannaturale, tale da ottenere infallibilmente il suo effetto. Non c'è nessun'azione organizzata che possa giungere con infallibile efficacia a questa giuntura segreta della personalità umana e del libero dono divino.

In ultima analisi occorre ricordare che tutto è opera della Grazia, e che questa estende il suo impero nell'anima, secondo una misura che sfugge ai nostri calcoli e che non si proporziona esattamente ai nostri sforzi. Si può tuttavia parlare di una vera educazione soprannaturale; come si parla con proprietà di una generazione e di una vita soprannaturale.

Purtroppo questo studio è solo alle prime armi, e la pedagogia spirituale non è stata studiata sistematicamente e con profondità.

Si tratta di vedere tutto il trattato «De Gratia» in una luce pastorale, e stabilire, per quanto ci è possibile, le leggi che regolano lo viluppo e la crescita di questa vita soprannaturale. In questo campo l'unico vero Maestro ed Educatore è lo Spirito Santo, che è contemporaneamente l'unico vero Direttore spirituale delle anime; l'uomo non può rivestire che un ruolo strumentale.

E siccome l'E. S. non ha per scopo di condurre il giovane ad una santità generica, ma ha il compito preciso di fare realizzare appieno da ciascun giovane la propria santità individuale secondo i disegni di Dio, in maniera da compiere in modo perfetto l'edificazione del Corpo Mistico di Cristo, ne consegue logicamente:

1) la necessità della sottomissione del direttore spirituale umano al Direttore spirituale divino che è lo Spirito Santo;

2) la necessità di una educazione spirituale fondata sulla conoscenza dell'individuo nella sua concretezza e totalità, ossia la necessità della conoscenza del giovane sia attraverso le sue confidenze intime sia attraverso l'osservazione diretta esterna del direttore, più perfetta e completa che sia possibile;

3) la necessità di indirizzare quest'opera secondo le caratteristiche proprie di ciascun individuo;

4) la necessità di una impostazione unitaria della E. S., nell'ipotesi che siano parecchi che concorrano organicamente a questa educazione;

5) la necessità di impostare questa unità della E. S. sull'unità del fine ultimo, comune a tutti (haec est voluntas Dei sanctificatio vestra) nel quale si risolvono, in un'armonica gerarchia di valori, i fini delle azioni e delle opere particolari di ciascun individuo (9).

E a proposito del fine si deve aggiungere che, come nell'educazione naturale il fine è lo sviluppo fisico, intellettuale e morale del giovane fino alla maturità, per cui viene considerato uomo ormai in grado di provvedere a se stesso, così analogamente nella vita spirituale il fine di questa educazione dovrà essere lo sviluppo spirituale dell'anima fino al grado in cui avrà sufficienti forze per dirigersi abitualmente da sè, sotto l'unico influsso generale della Santa Madre Chiesa e i consigli abituali del confessore.

E' vero purtroppo che per la maggior parte degli uomini che si trascina per tutto il tempo della vita nella via purgativa, l'azione educativa, e quindi la necessità d'una guida spirituale, non cessa che col cessare della vita; essi però in tal caso sono rimasti dei fanciulli nella vita spirituale, senza forza di volontà e senza luce intellettuale sufficiente nelle vie dello spirito. Ma per gli altri

(9) ADA CIRIBÎNI, SPRUZZOLA, La formazione della personalità, in «Supplemento pedagogico», Ediz. «La scuola», Brescia 1950, n. 2, pag. 149.

occorrerà una guida solo più in certi momenti, per la soluzione di determinati problemi o in situazioni di particolare difficoltà, avendo essi già acquistato quel grado di stabilità che permette loro di guardare serenamente alle difficoltà della vita, l'occhio sempre fisso alle direttive della Chiesa, le quali sono in grado di illuminarli e dirigerli sufficientemente nel mare dell'esistenza.

Concludendo possiamo asserire che la D. S. è necessaria alle persone del mondo che sono ancora nella via purgativa o alle persone che hanno una particolare missione e vengono condotte per vie straordinarie; ma che tanto più si restringe la necessità ed il campo della D. S. quanto più l'anima diventa perfetta e quanto più si estende l'influsso della E. S. che si attua, massimamente nelle case religiose attraverso il Superiore e la regola, e nelle case di educazione attraverso l'educazione spirituale che viene impartita con abbondanza di mezzi sociali e individuali, nella diuturna convivenza formatrice dell'educatore con l'educando. Quindi: quanto meno c'è di E. S. tanto più è necessaria la D. S., e quanto più c'è di E. S., tanto meno occorre detta direzione.

Date però queste precisazioni, non ci nascondiamo che per le fluttuazioni della terminologia in proposito, la D. S., e la E. S. come sono state da noi definite, non coincidano più perfettamente con altre accezioni degli stessi termini, che pure sono nell'uso comune.

Così per esempio accade parlando della direzione pubblica e privata. Non tutti gli autori sono d'accordo nel definire queste due direzioni. Il P. Desurmont, un classico della pastorale, definisce così la direzione spirituale pubblica: « E' la direzione delle associazioni e degli individui in quanto sono riuniti e sottomessi ad obblighi sociali e per conseguenza esteriori ». Mentre per lui la direzione privata è quella che si occupa soltanto dei doveri intimi e personali della coscienza (10).

E' evidente per quanto si è detto sopra che la D. S. pubblica coincide nella nostra terminologia con la E. S., mentre la vera D. S. è quella che lui chiama D. S. privata. Analogamente per gli altri casi.

Ci pare di avere illustrato sufficientemente la relazione che corre tra E. S. e D. S. e facciamo l'augurio che di questa distinzione fondamentale si tenga conto quando si tratta di istituti di educazione e di case religiose, affinchè non avvenga che in detti ambienti dove si ha tanta ricchezza di mezzi di santificazione, si abbiano per la D. S. le stesse esigenze che si hanno nel mondo, dove di questi mezzi si è quasi completamente sprovvisti.

(10) ACHILLE DESURMONT, La Charité Sacerdotale, Librairie Tequi, Paris 1925, vol. II, pag. 170-171.

DE CONSCIENTIAE MANIFESTATIONE

1. Interna sua alteri patefacere antiquum est sicuti genus humanum, ita ut dici possit esse de hominis natura. Nil itaque mirum si conscientiae manifestationem primi iam eremitae cognoverint eamque late et salubriter exercuerint.

Sic, v. gr.. in Regula Isaiae Abbatis (saec. IV) legitur (nn. 6, 26, 43, 65): « Aperi morbos tuos patribus tuis, ut experiaris opem per ipsorum consilium... Non pudeat te quaerere a tuo magistro... Si quem senem interrogaveris de cogitationibus tuis, aperi illas libere uti se habent ei, quem tua arcana servaturum confidis: nec rationem habeas illius, qui provectae aetatis est, sed qui doctrina, opere, et spirituali experimento pollet... De nulla re ita laetantur diaboli, sicuti laetantur de eo, qui cogitationes suas spiritualem suum magistrum celat » (1).

Ulterius, cum nemo iudicem sese in propria causa constituere possit, consilium senioris expetere non solum prudentiae est aut maximae utilitatis, sed etiam verae necessitatis. Directio spiritualis est medium efficacissimum et quandoque unicum formationis interioris vitae, quod experiuntur forsan magis illi qui ea, primis praesertim religiosae vitae annis, caruerunt. Ideo Sanctus Pater in adhortatione novissima directionem spiritualem tantopere commendadavit, dicens:

« Quam ad rem opportunum etiam ducimus vos adhortari, dilecti filii, ut in spiritualis vitae itinere ingrediendo persequendoque ne nimis vobis confidatis, sed demisso docilique animo ab iis consilium suscipiatis petatisque auxilium, qui sapienti moderatione vos regere possint, qui adventantia pericula vobis praenuntiare queant, itemque consentanea vobis indicare remedia, et in difficultatibus omnibus ex internis externisve rebus oriundis, vos recta ratione ducere, vosque ad perfectionem illam, cotidie auctiorem dirigere, ad quam sanctorum Caelitum exempla probatique christianae asceseos magistri vos alliciant et advocent. Etenim sine prudentibus hisce conscientiae moderatoribus, plerumque difficillimum est supernis Sancti Spiritus impulsionibus divinaeque gratiae recto modo obsecundare » (2).

2. De hoc argumento haud desunt fontes et scripta auctorum, apud quos omni sub aspectu delineatur et circumscribitur can. 530 Cod. Iur. Can. (3).

(1) Holste-Brockie, *Codex Regularum*, t. I, pp. 6-9.
(2) Adh. *Menti Nostrae, versus* finem partis I, in *AAS.* XLII (1950), 674.
(3) Cfr. Decr. « *Quemadmodum* », citatum sub can. 530; Instr. S. C. Ep. et Reg., 28 maii 1896, ad Ep. Hung, n. II, Fontes IV, n. 2030, p. 1074; Voltas, in *Comm. pro Rel.* I (1920), 83-92, 117-125, 145-151; Schäfer, *De Rel.*, ed. 3, 400-404, 535; Goyeneche, in *Comm. pro Rel.* II (1921), 49, V (1924), 159-161; Micheletti, *De Institutione Clericorum*, pp. 107 ss.

Quantum ad historicam evolutionem, decretum «Quemadmodum» manifestationem conscientiae sacerdotibus reservavit, eamque a vi et metu sub poena liberavit, attamen magno cum desiderio ut sponte fiat eam simul subditis universis commendavit. Tollit igitur abusus, defendit libertatem. Decretum assumptum fuit in legislatione Codicis.

Utrum manifestatio conscientiae alteri, a confessario proprio distincto sacerdoti, necessario facienda sit, dubitamus valde, nam facilius quis intima sua in confessione sacramentali pandit maiorique cum fiducia, quam in conscientiae manifestatione seu in foro interno extrasacramentali. Sufficit ut manifestatio fiat, utrum confessario an sacerdoti distincto, est res accidentalis, quae non nimis urgenda videtur.

3. Materia manifestationis conscientiae est omne id quod intra animam fit vel est: defectus, paenitentiae, mortificationes, devotiones, virtutes, vocatio, vota, regulae, exercitia pietatis, consolationes, desolationes, desideria, officia, difficultates, dubia, tentationes, sacramenta, lectura, caritas fraterna, inclinationes, passio dominans, examen particulare, superiores, aequales, inferiores, communitas, extranei, valetudo corporis, aliaque huiusmodi, immo et ipsa fiducia vel diffidentia erga moderatorem spiritus.

4. Manifestatio conscientiae multiformes producit fructus, tum illi qui conscientiam suam patri suo spirituali manifestat, tum communitati ipsi in qua multi sunt qui perlaudabile hoc pietatis opus exercent.

Ille, qui huiusmodi medio in currenda perfectionis via utitur, in suo patre spirituali invenit consiliatorem optimum, auxiliatorem fortem, patrem amabilem, sine quo, licet vivere possit, tamen non potest bene vivere. Bene autem vivit qui gaudio, pace, tranquillitate, amore, securitate, protectione gaudet in vita. Quod a fortiori valet de religiosis iuvenibus, qui adhuc matris vicinitate indigent. Unam enim matrem aut sororem nec mille Patres seu Confratres substituere possunt. Sed qui invenit patrem spiritualem, invenit amicum fidelem, invenit thesaurum, qui magna ex parte supplet cordis materni absentiam. Verba S. Francisci: «Et ubicumque sunt et se invenerint Fratres, ostendant se domesticos invicem inter se. Et secure manifestet unus alteri necessitatem suam: quia si mater nutrit et diligit filium suum carnalem, quanto diligentius debet quis diligere et nutrire Fratrem suum spiritualem?» (Regula, cap. VI), sunt nimis alta ut ab omnibus comprehenderentur et in actum reducerentur. Non pessimismum fovemus, sed realismum.

Ulterius, exercitium manifestationis conscientiae, praesertim si superioribus facta fuerit, facilitat gubernium subditorum non solum spirituale, verum etiam externum, quia dispositio interna multum influit in actus externos; unit animos superioris et subditi, qua unione amor paternus et filialis crescit, oboedientia dulcior fit, disciplina regnat, amor fraternus ob membrorum cum capite unionem perficitur atque sic bonum promovetur commune. Quae omnia externam Dei gloriam non parum adaugent.

5. Quodnam sit munus moderatoris spiritualis, concinne exhibetur in libello aureo Doctoris Seraphici: «Ad ipsum pertinet conscientias singulorum agnoscere et de quibuslibet perplexitatibus expedire, pericula peccatorum providere et praecavere, monere fratres, ut proficiant, corrigere corrigenda, elucidare dubia, informare singulos qualiter officia sibi commissa congrue administrent (4).

Ex parte moderatoris opus est ut ipse omne id faciat quod disponit omneque id omittat quod impedit, ut subditus totum suum animum ei aperiat. Quare: moderator credat subdito, compatiatur, utatur verbis amor s, blandis, non puniat, non minetur, non moneat subditum nec alios a subdito accusatos, non suspicetur malum, congaudeat bonis, non iudicet alios, non studeat parti munusculis.

Usus scientiae prohibitus est in gubernio generali et publico, non vero in gubernio personali individuali, nisi manifestatio conscientiae sacramentalis fuerit.

6. Necesse omnino est ut statim ac iuvenes Collegia vel Instituta religiosa ingressi fuerint, prudenter edoceantur ac instruantur de necessitate, utilitate, modo, fine, natura, efficacia pii huiusmodi exercitii. Initio enim novae vitae cerea corda iuvenum et generosi eorum animi ad omne bonum amplectendum parati inveniuntur atque quamcumque effigiem in se recipiendi dispositi. Haec eorum bona dispositio gradatim minuitur, quo magis in nova vita novisque circumstantiis assuefacti fuerint.

Insuper, parvae delusiones, quae numquam desunt, diffidentiam generant, nisi prompte et cum amore persuadente explicatae fuerint a patre spirituali. Sed si iuvenes animum ei aperire haud didicerint, diffidentia eorum generabit aut hypocrisim, indifferentiam, animum insensibilem et occlusum, aut apertam ribellionem et novi vitae status desertionem et sic actum erit de genuina, si quam habuerint vel habere in futuro potuerint, vocatione. Omnis enim delusionis explicatio facta ab ipso deluso, peccat per excessum, quia magis sentitur quam intelligitur.

Iuvenes igitur directore spiritus semper et in omni nova rerum experientia omnino indigent. Si ea carent, raro vel sero ipsi iustam sibi comparabunt vicissitudinum appretiationem vel nonnisi multo cum dolore.

En munus directoris spiritualis: instruendo praevenire, explicando corrigere, exhortando animum adiicere, compatiendo lenire, amando sursum vehere.

7. Perutile tandem est ut director spiritualis non ignoret causas quae sinceram animae aperitionem impediunt.

Praeter ignorantiam rei seu instituti ipsius, dantur nonnullae aliae rationes naturae psychologicae, quae obstaculum constituunt plus minusve superabile, uti sunt:

aversio erga patrem spiritualem, quam sentiunt licet rationem sibi reddere non semper valeant;

(4) S. Bonaventura, *De sex alis seraphim*, cap. VI, n. 13.

timor, ne corrigantur et reprehendantur, quo fit ut sileant vel mentiantur;

pudor, ne pater spiritualis cogitationes eorum cognoscat ac proinde male vel minus bene de eis cogitet;

parvipensio, quasi ridiculum esset res nec bonas nec malas cum aliis communicare.

Sunt autem et alii qui raro id faciunt vel mediocriter, partem dicentes et partem reticentes; vel id faciunt eo fine ut consilium aut explicationem recipiant; vel uti despectum facientes diabolo qui contrarium ipsis suggerit; vel quia in patre suo considerant Christum cui nihil absconditum esse potest; vel mortificationis gratia; vel tandem ut adaugeant gratiam divinam in se et merita consequantur.

Sed eo pauciores sunt, quo magis ad ideale et ad perfectionem appropiquant.

Illi vero qui animum suum patri suo spirituali semper et totum patefaciunt, quandoque id faciunt quin sciant rationem sibi reddere, quandoque vero quia ratiocinio proprio vel alterius persuasionem sibi comparaverint, vel necessitate interna ducti cui resistere non possunt, raro tamen quia dulcedinem quamdam, gustum vel saporem (bonum vel malum) experiuntur.

Quidquid sit, nemo a priori nec in caelum statim trahendus nec in infernum ante tempus detrudendus est; tot enim viae ad Deum sunt quot animae exsistunt et stella a stella differt in claritate a Sole recepta.

8. Unicus proinde finis vere realis Hebdomadis Studii in hoc puncto esset iste; invenire media apta, quibus ad tam salubre pietatis exercitium iuvenes efficaciter alliciantur et attrahantur illudque omni cum sinceritate perficiant. Non agitur de doctrina, sed de praxi, de qua tamen potissimum excellentiores patres spirituales interrogandi et audiendi sunt, proposito, si placet, eis quaestionario, brevi quidem sed cum intelligentia composito. Verum est quod magnam partem hoc in negotio habet character personalis directoris spiritualis eiusque interna perfectio seu vitae sanctitas, sed quaedam nihilominus omnibus utiles animadversiones ex eorum responsis certissime trahi poterunt.

COMMUNICATIO 4: *Relationes inter institutionem et formationem alumni eiusque physicam et psychicam evolutionem.*

185   *Orator -* Exc.mus P. AUGUSTINUS GEMELLI, O. F. M.

1. Premesse.

Per illustrare i criteri direttivi per la istruzione e la educazione dei giovani leviti, sia in ordine alla vita fisica che alla vita mentale, è necessario premettere alcune premesse fondamentali.

1) La prima premessa è che i giovani leviti si preparano al sacerdozio in quel periodo della vita che io ho chiamato età evolutiva; e poichè questo periodo è costituito da varie fasi, ciascuna con caratteristiche proprie, è necessario nella loro edu, cazione e preprazione prendere come dato di base le caratteristiche di queste fasi.

Il giovane seminarista incomincia in Italia la vita di seminario fra gli undici e i tredici anni, ossia nella pubertà, e svolge la sua primissima attività alla fine dell'età evolutiva, ossia circa al venticinquesimo anno di età. Perciò le fasi che a noi interessano vanno dall'undicesimo anno (ossia il periodo prepuberale); la fase seguente si può distinguere in due periodi: quello che va dal tredicesimo anno sino al sedicesimo anno (che rappresenta il primo risveglio dell'adolescenza); si ha quindi una fase che va dal sedicesimo al diciannovesimo anno (che è la pienezza dell'adolescenza); e infine dal diciannovesimo anno inizia la giovinezza che va sino al compiersi dell'evoluzione della personalità, il che si può attuare variamente a seconda dei soggetti, della razza, della costituzione e di altri fattori ivi compresi quelli ambientali.

2) Una seconda premessa si è che lo sviluppo fisico e lo sviluppo mentale, pur influenzandosi a vicenda, non seguono processi perfettamente paralleli; quindi sarebbe erroneo, come fanno taluni, attribuire la modificazione dello sviluppo solo a cause fisiche ovvero solo a cause psichiche.

Lo sviluppo poi non è rappresentato da una linea che progressivamente e lentamente si eleva, ma da una sinusoidale, nel senso che si hanno nello sviluppo dei periodi di accelerazione e dei periodi di decelerazione. Si direbbe che a quei

momenti in cui il processo evolutivo è esploso con tutta la
potenza delle energie fisiche e psichiche seguono momenti di
arresto quasi che si richieda del tempo per stabilizzare e perfezionare gli sviluppi realizzati.

3) L'età evolutiva è il periodo della vita umana nel
quale la personalità umana si sviluppa grazie a un processo
che conduce, nell'uomo normale, alla organizzazione unitaria
della personalità. Non mi voglio dilungare a definire che cosa
noi biologi e psicologi intendiamo per personalità, nozione
che non è da scambiarsi con nozioni filosofiche per indicare
le quali si usa erroneamente questa stessa espressione; personalità è una nozione empirica, nella quale biologi e psicologi
pongono l'accento sull'aspetto funzionale della vita umana.
Si riconosce con questa nozione la unità del vivente; attività
biologiche e attività psichiche non debbono essere considerate
a sè, ma aventi reciproca e continua dipendenza.

In questa concezione ha larghissimo peso la costituzione, cioè l'influsso
dei sistemi «centralizzatori» delle attività organiche, specialmente il sistema
endocrino ed il sistema nervoso vegetativo. Il primo predestinerebbe con la
proporzione della miscela umorale, ormonica, non solo le proporzioni somatiche ma anche tutte le attività psichiche; e, poichè gli ormoni genitali tengono
posizione predominante, direttiva, nell'organismo maturo, questi avrebbero
influenza direttiva nella determinazione delle caratteristiche della personalità.
Quanto al sistema nervoso vegetativo, bisogna riconoscergli, per ciò che si riferisce alla fisionomia della personalità, un compito più importante dello stesso
sistema nervoso centrale; certo nel periodo evolutivo la sua funzione è molto più
sviluppata di quella dei centri nervosi superiori; quando poi nell'adulto questi
sono lesi o degenerano, la vita dell'individuo continua più tenacemente in confronto di ciò che avviene quando i centri vegetativi sono compromessi. Nel caso
di urgenti bisogni vitali dipendenti dal sistema vegetativo, la loro soddisfazione ha la precedenza su ogni altra forma di attività; il sistema nervoso centrale è costretto a servire il vegetativo; fame, sete, forti impulsi sessuali in-
fluenzano tutte le attività superiori. Perciò, se a dare la personalità coopera il
sistema nervoso centrale, la cui azione direttiva serve a mantenere incolume lo
individuo, sbattuto fra le proprie tendenze naturali e le ripulse dell'ambiente,
non si può non riconoscere che gli impulsi e i bisogni legati al sistema nervoso vegetativo hanno una influenza grandissima nel giuoco delle varie azioni
e reazioni, il cui risultato è l'equilibrio della vita organica, come si rivela nel-
l'aspetto biologico della personalità. E' però da aggiungersi che se il fondamento biologico della personalità ci dà ragione di molti dei suoi aspetti e
delle sue manifestazioni, le teorie biologiche non ci dicono una parola riso-
lutiva sul nucleo fondamentale della personalità. Nelle loro varie forme, si
limitano a considerare il materiale remoto della personalità, i suoi fattori o
fondamentali o costituzionali o fisiologici, cioè per dirla in breve, il materiale
greggio.
I sostenitori della concezione biologica della personalità trascurano l'a-
spetto soggettivo della personalità umana. Non basta però dire che per studiare
la personalità umana bisogna studiare l'aspetto soggettivo. Se ci limitiamo a
questa osservazione di carattere generale, non abbiamo fatto un grande progresso nel renderci ragione della personalità umana. Infatti, anche negli animali e in modo più evidente negli animali superiori, si ha evidentemente una

vita soggettiva e molti caratteri di essa sono indubbiamente comuni a quelli dell'uomo. Nella personalità dell'uomo vi è qualcosa di proprio dell'uomo: che è dato dallo svincolarsi delle condizioni concrete. Attività scitiva, attività intellettuale, affettività costituiscono il tripode caratterisico della vita soggettiva dell'uomo. Dunque, se vogliamo dare un quadro completo dell'uomo vivente e concreto, dobbiamo dire che tanto l'organismo come la vita interiore sono singolarmente e reciprocamente organizzati in un tutto; essi formano una unità inscindibile che risulta dalla integrazione di una molteplicità di parti e che culmina in un vertice che le riassume e armonizza; vi ha cioè una disposizione gerarchica dei « fattori » della personalità che, pur essendo in essa inglobati, tanto più le appartengono quanto più si trovano vicini al vertice. Questo apice, questa soprastruttura dà senso e valore a tutta la nostra attività personale; non possiamo non riconoscere che, questa soprastruttura, è intimamente legata con il nostro «io» inferiore in cui domina il fattore biologico, tanto da essere esso che dà significato e indirizzo alla via interiore; ma questa soprastruttura è anche nel tempo stesso indipendente dal correlato somatico, e, grazie ad essa, si specifica e si individualizza la personalità dell'uomo.

Ossia, nell'uomo si fondono e si unificano la vita organica, la vita dell'io inferiore, la vita intellettiva e volitiva; per grandi che siano le differenze qualitative di queste funzioni, esse si fondono come funzioni dalle quali risulta la vita umana nella sua totalità di sintesi vitale.

Per ciò che attiene più propriamente al tema che debbo illustrare è da dire che compito della biologia e della psicologia nello studio della personalità è di renderci conto dell'evoluzione attraverso la quale si viene formando la personalità umana; attraverso ad un processo di progressiva integrazione delle varie funzioni; e cioè nello studio della vita evolutiva non prendiamo in esame tanto le caratteristiche delle singole fasi (che sono divisioni artificiali, fatte per comodità di ricerca), quanto piuttosto come si organizzano le singole attività dell'uomo in ciascun soggetto in modo da formare, nell'età in cui la maturità dell'uomo è raggiunta, un tutto che si manifesta attraverso la personalità. Così la psicologia dello sviluppo ci rende conto come la personalità si organizza e come si costituisce, per effetto dell'eredità, dell'ambiente, soprattutto per effetto dei vari fattori che agiscono sull'individuo (l'educazione, l'apprendimento, l'esercizio, l'istruzione).

2. Presupposto dell'educazione: la conoscenza dell'uomo.

Fatte queste premesse, che illustrano il più moderno indirizzo della biologia e della psicologia nello studio dell'uomo e che io ho cercato con la scuola da me diretta di illustrare nei suoi vari aspetti, possiamo ora brevemente considerare le ricordate varie fasi dell'età evolutiva dell'uomo per ricavarne norma per l'educazione e per l'istruzione.

E' però necessario ricordare che un'azione educativa efficace presuppone (questo è il succo di ciò che sono andato dicendo) che si faccia la diagnosi della personalità umana: essenziali per la diagnosi sono i tratti istintivi a fondamento biologico, ma non meno essenziali sono anche quelli che riguardano la struttura superiore dell'io. Certamente è opera ardua la diagnosi della personalità umana; ma lo studio dello sviluppo di essa e della sua formazione, mostrando come e in che misura i singoli fattori nel mutuo giuoco di influenze e di coordinazioni cooperano a determinare la personalità, è prezioso sussidio senza l'aiuto del quale non è possibile comprendere e capire la personalità di un uomo. Diciamo comprendere e capire, perchè lo scopo principale che lo psicologo si deve proporre non è studiare una singola fase, determinarne le leggi; bensì è cogliere il significato più profondo dei fatti che sono oggetto del suo studio; questo non può essere fatto che rendendosi conto della natura, dei fattori, dei caratteri, degli aspetti, delle manifestazioni della personalità di ogni uomo.

Ogni altra ricerca che lo psicologo può compiere non è che il presupposto necessario, ma solo un presupposto di questo ben più alto compito; ogni fatto psichico non può essere studiato avulso dalla personalità se non per particolare necessità tecnica di una particolare ricerca; allo studio di ogni singola funzione o aspetto della vita psichica deve seguire lo studio di esso considerato nell'armonico coordinamento delle varie attività e funzioni psichiche a dare l'unificazione della personalità matura. Questa però, ripetiamo ed insistiamo, non deve essere considerata solo nella unificazione attuale dei vari fattori e delle varie funzioni, ma deve essere anche considerata in una prospettiva temporale che permetta di seguire il divenire che prepara l'organizzarsi definitivo.

3. Dagli undici ai tredici anni.

La prima fase che ci interessa va dagli undici ai tredici anni. E' questa l'età del pubescente. Il carattere più evidente della fisionomia psichica del pubescente è la scoperta del proprio « io ». Non vi è stimolo che colpisca tanto il ragazzo quanto il richiamo al sentimento dell'onore e ai doveri che esso impone; l'onore, per il pubescente, è un ideale che coltiva e vuole realizzare. Stimolando il sentimento dell'onore si può ottenere tutto dal ragazzo. Quando invece è trattato diversamente è facile provocare la ribellione che lo porta ad essere ostinato nel volere ciò che si propone.

I ragazzi si ribellano cioè ad essere trattati da bambini, ovvero da fanciulli; essi prendono atteggiamenti da persone adulte e imitano qualche adulto che ai loro occhi rappresenta l'ideale ricopiandone i gesti e le parole.

Inoltre non è da dimenticare che, in questo momento della vita, l'azione dell'ambiente ha una particolare influenza, la quale trova la sua ragione d'essere nel fatto che si tratta di personalità non ancora formate, ma pronte ad accogliere tutte le influenze che possono esercitarsi su di esse. Così per effetto dell'ambiente, non tanto fisico quanto e soprattutto psichico (il comportamento di coloro che li educano, dei compagni e gli esempi che li circondano) vengono messe in azione le disposizioni caratterologiche di ciascuno. Manca ancora una idea direttiva; e perciò l'influenza dell'ambiente, o come imitazione o come reazione, non si esercita ancora sul nucleo fondamentale della vita spirituale, bensì solo sulle sue manifestazioni esteriori.

Questo sorgere della coscienza di se stesso, specialmente se non è lento, provoca nel soggetto disorientamento; il pubescente si chiude in se stesso, quasi vergognoso di farsi conoscere e di lasciar apprendere agli altri la profonda trasformazione che sta avvenendo in lui. Nuovi problemi lo tormentano; il vecchio ambiente non gli piace più; non lo soddisfa; non gli ispira più fiducia; di conseguenza diventa malinconico e se ne sta volentieri appartato.

Lo preoccupano problemi della propria vita, specie quelli che si riferiscono alla sfera sessuale. Non appena egli incontra un altro ragazzo, che ritiene sia in situazione analoga alla sua, si intrattiene con lui intorno a questi argomenti, con confidenza. Sorge quindi il problema pedagogico assai grave della curiosità quasi morbosa dei pubescenti intorno a vari argomenti, specialmente a quelli della vita sessuale. Il problema è tanto più grave perchè è evidente che non vi è malizia in questa curiosità; essa è espressione di un nuovo stato; ma ciò rende più difficile il compito educativo. Poco, assai poco basta a turbare queste anime.

Di proposito non mi addentro nell'esaminare il problema dell'educazione sessuale e i vari interrogativi che esso pone. Dovrei avere a mia disposizione ben altro tempo. Basti ricordare che in questo periodo il ragazzo avverte negli organi genitali stimolazioni che dapprima sono da lui giudicate un fatto di natura fisiologica; il differente atteggiamento che il ragazzo assume di fronte a questo fatto dipende dall'azione che l'ambiente esercita su di lui. Da un lato l'eccitazione diventa in alcuni momenti intensa; il ragazzo non ha la forza di reagire; egli, quindi, automaticamente, e senza rendersi esatto conto di ciò che fa, è inclinato a soddisfare con toccamenti l'eccitazione che lo tormenta; il toccarsi non fa cessare l'eccitazione, anzi l'aumenta. Il ragazzo continua i toccamenti che, del resto, se non conosce egli nulla della vita sessuale ed erotica, e se non entrano in giuoco fattori psicologici, gli arrecano solo un piacere sensibile e non provocano il senso di disgusto che segue l'atto sessuale. Sono questi toccamenti tali che si possa dire, per il piacere provocato da essi, che essi costituiscono veramente un atto sessuale? Noi non osiamo affermarlo. A noi sembra che non si abbia in questi casi altro se non un qualunque piacere di natura sensoriale. Questa azione assumerà carattere morboso quando il ragazzo prenderà l'abitudine di procurarsi il piacere per ricercare il piacere stesso; questo avviene quando si accompagnano all'atto rappresentazioni a contenuto erotico; quando infatti entra in azione un fattore psicologico a contenuto erotico, il fatto assume maggiore gravità e i toccamenti, si trasformano e danno luogo a vera masturbazione. Allora il ragazzo compie un atto di cui egli stesso si rende conto che ha una funzione sessuale.

Di fronte a questi atti bisogna quindi andar cauti nel pronunciare un giudizio morale e nel ritenere l'abitudine di toccarsi come un'azione sempre e veramente immorale. Diciamo questo per suggerire grande cautela a chi deve giudicare questi ragazzi; il fatto che il ragazzo pubere non solo non ha attrattiva per il sesso opposto, ma anzi si allontana da esso, dimostra che è dubbio che egli ricerchi un atto sessuale di cui non conosce il valore.

I fatti dimostrano l'efficacia inibitrice della educazione sessuale su fondamento morale. Essa può impedire il formarsi prima di un'abitudine, poscia di una inclinazione sessuale precoce. Nei ragazzi educati sessualmente si spegne ben presto l'eccitazione propria degli organi sessuali che si presenta nel primo periodo dello sviluppo degli organi stessi.

Bisogna ricordare agli educatori che l'influenza del fattore sessuale sulla vita psichica del pubescente non è che indiretta; infatti essa si esercita per mezzo del fattore ambientale. E' l'ambiente che fornisce al ragazzo il materiale che egli elabora con la fantasia; è l'ambiente che fornisce i motivi morali che servono per l'inibizione; è l'ambiente che preserva il ragazzo dal contatto con esempi di parole e di fatti che possono fornire materiale al disorientamento morale. Ma bisogna aggiungere che l'educatore deve aver presente che la vera via da seguire per educare sessualmente è di rivolgersi ai sentimenti più nobili dei ragazzi, di far loro intendere che per diventare uomini bisogna sapersi dominare; che per far questo bisogna avere un carattere, una volontà, essere padroni di sè; allora il ragazzo è aiutato da questo motivo psicologico (che ha per lui un valore morale) ad ascoltare volentieri questi suggerimenti e a sforzarsi di vincersi. In questo periodo della età evolutiva in cui il ragazzo vive intensamente i propri sentimenti, fiero del proprio io, è un errore psicologico dirgli che non è lecito fare questa azione o quell'altra solo perchè è vietata, perchè è peccato; non si ricava da questo modo di procedere altro risultato che quello di provocare una reazione contraria, ossia si rischia di far fare di nascosto ciò che reca piacere. Ne segue in questo caso che i ragazzi, nei rapporti degli educatori rigorosi, si atteggiano in modo falso; può darsi che si determinino dei complessi che costituiscono la radice di una nevrosi nei tipi più sensibili ma meno forti a vincersi; e cioè la incompatibilità della legge morale che proibisce la soddisfazione sotto pena di peccato e lo stimolo invincibile che spinge a soddisfare quella esigenza così impellente della natura è il substrato per la formazione di uno stato di ambivalenza caratteristico di una nevrosi. Molte nevrosi sessuali sono iniziate in questo modo, naturalmente in soggetti predisposti. E' da notare che in questi soggetti, nei quali è più pronto il timore del peccato, la fantasia acuisce anche la eccitazione ed è facile che il ragazzo ritenga peccato la sua reazione soggettiva. E così si chiude un cerchio doloroso, a spezzare il quale occorre l'opera di un medico saggio ed esperto e di un educatore altrettanto saggio ed esperto. Molto meglio è far leva sul sentimento di fierezza del ragazzo, sull'incipiente coscienza del proprio io, e poggiare su questo motivo di inibizione mostrando che la masturbazione è un segno di debolezza non consentito in un ragazzo che deve essere fiero della propria vita e che vuole vivere in coerenza con i propri ideali e con la propria dignità.

Con la pubertà poi si realizza quella consapevolezza del proprio « io », ossia della propria indipendenza dal mondo della realtà, del quale il bambino era rimasto fino ad allora come schiavo. Con questo non vogliamo dire che il pubescente sia già maturo per un atto volitivo e che lo possa compiere decidendosi nella scelta per un determinato fine che si presenta a lui con tale carattere di valore da essere perseguito. Per la valutazione oggettiva dei fini mancano i dati di fatto necessari; molti aspetti della vita si presentano ancora sotto un aspetto fantastico, quindi lontani dalla realtà; siamo in tal caso lontani dai veri valori. In una parola si può parlare di volontà solo quando la personalità umana ha raggiunto completezza di sviluppo.

4. La formazione nella adolescenza.

Se dopo aver esaminto la formazione del ragazzo nell'età puberale, passiamo ora a studiare la vita fisica e psichica del giovane dal quattordicesimo al diciannovesimo anno di età, noi ci troviamo di fronte alla fase più delicata, perchè è quella nella quale si incomincia a strutturare la personalità mediante quei fattori che gli psicologici moderni chiamano « dimensioni » della personalità.

Numerosi sono coloro che si sono occupati di questa fase. Queste dottrine oscillano tra due poli; nella concezione degli uni predomina l'influenza del riconoscimento del parallelismo dello sviluppo psichico e dello sviluppo organico: questo si verifica per quegli autori che ritengono che la maturazione dell'attività psichica sia espressione della maturazione organica. All'altro polo stanno invece le concezioni che assurgono ad una antropologia del giovane; antropologia costrutta su basi biologiche; ma per costruire questa antropologia costoro fanno più o meno apertamente appello a concetti filosofici. Contro tali estremismi stanno le concezioni secondo le quali, pur non negandosi la influenza esercitata dallo sviluppo organico in genere e da quello sessuale in ispecie, si riconosce che bisogna dare ragione di questo singolare periodo della vita psichica, determinandone le caratteristiche differenziali e dando spiegazione del fatto che l'attività psichica si matura grado a grado fino ad acquistare la fisionomia propria dell'uomo adulto, come personalità e sino a che essa acquista quella stabilità e quell'orientamento che sono propri dell'età matura. Coloro che seguono questo ordine di opinioni, riconoscono soprattutto che nello studio dell'età evolutiva deve essere messo in luce che l'uomo adulto si presenta come realizzazione di un tipo, di un carattere, che si organizza più o meno regolarmente attraverso varie fasi. Lo studio della età evolutiva culmina cioè nella determinazione del processo che conduce alla formazione della personalità.

In questa lunga fase che va dal tredicesimo al diciannovesimo anno, e che comunemente, senza precisare, si suole indicare, come il periodo della adolescenza, conviene distinguere due periodi, non facilmente e sempre in tutti i soggetti ben definibili, ma che richiedono cure profondamente diverse per la educazione e per la formazione.

Nel tredicesimo e quattordicesimo anno si ha il primo risveglio dell'adolescente.

La fase precedente, la pubertà, è caratterizzata da un atteggiamento negativo verso il mondo; per un periodo più o meno lungo, la pubertà è accompagnata da crisi di irrequietudine, di irritabilità, di facili e brevi periodi di entusiasmo, ai quali succedono periodi più o meno lunghi di depressione. Segue un periodo che, sotto certi aspetti, è più sereno e tranquillo. Il primo indice di questo nuovo orientamento è lo stringersi di amicizie con coetanei, o anche con giovani più anziani, mentre nella pubertà il ragazzo e la fanciulla si immalinconiscono e si chiudono in sè stessi. Un altro indice di questa trasformazione dell'attività psichica che caratterizza la prima adolescenza è l'atteggiamento affettivo di fronte alla natura. Il fanciullo gode il sole e l'aria libera senza rendersi conto di ciò che essi sono e rappresentano, senza gustare la bellezza, che è invece colta dall'adolescente, il quale sembra vibrare con la natura e vivere le trasformazioni dovute alle stagioni e alle variazioni del clima. L'adolescente incomincia a rendersi conto dei valori della vita intellettuale ed etico-sociale; nasce il sentimento dell'amore, non più fantastico e rivolto a creature idealizzate, ma a persone dell'altro sesso, vedute e giudicate da punti di vista ideali.

Fu scritto che il periodo che va dai quindici ai diciotto anni è, da un certo punto di vista, un periodo di benessere e di serenità; lo dimostrerebbe il fatto che l'adolescente ama essere attivo, prende iniziative varie e le abbraccia con grande entusiasmo. Sembra a noi che, senza negare che gli anni immediatamente successivi alla pubertà siano anni in cui dominano la gioia e le consolazioni, e senza misconoscere che, senza dubbio, le prime realizzazioni del proprio io nelle varie attività sono motivo sufficiente per rasserenare il volto del ragazzo che sta per divenire adolescente; tuttavia nella vita dell'adolescente vi sono ombre dovute a preoccupazioni nuove e vi sono frequenti i momenti dolorosi dovuti ad un tormento interiore che trova la sua causa nella difficoltà delle decisioni ovvero nelle prime delusioni. Ciò si verifica specialmente durante gli anni della adolescenza. Per questo si può senza esitazione affermare che questi anni sembrano belli ed invidiabili solo a chi, giunto avanti negli anni, si volta indietro a ricordarli; mentre vivere questo periodo apporta qualche pena.

E' da notare che la profonda trasformazione che si attua durante il passaggio della pubertà alla adolescenza avviene più o meno rapidamente e a seconda dei casi. Taluni autori, specie sulla base delle autobiografie, affermano che essa può avvenire anche rapidamente, anche in un giorno; è evidente che in molti di questi casi non si tratta di una trasformazione improvvisa, ma della improvvisa scoperta che un giovane fa della trasformazione avvenuta in lui.

A questa primo sbocciare dell'adolescente segue la vera vita dell'adolescenza, intorno alla quale sono state fatte, anche da scienziati, descrizioni fantastiche. Questo periodo della vita è stato chiamato anche « età ingrata ». In realtà ciascun periodo della vita ha i suoi aspetti per cui riesce « ingrato »; quello che stiamo studiando riesce ingrato perchè le realizzazioni non corrispondono alle nostre aspettative; esso è ingrato anche per i primi insuccessi dovuti alla nostra immaturità; è ingrato perchè molteplici e varie sono le aspirazioni al futuro, e non tutti i nostri desideri possono essere realizzati. Non bisogna dimenticare che l'adolescente non ha più l'ingenuità semplice del fanciullo e l'immediatezza delle sue impressioni; ma non ha ancora acquisita quella pur incipiente maturità di giudizio che il giovane conquista e che l'esperienza arreca all'uomo rendendolo scettico, o entusiasta, o calcolatore; non è insomma ancora maturata la personalità in tutti i suoi tratti. Ripetiamo dunque: noi ricordiamo di questo periodo della vita, che per certi aspetti e in alcuni momenti è ingrato, ciò che ci fa piacere, ciò che soddisfa il nostro amor proprio; e siamo persuasi di aver realizzato nella vita con la nostra personalità una ıealtà spirituale superiore a quella degli altri uomini, o che avremmo potuto realizzarla se gli uomini e gli avvenimenti non ci fossero stati avversi, ci illudiamo di vederne le radici e gli anticipi in questo periodo di trasformazione. Non importa se il mondo non ci considera grandi poeti, grandi scienziati, grandi musicisti, o altro; il giudizio degli altri non ha valore di fronte al giudizio che noi formuliamo della nostra personalità; e nulla lusinga più il nostro amor proprio dello scorgere o credere di scorgere nella nostra adolescenza e nei primi anni della nostra giovinezza i primi accenni di quelli che riteniamo essere i migliori aspetti della nostra personalità.

Senza dubbio è molto difficile per noi adulti descrivere quello che avviene nella trasformazione della nostra personalità quando questa comincia ad affermarsi e quando il fanciullo è ormai morto e con lui è morto il suo mondo irreale in cui vive. Da aggiungersi che l'adolescenza coincide con quel periodo in cui, la maturazione sessuale è pressochè terminata, o per lo meno è giunta a tal punto che viene ad occupare nella vita del giovane un posto nuovo ed importante ed assorbente, sia per la sua novità, sia per gli impulsi che si destano nell'anima; l'adolescente non ha imparato a dominare questi impulsi e della loro violenza soffre. E' ancora da aggiungersi un fatto biologico che ha una notevole importanza. Abbiamo già ricordato che lo sviluppo fisico non segue una curva continua, ma presenta periodi di accelerazione e periodi di decelerazione; e cioè al momento in cui si opera la trasformazione del fanciullo in adolescente e dell'adolescente in giovane seguono immediatamente, ma non con costanza e durata precisa ed assoluta, rallentamenti dello sviluppo fisico. Vari studiosi hanno cercato di dar ragione a questo fatto; ma queste ragioni, tutte di carattere finalistico, lasciano dubbiosi sul loro valore; il loro meccanismo d'azione è certamente biologico, ma non è qui il luogo per illustrarlo, perchè non serve al fine che ci siamo proposti. Importa invece dire che queste decelerazioni e queste accelerazioni dello sviluppo creano nel giovane degli squilibri organici, che hanno anche un vivace riflesso sulla vita psichica. Infatti l'adolescente, per la fiducia di uno sviluppo psichico che progredisce sempre più, aspira potentemente ad essere qualcosa, a divenire qualcuno, ad affermarsi; ma l'organismo di quando in quando lo richiama ad una realtà difforme dalle speranze formulate.

Tutto questo conduce ad un risultato: è difficile descrivere i caratteri di questo tipico momento; il soggetto non è già più fanciullo e già si presenta adolescente.

Tutto questo può essere tradotto in linguaggio pedagogico dicendo che non c'è una norma unica da seguire nell'educare e nel formare questi giovani adolescenti. E' il periodo della vita in cui, più che in ogni altro, bisogna individualizzare. Ogni soggetto è un caso, ogni soggetto pone un problema da risolvere. L'educatore che pretendesse di trovare nei libri gli schemi definiti da seguire dimostrerebbe di non avere vocazione all'educazione. Bisogna studiare ogni caso, e in ogni caso procedere secondo la norma generale dettata dal fine da raggiungere; la formazione religiosa, morale del seminarista affidato alle cure del suo maestro.

Vi è una ragione che dà forza a questa affermazione. Non dobbiamo dimenticare che proprio in questo periodo della vita incominciano ad affermarsi le differenze tipologiche; inoltre operano le tendenze oscure dell'io profondo, sulle quali agiranno potentemente le attività psichiche superiori, intelligenza e volontà, specie se l'ambiente agisce in modo da favorirne l'azione. Vi sono perciò adolescenti equilibrati, il cui sviluppo procede senza scosse e senza squilibri così come vi sono, all'estremo opposto, nature tumultuarie sempre in contraddizione con se stesse. Non è detto tuttavia che gli uni e gli altri si conservino tali nell'età matura.

Non è nemmeno da esagerarsi, come ha fatto taluno, il disagio spirituale di certi adolescenti che per alcuni autori è un riflesso della insoddisfazione di sè stessi. Nè sono da prendersi sul tragico le espressioni con cui gli adolescenti manifestano questo stato d'animo; ma non si deve nemmeno affermare che si tratta di pose; per una certa contraddizione molto di frequente questo stato d'animo lascia luogo alla più spensierata allegria, al desiderio di unirsi ai compagni, al proposito di cercare con essi l'attuazione di qualche progetto che è improvvisamente balenato nell'animo. Anche a questo riguardo le differenze tipologiche sono estreme. Vi sono nature di adolescenti chiuse, romantiche, tristi, che amano al più un compagno simile a loro, ma vi sono adolescenti esuberanti nei quali è facile ed improvviso il passare dalla gioia alla tristezza; ve ne sono altri che vincono subito 'la tristezza, la quale è solo di qualche momento, e subito rivelano la gioia del vivere che' è in loro. Vi sono alcuni che sono più che pigri, lenti; che sembrano all'educatore far attendere molto il giorno in cui si svilupperanno; vi sono invece adolescenti che affermano imperiosamente ciò che saranno un giorno; alcuni che comandano ai compagni; che si pongono alla testa delle loro più svariate imprese; primi nel pericolo, primi nel sacrificio, primi nella generosità; ve ne sono alcuni in cui le alternanze dell'umore si susseguono tanto da far preoccupare l'educatore e vi sono nature serene e tranquille che rispondono alle cure di chi le guida.

In una parola bisogna andare cauti nell'accettare la descrizione caratterologica che in molti libri si legge dell'adolescente, quasi che tutti fossero caratterizzati solo dalla « anarchia delle tendenze ».

Ciò che deve avere ben presente l'educatore del seminarista in questa fase della vita evolutiva si è che nell'adolescente si ha il primo affermarsi della personalità, il deciso abbozzarsi della fisionomia del futuro uomo; non già che questo avvenga in tutti sempre nel medesimo momento e nel medesimo modo; al contrario si notano profonde differenze che causano ritardi, differenze che si rivelano nella continuità ovvero nella discontinuità dello sviluppo; ma ciò che è importante si è che ad un dato momento si risveglia l'uomo nuovo. L'adolescente ha consapevolezza di un primo e incerto affermarsi della sua personalità, in quanto comincia ad avere consapevolezza della propria vita interiore; allora comincia a «sentirsi» differente dai genitori, dai parenti, dai compagni. Questa personalità si afferma soprattutto con nucleo centrale che è dato dalle tendenze e dalla inclinazioni, dalla vita degli istinti e dagli affetti; ma ad essa imprime un deciso orientamento la volontà illuminata dalla intelligenza; ed è appunto la consapevolezza di sapere e di poter volere che attesta al giovane che egli è « qualcuno », che egli ha dei diritti; e questo afferma anzi con intemperanze che sono la testimonianza della scoperta che il giovane fa di se stesso.

Dire tutto questo e dare all'educatore un indirizzo è tutt'uno: studio delle attitudini caratteristiche della personalità, determinazione dell'esistenza della vocazione rivelata attraverso la tendenza, gli atteggiamenti, le aspirazioni. A mio modo di vedere due estremi pericolosi sono da evitare dall'educatore in questo momento. Egli deve assistere al ricordato affermarsi della personalità, senza soverchiamente influenzare con le proprie convinzioni, con il proprio orientamento onde non falsare l'adolescente inducendolo a pericolosi compromessi. D'altra parte l'educatore non può essere uno spettatore che assiste indifferente allo svolgersi e all'affermarsi della personalità. Fin dove egli può intervenire e con quali mezzi è frutto di osservazione diligente ed amorosa e di intuito.

Su un aspetto della mentalità dell'adolescente è da richiamare l'attenzione dell'educatore. La fantasia acquista la vivacità e una ricchezza tali da imprimere alla mentalità un carattere inconfondibile.

Le rappresentazioni sono così vivaci e sono così pregne di tonalità da esercitare sull'anima dell'adolescente e del giovane una profonda attrattiva; per questo motivo egli ama soffermarsi sui fatti e sulle situazioni della vita passata ed ama analizzarle. L'esigenza della riflessione porta il giovane a ritornare continuamente sulla sua vita personale; i desideri, le speranze, i sogni, le inclinazioni, le tendenze istintive tumultuano nell'animo e mirano a prendere il predominio sulla attività intellettuale e volitiva. Questa preminenza dell'io inferiore si verifica specialmente quando il giovane è solo, nella notte, nel dormiveglia prima del sonno e al risveglio, onde è facile il sorgere di rappresentazioni sessuali; la reazione affettiva può essere così forte in alcuni soggetti sensibili da spingerli non solo a compiacersi delle visioni immaginarie, ma ad arrivare sino alla masturbazione. Solo il risveglio della coscenza morale può servire a portare ordine in questo mare tempestoso, purchè si tratti di soggetti sani ed educati in ambienti sani moralmente. Nei soggetti anormali è frequente proprio in questo momento il primo presentarsi di quei sintomi di psicastenia che nel campo morale vanno sotto il nome di scrupoli. Anche negli stessi soggetti normali il contrasto tra ciò che l'educazione morale e l'ambiente morale impongono, e ciò che la fantasia vorrebbe, è tale che possono presentarsi stati di ansietà, di dubbio, che è necessario subito correggere con un trattamento pedagogico adeguato.

Importante è una osservazione sulla vita affettiva. La vita dell'adolescente è di frequente venata di melanconia; ciò specialmente quanto più l'adolescenza avanza e si avvicina la giovinezza.

L'adolescente si sente solo; il suo animo cerca qualche cosa di nuovo che egli stesso non sa precisare e a cui aspira con desiderio che egli stesso non sa definire; egli mira all'avvenire; il presente gli riesce odioso ed ogni circostanza ed ogni avvenimento lo urta; nutre l'aspirazione di conoscere un uomo che lo aiuti, lo capisca, lo ami e che lo aiuti a vivere secondo le nuove esigenze del suo « io ». E' da notarsi che da principio la melanconia dell'adolescente non ha alcun contenuto che la giustifichi; è una vaga preoccupazione per il vuoto che l'adolescente scopre in se stesso; ad essa si accompagna la insoddisfazione per tutto ciò che lo riguarda. Poscia subentra il tendere ad amare e a ricercare ciò che è bello. Nasce anche prontamente nell'animo degli adolescenti il desiderio di avere un amico. A questo proposito è bene precisare: l'adolescente cerca un amico e non già solo un compagno; e lo cerca per potergli non solo e non tanto confidare affetti, speranze ed ideali, quanto per potersi appoggiare a lui e per far conto sulla sua superiorità e sul suo valore. Nello stesso primo sorgere ed affermarsi dei sentimenti sociali l'adolescente non è mosso da motivi altruistici; non il dolore altrui, non il desiderio di recare aiuto a chi è debole spingono l'adolescente verso altri; la constatazione della propria debolezza è la radice di questi sentimenti. In queste disposizioni affettive facilmente si può notare una leggera venatura d'erotismo; talora si nota anche qualche tratto meno nobile nell'atteggiamento affettivo dell'adolescente, che non solo si disinteressa del dolore altrui ma quasi anche ne gode. In pari tempo desidera appoggiarsi a qualcuno, lasciarsi accarezzare, essere benvoluto, e, se non guidato, per lo meno compreso e, occorrendo, aiutato.

Il compito dell'educatore dell'adolescente, specie se è seminarista, dopo di essersi reso conto di questo stato d'animo, deve essere assai cauto; non deve rimproverare l'adolescente se si mostra ingrato ovvero lagnarsene; egli deve offrirgli tutto l'aiuto possibile e dimostrargli piena comprensione, affettuosità, prudente indulgenza. Se quest'opera pedagogica è ardua, il successo però è assicurato quando l'educatore è capace di dimenticare i propri diritti, i propri bisogni, per accettare di rendersi conto delle esigenze dell'adolescente e correre spontaneamente incontro ad esse. Queste esigenze, del resto, sono veri e propri diritti dell'adolescente, perchè sono frutto del naturale atteggiamento di chi si trova in una fase particolarmente difficile.

E' necessario dire una parola, pur breve, come lo esigono i limiti di questa relazione e l'austerità di questo ambiente, sulla vita sessuale dell'adolescente. Essa implica il giuoco degli istinti, l'agire dei sentimenti; il fatto psicofisico più ovvio da osservarsi è il piacere sessuale del corpo, specie delle zone degli organi genitali, dette erogene.

Il primo fatto che si osserva è il risveglio nell'adolescente dell'interesse a conoscere in che cosa consiste la vita sessuale. E' questa una curiosità diversa da quella del bambino e del fanciullo. Dall'adolescente la vita sessuale non è considerata alla stregua di altri fatti, in quanto è considerata nel suo carattere personale, parte sostanziale della sua vita, che risveglia quindi in modo acuto ed assillante l'interesse. La curiosità di conoscere nella loro natura i fatti sessuali corrisponde alla esigenza di darsi una spiegazione di fatti che li riguardano nel loro io più intimo.

Contemporaneamente a questa curiosità gli adolescenti avvertono un'indefinito piacere, una vaga soddisfazione legata a tutto ciò che si riferisce alla vita sessuale ad anche al semplice interessarsi di essa. La constatazione che si tratta di fenomeni che appartengono al proprio io più intimo ed il piacere che ogni aspetto della vita sessuale arreca, sono causa di un lavorio intenso della fantasia; questa può essere tenuta accesa dalle letture, dalle conversazioni, dai mille fatti che nella vita moderna si riferiscono direttamente od indirettamente alla vita sessuale.

L'insorgere di nuove ed oscure sensazioni specie nelle zone erogene, lo stimolo dovuto a nuove tendenze istintive, fanno sì che l'adolescente si renda conto di essersi profondamente mutato. Di ciò che percepisce in sè, delle nuove tendenze che in lui si affermano sempre più prepotenti, l'adolescente si vergogna, come se qualcuno dovesse spingere lo sguardo nel suo intimo e conoscerne ciò che in esso si svolge; son queste le manifestazioni del pudore istintivo che conduce a nascondere la propria vita intima, i propri sentimenti.

Nell'adolescente la sessualità si manifesta solo in qualcuno dei suoi aspetti; mancandone altri, non vi può essere equilibrio ed armonia; questa condizione di cose dà ragione del fatto che le manifestazioni sessuali in questa fase della vita evolutiva possono apparire morbose o per lo meno strane e ingiustificate. Gli adolescenti sono tormentati dalla violenza dell'insorgere delle rappresentazioni a contenuto sessuale, che di frequente ritornano con ostinazione tale da assumere l'apparenza di idee ossessive, con la conseguenza di provocare o la masturbazione o atti immorali di varia specie. Mentre nel pubescente è frequente la masturbazione che però non ha carattere sessuale, e che ben presto, come abitudine, nei soggetti normali viene vinta grazie all'interesse che lo stesso pubescente prende ad altri aspetti della vita, invece una vita sessualmente pura nell'adolescente non solo è possibile, ma frequente contrariamente alla affermazione dei psicoanalisti. Di recente al Congresso nazionale di medicina sociale io ho dovuto battermi a questo proposito con i psicoanalisti che sostengono il contrario, ma sono riuscito, dopo una giornata di battaglia, ad avere ragione delle loro affermazioni.

Con questo non dico che non si facciano sentire nell'adolescenza potenti gli impulsi sessuali allorchè le rappresentazioni si presentano talora ossessionanti; dico che, se si tratta di adolescenti normali, non vi ha dubbio alcuno che la battaglia per la purezza può esere superata vittoriosamente. Naturalmente l'opera educativa non può iniziarsi al momento in cui si scatenano gli impulsi sessuali, ma deve precocemente iniziarsi e gradualmente progredire così da costituire un insieme di complessi psichici che servano per una battaglia vittoriosa. Parlo di adolescenti normali. Purtroppo oggi sono numerosi gli adolescenti in cui si iniziano vere neurosi sessuali, le quali, se trovano il loro fondamento in una costituzione o predisposizione individuale, hanno lo stimolo che le rende tormentose nelle condizioni della vita moderna.

In una parola la vita dell'adolescente è senza dubbio dominata dal fatto sessuale; non si può negare che per un adolescente il problema sessuale ha un'importanza enorme; negare questo fatto è chiudere gli occhi dinnanzi alla realtà. Ma questo non vuol dire che tutta la vita del giovane acquisti carattere ed indirizzo per il prevalere dell'attività sessuale. Questo accade purtroppo in moltissimi giovani perchè l'educazione e l'ambiente sono tali che non impediscono il violento prevalere dell'attività sessuale, prevalere che, a mio modo di vedere, è pericoloso per la stessa integrità fisica e psichica del giovane. Anzi educazione ed ambiente del mondo moderno sono tali che purtroppo favoriscono questo doloroso e pericoloso stato di cose; però in questo stesso mondo moderno vivono e prosperano adolescenti sani, onesti, i quali pur avendo talora stimoli sessuali anche violenti ed imperiosi, tuttavia vivono una vita pura grazie ad una disciplina intelligente.

E questo basta per dire che una educazione della vita sessuale è possibile; un concetto deve presiedere all'educazione sessuale, e cioè il riconoscimento che anche nell'uomo la funzione fisiologica sessuale costituisce la condizione organica per la vita sessuale; anche per l'uomo entra in giuoco per stimolare la vita sessuale, l'istinto; ma vi è un altro fattore che, fondendosi alle tendenze istintive, le trasforma; questo è dato dall'intelligenza e dalla volontà che entrano in giuoco a modificare la vita sessuale dell'uomo. L'istinto sessuale, come ogni altro, viene trasformato durante il periodo educativo; e il suo agire viene gradualmente a subordinarsi alle esigenze delle funzioni psichiche superiori dell'uomo, ossia tende a spiritualizzarsi. Se questo si deve dire di ogni istinto, lo si può dire in modo tutto particolare dell'istinto di riproduzione e di conservazione della specie. Esso è vivace in ogni adolescente normale; ma la vivacità ed efficacia è diversa a seconda della maggiore o minore influenza della vita psichica superiore. Possiamo adottare un vocabolo caro ai freudiani e dire che l'istinto sessuale viene sublimato; però in questo caso la parola sublimazione viene usata in modo del tutto diverso da quello di Freud. La sublimazione, intesa nel senso di spiritualizzazione, è il fatto normale di un soggetto a sviluppo normale, cioè che gode pieno potere delle funzioni superiori intellettive e volitive.

Anche qui debbo dire che per una buona educazione sessuale occorre fare opera individuale e che l'opera del maestro deve essere fatta di santa prudenza, di oculata vigilanza, di grande amore per la creatura da conservare pura, di sapienza nel dosare gli interventi.

Concludo dicendo che io sono persuaso che, se un adolescente non riesce a mantenersi puro, deve essere rigorosamente allontanato dalla vita clericale. So bene che molti non sono di questa opinione; ma l'esperienza e lo studio mi confermano su quanto indico. Ben difficilmente si potrà riuscire a far divenire puro un giovane che non è stato puro nella adolescenza. Nè è da dimenticarsi che su queste impurità si impiantano le nevrosi che sono di per se stesso motivo sufficiente per allontanare un adolescente dalla vita clericale.

5. La formazione nella giovinezza.

Dopo aver esaminato il problema della formazione nella fanciullezza e nell'adolescenza, dobbiamo ora studiare *il giovane*, ossia quel periodo della vita che si inizia verso i 17-19 anni e che termina quando la personalità è matura e pienamente sviluppata.

Il primo e il più caratteristico indice della trasformazione dell'adolescente in giovane, è dato dal fatto che nell'adolescente si desta ad un certo momento il bisogno alla riflessione sopra se stesso, riflessione che si caratterizza con una sempre più analitica introspezione. Non è da credersi che questa sia una manifestazione di una maggiore interiorità nella vita; siamo di fronte solo ad una affermazione prepotente della personalità nascente. L'affermazione prima della personalità dà occasione a manifestazioni che vengono giudicate strane, sulle quali io qui non mi posso soffermare. Tutte queste manifestazioni si presentano con una caratteristica: l'affermazione del proprio io, della propria indipendenza, della propria personalità.

Esse ci mostrano che la giovinezza è un momento assai delicato dello sviluppo; esso richiede, in chi educa il giovane, una squisita esensibilità, per interpretare nel giusto senso atti, modi di fare, espressioni. Basta un nulla per ferire la sensibilità di questo giovane; proprio perchè questa sensibilità sembra essere accresciuta. Più il giovane si vuole differenziare dal mondo nel quale vive, più è sensibile a tutto ciò che in qualche modo ferisce od ostacola questa sua tendenza; perciò egli aspira a bastare a sè stesso; cerca i mezzi per riuscire a farlo; le ferisce ogni parola ed ogni atto che gli ricorda che egli ha bisogno dell'aiuto del padre e della madre e dei suoi maestri. Emancipazione dunque è la caratteristica di questa fase della vita; emancipazione che si manifesta con improvvisi cambiamenti di attività, di gusti, di tendenze. Gli stessi fatti indicano le linee che devono essere seguite dall'educatore del giovane seminarista. Inutile adoperare costrizioni; pericoloso il pretendere di imporsi; bisogna invece guadagnare l'anima del giovane con l'amore, con la persuasione ed agendo nella linea di sviluppo dell'affermazione della personalità del soggetto.

Importante è questo momento per la determinazione se il giovane ha vocazione per lo stato ecclesiastico; in questo momento la vita interiore del giovane incomincia a prendere una direzione; e ciò sotto l'azione dell'ambiente e quindi anche dell'educazione, ma soprattutto per effetto delle proprie forze inferiori.

A questo riguardo bisogna tener presente che si forma nei giovani una immagine ideale della vita; la veggono personificata in qualcuno che essi ammirano da un particolare punto di vista; a poco a poco sentono sempre più forte l'attrattiva di questo ideale della vita che essi si sono formati; verso questo ideale li spinge una forza interiore oscura della quale essi non sanno darsi ragione. Naturalmente io mi limito a parlare di giovani normali.

Speciale importanza ha il fatto che in questo momento i valori estetici, morali, religiosi, politici, sociali, esercitano sull'animo del giovane tutta la loro attrattiva. Egli, nell'apprezzare l'uno o l'altro di questi valori, nel porlo a fondamento o caratteristica della propria vita, si illude di procedere in modo indipendente; egli ritiene che sia suo il modo di giudicare l'arte, il modo di giudicare le relazioni sociali, il modo di giudicare gli ordinamenti politici e sociali che egli preferisce; in realtà egli vive una vita riflessa e di imitazione. Da riconoscersi: l'ambiente esercita per lo più un'influenza notevole; non poche volte esso dà luogo a opposizione ovvero a esagerazioni o deformazioni; in queste esagerazioni, in queste deformazioni, in queste opposizioni è da cercare un affermarsi della personalità; ma è pur sempre un ideale che il giovane segue, ideale che egli vede concretato o in una persona reale, o in un personaggio della storia o della letteratura, o una qualsiasi delle figure che la società gli propone. Per molti giovani questo ideale è rappresentato da un compagno; per coloro che hanno più ardimento e maggiore spregiudicatezza esso è dato da una persona adulta appartenente all'ambiente in cui il giovane vive; per qualcuno è il padre stesso, veduto sotto un aspetto particolare della sua vita; per altri è l'educatore che è riuscito ad avere influenza sull'animo del giovane. Vari dunque i modelli, veduti però sempre sotto una ragione ideale, grazie alla quale sono spogliati di quelli che il giovane crede difetti o errori o manchevolezze.

L'educatore del giovane seminarista deve sapientemente ed accortamente introdursi in questo suo mondo, in questa sua vita. Il giovane con l'affermarsi della sua volontà, con l'aderire ad un ideale, si è aperta la via a divenire uomo; egli si getta a viverla, ricco il cuore di speranze, piena la mente di propositi e di progetti. Bisogna dunque secondarlo, incoraggiarlo; l'esempio personale ha in questo compito una funzione speciale.

Importante è osservare — per ciò che si riferisce alla formazione dei chierici o dei novizi — che se in questa fase dello sviluppo si rilevano sintomi di anormalità, scrupoli, tormentoso inquietarsi, bisogna essere risoluti nelle decisioni; bisogna allontanare dal seminario questi poveri esseri anormali, perchè affetti da nevrosi; il loro numero cresce oggi spaventosamente dato l'ambiente della vita moderna. E' vano sperare che si trasformino, mediante l'educazione, in soggetti equilibrati. Sono e resteranno dei poveri nevrotici. Sono invece necessari sacerdoti e religiosi che abbiano l'equilibrio delle loro forze spirituali per esercitare il loro non facile apostolato.

Non bisogna invece preoccuparsi molto di un aspetto che si rileva anche nei giovani normali; i giovani sono lontani da una considerazione equanime della realtà. Gli ideali del giovane non sono aderenti alla realtà; essi non sono concreti, e sono tanto lontani dalla realtà da non poter essere mai realizzati. Il giovane si nutre quindi di una realtà veduta non solo in modo soggettivo, ma anche fantastico.

Questa constatazione permette di renderci conto di un atteggiamento morale che non è infrequente nei giovani. Essi, nel giudicare le azioni altrui, non sanno trovare attenuanti che permettono di renderci conto di determinate situazioni personali e sociali; allora divengono giudici inesorabili degli altri e non di rado anche di se stessi. Il giovane non sceglie le vie di mezzo, nè accetta soluzioni di compromesso. Tenendo poi presente che la inesperienza, da un lato, e la instabilità dovuta alla violenza e al prevalere della vita affettiva, dall'altro, non permettono al giovane di realizzare ciò che egli afferma essere norma di vita, si comprende perchè con molta facilità vi siano, tra i giovani, alcuni capaci di realizzare ideali sublimi o addirittura eroici, e vi siano altri di tanta mollezza e di tanta condiscendenza ai primi moti di ogni istinto e di ogni affetto, da essere completamente schiavi delle passioni.

Comunque non c'è da preoccuparsi; gli anni e l'ambiente correggono queste deviazioni che hanno valore solo temporaneo.

Un altro fatto importante richiama la nostra attenzione: il giovane desidera seguire un amico del quale ammira la forza, per appoggiarsi a lui, in quanto nella idealizzazione rappresentata dall'amico il giovane vede concretato il suo sogno di vita. Purtroppo non è facile mettere accanto ai giovani che vivono nel mondo una persona che, o come consigliere e come amico o come guida, possa conciliare i suoi sogni di libertà con l'adempimento dei propri doveri (invece questo è possibile, e vorrei dire facile nel seminario). Chi dirige il seminario deve porre nell'animo dei giovani più adulti, più maturi, più capaci il desiderio di farsi apostoli dei propri compagni più giovani.

Poco vi è da dire sulla sessualità del giovane seminarista. Ho già detto che bisogna eliminare gli adolescenti che non sanno conservarsi puri. I giovani del seminario quindi debbono essere già stati selezionati. Questi, grazie all'ambiente in cui vivono, grazie alla selezione che ha eliminato coloro in cui non funzionano i freni inibitori della religione e della morale cristiana, si rendono conto che anche la loro vita sessuale deve essere disciplinata. E poichè nulla più aiuta i giovani ad essere puri che proporre loro grandi e nobili ideali, così il seminarista può presentare l'atmosfera ideale, purchè i superiori tengano, come si suol dire, elevato il morale dei giovani; le missioni, l'azione cattolica, la liturgia, il canto, l'arte sacra sono altrettante utili occasioni per il giovane per incitarlo a dedicare la propria vita alla realizzazione di nobili ideali e a spendere tutte le sue energie esuberanti in queste varie realizzazioni.

Questa considerazione ci portano a parlare di « valori » nella vita del giovane seminarista. Io qui li debbo considerare solo sotto l'aspetto dello sviluppo della personalità. Nel giovane, perchè l'attività intellettiva e quella volitiva raggiungono sufficiente maturità di sviluppo, i valori possono essere giudicati con sufficiente equità. Sorge allora, strettamente connessa con la formulazione del giudizio di valore, l'affermazione al diritto della libertà. Nell'adolescenza si ha solo un'aspirazione vaga alla libertà; l'adolescente infatti non si rende conto di ciò che vuol dire esser liberi; solo il giovane concretizza questa aspirazione alla libertà nella difesa della propria personalità; egli non esige tanto riconoscimento del diritto di essere libero personalmente, quanto che si riconosca all'uomo in genere che sia libero; il giovane concepisce la libertà come qualcosa di oggettivo; quindi egli parla della libertà in genere dell'uomo nella vita della società ed afferma che la libertà è un mezzo di manifestare i propri ideali morali e sociali, ai quali l'uomo non può rinunciare. Questo atteggiamento del giovane è, dal punto di vista psicologico, di sommo interesse; infatti il giovane, senza avvedersene, oggettivizza ciò che vi ha di più intimo e di più istintivo in lui; l'appello alla libertà personale è dovuto alla tendenza ad affermare la propria personalità, ad essere preso in considerazione dagli altri, ad essere messo alla pari degli altri uomini; fino a quel momento, era costretto a trattarli e a considerarli con un rispetto che talvolta non era sentito ma imposto per l'autorità esercitata dagli adulti, dei maggiori di età di lui, di coloro che in una parola non sono considerati, come lui, « ragazzi ». L'appello che il giovane fa al diritto alla libertà di gruppi e classi sociali è, in fondo, niente altro che il travestimento dell'appello individuale ad essere libero, ad avere libero accesso alle funzioni sociali esercitate dagli adulti, al diritto a godere della stima e dell'apprezzamento altrui.

735

L'aspirazione alla libertà è nel giovane tanto prepotente da assumere travestimenti impersonali e da dar luogo a varie manifestazioni. Caratteristiche manifestazioni si hanno in quei giovani che sono sottoposti a una educazione troppo severa e costrittiva. Freud ha interpretato erroneamente i conflitti che sorgono tra genitori e figli, tra educatori e giovani e ha creato il fantastico complesso di Edipo. In realtà si tratta di ben altra cosa. Il giovane si sente maturo e quindi in diritto di ragionare a proprio modo, di agire e di decidere da sè intorno a ciò che lo riguarda. Ed è in nome della libertà che il giovane accetta ogni atteggiamento rivoluzionario pubblico o privato; egli stesso diviene facilmente un malcontento e perciò un ribelle, anche se non sa manifestare e precisare ciò a cui aspira e per quale motivo; il giovane non sarebbe un giovane normale se mancasse questo tratto al suo profilo psicologico; egli è di fatto un ribelle senza contenuto e senza finalità e lo è fino a che in lui si è sviluppata pienamente la personalità.

Accadono allora episodi dolorosi di ribellione; la causa non è da cercarsi tutta nei giovani, ma anche nell'erroneo indirizzo educativo. Questa constatazione ci fa riflettere. I giovani si riconoscono deboli e incapaci; nasce perciò in loro l'inquietudine; questa li spinge a cercare un ideale; sviluppatosi in loro l'ideale della vita secondo norme etiche che della vita mostrano loro il valore, si ripiegano su se stessi; riconoscono che devono nella loro vita di uomini realizzare un ideale; devono perciò elevarsi; devono superare la natura; riconoscono che ciò è possibile perchè imparano a conoscere altre persone che, secondo loro, hanno ormai realizzato questo ideale; se non che, al contatto della realtà quotidiana e con il passare del tempo, con l'accumularsi delle esperienze, essi sono costretti a riconoscere che i principî e gli ideali debbono regolare sì la vita ma non sono sempre realizzati nella vita concreta degli uomini ai quali si sono affidati. La maturità porta perciò a rivedere gli ideali attenuando il rigorismo etico dei primi anni; riconoscono che i principî e gli ideali non sono mai realizzabili nella loro integrità; quindi, bisogna rassegnarsi a tendere perennemente ad uno studio ideale senza mai poterlo raggiungere in questa vita. Considerato in questo modo, l'ideale non è però nè contrastante con la realtà, nè appartenente ad un altro ordine di verità; esso conserva per il giovane valore quale norma. Il ripiegarsi dalla considerazione del mondo ideale alla considerazione del mondo reale risveglia nel giovane il problema dell'infinito; egli è perciò pronto ad accogliere gli insegnamenti della concezione soprannaturale della vita insegnata dalla religione. L'uomo cioè, giunto alla pienezza dello sviluppo della sua personalità, se non si oppongono influenze ambientali nocive, riesce a convincersi della sua dipendenza da qualcuno che è superiore a lui e a tutti; egli scopre realmente Iddio e la sua dipendenza da Lui. Solo dopo aver superato le battaglie per la conquista della sua libertà, scopre l'ideale al quale subordinare se stesso ed ogni sua attività, e con ciò acquista quella serenità e quella pace che invano aveva cercato nella sua adolescenza, allorchè aspirava a un bene che non conosceva e non poteva raggiungere.

Un ultimo problema, sul quale ho concentrato la mia attenzione in questi anni apportando qualche personale contributo. Quando nasce, e come nasce nel giovane la vocazione per la vita sacerdotale e per la vita religiosa? Io esamino il problema solo dal punto di vista dei miei studi; mi astengo rigorosamente da ogni riflessione teologica ed ascetica e lo faccio per determinare se la scienza può dare qualche aiuto.

Il seminarista, giunto a superare i sedici, diciassette anni è arrivato al momento nel quale può veramente mostrare i segni della vocazione al sacerdozio o alla vita religiosa. Nel giovane preso dall'ideale e dal desiderio di bene che vorrebbe vedere realizzato da se stesso e intorno a se stesso, sorge l'ideale del sacerdozio e della vita consacrata a Dio. Negli anni che precedono la giovinezza questo problema è ignorato e non viene posto nè dal fanciullo nè dallo stesso adolescente, o, se viene posto e se viene risolto, si tratta solo o di fantasia o di illusione, ovvero di mimetizzazione ambientale delle quali bisogna diffidare. Se il teologo ha ragioni per formulare una diversa affermazione io mi inchino dinnanzi ad esse; ma debbo dire quello che come biologo e come medico, posso constatare. Si tratta nei ragazzi e negli adolescenti di velleità, di vaghe velleità; ovvero di aspirazioni a soddisfare tendenze. Perciò cadono in errore di valutazione essi e coloro che non passano al vaglio della critica le loro affermazioni. La scelta dello stato, la effettiva e fondamentale inclinazione per la vita sacerdotale e religiosa, il proposito solido di prepararsi ad essa si ha solo nei giovani, ossia quando la personalità incomincia a divenire matura e quando la vita viene compresa nella sua serietà. In questo momento l'opera dell'educatore, se si deve valere dei mezzi soprannaturali, come è ben logico, si deve avvalere anche dei mezzi naturali quale la conoscenza del giovane.

L'educatore, conoscendo le aspirazioni, le inclinazioni, le tendenze del giovane, deve saper aiutare i giovani nel chiarire a sè stessi i motivi per la scelta della vita sacerdotale e religiosa. Si deve riconoscere che consigliare un giovane su questo punto è arduo. A mio modo di vedere l'empirismo può essere fonte di guai. L'educatore di giovani seminaristi dovrebbe avere una adeguata formazione psicologica per fare il bilancio delle attitudini personali, delle tendenze e delle inclinazioni. Con questo esame il compito di orientare un giovane al sacerdozio o alla vita religiosa non è terminato, ma è solo preparato; occorrono altri elementi di giudizio che un sacerdote esperto sa raccogliere e vagliare e che non entra nel mio compito di indicare, l'ascetica e la teologia ci dicono i criteri da usare e le norme da seguire; ma sarebbe già un grande vantaggio se l'educatore avesse la possibilità di raccogliere con sufficiente sicurezza, mediante una buona conoscenza psicologica, i dati positivi che possono illuminare il giovane e lui stesso.

Concludendo: Biologi e psicologi possono fornire all'educatore dei leviti e dei giovani sacerdoti preziosi elementi; però vi è una soglia oltre la quale il nostro giudizio e la nostra opera educativa non può procedere, perchè l'educatore deve ricorrere a ben altri mezzi. Entriamo cioè nel mondo soprannaturale; nella vita della grazia; le scienze che ci devono guidare hanno ben altra struttura e offrono ben altra sicurezza di risultati che non le scienze biologiche e psicologiche il cui procedere è a tentoni e nell'oscuro. Teologia ed ascetica ci indicano che la nostra opera vale solo se con la preghiera chiediamo l'aiuto di Dio, l'azione della Sua grazia.

737

Alii periti viri, ex munere a Sacra Congregatione de Religiosis commisso, circa idem argumentum scripserunt.

186   R. D. Leontius da Silva, S. D. B., Professor Paedagogiae et Decanus Instituti Sup. Paedagogiae in Pont. Athenaeo Salesiano, *scripsit*:

Il rapporto esistente tra lo sviluppo fisico, psichico e morale degli alunni degli istituti religiosi e la loro rispettiva istruzione ed educazione è cosa ormai riconosciuta benchè non da tutti gli educatori tenuta sempre nel dovuto conto. Questo si fa notare quando si considera l'azione personale educativa e più ancora l'organizzazione dei regolamenti, delle usanze e delle tradizioni di alcune case religiose. Sia dunque benvenuto il richiamo a cui ci invita questo congresso.

Gioverà ricordare innanzitutto ciò che gli antichi già conoscevano ma che lo sviluppo delle scienze antropologiche ha più precisato e messo in evidenza, cioè le varie fasi dello sviluppo somatico, psichico e morale, personale e sociale dell'educando. La cosidetta, con frase felice, fisiopsicologia dell'età evolutiva.

Conoscendo questa gradazione nello sviluppo umano e le sue comprovate differenti condizioni ed esigenze, l'educatore o superiore religioso, deve tenerle nel dovuto conto ed in questa guisa adattare la sua azione e l'ambiente educativo, avendo magari il coraggio, perchè è un suo dovere, di modificare certe disposizioni e tradizioni che secondo i più accertati dati scientifici non fossero più conformi al ritmo di questo sviluppo.

Bisogna dire con schiettezza che l'ambiente di molte delle nostre case religiose di formazione risente ancora di un certo empirismo abitudinario che neppure conserva più quella sapienza pratica degli antichi che l'hanno da principio stabilito, e molte volte viene imposto indistintamente a giovani e adulti, forse perchè anticamente erano in generale già adulti i candidati che aspiravano allo stato religioso.

Oggigiorno però che il reclutamento è fatto specialmente tra i giovani, quelle condizioni di adulti già non si addicono ai candidati e continuarle a mantenere così è cosa nociva tanto alla personalità dei giovani quanto alla loro formazione e di conseguenza allo stesso spirito e all'attività dell'ordine o congregazione.

E non vi è solamente l'inadattamento tra adulti e minorenni, ma vi è ancora il misconoscimento, pratico almeno, delle varie situazioni somatiche e psichiche di ciascun alunno secondo le prescrizioni di una sana e sensata fisiopsicologia differenziale.

Non è che si debba creare un regolamento o tenore di vita speciale per ciascun alunno, ma ciò che si vuol qui inculcare è che si deve tener conto delle differenti capacità dei vari gruppi di allievi, distinti per periodo di età e di sviluppo. Si vede allora come sia inadatto questo regime di rigida uniformità o livellamento di vita comune il quale colpisce indistintamente fanciulli di 12, 14, giovani di 18-20 anni e persino religiosi già formati, adulti e anziani.

Per tutti, fatte le dovute e ovvie riserve, il medesimo regolamento, il medesimo orario di riposo e di levata, il medesimo regime di alimentazione, di lavoro e di scuola, di ricreazione, di pratiche religiose, di metodo di insegnamento, in una parola, di formazione fisica, intellettuale, morale e sociale.

Sembra che sia più umano, più ragionevole e certamente più vantaggioso anche per il miglior rendimento delle stesse già così scarse vocazioni, un trattamento che tenga realmente e praticamente in conto le differenti fasi dello sviluppo dei giovani aspiranti.

Queste fasi di sviluppo sono varie e anche diversamente fissate e caratterizzate dai fisiopsicologi. Anche perchè non si possono avere limiti di età fissamente e uniformemente stabiliti variando tutto lo sviluppo fisiopsichico dei soggetti secondo le condizioni di gruppi etnici, regioni, ambiente sociale, professione, ecc.

Tuttavia sono generalmente indicate, soprattutto a scopo educativo le quattro più note e più marcate, cioè quella dell'infanzia, della fanciullezza, della adolescenza e della giovinezza.

Di queste ci interessa specialmente la penultima: l'adolescenza, perchè sono gli adolescenti coloro che costituiscono la maggior parte della popolazione delle case religiose di formazione. Ricordiamo almeno in generale le principali caratteristiche e le più marcate e importanti esigenze fisiopsichiche che interessano la loro formazione religiosa.

Tutti sanno — almeno quelli che si occupano di educazione dovrebbero sapere — che l'adolescenza è il periodo più difficile dell'età evolutiva. Difficile per l'allievo adolescente, difficile per gli educatori. E' detta anche « età ingrata », ed è talvolta giudicata troppo pessimisticamente. Senza esagerazione dobbiamo pure riconoscere che veramente offre delle difficoltà non piccole agli stessi educandi e ai loro educatori.

D'altra parte, è pure in generale l'età del reclutamento per le schiere dei religiosi, perchè è l'età dello sbocciare delle vocazioni, è l'età nella quale si suole perciò preparare e facilitare questo sbocciarsi e l'affermarsi della stessa vocazione religiosa.

Molte sono le caratteristiche di quest'età sia in campo fisico-fisiologico, sia in campo psicologico morale religioso.

In campo fisico-fisiologico si notino soprattutto le modificazioni somatiche nella crescita con il relativo aumento di volume e di peso. Le leggi auxologiche di Viola, di Godin e di Pende si avverano e quasi toccano la loro acme nell'adolescenza. Vengono poi le altre modificazioni organiche interne ed esterne.

Fattori specifici e fortemente influenti in queste modificazioni sono certamente le cosidette scariche ormoniche periodiche che provengono dalle costellazioni ghiandolari, endocrine (cfr. Endocrinologia di Pende, di Kretschmer, ecc.) le quali sono, secondo i più recenti e più sicuri accertamenti, i fattori più responsabili di queste trasformazioni somatiche ed anche psichiche.

Centro di queste modificazioni e di questi fenomeni fisiopsicologici è senza dubbio la pubertà nella sua triplice fase prepubertaria, pubertaria e post-pubertaria, fasi talvolta molto ben distinte e caratterizzate.

Non è il caso di proseguire nell'esposizione scientifica di questi fenomeni perchè questi si trovano esposti e studiati nei manuali appositi.

Notiamo piuttosto che essi esigono anche cure e trattamento speciale sia nel regime alimentare, sia nel riposo e nel lavoro.

Lo sviluppo in altezza ed in volume richiede senza dubbio un trattamento energico adatto non solo in quantità ma soprattutto in qualità. E non si parla qui di favorire l'edonismo nei cibi e nelle bevande ma solo di fornire quegli elementi richiesti dall'accelerato metabolismo organico. Il calcio, il fosforo, i carbonati, per esempio, debbono entrare in dosi sufficiente nei gruppi dei glucidi, lipidi e protidi che l'organismo dovrà giornalmente assorbire.

Quante giovani vittime dell'anemia, della tubercolosi e di altre malattie per difetto di alimentazione adatta e di regime di vita nelle case di formazione. Quante forme di nervosismo, neuropatie dovute a indebolimento o esaurimento nervoso per troppa tensione di studio o di lavoro non bilanciata da un forte e adatto trattamento fisicopsicologico.

Accenniamo adesso ai fenomeni psichico-morali e perciò anche religiosi che sogliono caratterizzare quest'età dell'adolescenza e dei quali l'educatore e superiore religioso deve tener il dovuto conto.

Tra le tante manifestazioni di questo genere notiamo quelle che più incidono sul problema della vocazione e della vita religiosa.

1) In quest'epoca già comincia a prospettarsi negli adolescenti il problema del loro avvenire, ma questo in forma molto incerta ancora, imprecisa, dubbiosa. Ricevuta la spinta in forma di desiderio, di preoccupazione, la loro mente e fantasia spazia molte volte in una ridda di ipotesi, di attrattive, di esitazioni. E' allora che molti cercano di fissare l'idea della vocazione religiosa, la quale però non ha ancora la saldezza necessaria per lottare con le altre e per vincere. I giovani candidati vanno avanti così, lungo l'ultimo periodo

dell'aspirandato e del noviziato, più per sentimentalismo, per cameratismo, per la naturale successione delle varie tappe del curricolo degli studi e della tradizionale trafila delle fasi della vita religiosa, ma senza vera consapevolezza e vero convincimento anche perchè mancano loro le dovute conoscenze che fornirà l'esperienza della vocazione religiosa di fronte alla vita negli anni avvenire.

Necessaria dunque una conveniente ed opportuna istruzione in questo tempo sulla vocazione religiosa, sulle sue esigenze, su ciò che del mondo devono rinunziare e sugli impegni seriissimi che dovranno assumersi.

Non basta parlare così in genere, supponendo che così capiscano già tutto e misurino la portata della loro vocazione difronte alle altre forme di vita in famiglia ed in società e difronte alle stesse tendenze personali forse ancora non del tutto svegliate. Chiunque abbia avuto convivenza e responsabilità di direzione di questi aspiranti e novizi adolescenti avrà certo trovato alcuni che dopo il noviziato e la professione mettono ancora molto in dubbio la loro vocazione e magari vogliono giustificare la loro defezione adducendo come scuse: non aver avuto conoscenza sufficiente della vita religiosa, dei voti che hanno fatto, delle difficoltà che avrebbero incontrate. E tutto questo incide soprattutto sui voti e virtù dell'obbedienza, della povertà e della castità religiosa! Son rimasti nell'ambito dei comandamenti e non sono penetrati coscientemente in quello dei consigli evangelici interpretati e fissati dalle singole costituzioni religiose secondo il proprio spirito e costituzioni.

2) La virtù ed il relativo voto di castità suol essere lo scoglio più frequente e più pericoloso per gli adolescenti.

Tutti sanno come l'adolescenza sia il periodo classico della crisi della purezza. Le scariche ormoniche della sessualità e tutti gli altri fattori dello sviluppo somatico costituzionale e funzionale producono i soliti fenomeni interni ed esterni con forti riflessi psichici. L'immaginazione, la pazza di casa, in questo tempo è in piena attività. La sensibilità si acuisce; vengono le manifestazioni sentimentali, gli assalti di tendenze erotiche, istintive che mettono sovente in subbuglio i sensi, il cuore, la coscienza dei giovani. Alcuni passano più o meno tranquillamente questo periodo; altri però, ed è la maggior parte, restano vittime più o meno ferite e più o meno pienamente consapevoli di questo fenomeno. Alcuni si chiudono in una angoscia terribile di coscienza; molti si danno ad una coscienza scrupolosa ma allo stesso tempo fiacca e facile a cedere all'impulso dell'istinto e dello stimolo esterno; non pochi sono vittime di cadute frequenti senza trovar modo di liberarsi.

Quanta accortezza dunque si richiede in coloro che li dovranno guidare: il confessore, il direttore spirituale, i superiori in generale per ben capirli, per aiutarli direttamente, per dir la parola opportuna, per non allarmarsi subito nè allarmare, ma per trattar tutti con quella fermezza e soavità che dovrà sceverare il loglio dal frumento e far la selezione delle vere vocazioni.

3) Notiamo ancora un fenomeno dell'adolescenza che ha stretto rapporto con la vocazione religiosa e conseguente-

mente con la sua dovuta formazione: è lo spirito di libertà, di indipendenza, l'insofferenza della soggezione e sottomissione al giudizio ed alla volontà altrui, cose tutte sì frequenti e comuni nella psicologia della adolescenza.

E il peggio si è che essi per l'inevitabile regime di comunità e per la comune soggezione in cui vivono, per le esigenze di orario, di regolamenti e della stessa presenza dei superiori e colleghi sono come forzati ad accettare quelle disposizioni che coibiscono la loro libertà di movimento. Può nascere da ciò un conformismo esterno inevitabile, una disciplina esterna che non proviene da interno convincimento e da vero consenso volontario e libero, ma solo formalismo il quale non getta radici profonde nella personalità.

Appena potranno disporre di se stessi, dei loro movimenti e decisioni, verrà certamente a mancare in grande parte tutta questa struttura disciplinare, tutte queste osservanze religiose rispettate finora per una specie di pecorismo ed in vista di una temuta reazione da parte dei superiori finchè non conquistano l'agognata e tanto malintesa libertà che verrà loro concessa con la garanzia della professione religiosa.

Abbiamo abbozzato appena alcuni aspetti dell'età evolutiva dei giovani aspiranti e novizi nei riguardi della loro vocazione, alcune esigenze che i fenomeni fisiopsichici di questa età impongono alla loro educazione.

Se dovessimo ridurli a qualche conclusione concreta diremmo:

1. Non manchi mai nei superiori responsabili di queste fasi di formazione una conveniente conoscenza scientifica della fisiopsicologia di questa età evolutiva.

2. Di questa conoscenza si valgano per la loro personale azione educativa di fronte agli aspiranti e novizi secondo il bisogno di ciascuno.

3. Cerchino di adattare a questi bisogni collettivi le disposizioni regolamentari, modificando anche se ne sarà il caso, usanze e disposizioni tradizionali forse adatte ad altri tempi ed ad altre situazioni della gioventù.

4. Non diano per sicura troppo in fretta una vocazione religiosa come quella degli adolescenti che è ancora appena in abbozzo e che passa dalla fase romantica, sentimentale e non pienamente cosciente.

Si augura con ragione che il noviziato e la conseguente professione religiosa vengano ritardati, oppure si consideri come un tempo di mera provazione il periodo della prima professione. Si faciliti senza meraviglie e senza scandalo l'uscita degli incapaci alla vita religiosa.

5. Si tengano in vista soprattutto i capisaldi della vita religiosa, ossia la pietà vera, l'obbedienza, la purezza, lo spi-

rito di distacco dalle cose del mondo, la vita comune e tutto questo in un clima di convincimento e di volontà personale sempre crescente e proporzionato alla età di ciascuno.

Queste sono a mio avviso alcune delle esigenze dettate dal rapporto che lo sviluppo fisico e psichico dei candidati alla vita religiosa presenta per la loro retta ed efficace formazione.

187 R. P. Michael Nicolau, S. I., Professor Theologiae Spiritualis in Facultate Granatensi, *scripsit*:

RELATIONES IN PRIMA PERIODO STUDIORUM

Prima periodus studiorum, si habetur ante noviciatum, in sic dicta schola apostolica, coincidit fere cum periodo *adolescentiae* — vel cum periodo *primae iuventutis,* idque praesertim ubi, post noviciatum, ante cursum philosophicum, completur in sic dicto «iunioratu» efformatio litteraria et gymnasialis.

Notae sunt *condiciones physicae et psychologicae* tam adolescentiae quam primae iuventutis; nimirum, corpus adolescentis evolvitur, atque vires adauget et sentit fortiores; — hinc maiorem conscientiam habet sui — et quaerit etiam rationes propriae vitae et propriae fidei; — impellitur quoque vehementia nova sensibilitatis et imaginationis — et ad delectationes trahitur; — admiratur quod est pulchrum et quod est forte —, et ducitur amore erga amicum — et etiam erga fortem atque expertum ducem — cui fidere et devovere se contendit; — dynamismo quoque vitali exsultat et agere festinat.

Institutio et formatio accommodata huic periodo.

1) Hisce condicionibus physicis et psychologicis, nondum, ut patet, accedentibus ad plenam maturitatem, bene respondent *studia minus profunda* qualia sunt illa propedeutica, *ut studia litteraria et gymnasialia.* Bene quoque haec studia respondent phantasiae sese evolventi et cordi evigilanti.

2) Sed caveri debet *ne inde ex studio pulchritudinis* in quibuslibet auctoribus aut ex studio formarum artisticarum *detrimentum puritatis accipiatur.*

3) Quamquam et in hac re nimii scrupuli et *exaggerationes ex timiditate vitandae sunt;* timor enim exaltat po-

743

tius phantasiam adolescentium ideasque nocivas configit... At reale periculum adest, quod praecaveri debet.

4) Praecavetur autem, ex una parte, solida institutione in *timore Domini* configente carnes et rememorante *novissima hominis;* et ex alia parte, *amore Iesu Christi ostendentis Cor suum,* cui ut amico nobilissimo et amantissimo se tradere ac devovere appetant, sub ductu B. Virginis Immaculatae.

5) *Hanc invocare et amare Iesumque quaerere* in precibus et in actionibus edoceri adolescentes debent.

6) Hac interiore formatione supposita et praecedente, *etiam externa quaedam prudens et paterna disciplina accedat oportet*: *prudens,* quae occasiones deficiendi antevertat; *paterna,* quae ametur et interne accepteatur, nec tantum externos servitores efficiat et aliquatenus hypocritas.

7) Difficultates et dubia ex ordine apologetico et motivorum credibilitatis fidei, quae facile obvenient adolescentibus et iuvenibus, fiet satis, potius quam in refutatione congestarum obiectionum, *positiva instructione in catechismo et in religione atque in Apologetica elementari,* quae eis tradi debent. - Atque curandum, siquidem sentimenta eaque praesertim habita in adolescentia et iuventute vitam gubernant in eamque maxime influunt, ut iuvenes deducantur ad degustandam religionem, liturgiam..., gaudeant se esse filios Ecclesiae et propriae Congregationis sive Instituti...

8) Ceterum et *optimi Directores spiritus* eis praeponi debent, tam pro foro interno, qui edoceant recte eos sibi conscientiam efformare, quam pro foro externo; persuasi peroptimam rem facturos, si teneras mentes conforment: in universum *a)* in aestimatione propriae vocationis et sequelae Iesu Christi ex amore; *b)* in desiderio multa patrandi pro Christi regno dilatando, et in se ipsis abnegatione et amore Iesu, et in aliis...

9) *Educatio physica et opportunus usus ludorum (sport),* itinera pedestria, etc. omnino quoque respondent indoli adolescentium et iuvenum, quorum sanitati et vigori hoc pacto consulitur.

RELATIONES PERDURANTE SACRAE THEOLOGIAE ET PHILOCOPHINE CURRICULO

Quoad *condiciones physicas et psychologicas huius periodi,* vires physicae augentur in iuvene — et crescit etiam conscientia sui, — dum propria personalitas et character evolvitur; — maior est aptitudo pro studiis profundioribus Philosophiae scholasticae et sacrae Theologiae. - Sed et *multa persistunt ex natura psychologica quae propria sunt primae iuventutis* et antea iam dicta sunt pro prima periodo studiorum...

Institutio et formatio apta huic periodo.

Quoniam multa ex condicionibus primae periodi persistunt, etiam multa antea insinuata ut opportuna huic periodo persistere et durare debent.

Sic *pro formatione ascetica* caput est:

1) Ut id quod est anima vitae religiosae, *exercitia pietatis praescripta,* in domo studiorum ad exemplum et perfectissime observentur.

2) Et quoniam exemplum plurimum valet ad efformandos iuvenes, necesse est ut *in domo studiorum nonnisi viri observantiae studiosi* collocentur.

3) Iuvenes edoceantur *propriam vocationem magni facere,* et disciplinam complecti *ex interna lege caritatis* nec tantum ad oculum superioris illam observantes, ut insinceritati et hypocrisi adversentur sedulo.

4) Peculiaris et *quam aptus Director spiritus* constituatur, quem invisere statutis temporibus summe conveniens iuvenibus erit.

5) Quoniam iuvenes nondum plene formati sunt, etsi interdum aliquem contactum cum mundo externo iuvare credimus (ut infra dicemus), sed magnopere oportet ut *cum delectu et mensura colloquium misceant cum externis.*

6) Et quia studia totum hominem requirunt, necesse est ut et somno tribuant quantum satis erit, et *moderatio in paenitentiis exterioribus* ut plurimum accedat oportet; atque dies sit in hebdomada quieti destinatus.

Quoad institutionem scientificam iuvat ut iuvenes studiosi manuducantur ad *considerationem personalem problematum philosophicorum* et theologicorum, *non mere memoriter formulas addiscendo,* sed eas plane intelligendo et, quantum fieri potest, problemata scientifica et pastoralia *persentiant:* non quod ab initio debeant solutiones personales praebere, cum oporteat primum discere et assimilare quae ab aliis maioribus comprobata fuere.

Sed haec, ab aliis tradita, non tantum repetant ex auctoritate magistri, — sed intelligant per causas — atque etiam gustent: Sic venient ad *sapientiam* — idque non tantum eo sensu aristotelico quod cognitionem habeant rerum per causas altissimas, — sed etiam eo sensu quod de rebus divinis cognitionem habeant *saporativam,* ut S. Bonaventura explicat.

Condiciones physicae et psychologicae. — In primis annis ministerii tam *a) ex passionibus propter aetatem vigentibus,* quam *b) propter contactum novum cum mundo novo,* antea fere ignoto in secessu domus studiorum, occurrit fere *c)* quasi *nova pubertas* — ut ab aliquibus designatur — scilicet difficultates fere parallelae et analogae iis quibus adolescentes premuntur; nimirum *d) tentationes novae* propter fascinationem quae est in creaturis, haec enim nugacitas obscurat sensum...

e) Cum homo se sentiat tunc sui iuris, et quod sua minerva atque industria procedere debet in ministeriis commissis, prona est *inclinatio ut independenter ab omni iugo et disciplina agere velit.* Hinc *f)* propter *inexperientiam* in plures errores atque defectus incidere necesse est, tam in ordine ad proprium profectum spiritus quam in efficacia recti apostolatus.

Ideo nihil mirum quod *g)* vel miserae *defectiones* interdum deplorandae sint, recedendo a continentia quam sponderunt, vel *h)* quod alii nonnulli *omnia per se agere et reformare velint,* quasi dicant: nova sint omnia, recedant antiqua; et inclinationem habeant ad *novitates, propter ipsas novitates,* non quod res novae comprobentur efficaces. - Hinc etiam *i)* et *antithesi quadam collocantur relate ad seniores eorumque methodos,* cum non levi incommodo pro pace et efficacia ministerii.

Sed non omnia sunt obscura in psychologia novi sacerdotis: Adsunt enim, ex alia parte, *vires integrae et ardor agendi,* quin et verus zelus, non raro sincerissimus, quaerendi Dei gloriam et beneplacitum, atque multa et magna patrandi pro regno Christi, quibus certe contradicere sine sufficienti ratione minime prudens videretur. Accedit etiam quod plerumque, ex hac quoque parte, iuvenes sacerdotes vere *obruuntur labore* vel a se ipsis vel a maioribus imposito.

Institutio et formatio accommodata huic periodo.

Difficultatibus supra expositis obviam iri posse videtur:
1) Conando ut praecedens institutio theologica et efformatio ascetica vere *solidae* fuerint et adaptatae; secus futurae difficultates ostendent fragilitatem praecedentis formationis.
2) Nunquam satis praedicabitur et efferetur *necessitas vitae spiritualis intensae,* qua et configantur carnes *timore Domini,* et cor ad superna aspiret *amore* etiam tenero Domini nostri Iesu Christi et B. Virginis Immaculatae.

3) Vitari deberet ut contactus novi sacerdotis cum mundo externo sit *repentinus et ab initio frequens et maximus:* hoc esset quasi arbusculum in viridario custoditum repente ad turbines et ventos exponeretur.

Sed fieri omnino potest ut *iam tempore formationis aliqualis cognitio mundi pedetentim acquiratur;* v. gr. in cathechismis paroecialibus diebus statutis, cogita diem vocationis hebdomadariae, adiuvando parochos; vel invisendo nosocomia, orphanotrophia, derelictos, etc. — vel etiam, ut nonnulli habent, ante studium Theologiae aliqua praxis fit magisterii sive subprefecturae disciplinae in collegiis — non vero per plures annos, sed sufficiat unus aut duo, ne retardetur nimis serium studium Theologiae integris adhuc viribus tam corporis quam spiritus.

4) « *Tertius annus probationis* », ut dicitur, cum aliqua praxi ministerii facilis et humilis, dum serio incumbitur studio et orationi et dum quis versatur sub tutela aptissimi moderatoris spiritus, optimum est initium ministerii.

5) Oporteret vitare ut primis annis ministerii iuvenes sacerdotes sibi relinquerentur; sed iuvat ut *constituantur potius in adiutorium aliorum expertorum:* qua experientia aliorum et facilius ipsi addiscere possint quae recta sunt ac probata — nec velint docere alios proprias methodos, priusquam addiscant ex aliis.

6) Iuvat ut sacerdotes praesertim iuvenes *quam aptissimum directorem spiritus inveniant aut adire possint,* cui plene fidant et ad quem facile se aperire valeant.

7) *Tempus ad studium destinatum,* si semper est necessarium, neque enim in solo externo labore tempus est consumendum; multo magis id dicitur de initio ministerii: sic poterunt iuvenes adaptare ad necessitates vitae pastoralis quae in scholis theoretice praesertim proponi debuerunt. - Hoc studium, dum quis versatur in ministerio, disciplinas pastorales vel modum kerygmaticum et homileticum Theologiam proponendi respicere poterit, supposito quod non defuit solida efformatio scholastica tempore Philosophiae et Theologiae.

El punto de que hemos de partir para comprender bien este tema es el de la realidad de la evolución humana, que se produce en el joven aspirante al sacerdocio. En el seminario religioso admitimos a un niño; cuando salga a ejercer sus ministerios, será un hombre. Y cuando pasen los primeros años de su ejercicio ministerial, será un hombre maduro y experimentado.

Paralelamente a su desarrollo y crecimiento corporal y psíquico, se le va preparando para cumplir su misión sacerdotal en el mundo. Se pregunta cómo debeser llevada esta preparación paralela. Lo cual supone ya la aceptación de que es necesario mirar a estas dos vertientes de la formación, de que existe un problema y que es un gravísimo error mirar exclusivamente a cualquiera de las dos partes, sin pretender armonizarla con la otra. Nuestros jóvenes no son seres aparte, distintos de los otros jóvenes del mundo, a quien Dios no llevó al claustro. Tienen, ciertamente, su alma enriquecida con la nobleza y el resplandor de la elección divina. Pero son hombres, hombres siempre; deben serlo para sí mismos y para los demás: « *Ex hominibus assumptus pro hominibus constituitur* ».

Dividiremos nuestro estudio en tres secciones: 1) *Problemas psicológicos, que suelen presentarse en los primeros años de estudios y en el noviciado.* Comprende este período aproximadamente la edad entre los 12 y los 16 años. Psicológicammente es el período de la pubertad. 2) *Desde la Profesión hasta la terminación de la carrera eclesiástica y la Ordenación Sacerdotal.* Comprende la última etapa de la pubertad y el comienzo de la virilidad, desde los 16 hasta los 23 ó 24 años. 3) *Primeros años de ministerio.* Comprende la plenitud de la evolución viril y la maduración psicológica de la personalidad frente al mundo.

Es preciso señalar un factor importante, cuando se trata de establecer estos cuadros en los jóvenes religiosos, comparativamente con los que ofrecen los seglares. El ambiente conventual suele retrasar para muchos esta evolución. Los rasgos psicológicos no concuerdan, por lo tanto, con exactitud, con las descripciones que suelen encontrarse en los libros en la edad correspondiente; y, además, el hecho de presentarse ciertos fenómenos con algún retraso es causa de que no sean exactamente las mismas reacciones que se acostumbra encontrar en otros jóvenes, ni debe ser, por ende, la misma la conducta del educador. Se hace necesario confeccionar un estudio psicológico especial para esta juventud religiosa y sacerdotal.

1. Antes de la profesión.

Demos algunos rasgos psicológicos de lo que suele acontecer en este período, a fin de sacar de ellos la consecuencia de nuestro comportamiento en la formación espiritual.

En los seminarios menores o escuelas apostólicas recibimos a los niños salidos del ambiente familiar. Y aquí ya encontramos notables diferencias. El niño que viene de un hogar cristiano, donde reina la delicadeza de sentimientos, la pureza de vida, una cierta cultura, hogar en el que nació la vocación cultivada por el amor santo de la madre a Dios, que soñaba con ofrecerle sus hijos, este niño es ordinariamente un ángel, el ideal que la Iglesia tiene para las vocaciones tempranas. Pero muchas veces los niños no vienen de estos santuarios. Vienen de ambientes más humildes, sin cultura, no digamos viciados, pero sí cargados de la rudeza del campo y de la dureza de una probreza excesiva. Ni es tanta la delicadeza del alma, que aprendió a endurecerse en una lucha temprana, ni la finura de la sensibilidad, ni la misma blancura de la inocencia, que se ha visto expuesta a mayores riesgos. Aquéllos y éstos presentarán ya características distintas en la conformación de sus problemas espirituales.

Al preguntarnos por las primeras novedades que anuncian la aparición de la pubertad, no podemos esquivar la presencia de dos concepciones psicológicas que parecen acaparar el estudio del alma juvenil. Freud y Adler han levantado dos edificios sobre su respectiva visión de la psicología humana. Sin entrar en un juicio de sus doctrinas, es cierto que ambos han partido de la observación de dos aspectos reales del alma humana. Los hechos sobresalientes en el alma del joven son la evolución de su sexualidad y la de sus sentimientos de seguridad y de contacto social.

¿Qué pasa con la sexualidad? Qué pasa con el amor? Planteo la pregunta en doble forma, porque doble es el aspecto del problema, si llamamos sexualidad a la fuerza del instinto y amor a los sentimientos de simpatía. En el niño había ya amor y sexo. Pero este amor y esta fuerza sexual eran distintos a como comienzan a presentarse ahora. La sexualidad adquiere una orientación claramente genital y el amor se va aproximando y empapándose de sexualidad. En contra de Freud y con Scheler y Spranger afirmamos que estas dos fuerzas son primitivamente distintas y no simple sublimación una de la otra.

La curiosidad es, de ordinario, la primera manifestación exterior de lo que interiormente nace. El niño se interesa por cosas que antes no parecían preocuparle: los secretos de la vida. Pregunta, habla de ello, tiene dudas e inquietudes, que quizá no se atreve a manifestar abiertamente.

Aparecen también sensaciones nuevas, que atraen su atención y sensibilidad hacia sus órganos sexuales. Y en su alma comienzan a aparecer atractivos hacia personas y cosas, con nuevos matices, percibe bellezas que antes no percibía, sueña, le atrae la conversación íntima y el trato recatado con otros compañeros o con algún director, a quien convierte en tipo ideal. Conscientemente callo la atracción hacia el otro sexo, que no ha sido «descubierto» aún por el corazón ni por los sentidos del joven, cuya pubertad comienza. No podemos detenernos demasiado en esta descripción, que por necesidad ha de quedar reducida a un sencillo esquema.

Todos estos síntomas van acentuándose a medida que avanza la edad Pero todos ellos no son sino una faceta de la personalidad, la correspondiente a la aparición del amor.

Hay otra distinta. La salida del niño de su hogar ha roto algo vital para él, el sentimiento de apoyo que tenía en sus padres y en su ambiente familiar. Se enfrenta solo con una nueva vida, que, al suponer un renunciamiento perpetuo a lo pasado, le exige un esfuerzo grande, creando una sensación de inseguridad. Esta debe remediarse; por tendencia espontánea buscará crearse nuevos apoyos. Se unirá a otros compañeros, mucho antes que con la Corporación Religiosa cuyo ideal no comprende todavía, ni le sirve de sostén suficiente. El « espíritu de equipo » y de grupo se manifiesta con una intensa fuerza. Pero siempre en un ámbito reducido. La formación de un « nosotros » demasiado amplio no se consigue sin esfuerzo. Si no se cuida esta tendencia de comunidad, el « nosotros » se reducirá a una « pandilla », formada por los compañeros del mismo pueblo o los que agrupe un vínculo meramente humano y parcial. Ya es mucho que el « nosotros » esté formado por los pertenecientes al mismo curso. Todo « nosotros », además, tiende a vivirse como un « contra alguien » o « frente a alguien », de ahí que estas vivencias vayan cargadas de un sentido de emulación y de lucha.

Cuando la pubertad avanza y estas dos tendencias — la amorosa y la de agrupación — se acumulan, surge la búsqueda de las « amistades » de número muy reducido, exclusivistas, limitadoras de la amplitud del alma que se abre a la vida con valentía.

No es difícil, teniendo presentes estos rasgos, establecer la pauta de conducta formativa. Es preciso, en primer lugar, facilitar el tránsito entre la vida familiar y la de la escuela apostólica.

Pensando en este problema, sin duda, escribe S.S. Pío XII, en su preciosa « Exhortación al Clero Católico » Menti nostrae aparecida recientemente: « Ante todo es preciso recordar que los alumnos de los seminarios menores son adolescentes separados del ambiente natural de la familia. Es necesario, por esto, que la vida que los niños lleven en el seminario corresponda, en cuanto sea posible, a la vida normal de los niños; se dará, por lo tanto, gran importancia a la vida espiritual, pero en forma adecuada a su capacidad y su grado de desarrollo: que todo se desenvuelva en un ambiente sano y sereno ».

Dichosos los formadores que saben recoger a los niños con un cariño elevado y cálido, y facilitan su sentimiento de seguridad, al crear un « nosotros » en el que participen los mismos formadores. La mayor parte de las dificultades de este momento delicado de la vida están en camino de ser bien resueltas.

La vida espiritual que a este niño se ofrezca debe ser alegre, estimulante, no demasiado cargada de severidad ni de miedos. Es la hora de ofrecerle las vidas de los pequeños héroes del Cristianismo, de los niños mártires, de los modelos de santidad de su edad. Pero que esas vidas estén «muy humanamente presentadas», sin dar a la joven alma la visión de un mundo irreal. Las curiosidades sexuales deben ser satisfechas. El niño debe saber, tiene derecho a saber y a que no se le deje inerme y a oscuras frente a unos caminos nuevos que ve abrirse ante su alma. No tiene a sus padres que vayan ilustrándole en estos secretos, con el lenguaje santo y elevado, dictado por el corazón de la madre, que revela la propria historia del niño en ella, como unos episodios de amor y de ternura. Debe ser hecho por los directores, vestidos de la delicadeza más exquisita. Es gravísima falta retrasar la ilustración de la mente juvenil en esta materia, o hacerlo de una manera áspera y rígida, dando el tono de que todo lo que toca a la sexualidad es pecado. Si el niño hubiera tenido alguna caída solitaria, es preciso salvar lo que en ello hubiese de inocente ignorancia, al mismo tiempo que se corta la repetición de la misma. Y si sintiese el desaliento de la derrota, puede conseguirse mucho mayor fruto con alientos que con represiones o castigos. Desde el primer momento, la castidad debe presentarse como una ofrenda y no como una interdicción. La castidad, en efecto, es algo que se da a Dios, no algo que se pierde. El joven está bien preparado para la generosidad y es preciso aprovechar esta noble disposición. De lo contrario, se corre el riesgo de engendrar esos sentimientos patológicos de culpabilidad que esterilizan el alma, hundiéndola en los escrúpulos y en la neurosis. Ayudemos a formarse un arrepentimiento que ayude a subir, pero no un sentimiento depresivo que lleve a la tristeza.

Alegría, pues, en la virtud; presentación al joven de ideales grandes y noble dirección de su espíritu de equipo, preparando el sentimiento fuerte de comunidad, que le hará fácil más tarde sentirse célula viva de la corporación y sobre toto de la Iglesia. Cíudese que no adquiera dureza el sentimiento de enemistad «contra algo». Y complétese con una vida higiénica, con alimentación, aire y sol suficientes, enseñándole ya a contemplar a Dios en la naturaleza. Estas son las directrices fundamentales para este momento.

2. Período de estudios superiores.

Hemos señalado que no es infrecuente observar un retraso en el desarrollo psíquico de los jóvenes dentro de los conventos. Ello hace que este período sea para muchos el de la plena crisis puberal. En el aspecto sexual se enfrenta el joven con unos momentos difíciles para él. Son los de la franca orientación de la sexualidad hacia el otro sexo.

Durante los primeros tiempos de la pubertad, la sexualidad permanece en cierto modo indiferenciada, sin sentir la atracción franca hacia el sexo contrario, antes bien, sintiéndolo quizá más intenso hacia el propio sexo, favorecida esta inclinación por el trato y los sentimientos de amistad. Solamente más tarde, aparece la otra orientación, que va afirmándose en el joven seglar ayudada por el trato con mujeres, por lecturas, espectáculos, etc. Ahora bien; estos estímulos externos, no solamente están alejados del ambiente conventual por exigencia imprescindible de las cosas, sino que más bien se procura crear una barrera entre los dos sexos y se cultiva una disposición interior de recelo y de temor ante su contacto, siquiera sea lejano. La consecuencia psicológica natural es que la indiferenciación de la sexualidad y la orientación hacia el mismo sexo dure más tiempo y se corra el peligro de estabilizar una fijación. El problema presenta en este aspecto una delicadeza suma. Es evidente que no puede postularse una relajación de la severa vida conventual, para que la situación psicológica del joven religioso se parezca a la del joven del mundo. Pero tampoco debe olvidarse el peligro que se corre y las trágicas consecuencias que se siguen de la fijación del instinto con un signo homosexual.

El joven debe «descubrir» durante este período a la mujer, como objeto natural de su tendencia amorosa. Es lógico que comience para él a ser el otro sexo una auténtica tentación que «lo femenino», que pueda observar en su limitada visión del mundo fuera del claustro, perturbe su paz interior y sea causa de nuevas sensaciones y de sentimientos desconocidos. El amor se revela en forma completamente nueva. Ningún director espiritual merece el nombre de tal, si no está vigilante a este despertar y no sabe encauzar las ricas fuerzas que despiertan en el joven. Es la hora de llamar la atención sobre lo que éste siente, de orientar una recta y sana sublimación, aprovechando las energías vitales, cargadas de entusiasmo y poesía, para modelar el alma que florece. Es la hora de enseñar al joven a dar a Dios todo el amor que siente, para evitar que la sensiblería ablande su virilidad o que la amarga aspereza marchite estos bienes. Es la hora de la comprensión perfecta del alcance y profundidad de la devoción a María, del enamoramiento tierno y firme de Jesucristo, de reconciliarse enteramente con la vida embelleciéndola y de construir el ideal que campeará radiante durante toda la vida futura. Es la hora, en fin, de comprender lo que es dar a Dios la castidad perfecta, con el holocausto del amor humano, al que se renuncia para abrazarse a la soledad del corazón, haciéndose auténtico «monje».

Ningún religioso debe pronunciar sus votos solemnes, ni mucho menos ascender las gradas del altar, sin haber triunfado en esta batalla, sin haber visto y ponderado lo que es la vida a que se renuncia y la que se abraza. Más que antes, es necesario que la castidad sea mirada como una plenitud, como una renuncia para la conquista, como una cruz a la que se asciende para crecer. Esto es pertenecer a la legión de aquellos «a quienes se ha dado» algo, no a quienes se ha quitado. S. Pablo, desde la altura de su castidad, quisiera verlos a todos como él, dejando el matrimonio «para los que no pueden». Quien no vea esto sino como una pérdida, como una limitación de la vida y algo que no se tendrá en adelante, empequeñecerá el corazón y se abrazará con la tristeza, la peor de todas las compañías.

En la otra vertiente psicológica, la de los sentimientos de seguridad, ha llegado el momento del hallazgo de la autonomía o el «encuentro del Yo». Las distintas fórmulas empleadas por los psicólogos para calificar este episodio son intentos de concretar la característica fundamental de este fenómeno central de la pubertad. El joven tiene una conciencia nueva de sí mismo en relación con el mundo que le rodea. Comienza a sentirse capaz de actuar, al mismo tiempo que percibe nuevos peligros. De ahí nace la sensación intensa de inseguridad. La sumisión le cuesta más que nunca, por eso aparecen formas de rebeldía y dificultades en la obediencia. Juzga a sus superiores, a los religiosos mayores, critica fácilmente las menores desviaciones de la Regla y de las leyes, esos defectos son tan ordinarios que se encuentran aun entre las comunidades más observantes. Fácilmente se considera así extraño a la «comunidad conventual», creando, en unión con otros como él, una comunidad ideal distinta y en cierto modo contrapuesta a aquélla.

Esta postura del adolescente origina el problema más delicado de la formación en esta edad, que exige de los directores un tacto, un desinterés y una abnegación superiores a ninguna otra tarea formativa. La actitud severa y negadora de toda autonomía y de todo valor en el juicio de los jóvenes no sirve más que para destruir muchos valores en estas almas, llevándolas a la franca rebeldía o al sometimiento ciego e infecundo. La actitud «revolucionaria» de los directores, sumándose inconsideradamente a la disposición juvenil, es también contraproducente para la vida de la corporación y para los mismo dirigentes, que se desautorizarán pronto, al chocar inevitablemente contra la legítima autoridad superior a ellos. No cabe más que una sana actitud «de puente», creando un doble «nosotros»: uno con los jóvenes, aceptando y encauzando sus entusiasmos, otro con la ley y con lo tradicional, para no desarraigarse del fondo firme de la autoridad. Solamente quien sepa mantener este equilibrio será un auténtico guía de la juventud y sabrá recoger todas estas ricas vibraciones, para renovar con la savia nueva el añoso árbol de la comunidad secular y tradicional. Es papel del formador armonizar la eterna oposición entre «jóvenes y viejos», tan fecunda en desastres cuando se la deja enconar, y tan rica en frutos, si se les acopla en un acercamiento caritativo y flexible.

Estas reacciones caracterológicas no son independientes de fenómenos sexuales examinados antes. Unos y otros se juntan en la unidad personal de cada uno. Ambos se condicionan: lo sexual fundamenta muchas veces las actitudes sociales, y éstas, a su vez, dan la razón de la evolución de la sexualidad. ¿Cuál de estas dos cosas es la primaria? Probablemente no podrá esperarse una solución única para todos los casos. De escoger una doctrina, el trabajo de Allers marca al pensamiento católico una directriz pedagógica muy sana, reclamando la primacía de los fines del Yo que condicionan la actitud sexual.

De lo dicho salen ya las normas principales que la dirección espiritual debe tener en el campo puramente ascético. El espíritu del joven está preparado para comprender y practicar dos virtudes fundamentales en la vida religiosa y sacerdotal. La caridad abierta, convertida en vínculo que cree la comunidad en Dios. Y la irradiación hacia afuera de esa caridad en forma de afán apostólico. Con profunda sabiduría establece S. Agustín en su Regla este primer objetivo de la vida religiosa: «*Primum propter quod in unum estis congregati, ut unanimes habitetis in domo, et sit vobis anima una et cor unum in Deo*».

La creación y mantenimiento del espíritu sobrenatural de comunidad es una de esas «virtudes madres» que salvan a los individuos y a las corporaciones en que arraiga. No puede existir sin amor de Dios y del prójimo, no puede perseverar sin humildad, sin abnegación, sin la práctica cotidiana de esos mil pequeños sacrificios, que van convirtiendo la vida en un amable holocausto.

Y aunque parezca pronto para el apostolado, los corazones jóvenes reciben con ansia estos estímulos. Su afán de abrirse a la vida, de convertirse en algo valioso y de influir en el mundo, encuentra aquí un objetivo perfecto. Fácil es, después, hacerles volver a lo inmediato, que ya tiene para ellos un sentido elevado y transcendental. Aceptan mejor la monotonía del estudio, de la disciplina, de la observancia, como una escuela y una preparación para aquello que harán un día y que les espera. Parece una paradoja, pero los jóvenes solamente dejan de tener prisa para abandonar la casa de formación, cuando han entrevisto y han amado una gran misión en el porvenir. Puede pedírseles estudio intenso, vida perseverante de oración, cultivo de su vida interior, cuando han comprendido que están forjando un instrumento para los grandes designios de Jesucristo en las almas.

3. Primeros años de apostolado.

La pubertad ha pasado para el religioso, que ya es un hombre; sin embargo, los problemas que le plantean los primeros contactos con el mundo, tienen una gran semejanza con aquellos otros que vivió en su crisis anterior. Son los mismos problemas, pero vividos en relación con hechos mucho más concretos.

La lucha de la castidad ya no gira alrededor del «descubrimiento de *la* mujer», sino del «descubrimiento de *esta* mujer». Las primeras actividades apostólicas ponen al joven sacerdote en contacto con el otro sexo y es muy fácil que la tendencia de elección del objeto sexual se haga sentir, despertando la aparición de un atractivo particular por alguna mujer cuyo trato se cultive. El peligro de que el aprecio espiritual se convierta en afectivo, éste en familiar y el familiar en carnal, señalado ya por S. Agustín, está presente y es tanto mayor, cuanto que la última tonalidad propiamente carnal no aparece sino cuando se han fortalecido los otros lazos al parecer inocentes.

Este proceso y terminación coge desprevenidas a muchas de estas almas que «no sabían» que el amor fuera tan dulce y tan tentador. Muchas virtudes han naufragado en este escollo. El joven religioso se encuentra ante la prueba definitiva de su castidad. Ahora ya sabe lo que es el amor concreto y fuerte hacia una mujer, sabe también lo que cuesta el holocausto entero del corazón, lo que Dios pide para toda la vida, la gran soledad en la tierra, para buscar únicamente un desposorio eterno con Cristo.

Es cierto que, si la prueba es dura, los frutos que de ella sacará el alma llegando a superarla, son grandes. De la firmeza de una castidad que se ha fraguado con sangre del corazón, podemos fiar. La personalidad entera madura y se curte. La inteligencia aprende lo que son estos problemas del corazón humano y a ser comprensiva y misericordiosa con los del mundo y con sus miserias y flaquezas. Pero hay nuevos peligros en el modo mismo de superar la prueba. Puede caerse en la dureza de corazón, en la actitud irónica y fría, en un seco egoísmo, si la renuncia al amor no se ha hecho por amor. Si se ahoga cruelmente la voz del instinto, si se reprime y deforma la tendencia del corazón, sin más razones que un *no* amargo, el alma pierde capacidades y generosidad; se la obliga a un renunciamiento sin compensación y esto siempre es una pérdida, no una ganancia.

Para evitar esto, es necesario aceptar con amable humildad la lección, que enseña lo inconstante y frágil del corazón humano, y levantar todo el amor que busca a lacriatura hacia el Creador, si matar ese amor, sin estropearlo, sublimándolo en su sentido más noble. «El amor a lo eterno femenino lleva siempre al hombre hacia arriba»: esta frase de Goethe puede ser entendida en un recto sentido espiritual cristiano.

Todavía más ordinaria es la crisis que suelen sufrir estos jóvenes en el terreno del Yo y de la obediencia. Para las personalidades pobres, la aceptación franca de una responsabilidad de cura de almas puede ser motivo del desencadenamiento de una neurosis, o al menos de una « actitud neurótica » frente a la vida. Los primeros fracasos acobardan excesivamente, el alma se repliega sobre sí misma y renuncia a la lucha, buscando una postura de seguridad, que la preserve de nuevos fracasos. Es el momento del refugio en la enfermedad, de la búsqueda de un puesto sin responsabilidad, en una palabra, de la huída. Muchos terminaron aquí su carrera de predicación, de dirección espiritual, de acción religiosa en el campo social, etc. para encerrarse en un silencio y en una rutina esterilizadora de todo progreso.

Las personalidades robustas, en cambio, sienten las limitaciones prudentes que la obediencia impone a su celo excesivo, como manifestaciones de incomprensión, de persecución personal, de envidia, de rutinarismo y falta de entusiasmo por lo obra de Dios. Y es muy fácil caer en la actitud rebelde y « avanzada ». Creen que el mundo ha de transformarse efectivamente gracias a su esfuerzo y que los obstáculos están mucho más en el campo de la autoridad que en el del mismo enemigo. Fácilmente se convencen de que la audacia en el empleo de los medios de apostolado, la mayor participación en las actividades del mundo, la aceptación de ciertas corrientes ideológicas, a las que creen sencillo « bautizar », es el único medio eficaz de conquistar el mundo moderno para Dios, y que por este camino se llegará rápidamente a su regeneración. Muchas de las actitudes señaladas y condenadas por S.S. Pio XII en su última Encíclica « Humani Generis » han tenido este origen.

De nuevo la prudente y delicada intervención de los superiores y directores de estas almas es la encargada de salvarlas del momento difícil, aprovechando todos los valores constructivos que hay en ellas. Pío XII habla de la « herejía de la acción » en la que pueden caer los jóvenes sacerdotes. Lo primero a que ha de atenderse es a que la vida espiritual sea más sólida y fervorosa que nunca, no dejando apagar los fuegos que brotan de la ordenación y de la Primera Misa. Hay que preparar en la humildad al alma para los pequeños e inevitables fracasos de los primeros ensayos, alentando a los débiles a la perseverancia y presentándoles la humillación aceptada por amor como uno de los sacrificios más agradables a Dios « que escogió lo débil para confundir a lo fuerte ».

Hay que aconsejar prudencia y freno en los excesos apostólicos, pero no la estéril prudencia de la inacción, sino la sobrenatural de la desconfianza en los medios meramente humanos. Hay que inculcar que la maestría en el apostolado, del orden que sea, es fruto de mucho trabajo, de mucho estudio y de perseverante esfuerzo.

El trato con el otro sexo debe ser cuidadosamente vigilado y sobre todo prevenido con serenas y caritativas instrucciones, para disponer el corazón del joven religioso a salir triunfante de la prueba. Se llega antes a la sumisión del dirigido manifestando confianza, que con una actitud cerradamente desconfiada, como si se diese por cierta ya la existencia del mal. Quienes creen que la misión del superior se reduce a sospechar y recelar de todo, no han meditado en la conducta de Jesús, enviando a sus tiernos discípulos solos, dotados de amplios poderes sobrenaturales, a aquellos ensayos de evangelización, para luego recogerlos y adoctrinarlos en la humildad.

Es una crueldad dejar desarmado e inexperto a un reciente sacerdote entre los peligros del ministerio en el mundo actual, pero también lo es tenerlo demasiado tiempo, como si fuera un menor de edad, creyendo que por necesidad sus pocos años le hacen incapaz de aciertos. La madurez y la experiencia fructuosa no es sólo fruto de los años ni viene siempre adherida a las canas, sino al perfeccionamiento en las batallas de la vida. El hombre y por ende el sacerdote, debe formarse en la lucha. Es, pues, necesario dejarle luchar pero ayudándole a conseguir victorias.

ARGUMENTUM 1: *Qua ratione et quibus industriis pro-*
videri potest formationi et institu-
tioni Directorum Spiritualium, Prae-
fectorum seu Magistrorum spiritus
aliorumque qui educationi et regi-
mini alumnorum praesunt.

189   *Orator* - R. P. ALFONSUS LANGLAIS, O. P.,
Director Scholae Magistrorum O. P. apud S.
Sabinam, Romae.

In diversis perfectionis statibus ab Ecclesia **agnitis, offi-**
ciales, qui noviciorum iuvenumque sodalium professorum
institutioni praesunt, iuxta Institutorum diversitatem **necnon**
singulam eorum potestatem, varia nomina capiunt.

Attamen omnibus Institutis communis est vox *Magister*
Noviciorum, qui semper et ubique iisdem utitur praerogativis
atque iisdem obligationibus tenetur, quas ecclesiasticum ius
sedulo determinavit. In domibus vero ubi iuvenes professi
ad studiorum curriculum persolvendum degunt, adest *Magi-*
ster Studientium, cuius nomen apud **C.I.C.** est *Praefectus,*
seu *Magister Spiritus.*

Brevitatis causa, haec nostra relatio aget de utroque simul Magistro; proinde e contextu accipiatur vel de Magistro Noviciorum, vel de Praefecto Spiritus.
Heic sequentia attente breviterque attingemus:

I. De Magistri officio, comparate ad finem status perfectionis.

1) **Officium Magistri proprium;**
2) **Finis eiusdem.**

II. De Magisterio, quod ipsi Magistro competit:

1) **Actio suprema et immediata Dei in Magisterio Magistri;**
2) **Magisterium in Christi et Ecclesiae ministerio.**
3) **Magisterium intime dependens ex Instituti Fundatore;**
4) **Per Mariam Mediatricem et Matrem;**
5) **Magisterium Sacerdotale;**
6) **Magisterium paternum simul et maternum.**

III. De Magistri-Educatoris munere:

1) **Magister et Consocii eius in sancta educationis opera;**
2) **Educatio ipsius alumni.**

IV. De propria Magistri formatione:

  1) Scientia et ars pariter necessariae;
  2) Scientia;
  3) Ars seu virtutes.

V. Quibus industriis provideri possit formationi et institutioni Magistrorum; seu de mediis aptis ad ipsius Magistri instructionem.

DE MAGISTRI OFFICIO,
COMPARATE AD FINEM STATUS PERFECTIONIS

1. Officium Magistri proprium.

Iuxta C.I.C. soli Magistro Novitiorum competit eorum integra institutio: « Uni Magistro ius est et officium consulendi novitiorum institutioni, ad ipsumque unum novitiatus regimen spectat, ita ut nemini liceat hisce se, quovis colore, immiscere, exceptis Superioribus quibus id a constitutionibus permittitur ac Visitatoribus; ad disciplinam vero universae domus quod attinet, Magister, perinde ac novitii, Superiori est obnoxius » (Can. 561, § 1).

Praefecto autem, seu Magistro spiritus, iuvenibus studentibus professis consulenti, tribuitur ibidem eorum specialis *informatio* quoad vitam religiosam: « Toto studiorum curriculo religiosi committantur speciali curae Praefecti seu Magistri spiritus qui eorum animos ad vitam religiosam informet opportunis monitis, instructionibus atque exhortationibus » (Can. 588, § 1).

Reliqui domus officiales: superior, magistri socius, director studiorum, lectores seu professores, omnes immo religiosi in singulis suis muneribus, Magistro auxilientur. Solius tamen est Magistri instituere illos qui ei committuntur, scilicet verum discipulorum animum conformare ad vitam communem; moderamen, concordiam et unitatem praebendo inter influxus et ideas, iuvenum mentes animosque facile perturbantia, ita ut ad unum necessarium semper tendere valeant: aut cum Deo aut de Deo sermocinantes, profundam vitam interiorem exercentes, perfectionem sui status in externis prosequentes et in omnibus caritatem divinam et propriam sanctitatem quaerentes.

2. Finis officii Magistri.

Hic agitur de Magistri munere in statibus perfectionis ab Ecclesia agnitis, de Magistro scilicet qui, perfectionem professus, ab Ecclesia munus accepit alumnos ad perfectionem acquirendam instruendi et sanctos informandi.

Sanctitas enim inter notas essentiales verae Ecclesiae computatur; quae nota autem non tantum exigit ut progrediente aetate inter membra Ecclesiae quidam et multi inveniantur sancti, velut stellae fulgentes; sed etiam oportet ut in ipsa inveniatur aliquis status perfectionis, nempe religiosorum, in quo, votis publicis ab Ecclesia acceptis, consiliorum evangelicorum necnon praeceptorum praxis consocietur; qui status appareat in Ecclesiae tanquam nota *Sanctitatis* a communi statu discernendus.

En ratio cur S. Mater Ecclesia animas divina vocatione electas: « Si vis perfectus esse », invitat et accipit. Eas a fidelium coetu separat, vota earum publica coram legitima auctoritate sancit, sigillum suum in pacto pignorisque obligatione imprimendo, et eas denique ad cultum divinum atque Christi Domini et animarum ministerium, perpetuo delegat.

Magister igitur e speciali gratia vocationis a Spiritu Amoris accepta, ut docet Angelicus Doctor, ad studium christianae perfectionis consecratur et sanctitatis charactere insignitur, sive ob vota solemnia totalem Deo et Ecclesiae consecrationem usque ad substantiam sui entis exposcentia, sive ob vota simplicia perpetua totam activitatem, ut dicitur, ad Dei famulatum deputantia; sive quodam saltem pacto quo ad aliqua sanctitatis opera adimplenda constituitur.

Attamen luculenter constat statum perfectionis in Christi Ecclesia plures formas ac determinationes accepisse. Eius pulchritudo, sicut pulchritudo in regis filia, « circumamicta varietatibus » (Ps. 44,15), hanc formarum diversitatem e multiformi Spiritus Sancti gratia induit, urgente necessitate Ecclesiae vel temporum. Alia vero est perfectio monachorum sive sacrarum monialium, et alia forma sanctitatis huius vel illius Instituti religiosi, inspirante divino placito, congruenter Ecclesiae voluntati hoc probantis, cum suo fine peculiari et constitutionibus propriis necnon determinato officio, quibus summatim talem perfectionis formam induit, atque typum, ut ita dicam, sanctitatis constituit, quem Institutum eiusque membra obtinent.

Quaelibet religio vel Institutum, ab Ecclesia solemniter approbatum, sanctum nuncupandum est, cum Ecclesia in determinandis perfectionis statibus errare nequeat. Talium vero Institutorum membra et alumni sancti non erunt, nisi promissiones fideliter servent, perfectionem sui status semper aspicientes, ita ut Institutum ab illis exprimatur, cuius dici possint viva regula.

Proinde nobis non sufficit quamdam communitatem intrare; sed oportet ut communitas ipsa nos intret, scilicet ut eius idea seu finis et voluntas illum consequendi, ipsius regula atque spiritus, traditiones et virtutes, uno verbo, ut communitatis anima ita in nostra anima permaneat, vitali quadam immutatione, ut dicere possimus: Vivo ego, iam non ego; sed Ordo seu communitas in me vivit. A communitate velut a capite motum vitaeque influxum accipio, eius dolores et gaudia sentio; si meipsum sanctifico et sacrifico, scio huiusmodi sanctificatione et abdicatione gratiarum thesaurum in ipsa aucturum, sicut membra totius corporis humani vitam participant.

De his cogitare, haec intime penetrare et consequenter agere, en opus totius vitae et labor praecipuus tironum in

primis formationis annis. In hoc sane versatur Magistri officium, cui respondent discipulorum exercitia.

Tantum opus longi indiget temporis, assiduae fidelitatis, magnae generositatis et invictae perseverantiae. Summus Pontifex Pius XI, cuidam Provinciali, statum suae provinciae domorumque formationis olim exponenti atque suam spem in iuvenibus maxime fundari asserenti, aiebat: « Pater mi, cave ne iunioribus imponas uno anno perficere quod duobus saltem indiget annis; menti sicut et corpori, propria evolutionis et incrementi lex est, ita voluntati et characteri animae et virtuti ». Deinde leniter arridens subiecit: « Etiamsi puer aestimetur non studere, nihil facere, aliquid tamen facit, dum continuo crescit et maturat ». Ad haec autem assequenda, maximi est momenti usque in finem velle et perseverare.

« Donnez-nous des saints », quondam P. Lacordaire exclamabat. Date nobis sanctos! est hortatio quoque novissima et ardens, dulcissimi cordis Christi in terris visibilis, Pii Papae XII, suis in universo orbe sacerdotibus his verbis expressa: « Estote sancti! ». Neque status perfectionis, quadam ad temporum necessitates accomodatione, indigere putetur; homines potius et alumni, religionem ingressi, seipsos formae propriae vitae religiosae, coaptent ad perfectionem et sanctitatem acquirendam. Magna, Ecclesia et communitates, tristitia afficiuntur, quia non omnes quos vellent, sanctitatem sortiuntur, quos Deo offerrent ad animarum cuiusvis aevi necessitates sublevandas, quique forent exemplaria sanctitatis proprii Instituti, sal terrae, fermentum lumenque sui temporis.

« Donnez-nous des saints »; date nobis sanctos! sit petitio, vel potius universalis communitatum supplicatio ad Magistros novitiorum et sodalium professorum Magistros spiritus, quorum opus ad alumnos, in statibus perfectionis instruendos, atque ad sanctos fingendos, tanti est momenti; in quibus manibus futura Instituti sors sistit, ita, ut recte iam aiebat P. Lacordaire, eiusdem « perpetui conditores » censeantur.

DE MAGISTERIO, QUOD IPSI MAGISTRO COMPETIT

Munus Magistri, educationi iuvenum, ad perfectionem contendentium, ante et post professionem praepositi, est Magisterium sacerdotale, paternum simul et maternum, eorumdem educationem quoque spectans, sub suprema et immediata Dei actione, ad servitium Christi et Ecclesiae, intime dependens ex Instituto eiusque Fundatore, per Mariam Mediatricem et Matrem. Hoc autem Magisterium simul est et ministerium; immo ministerium potius denominandum quam magisterium, quod vero varie accipi potest et ideo accurate investigandum.

1. *Actio suprema et immediata Dei in Magisterio Magistri.*

Erga discipulos, Magister fit Minister et quasi vox Dei, necnon simplex instrumentum, plane actioni immediatae causae principalis, subordinatum.

Extrinsecus dignosci potest etiam in Magistro quidam peculiaris modus loquendi et agendi, propria indoles, character et mentis vigor. At Spiritus Dei semper in ipso loquatur oportet, cum Deus sit velut centrum e quo tota nostra activitas interna externaque procedit et ad quod finaliter regreditur. Hoc principium in conversatione hominum cum Deo est fundamentale et essentiale; proinde est Magistri illud cognoscere et penetrare, de illo intimius vivere, ut vitam suis discipulis communicet.

Quando aliqua creatura a Deo vocatur ad quoddam officium exercendum, fit velut instrumentum et verum medium inter Deum et homines. Sicut in caelis, iuxta mirabilem angelorum hierarchiam, superiores angeli inferiores illuminant secundum propriam supernae lucis participationem, cuius fons et principium est SS. Trinitas, Unus Deus; ita et in terris, Ecclesia Christi, familia vel status ordinatam oculis nostris hierarchiam praebent. Homo cum nascitur, disciplina accipienda indiget et fit capax; postea parentum ductu et adiutorio corpore et mente crescit. Sed huiusmodi doctrinae sive disciplinae fons et lumen est ipse Deus, uti iam de caelesti hierarchia tradidimus.

D. Thomas de Aquino hanc entium hierarchiam et ordinem mire delineavit. Ad Dei dignitatem, potentiam necnon sapientiam pertinet ut in propria rerum gubernatione et per Christum Salvatorem reparatione, causis secundis et subordinatis utatur; attamen tale ministerium causis secundis commissum, minime immediatam Dei actionem intimamque praesentiam destruit: In ipso vivimus, movemur et sumus *(Act. 17, 28)*. Divina actio, operans in nobis velle, perficere et ad perfectionem caritatis tendere, est continua et perpetua. Ergo totum Magistri officium media ad finem apta a divino fonte haurire necesse est, eodem modo quo parvula lampas — in nocte splendens — lumen nullatenus diffundere posset, nisi e continuo electridis influxu in ipsam manante. Magistri igitur animus coniunctissime et semper cum Deo vivat, ne eius actio naturalis aut humana evadat, deponens e contra quae sunt mundi, carnis et hominis: « Si quis existimat se aliquid esse, cum nihil sit, ipse se seducit » *(Gal. 6, 3)*. Si principia vero, nunc exposita, novitiorum Magister tenet, eius « actio ex abundantia et plenitudine contemplationis derivare » videbitur, ut Angelicus vult.

2. *Magistri Magisterium a Christi et Ecclesiae missione pendet.*

Diversa Magistri munera in intimo corpore mystico Christi inserta esse, ad apostolicae Ecclesiae missionem pertinere, eiusque divinum ministerium exprimere, compertum est. Quae enim munera Magister in nomine Ecclesiae Christi exerceat, hierarchice et organice dependent a Romano Pontifice, Ecclesiae visibilis capite, et sub impulsu invisibili Christi capitis et Spiritus Sancti intime vivificantis.

Omnibus notum est Christi potestatem intime Ecclesiam regere, sicut in corpore humano « virtus et motus ceterorum membrorum et gubernatio eorum in suis actibus est a capite propter vim sensitivam et motivam ibi dominantem » *(S. Thomas III, Q. 8, a. I)*. « Sine me nihil potestis facere ». A Christi ergo suprema potestate pendet exercitium ministerii, quod Magistro committitur, sub actione, impulsu et gubernatione capitis invisibilis Ecclesiae, in qua, praeter divinum Magisterium, triplex potestas adest, ordinis scilicet, iurisdictionis et dominationis.

Sedulo S. Mater Ecclesia invigilat formationi et educationi membrorum, quae vitam religiosam ingressa, sunt velut eius « pupilla oculi » (ita *Leo XIII*, f.m.). Antequam Ecclesia in illorum consecrationem votis religiosis vel speciali contractu sigillum imponat, apte mediantibus legibus, modum eligendi Magistrum eiusque munera determinantibus, praeparationem disponit. Speciales exigit dotes morales, intellectuales religiosasque, necnon quasdam aetatis et a professione antiquitatis conditiones, ut liceat praesumi Magistrum eligendum sufficienti vitae et spiritus maturitate gaudere. Magister est ex officio, eiusque Magisterium quaedam est illius Ecclesiae participatio, nam eius nomine docet et sua vox fit quasi sonus mentis et voluntatis illius. Magistrum igitur opus est Ecclesiae doctrinam eiusdemque leges sedulo investigare, ea potissimum quae ad suum munus attinent. In manibus habeat codicem nuper typis Vaticanis editum, cuius est titulus « Enchiridion de statibus perfectionis » (Documenta Ecclesiae Sodalibus instituendis. Collectanea S. Congr. De Religiosis, vol. I). Sic Magister cum divino Magistro affirmare poterit: Doctrina mea non est mea, sed eius qui misit me.

Si autem de Instituto clericali agatur, Magister in sacro ordine presbyteratus rite est constitutus; tunc potestate ordinis gaudet et munere sacerdotalis ministerii fungitur, ut infra videbimus.

Quoad vero iurisdictionis potestatem Magister e suo officio nulla gaudet; nec est praelatus ordinarius; potest tamen delegari ut alumnos suos a quibusdam ecclesiasticis legibus (e. gr. circa ieiunium et abstinentiam) solvere valeat.

Attamen Magister intime de potestate Ecclesiae dominativa participat, cum iuvenes religiosi professi ei ratione voti subdantur, novitii vero ratione potestatis domesticae, sicut filii parentibus.

3. *Huiusmodi Magisterium nomine Instituti necnon illius piissimi Fundatoris exercetur.*

Quodlibet religiosum Institutum est corpus vel societas vivens vita Corporis Mystici Christi, cui inhaeret et in quod inseritur. In hoc convenit constitutio instituti saecularis, a Const. *Provida Mater Ecclesia* nuper agniti. Magistri igitur Magisterium intime dependet a Magisterio Ecclesiae, mediante tamen ipso Instituto, cuius Magister est sodalis, necnon a piissimo huius Instituti fundatore.

Piissimi fundatoris praesentiam et actionem in sua familia esse continuam et beneficam perspiciant quotquot sunt huiusmodi Instituti membra et sodales. Patet enim hanc actionem et moralem praesentiam derivari a peculiari gratia qua fundatores ut tales, ab omnibus agnoscantur. Paterfamilias principium est vitae suae prolis, cui subvenire quotidie debet, sub omnipotentis Dei actione. Nihil ergo mirum si familiarum religiosarum Fundatores quandam peculiarem gratiam recipiant, velut participationem capitalis gratiae Christi, cum in illis Deus quandam Filii sui Unigeniti imaginem fingat. Fundatores sunt propriis filiis verae causae exemplares vitae perfectae; eorundem forma et figura vivide exprimitur in aliquibus notis, quas filii omni tempore animadvertere tenentur. Hae notae temporum mutationibus non subiciuntur, nec spiritui vel cuiuslibet saeculi conditionibus. Nec sufficit, ut iam diximus, alumnos alicui Instituto aggregatos fuisse; sed oportet Institutum in eorum mentes penetret proprio spiritu, propria gratia, propriis virtutibus, doctrina et regula vitae, quibus divina Providentia ditatum fuit.

Ideo Magister cognitionis Constitutionum sui Instituti, eius historiae necnon rerum piissimi Fundatoris gestarum sit peritus. Insuper, eius est Instituti spiritum et mentem cognoscere, necque virtutes sanctorum qui in eodem militaverunt ignorare. Inspiciat etiam leges peculiares, quas forsan Ecclesia pro suo Instituto sancivit, atque litteras apostolicas ad ipsum missas; sunt namque pretiosissimae Familiae traditiones, quae saeculorum decursu e filiorum interpretatione auctae sunt. Oportet illa recte a Magistro considerari, abstrahendo a suo iudicio et a sua corporis mentisve complexione. Si vero per saecula, nonnullae sententiae inter Instituti sodales de his ortae sint, sciat Magister prudenter cauteque veram viam eligere, mentem piissimi Fundatoris accurate perpendere, declarationum ductu officialium quae in diversis sui Instituti Congregationibus generalibus habitae sunt. Sancti quoque nonnisi filii sunt, etsi gloriosi et exemplares. Si agatur de Instituto nuper condito, inquisitio huius generis magis adhuc fit necessaria, nec minores requiruntur in Magistro dotes intelligentiae, discretionis et docilitatis.

Ex his omnibus clare patet illos, qui Magistri munus ad formationem iuvenum in spiritu Fundatoris assumpserunt, merito vocari posse « novos Instituti fundatores », uti aiebat Lacordaire. Faxit Deus ut vere dicere possint: Imitatores mei estote, sicut et ego Christi, quibus verbis addi posset: sicut et ego Fundatoris et Patris.

4. *Per Mariam, universalem Mediatricem et Matrem.*

Speciale B. Mariae, Universalis Mediatricis, subsidium heic ad mentes revocare, opportunum nobis videtur. Verum Mariale Ministerium a Magistro exercendum est.

Quamvis omnia Instituta sub speciali B. M. V. protectione initia habuisse et incrementa accepisse iure affirmetur; indubium tamen est quaedam Instituta ad cultum marialem praesertim promovendum condita fuisse. Pro his cultus et pia erga B. V. M. devotio proprio congruunt statui: « Habitatio nostra est in te, Maria. Per Ipsam et cum Ipsa et in Ipsa ».

Pietas erga B. M. V. est affectus spiritualis in anima christiana quasi filiali instinctu consurgens. Sit igitur Magister minister et instrumentum B. Virginis, cuius theologiam plane agnoscat. Sit B. V. velut omnium virtutum exemplar, quod filii dilectissimi qui vitam religiosam ingressi sunt, perpetuo inspiciant. Nihil Ministrum Christi melius consolari potest quam pia inhabitationis B. V. M. in suo corde cum Filio recordatio. Cotidie memor sit participationis propriae ad B. Virginis mediationem, qua nobis omnes gratiae obtinentur et transmittuntur.

5. *Magisterium Sacerdotale.*

Apud C.I.C. (Can. 559, § 1) « si de clericali religione agatur — oportet quod Magister — in sacerdotio (sit) constitutus ».

Sacerdos autem a Deo speciali consecratione et vocatione constituitur, ut in omnibus et ad omnia tamquam vir Dei habeatur et sit. Magister, ut sacerdos, postquam quotidie sacrum litavit, ad homines quasi ex altaris monte descendat ad sacerdotale ministerium fungendum. Agitur hic de sacro ministerio deque causa sanctitatis; proinde Magister de animabus semper cogitet, pro ipsis vivat et ad illas procedat. Alia ex parte novitii aliique tota animi confidentia Patrem petant. « Tu autem homo Dei! »: hic secretum spiritalis Magistri efficaciae abditur.

Si Magister non est in sacris constitutus, ut accidit in religionibus laicalibus vel apud sorores, eius actio a sacerdotis Ministerio intime pendet quo compleri debet. Tunc ipsi prudenter agendum est cum de conscientiae rebus agatur. Etsi enim pro suo munere speciales gratias recipiat, gratia tamen sacerdotalis ei deest. Magister sacerdos e contra ministerii experientia et peculiari gratia intima animarum penetrare et saepe intueri potest. E parte sua novitii aliique iuvenes libenter ipsum adeant et maxima fiducia secreta cordis ingenue patefaciant. (Can. 550, § 2; 561; 891).

6. Magisterium paternum simul et maternum.

Paterfamilias et mater sunt parvulorum generationis et gubernationis principium, sub actione Dei creantis omniaque gubernantis.

Igitur cum iuvenis postulans vitam religiosam elegerit, in eius consilio Magister saepe nullam partem habuit, neque fuit causa secundaria divinae huiusmodi vocationis; compluries enim Deus aliis utitur viis, quandoque occultis.

Quam novam vitam novitius uti parvulus incipit. De gratia et iustitia ad vitam caelestem ducentibus ita aperte D. N. Jesus Christus locutus est: « Nisi efficiamini sicut parvuli non intrabitis in regnum caelorum » (Math. 18, 3). Simili modo vita religiosa est vita nova, praxis consiliorum, ut qui eam amplectitur velut parvulus consideretur.

Novitius enim vias vitamque perfectionis nondum amplexatus est et gratia vocationis a Deo ei concessa adhuc semen est. Novitiorum domus est tamquam hortus conclusus ubi crescit et augetur. Parvulus iuxta Aquinatem adest in familia velut in sinu matris, ut in ea crescat et ad virum perfectum adveniat. Hoc vero munus maternum in primis est Matris Misericordiae, cuius est novitium ad professionem ducere eumque dilectissimo Filio suo offerre.

Magister tam B. Virginis quam piissimi Fundatoris vicem gerit, quorum nomine munus vere paternum simulque maternum exercet; atque cum Apostolo dicere potest: « Filioli mei, quos iterum parturio, donec formetur Christus in vobis » (Gal. 4, 19). Vitam dare parum esset, nisi proli nutrimentum educatioque largirentur. Educare est velut prolem cotidie gignere.

Magister qui revera paterno fungitur munere, est prudens, sapiens, omnium exemplar virtutum, zelo et discretione plenus, quae omnia Ecclesia ab ipso adamussim petit; si maternam sui officii indolem plane intellexerit, discipulos materne tractat usque ad sui oblivionem. Mater enim est amoris ancilla; de omnibus providet, de minimis quoque et humilioribus officiis. Sed illa fiunt altiora et excelsa ob amoris lumen quo circumdantur.

Immediatam Omnipotentis Dei actionem in Magistri Magisterio inspeximus; quomodo exerceatur ad bonum Ecclesiae et famulatum Christi, influentibus Instituto eiusque piissimo Fundatore, necnon intercedente B. M. V. universali Mediatrice, attente perpendimus. Agitur ergo de Magisterio sacerdotali, quod maternum simul ac paternum esse iudicavimus. Sed eius munus respicit insuper alumni institutionem; quo merito Magister inter educatores, ut aiunt, computatur.

Exstat hodie quaedam paedagogica scientia, sat evoluta et diffusa, in qua inveniuntur scientia et ars. Scientia absque arte insufficiens est; sicut ars sine scientia mere empirica et inculta manet. De parvulo educando multa hodie quoque psychologica scientia determinat. Haec, servatis servandis, in perfectionis statibus locum habent. Hinc etiam habetur quaestio de Magistro et de Educatore, necnon de parvulo educando, cuius mens, ut aiunt psychologi, invenitur in statu evolutivo. Sed utriusque vita, educandi scilicet et educatoris, in proprii Instituti vita, inhaeret et fundatur.

1. *Educator et eius consocii.*

Magister non est unice et simpliciter *professor* quidam, cuius proprium est mentes illuminare, erudire, novis cognitionibus augere; neque *doctor,* scilicet vir sapiens aliquam scientiam vel doctrinam docens atque discipulorum intellectum informans; neque quidam *artifex,* cuius est regulas practicas de agibilibus et factibilibus discipulis tradere: non enim agitur tantum de regulis tradendis, ut fit in logica, in grammatica, in arte loquendi, pingendi, aedificandi, etc. Nec est *Magister disciplinae,* sive agatur de disciplinae exterioris institutione, v. gr. de modo ambulandi, sese componendi, etc.; immo nec de interiori disciplina, scil. urbanitatis, vel eorum quae ad asceticam, qua talem, pertinent. Neque *Magister* quidam *exercitiorum,* in arte gymnastica.

Reapse alumnorum institutio in statibus perfectionis haec omnia comprehendit; quapropter Magister pleniori sensu est talis, et amplius, quia est Magister *vitae.* Ad ea quae corpus et animam tangunt, ministerium eius adaequate se extendit: de exterioribus deque interioribus. Hinc sedulo attendat ut reddat in seipso, quam in alumnis fructuosam gratiam sui status.

His omnibus nequit tamen, per se unum, sufficere, sicut pater materque familias nequeunt seorsum adaequate perficere quae prolis educationem spectant.

Indiget ergo Magister consociis, qui in alumnorum sancta educationis opera, ei adiumento sint. Sed intimum permanensque cum alumnis commercium nunquam intermittatur.

Praelatus, qui religiosae communitati praeest, illam regit mandatis, verbo et exemplo, religiosam et regularem vitam in sua domo semper instaurans. Cuilibet religioso domus novitiatus vel studiorum est actio in illis, et eorumdem onus. Professores enim qui munere docendi funguntur, cum studentibus, magistri sunt doctrinae. Etsi Rector vel Praefectus vel alius huiusmodi, cui directio studiorum committitur, de omni scientia sacra universalem non haberet peritiam; tamen omnia ad intellectualem iuvenum perfectionem ordinare debet.

Magister quoque Spiritus, alumnorum progressum curat secundum proprias Instituti necessitates. Eius est disciplinas studentibus traditas plane noscere, illarum notionem modo quasi synthetico ordinare, et omnia ad caritatis et unionis cum Deo perfectionem, coordinare. Professorum doctrina est utique quaedam derivatio plenitudinis contemplationis; discipulorum tamen intellectui formaliter proponitur, qui ad conclusiones expositas clare conducatur. Doctrinam Magistri Spiritualis opus est professorum doctrinam complere, docere vias vitae spiritualis, interioris et religiosae, mediaque suo Instituto propria, ut alumni ad perfectionem pervenire possint. Orationis praxim et virtutum, atque docilitatem divinis inspirationibus inculcat, ut anima parata sit ad Spiritus Amoris illuminationes semper accipiendas. Magistri officium est praeparare professores, praedicatores et sacerdotes, viros tam apostolicos quam contemplativos. Ad eorum progressum in sacris disciplinis attendens, invigilat ut e scientia et doctrina mentem per fidem ad Deum amoris elevent.

In quodam Capitulo generali Communitatis iam diu fiebat quaestio et agebatur de lege ferenda ad potestatem P. Magistri, Regentis, et professorum erga studentes determinandam. Aliis legem magis praecisam atque decretatoriam volentibus, aliis e contra generaliorem malentibus, quidam Pater capitularis his sapientibus verbis controversiam diremit: Ne in nimiis distinctionibus moremur, dicentes hanc novitii vel studentis partem ad Patrem Magistrum spectare, illam ad Priorem, vel Regentem, vel Cantorem, etc., et ita per anatomiam corpus vivens dissecare. Sic agentes vitam eiusdem periclitemur; dum, e contra, volumus eius vitam et formationem ad perfectam evolutionem pervenire, sociata omnium opera. Cuiusque interest non animum in se reducere et ita suam auctoritatem definire, ne forte inveniat quid dolendum; sed velle omnium operas in unum convenire.

2. Ipsa alumni educatio.

Tale Magisterium, in lumine theologiae, non sufficit tamen ad perfectam alumnorum institutionem. Oportet ipsum discipulum eiusque mentem et conditionem sub lumine paedagogiae animadvertere; porro iuvenis dotes et indigentiae psychologicae, physicae atque morales, considerandae sunt. Ut peritorum lingua de psychologica « aetate evolutiva » utar, certum est plerosque alumnos vitam religiosam incipientes adhuc in tempore motus et progressus ad maturitatem corporalem et spiritualem degere. Igitur, sub Omnipotentis gratiae influxu, multa ad huiusmodi progressum et motum elementa concurrunt. Plena corporis constitutio, institutio spiritualis et religiosa, cultura intellectualis, educatio cordis, voluntatis et characteris, ut aiunt, omnia haec ad perfectam aetatem Magister adducere debet.

Impossibile evadit nos omnia et singula, accurate, ut par est, inspicere; sufficit ergo sequentia breviter notare.

De corporis perfectione. — Sanitas corporis, perfecta vitae sensitivae vegetativaeque functio, sunt ad vitam humanam optime degendam omnino necessariae. Contingit vero naturalem corporis progressum quandoque impediri ob defatigationem e studio ortam. Quaelibet de hac re neglegentia, infelices secum ducit consequentias, haud raro, per totam futuri religiosi vitam, influxum habentes. Magistri igitur est invigilare, ut alumni ad completam viri perfecti physicam complexionem remotis quibuscumque impedimentis, pervenire valeant. Nihil omittendum est ad corporis sanitatem servandam augendamque, ut diversi sensus intellectui deservientes, visus praesertim et auditus, actum suum perfecte exerceant. Haud spernendus est usus librorum de re psychologica (immo psychiatrica) tractantium, quibus Magister animi corporisque alumni indolem acute perspicere potest.

Igitur valde utilia existimanda sunt studia hodiernae psychologiae eiusque methodi de alumnis instituendis. His discernere possumus dispositiones, consuetudines, vitam automaticam, ut periti aiunt, omnia quae in homine alicui determinismo subiiciuntur. Adsunt in homine conscientia et subconscientia, necnon inconscientia. Attamen homo non tantum corpore constituitur; sed corpore et anima, quae ipsum informat, regit quodam, non despotico, ast politico primatu, ut post Aristotelem docet Aquinas. Insuper christianus philosophus in mentem revocare debet corpus esse ipsius habitaculum et sanctificationis obiectum. Spiritales «valores», utendo peritorum verbis, methodo sic dictorum «test» non subiiciuntur.

Loco dicti pagani: mens sana in corpore sano, recte dici potest: mens sancta in corpore sano et sancto, teste Paulo Apostolo dicente: templum Dei estis.

De supernaturali discipulorum institutione. — Supernaturalis discipulorum institutio eorum mentes ad Deum ordinare cupit, mediantibus augmento amoris perfecti *ex toto corde,* assiduo virtutum theologicarum exercitio, in plenitudine doni propriae mentis, necnon praxi virtutum moralium et mediorum, quae proprio statui sunt apta et necessaria.

Nec Christus minora a nobis exigit. Iuvenes saepe iudicant quod eis proponitur ut insufficiens et inadaequatum comparate ad professionis celsitudinem; quae vident et audiunt saepe illorum animos non quietant. Adest ipsis quidam absoluti, ut hoc verbo utar, sensus, quo naturaliter tendunt ad superna. Est Magistri illas animi inclinationes moderare, debita discretione et prudentia, firmitate et perseverantia, influxum gratiae sedulo attendendo et velut Spiritus Amoris pulsum peramanter auscultando. Principatum caritatis in vita christiana non desinat docere, ne in proprium egoismum discipuli mens revolvat. Semper magis et melius: en pretiosa crebraque ad iuvenes hortatio Pii XI f. m.

Quoad vitam affectivam. — A plerisque hominibus affectus cordis in bono carnali reponuntur, in quo satietas quaeritur; at iuvenis, qui vitam religiosam ingressus est, huic pravae satietati perpetuo abrenuntiavit. Quod tamen non extinguit vitam affectivam: immo vera vita familiaris in noviciatu vel in studentium domo invenitur. Reapse homo nutrimentum vitae affectivae longe melius adipisci potest ex intima caritatis vita, quae communitatis anima esse debet, et praesertim e ferventi Dei amore, quam ex amicitia mere naturali et carnali amore. Vita igitur religiosa est vita amoris, indeficiens caritatis exercitium. Sacrum ministerium in eis qui ad huiusmodi munus vocati sunt, simul est exercitium cordis et amoris. Proinde infelix putetur qui vias perfectionis ad instar coelibis senescentis, proprio egoismo radicitus imbuti, consideral.

Institutio quoad vitam intellectus. — Verbum Dei, supernaturalis veritas, est lumen amoris mentem informans atque a tenebris ignorantiae errorisque nos liberans. Firmitas mentis, quae vero convincitur, omnino est necessaria ut vita humana ad verum et bonum continuo gradatim pergat. Contingit vero ut quidam fuerint scholastici, qui fateantur se magis accepisse professorum dictis quam piis Magistri exhortationibus. Attamen sat difficile est unius alteriusve influxum sedulo discernere, cum ad intimam vitam religiosam in spiritu et mente alumnorum incubandam, simul concurrant. Adest insuper in vita assidua studii, aliquid paenitentiae et austeritatis: studium sacrae doctrinae quaedam fit virtus sanctificans: « Studio macerati », ut aiebant coaevi de nostris patribus in primordiis Ordinis.

Institutio quoad voluntatem. — Omnis religiosa communitas regulari disciplina indiget. Huic additur peculiaris dispositio ad iuvenum institutionem apta. Exercitium virtutum et firmitas voluntatis sunt verus fons vitae ad hominis institutionem sub respectu morali, religioso et apostolico; quarum enumerantur fructus: mentis purificatio, cordis immolatio et quaedam totius hominis ad esse spirituale elevatio.

Exinde omnes vires hominis spiritalis ad unitatem reducuntur, ut ad unionem cum Deo perveniat. « Nulla virtus, nulla rerum naturalium activitas aequari potest virtuti et fortitudini illorum qui continuo silentium propriis labiis, corpori ieiunium, oculis vigiliam, sensibus subiectionem quotidie imposuerunt. Sic ad perfectam sui dominationem pervenerunt; omnes animae potentias, corporis activitatem, immo ipsas passiones ad unum finem direxerunt; vicerunt mundum et seipsos. Nihil contra hos praevalere potest. Huiusmodi sunt sancti homines. Heic secretum illorum influxus in homines et res sui temporis » (1).

3. Summa.

Pater Magister ratione sui officii fit igitur vir orationis, contemplativus, cuius vita in Deo est: toto corde, mente et virtute, et qui ad divinam unionem totis viribus tendit. Gratia Magisterii efficit ut discipulorum quoque vitam in Deum elevet, homines orationis instituens, Deo Sanctos vel sanctos sensu Apostoli, scilicet ad perfectionem sui status tendentes.

Ipse est amplius doctor, « doctrina praestans », vir doctrina ornatus, peritus omnium scientiarum sui officii propriarum, quarum institutio sit vivida et e corde manans.

Eius doctrina est moralis et ascetica, animose tradita; quia ipse vitam docet, vitam Ecclesiae et sui Instituti, dilectionem erga Christum et animas usque ad sui oblivionem. Edocet virtutes, quarum ostendit exercitationem, motus animi dominationem, vitiorum exstirpationem atque cultum virtutum.

Magister etiam exercitiorum ipse evadit, impellens ad actionem et animos instigans, eos ad Deum elevando.

Denique, ut Pater, debet discipulos reprehendere, consolari, corrigere atque emendare: Praedica verbum, insta opportune, importune; argue, obsecra in omni patientia et doctrina (2 *Tim.* 4, 2).

DE IPSIUS MAGISTRI FORMATIONE, SEU DE MAGISTRI PRAEPARATIONE AD SUUM MUNUS RITE PERSOLVENDUM

Qui absque praeparatione officium Magistri subiret, non minus ac magister scholarum et docens in qualibet arte et scientia, imprudens videretur. Haec civitatis temperatio idoneas ubique instituit scholas ut futuri Magistri scholarum iustam recipiant praeparationem. Simili modo Ecclesia exigit a futuris professoribus adaequatam praeparationem rite adimplendam, iuxta « specializationem » uniuscuiusque propriam, ut constat de rebus iuris, historiae, philosophiae et S. Theologiae. Gradus academici ab Ecclesia collati, quoddam sunt testimonium huiusmodi peritiae ad fructuose et salubriter

(1) BERNADOT, O.P., *L'Ordre des Frères Prêcheurs.*

docendum in ipsius nomine. Cum prae oculis, gravis appareat moralis Magistri responsabilitas in institutione alumnorum religiosorum, multo magis necessaria videtur eius adaequata praeparatio seu « formatio ».

1. Scientia et ars pariter sunt necessariae.

Scientiam atque artem iam accurate distinximus. Hanc illa nequit supplere, neque haec illam. Virtutes peculiares quae in Magistro requiruntur, ad eius artem pertinent. Earum necessitas tanto magis elucet, quanto ex earum praesentia, electio ipsius Magistri ad hoc munus assumendum, consueto more procedit. Etiam si quid in cognitione requisita ipsi deficiat, huiusmodi ars et virtutes ei annexae, felicem electionis exitum, iam ostendunt cum, experientia et personali studio, quae desunt, Magister paulatim supplere possit.

Quidam nuper scripsit: « In his quae ad paedagogicam artem attinent, optimum et praecipuum non possunt esse obiectum doctrinae. Praecipuam enim partem habent modi personales et individuales procedendi in institutione iuvenum. Haec sunt uniuscuiusque propria methodus, proprium Magistri secretum, ut ita dicam... In his connumerantur quidam intuitus, tactus, quasi gustus, quae aliquam paedagogiam velut instinctivam constituunt. Per doctrinam et disciplinam huiusmodi dotes transmitti non possunt » (2). Certum tamen est scientiam et theoricam cognitionem de re paedagogica adiutorium maximi momenti ad praxim conferre.

Quid proprie constituit in educatione Magistrum et verum Magistrum? *Auctoritas et peritia:* en responsio quorumdam; *humilitas et dulcedo,* dicunt alii; *valor humanus* et quaedam plenitudo vitae humanae, respondent plerique. Non tam scientia quam vita dignitatem homini confert.

Similiter quaeri potest: quid proprie constituit Magistrum spiritualem, verum Magistrum pleniori sensu in statibus perfectionis? Respondet ipsa Ecclesiae vox: virtutes et peritia, sui muneris propria.

De hac re audiatur Constitutio Apostolica Clementis VIII, « Cum ad regularem », die 19 martii a. 1603 promulgata: « Sint ambo (Magister et Sub-Magister) doctrina et in quantum per superiorem diligentiam et vires fieri poterit, vitae etiam ante-actae exemplo praestantes, orationis praeterea et mortificationis operibus addicti, prudentia caritateque referti, non sine affabilitate graves, zelum Dei cum mansuetudine prae se ferentes, ab omni cordis ac animi perturbatione, ira praesertim et indignatione, quae in se et erga alios caritatem impedire consueverunt, quam longissime alieni, et tales demum, qui in omnibus seipsos bonorum operum exemplum praebeant, ut ii qui eorum curae subsunt, illos non tam metuant, quam revereantur, nec illis unquam detrahere quidquam possint (3).

(2) BOUCHET, in *Pédagogie chrétienne.* - Chanoine Boyer.
(3) SCHAEFFER, *Cap. de Religiosis,* n. 894; JANDEL, *Const.* O.P.

Haec C.I.C. breviter collegit in can 559, § 1, sub forma vero universaliori, cum de omnibus Institutis, laicorum fratrum et sororum, quam sacerdotum, sanciatur.

2. Scientia propria Magistri.

« Sit doctrina praestans ». Lex ecclesiastica non exigit ab his gradus academicos, specialiter requisitos ad Praefecti vel Rectoris studiorum munus. Attamen ad proprium Magistri munus, ut vidimus, scientia satis ampla requiritur, potissimum circa doctrinam spiritualem, in qua habetur medulla totius S. Theologiae, ad praxim et vitam reductae. Speciatim etiam Magister peritus sit in his quae Ecclesia de statibus perfectionis, de vita religiosa eiusque obligationibus, docet; item de historia proprii Instituti. Similiter eumdem non lateat, quae de humana supernaturalique psychologia necessaria sunt. Sufficienter studiorum quoque rationem, quae propriis alumnis imponitur, cognoscat, ut progressus eorum, spiritalis et intellectualis, sub eius vigilantia quadam mutua unione procedat.

Magister qui in suo Instituto ad vitam apostolicam ordinato, parvi facit scientiam sacram, et amorem erga S. Veritatem, in suorum alumnorum animis non insculpit, proculdubio deficit in re maximi momenti. Conferatur su⸱ per hoc R. P. Theodorus a S. Ioseph in opere, cui est titulus: « L'Instruction du Maître des Novices » de l'Ordre des Carmes (III Parte, c. I pp. 108-9 Courtrai 1926).

« Statuendum est Magistrum magna indigere doctrina; quia non tantum virtutes eminentes..., sed scientia quoque superior exigenda est ab eo, qui munere fungitur novitios instituendi eosque ad perfectionem ducendi. Apud omnes Ordines ergo, spiritu Dei in primis incensos, omni annituntur ope, ut sapientissimi eligantur Magistri Novitiorum. Quod merito fit: sicut notabilis requiritur prudentia ad spiritus adhuc incultos efformandos; ita ad solvendas multiplices contortasque quaestiones, quae potissimum apud quosdam novitios, etiam ceteroquin instructos, in humilitate continendos, inveniuntur, nimium saepe necessaria est scientia ampla et valida; secus, nisi Deus copiosa gratia scientiae penuriae suppleat, Magistro non erit sua auctoritas, neque praestantia ex officio requisita; proinde eius dignitas minuta. Quae doctrina experientia quoque fulcitur. Quo vividior et acutior fit impressio Magistri in discipulos, cum hi non modo eius sanctitatem venerantur, sed etiam ipsius sapientiam existiment, eo Magistro erit perniciosior defectus unius duabus ex his virtutibus ».

3. Ars seu virtutes ad Magistri munus aptae.

Virtutes et alia quae Magistrum idoneum reddunt, tam infusa quam innata sunt, tam acquisita per experientiam, quam supposita ab ipso munere assumendo. Omnia vero connectuntur in indeficienti fidelitate Magistri erga propriae vocationis gratiam, quae proximam praeparationem ad munus assumendum perficit et sustentat.

Constans sanctitatis voluntas. — Sit Magistro in primis perpetua constansque voluntas ad christianam perfectionem tendendi, ad sanctitatem. En primum Magistri officium.

Habentur aliqui viri sanctitate quoque praediti, qui minime tamen virtutes, ad alios instituendos necessarias habent. Nemini tamen fas sit alios instituendi in via sanctitatis munus assumere, nisi prius velit et intendat perfectionem acquirere, ut fontem totius sanctitatis. Sanctitas vere increata et subsistens, aperte declaravit: « Ego sanctifico meipsum, ut sint et ipsi sanctificati in veritate ». Haec voluntas tendendi ad sanctitatem, quae statum perfectionis acquirendae constituit, sit in Magistro, non quaedam velleitas, sed actus firmus et permanens, quantum praesens vita sinit. Nemo dat quod non habet; nemo dat vitam, qui illam non habet. Sicut filiisfamilias est forma et imago sui patris, ita et religiosi, qui tempore, ab aliquo spiritus Magistro, spiritualiter revera efficaci, instituti sunt, statim tamquam filii talis patris spiritualis agnoscuntur. Legitur apud Breviarium Ord. Praed., in hymno S. Ludovici Bertrandi, caelestis novitiatuum Ordinis patroni. « Virtutibus heroicis - Factus idea Ordini ». Ceterum Magister proprium munus apte exercens, non modo fit exemplar virtutum, quin immo *effector* sanctitatis, vera gregis forma, instrumentaliter tamen, sub Omnipotentis Dei influxu.

Religionis observantia conspicuus. — Mirabilis varietas in viis sanctitatis attenditur. Nec ergo sancti omnes ad instar unius Prototypi in magna serie (« standard ») confici possunt. Unusquisque nostrum peculiaria dona naturae et gratiae a divino munere accipit. Tamen omnibus Magistris sit amor Dei et animarum, profunda humilitas, spiritus orationis. Omnibus sit etiam conspicua observantia obligationum proprii status, ita ut idea proprii Instituti in ipsis vivide repraesentetur. Optandum est discipulos, Magistrum inspicientes, dicere posse: Ecce homo qui facit quod docet; imago est piissimi Fundatoris proprii Instituti, et quasi regula nostra vivens.

Prudentia. — Virtus prudentiae Magistro pernecessaria est. Quaedam habetur prudentia ratione aetatis et experientiae, quaedam vero est supernaturalis et infusa, quaedam est inclinatio naturalis et quae res et homines intuitivo modo capit et penetrat. Hoc autem naturale munus a donis gratiae completur, ut Magister perfectus Institutor evadat.

Iocose dicitur a quibusdam: homo expertus ille est qui in multis multoties deceptus est: utique, dummodo ex experientia proprii erroris, postea se correxit et incauta vitavit. Dum Ecclesia ad Magistri electionem aetatis conditiones ponit, videlicet saltem 35 annos, nonnullam experientiam rerum et hominum supponere videtur. Supponitur ergo aliqualiter saltem maturus.

Prudentia, ut theologia explicat, mensurat, eligit, praescribit apta agibilium media iuxta rectam rationem, caritatis et amoris Dei ductu. Quaedam est discretio caritatis, ut dicit S. Catharina Senensis. Prudentia propria novitii, adhuc indiget prudentia Magistri. Non potest Novitius per seipsum agere. Magistri est, vias religionis proprias, novitio indicare, quid sit sanctitas Instituti propria et quomodo ad hanc pervenire possit.

Institutio Apostolica. — Quod si de Instituto Apostolico agatur, invigilet Magister Apostolici zeli incrementum procurare, in spiritu proprii Fundatoris.

Ad hanc institutionem fructuose perficiendam, semper attendat ad crucem, in qua Christus stat ut liber semper apertus (S. Catharina Senensis); attendat ad altare, in quo offertur pium et incruentum sacrificium pacis. Ut officia quotidiana veram habeant praeparationem, et quotidianae mortificationes suum fructum, desiderium mere naturale actionis, impatientiam mere naturalem in discipuli mente sedulo compescere conetur. Zelus et sitis animarum ad scholam D.ni N. Iesu Christi profunde nutriantur, qui per 30 annos suae vitae privatae exemplar huius desiderii nobis praebuit.

Zelus, ait S. Thomas, est quaedam intensitas amoris. Hunc zelum certo consequitur novitius qui exacte vitam communem servat et in ferventi oratione quotidie se exercet.

DE APTIS MEDIIS ET INDUSTRIIS
AD IPSIUS MAGISTRI INSTRUCTIONEM

De modo quo futurus Magister ad proprium munus praeparetur et idoneus reddatur, iudicare et providere, ad legitimam auctoritatem pertinet. Maiores Superiores apte cognoscunt proprias conditiones vitae, possibilitates quae ad huiusmodi praeparationem in illorum Institutis habentur. Quanto magis momentum officii Magistri perspicaciter attingant, tanto melius de mediis ad illius praeparationem providere possunt. Qui ad regimen aliorum a divina Providentia eliguntur, non solum ad praesentia, sed praesertim ad futura inspiciunt. Ad perpetuam proprii Instituti continuationem maxime attendentes, de tironibus inveniendis et instituendis sedulo invigilant. Nam perpetuitas et continuatio ferventis communitatis pendent a numero et valore tironum, sub cauta vigilantia Magistrorum, qui sunt, ut saepe diximus, quasi novi et perpetui Fundatores proprii Instituti, dummodo intentionem Fundatoris, communitatisque spiritum, perfecte exprimant.

Antiqui Ordines qui perantiquam spiritualitatem possident, venerabilesque traditiones, sedulo servandas, et multas Provincias, ut aiunt, per totum orbem constitutas, non experiuntur easdem necessitates ac Institutum aliquod a paucis annis conditum, qui unicam vel paucas domus ad novitiorum institutionem institutas habet.

Oportet candidatus ad Magistri munus, virtutes necessarias, sufficientem maturitatem, experientiamque, animarum et vitae habeat. Ratione aetatis, quae ab ecclesiastica lege exigitur, studia regularia ab ipso iam peracta sunt, necessaria cultura tam religiosa quam universali pollet. Sed quaedam specialia studia adhuc requiruntur, ut quis valeat Magistri munus exercere. Illa autem supra delineavimus. Agitur de speciali studio theologiae spiritualis, de principiis vitae religiosae, quam intime cognoscere debet Magister, de proprii Instituti scopo et fine, de eius historia, de eius Constitutionibus et Consuetudinibus legitimis, de vita piissimi Fundatoris et sanctorum qui in ipso vixerunt. His fructuose addantur notiones generales de psychologia et Christiana paedagogia.

Haec autem praeparatio, huiusmodi studia, singulariter per personale studium, sub superioris vigilantia, perfici possunt. Possunt etiam haberi sub forma communis doctrinae, ope quarumdam lectionum et sub vigilantia specialis magistri. Sat opportunum videtur futuros Magistros saltem per unum annum in speciali domo per orationem et studium ad proprium munus assumendum sedulo et peculiariter praeparare.

De hoc investigare et institutionem illius praeparationis communiter peragendam praescribere, ad singula Instituta pertinet. Nobis liceat, petitioni nobis factae obsequentes, quae in Ord. Praed. sancita sunt, exponere. Ex mandato Capituli Generalis diffinitorum in Conventu S. Sabinae de Urbe, anno 1938, celebrati, specialis schola instituta est a R.mo P. Martino Gillet, tunc Magistro Generali Ordinis et hodie Archiepiscopo Nicaeno.

De praedicta Schola « Normali » Superiori, ut aiunt, Magistrorum, scripserat Rev.mus Pater: « illam fuisse ab ipso conceptam, a Generali Capitulo approbatam, a SS. D.no Nostro Pio XI confirmatam » *(Acta Cap. Gen. O. P.,* 1938, p. 10). Laudes de hac re Ordini nostro tribuebat Romanus Pontifex in Audientia Patribus Capitularibus benigne concessa: « Fatendum est, aiebat Pius XI, Scholae Magistrorum erectionem, his praecipue temporibus, opportunissimam esse... Extra claustrum, hoc est in mundo, sunt Scholae Magistrales, praecise ad professorum formationem » (ib.). « Adeo opportuna est haec Schola ut mirari liceat quare de ea cogitatum antea non sit. Et quaeri potest, an commendatio sit vel potius reprehensio interrogare cur in mentem cunctis familiis religiosis idipsum facere non venerit ». Et concludebat Romanus Pontifex: « Capitulum vestrum pulchram in dominicianae familiae historia constituit paginam, quoniam initium signat Scholae Magistrorum erigendae ».

Praedicta Schola non est facultas vel Athenaeum universitarium. Non intendit scientificam doctrinam tradere. Non enim de futuri professoris institutione agitur. Nec etiam Magistri in magna serie, ad instar unius Prototypi, possunt praeparari. Finis, scopus diversorum Ordinum vel Congregationum differunt, sicut eorum Constitutiones, spiritus et traditiones. Igitur Schola Magistrorum, praeter quaedam generalia, ad specialia quae sunt propriae familiae, maxime attendit.

Capitulum Generale, Romae habitum anno 1946, sub praesidentia R.mi P. Emmanuelis Suárez, nuper electi, erectionem Scholae Magistrorum confirmavit, eique scopum magis praecisum et determinatum assignavit. « Ut Patres, declarant Acta illius Capituli, qui praelectiones audiunt, possint legere et meditari ea quae ad melius cognoscendum Ordinem nostrum, eius spiritum, historiam, spiritualitatem et progressum, perducunt. Duratio ordinaria cursuum Scholae erit unius anni » *(Cap. Gen., Acta* 1946, n. 143).

SS. Dominus Noster Pius XII, Ordinis Nostri peramantissimus Protector, in Epistula, quam Patribus Capitularibus mittebat, de hac re haec verba habet, quae sunt operis nostri lumen et tutamen: « Aliud quoque iuvat Nos vobis commendare, quod Ordini vestro haud exiguas utilitates praebere poterit: Scholam dicimus vulgato nomine, Normalem Magistrorum Novitiorum vocatam, quae Romae apud sedem S. Sabinae est. Nemo non videt, quantum salutare et providum sit, sodales Magistros, quorum erit alumnorum animos formare, necessariis praesidiis doctrinae et vitae exornari, ut non inconsiderate, sed naviter et gnare olim gravissimo officio satisfaciant. Quod autem huiusmodi Schola sedem nacta est, ubi S. Dominicus degit et Ordinis vestri gloriosae memoriae servantur, et quodammodo vivunt, ei auspicium est vigoris et nitoris, quos Nos flagrantibus votis percupimus » *(Cap. Gen., Acta* 1946, p. 23).

774

Alii periti viri, ex munere a Sacra
Congregatione de Religiosis commisso,
circa idem argumentum scripserunt.

190   Rev.mus P. IOANNES BAPTISTA JANSSENS, S. I.,
Praepositus Generalis, *scripsit*:

In hac nota agetur tantum de institutione eorum qui,
qua « directores spirituales », quocumque demum nomine veniunt, iuvenibus Religiosis formandis destinantur.

A munere futuri directoris spiritualis iuvenum Religiosorum, quidam ut a natura inepti nec unquam apti evasuri,
a limine arcendi sunt. Ii siquidem quibus deest rectum iudicium, quibus deest indoles satis bene librata atque innata
quaedam dispositio ad humilitatem, etiamsi aliunde nec talento nec virtutibus carentes, ne destinentur ad tale officium.
Quamquam enim prudens formatio, hos defectus aliquatenus
corrigere valet, vix unquam tamen eo tales homines adducet
ut possint, sine detrimento animarum eisdem regendis prae-
fici. Donum etiam orationis praeter solitum alicui a Divina
Bonitate impartitum, sine illa fundamentali iudicii rectitudine et indolis aequilibrio, non sufficit.

Ex iis autem qui hoc necessario fundamento donati sunt,
aptissimus quisque eligatur; a bona enim institutione alumnorum in spiritu, pendet fere sors futura Instituti religiosi.

Duplici illi praeparatione indigebunt:

1. Praeparatione qua fiant ipsi homines orationi, observantiae, virtutibus propriis Instituti ad exemplum dediti. Nec
quisquam enim cum auctoritate docebit qui non exemplo
praeit; nec nisi ea in se fuerit prius expertus, nec recte in-
telleget nec ad veram vitae praxim temperabit consilia spiritualia quae ex libris forte hausit;

2. Praeparatione qua fiant homines in theologia ascetica et mystica solide versati.

Nec enim in directore spirituali sufficit propria experientia, etiam profunda, rerum spiritualium; haec quidem
requiritur, immo, quo amplior, eo (ceteris paribus) condu-

cibilior. Id unusquisque denique tandem alios docet, quod ipse facit. Vir parum mortificatus, alios, sub colore « discretionis », a mortificatione avertet; qui orationem pro actione neglegit, docebit caritatem activam praestare contemplationi, et ita in reliquis.

Propria autem experientia vitae spiritualis plerumque non sufficit ad alios secure ducendos. Nimis diversae sunt animae, tum quod ad dotes naturales, tum quod ad dona gratiae, quam ut unius propria experientia ad eas iuvandas sufficiat. Eo vel magis quod tot occurrunt iuvenes nervis et psychi a consuetis normis aberrantes, qui tamen non unice medico sed etiam immo praesertim perito directore spiritus indigent.

Studio theoretico opus est. Quod hoc fere modo praeparari et perfici posse videtur:

a) Tempore studiorum et praeparationis ad sacerdotium, ita, praeeunte Praefecto spiritus, praevideatur et ordinetur « lectio spiritualis » quam vel saepius vel cotidie instituere solent iuvenes Religiosi, ut, quantum id sinet uniuscuiusque spiritualis necessitas et talentum, solidiorem quemque scriptorem classicum in ascesi, immo iam in mystica, primum ex Scriptoribus proprii Instituti, dein ex totius Ecclesiae legerint; sicque elementarem quemdam conspectum acquirant totius Asceseos et Mysticae catholicae. Conducet ut Praefecti spiritus vel sibi conficiant vel a peritioribus accipiant conspectum quemdam praecipuorum operum quae, cum restrictione dicta, gradatim ab alumnis legi convenit.

b) Tempore studiorum Theologiae, clerici eatenus initientur medicinae pastorali, ut postea valeant dubitare, consulere, intellegantque sibi profundius studendum esse huic arti, si velint alios ducere. Iis pariter in schola theologiae asceticae ea praebeantur elementa quibus postea dirigantur in privato studio. Non enim nisi assiduo studio, post sacerdotium et absolutam formationem continuato, solide apti evadent.

c) In iis Institutis ubi, absolutis studiis, conceditur tempus alterius cuiusdam novitiatus plurium mensium vel unius anni, opportuna praebetur Instructori ansa ad manuducendos capaciores ex suis alumnis in artem dirigendi animas religiosas. Hoc tempus ceteris longe est aptius, cum alumni iam theologiam dogmaticam et moralem callent, Sacram Scripturam et Patres satis norunt, vitae tamen recollectae et orationi ulterius vacant. Nisi ipse Instructor seu Magister secundi novitiatus in re satis versatus sit, arcessat peritiorem qui conferentiis et consiliis iuvenes Patres informet.

d) Iis autem qui muneribus maioris momenti in hac re destinantur, quales sunt Magistri Novitiorum, Magistri secundi Novitiatus, Praefecti spiritus domorum studiorum (ut de futuris professoribus Asceticae taceam), plurimum proderit in quadam Facultate ecclesiastica per biennium theologiae asceticae et mysticae operam dedisse, atque Lauream in tali disciplina consecutos esse.

e) Immo si quod Institutum, ad exemplum Ordinis Fratrum Praedicatorum, peculiares scholas instituat ubi formentur futuri Magistri novitiorum, rem vitae spirituali totius Instituti maxime proficuam fecerit. Simul tamen curandum manet ut, elapso novitiatu, iuvenes bonos reperiant Directores, maxime in domibus studiorum. In novitiatu enim eorum formatio vix incepta est, per longos annos ulterius maturanda.

191   R. P. CANDIDUS BÁJO, C. M. F., *scripsit*:

1. *Requisita in Praesidibus.*

Omnes commorantes in Collegiis, non exceptis alumnis ipsis relate ad alios sodales, influunt in alumnorum educationem. Neminem enim fugit valor educativus exemplaritatis in Novitiatibus et Collegiis. Ideoque omnes complectitur C. 554, § 3; praesertim vero Professores, Superiores et Magistros seu Praefectos spiritus, qui revera praesunt educationi et regimini alumnorum. Pauca de Superioribus et de Professoribus; fusius de Magistris, hic enim videtur thematis cardo.

1. *Collegiorum Superiores*, praeter dotes Superioribus Domorum communes, commendari oportet: a) *Exemplaritate* religiosa *excellenti;* b) *maturitate* aetatis, triginta saltem annorum, pignore maturitatis iudicii et virtutis; c) *intellectualitate,* seu solida et ampla doctrina simul et amore studiorum et zelo scientifici progressus; d) *scholaris disciplinae zelo* ex debita (Ordinationis) aestimatione.

2. *Professores* etiam praesunt quodammodo et regimini et educationi Alumnorum. Sint igitur: a) *exemplares* in vita religiosa, praesertim vero in eorum muneris adimpletione; b) *maturae aetatis* in disciplinis primariis cursus lycealis et theologici; c) vere zelatores profectus spiritualis et scientifici alumnorum. Nihil dicimus de dotibus Professorum ad disciplinas tradendas, licet indirecte influant in educatione.

2. *Requisita in Magistris et Praefectis.*

Magistris seu Praefectis spiritus maxime et ex officio commendatur iuvenum religiosorum institutio et educatio in C. 588. De illis proinde specialiter agendum.

1. *Typi* diversi huius muneris inveniuntur in diversis Religionibus. In aliquibus est tantum *Director Spiritualis*, absque ullo interventu in disciplina scholari; in aliis est *Praefectus Disciplinae* simul ac Director Spiritualis; et non desunt in quibus est Director Spiritualis simul ac *Rector Collegii*. Denique Praefectis spiritus commendatur vel « integralis educatio » vel tantum « institutio spiritualis ». Omnibus tamen committitur « animorum ad vitam religiosam informatio ».

2. *Necessitas* requisitorum ad numera educationis. Indubitanter requiruntur dotes speciales, imo specialissimae.

Nam: *a)* Principium « selectionis professionalis » universaliter admittitur pro quocumque munere. *b)* Quod maxime urget cum de « munere educationis » agitur, sive propter suam intrinsecam difficultatem — non immerito dicitur « ars difficillima » imo « ars artium », — sive propter sua consectaria pro individuis et pro ipsa societate. *c)* Magnopere tamen crescit et difficultas et momentum tam pro individuis quam pro societate ecclesiastica et civili in educatione clericorum religiosorum. *Hinc* CC. 588 et 559 et insuper 1360.

Hinc etiam Leo XIII « Magistri pietatis diligentissime deligendi sunt » (1). Et Pius XI « Diligens in primis esto Moderatorum Magistrorumque delectus, atque illius, peculiari modo, cui gravissimum concredatur officium sacerdotalis animorum conformationis » (2).

3. Quaenam aestimentur requisita ad munus Magistri spiritus? Alia possunt dici naturalia; alia e contra acquisita. Natura, gratia et ars coniungi debent in optimo Magistro.

1. *Naturalia* sint: *a)* *Praestantius ingenium* seu iudicium speculativum et practicum; notabile saltem pro Gymnasio et eminens pro Novitiatu, Lyceo et Theologia. Non est necesse significare damna positiva ex mediocri Praefectorum ingenio causata; producitur, experientia teste, « selectio inversa », qua meliores iuvenes amittuntur. Sed damna negativa forte sint potiora. *b)* *Temperamentum educationale* seu *Vocatio specialis* pro munere. Educatio est ars artium et pro artista requiritur temperamentum aestheticum, instinctus seu inspiratio. Similiter in optimo Praefecto desideratur temperamentum religiosum et apostolicum, i.e. naturaliter consonans vitae religiosae ideali. Emineat *amabilitate*, sit amicus iuvenum iuxta dictum: si vis amari ama; *cordialitate* seu anima communicativa ac effusiva, aliena a frigore et egoismo psychologico, ita ut de ipsa dici possit: virtus de illa exit et sanat omnes. Vocatione supposita, muneris adimpletio suavior, fidelior, diuturnior ideoque etiam perfectior. *c)* *Aetatis maturitas*, pignus maturitatis et iudicii, et virtutis et simul experientiae vitae religiosae. Quo altior aetas statuatur, ceteris paribus, eo fructuosior educatio, quia maturius iudicium et longior experientia.

(1) *Enchiridion Clericorum*, n. 543.
(2) *Ibid.* n. 1383.

2) *Acquisita* sunt virtutes et scientiae: a) *Virtutes* in primis, nam, licet Magister spiritus non sit perfectus, oportet tamen eum esse maturum; alias doctrina alumnis non prodest et vita nocet. Sit eminenter spiritualis et religiosae perfectionis sincere studiosus; floreat omnibus virtutibus; eximius vero sit in pietate, caritate, prudentia, secreto ac submissione. Confirmatur C. 588, § 2. «Gratia adiuvat et perficit naturam». b) *Scientiae* secundo desiderantur in Praefecto spiritus, ita ut sit: *peritus* ampla cultura generali ecclesiastica, praesertim in re morali et canonica; *peritior* in disciplinis sui cuiuscumque Collegii vel Sectionis; *peritissimus* seu specializatus in Ascetica ut Director spiritualis, in Paedagogia Ecclesiastica ut alumnorum Paedagogus, in Pastorali ut eorum Superior immediatus, in Spiritualitate propria cuiuscumque Religionis, quia necessaria ad tria illa munera et denique Psychologia applicata quia utilissima ad ipsa; postremo *valde expertus* in vita ad quam alumni educantur, quia «vitae discitur et vitae educatur».

3. *Magistrorum seu Praefectorum institutio.*

Natura, gratia et ars coadunantur in optimo Magistro. Unde non nascitur, sed formatur. Formatur et cultura qualitatum naturalium et aliarum acquisitione. Duplicem distinguimus institutionem; mediatam seu genericam et immediatam seu specificam.

1) *Mediata* seu generica institutio est fundamentalis et necessaria, sed insufficiens. *Completur* adquisitione virtutum et scientiarum integro studiorum ecclesiasticorum curriculo. *Perficitur* gradu aliquo academico, saltem interno Religionis.

Hic *gradus* convenienter invenitur in Praefectis ad decus et auctoritatem et efficaciam muneris, eoque merito praesumitur sufficientia et amplitudo educationis scientificae. Praesumptio vero veritati *peritiae* cedit, sicut et aliis muneribus ecclesiasticis. Ex quo tamen gradus pro quacumque disciplina requiratur, etiam in Magistris videbitur necessarius, sicut in Collegiorum Superioribus, ne minus habeantur.

1) *Immediata* seu specifica etiam duplex est: scientifica s.c. et spiritualis a) *Scientifica completur* studio superiore scientiarum, in quibus iuxta dicta, peritissimus desideratur. Ad hoc magnopere expedit *Schola Superior Spiritualitatis* ad instar Facultatis.

Me non fugit aliquos viros religiosos et natura et gratia superdotatos, miros obtinuisse fructus absque praedicta formatione scientifica. Hi quidem via extraordinaria Paedagogi et Directores eximii evaserunt. Vita fuit ipsis schola, ingenio naturali et gratia divina adiutis. Nec negari potest aliquos Magistros inveniri sine studiis superioribus praedictis, qui, cunctis probantibus, munus explent vel expleverunt. Sed ad maiora et meliora contendimus. In omnibus artibus transivit spontaneorum opificum tempus. Admittamus grati viam extraordinariam Providentiae; sed non tentemus Deum, nisi in necessitatibus. Libentissime salutemus Scholas Superiores Spiritualitatis, nuper ortas.

Perficitur scientifica formatio immediata *praxi* ipsius muneris vel similium munerum sub aliquo conspicuo Magistro. Praxis, ut institutionis complementum, est in honore et usu universalibus.

b) *Spiritualis* institutio immediata convenienter *Tertia Probatione* completur et perficitur, quae melius peragítur studiis specialibus absolutis. Haec tamen Tertia Probatio vel « Novitiatus Apostolicus » non est identificanda cum *Praeparatione Technica* immediata ad ministeria, finito curriculo studiorum.

4. *Institutionis Magistrorum Conservatio et Evolutio.*

Magistrorum institutio numquam intermittatur ut renovationis et progressus legi subiic atur. Ad hoc foveantur; *a)* Bibliotheca Paedagogica et Ascetica selecta et in diem renovata ad iugem lectionem meliorum auctorum in specializatione. *b)* Collegiorum illustriorum visitatio. *c)* Peritissimorum collationes. *d)* *Collationes Paedagogicae, Hebdomadae et Congressus Spiritualitatis,* quorum alii sunt *interni,* uniuscuiusque Religionis ad criteria obiectiva Religionis tradenda vel efformanda, ut consulatur uniformitati et continuitati in suorum alumnorum educatione et possunt esse sive unius Provinciae, sive plurium Provinciarum. Alii sunt *externi,* sive nationales, sive internationales ad directionis spiritualis culturam promovendam, Magistrorumque ulteriorem perfectionem fovendam.

Thema institutionis Magistrorum spiritus merito aestimatur clavis prosperitatis vel descensus Religionum; seligantur igitur optimi viri, qui semper memores vivant verborum S. Antonii M. Claret, Clarissimi Paedagogi, ad Scholasticorum Praefectum: « Ille igitur, cui tam difficile munus iniungitur, *de officio suo optime edocebitur,* atque illud omni perfectione et sollicitudine adimplere curabit » (3).

(3) *Const.* n. 131, I p.

Non è facile apportare in breve qualche contributo, in questo punto tanto importante. Ma mi pare che tutto dipenda: in *primo* luogo dalla scelta, *secondariamente* dalla *formazione*.

1. *Dalla scelta*. Scriveva nel 1599 il R.P. Claudio Acquaviva, uno dei più grandi Generali che ebbe la Compagnia di Gesù: «Ingens enim esset error quemlibet mediocri probitate, mediocri prudentia, recto tantum studio instructum propensaque ad virtutem voluntate ad tantum munus (la direzione spirituale dei Religiosi) idoneum iudicari».

La scelta deve cadere su Sacerdoti veramente idonei:

a) *Dal lato umano:* cioè forniti di una discreta intelligenza, ma soprattutto di *molto criterio*, di *molto cuore*, che ispirino *fiducia* per la loro prudenza e maturità, *confidenza* per la loro amabilità, serenità, pazienza.

b) *Soprannaturalmente:* Religiosi di *molta preghiera* e veramente *mortificati;* la cui virtù però non sopprima ma piuttosto perfezioni ed esalti le buone doti naturali: quindi amanti del silenzio, ma non eremiti o poco socievoli, uniti con Dio e molto spirituali, ma sempre pronti a lasciare Dio per Dio stesso, dandosi generosamente alle anime che li richiedono del loro ministero, ascoltandole pazientemente, mostrandosi comprensivi, prendendosi a cuore le loro particolari necessità spirituali e, se occorre, anche materiali; e, infine, decisi nelle direttive che daranno dopo di essersi consultati col Signore e di essersi resi conto di ciò che Egli, che è sempre il principale Direttore, chiede a ciascuna di esse.

2. Quanto poi alla *formazione,* credo che una più che mediocre formazione dogmatica - morale - scritturistica - debba essere completata con un buon conoscimento della *pedagogia* e della *mistica* propriamente detta; ma soprattutto occorrerà che i direttori di spirito, Maestri di Novizi, ecc., siano bene fondati nell'*ascetica,* studiata attraverso alla lettura assidua dei SS. Padri, degli autori spirituali, di qualche buon trattato di questa materia e perfezionata col frequente contatto con Dio e l'esperienza propria.

In particolare durante la *III Probazione*, o *Anno di Perfezione*, o *Noviziato apostolico*, oltre al completamento degli studi ascetici e di un po' di pratica del ministero, si dovrà insistere — a mio parere — a mezzo degli Esercizi e conferenze spirituali soprattutto nella *preghiera* e *unione con Dio*, quanto più è possibile frequente e intima; da cui sgorghi quello *spirito di Fede* che dovrà permeare tutta la loro vita, perchè riescano poi a impregnarvi anche le anime loro affidate e a diventare così *veri apostoli* e *formatori di apostoli*.

193   R. D. Eugenius Valentini, S. D. B., Rector Magnificus in Pontificio Athenaeo Salesiano, *scripsit*:

1. *Autorità o libertà?*

Non si tratta di fare una trattazione sulla maggior o minor efficacia dei metodi di educazione, e neppure di decidere la secolare questione se debba prevalere l'autorità o la libertà nella formazione dei giovani, ma si tratta solamente di constatare un fatto, che nell'epoca attuale gode il massimo d'evidenza e non può essere contraddetto da nessuno: il regime assolutista nella vita politica e nell'educazione della gioventù, è caduto in disuso, e dovunque regna l'impero di una libertà quasi senza limiti.

L'uomo mai come oggi ha sentito la fierezza della sua indipendenza, mai come oggi ha compreso che la libertà di pensare e di agire fa parte inalienabile della sua personalità. Davanti al fanciullo tutte le autorità sono discusse e il giovane cresce in un clima che non ammette costrizioni di sorta e considera come ridicole le preoccupazioni d'un tempo. Il progresso tecnico messo, nelle sue invenzioni, anche a disposizione dei più piccoli (bicicletta, cinema, radio ecc.) ha dato anche ai più giovani un senso di padronanza di sè, ignoto alle precedenti generazioni. L'emancipazione della giovane, ammessa anche dal S. Padre, ne è un esempio lampante.

Ora una cosa è certa: senza autorità non c'è educazione. E allora si tratterà di lanciare un ponte tra l'autorità e la libertà, e questo ponte sarà costituito dall'amore che animerà tutta intiera l'opera dell'educatore.

Nella vita contemplativa basata unicamente sullo spirito di fede e su un distacco totale dal mondo, sarà più facile basare ancora la formazione sull'autorità, nella vita attiva invece, che si preoccupa di problemi e di questioni dai risultati visibili e sociali, sarà pressochè impossibile basare unicamente la formazione sull'autorità.

Se ne ha un esempio evidente nel successo indiscusso dell'Azione Cattolica. Quando tutto era ritenuto nelle mani del sacerdote e il laico non aveva che a eseguire delle direttive, il successo della Chiesa nel campo apostolico-sociale si era ridotto a ben poca cosa; appena si diede responsabiiltà, iniziativa e libertà ai laici, l'A.C. fiorì con risultati meravigliosi.

Oggi si dice apertamente che il laicato si sente adulto e, pur volendosi attenere alle direttive della Chiesa, non vuole essere trattato da bambino. L'educazione dei bambini e il governo degli adulti si presentano infatti con caratteri diversi. Si possono in certi casi accettare anche le stesse limitazioni, ma devono essere presentate in forma differente.

Non si avrebbe per caso la stessa questione anche nella vita religiosa?

Si può avere la massima generosità nel voler servire Iddio, il massimo spirito di fede nel vedere nel Superiore il rappresentante di Dio, ma si può egualmente provare una ripugnanza istintiva di fronte a metodi e a modi d'agire che ci paiono in contraddizione con le norme fondamentali del sano vivere civile del mondo d'oggi, in cui i diritti della personalità umana e il lato positivo dell'apporto di detta personalità nella soluzione dei problemi, viene messo in piena evidenza.

Se non si stima un dato genere di vita, non lo si studierà e di conseguenza non lo si conoscerà appieno, non lo si amerà, non lo si abbraccierà. Di qui la mancanza di vocazioni in tanti istituti religiosi.

Ciò che ripugna di più allo spirito moderno è il formalismo e l'adesione ad una tradizione morta invece che a una carità viva. Viene spontaneo alla mente il rimprovero fatto da N. S. ai farisei: « Perchè trasgredite il comandamento di Dio per la vostra tradizione? » (Mt. 15, 3).

Bisognerà quindi sapere adattare la lettera per far trionfare lo spirito, e distruggere senza pietà tradizioni e metodi di vita ridotti ormai ad uno scheletro, invece d'essere un organismo vivo, come pure tutto ciò che è contro l'essenza della vita religiosa, anche se non è contro la lettera della regola, come per eš. l'abitudine di fumare.

2. Sistema repressivo o preventivo?

Nelle celebri pagine di D. Bosco sul sistema preventivo, si hanno espressamente queste parole: « Il sistema repressivo è facile, meno faticoso e giova specialmente nella milizia e in generale tra le persone adulte ed assennate, che devono da se stesse essere in grado di sapere e di ricordare ciò che è conforme alle leggi e alle altre prescrizioni ».

Di qui uno potrebbe facilmente essere indotto a credere

che il sistema preventivo sia soltanto per i fanciulli e che nella vita religiosa si possa quindi usare il sistema repressivo. Sarebbe uno degli errori più esiziali e perniciosi.

Nella storia della Chiesa gli ordini e le congregazioni religiose hanno usato quasi sempre il sistema preventivo, sia pure in forme diverse.

Il sistema preventivo è il sistema della carità e quindi è proprio del Cristianesimo. Ci sono però sfumature.

Ora il metodo moderno di applicazione del sistema preventivo deve avere il massimo rispetto della personalità e della libertà, unito ad un'amorevolezza che sappia conquistare tutti. Bisogna che i Superiori siano il più possibile in mezzo ai loro confratelli, ai quali debbono essere interamente consacrati, e che come *padri amorosi* siano loro di guida, diano loro consigli e amorevolmente li correggano in ogni circostanza. Non devono mai avere parole ed aspetto severo, e devono cercare di fomentare nella comunità un vero spirito di famiglia, che comprenderà non solo l'evitare ordini asciutti e perentori, ma al contrario l'informare, in forma democratica e famigliare tutti i confratelli delle cose di interesse comune, dando a ciascuno una parte di responsabilità. Riguardo all'osservanza perfetta delle regole, si terrà pure presente, che detta osservanza deve essere il punto di arrivo non il punto di partenza del religioso, deve essere considerato piuttosto come un fine che come un mezzo.

Non bisogna preferire e quindi facilmente accontentarsi dell'osservanza materiale, ma bisogna con la ragione, la religione e l'amorevolezza, non con mezzi coercitivi, raggiungere l'osservanza virtuosa e perfetta del sistema di vita abbracciato.

3. Creazione di un clima.

Per tutto questo occorre saper creare un clima di famiglia soprattutto nelle case di formazione.

I pericoli dell'ambiente della casa religiosa in ordine alla formazione all'apostolato dinamico richiesto dalla vita moderna, sono:

1) Passività di fronte al tutto fatto, pensato, stabilito.
2) Mancanza di dignità personale e di responsabilità.
3) Istintivismo nei rapporti sociali, dominato dai gruppi naturali e dal rispetto umano.
4) Legalismo nei rapporti con l'Autorità e conseguenti ipocrisie.

E' tanto facile quando vi fosse un clima di passività in tutto l'ambiente, avere dei religiosi esternamente osservanti, ma che domani nella vita mancano delle doti più essenziali al buon governo di una casa religiosa, di una parrocchia o d'una associazione. Se si vuole creare un clima famigliare e formativo bisogna saper formare:

1) La capacità d'iniziativa personale.
2) Il senso concreto di responsabilità personale.
3) La capacità di collaborare socialmente con gli altri in ispirito di « équipe ».
4) La capacità di collaborare educativamente con l'autorità, in ispirito di fede.

Ora per ottenere tutto questo non bastano né le direttive dell'autorità né la buona volontà del singolo religioso, ma occorre una terza forza organizzata che partendo dal basso, sappia andare incontro alle direttive dei superiori, con spirito di responsabilità sociale e soprannaturale. Là dove l'autorità è tutto, questa collaborazione democratica dell'ambiente non è assolutamente sentita; ma là dove regna uno spirito di famiglia e le soluzioni non si vogliono imporre come cose fatte, ma si vogliono ottenere dai sudditi con la persuasione della religione, lì è assolutamente necessaria questa collaborazione.

Si richiedono quindi le Compagnie religiose, le Congregazioni mariane o raggruppamenti analoghi che abbiano questo scopo e questa funzione.
La santità dell'ambiente o della comunità in quanto comunità dipende da queste Compagnie. Come nell'ambiente cristiano è necessaria l'Azione Cattolica, e non basta la buona volontà del singolo e le direttive del sacerdote, così nell'ambiente dello studentato. Senza un clima di libertà e senza una convivenza continua dell'educatore con l'educando non si costruisce nulla di solido, e non si vengono a conoscere gli allievi.
Ora in questo clima di cordialità e di famigliarità, senza l'aiuto degli stessi alunni non si può realizzare un clima di disciplina religiosa che sia formativo e soddisfacente.
Timon David chiamava le Compagnie: « I canali per cui il Direttore comunica il suo spirito e la sua volontà nelle opere che dirige ». Non solo, ma l'esperienza l'aveva talmente convinto dell'efficacia di queste Compagnie da dire che esse stanno all'opera come il motore alla macchina, come l'anima al corpo. Questa visione del grande educatore e pedagogista marsigliese deve essere tenuta presente dal direttore delle case di formazione, per creare quel clima di affiatamento tra superiori e sudditi, che permetta attraverso le molteplici attività delle Compagnie lo sviluppo dello spirito d'iniziativa, il senso concreto di responsabilità e la collaborazione serena e fattiva con i superiori ed i compagni.

785

4. Suggerimenti pratici.

Bisogna anche nella vita religiosa tener conto dell'età dei confratelli, ancora in periodo di formazione, e adattare il *modo di esigere* alla loro particolare situazione.

Un canone generale da stabilirsi è: Man mano che il religioso cresce in età deve essere trattato in una maniera più larga, che dimostri maggior fiducia da parte del Superiore, ma nello stesso tempo si dovrà pretendere da lui di più sia nell'osservanza delle regole che nella pratica delle virtù.

E' ciò che, sia pure in altro campo, raccomandava ultimamente il regnante Sommo Pontefice nella sua « Esortazione al Clero del mondo cattolico » sulla santità della vita sacerdotale. « Si deve curare in modo particolare la formazione del carattere di ciascun ragazzo, sviluppando in esso il senso di responsabilità, la capacità di giudizio, lo spirito di iniziativa. Perciò coloro che dirigono i Seminari, dovranno ricorrere con moderazione ai mezzi coercitivi, alleggerendo, man mano che i giovani crescono di età, il sistema della rigorosa sorveglianza e delle restrizioni, avviando i giovani stessi a guidarsi da sé ed a sentire la responsabilità delle proprie azioni. Concedano una certa libertà di azione in determinate iniziative, abituino gli alunni alla riflessione, perché divenga ad essi più facile l'assimilazione delle verità teoriche e pratiche; né temano di tenerli al corrente degli avvenimenti del giorno, che anzi, oltre a fornire loro gli elementi necessari perché possano formarsene ed esprimere un retto giudizio, non sfuggano le discussioni su di essi, per aiutarli ed abituarli a giudicare e valutare con equilibrio ».

Ora non dobbiamo dimenticare che gli studenti di Teologia per esempio, rappresentano i confratelli nell'ultimo stadio della loro formazione prima del S. Ministero. Si devono quindi trattare in maniera proporzionata alla loro condizione e non come bambini. Altra, in una famiglia cristiana ben ordinata, è la maniera con cui si trattano i figli dai dieci ai tredici anni e altra quella con cui si trattano i figli maggiori che hanno superato i vent'anni.

Per formarli occorre ricordare che ormai si formano di più coll'esempio e con la persuasione, che non con la disciplina e l'autorità.

E' lo spirito di fede, è la coerenza, è la regola, è il compito apostolico che devono imporre la formazione, più che non gli accorgimenti esterni e l'obbedienza imposta in forma assolutista.

I Superiori debbono in primo luogo farsi amare se vogliono avere un vero influsso educativo sui giovani religiosi affidati alle loro cure. Debbono amare la loro carica e farla amare.

Si deve costituire una famiglia, con poche esigenze fittizie, ma con tutte le esigenze reali della vita attiva che domani si dovrà condurre.

I Superiori saranno in tutto al servizio della comunità, ad imitazione di N. S. Gesù Cristo e si preoccuperanno piuttosto di dare il buon esempio e precedere in tutto gli alunni nell'osservanza della vita religiosa, che non di dare ordini e consigli su cose che essi non praticano.

Il Blouet descrive meravigliosamente questo clima parlando dei seminari di Francia, nella sua opera « La Communauté Educatrice du Clergé de France » (Paris, Beauchesne, 1916).

Egli dice: « Les trois solitaires de Vaugirard nous donnaient ainsi la notion de l'oeuvre nouvelle, sans précédent peut-être, dans laquelle, toutes les distances entre maîtres et disciples étant supprimées, l'éducation serait le fruit d'une complète communauté de vie entre les uns et les autres. Les disciples viendront ou ne viendront pas; mais, en arrivant, ils prendront leur place à côté de ceux qui les attendent, et qui seront moins leurs maîtres que les compagnons de leur vie ».

E altrove: « Au lieu d'un assemblage disparate où l'on verrait un Supérieur uniquement préoccupé d'administration et de surveillance, un Econome exclusivement absorbé par les soins matériels, des professeurs cantonnés dans leurs livres ou exposés à rechercher au dehors des ministères ou des relations incompatibles avec leurs fonctions, nous avons une communauté parfaitement homogène de vrais éducateurs et de vrais pères des Ordinands au service desquels ils mettent en commun, par une collaboration de tous les instants, leur science, leur expérience, leurs observations quotidiennes, leur sollicitude la plus délicate et la plus attentive ».

Ci piace concludere queste poche osservazioni con le parole che Don Albera, terzo successore di Don Bosco, inviava ai Superiori della congregazione: « I soci debbono saper congiungere lo spirito di personale iniziativa con la debita sottomissione al Superiore: solo da questo spirito la nostra Società ritrarrà quella geniale modernità che le renderà possibile di fare il bene richiesto dalla necessità dei tempi e dei luoghi. L'intiero sistema educativo di Don Bosco si riduce a formare volontà capaci di compiere il proprio dovere e di praticare anche i consigli evangelici in grado eroico, non per timore umano, non per coercizione esteriore, non per forza, ma liberamente per amore. La sua istituzione è una famiglia formata unicamente di fratelli che hanno accettato i medesimi doveri e diritti nella più perfetta libertà di scelta e nell'amore più vivo a un tale genere di vita. Per questo egli voleva assolutamente esclusi dalle sue case gli ordinamenti e le disposizioni disciplinari che limitassero in qualche modo la libertà propria dei figli di famiglia: ciascuno doveva osservare l'orario e il regolamento non già costretto da agenti estrinseci, ma spontaneamente, per libera elezione del proprio volere ».

Ora questo spirito di famiglia, in cui l'autorità dei Superiori non si fa sentire con imposizioni militaresche, ed è l'amor filiale che muove la volontà dei sudditi a prevenire anche i semplici desideri di chi presiede la comunità, questo spirito di famiglia è l'unica forma odierna che permette uno sviluppo organico alla personalità del giovane religioso, che gli dona un entusiasmo retto e equilibrato e che gli dà il senso vero della responsabilità davanti a Dio e alla sua vocazione.

Tutti gli adattamenti che si richiederanno per attuare questo clima, sono da dirsi necessari e porteranno nuova vitalità a tutta la compagine di una Congregazione.

THE FORMATION OF THE SPIRITUAL DIRECTOR ACCORDING TO MODERN METHODS

It is no exaggeration to say that a well-developed and mature spiritual director is of inestimable value to the Church. Indeed, the spiritual director, whether in a religious institute, a seminary or among the laity, is the direct intermediary between God and the soul. He has a very special part to play in the opening of the soul to God and in its growth and perfection in God. What the Church needs today is a great number of such « Soul-friends » as the ancients were wont to call them. « Pray therefore the Lord of the harvest to send forth laborers into His harvest » (Mt. 9, 38). Maturity in such an office means an expert knowledge of the ways of God in the soul, together with a knowledge of the workings of the soul itself. It means such a command of theological doctrine which will permit him to direct souls in all their various needs along the ways of God. Besides being God's representative and the spiritual Father of the soul, he must also be its spiritual physician and counselor.

The Church has always realized the need of spiritual maturity for the office of spiritual director. We see with what care Christ trained His own disciples for this ministry. St. Paul has in mind such maturity when he writes to Timothy « that the man of God may be perfect, equipped for every good work » (II, 3, 17). As we can see from the documents of the early Church, there were two outstanding qualities considered necessary conditions for success in the office of spiritual guide: holiness of life and experience. Two terms often occur which sum up his character - « sanctus » and « senior ». We can put it this way, that there were two schools responsible for the training and maturity of a spiritual director, the school of the Holy Spirit and the school of experience.

We are now living in an age which feels more acutely the need of good spiritual directors, and our age is also one of specialization. The question therefore asserts itself: haven't we been leaving too much to chance heretofore? Can't some improvement be made in the technique heretofore employed? To use a common figure of speech, we might compare the Church to a garden in which, like plants, the various souls are developing for their different vocations. Until now the select group destined for the special work of directing souls has been left to develop without any special guidance. The idea would now be to assign a special place in this garden devoted to the systematic training of these spiritual guides. Bishops and religious superiors have used such means to assure a ready supply of canonists and experts in Holy Scripture for curia or school. They have chosen those students who seem adapted for such work and have sent them to universities for a special course in Canon Law or Holy Scripture.

What would hinder our using the same method in providing for future spiritual directors. It is true that fitting a man for direction of souls is a process much more delicate and intangibile than, for instance, the study of a book of law. But, on the other hand, there are certainly many elements which belong to the formation of a spiritual director which could be well acquired in a special, let us say, post-graduate course.

In the recent Congress for Spiritual Directors held at the Gregorian University [1] a Lithuanian priest, Fr. V. Balciunas made a plea for the founding of an « Institute of Spirituality » which would be a « scuola superiore » or post-graduate course for the training of future spiritual directors of seminarians. It was pointed out that some religious Orders have already organized such schools to provide future novice masters and student directors for themselves, e g. the Dominicans at Santa Sabina, and the Franciscans at Grottaferrata. Such a course here at Rome would be under the control of the Congregation of Seminaries, and would not be connected with any particular school of spirituality. It would have on its curriculum subjects such as ascetical and mystical theology, psychology, education etc., and would cover a period of about two or three years. At the termination of the course it would be able to give its graduates an appropriate degree [2]. It is mentioned in the same article that a step has already been made in this direction by Pope Leo XIII, who with his Motu Proprio of Aug. 21, 1901 founded the Collegio Apostolico Leoniano, « for higher ecclesiastical learning, and in particular the formation of good spiritual directors ».

Some might feel that to emphasize thus the necessity of a systematic course in preparation for the office of spiritual director, would be a hampering of the action of that Spirit « Who breathes where He will » (Io. 8, 8). It is indeed true that in the art of spiritual direction success depends much on factors that cannot be determined in advance. Noted spiritual directors, such as the Ven. P. Libermann, stress the overwhelming part that the Holy Spirit has in this work. In one of his letters [3] he writes: « The director having ascertained that God works in a soul should be concerned only that this soul follows grace faithfully. He should never try to bring in his own tastes and tendencies or guide the soul according to his own method or viewpoint. A director who would act in such a way would turn the soul away from God and be an obstacle to the workings of Divine Grace. » It might be asked further how can the theory of direction be laid down with systematic precision, when each soul is different. « No two faces are the same », writes Dom Marmion, nor are two souls entirely the same; each one must treat with God according to

---

(1) Apr. 17-22, 1950.
(2) Cfr. « *Vita Cristiana* » Vol. XIX P. 275.
(3) Cfr. « *La Direction Spirituelle, d'après les Ecrits et les Exemples du Ven. Libermann* », 2ed., P. 10-22.

its character and the attraction of the Holy Spirit. » (4) Cardinal Schuster goes so far as to say that one of the principal abilities of a director, namely the power of gaining souls, is a special gift that no one can give to himself; he must have received it from the grace of God. (5)

We must remember, however, that besides the school of the Holy Ghost there is also the school of experience. It is true that the Holy Spirit is the real guide of souls, but He uses human instruments, men who need all their resources of doctrine, tact and patience to accomplish the effects intended. In its instruction to the Bishops of the United States, (May 26, 1928) the Sacred Congregation of Seminaries and Universities speaks of the need of the spiritual director to be a « specialist in spiritual matters, just as the other professors are in their subjects ». The instruction mentions in particular that he should possess a comprehensive knowledge of ascetic and dogmatic theology. (6)

Up to this time, with few exceptions, the regular course of Dogmatic and Moral Theology has sufficed for the training of spiritual directors. Would a special course such as that envisioned by the Instituto Leoniano, and offered as a post-graduate course to those who have already had some pastoral experience be an impediment or an advantage? One could easily see the drawback of such a course if it would result in the systematization of the spiritual life according to any special school of spirituality. For that reason the spiritual formation of its subjects should be left to each religious Order, since perfection for them means being filled with the spirit of their founder. But, on the other hand, it would also seem to be of great value to any religious institute to provide for their future need of spiritual directors, who would be filled with the spirit of their Order. For that end a special course could be provided which would include, besides ascetical and mystical theology, courses covering the history of the Order, the study of the Rule, etc. One trained in such a course would certainly have an advantage over one left to his own resources, an « autodidatta ».

The case is somewhat different in the case of an Order which is not centralized, where each independent house is characterized by a certain autonomy, which is reflected also in its religious spirit. We could hardly imagine, for instance in the Benedictine Order, a situation where each novice master of the Order would be trained according to a certain pattern. In a Benedictine Abbey the Abbot is ex officio the spiritual father and director of all his monks; the novice master and the spiritual seniors accordingly regulate their spiritual guidance according to the tenor of the Abbot's teaching. But here also it would undoubtedly be a great advantage for such an Order to have a higher school for the sake of learning more conveniently those things which the individual house has in common with the whole Order. Such a course would have the advantage of bringing the various houses into the vital current of religious thought in the Order, besides providing facilities for a scientific study of the Rule and the Traditions of the Order.

In case such a special course cannot be arranged, others less elaborate should be planned. Summer courses could be offered at least in the larger universities, or in centrally located houses of Religious Orders. An annual or triennial meeting could also be arranged for those who are already experienced

(4) « Vie » Raymond Thibaut O.S.B. P. 287.
(5) Regula monasteriorum, p. 368.
(6) Cfr. Enchiridion Clericorum P. 675-676.

in the office of Spiritual director. If such directors could be prevailed upon to meet at intervals in some centrally located house, mutual assistance could be obtained concerning current problems, etc.

All admit that practical experience is of great importance in forming a spiritual director. One valuable way of supplying this would be to first appoint the future director to the office of assistant master of novices or assistant spiritual director.

As a minimum in seminaries it should be required that seminarians should not be sent into the ministry without some direct preparation for this most important of all arts, the direction of souls. At least a series of lectures on this particular topic should be prepared for them. Perhaps no one in the seminary would be better qualified to offer such a series than the spiritual director of the seminarians himself.

SUMMARY — There are various agencies at work in the training of a spiritual director. The mature and well-trained director is above all a gift of God. The Church, on its part, by using modern day methods, could help to provide fruitful soil for the development of good directors. One method to be recommended would be the instituting of a special post-graduate course, which would be able to give its graduates an appropriate degree. Each Order would profit by having such a course at their own house of higher studies. If this were not feasible, at least a summer course could be demanded.

Reunions of the spiritual directors of any particular locality should be held at stated intervals, to allow an interchange of thought on current problems.

No seminarian should be sent forth from the Seminary, without having been given some training which will fit him directly for the important work of a director of souls.

ARGUMENTUM 2: *Subsidia quae provenire possunt ex diversis scientiis in selectione vocationum.*

195   *Orator -* R. P. MARCELLINUS A CASTELVI, O. F. M. Cap.

I. — DE LA IMPORTANCIA Y NECESIDAD DE LA CUESTION

a) *En general.* - No es necesario ni oportuno ponderar aquí semejante importancia que todos admiten.

Bastará recordar el orden en que debemos situarla. Por una parte, tratándose no de cualquier vocación sino de la misma vocación sagrada, el primer lugar no lo ocupan los medios naturales y científicos, sino los sobrenaturales según aquel expreso mandato del Divino Maestro: « Rogate ergo dominum messis, ut mittat operarios in messem suam ».

Pero por otra parte, eso no quiere decir que no podamos y debamos emplear los medios naturales, como hacemos en los demás casos de la vida, en que por preferir lo sobrenatural no descuidamos los medios naturales. Y entre ellos figura en primera línea la ciencia, porque sabemos que de la región de las ideas nos llegan las directivas prácticas; y si es verdad que en la ciencia no faltan errores, inhabilidades y fracasos, estos desacreditan cuando más al científico, no a la misma ciencia, porque ella se encarga al fin y al cabo de denunciar y excomulgar lo erróneo y de discriminar y conservar las verdades perennes.

b) « *In crescendo* ». - Pero en nuestro caso el problema de la necesidad va creciendo continuamente en proporciones tan enormes, que a su urgencia no se puede subvenir sin nuevos y extraordinarios esfuerzos, divinos y humanos, para obtener que las vocaciones al estado de perfección se multipliquen en progresión geométrica, principalmente para las Misiones.

Existen datos estadísticos misionales, que no son precisamente los más citados entre los fieles católicos, quizá porque temen algunos que en vez de excitar el celo lo paralicen. *Cada hora* que pasa hay más paganos y va disminuyendo el porcentaje de católicos. *Cada año,* por cuatro millones que crecen los católicos, aumentan los no católicos hasta veintiún millones. Al *paso actual,* los fieles católicos, del 18 por ciento de la población mundial que formaban en 1945, bajarán el 16 por ciento en 1995, y al 14 por ciento en 2045. Sólo para la conversión del Japón, siguiendo el ritmo actual, se necesitarían *unos diez mil años!*

Se debe confiar, como es sabido, en el aumento del clero indígena. Pero, según datos consultados, de un millar que eran en 1900 han alcanzado en cincuenta años apenas algo más de los siete millares. Y sabemos que incluso en naciones cristianas y muy misioneras hay diócesis que cuentan «centenares» de parroquias sin sacerdote.

Todo el mundo está pues convencido de la situación irresistible que nos fuerza a buscar hasta de modo excepcional, o bien a aprovechar mejor todas las formas y medios, sobrenaturales y temporales, para mejor seleccionar y aumentar las vocaciones sagradas.

En este pequeño trabajo, que hemos emprendido a invitación de los organizadores de este gran Congreso, más bien que enumerar simples casos científicos que puedan aconsejar la selección vocacional y que por otra parte son ya de más o menos fácil consulta en obras conocidas, hemos querido suscitar problemas que esperan solución, consultar orientaciones, programas e iniciativas en aspectos más o menos nuevos.

Agrupamos nuestras conclusiones bajo dos aspectos que consideramos en otras tantas secciones. a) Lo ya disponible en el presente o en el futuro inmediato; b) Dos ciencias nuevas que se deberían preparar o empezar a crear inmediatamente.

II. — LA FORMA MODERNA RECOMENDABLE DE SELECCION

La llamamos «moderna» no porque se trate de algo que como procedimiento haya sido desconocido totalmente en la antigüedad, sino porque se constituye con elementos modernos de ciencias de reciente desarrollo.

Desde luego damos por supuesto lo que la Santa Sede y los Concilios han declarado sobre los problemas vocacionales. También tenemos en cuenta algunas cuestiones principales en que prácticamente coinciden los autores que han tratado la cuestión, como los Cardenales Jorio y Gibbons, y otros especialistas como Lahitton, Hurtaud, L. García, Delbrel, Misani, etc. Al mismo tiempo procuramos utilizar algunas pequeñas experiencias recogidas durante los siete cursos en que tuvimos ocasión de dirigir el antiguo Seminario de Sibundoy para clero nativo.

Suponemos pues que un seleccionador o, come suele decirse, «reclutador» de vocaciones ha encontrado un candidato que reúne ya las tres condiciones sobrenaturales generalmente exigidas: recta intención, piedad inicial y lo que llamamos «conciencia dirigida». Entonces desea examinar con la máxima eficiencia y de modo relativamente expedito las aptitudes naturales del candidato: a) físicas (o de predominio físico); b) psíquicas o mixtas; c) de origen colectivo, que corresponden a los aspectos de cuerpo, alma y ambientes físico y psíquico.

Como es natural, si quiere prepararse juntando a los medios divinos todos los recursos temporales que estén a su mano, preguntará para el aspecto corporal a las ciencias médicas y biológicas; para el psíquico a ciencias como la psicología experimental; en fin, para el estudio de su ambiente, también físico y psíquico, consultará ciencias como la climatología física y moral en sus tres aspectos: familiar, local y nacional; la etnología y acaso el folklore científico y la psicología colectiva.

Pero en este punto el seleccionador de candidatos se encuentra con una gran dificultad, y es: Que se trata de ciencias extraordinariamente *desperdigadas*. Suponen multiplicidad de *a*) profesiones, *b*) bibliotecas especializadas, *c*) ratos poco disponibles, *d*) lenguas y talentos distintos, *e*) recursos económicos para adquirir tantas publicaciones, *f*) hasta multiplicidad de bibliografías y documentos al día. En todo caso, no parece que al presente se trate de procedimiento expedito y manejable para gran parte de reclutadores, ni que sirva de estímulo para que se multipliquen los que se dedican a tan útil cargo o rindan lo que se necesita.

Remedio para esta dificultad sería la creación y organización de una ciencia expresamente dedicada a todo lo relativo a las vocaciones sagradas, una ciencia especial que reúna todos los requisitos de tal, la colaboración de todas las profesiones y especialidades del caso, las bibliotecas, el tiempo, los talentos, los recursos de toda ciencia bien dotada con sus Institutos coordinados, revistas especializadas, enciclopedias y manuales escritos en colaboración y de distintos tipos: de *texto,* especialmente para los estudiantes de Ordenes dedicadas a la formación sacerdotal; *manuales* prácticos y ligeros para los reclutadores que debieran sobre todo realizar las primeras eliminaciones más seguras y proponer los candidatos que necesitan estudio más detenido; *manual más completo* para los maestros de novicios, rectores y directores de colegios, para las selecciones más dignas de estudio y a la vez para mejor dirigirse con todas las ciencias auxiliares en la orientación y formación debidas a cada idiosincrasia distinta entre sus alumnos.

Por de pronto, en general y puesto que ni el mismo reclutador ni otro alguno debe ni puede actuar como especialista en todas las numerosísimas y utilísimas ramas de esas ciencias, se impone la división del trabajo. Al reclutador le tocaría por lo menos conocer en cuáles casos hay motivos suficientes y seguros para proceder a eliminaciones indiscutibles. Y sería de desear que se compusieran, como existen ya para unas pocas ciencias, manuales científicos aplicados a la selección de vocaciones; de tal manera que el reclutador en un caso dado, vistos los síntomas y señales, supiera a dónde encaminar a su alumno para un ulterior examen y estudio: a un laboratorio psicotécnico, a un médico o biólogo general, a un psiquiatra, a un endocrinólogo, a un antropólogo o etnólogo... que le resolvieran los casos dudosos, le completasen sus informaciones y hasta para los candidatos admitidos se obtuvieran indicaciones útiles para la ulterior formación.

De cada uno de los cuatro grupos de ciencias antes citadas: psíquicas, médicas, biológicas y etnológicas, podemos mencionar siquiera de paso, algunos de los problemas típicos que en su aplicación presentan al reclutador.

1) *De la psicología experimental.* — Para nuestro caso se desearía contar, si fuera posible, con procedimientos análogos a los propuestos y ejecutados con el éxito ya sabido por el Excmo. P. Gemelli y tratados en famosas contribuciones a la Psicofisiología de los aviadores, come en «*I reattivi psicologici per la scelta del personale militare navigante nell'aria*». La profesión de aviador es de las que tiene mayor número de exigencias psicofisiológicas para aceptar sus candidatos.

Pero los requisitos para la vida religiosa y sobre todo para la sacerdotal no son menos en número ni en importancia; y de aquí las dificultades para la debida selección y aun para la propaganda y fomento de vocaciones en colegios y familias. Aparte de las abundantes aplicaciones que de las ciencias psíquicas se toman posteriormente para la formación de candidatos, podrían utilizarse ya en una primera selección varias orientaciones de Caracterología, de la Psicotecnia y demás especialidades de las Psicologías individuales y colectivas aplicadas.

Cuando la selección o reclutamiento se practica entre los alumnos de algún colegio civil dotado de laboratorio para la orientación profesional, el reclutador podría previa o posteriormente visitarlo y examinar las distintas fichas y perfiles archivados de cada alumno con el fin de poseer una guía en su tarea. En otros colegios y poblaciones menores podría indicarse al candidato que pasase por el laboratorio psicotécnico de la capital vecina. Desde luego, suponemos que esto no tendría aplicación por ahora en gran parte de las diócesis del mundo y apenas alcanzaría a utilizar algunas pruebas mentales (o tests) más prácticas.

Respecto a psicodiagnósticos como el de Rorschach, se lamentan algunos que al lado de su utilidad haya el inconveniente de que para obtener un buen rendimiento se exige prácticamente contar con un profesional, pues el examen de sus klexografías, más que en otros sistemas, resulta una prueba para el mismo examinador tanto como para el candidato. Otros recomiendan emplear la clasificación del psicólogo Heymans y de su compañero psiquiatra Wiersma, de modo que los candidatos incluídos en las casillas de «apáticos» y «amorfos» sean tenidos en especial observación o sean ya eliminados, por no contar con suficientes compensaciones de cualidades. Se sabe ya que dicha clasificación no en todos sus aspectos se acepta y utiliza fácilmente y con provecho, sino que en algunos se nota claramente la falta de complementos y revisiones, para que esta tipología fundada con la extraordinaria y valiosa documentación de sus encuestas biográfica y estadística pueda resultar, siquiera relativamente, definitiva.

Hace ya años, la Sección para Clero Indígena de la S. Congregación de Propaganda Fide pedía, en los formularios para los candidatos a becas, la indicación del temperamento y carácter de cada uno. Personalmente tuvimos entonces ocasión de emplear la clasificación de Heymans, durante seis años de rectorado en el antiguo Colegio-Seminario para clero nativo de Sibundoy, en un personal bien distinto por cierto del que observaron los dos profesores arriba mencionados en la Universidad de Groninga.

Como ya se podía esperar, observamos que en general sus términos medios clasificaban, por la mayor parte de rasgos, en una sola casilla de las ocho de caracteres físicos, y por lo demás en ningún caso se salía de una inmediata casilla afín, aun tratándose de alumnos sudamericanos de distintas razas (blancas, mestizas e indígenas) y muy heterogéneas. Pero asimismo se comprobaba que varias cuestiones de la misma clasificación debían observarse, por lo menos mejor, a través de otros sistemas y mediante otras ciencias auxiliares.

En cuanto a la *grafología:* Si se trata de juzgar páginas escritas por aspirantes, generalmente niños que apenas saben escribir, sobra mencionar lor límites que ofrece su aplicación; pues la ciencia grafológica, más que para personas imprecisas y no maduras, parece estar adecuada y preparada para estudiar detalladamente y con mayor precisión las personalidades ya formadas.

Otras ciencias psíquicas sobre el candidato que con el tiempo pueden aportar rendimiento decisivo, pero que por ahora debido a su relativo atraso no pueden utilizarse eficazmente, son las relativas a la Psicología Colectiva, que abarcaría, según la clasificación decimal, todas las siguientes (las citamos detalladamente, para que, al observar que no rinden tanto como otras, nos demos cuenta de cuánto tenemos por hacer, cuánto nos queda por organizar):

0. Psicología colectiva general
1. Psicología de las multitudes
2. Psicología de las sociedades
3. Psicología de la familia y del hogar
4. Psicología del hombre etnográfico
5. Psicología de una etnia
6. Psicología de una etnia o raza en sentido técnico
7. Psicología del hombre folklórico
8. Psicología de la lengua de cada pueblo
9. Psicología del hombre prehistórico.

Reflexiones semejantes podríamos hacer respecto a varias otras especialidades psíquicas que ofrecen algo insatisfactorio en cuanto a nuestro tema se refiere. Ello no quiere decir que ya nunca podrán servir, sino que les falta investigación, organización y aplicación de parte nuestra.

2) *De la medicina y de la biología.* — Naturalmente hoy día ya no pedimos al médico y al biólogo solamente un simple certificado de que el candidato está libre de enfermedades infecciosas que le impidan vivir en sociedad; hoy día sabemos que un examen general y de una decena siquiera de especialidades médicas y biológicas respecto de cada candidato puede librar, a la Comunidad, de alumnos que acaso hasta años más tarde no se hubieran descubierto como imposibilitados para la vocación sagrada; y al mismo alumno lo libra de varias desorientaciones y desadaptaciones para toda su vida.

Afortunadamente existen ya publicaciones en que autores bien informados en ambas materias: medicina, biología y problemas vocacionales, han tratado temas de heredología patológica, como otros muchos aspectos de ambas ciencias aplicadas a la vocación sagrada.

Pueden ser variados los conceptos que merezcan tales obras. Pero por lo que hemos observado hasta ahora, los críticos convendrán en que dichos trabajos ofrecen nuevas experiencias y por lo menos una importante base de discusión.

Como simples ejemplos prácticos de la utilidad de consultar a distintos especialistas médicos o biólogos, podemos citar algún caso histórico que personalmente hemos observado:

De la endocrinología. — Se trataba de un candidato para el Seminario que presentaba ya reunidos los certificados corrientes, exigidos según los cánones y reglamentos, con las recomendaciones de su párroco y profesores sobre su óptima conducta, su intachable familia y sus estudios cursados y aprobados hasta el bachillerato, y por lo tanto con mayores esperanzas de que podría terminar la carrera más pronto que otros, para luego trabajar en una Misión donde tanta falta había de sacerdotes. Con estos antecedentes se nos presentó personalmente con su padre en una ciudad donde estábamos de paso para admitir algún alumno para el Seminario. Al estrechar las manos para saludarnos, notamos el contraste entre su mano helada y dedos descarnados y el ambiente de la ciudad siempre calurosa. Como según teníamos entendido, ese contraste podía deberse a una grave insuficiencia tiroideana o a otra endocrina que dificultase la atención para el estudio y trajese consigo la ineptitud para la dirección espiritual de los demás, desde el principio tratamos de convencer a los visitantes de que fueran a verse con un especialista paidólogo y endocrinólogo, con quien estábamos en relación. Y antes de que el candidato volviera a encontrarnos, nos telefoneó el especialista certificando que en efecto el muchacho adolecía de una grave insuficiencia endocrina, de un atraso mental de unos cinco a siete años, con otros agravantes que no podían ser curados rápida y fácilmente. El candidato quedó pues excluído por razones decisivas, que por otros métodos y especialistas quizá habríamos tardado años en saber.

De heredología. — Otro caso observado, el de un alumno ya adelantado y con todos los requisitos y esperanzas de verlo pronto coronar la carrera sacerdotal. No se conocieron bien sus antecedentes hereditarios hasta después de seis año de estudios. Con algunos certificados médicos relativos a diversas deficiencias también endocrinas, agravadas por herencias patológicas « recargadas y convergentes », y después de obtener el parecer de dos especialistas sobre lo muy contraindicado que tanto para él mismo como para los demás resultaría la vocación sacerdotal o religiosa, pudo decidirse su exclusión; cosa que por otros conductos y especialidades hubiera quedado dudosa muchos años, o se hubiera descubierto cuando ya era tarde y el daño irreparable.

3) *De la etnología y etnografía.* — Como es bien sabido, las dos ciencias, comparativa o general sobre el hombre la primera y descriptiva la segunda, tratan no de las razas en sentido técnico, sino de las culturas; y pueden informarnos sobre varios aspectos de la colectividad o ambiente en que se formó un candidato. Del aspecto racial trata la Antropología física.

El estado de perfección no tiene prejuicios respecto a las razas. Estamos bien convencidos de que no hay razas esencialmente inferiores, y de todas pueden salir incluso presbíteros y obispos. Y sin embargo, no faltan recomendaciones fundadas de que no se admitan candidatos de ciertas *razas*, no por ser tales *razas*, sino por hallarse en situación más o menos transitoria, con graves deficiencias colectivas en lo físico, en lo moral y hasta a veces en el ambiente cultural: solo se admitirían candidatos con cualidades relativamente excepcionales, que no es el caso de precisar aquí, ya que no mencionamos dichas disciplinas sino como ejemplo general de ciencias auxiliares para seleccionar candidatos al estado de perfección.

III. — FORMA NECESARIA DE SELECCION EN EL FUTURO

Ya hemos explicado cómo entendemos ese «futuro» o posteridad, que podrá aprovechar mejor que nosotros lo que según nuestra opinión deberíamos ya enseguida empezar a organizar y aun tratar de emplear sus primicias. Como ya arriba insinuamos, no vemos solución general y permanente a todos los temas relativos al estado de perfección y especialmente a la selección de vocaciones, sino a través de una ciencia que llamamos *nueva* por su organización y sistema: la ciencia de las vocaciones sagradas, y su especialidad: la técnica de la selección de las vocaciones sagradas.

De lo contrario aparecería el contraste inexplicable de que otros temas eclesiásticos, que ni de lejos tienen la excepcional urgencia de los problemas vocacionales, son atendidos por miles de especialistas, por centenares de institutos y revistas, con bibliotecas y archivos especializados, en Congresos periódicos, cuentan con cátedras especiales y larga tradición sistemática. Y en cambio, estos problemas de la vocación, de tan múltiples repercusiones eternas tanto para los mismos religiosos como para la mayoría de la humanidad, están privados de los recursos que tienen las demás disciplinas eclesiásticas, y más aun de los que se recomiendan modernamente para un progreso más seguro, amplio y rápido de las ciencias del hombre en una organización metódica mundial que se prepara a formar: la « Panantropología ».

Antes de acabar creemos del caso prevenir cierta posible protesta o crítica que podría ser provocada por la relativa complicación de especialidades que los investigadores deberían elaborar, al servicio de los reclutadores de vocaciones, como un resumen práctico para los casos corrientes. Hay que convencerse de que tal complicación es necesaria; de que las verdades deben buscarse dondequiera que se hallen; de que el buscarlas donde están es la base de encontrarlas. Las meras simplificaciones de número no garantizan siempre la verdad, así como la simple disminución del número de piernas en cada uno no puede significar que andaremos más aprisa. Insistimos especialmente en esta cuestión, porque es la fundamental para la solución que proponemos.

En conclusión: Sería de desear que en esta asamblea se tratase y adoptase una proposición concebida en estos o parecidos términos:

« La Semana de estudios sobre los estados de perfección reconocidos por la Iglesia recomienda organizar y sistematizar todos los estudios referentes a las vocaciones al estilo de una ciencia aparte; y formar de modo coordinado, con todas las posibles ciencias auxiliares, una especialización dedicada a la técnica de la selección de las vocaciones sagradas.

Asimismo recomienda a la Pontificia Academia de Ciencias estudiar las posibilidades de organizar una colaboración mundial para aplicar el método « pancientífico » integral, o sea el « panantropológico » al tema de la vocación sagrada y empezar a formar lo que luego sería una ciencia nueva, la ciencia de las vocaciones eclesiásticas, ciencia de máxima eficacia para resolver los problemas vocacionales ».

Alii periti viri, ex munere a Sacra Congregatione de Religiosis commisso, circa idem argumentum scripserunt.

196   Ill.mus Dr. Claudius Busnelli, *scripsit*:

IL CONTRIBUTO
DELLA PSICOLOGIA SPERIMENTALE

E' noto come oramai sia entrato nella prassi di tutti gli Istituti Rel'giosi di richiedere all'atto dell'ingresso dell'aspirante nel periodo di formazione, assieme agli altri documenti civili e religiosi, un certificato che attesti lo stato di integra salute fisica del soggetto. Sarebbe interessante una ricerca per stabilire il rapporto fra lo sviluppo delle scienze mediche e la data di inizio dell'obbligatorietà della presentazione di un simile attestato.

Non si potrà certo negare che al momento attuale la psicologia abbia acquisito il diritto ad avere, come scienza, il posto che oggi occupa la medicina. E' accertato che non si entra in numerosi uffici che abbiano una certa specificità, se non è presentato insieme ad un certificato medico accuratamente redatto un profilo psicologico che dichiari oltre alla generica capacità, una specifica competenza del soggetto in un determinato settore, con esclusione di insufficienze psicologiche sia intellettuali che caratterologiche.

Si pensi al fenomeno veramente sorprendente dell'introduzione in determinati Stati dell'obbligatorietà dell'esame psicologico non solo per limitate categorie ma per tutto il contingente di leva affinchè si proceda alla valutazione attitudinale per l'assegnazione delle reclute nei vari corpi militari e ci si renderà conto del cammino percorso in tale settore.

Ci si perdoni il richiamo che non vuol affatto essere un termine di confronto.

Tentativi per una ricerca psicologica in tale senso nel settore per il quale ci sentiamo interessati furono fatti.

Si legga a proposito il breve ma sufficiente esplicativo scritto del Reverendo P. A. Plè O. P. — Sull'uso dei metodi psicologici nella discriminazione delle vocazioni, pag. 115-118 in « Le discernement des vocations de Religieuses », Ed. Du Cerf, 1950, Paris — che riporta alcuni punti sui quali i partecipanti ad un Convegno di studio per i problemi delle vocazioni fissarono i limiti dell'attuale ricerca.

« In tema di vocazioni si possono constatare errori di scelta ed insuccessi che non sono tutti necessariamente imputabili ad infedeltà da parte delle religiose. Vi sono casi ove non vi era vocazione, oppure la vocazione era per un'altra forma di vita religiosa ».

Dato il carattere sacro della grazia e della vocazione vi è un insieme di doni di Dio che ci impegna a mettere tutto a disposizione per evitare e ridurre tali errori, almeno per quanto è possibile.

Gli psicologi possono essere prezioso ausilio con il segnalare in tempo i motivi inconsci che sono sovente alle origini di false vocazioni nonchè le latenti neurosi che il tempo potrà rilevare, ma troppo tardi ».

Al Convegno sopracitato fu unanime l'accordo su alcuni punti:

1) La ricerca ed il responso psicologico non permettono di discernere la vocazione religiosa d'un soggetto religioso in ciò che essa ha di soprannaturale. Non è lo psicologo che deve dire se esiste o non esiste vocazione.

2) Ferma restando tale affermazione, nel piano naturale sul quale lavorano gli psicologi, le possibilità delle loro ricerche sono importanti. Pur non avendo la pretesa di rivelare il nucleo centrale della personalità, l'esame psicologico può arrivare a dare delle precisazioni sul materiale di sintesi del soggetto, può riferire sulle componenti principali di un carattere o sulle traccie psicologiche lasciate in un soggetto dalla ereditarietà e dal suo passato personale.

Un'informazione precisa e seria sulla salute psichica del richiedente permetterà di limitare gli errori nel decidere in chi ne ha l'ultima responsabilità circa la vocazione e, qualora il soggetto fosse accettato, di vigilare sulla sua formazione con maggior efficacia e penetrazione.

3) L'uso serio, scientifico di tali mezzi di ricerca psicologica da parte di specialisti veramente qualificati è riconosciuto desiderabile anche se non sembra sempre concretamente possibile.

Il lavoro che esige una lunga messa a punto dovrebbe essere condotto da una équipe formata da psichiatra-psicologo-teologo-moralista.

Tale il contenuto dell'articolo di P. Plé.

Si pensa doveroso portare all'attenzione di quanti seguono con responsabilità lo sviluppo delle comunità di religiosi l'uso dei metodi psicologici nella valutazione dei candidati alla vita di perfezione. Si dice valutazione e non selezione perché si è intimamente persuasi che la vocazione è un fatto soprannaturale e si pensa al contributo che verrebbe portato nel lavoro orientativo e nella conoscenza dei candidati.

Un primo esperimento compiuto in tale senso per il benevolo e sollecito interessamento dei Superiori di una Comunità di Istituto Secolare e con la libera collaborazione dei candidati merita di essere segnalato. Seguendo lo schema del dossier psico-medico-pedagogico preparato allo scopo e di cui si unisce un esemplare, un medico, un educatore, uno psicologo sotto la guida di un competente Istituto di Psicologia esaminarono a scopo valutativo, orientativo e non selettivo gli aspiranti — chierici e laici — uomini e donne — ad una vita di perfezione in un Istituto secolare. Come risulta dalla Scheda valutativa, particolari attenzioni furono riservate all'esame psicologico con il quale si ebbe cura di arrivare — premesso uno studio sulle qualità prevalentemente psichiche — a specificare i tratti caratterologici più salienti per concludere con un giudizio sintetico, frutto dei risultati delle varie prove e di un colloquio al quale è connessa una notevole importanza. I risultati veramente sorprendenti sotto alcuni aspetti — di carattere positivo — ottenuti dall'esame dei primi 15 soggetti hanno permesso di portare a disposizione di quanti sono responsabili della formazione degli aspiranti delle indicazioni preziose specie quando la discussione di ogni caso fu elaborata in gruppo dai tecnici che avevano fatto il prelievo dei dati.

Difficoltà di ordine tecnico non ci consentono per ora di fare un largo esposto della metodologia seguita nel prelievo dei dati riportati nella scheda psicologica. Riserviamo l'esposizione in un auspicabile incontro con competenti.

Chiudiamo la breve comunicazione facendo nostre le considerazioni che abbiamo trovato in uno studio inedito sull'argomento:

« Queste le condizioni indispensabili al conoscere in modo non falso, ma pur sempre approssimativo, il soggetto esaminato. Tuttavia è necessario tener presente, sopratutto in ordine al prevedere la possibile evoluzione di elementi negativi di una personalità, che la nostra esperienza statistica e la nostra competenza scientifica si troveranno sempre di fronte ad un fattore che sfugge ogni misurazione ed ogni previsione: la libera accettazione, cioè, o meno della « mensura donationis Christi ».

Questo fattore che pur si inserirà sul fondo umano temperamentale e sulle doti che l'educazione e l'ambiente avranno saputo potenziare o sommergere, avrà efficacia di trasformazioni insospettate se colto e coltivato, mentre vanificherà, agli effetti apostolici, molte doti umane, se trascurato o dissipato.

L'ultima sintesi, la vera sintesi completa della personalità si compirà perciò sotto il segno imponderabile di tale fattore, nel segreto, quindi, del mistero che contraddistingue la risposta dell'uomo all'Appello di Dio ».

DOSSIER MEDICO-PSICO-PEDAGOGICO

Scheda A) Notizie familiari
B) Anamnesi personale
C) Esame medico clinico
D) Esame psicologico
E) Note pedagogiche.

N. B. — Le singole schede non porteranno il nome del soggetto ma solo un numero cui corrisponderà una schedina per raccogliere dati anagrafici riferentisi al soggetto. La schedina conservata in archivio riservato potrebbe essere così strutturata:

Cognome   N.
Nome
Paternità
Maternità
data di nascita
località
provenienza
professione
indirizzi: della famiglia
                    (retro)
data inizio formazione
data inizio professione
attività svolte (località-date)
indirizzi
          fotografia firmata

SCHEDA A

La presente scheda sarà completata da persona avente una particolare competenza nel campo dell'assistenza sociale e verrà redatta possibilmente nel luogo di residenza familiare.

Notizie familiari

Componenti la famiglia del soggetto (vivi e defunti), età, attività, stato di salute, condotta.

Osservazioni e note di particolare interesse riferentisi a: ascendenti (nonni paterni e materni), collaterali (zii paterni e materni), fratelli (in ordine di genitura - loro condotta e rapporti con il soggetto).

Segnalare in modo attento le malattie che si ripetessero con frequenza, sopratutto ogni anomalia psichica.

Osservazioni sull'ambiente familiare e sociale nel quale il soggetto é nato e cresciuto: ceto e condizioni economiche, sociali, culturali; indirizzo morale e religioso.

SCHEDA B

Anamnesi personale

Notizie sui primi anni e sui primi episodi della vita
Sviluppo fisico
Sviluppo psichico
Vita scolastica: inizio, regolarità di frequenza, tipo di scuola frequentata (pubblica, privata, laica o religiosa), risultati, grado di cultura, diplomi conseguiti.

Attività lavorativa o professionale: liberamente scelta per inclinazione, per volontà della famiglia, per esigenze economiche, età di inizio, attività svolte, eventuali cambiamenti e motivazioni, rendimento economico, resistenza al lavoro fisico e mentale.

Indirizzo educativo ricevuto in famiglia: repressivo, persuasivo, libero, situazione attuale di fronte ai genitori, ai fratelli od altri componenti la famiglia, educazione presso istituti.

Vita sociale attuale: ambienti preferiti, preferenze per letture, svaghi, cibi, climi.

SCHEDA C

Esame medico

Anamnesi patologica familiare (accuratamente raccolta dal medico ove sarà precisato ogni eventuale disturbo mentale esistente nei familiari).
Anamnesi patologica del soggetto.
Note costituzionali: peso, altezza, circonferenza toracica, gruppo endocrino dominante, orientamento neuro vegetativo.
Condizioni generali e stato subiettivo attuale
Cute e mucose
Apparato locomotore
Apparato respiratorio
Apparato cardiovascolare
Apparato digerente
Apparato urogenitale
Sistema nervoso
Organi di senso
Esami specialistici
Esami di laboratorio:
  R. Wasserman
  R. X. torace
Consigli e indicazioni che il medico ritiene utile dare in merito alle esigenze fisiche del soggetto.

firmato
Il Medico consulente

Data . . . . . .

SCHEDA D

Rilievi psicologici

Note dall'esame medico-clinico da tener presenti.
Qualità somatiche - presenza, tipologia.

Qualità prevalentemente psichiche:
  grado di cultura e titoli
  cultura generale: risultati-reattivi
  intelligenza generale
  attenzione
  attività motoria
  intelligenza astratta
  sintesi degli esami dell'intelligenza: tipo intellettivo
    facoltà emergenti
    facoltà mediocremente sviluppate
    faticabilità al lavoro mentale
Tratti caratterologici
  socievolezza.
  interessi
  Reattivo di Roschach
  Altri reattivi
  Giudizio sintetico

SCHEDA E

Note pedagogiche

Sintesi orientativa ad uso dei maestri di formazione (in brevi dati verranno qui compendiate osservazioni di carattere familiare - medico - psicologico che potranno essere utili ai responsabili della formazione del soggetto durante il periodo a ciò destinato).

Osservazioni durante il periodo di prova e di formazione in ordine alle attitudini o alle preferenze.

Osservazioni dedotte dal periodo formativo e di prova riguardanti la plasticità all'azione educativa e la influenzabilità.

197   R. D. IACOBUS LORENZINI, S. D. B., Doctor in Philosophia, Professor Psychologiae Experimentalis ac Praeses Instituti Psyc. Experimentalis in Pontificio Athenaeo Salesiano, *scripsit*:

Coloro ai quali la Divina Provvidenza affida l'alta missione di dedicarsi alla formazione delle anime e di indirizzarle nelle vie della perfezione, devono, oltre alla pratica esemplare della vita religiosa, acquistare quella formazione mentale che li renda capaci di comprendere e penetrare nelle anime dei giovani candidati, nei problemi intimi e nelle crisi che sovente le agitano. Devono conoscerle profondamente per saperle oggettivamente e coscienziosamente giudicare se sono veramente idonee per la vita religiosa e sacerdotale e poi saperle indirizzare secondo le particolari doti ed esigenze di ciascuna anima. Questa capacità di conoscere e comprendere in alcuni casi, come è dimostrato dalla vita e dall'opera di parecchi Santi, è data da celesti carismi, da doti straordinarie di acuta intuizione dell'animo umano o anche dalla lunga esperienza di vita pastorale e di direzione di anime. Ma per la maggior parte dei casi essa deve essere acquisita o almeno molto perfezionata per mezzo di una soda formazione di studio, valorizzando i risultati (e son già molti!) che le scienze dello studio dell'uomo e in modo particolare la Psicologia Sperimentale hanno già raggiunto con le loro ricerche e le loro indagini.

In questa breve relazione noi non ci prefiggiamo lo scopo di illustrare quanto sia utile (e vorremmo affermare indispensabile!) lo studio della Psicologia Sperimentale, specialmente in alcune sue parti come la Caratterologia, la Psicopatologia, e nelle sue applicazioni, per i Maestri di Noviziato e per tutti coloro che attendono alla selezione e alla formazione dei candidati alla vita religiosa e sacerdotale.

Desideriamo invece esporre schematicamente e presentare a modo di proposta un mezzo che, come applicazione concreta della Psicologia, ci sembra molto utile per il raggiungimento dei fini soprraindicati. Questo mezzo, usato già nelle scuole di molti paesi per una maggiore efficacia dell'opera educativa, e che anche noi, nel Laboratorio di questo nostro Istituto di Psicologia, abbiamo studiato e applicato in parecchie circostanze su gruppi di giovani religiosi candidati al Sacerdozio e su giovani studenti liceisti (1), con soddisfacenti risultati, è costituito da una raccolta, fatta con metodo tecnico e scientifico preciso, di osservazioni e di informazioni riguardanti il giovanetto, sia sotto l'aspetto somatico, sia sotto quello psichico e morale. Essa è stata chiamata con diversi nomi: « Cartella biografica », « Libretto personale », « Cartella Biotipologica », ecc. Quest'ultima denominazione, attualmente in Italia, seguendo l'indirizzo del Pende, è la più accetta e ci sembra più adatta alla natura stessa del metodo, che si presenta come un'applicazione della Biotipologia, di quella scienza, cioè, che mira allo studio dell'individuo in concreto e considera l'uomo « come individualità fatta di corpo e di spirito, inscindibili l'uno dall'altro, e che deve essere, caso per caso, diagnosticata, valutata nei suoi valori positivi, e in quelli negativi, sviluppata nelle sue potenzialità energetiche latenti e attuali, curata e corretta nelle sue debolezze costituzionali, fisiche, morali, intellettuali, e dopo conosciuta e migliorata, essere ancora orientata verso la vita sociale secondo le individuali esigenze » (Pende).

La Cartella Biotipologica costituisce una visione sintetica della struttura anatomo-morfologica, fisiologica, psicologica e morale dell'uomo. Le informazioni, che essa metodicamente raccoglie, riguardano gli antecedenti famigliari e personali del candidato, la sua costituzione corporea, le sue condizioni di sviluppo e di salute, le sue capacità mentali, e il suo carattere. Essa usufruisce dei metodi e dei risultati delle scienze antropologiche e psicologiche per delineare un profilo, un ritratto psicosomatico e biopsicologico completo del-

(1) Queste prove sono state compiute per qualche anno sui chierici studenti della Facoltà di Filosofia di questo nostro Pont. Ateneo, sugli studenti del Liceo Salesiano di Torino-Valsalice e su nostra proposta anche in un Noviziato negli Stati Uniti e in alcuni Seminari della California.

l'individuo visto nella sua storia passata e nella sua situazione presente.

La Cartella Biotipologica è praticamente costituita da una raccolta di alcuni documenti, comunemente chiamati « schede »; alleghiamo alla presente relazione un esemplare di ciascuna di esse. Ogni scheda porta una specifica descrizione del giovanetto. La Cartella Biotipologica, per la sua stessa indole di documento personale informativo, assume un carattere confidenziale, e deve essere conservata con la debita cautela, come gli altri documenti confidenziali e secreti.

Indichiamo le schede che costituiscono il modello di Cartella Biotipologica, che proponiamo, allegando per ciascuna una breve spiegazione.

La « *scheda anamnestica* »: viene compilata mediante la raccolta di tutte quelle informazioni personali e famigliari più salienti, che valgono a presentare come un quadro biografico del candidato in quei lati che possono interessare di più per la conoscenza della sua vocazione, della sua indole, della sua formazione e direzione spirituale.

Essa non deve perciò essere confusa con le ordinarie schede anagrafiche, le quali raccolgono i dati cronologici soliti e sono accessibili a tutti; è più ampia e ricca raccogliendo informazioni strettamente personali e confidenziali. Queste informazioni vengono raccolte dal Maestro o dal Direttore spirituale sia mediante le conversazioni particolari con il candidato, sia mediante richieste fatte in forma confidenziale al parroco o al medico o ad altra persona di fiducia che si trova nell'ambiente nel quale è vissuto il candidato e che è in grado di darle. La scheda consta di due parti: nella prima vengono raccolti i dati che riguardano la storia della vita del candidato e la sua situazione presente: dati anagrafici, date degli avvenimenti religiosi (cresima, prima comunione, ecc.), scolastici, sanitari, fatti espressivi del carattere, ecc. La seconda parte contiene le informazioni riguardanti la famiglia. Questi dati possono rivelare molte cose per chi ha un occhio esperto e una sufficiente preparazione culturale per comprenderli: le informazioni anagrafiche riguardanti l'età dei genitori, la data del loro matrimonio possono rivelare, oltre la situazione giuridica, per es., della legittimità, anche le condizioni genetiche del giovinetto: se cioè, per es., egli è nato da genitori troppo giovani o troppo vecchi o troppo differenziati per età tra di loro; sono tutti elementi che possono influire molto sullo sviluppo psicosomatico del giovanetto, provocandone caratteristiche deviazioni. Le informazioni riguardanti la composizione della famiglia, cioè se il candidato ha fratelli e sorelle, quale è la loro età e professione, il loro stato di salute, se convivono ancora in famiglia, possono dare un valido contributo per la comprensione dell'animo giovanile: si consideri, per es., la caratteristica psicologia del figlio unico, del primogenito, dell'ultimo nato tra numerosa figliuolanza, la diversa formazione del carattere se in famiglia vi sono solo fratelli, o solo sorelle, o vi si trovano fratelli e sorelle, ecc. Giova molto inoltre, non solo agli effetti giuridici, ma anche a quelli psicologici, il conoscere se il giovanetto è orfano di uno dei genitori o di entrambi e da quale età: sono noti gli effetti prodotti sul carattere dalla mancanza dell'educazione materna già nei primi anni. E' evidente quanto le informazioni sulle condizioni sanitarie e morali dei genitori e degli antenati siano necessarie per rivelare eventuali tare ereditarie nel giovane candidato. La situazione morale della famiglia riguardo ai mutui rapporti tra i coniugi giova per comprendere la formazione basica dell'animo del giovanetto: la sua condotta, il suo carattere, certe crisi di malumore e certi stati d'animo si possono comprendere e risolvere solo se si conosce la situazione famigliare, poichè sono come il riflesso di dissidi o di disordini dei coniugi.

La « *scheda biometrica* »: consiste nella raccolta dei dati di misure e valutazioni antropometriche e funzionali adatte a presentare un quadro sintetico dello sviluppo corporeo. Nei casi ordinari i candidati alla vita religiosa e sacerdotale, che accedono ai Noviziati e ai Seminari, sono giovanetti ancora nello sviluppo; anzi il più delle volte durante il periodo del loro probandato e della loro formazione, essi vanno soggetti a gravi crisi di sviluppo che esigono particolari cure sanitarie e particolari trattamenti ascetico-pedagogici, quali possono essere suggeriti dalla Psicologia dell'età evolutiva. Occorre perciò che nelle case di formazione si proceda ad un serio e preciso controllo anche dello sviluppo corporeo: esso potrà rivelare talora anomalie e deficienze dello sviluppo e della costituzione per cui il candidato debba essere giudicato come non idoneo alla vita religiosa. In altri casi suggerirà la applicazione di una debita educazione fisica, che favorisca lo sviluppo fisico del candidato, in modo che questi possa crescere sano, vigoroso e in grado di poter svolgere in un domani prossimo con piena efficienza le sue attività nelle diverse mansioni che la vita religiosa e sacerdotale gli richiederà.

Anche la scheda biometrica consta di due parti o sezioni. Una prima parte contiene i risultati delle misure che delineano l'aspetto morfologico e anatomico del corpo e delle sue parti. Tali misure sono: il peso, la statura, la grande apertura delle braccia, la circonferenza toracica, i diametri toracici, la circonferenza e i diametri cranici. La seconda parte invece raccoglie le valutazioni delle principali funzioni vitali e il controllo dei sensi fondamentali. Consente così una conoscenza del grado di vitalità e di robustezza del candidato. Le misure che vengono prese in considerazione sono le seguenti: la spirometria o misura della capacità respiratoria, la dinamometria, o misura della forza muscolare in alcune principali sue manifestazioni, la misura della pressione sanguigna arteriosa, il computo del battito del polso, l'esame della vista e dell'udito, la misura dei tempi di reazione.

Questa scheda biometrica dovrebbe essere compilata all'inizio di ogni anno scolastico; durante l'anno, specialmente nei periodi di maggior crisi di crescita, è opportuno ripetere qualche prova di controllo. Le misure possono essere raccolte sulla scheda dal medico o da un addetto all'infermeria che abbia la sufficiente preparazione tecnica.

La « *scheda sanitaria* »: integra la scheda biometrica ed è costituita dalla raccolta dei risultati della visita medica compiuta sui principali apparati e funzioni organiche. Essa si prefigge specialmente lo scopo di controllare il normale sviluppo e crescita del giovanetto; inoltre consente il rilievo di particolari disturbi, che talvolta sfuggono all'osservazione ordinaria.

Essa deve essere compilata dal medico della comunità, sotto forma di visita medica generale e seguendo un determinato schema (cfr. l'esemplare della scheda allegato), all'inizio di ogni anno scolastico. Registra per ogni candidato le condizioni generali di salute e di sviluppo, segnalando le eventuali indisposizioni e dando le dovute indicazioni e controindicazioni per il regime di vita del candidato.

La « *scheda psicologica* »: viene compilata mediante la raccolta di informazioni e dati che riguardano le principali funzioni psicologiche e che consentono di delineare il carattere del candidato. Si propone perciò il fine di presentare al direttore di anime la conoscenza di ciò che è per lui più importante, cioè la vita psichica del candidato, sulla quale egli più direttamente potrà svolgere l'opera sua di formazione.

Le funzioni che vengono esaminate e descritte nella scheda sono: l'attenzione nelle sue varie forme, lo spirito di osservazione, l'immaginazione, l'intelligenza nelle sue varie forme, i sentimenti intellettuali, estetici, morali, religiosi, sociali, il dominio delle emozioni, le inclinazioni predominanti, l'espressione verbale, il comportamento, la resistenza alla fatica intellettuale, la forza della volontà, il carattere, la passione dominante nel comportamento esterno. Tutte queste informazioni possono essere raccolte, mediante l'osservazione ordinaria, quale viene compiuta dall'educatore che convive in ogni momento della giornata con i suoi educandi, li segue nello svolgimento di tutte le loro attività nei diversi ambienti: in chiesa, nel cortile, nel dormitorio, nel refettorio, a passeggio, ecc.. Notiamo che questa osservazione empirica può essere perfezionata, specialmente nell'analisi e nella valutazione delle singole funzioni e capacità, mediante la tecnica più precisa e oggettiva che la Psicologia moderna offre, cioè mediante l'uso dei « Mental Tests » o « Reattivi mentali ». Già in parecchie esperienze compiute nei nostri ambienti abbiamo potuto constatare come dei « tests » mentali e caratterologici hanno dato mediante un esame durato pochi momenti e in forma più precisa e oggettiva, dei risultati pienamente concordanti con quanto l'osservazione ordinaria, fatta con molta oculatezza, rivelava dopo un lungo tempo di convivenza e in un forma piuttosto soggettiva e indeterminata.

Questa scheda psicologica può essere compilata dal direttore delle anime con la collaborazione dell'altro personale che si trova nella casa di formazione e può naturalmente avere un notevole contributo dai risulatti e dagli esiti della scuola.

Concludiamo questa breve esposizione auspicando che anche questo particolare metodo scientifico possa presto essere applicato in tutti quegli ambienti in cui si vanno preparando e scegliendo le giovani reclute per la vita religiosa e sacerdotale. Insieme alle discipline ascetiche, teologiche e morali, anch'esso potrà dare il suo valido contributo perchè la milizia sacra della Chiesa sia sempre più scelta e idonea ai sublimi compiti che la Provvidenza divina le affida.

ALLEGATI:

Un esemplare di ciascuna scheda della Cartella Biotipologica.

ALLEGATO I

Scheda anamnestica

DATI PERSONALI

Cognome . . . . Nome . . . .
Figlio di . . . . e di . . . . . .
Nato il . . . . . . a . . . . Prov. di . . . Nazione . .
attualmente residente a . . . . Prov. di . . . . .
Cresimato il . . . . . a . . . . . Diocesi di . . . .
La prima S. Comunione fu fatta il . . . . a . . . . Dioc. . , ,
Studi già fatti . . . . . . a . . . . . . Classi ripetute . . . .
Professioni già esercitate o preferite . . . .
Scuole o Istituti già frequentati . . . .
Premi e punizioni particolari avute . . . .
Condizioni attuali di accettazione (gratuitamente, con raccomandazione, con aiuto di benefattore, con pensione ridotta, normale) . . . .
Antecedenti generali sanitari del soggetto . . . .

. . . .
Quali malattie ha superato . . . .
in quale età . . . . . eventuali conseguenze lasciate . . . .
Operazioni chirurgiche subite . . . . in quale età . . . .
A quali disturbi va attualmente più facilmente soggetto . . . . . .

. . . .
Particolari esigenze per i bisogni di salute . . . .
Particolari vicende della vita (disgrazie, spaventi, sofferenze, carestie, ecc.)
. . . .
Eventuali ulteriori informazioni . . . .

DATI FAMIGLIARI

Attualmente la famiglia è composta di . . . .
Il padre è nato il . . . . . a . . . . Prov. di . . . .
La madre è nata il . . . . a . . . . Prov. di , , , , ,
Si unirono in matrimonio il . . . . . a . . . Dioc. di . . .
Condizioni generali sanitarie dei genitori . _ . . . . .
Ebbero degenza in ospedale o in casa di cura . . . . quando? . .
Quali gravi malattie hanno superato . . . . . . quando? . . .
Quali operazioni chirurgiche hanno subito . . . . . quando? . . .
Quali gravi malattie hanno superato . . . . . . quando? . . .
Età dei fratelli . . . . . . delle sorelle . . . . . .
Professione dei fratelli . . . . . . delle sorelle . . . . .
Gravi malattie subite da loro . . . .
Loro attuale residenza . . . .
Condizioni degli altri componenti della famiglia . . . . . .
Famigliari già defunti . . . . . Causa della loro morte . . . Età .
Professione della famiglia . . . . . sue condizioni economiche . .
Situazione della famiglia (se i genitori convivono o sono separati per lavoro o altro motivo) . . . . . : . . . .
Informazioni caratterologiche sulla famiglia . . . .

II SCHEDA BIOMETRICA

Cognome . . . . . Nome . . . . . Età . . . .

DATI ANTROPOMETRICI	I ESAME		II ESAME	
	Valori individuali	Valori di eccedenza o deficienz sulla media	Valori individuali	Valori di eccedenza o deficienza sulla media
1) Peso				
2) Statura (in piedi)				
3) Grande apertura delle braccia				
4) Lunghezza arti inferiori . .				
5) Perimetro toracico: { massimo / minimo / medio				
6) Diametro { antero-poster . . toracico: { trasverso . . .				
7) Circonferenza cranica:				
8) Diametro { antero-poster . cranico: { trasverso . . .				
DATI FUNZIONALI				
1) Capacità respiratoria (spirometria):				
2) Forza musc. { compres. mano D (dinamome:ria) { compres. mano S { traz. dorsale .				
3) Frequenza del polso . .				
4) Esame della vista { acutezza / cromoestesia / daltonismo / eventuali dif				
5) Esame dell'udito				
6) Stato di dentizione				
7) Colorito della pelle . . .				
8) Colorito e forma dei cap. . .				
9) Pressione arteriosa mass. . .				
10) Tempi di { stimolo visivo reazione { stimolo udititivo				

Data del I Esame . . . .
Data del II Esame . . . .
Eventuali osservazioni . . . .

ALLEGATO III

Protoc. N. . . . . . .

Data . . . .

Scheda sanitaria

1. Apparato cardiovascolare

Stato delle funzioni circolatorie

2. Apparato respiratorio

Eventuale esame radiologico

3. Apparato linfoglandulare
4. Apparato digerente
5. Apparato cutaneo
6. Sistema nervoso
7. Apparato scheletrico

Condizioni di sviluppo e di conformazione

8. Apparato genito-urinario
9. Apparato muscolare
10. Apparato endocrino

Stato di sviluppo e eventuali disfunzioni

11. Eventuali esami ematologici
12. Eventuali esami sierologici
13. Eventuali esami urologici
14. Eventuale esame dell'espettorato
15. Eventuali ulteriori esami o osservazioni

Eventuali indicazioni e controindicazioni

Firma del Sanitario

Protoc. N. . . . .

Data . . . .

Scheda psicologica

Cognome . . . . . . Nome . . . . Età .

Professione . . . . Classe . . . . .

1) Attenzione:
distribuita . . . .
concentrata . . . .
continuata . . . .

2) Spirito di osservazione . . . .
ricchezza di osservazione . . . .
esattezza di osservazione . . . .

3) Memoria: . . . .
immediata . . . .
mediata . . . .
meccanica o automatica . . . .
logica . . . .

4) Immaginazione: . . . .
riproduttrice . . . .
creatrice . . . .

5) Intelligenza: . . . .
pratica . . . .
speculativa . . . .
critica . . . .
Sua valutazione con Mental Tests . . . .
Età mentale . . . .
Quoziente d'intelligenza . . . .

6) Sentimenti: . . . .
intellettuali . . . .
estetici . . . .
morali . . . .
religiosi . . . .
sociali . . . .

7) Dominio delle emozioni . . . .

8) Inclinazioni predominanti . . . .

9) Passioni predominanti . . . .

10) Espressione verbale . . . .

11) Espressione mimica e comportamento . . . .

12) Resistenza alla fatica mentale . . . .

13) Forza di volontà . . . .

14) Informazioni generali sul carattere . . . .

15) Ulteriori informazioni . . . .

. . . .

Als Ausgangspunkt möge eine Stelle aus dem « Lehrbuch der Geisteskrankheiten » von Prof. Oswald Bumke (1) dienen. Er spricht davon, dass es leider viele Ordensleute, besonders Ordensschwestern gibt, die geisteskrank sind, aber nach dem Urteil des Psychiaters « niemals eigentlich geisteskrank zu werden brauchten, wenn das Schicksal es gut mit ihnen meint. Treten diesen Menschen aber Schwierigkeiten in den Weg, wird ihre Empfindlichkeit, ihr Ehr-und Rechtsgefühl einmal verletzt oder haben sie Reibungen mit Vorgesetzten oder Untergebenen, so entstehen aus der misstrauischen Grundstimmung gewisse überwertige Gedanken und aus diesen in schweren Fällen manchmal ein Wahn.

Das Kräfteverhältnis zwischen Anlage und Reiz kann sich dabei verschieden gestalten. Ist die Veranlagung gering, so bedarf es starker Schädlichkeiten, und ist sie gross, so lassen sich kaum Verhältnisse ausdenken, in denen die Kranken nicht Stoff zu Reibungen fänden. Solche Menschen werden unter den gewöhnlichen Umständen des Lebens paranoik. Die einfachsten Beziehungen, mögen sie amtlicher, geschäftlicher oder rein persönlicher Art sein, geben ihrem Misstrauen Nahrung und setzen — wieder muss ich sagen: in schweren Fällen — eine wahnhafte Entwicklung in Gang ».

Ein Priester schrieb mir: « Im Rochushospital bei Telgte (bei Münster in Westfalen) waren oft 50 bis 60 geisteskranke Ordensschwestern aus den verschiedensten Orden und Kongregationen. Der Chefarzt und die Oberschwester sagten mir, dass die meisten wegen falscher Behandlung der Vorgesetzten in diesen Zustand kamen. Aehnliches sagte mir vor drei Jahren ein Psychiater aus Bonn, der 6 Wochen lang den Chefarzt der Alexianerbrüder in Aachen vertreten hatte. Lehrreich war auch die Tatsache, dass die meisten Schwestern aus Kongregationen kamen, wo die Generaloberin 20 bis 30 Jahre im Amte blieb. Ich selbst denke schon jahrelang darüber nach, wie man über diesen Gegenstand etwas veröffentlichen könnte, ohne die Ehre der Oberinnen zu verletzen. Es ist ein verdienstvolles, aber heikles Thema ».

Meiner Ansicht nach ist es weniger wichtig, etwas über die eigentlichen Geisteskrankheiten bei Ordensleuten zu sagen, denn mit ihnen sind so starke Ausfallserscheinungen verbunden, dass die Obern in diesen Fällen von selbst einen Arzt zuziehen, der dann mit Rat und Tat weiterhilft. Viel wichtiger ist es, den verheerenden Einfluss der Neurosen aufzudecken, die in manchen Klöstern ungewollt geradezu gezüchtet werden, sei es durch falsche Behandlung von seiten der Obern, sei es

(1) 5ª ed., p. 214.

durch falsches Verhalten der Kommunität oder einzelner Mitglieder, sei es auch durch die ganze Umwelt, besonders durch den Mangel an Abwechslung und zu grosse Enge der Auffassungen. Das gilt besonders für die Klöster mit strenger Klausur, deren Insassen nach aussen kaum abreagieren können. Viele von den Ordensleuten, die als Sonderlinge abseits stehen, leiden im Grunde genommen an Neurosen, die sich verhältnismässig leicht heilen liessen, wenn sie zeitig erkannt und richtig behandelt würden.

Ein weiteres Thema wäre « Die Hysterie in den Klöstern, besonders in weiblichen Orden ». Manche Schwestern werden als hysterisch bezeichnet, die es in Wirklichkeit nicht sind und umgekehrt werden andere, die es tatsächlich sind, nicht als solche erkannt. Sie verstehen es ausgezeichnet, die Obern für sich zu gewinnen und andere zu verleumden. Sehr viel Unfriede kommt in den Klöstern gerade durch die Hysterikerinnen.

Hierzu ist jedoch das eine zu bemerken, dass die Psychiatrie heute den Begriff « Hysterie » fast ganz fallen lässt und die Hysteriker mehr als « geltungssüchtige Psychopathen » betrachtet oder als Psychopathen anderen Stils. Man möchte deshalb wohl von einem Psychiater einen Aufsatz wünschen über « Psychopathien bei Ordensleuten. Ihre Kennzeichnung, ihre Auswirkungen ». Es gibt Psychopathen, die im Orden noch Tüchtiges leisten, wenn man ihnen eine gewisse Bewegungsfreiheit gibt, die aber sozusagen nichts mehr leisten und austreten, wenn man die Vorschriften des Ordens zu eng auf sie anwendet, z. B. bei sogenannten degenerativen Psychosen. Für die Obern entsteht immer die schwere Frage: Wie weit kann man in solchen Fällen das Uebertreten der Regeln und besonders der Hausordnung noch übersehen bezw. was kann man hier (z. B. bei Dispensen) noch verantworten und wo ist die Grenze? Psychopathen sind meist stark einseitig, aber viele von ihnen bringen das Werk, das man ihnen anvertraut, voran und auf die Höhe. Sie sind zwar wegen ihrer Arbeit wertvoll, aber als Ordensleute, rein äusserlich gesehen, oft unerbaulich, während sie subjektiv durchaus das Ordensleben bejahen. Klärung dieser Fragen würde Obern und Untergebenen manches Kreuz abnehmen. Aufsätze, die diese Fragen behandeln, würden darum vielen helfen.

199 R. P. Caesar Vaca, O. E. S. A., Medicus, *scripsit*:

S.S. Pío XI ha dejado una definición magistral de la vocación religiosa y de la cual puede tomarse una guía segura para la solución de la presente cuestión. « La vocación, dice el Pontífice, más que un sentimiento del corazón o atractivo sensible, que a veces puede faltar o dejar de sentirse, se revela en la rectitud de intención del aspirante al sacerdocio, unida a aquel conjunto de dotes físicas, intelectuales y morales que le hacen idóneo para tal estado » *(Ad catholici sacerdotii)*.

En esta luminosa definición, se distinguen perfectamente dos elementos o factores que integran la vocación: una disposición espiritual, el primero, que es la rectitud de intención; y un conjunto de cualidades del sujeto, que, al hacerlo apto para el estado sacerdotal o religioso, son señales de haber sido escogido por Dios. El primer factor pertenece por entero al director espiritual y a los maestros encargados de la selección de los jóvenes aspirantes. Es campo y materia netamente ascéticas, que hemos de dejar aquí sin estudio.

En cambio, el segundo factor, el de la « *idoneitas* », al que Pío XI coloca en el mismo plano que el primero, nos hace pensar en lo que de ayuda para su exacta discriminación, pueden proporcionarnos otras disciplinas. La gran verdad de la filosofía cristiana, de la unión substancial entre el alma y el cuerpo, recibe aquí una nueva confirmación. Dios no llama al sacerdocio a las almas, sino a las personas, a los hombres. « *Pontifex ex hominibus assumptus* ». Las cualidades corporales-físicas — y las mixtas-intelectuales — están, junto con las morales, definiendo al todo humano, que ha de desempeñar el oficio sacerdotal. Estas cualidades se compenetran y completan mutuamente: son facetas de un todo. Es preciso no perder nunca de vista esta unidad del Hombre. No existe un rasgo físico, que no tenga una repercusión en la actitud psicológica y en el campo moral. La constitución física provoca determinadas formas espirituales, así como el alma modela al cuerpo. Un alma noble y santa borra muchas veces las fealdades o defectos de un cuerpo enfermo o contrahecho.

Esto nos obliga a ser muy prudentes, cuando queramos estudiar distintas cualidades por separado. Hay cosas en el hombre, que se destruyen cuando se las disera y analiza con demasiado rigor. Otra consecuencia debemos sacar. Ningún investigador de la vocación debe ser un especialista limitado a ver su único campo. El director espiritual que examine a un aspirante al sacerdocio debe saber algo siquiera de lo que corresponda a las cualidades físicas y psicológicas de sus dirigidos: debe ser algo médico y algo psicólogo. Y el médico a quien se llame para examinar estos casos debe saber también algo del mundo del alma cristiana, del que es ciudadano el seminarista o religioso.

Fundamentalmente son la Medicina, prolongada en la Psicología, las ciencias que nos proporcionan los mejores medios para el exacto conocimiento de estas cualidades psicofísicas de los jóvenes. En un estudio rápido y casi esquemático, vamos a recorrer los puntos principales en los que pueden proporcionarnos estas disciplinas datos importantes. Procuraré, además, destacar dos planos: uno el propiamente médico, esto es, aquellos datos que solamente pueden ser captados por un especialista. Ellos justificarán la necesidad del examen de éste. Y el otro, el de los datos más sencillos, cuya investigación puede estar al alcance de cualquier maestro de novicios o director espiritual, sin grande esfuerzo.

Estimo de gran importancia práctica esta distinción, porque, aun siendo el ideal que toda casa de formación tuviese un especialista competente que colaborase con los maestros espirituales en el reconocimiento de los jóvenes aspirantes, no siempre esto será factible. Y serán esos maestros quienes tengan que suplir muchas de esas deficiencias. En realidad son muy pocos los médicos y psiquiatras que pueden tenerse a mano, con la competencia necesaria en su especialidad, unida a la formación y conciencia religiosa, que les haga también capaces de dar un dictamen completo. Y no puede aspirarse a obligar a que todos los aspirantes pasen por la consulta de esos pocos especialistas. Todo lo más que puede pensarse es que examinen los casos dudosos. Pero ya el diagnóstico de «caso consultable» exige una cierta pericia en los maestros espirituales.

Dividiremos este estudio en tres grandes apartados: I. Investigación de las taras y defectos ya existentes en el aspirante, que le hagan inapto para ser admitido. II. Investigación de las disposiciones negativas latentes, no llegando aun a una enfermedad o defecto manifiesto, pero que contienen una «potencialidad morbosa». Es el aspecto más sutil, delicado e interesante de la investigación, y en ella se contiene también la de buscar las capacidades positivas de los jóvenes, punto tan transcendental como el anterior, para dirigir con fruto la formación y orientación del sujeto. III. Investigación del pasado patológico, que pueda ser origen de trastornos actuales ocultos o del desencadenamiento de los futuros.

EXPLORACION DE LAS CUALIDADES NEGATIVAS EXISTENTES

Su descubrimiento implica una contraindicación para admitir como auténtica una vocación. En los tres campos señalados por Pío XI pueden encontrarse estas anormalidades.

a) Físicas - El Derecho Canónico - canon 983 - señala como impedimento aquellas que suponen grave deformidad. Por otra parte, el reconocimiento ordinario del médico pondrá de manifiesto las enfermedades orgánicas que hagan imposible la vida de comunidad o el ejercicio de la vida sacerdotal. Este punto, cuando la deformidad o enfermedad son claras y manifiestas, no ofrece dificultad alguna.

Pero sí lo ofrecen aquellas afecciones o anormalidades, que no llegan al grado «canónico», y que muchas veces son aceptadas como carentes de importancia, por no impedir directamente el ingreso en una casa de formación o de noviciado. Una fealdad, aunque no sea monstruosa, un mal desarrollo físico, una ligera cojera o un defecto en la vista, por ejemplo, dan lugar con frecuencia a la formación de complejos psicológicos de inferioridad y a reacciones de resentimiento, que agrían y deforman el carácter. Esto es muy de tener en cuenta, porque son muy pocos los capaces de compensar estas causas hasta el punto de presentar, a pesar de ellas, un equilibrio psíquico perfecto. Ha de tenerse, además, en consideración que la compensación de una inferioridad puede mantenerse triunfante durante la permanencia en la casa de estudios y no ser soportada en contacto con el mundo más tarde. ¿Cuántos, simplemente, por tener una estatura pequeña, se convirtieron, siendo ya sacerdotes, en hombres amargados, al darse cuenta de que su defecto era motivo de ser menos apreciados en la vida? ¿Para cuántos otros, una ligera indisposición crónica, de tipo digestivo o circulatorio, se convirtió en núcleo de una actitud neurótica, al tener que enfrentarse con graves responsabilidades? Es siempre preferible perder alguna posible vocación buena, a exponerse a aceptar como conductores de almas a futuros hombres deformados.

b) *Intelectuales* - Las graves deficiencias de este apartado son fácilmente diagnosticables. Una oligofrenia marcada, del grado de la imbecilidad o de la idiocia, es tan aparente que sin apenas examen, salta a la vista. Pero ya no es tan manifiesto un retraso mental, compatible muchas veces con la suficiente cultura, para dar respuestas satisfactorias a las pruebas generalmente sencillas que suelen ser exigidas para ingresar en los seminarios.

El examen psicotécnico del Coeficiente Intelectual puede prestar aquí señalados servicios. La técnica necesaria para manejar los «tests» de Binet-Terman es sencilla y está al alcance de cualquier encargado de la admisión de aspirantes. Aun cuando en muchas ocasiones no puede llegarse a un juicio exacto sobre la mayor o menor capacidad intelectual, comparativamente con otros niños, los datos necesarios para distinguir una incapacidad, por retraso mental, sí ofrecen garantía.

c) *Morales* - Compete preferentemente al director espiritual y al confesor la investigación de las deformaciones morales, como «malos hábitos» de impureza, de mentira, de hurto etc., que *a priori*, si son muy arraigados, excluyen a un aspirante, de la carrera sacerdotal.

En este terreno la ayuda del médico o del psicólogo puede ser útil para establecer un pronóstico, es decir, para dar un juicio sobre si vale la pena aceptar al aspirante, con la esperanza de que tales defectos serán corregidos. Los determinantes de la herencia, de la constitución biopsicológica y de la influencia y carácter de los primeros influjos educacionales sobre el sujeto, pueden dar una orientación para la decisión de la admisibilidad.

EXPLORACION DE LAS CUALIDADES NEGATIVAS LATENTES

Este punto es mucho más delicado, precisamente por no aparecer con claridad ningún defecto o deformación en un examen superficial. Un reconocimiento médico poco esmerado, puede dejar incógnitas graves predisposiciones, que sólo más tarde estallan en enfermedades o disposiciones incompatibles con la vida religiosa y el ejercicio normal del apostolado y de los ministerios sagrados. Aquí es donde la Medicina y la Psicología pueden prestar inapreciables servicios en la selección cuidadosa de las vocaciones.

Puede afirmarse que, por no haber atendido este punto, se hallan ordenados tantos sacerdotes y religiosos, inválidos del cuerpo, atrabiliarios y deformados en el espíritu, que constituyen una carga para las corporaciones religiosas y una fuente de disgustos y de escándalos para los Superiores y para los fieles.

1. *La herencia.* — Aun persiste y persistirá durante mucho tiempo la controversia entre los hombres de ciencia sobre la heredabilidad de ciertas enfermedades y de los rasgos caracterológicos de los progenitores; pero es innegable que son muchos los casos en que enfermedades orgánicas y psíquicas se hallan padecidas generación tras generación por determinadas familias. Uara nuestro caso, este hecho da suficiente fundamento a una prudente ponderación del peligro que puede incluir la aceptación de individuos con la amenaza de la herencia.

Sin embargo, como ésta no es obligada, tampoco puede tomarse esto como norma indiscutible. El modo más acertado de justipreciar este factor estimamos el siguiente. Podemos distinguir tres clases de casos: 1) Sujetos en los que ya aparecen algunos síntomas, aun ligeros, de la enfermedad de los padres. Aquí el dictamen de eliminación debe ser inmediato. 2) Sujetos en los que no aparecen los síntomas de la enfermedad, pero sí se hace manifiesta la predisposición, en la conformación corporal o en el carácter. Lo probable será que esta predisposición, si los factores posteriores ayudan algo, se convierta, con el correr de la edad, en la enfermedad clara. El dictamen de eliminación puede quedar condicionado a un tratamiento adecuado, para contrarrestar el influjo de la predisposición. 3) Sujetos en los que no se manifiesta ni síntomas ni predisposición. Guardando siempre una prudente y espectativa reserva éstos pueden ser aceptados, vigilando, no obstante, su formación y desarrollo físico y mental con sumo cuidado.

Los campos en los que la herencia patológica suele manifestarse con mayor prudencia son:

a) Herencia tuberculosa - Se hereda, según parece, no la tuberculosis, sino la constitución orgánica favorable para que prenda el contagio; éste puede partir de los mismos familiares o del ambiente ordinario, que en nuestros medios de vida está cargado de bacilos. El «tipo espiritual» de estos futuros enfermos es muy conocido en la clínica médica. Sujetos altos y elegantes, de ojos inteligentes y profundos, cabello negro y sedoso, cejas espesas, extraordinaria sensibilidad, dotes intelectuales a menudo sobresalientes. Son individuos fácilmente apetecidos en las corporaciones religiosas, por las bellas cualidades que les adornan. Son muchos los santos y grandes hombres que llegaron a la cima de la santidad y del genio en edad muy temprana, marcados con el sello de esta enfermedad: Sta. Teresita del Niño Jesús, San Gabriel de la Dolorosa... Mozart, Balmes, etc. Pero son ciertamente muchos más los que murieron sin tener tiempo para dar frutos sazonados, y los que vivieron inválidos en las casas enfermerías.

b) Herencia sifilítica - La peligrosidad de esta terrible plaga ha disminuido notablemente con los progresos de la terapéutica. Padres sifilíticos pueden engendrar hijos perfectamente sanos, si el tratamiento consiguió la curación antes de la concepción. Esto no obstante, debe tenerse en cuenta este factor, si se presentasen algunos síntomas indicadores de alguna reliquia de dicha enfermedad. El dictamen de admisión no debe ser riguroso, sin embargo, mientras no se tenga alguna señal positiva de la trasmisión.

c) Herencia alcohólica - Esta herencia sigue siendo de fatales consecuencias. Los retrasados mentales, las personalidades psicopáticas y las crisis epilépticas son secuelas muy frecuentes de este pecado de los padres. Los hijos de alcohólicos francos no debieran ser admitidos, puesto que el estado de normalidad en el momento de la admisión no garantiza que en el porvenir no se desencadene un trastorno. Por otra parte, es frecuente que se herede la inclinación a ingerir debidas alcohólicas, inclinacion que muchas veces no aparecerá hasta pasados los años del seminario. Y los escándalos que se pueden seguir de un religioso bebedor saltan a la vista. Igualmente grave es la

d) Herencia nerviosa - Hemos de comprender aquí una gama riquísima de factores hereditarios, desde la franca enfermedad, hasta los rasgos caracterológicos más ordinarios. La importancia de la herencia en la génesis de las enfermedades psíquicas no puede negarse. Es cierto que la herencia no es rigurosamente específica en el tipo de enfermedad, pero es ordinario encontrar en los antecesores de los enfermos mentales, individuos aquejados de otras enfermedades, aunque no sean las mismas. Un epiléptico, por ejemplo, tendrá padres psicópatas o esquizofrénicos o maniacos, hermanos histéricos o paranóicos. Los aspirantes a la vida religiosa que posean esta clase de antecedentes no deben ser admitidos.

En todos estos casos, no es fácil que el joven diga claramente la enfermedad padecida por los padres o abuelos, porque muchas veces no lo sabe. Es preciso, por ello, averiguarlo, por los detalles de sus recuerdos. Pero esta labor de diagnóstico, con datos oscuros e incompletos, es más propia del médico, que del director espiritual.

2. Constitución, temperamento y carácter. — Comprendemos en este apartado el conjunto de cualidades que definem una personalidad. Ya no se trata del influjo de un factor, en cierto modo, exterior al individuo, sino de las cualidades que realmente posee.

La Medicina moderna, junto con la Psicología, ha emprendido la ardua tarea de estudiar los distintos tipos humanos, intentando clasificarlos en orden a su más perfecto estudio y procurando enlazar lo espiritual con lo fisiológico. Especialmente ha sido Kretschmer quien ha puesto de manifiesto que la configuración corporal tiene una estrechísima relación con los rasgos del carácter, y que determinados tipos morfológicos están en estrecha correspondencia con ciertas reacciones patológicas de la vita anímica. Desde otros puntos de vista, han surgido multitud de clasificaciones, pero todas coinciden en afirmar la compenetración firme entre lo físico y lo mental.

El estudio de estas clasificaciones y escuelas caracterológicas, no solamente es interesante para conocer posibles deformaciones en los aspirantes, sino que, dentro también de los tipos normales, ayudan al conocimiento exacto de las almas y, por consiguiente, a facilitar su guía y su formación. La gran dificultad para el director de las almas está en saber moverse en el maremagnum de estas teorías. En cierto modo puede afirmarse que todas las presentadas por autores de fama son buenas y que un director manejando bien una de ellas, sabría comprender bien las distintas clases de caracteres. Mi consejo, sin embargo, sería que, para comenzar estos estudios, se escogiese como la más sencilla y práctica la del mismo Kretschmer, por enlazar perfectamente la clasificación tipológica con la temperamental y la psicológica, dentro de unas directrices psiquiátricas. Enlaza, además, con la caracterología de Jung, muy práctica en dirección espiritual, al distinguir los dos tipos fundamentales de extrovertidos e introvertidos, que marcan las dos corrientes ascéticas más conocidas: la de la acción y la de la contemplación.

Es interesante también esta clasificación, por la importancia que da a los tipos psicopáticos. Se comprenden con esta denominación esas personalidades raras, extravagantes, de reacciones anormales, que tanto daño hacen en las comunidades. Los directores espirituales deben conocer los rasgos más característicos de estos casos para poder diagnosticarlos cuanto antes, pues se trata de sujetos que de ninguna manera deben ser admitidos al sacerdocio. El médico es más difícil que perciba estos defectos, que suelen captarse con la observación cotidiana de sus modos de comportamiento y de reacción, frente a las diversas situaciones de la vida. Pueden servir de orientación para tener un primer cuadro de estos individuos las descripciones que hacen de ellos René Biot en su «*Guía médica de las vocaciones sacerdotales y religiosas*» y Schneider en «*Personalidades psicopáticas*».

Son también útiles par la investigación de estos enfermos los «tests» de Neymann-Kohlstedt para la introversión y extroversión y el Cuestionario de Marston-Mira. Su manejo es sencillo y pueden ser fácilmente interpretados. Una prueba más completa es el Psicodiagnóstico de Rorschach; pero, además de ser más propria para adultos, exige una técnica y una habilidad interpretativa no fácilmente conseguidas.

EL PASADO PATOLOGICO

Esta fuente de perturbaciones es distinta de las anteriores, aunque en muchas ocasiones pueda presentarse asociada. Los padres pueden ser sanos y no padecer el sujeto de ninguna constitución o temperamento anormal, pero las enfermedades orgánicas sufridas en la primera infancia o el influjo de un desarrollo o de una educación mal llevados, tal vez hayan dejado una huella profunda en el cuerpo o en el alma, que aconsejen la no admisión.

a) Enfermedades orgánicas de la infancia. — Las secuelas de estas afecciones pueden ser de dos órdenes. De orden también orgánico, y cuyos efectos morbosos tardíos pueden revelarse muy adelantada la vida. Como ejemplo puede ponerse la encefalitis. Fleckestein ha escrito un libro muy interesante sobre las modificaciones psicológicas que las enfermedades producen, «*Personalidad y enfermedad*». En él puede verse perfectamente tratado este asunto.

La contraindicación que presentan estos casos siempre es relativa y está sujeta a que un tratamiento bien llevado contrarreste los influjos del pasado patológico.

b) Vivencias infantiles perturbadoras. — El psicoanálisis ha demostrado la importancia que ciertas experiencias de la infancia y las primeras reacciones, emotivas sobre todo, del niño, con relación a sus padres, hermanos, etc. tienen para el futuro desenvolvimiento psíquico. Aun cuando no sean admisibles las ideas filosóficas del freudismo y de las otras escuelas psicoanalíticas y deban discutirse muchos de sus postulados psicológicos, este hallazgo no puede serles negado. Muchos jóvenes presentan un carácter difícil y reacciones anormales, por causa de la deformación que imprimió a su personalidad una situación infantil perturbadora.

El tratamiento de estos casos es sumamente delicado y no puede ser encomendado más que a especialistas muy peritos y de absoluta garantía religiosa. Los maestros espirituales pueden y deben colaborar con el médico y si tuviesen preparación para ello serían los más indicados psicoterapeutas. Las experiencias infantiles apuntadas suelen pertenecer a la sexualidad primera, a las reacciones afectivas y a los sentimientos y complejos de inferioridad, que tantas veces se encuentran en el psiquismo de los niños, y quizá con más preferencia en los niños que se sintieron inclinados al claustro desde su más temprana edad, por darles esta inclinación una especial sensibilidad para algunos de estos problemas, o por ser otras veces la misma inclinación una forma especial de reacción frente a esas vivencias defectuosas.

RESUMEN Y CONCLUSION

De todo lo anterior aparece manifiesto que los campos del director espiritual, del médico y del psicólogo están tan compenetrados que no puede establecerse una línea divisoria exacta. Ello indica que la importancia de la Medicina y de la Psicología en el estudio de las vocaciones es inapreciable e insustituíble. Y esta compenetración exige, también en primer lugar, una *estrecha colaboración* entre los maestros espirituales y los médicos encargados del examen de los aspirantes.

Esta colaboración no puede estar reducida a fiarse del dictamen del médico siguiéndolo con fidelidad. Exige en uno y otro una preparación para saber ponderar lo que encontrarán en su campo del campo del otro. Un médico debe estar al tanto de lo que es la vida religiosa, el ministerio sacerdotal y las circunstancias de la vida ascética a que han de verse sometidos los jóvenes en el transcurso de su formación primero y de su actividad apostólica después. Solamente conociendo esto y viviendo en sí mismo la vida cristiana puede entender el problema de estos enfermos y poder dar una sentencia garantizada.

El director espiritual, por su parte, debe enriquecer cuanto pueda sus conocimientos de la ciencia del alma, con lo que la Psicología y la Medicina le brindan. Sabrá así interpretar debidamente los datos que el médico le proporcione, subsanará en muchas ocasiones su diagnóstico añadiendo datos que su atenta observación captará y que al médico quizá pasaron inadvertidos, podrá llevar con perfecta medida el tratamiento, especialmente el psicológico, de los jóvenes y una formación exactamente adecuada a sus necesidades y capacidades espirituales. En una palabra, la Medicina y la Psicología pondrán en sus manos los medios humanos más seguros para poder penetrar profundamente en las almas de los jóvenes religiosos y hacer que la siembra de vida eterna caiga en el terreno mejor preparado. Será un bien para aquellos, que se verán guiados con firmeza y seguridad a la consecución del máximo rendimiento de que son capaces. Y será un bien para la Iglesia y para la propia Corporación, al eliminar con criterio seguro todos aquellos que a la larga hubieran sido un lastre doloroso, y al conseguir que todos obtengan el máximo fruto de sus talentos.

INDEX GENERALIS

RELATIO III: TRADITIO ET SENSUS RENOVATIO-
NIS RELATE AD ELEMENTA TAM COMMUNIA
QUAM PECULIARIA STATUUM PERFECTIONIS Pag. 7

81. *Orator:* R. P. AGATHANGELUS A LANGASCO,
O.F.M. Cap. . . . . » 7

SCRIPTORES CIRCA IDEM ARGUMENTUM:

82. Exc.mus D. IOSEPH SIRI, Archiepiscopus Ianuensis » 20

83. Exc.mus D. ALAFRIDUS ANCEL, Episc. Aux. Lugd. » 21

84. R.P. DELCHARD, S.I. . . . . » 23

85. R. P. AEMILIUS JOMBART, S.I. . . . . » 26

86. R. P. MARIA EUGENIUS A IESU INFANTE, O.C.D. » 29
Définition de l'état de perfection, 30 - Union
nécessaire de la lettre et de l'esprit, 31 - Harmonisation de la lettre et l'esprit, 32 - Applications
pratiques, 33.

87. R. P. REGINALDUS HOMEZ, O.P. . . . . . . » 36

88. R. P. IOACHIM A SACRA FAMILIA, C.P. . . . » 39
Inquadramento del problema, 39 - Necessità d'un
allineamento nuovo, 40 - Tradizionalismo e modernismo: eccessi da evitarsi, 41 - Spirito e lettera
armonicamente coordinati, 43 - Caducità e rinnovamento delle norme, 45 - Necessità di mutamenti,
46 - Esigenze attuali, 47 - Prospettive concrete, 51.

COMMUNICATIO 1: OBLIGATIO AD PERFECTIO-
NEM IN SUIS DIVERSIS FORMIS, CANONICE,
MORALITER ET ASCETICE ILLUSTRATA . . . » 53

89. *Orator:* R. P. ALBERTUS VAN BIERVILIET, C.SS.R. » 53
De natura perfectionis, 53 - De tendentia ad perfectionem, 53 - De universalitate obligationis tendendi ad perfectionem, 54 - De methodo evangelica
tendendi ad perfectionem, 54 - De notione status
perfectionis et de necessitate eius in Ecclesia, 56
- De varietate statuum perfectionis et de respectivis emolumentis eorum quoad perfectionem, 57
- Qui negligit tendentiam ad perfectionem, etiam
religiosus, committitne peccatum speciale? 59 -
Quid de adagio: « non progredi, regredi est »? 61.

SCRIPTORES CIRCA IDEM ARGUMENTUM:

90. R. Sac. ANDREAS GENNARO, S.D.B. . . . . . pag. 62

91. R. P. MARCELLIANUS LLAMERA, O.P. . . . . » 67
Obligación de la perfección en el estado religioso:
Principales razones de la obligación del religioso
a procurar su perfección, 68 - Alcance y gravedad
de la obligación de tender a la perfección, 84 -
La perfección y la renovación de la vida religiosa, 89.

92. R. P. RADULFUS PLUS, S.I. . . . . » 92

COMMUNICATIO 2: VITA CONTEMPLATIVA, VITA
ACTIVA, VITA MIXTA QUOAD DOCTRINAM ET
PRAXIM IN HODIERNIS STATIBUS PERFEC-
TIONIS . . . . » 96

93. Orator: R. P. GABRIEL A S. MARIA MAGDA-
LENA, O.C.D. . . . . » 96

SCRIPTORES CIRCA IDEM ARGUMENTUM:

94. R. P. VICTORINUS CAPANAGA, O.R.S.A. . . . » 104
Las Ordenes Religiosas de vida contemplativa. -
Renovación cultural, 106 - En las filas del Apos-
tolado católico moderno, 108.

95. R. P. MICHAEL DREIER, O.P. . . . . » 110

96. R. P. AEMILIUS JOMBART, S.I. . . . . . . » 113
Doctrine classique, 113 - Droit Canon, 116 - Pratique, 117.

97. R. D. ODO LOTTIN, O.S.B. . . . . » 118
De ordinaria vità contemplativa, 118 - De vita
activa et mixta, 123.

98. R. P. IOSEPH ROUSSEAU, O.M.I. . . . . . . » 126
Distinctio seu divisio vitae humanae in contemplativam et activam, 126 - Correlativa divisio Religionum in contemplativas, activas et mixtas, 127
- Triplex aspectus contemplationis: ut actus,
habitus et status, 127 - Indoles distinctionis inter
statum contemplationis et statum religiosum, 129 -
Respectus status canonici vitae contemplativae
ad vitam activam, 129 - Duplex status canonicus
contemplationis, 131 - Elementa constitutiva fi-
gurae iuridicae status contemplationis, 131.

99. Rev.mus D. IACOBUS WINANDY, O.S.B. . . . » 132
Vie contemplative et vie monastique: La distinction
des deux vies et l'état religieux, 133 - Caractère
spécifique de la vie monastique, 135 - Le monachisme et le devoir de l'apostolat, 136 - Les problèmes actuels de la vie monastique, 138.

824

COMMUNICATIO 3: SPECIMINA PRACTICA RENO-
VATIONIS HARMONICAE SUB PRAECIPUIS
RESPECTIBUS VITAE PERFECTIONIS.

100. *Orator:* R. P. ALBERTUS PLE, O.P. . . . . . pag. 141
Prolegomenes, 141 - Exemples pratiques, 143.

SCRIPTORES CIRCA IDEM ARGUMENTUM:

101. R. D. PETRUS BASSET, O.S.B. . . . . » 149
Les questions qui se posent à ces moniales, 149 -
Exemple d'un horaire « adapté » - Vie de prière,
150 - Culture religieuse, 151 - Travail manuel, 151
- Pauvreté, 152 - La clôture, 152 - Les secours
extérieurs, 152.

102. R. P. THOMAS BROPHY, S.I. . . . . » 153
Education, 153 - Other ministries, 155 - Religious
women, 156.

103. R. P. AMBROSIUS M. FIOCCHI, S.I. . . . . . » 158
Quoad regimen, 158 - Quoad directionem, 159 -
Quoad institutionem, 160 - Quoad disciplinam
religiosam, 161 - Quoad vota religiosa, 163 -
Quoad asceticam, 164.

104. R. P. HENRICUS A S. TERESIA, O.C.D. . . . » 165
Organizzazione e regime, 165 - Direzione, 165 -
Formazione, 166 - Disciplina, 169 - Voti religiosi,
170 - Vita ascetica, 171.

105. R. P. MAURUS A GRIZZANA, O.F.M.Cap. . . . » 173
Il governo degli Istituti, 174 - La direzione spirituale e l'educazione, 174 - La disciplina religiosa,
175 - I voti religiosi, 176.

106. R. P. REGINALDUS OMEZ, O.P. . . . . » 181
Quant au gouvernement des Congrégations, 181
- Quant à la discipline religieuse et aux voeux,
181 - Quant à la vie ascétique, 182.

COMMUNICATIO 4: FIDELITAS ET RENOVATIO IN
SYSTEMATE ORDINARIO MEDIORUM SPIRI-
TUALIUM AD PERFECTIONEM ACQUIRENDAM,
UTI SUNT V. G. MEDITATIO, EXAMINA, PRE-
CES IN COMMUNI, ETC.

107. *Orator:* R. P. REGINALDUS OMEZ, O.P. . . . » 183
De orali oratione, 183 - De oratione mentali, 184
- Examen conscientiae, 185 - Mortificationes et
paenitentiae, 185 - Exercitia spiritualia, 186 -
Scientia, Recreationes, 187.

SCRIPTORES CIRCA IDEM ARGUMENTUM:

108. R. P. BENIAMIN A SS. TRINITATE, O.C.D. . . » 187
Orazione mentale, 190 - La preghiera vocale, 191 -

L'esame di coscienza, 192 - Gli esercizi spirituali, 193 - Mortificazioni e penitenza, 193 - Ricreazioni, 194 - Scienza, 195.

109. R. P. COLIN, C.SS.R. . . . . pag. 196
La prière, 196 - Mortification, 198 - Exercices spirituels, 199 - Vacances, 199 - Science ascetique, 199.

110. R. P. DELCHARD, S.I. . . . . » 201

111. R. D. IULIUS FOHL, O.S.B. . . . . » 204

112. R. P. E. AEMILIUS ALFONSUS LANGLAIS, O.P. . .» 205

113. R. P. HADRIANUS M. MALO, O.F.M. . . . » 212

114. R. P. HENRICUS MIDDENDORF, S.C.I. . . . . » 215
De lectione S. Scripturae prout hucusque facta est, 220 - De Scripturae lectione, prout in posterum habenda sit, 222.

115. R. P. LEO VEUTHEY, O.F.M. Conv. . . . » 228
Oratio mentalis, 229 - Preces in communi, 230 - Mortificationes et paenitentiae, 232 - Spiritualia exercitia, 232.

ARGUMENTUM 1: INSTITUTA SAECULARIA UT STATUS RECOGNITUS PERFECTIONIS.

116. Orator: R. P. ANASTASIUS GUTIERREZ, C.M.F. » 234
Elementa theologica status perfectionis evangelicae totalis, 234 - Elementa status iuridici perfectionis evangelicae, 246 - Elementa status religiosi, 253 - Societates in communi viventes sine votis, 264 - Instituta saecularia, 268 - Comparatio inter diversos gradus iuridicos perfectionis evangelicae in Ecclesia, 274.

SCRIPTORES CIRCA IDEM ARGUMENTUM:

117. Rev.mus P. HERCULES GALLONE, C.S.P. . . . .» 279

118. R. P. A. M. HENRY, O.P. . . . . » 282

119. R. P. MARIA EUGENIUS A IESU INFANTE, O.C.D. » 285

ARGUMENTUM 2: CONSTITUTIO, FORMAE DIVERSAE, INSTITUTIO, REGIMEN, APOSTOLATUS INSTITUTORUM SAECULARIUM.

120. Orator: R. Sac. ALVARUS DEL PORTILLO . . . » 289
Discrimina inter Instituta saecularia et Religiones, Societates vitae communis et communes fidelium Associationes, 290 - Characteres consecrationis et rationis vitae in Institutis saecularibus, 292 - Professio perfectionis, 293 - Membrorum classes, 297 - Institutio, 298 - Regimen, 301.

SCRIPTORES CIRCA IDEM ARGUMENTUM:

121. R. P. AGATHANGELUS A LANGASCO, O.F.M.Cap.   pag. 304
Instituta saecularia clericalia dioecesana, 304 -
Instituta saecularia Tertii Ordinis saecularis, 306.

122. Ill.mus D. LIVIUS LABOR . . . .   »   308
La responsabilità dei laici, 308 - Mentalità dei gio-
vani d'oggi, 309 - La spiritualità del laicato, 310 -
L'ubbidienza dei laici, 312 - La castità dei laici, 313
- La povertà dei laici, 315.

RELATIO IV: NATURA ET GRATIA IN STATIBUS
PERFECTIONIS; NATURAE PURIFICATIO ET
ELEVATIO; CRITERIA SECURA ET COMPLETA
QUOAD ABNEGATIONEM, HUMILITATEM, MOR-
TIFICATIONEM.

123. Orator: R. P. CAROLUS BOYER, S.I.   »   316
Quaestiones solvendae, 316 - De harmonia gratiam inter et naturam, 317 - De primatu caritatis,
318 - De gradibus perfectionis, 319 - De modo in
excolendis donis naturae, 320

SCRIPTORES CIRCA IDEM ARGUMENTUM:

124. R. Sac. NAZARENUS CAMILLERI, S.D.B.   »   322
Doctrina generalis, 323 - Doctrina particularis,
331.

125. R. P. EMMANUEL CUERVO, O.P.   »   338

126. R. P. HIERONYMUS GASSNER, O.S.B.   »   346
De necessitate motivi supernaturalis, 346 - Recens quaedam controversia, 346 - Propositiones
erroneae, responsiones exaggeratae, 347 - De moralitate actus ex motivo naturali, 348 - De moralitate actus positi propter delectationem vel
commodum, 349 - De necessitate motivi supernaturalis caritatis, 351.

COMMUNICATIO 1: PERSONALITAS ET PERSONA-
LISMUS IN STATIBUS PERFECTIONIS.

127. Orator: Rev.mus Sac. IOSEPH BOZZETTI, I.C.   »   355

SCRIPTORES CIRCA IDEM ARGUMENTUM:

128. R. P. CORNELIUS FABRO, C.S.P.   »   363

129. R. P. FERDINANDUS M. PALMÉS, S.I.   »   366
Personalitatis notio, structura et plasticitas, 366 -
Distinctae significationes possibiles vocis personalismi, 371 - Personalismi compatibilitas vel
compatibilitas cum statibus perfectionis ab Ec-

130. R. P. IOANNES ROIG GIRONELLA, S.I. . . . pag. 377
Personalitas et personalismus, 377 - Personalitas
et abnegatio, 381 - Personalitas et mortificatio,
383 - Personalitas et virtus passiva humilitatis,
384 - Aspectus positivi personalitatis, 385.

131. R. P. VANZIN, S.X. » 386

132. R. P. ALEXANDER SCHWIENTEK, C.M.F. » 387

COMMUNICATIO 2: CONCEPTUS GENUINUS OBOE-
DIENTIAE RELIGIOSAE.

133. Orator: R. P. IOANNES MARIA A S. FAMILIA, C.P. » 396
Votum, virtus, gradus oboedientiae, 396 - Oboedientiae subiectum activum: auctoritas, potestas
iurisdictionis et dominativa, 399 - Oboedientiae
subiectum passivum: oboedientia et personalitas, 402.

SCRIPTORES CIRCA IDEM ARGUMENTUM:

134. R. P. ANASTASIUS A SS. ROSARIO, O.C.D. » 407
Conceptus genuinus oboedientiae, 408 - Subiectum
activum oboedientiae, 408 - Subiectum passivum
oboedientiae, 410 - Oboedientia et personalitas,
411.

135. R. Sac. IOSEPH DE LIBERO, ex Orat. Rom. » 413
Visione generica dell'obbedienza, 413 - L'obbedienza riflesso di fede, 413 - L'obbedienza, pratica di umiltà, 415 - L'obbedienza, emanazione
di povertà, 416.

136. R. P. MAURUS A GRIZZANA, O.F.M. Cap. » 418

137. R. P. MICHAEL NICOLAU, S.I. » 421
Oboedientia: votum et virtus, 421 - Subiectum
activum oboedientiae: auctoritas, potestas iurisdictionis et potestas dominativa, 423 - Subiectum
passivum oboedientiae: oboedientia et personalitas, 425.

138. R. P. REGINALDUS OMEZ, O.P. » 427
Oboeissance et personnalité, 427 - Limites de
l'obéissance, 428 - Déviations de l'obéissance qui
l'èsent la personnalité humaine, 429.

COMMUNICATIO 3: USUS RATIONALIS ET PRAC-
TICUS IN STATIBUS PERFECTIONIS MEDIO-
RUM QUAE HODIERNUS PROGRESSUS SUPPE-
DITAT SIVE AD LABORIS FACILITATEM AC
PERFECTIONEM SIVE AD VITAE COMMODI-
TATEM.

139. Orator: R. P. HERIBERTUS KRAMER, C. PP. S. » 430
Introductio, 430 - Principia generalia paupertatis
religiosae, 431 - Normae practicae, 432.

S<small>CRIPTORES</small> <small>CIRCA IDEM ARGUMENTUM</small>:

140. R. P. ALOYSIUS AB IMMACULATA, O.C.D. . . . pag. 436
Dei mezzi moderni ordinati al comodo personale,
437 - Dell'uso dei mezzi moderni negli stati di perfezione, intesi come aiuti a facilitare il lavoro, 438
- Conclusioni pratiche circa l'uso ragionevole dei
mezzi moderni, 440.

141. R. P. IORDANUS BONDUELLE, O.P.   » 442
Institut religieux à finalité unique, 443 - Institut
à finalité composite, 446.

142. R. Sac. ALOYSIUS CASTANO, S.D.B.   » 450
Vita religiosa e povertà, 451 - Vita religiosa e
mortificazione, 452 - Vita religiosa e comodità
personali, 452 - Vita religiosa e facilitazioni moderne al lavoro, 452.

143. R. P. GODOFRIDUS GROESSL, S.V.D.   » 453

144. R. P. PHILIPPUS SOCCORSI, S.I.   » 454
Uso di apparecchi fonici a sussidio di opere di
apostolato, 454 - Mezzi celeri e comodi di viaggio, 457.

COMMUNICATIO 4: HODIERNA INVENTA: EPHE-
    MERIDES, RADIOPHONIA, CINEMATOGRAPHIA,
    TELEPHONIUM, TELEVISIO, ETC., UT SUBSI-
    DIA AUT PERICULA VITAE PERFECTIONIS.

145. Orator: R. P. SOLANUS A ZURICH, O.F.M. Cap.   » 458
S<small>CRIPTORES</small> <small>CIRCA IDEM ARGUMENTUM</small>:

146. Rev.mus D. GHERARDUS FORNAROLI, O.S.B.   » 462
Ephemerides, 463 - Radiophonia, 464 - Telephonium, 465.

147. Rev.mus P. IOANNES MIX, C.R.   » 465
Daily Papers and Magazines, 466 - Radio, 466 -
The Cinema, 468 - The Telephone, 469 - Tele-
vision, 469.

148. R. P. ADAM ELLIS, S.I.   » 471
Introduction, 871 - Newspapers, magazines, and
the like: their use and abuse, 472 - The telephone: necessary limitations and vigilance, 472 - Radio: norms for use and vigilance, 473 - Movies:
recreations, visual educations, apostolate, 473.

149. R. P. IULIANUS MUNARRIZ, C.F.M. . . . . »   474
Cuestiones, 474 - Normas practicas, 476.

150. R. D. EUGENIUS VALENTINI, S.D.B. . . . . . »   477

151. R. P. VICTORINUS CALLISTUS VANZIN, S.X. . »   481

ARGUMENTUM 1: FORMAE AGGREGATIONIS, U-
NIONIS, SUBIECTIONIS INTER DIVERSAS RE-
LIGIONES, SOCIETATES ET INSTITUTA SAE-
CULARIA. . . . . pag. 484

152. *Orator:* R. P. ELMAR WAGNER, O.F.M. . . . » 484
Aggregatio seu unio mere spiritualis, 485 - De
cura et directione speciali, 486 - De auctoritate
dominativa et iurisdictionis, 491.

SCRIPTOR CIRCA IDEM ARGUMENTUM:

153. R. P. GUIDUS COCCHI, C. M. . . . . » 499

ARGUMENTUM 2: DIVERSAE FORMAE ET GRADUS
INTERVENTUS S. CONGREGATIONIS DE RELI-
GIOSIS IN VITA SINGULARUM RELIGIONUM,
SOCIETATUM, INSTITUTORUM. . . . . . . » 509

154. *Orator:* R. P. IULIUS MANDELLI, I.M.C. . . . » 509
Premessa necessaria, 509 - Giurisprudenza della
S. Congregazione dei Religiosi circa gli interventi
nella vita delle singole Religioni, Società e Istituti,
510 - Le visite apostoliche o dei Visitatori apostolici, 511 - Carattere delle visite apostoliche e proposte da discutersi, 513 - Intervento della S. Sede
negli Istituti diocesani, 515.

SCRIPTORES CIRCA IDEM ARGUMENTUM:

155. R. D. HUBERTUS NOOTS, Abbas O. Praem. . » 516
156. R. P. COSMAS SARTORI, O.F.M. . . . . . » 519
157. R. D. AURELIUS AUGUSTINUS VILA, O.S.B. . » 521

SECTIO II

STATUUM PERFECTIONIS ACCOMMODATA
RENOVATIO QUOAD INSTITUTIONEM
ET FORMATIONEM

RELATIO V: ALUMNORUM INSTITUTIO ET FOR-
MATIO INTEGRA, HARMONICA ET ADAEQUA-
TA IN STATIBUS PERFECTIONIS. . . . . pag. 524

158. *Orator:* R. D. ALOYSIUS CORALLO, S.D.B. . . » 524
Il concetto di educazione, 254 - La formazione dei
religiosi, 529.

SCRIPTORES CIRCA IDEM ARGUMENTUM:

159. R. P. RENATUS ARNOU, S.I. . . . . pag. 541
Formation compléte, 541 - Formation une et harmonieuse, 543.

160. R. P. RENATUS CARPENTIER, S.I. . . . . » 545
De quibusdam periculis generalibus in institutione alumnorum vitae religiosae praecavendis:
— Causae pericolorum proponuntur, 545 - Pericula quaedam enumerantur quae ad institutionem alumnorum pertinent, 543.

161. R. P. LUDUVICUS FANFANI, O.P. . . . . » 550

162. Rev.mus D. PAULUS M. GRAMMONT, O.S.B. . » 552

163. R. P. IACOBUS MELSEN, O. Carm. . . . . » 557

164. R. P. LAUREANUS SUAREZ, Sch. P. . . . . » 561
Notae individuantes seu indoles temporum prae-
sentium, quibus Institutiones aptari debent, 561 -
Mundus hodiernus est democraticus, 563 - Desideratur quaedam renovatio Religionum accommodata praesentibus temporibus et adiunctis,
563 - Talis renovatio accommodata ubinam est
quaerenda? 564.

COMMUNICATIO 1: PUERI ET ADOLESCENTIS PSY-
CHOLOGIA QUOAD VITAM PERFECTIONIS. . » 566

165. Orator: Ill.mus D. IESUALDUS NOSENGO. . . » 566
La perfezione, fine dell'azione educativa, 566 -
Note sui vari aspetti della vita dell'adolescente,
567 - Criteri educativi, 573.

SCRIPTORES CIRCA IDEM ARGUMENTUM:

166. R. P. IULIANUS BEAUSOLEIL, C.S.V. . . . . » 579

167. R. FR. AEMILIANUS, F.S.C. . . . . » 586
Intelligenza, 586 - Sanità fisica, 587 - Ereditarietà, 587 - Carattere, 587 - Abitudine, 588 - Volontà, 589 - Emotività, 589 - L'ambiente, 590 -
Pietà, 590 - Istruzione religiosa, 591 - Vocazione,
592 - Sviluppo intellettuale, 593 - Emozioni, 594 -
Pubertà, 595 - Idea morale, 597 - Alcune conclusioni, 598.

168. R. D. LEONTIUS DA SILVA, S.D.B. . . . . » 599

169. R. P. LAURENTIUS A S. ALBERTO, O.C.D. . . » 601
Il fanciullo può capire il dono della vocazione religiosa? 602 - Nel fanciullo può trovarsi la pratica delle virtù eroiche? 602 - Noi sosteniamo che
nel fanciullo deve esserci consapevolezza della
vita spirituale, 603 - Educazione morale, 604 -

Educazione ascetica, 604 - Educazione apostolica, 605 - Criteri per l'educazione dei giovani aspiranti alla vita religiosa, 606.

COMMUNICATIO 2: COLLECTIO AC SELECTIO VOCATIONUM. DE OPERE VOCATIONUM RELIGIOSARUM. . . . . pag. 608

170. *Orator:* R. P. GERMANUS LIÉVIN, C.SS.R. . . . » 608
Collectio vocationum, 609 - Selectio vocationum, 612 - De Opere vocationum religiosarum, 613.

SCRIPTORES CIRCA IDEM ARGUMENTUM :

171. Rev.mus P. IACOBUS ALBERIONE, S.S.P. . . » 615
Opus vocationum. — Alcuni principi, 615 - Alcune norme, 616 - Alcune osservazioni, 617.

172. R. P. AGATHANGELUS A LANGASCO, O.F.M. Cap. . . . . » 620

173. R. P. DOMINICUS BIANCHINI, S.I. . . . . » 622

174. R. P. LADISLAUS AB IMMACULATA, C.P. . . » 625
De vocationum selectione. — Recta notio de natura vocationis religiosae in iis qui selectioni vocationum incumbunt, 626 - Maior in adspirantium delectu severitas, 628 - Adspirantium idoneitatis diligentior exploratio, 630 - Peculiaris in seligentibus vocationes aptitudo, 634.

175. R. P. MELCHIOR A POBLADURA, O.F.M. Cap. » 636
Derecho de selección, 636 - Quién debe seleccionar, 637 - Necessidad de un examen previo y riguroso, 638 - Cualidades físicas, 638 - Cualidades intelectuales, 639 - Cualidades morales, 640 - Medios y modalidades del alistamiento, 641 - La expulsión de los alumnos, 642.

176. R. D. HUMBERTUS OLIVERO, S.D.B. . . . . » 644
Questioni teoriche, 644 - Mezzi pratici, 645 - Segni di vocazione, 646.

177. R. P. EDUARDUS WENSCHEL, C.SS.R. . . . . » 647
De obligatione sequendi vocationem religiosam. — Natura vocationis religiosae, 648 - Sententia negativa, 650 - Obligatio ex ipsa natura vocationis, 652 - Obligatio ex sequelis defectionis a vocatione, 651 - Sacra Scriptura, 658 - Doctrina Patrum et Doctorum, 661 - Aetas post-tridentina, 669.

COMMUNICATIO 3: RATIO CONSCIENTIAE ET DIRECTIO SPIRITUALIS IN STATIBUS PERFECTIONIS. . . . . » 647

178. *Orator:* R. D. AEMILIUS FOGLIASSO, S.D.B. . » 647